한국주역대전 7

리괘 · 함괘 · 항괘 · 둔괘 · 대장괘 · 진괘

이 저서는 2012년 대한민국 교육부와 한국학중앙연구원(한국학진흥사업단)의 한국학분야 토대연구지원사업의 지원을 받아 수행된 연구임(AKS-2012-EAZ-2101)

7

한국주역대전

한국주역대전 편찬실

리괘 · 함괘 · 항괘 · 돈괘 · 대장괘 · 진괘

學古房

한국주역대전을 펴내며

2012년 9월 첫 작업을 시작한 '『한국주역대전』 편찬 · 표점 · 번역 · 주해 · 해제'라는 방대한 사업이 이제 출판의 결실을 보게 되었다. 지난 수 십 년간 유교경학과 한국학의 급속한 성장에도 불구하고 한국역학은 여전히 불모의 상태를 벗어나기 어려웠다. 개별 연구들이 적지 않게 축적되어 왔고, 이에 고무되어 한국역학사를 공동으로라도 엮어보자는 호기로운 시도가 없었던 것은 아니지만, 그것이 아직 시기상조라는 자각과 함께 무산되곤 하였다. 한국역학 원전자료는 한국경학자료 가운데 단연 방대한 양을 자랑한다. 반면 전문연구자는 턱없이 부족하다. 사정이 이러하니 한국역학이 우뚝 서기까지는 아직 갈 길이 멀기만 하다. 이러한 정황 속에서 『한국주역대전』의 출간은 매우 기쁜 일이 아닐 수 없다.

이번에 출간되는 『한국주역대전』은 한국학자의 역학관련 자료 가운데 주요한 것을 가려 뽑아 『주역전의대전』 체제에 맞추어 집해(集解)형식으로 편찬한 것이다. 『주역전의대전』은 중국은 물론 조선시대 역학사상 형성에 무엇보다 영향력이 큰 문헌이라 할 수 있다. 이번 『한국주역대전』은 먼저 『주역전의대전』을 소주까지 모두 번역하여, 주역에 대한 중국학자들의 이해와 한국학자들의 해석을 비교해 볼 수 있도록 하였다. 편찬 체재는 경문－정전－본의－중국대전－한국대전으로 구성하였다. 편찬과 표점, 그리고 번역을 동반한 『한국주역대전』을 통해 한국학자들의 『주역전의대전』에 대한 깊은 이해 및 새로운 해석의 지평을 볼 수 있을 것이다. 또한 한국학자들의 저작을 시대별로 배열하였으므로 그 흐름을 일목요연하게 파악할 수 있을 것이다.

이번 『한국주역대전』을 편찬하면서 연구기간은 짧고 작업은 방대하여 아쉬운 점이 한 둘이 아니었다. 제한된 연구기간으로 인해 연구 범위를 제한할 수밖에 없었으며, 따라서 작자 미상의 자료, 연대 미상의 자료, 『주역전의대전』과 유사하여 별다른 특징을 볼 수 없는 자료는 편찬 범위에 포함시키지 않았다. 또한 다산의 『주역사전』처럼 중요한 자료일지라도 별도로 번역되어 시중에 유통되고 있는 책은 자료에 포함시키지 않았다. 특히 상수학 관련 자료들에 대한 번역은 앞으로 더 정치한 번역이 필요할 것이라고 생각되며, 그에 대한 별도의 연구도 필요할 것이다. 그럼에도 불구하고 이번 『한국주역대전』의 출간은 한국역학연구의 획기적인 토대를 제공하여, 많은 후속연구를 가능하게 하리라는 기대로 그 아쉬움을 상쇄하고자 한다.

이와 같이 방대한 토대사업은 실상 국가적 지원이 아니고서는 실행되기 어렵다. 이 사업의 지원을 결정해 주신 한국학중앙연구원과 한국학진흥사업단에 감사드린다. 그리고 제한된 연구기간의 압박 속에 과도한 업무를 사명감으로 감당해 준 연구진들의 노고에 고마운 마음을 전한다.

오늘날과 같은 출판시장의 현실에서 『한국주역대전』과 같은 방대한 분량의 책을 간행해 줄 출판사를 찾는다는 것은 결코 쉽지 않은 일이다. 모든 어려움에도 불구하고 조금의 망설임도 없이 흔쾌하게 이 책의 출판을 결정해 주신 도서출판 학고방의 하운근 사장님께 깊은 감사를 드린다.

2017년 1월

한국주역대전편찬 연구책임자
성균관대학교 유학대학 교수/한국주자학회 · 율곡학회 회장
최 영 진

목차

30. 리괘(離卦䷝) ········· 9

괘사(卦辭) / 11
단전(彖傳) / 22
대상전(大象傳) / 37
초구(初九) / 46
육이(六二) / 56
구삼(九三) / 63
구사(九四) / 79
육오(六五) / 93
상구(上九) / 108

31. 함괘(咸卦䷞) ········· 129

괘사(卦辭) / 133
단전(彖傳) / 144
대상전(大象傳) / 165
초육(初六) / 173
육이(六二) / 184
구삼(九三) / 197
구사(九四) / 210
구오(九五) / 239
상육(上六) / 256

32. 항괘(恒卦䷟) ········· 271

괘사(卦辭) / 274
단전(彖傳) / 282
대상전(大象傳) / 308
초육(初六) / 318
구이(九二) / 329
구삼(九三) / 338
구사(九四) / 350
육오(六五) / 360
상육(上六) / 375

33. 돈괘(遯卦䷠) 389

괘사(卦辭) / 391 단전(彖傳) / 403
대상전(大象傳) / 423 초육(初六) / 433
육이(六二) / 446 구삼(九三) / 461
구사(九四) / 477 구오(九五) / 488
상구(上九) / 503

34. 대장괘(大壯卦䷡) 517

괘사(卦辭) / 520 단전(彖傳) / 528
대상전(大象傳) / 541 초구(初九) / 553
구이(九二) / 563 구삼(九三) / 571
구사(九四) / 588 육오(六五) / 600
상육(上六) / 614

35. 진괘(晉卦䷢) 629

괘사(卦辭) / 632 단전(彖傳) / 648
대상전(大象傳) / 659 초육(初六) / 670
육이(六二) / 686 육삼(六三) / 699
구사(九四) / 708 육오(六五) / 721
상구(上九) / 736

30

리괘

離卦 ䷝

中國大全

傳

離, 序卦, 坎者, 陷也, 陷必有所麗. 故受之以離, 離者麗也. 陷於險難之中, 則必有所附麗, 理自然也. 離所以次坎也. 離, 麗也明也, 取其陰麗於上下之陽, 則爲附麗之義, 取其中虛, 則爲明義. 離爲火, 火體虛麗於物而明者也, 又爲日亦以虛明之象.

리괘(離卦☲)는 「서괘전」에서 "감(坎)은 빠짐이니, 빠지면 반드시 붙는 바가 있다. 그러므로 리괘로 받았으니, 리(離)는 붙음이다"라고 하였다. 험난한 가운데에 빠지면 반드시 붙는 바가 있음은 이치가 본래 그러한 것이니, 리괘가 이 때문에 감괘(坎卦)의 다음이 되었다. 리(離)는 붙음이며 밝음이니, 음이 위아래의 양에 붙은 것을 취하면 붙음의 뜻이 되고, 가운데가 빎[虛]을 취하면 밝은 뜻이 된다. 리(離)는 불[火]이 되니, 불의 몸체는 비어 있어 물건에 붙어 밝은 것이며, 또 해가 되니 또한 비어서 밝음[虛明]의 상(象)이다.

小註

隆山李氏曰, 文王序卦, 以乾坤坎離居上經. 乾坤者, 陰陽之純, 而坎離者, 陰陽之中, 不若震巽艮兌, 爲陰陽之偏也. 以六十四卦之序觀之, 乾坤居六十四卦之首, 坎離居六十四卦之中, 尤有深意. 蓋坎離二卦, 爲天地心, 天地造化之本. 坎藏天之陽中, 受明爲月, 離麗地之陰中, 含明爲日. 坎爲水而司寒, 離爲火而司暑, 坎爲月而司夜, 離爲日而司晝. 水火日月之用, 寒暑晝夜之運, 天地造化之妙, 孰有出於此哉.

융산이씨가 말하였다: 문왕이 괘를 차례지어 건·곤·감·리를 『주역·상경』에 두었다. 건·곤은 음·양이 순수한 괘이고, 감·리는 음·양이 가운데에 있으니, 음·양이 치우쳐 있는 진·손·감·태와는 같지 않다. 64괘의 순서로 살펴보면 건·곤은 64괘에서 앞에 있고, 감·리는 64괘에서 중간에 있으니 더욱 깊은 뜻이 있다. 감·리 두 괘는 천지의 마음이 되며 천지조화의 근본이다. 감(☵)은 하늘(☰)의 양을 가운데 간직하니 밝음을 받아 달이 되고, 리(☲)는 땅(☷)의 음이 가운데 붙어 있으니 밝음을 머금어 해가 된다. 감괘는 물이 되어 추위를 맡고 리괘는 불이 되어 더위를 맡으며, 감은 달이 되어 밤을 맡고 리는 해가 되어 낮을 맡는다. 물·불·해·달의 작용과 추위·더위·낮·밤의 운행이 천지조화의 신묘함이니, 어느 것이 여기에서 벗어나겠는가?

離, 利貞, 亨. 畜牝牛, 吉.

리(離)는 곧음이 이로우니 형통하다. 암소를 기르듯이 하면 길할 것이다.

中國大全

傳

離, 麗也. 萬物莫不皆有所麗, 有形則有麗矣. 在人, 則爲所親附之人, 所由之道, 所主之事, 皆其所麗也. 人之所麗, 利於貞正, 得其正, 則可以亨通, 故曰離利貞亨. 畜牝牛吉, 牛之性順, 而又牝焉, 順之至也. 旣附麗於正, 必能順於正道如牝牛則吉也. 畜牝牛, 謂養其順德. 人之順德, 由養以成, 旣麗於正, 當養習以成其順德也.

리(離)는 붙음이다. 만물은 모두 붙는 것이 있지 않음이 없으니, 형체가 있으면 붙음이 있다. 사람에게는 가까이 따르는 사람과, 말미암은 도와, 주장하는 일이 모두 붙는 것이다. 사람의 따름은 바르게 함에 이롭고, 바름을 얻으면 형통할 수 있기 때문에 "리(離)는 바름이 이로우니, 형통하다"고 하였다. "암소를 기르듯이 하면 길하다"는 소의 성질이 순한데다가 암놈이니 순함이 지극하다. 이미 바름에 붙었으면 반드시 바른 도에 순종하기를 암소와 같이 하면 길할 것이다. "암소를 기르듯 한다"는 순한 덕을 기름을 이른다. 사람의 순한 덕은 기름으로 말미암아 이루어지니, 이미 바름에 붙었다면 마땅히 기르고 익혀서 순한 덕을 이루어야 한다.

本義

離, 麗也, 陰麗於陽. 其象爲火, 體陰而用陽也. 物之所麗, 貴乎得正. 牝牛, 柔順之物也. 故占者, 能正則亨, 而畜牝牛則吉也.

'리(離)'는 붙음이니, 음이 양에 붙어 있다. 그 상은 불이 되니, 몸체는 음이고 작용은 양이다. 물건이 붙는 것은 바름을 얻음을 귀히 여긴다. 암소는 유순한 동물이다. 그러므로 점치는 자가 바르면 형통하고, 암소를 기르듯이 하면 길할 것이다.

小註

朱子曰, 離便是麗, 附著之意. 易中多說做麗, 也有兼說明處, 也有單說明處. 明是離之體, 麗是麗著底意思. 離字, 古人多用做離著說, 然而物相離去, 也只是這字. 古來自有這般兩用底字, 如亂字又喚做治.
주자가 말하였다: '리(離)'는 붙음이니, 달라붙는다는 뜻이다. 『주역』에서는 붙음으로 설명한 곳이 많은데, 밝음[明]을 겸하여 설명한 곳도 있고, 밝음으로만 설명한 곳도 있다. 밝음은 리괘의 몸체이고 붙음은 달라붙는다는 뜻이다. '리(離)'자는 옛사람이 "걸린다"는 말로 많이 썼으나 "물건이 서로 떨어지다"는 것도 이 글자로 쓴다. 예로부터 본래 이처럼 두 가지로 쓰이는 글자가 있으니, 이를테면 어지럽다는 뜻의 '난(亂)'자를 또 난을 다스린다[治]는 뜻으로도 썼다.

○ 問, 火體陰而用陽, 是如何. 曰, 此言三畫卦中陰而外陽者也. 坎象爲陰, 水體陽而用陰, 蓋三畫卦中陽而外陰者. 又曰, 火中虛暗, 則離中之陰也. 水中虛明, 則坎中之陽也.
물었다: "불의 몸체는 음이고 작용은 양이다"는 무슨 뜻입니까?
답하였다: 이것은 삼획괘의 가운데가 음이고 밖이 양이라는 말입니다. 감괘의 상은 음이니 물의 몸체는 양이고 작용은 음입니다. 이는 삼획괘의 가운데가 양이고 밖이 음인 것입니다. 또 답하였다: 불은 가운데가 비어있으면서 어두우니 리괘 가운데가 음이고, 물은 가운데가 비어있으면서 밝으니 감괘 가운데가 양입니다.

○ 問, 離卦是陽包陰, 占利畜牝牛, 便也是宜畜柔順之物. 曰, 然.
물었다: 리괘는 양이 음을 포함하니 점에서 '암소를 기르듯이 함'을 이롭게 여긴 것은 곧 유순한 것을 길러야 한다는 말이군요.
답하였다: 그렇습니다.

○ 臨川吳氏曰, 牛牝皆坤象. 離中畫一陰, 坤之中畫也, 故象牝牛.
임천오씨가 말하였다: 소와 암컷은 모두 곤괘(☷)의 상이다. 리괘(☲) 가운데 하나의 음획은 곤괘의 가운데 획이므로 '암소'를 상징한다.

○ 平庵項氏曰, 坤以全體, 配乾而行, 故爲牝馬之行地. 離以二五, 附乾而居, 故爲牝牛之畜養.
평암항씨가 말하였다: 곤괘는 온 몸체로 건괘와 짝하여 운행하기 때문에 암말이 땅을 걸어

가는 것이고, 리괘(☲)는 이효 · 오효로 건괘(☰)에 붙어 있기 때문에 암소를 기르는 것이다.

○ 雲峯胡氏曰, 本義於坎, 曰中實而外虛, 則知離中虛而外實. 於離, 曰體陰而用陽, 則知坎體陽而用陰, 互見也. 夫麗則易至於不正, 麗而正則亨矣. 以畜牝牛乃吉, 何也. 坎之明在內, 以剛健而行之於外, 離之明在外, 當柔順以養之於中也. 坎水潤下, 愈下則陷矣, 故以行爲尙. 離火炎上, 愈上則焚矣, 故以止爲吉.
운봉호씨가 말하였다: 『본의』에서 감괘를 "가운데가 차고 밖이 비었다"고 하였으니, 리괘는 가운데가 비고 밖이 찼다는 것을 알겠고, 리괘를 "몸체가 음이고 작용이 양이다"고 하였으니, 감괘는 몸체가 양이고 작용이 음인 것을 알겠다. 이는 서로 보완하여 알 수 있다. '붙음'은 바르지 못하게 되기 쉬우니, 붙어있으면서 바르면 형통하다. "암소를 기르듯이 해야 길하다"는 것은 무슨 뜻인가? 감괘(☵)의 밝음은 안에 있으니 강건함으로써 밖에서 행하고, 리괘(☲)의 밝음은 밖에 있으니 유순함으로써 안에서 길러야 한다. 감괘의 물은 적셔 내려가니 내려갈수록 빠지기 때문에 흘러가는 것을 숭상하고, 리괘의 불은 타오르니 올라갈수록 불타오르기 때문에 그치는 것을 길하게 여긴다.

○ 雙湖胡氏曰, 文王於坤, 取牝馬象, 於離, 取牝牛象, 固自不同也. 後之言象者, 但見說卦, 乾爲馬, 坤爲牛. 於是, 坤之馬, 反欲求之乾, 離之牛, 反欲求之坤, 未免膠泥而有不通者. 豈知夫子於說卦取象, 又自有所見. 本不必盡同於先聖, 豈可以夫子之象, 爲文王周公之象哉.
쌍봉호씨가 말하였다: 문왕은 곤괘(☷)에서 암말의 상을 취하고 리괘(☲)에서 암소의 상을 취하였으니, 본래 같지 않은 것이다. 후대에 상을 말하는 자들이 단지 「설괘전」에서 건괘(☰)를 말로 삼고 곤괘(☷)를 소로 삼는 것만을 보고, 이에 곤괘의 말을 도리어 건괘에서 찾고자 하고 리괘의 소를 도리어 곤괘에서 찾고자 하였으니, 아교나 진흙처럼 꽉 막혀서 통하지 못함을 면치 못했다. 어찌 공자가 「설괘전」에서 상을 취한 것이 본래 따로 본 것이 있는 줄 알았겠는가? 굳이 모두 선대의 성인과 동일하게 할 필요는 없으니, 어찌 공자의 상을 문왕 · 주공의 상으로 여겨야 하겠는가?

韓國大全

송시열(宋時烈) 『역설(易說)』[1]

利貞亨者, 利於貞正, 則文有亨通. 離得坤, 坤爲牛爲牝, 故此言牝牛. 折中吳氏澄, 亦說得之. 言人當養得順而又順之德, 則吉也.
'리정형(利貞亨)'은 "곧고 바르게 함에 이롭다"로 풀면 문장이 잘 통한다. 리괘는 곤괘의 가운데 효를 얻었고 곤괘는 소이자 암컷이므로 여기에서 암소라고 하였다. 『주역절중』에서 오징이 말한 것도 옳다. 사람이 순하고 또 순하게 하는 덕을 기를 수 있다면 길하다는 말이다.

홍여하(洪汝河) 「책제(策題): 문역(問易) · 독서차기(讀書箚記)-주역(周易)」[2]

畜牝牛.
암소를 기르듯이 한다.

文王以離爲牛, 周公以巽爲牛. 孔子以坎爲馬, 則離之爲牛, 可知也, 又以震爲馬, 則巽之爲牛, 可知也. 後世納甲法, 以丑納巽, 亦自然之理也. 大有彖傳曰, 柔得尊位, 大中而上下應之, 睽曰, 柔進而上行得, 中而應乎剛, 離曰柔麗乎中正, 故亨, 噬嗑曰, 柔得中而上行, 鼎曰, 柔進而上行, 得中而應乎剛, 未濟曰, 未濟亨, 柔得中也, 旅曰, 旅小亨, 柔得中乎外而順乎剛, 晉曰, 順而麗乎大明, 柔進而上行. 離上八卦, 彖辭略同, 皆指离中爻一陰而言, 以明體得中, 而火性炎上故也. 本義, 以睽嗑鼎晉, 柔上行, 爲從卦變而來, 若他卦, 四爻變而上行, 則何獨每於离上四卦言之乎. 此說亦似有理, 更詳之. 巽一陰居四, 則亦以柔得位許之, 小畜, 渙, 是也.
문왕은 리괘(☲)를 소라 여겼고, 주공은 손괘(☴)를 소라 여겼다. 공자는 감괘(☵)를 말로 삼았으니 리괘가 소가 됨을 알 수 있고, 또 진괘(☳)를 말로 보았으니 손괘가 소가 됨을 알 수 있다. 후세의 납갑법에서 축(丑)으로 손괘의 납갑을 삼은 것도 자연스러운 이치이다. 대유괘(䷍) 「단전」에 "부드러운 음이 존귀한 자리를 얻었고, 크게 가운데에 있으면서 위와 아래가 그에 호응한다"라 하였고, 규괘(䷥)에서는 "부드러운 음이 나아가 올라가서 행하여, 가운데를 얻어 굳센 양[剛]에 호응한다"라 하였으며, 리괘(䷝)에서는 "부드러운 음이 중정(中正)에 붙어 있으므로 형통하다"라 하였고, 서합괘(䷔)에서는 "부드러움이 중(中)을 얻어

1) 이 문장 전체는 경학자료집성DB에 누락되어 있으나, 경학자료집성 원문을 대조하여 보충하였다.
2) 경학자료집성DB에서는 리괘(離卦) 「단전」에 해당하는 것으로 분류했으나, 내용에 따라 이 자리로 옮겼다.

위로 행한다"라 하였으며, 정괘(鼎卦䷱)에서는 "부드러운 음이 나아가 위로 올라가고, 가운데를 얻었으며 굳센 양에 호응한다"라 하였고, 미제괘(䷿)에서는 "미제가 형통함은 부드러운 음이 알맞음을 얻었기 때문이다"라 하였으며, 려괘(䷷)에서는 "려(旅)가 조금 형통함은 부드러운 음이 밖에서 알맞음을 얻고 굳센 양에게 따라서이다"라 하였고, 진괘(晉卦䷢)에서는 "순종하여 큰 밝음에 붙고, 유순하게 나아가서 위로 올라간다"라 하였다. 리괘(☲)가 상괘인 여덟 괘가 「단전」이 대략 같은 것은 모두 리괘(☲)의 가운데 음효를 가리켜 말해서니, 밝은 몸체의 가운데 자리를 얻어 불처럼 타오르기 때문이다. 『본의』에서 규괘 · 서합괘 · 정괘 · 진괘의 '부드러운 음이 위로 올라감'을 괘의 변화를 따른 것으로 보았고 해서, 만약 다른 괘도 사효가 변하여 위로 올라갔다고 한다면, 어찌 언제나 리괘가 상괘인 네 괘에서만 말했단 말인가? 이 설 또한 이치가 있는 듯하니, 다시 살펴야 할 것이다. 손괘(☴)는 하나의 음이 사효에 있으면 역시 부드러운 음이 제자리를 얻었다고 할 수 있으니, 소축괘(䷈) · 환괘(䷺)가 그것이다.

이익(李瀷) 『역경질서(易經疾書)』

左傳云, 純离爲牛. 蓋離火也, 火色黃白色, 與牛相類. 凡畜衆色備具, 惟豕多黑, 惟牛多黃. 坎爲豕, 離爲牛, 卽其象也. 又坎離相反, 坎爲牡, 則離爲牝也. 彖辭多以成卦之主爲言, 坎彖之不盈, 以九五, 離彖之牝牛, 以六二. 故爻辭只云黃離. 離是卦名, 六二是卦主而但稱卦名, 則卦辭之牝牛, 卽爻辭之黃離可知也. 故曰柔麗乎中正, 畜牝牛吉也. 且六爻之中, 純吉者只此, 又可證也. 蓋火[3]本無質, 附物方燃, 故有附麗之義, 麗天麗土是也. 旣燃則便移, 無常留之理, 觀日之行, 無時而不離其次, 故有移離之義. 離王公出征是也, 各以其義看.

『좌전』에 "상하괘가 모두 리괘(離卦☲)인 것이 소가 된다"[4]고 하였다. 리괘는 불이고, 불의 색은 황백색으로 소와 유사하다. 가축은 여러 색을 갖추었는데, 돼지는 검은 색이 많고, 소는 누런색이 많다. 감괘는 돼지이고, 리괘는 소이니 그 상을 취한 것이다. 또 감괘와 리괘는 상반되니 감괘가 수컷이면 리괘는 암컷이다. 단사는 괘의 주인을 가지고 말하는 경우가 많으니, 감괘 「단전」의 '가득차지 않음'은 구오효를 가지고 말한 것이고, 리괘 「단전」의 '암소'는 육이효를 가지고 말한 것이다. 그러므로 효사에서 단지 '황색에 붙음이니[黃離]'라고 하였다. 리(離)는 괘의 이름이고, 육이는 괘의 주인이기에 다만 괘의 이름만 말하였으니, 괘사에서의 '암소[牝牛]'는 바로 효사의 '황색에 붙음이니[黃離]'임을 알 수 있다. 그러므로 "부드러

3) 火: 경학자료집성DB와 영인본에는 모두 '大'로 되어 있으나, 문맥을 살펴 '火'로 바로잡았다.
4) 『春秋左傳 · 昭公』: 純離爲牛, 世亂讒勝, 勝將適離, 故曰, 其名曰牛.

운 음이 중정(中正)에 붙어 있으므로, 암소를 기르듯이 하면 길할 것이다"라고 하였다. 또한 여섯 효의 가운데 순전히 길한 것이 단지 이것뿐임도 증명할 수 있다. 불은 본디 자체의 바탕이 없어서 사물에 붙어야 타오르므로 붙고 걸리는 뜻이 있으니, 하늘에 걸리고 땅에 붙음이 이것이다. 이미 타오르면 옮겨가서 항상 머무르는 이치가 없으니, 해의 운행을 관찰해도 그 다음으로 옮겨가지 않는 때가 없기 때문에 옮겨 간다는 뜻이 있다. 리괘에 '왕공이 출정함'[5]이 이것이니, 각기 그 뜻에 따라서 보아야 한다.

유정원(柳正源) 『역해참고(易解參攷)』

王氏曰, 離之爲卦, 以柔爲正, 故必貞而後乃亨. 故曰利貞亨也. 柔處於內而履正中, 牝之善也, 外剛而內順, 牛之善也. 離之爲體, 以柔順爲主者也. 故不可以畜剛猛之物, 而吉於畜牝牛也.
왕필이 말하였다: 리괘는 부드러운 음이 제자리에 있으므로 반드시 곧게 한 뒤에 형통하다. 그러므로 "곧음이 이로우니 형통하다"라 하였다. 부드러운 음이 안에 있어서 중정함을 실현하니 암컷의 선함이고, 밖으로는 굳세고 안으로 유순하니 소의 선함이다. 리괘의 몸체는 부드러움과 유순함을 위주로 하는 것이다. 그러므로 굳세고 사나운 물건을 기를 수는 없고 암소를 기름에 길하다.

○ 正義, 離卦之爲體, 陰柔爲主, 柔則近於不正, 不正則不亨通. 故利在行正, 乃得亨通, 故亨在利貞之下.
『주역정의』에서 말하였다: 리괘의 몸체는 유약한 음을 주인으로 삼는데, 유약하면 바르지 못함에 가깝고, 바르지 못하면 형통하지 못하다. 그러므로 이로움이 바름을 행하는데 있으니, 이에 형통함을 얻는다. 그러므로 '형(亨)'자가 '이정(利貞)'의 뒤에 놓였다.

○ 隆山李氏曰, 離中虛, 心之象. 利貞則亨, 畜牝牛則吉, 此聖人收心之法. 畜之爲言, 收而止之之謂也. 離之性上, 若不能畜牝牛吉, 則不免有炎上之患, 而又安能保其吉乎.
융산이씨가 말하였다: 리괘는 가운데가 비었으니, 마음의 상이다. 곧음을 이롭게 여기면 형통하고 암소를 기르면 길하니, 이는 성인이 마음을 수렴하는 법이다. "기른다"는 말은 수렴하여 멈춤을 말한다. 리괘의 성질은 올라가니 암소를 기르듯이 하여 길할 수 없다면 타올라가는 근심을 면할 수 없는데, 또 어찌 그 길함을 보전할 수 있겠는가?

---

5) 리괘(離卦) 상육의 효사는 본래 '왕이 출정함[王用出征]'인데, 『역경질서』에서는 '왕공이 출정함[王公出征]'이라고 하였다.

○ 節齋蔡氏曰, 利貞, 以柔居正也. 亨柔得中也. 牝大腹象, 牛柔順象.
절재채씨가 말하였다: "곧음이 이롭다"는 부드러운 음이 제자리에 있어서이다. "형통하다"는 부드러운 음이 가운데 자리를 얻어서이다. '암컷'은 큰 배의 상이고, '소'는 유순한 상이다.

○ 案, 傳義皆作得正則亨, 諺解所釋, 恐非本意.
내가 살펴보았다: 『정전』과 『본의』에서 모두 "바름을 얻으면 형통하다"라고 하였으니, 『언해』의 풀이는 본래의 뜻이 아닌 듯하다.

김상악(金相岳) 『산천역설(山天易說)』

物之所麗, 貴乎得正. 二五主卦於上下, 皆得中而正, 故利貞而亨也. 牛順物, 又牝焉, 順之至也. 六二中正之德, 自牧以順, 故畜牝牛吉.
사물이 붙음에 바름을 얻는 것을 귀하게 여긴다. 이효와 오효는 위아래에서 괘의 주인이 되며, 가운데 자리를 얻어 바르므로 곧음이 이로와 형통한다. 소는 순한 동물이고 또 암컷이니, 지극히 순하다. 육이는 중정한 덕으로 스스로를 유순함으로 기르기 때문에 "암소를 기르듯이 하면 길할 것이다."

○ 離之亨在陰, 陰從陽爲貞, 故先利貞而後亨, 又利貞戒辭也. 陽无不正, 故三陽卦不言利貞, 三陰卦離兌言利貞, 惟巽卦不言, 然陰之在下, 有正之義也. 亨, 陰陽卦皆可以致之, 故三陰卦, 皆言亨, 三陽卦則震坎言亨, 惟艮卦不言, 然陽之在上, 有亨之道也. 牝牛猶坤之牝馬, 坤以配乾言, 離以承坤言. 養順德于中者, 正所以消其炎上之燥性也, 與老子守雌之意相似. 蓋牛順物, 離之爲卦, 柔順之德得坤中爻, 故取畜牝之象. 他爻之言牛者, 大畜之四曰, 童牛之牿, 遯之二曰, 執用黃牛, 革之初曰, 鞏用黃牛, 无妄之三曰, 行人得牛, 旅之上曰, 喪牛于易, 皆本乎是.
리괘(☲)의 형통함은 음에 있고, 음은 양을 따르는 것을 곧음으로 삼는다. 그러므로 "곧음이 이롭다"를 앞세우고 "형통하다"를 뒤로 하였으니, 또한 "곧음이 이롭다"는 경계하는 말이다. 양은 바르지 않음이 없으므로 세 양괘에서는 "곧음이 이롭다"고 하지 않았으며, 세 음괘의 리괘(☲)와 태괘(☱)에서는 "곧음이 이롭다"고 하고 손괘(☴)에서만 말하지 않았으니, 음이 아래에 있어 바르다는 뜻이 있기 때문이다. '형통함'은 음양괘가 모두 이룰 수 있으므로 세 음괘에서 모두 형통함을 말했으며, 세 양괘의 진괘(☳)와 감괘(☵)에서는 형통함을 말하고 간괘(☶)에서만 말하지 않았으니, 양이 위에 있어서 형통한 도리가 있기 때문이다. 암소는 곤괘(☷)의 암말과 같은데, 곤괘는 건괘(☰)에 짝함으로 말하고, 리괘는 곤괘를 이음으로 말하였다. 속에서 순한 덕을 기르는 자는 바로 그 불꽃처럼 치솟는 성급한 성질을 사라지게 한 것이니 『노자』에서 "암컷을 지킨다"는 뜻과 비슷하다. 소는 순한 동물이고 리괘는 유순한 덕으로 곤괘의 가운데 효를 얻었으므로 암컷을 기르는 상을 취하였다. 다른 괘에서 소를 말한 경우는 대축괘 사효에서 "어린 소의 뿔에 가로 나무를 더하니"라 하였고, 돈괘 이효에서 "황소 가죽으로써 잡음"이라 하였으며, 혁괘 초효에서 "황소 가죽으로 묶음"이라 하였고, 무망괘 삼효에서 "길 가는 사람이 소를 얻음"이라 하였으며, 려괘 상효에서 "소를 쉽게 하는 데서 잃으니"라 하였는데 모두 여기에 근거한다.

김규오(金奎五) 「독역기의(讀易記疑)」

卦辭, 畜牝牛, 傳能順於正道如牝牛, 蓋以釋彖末節. 柔便是牝牛, 亨便是吉, 而中間是以字, 又作一項說故也. 但此說, 視經文多一如字. 又釋彖天下以上, 已釋利貞亨三字, 而柔麗以下, 卻釋畜牛之意, 故本義直作畜牛, 不就人身上說.

괘사의 "암소를 기르듯이 한다[畜牝牛]"를 『정전』에서는 "바른 도에 순종하기를 암소와 같이 한다"라 하였으니, 「단전」의 마지막 절을 풀이한 것이다. '부드러운 음'은 곧 암소이고, '형통함'은 곧 길함인데, 중간에 '시이(是以)'자를 넣은 것은 또한 한 항목으로 만들어 말했기 때문이다.[6] 다만 『정전』의 이 설은 경문과 비교하여 '여(如)'자 한 자가 더 많다.[7] 또 「단전」의 '천하(天下)'위의 글을 풀이함에 이미 '이정형(利貞亨)' 세 글자를 풀이하였고, '유리(柔麗)' 아래 글을 풀이함에는 도리어 소를 기르는 뜻을 풀이하였으므로 『본의』에서는 곧바로 "소를 기른다"고 하고 사람의 일로 말하지 않았다.

서유신(徐有臣) 『역의의언(易義擬言)』

利貞, 兩體皆麗乎正也. 二五中正, 故亨也. 先言利貞後言亨者, 以其貞而亨也. 離中虛爲大腹, 是牝牛也. 其象得於二五, 故二五亨, 而牝牛吉也.

"곧음이 이롭다"는 위아래 두 몸체가 모두 바름에 붙어있기 때문이다. 이효와 오효는 중정하므로 형통하다. "곧음이 이롭다"를 먼저 말하고 "형통하다"를 나중에 말한 것은 그 곧음으로써 형통하기 때문이다. 리괘는 가운데가 비어 큰 배가 되니 암소이다. 그 상을 이효와 오효에서 얻었으므로 이효와 오효가 형통하고 암소가 길하다.

---

6) 『周易·離卦·彖傳』: 柔麗乎中正, 故亨, 是以畜牝牛, 吉也.

7) 『정전』에서는 '여빈우(如牝牛)'라 하였는데, 경문에서는 '빈우(牝牛)'라고만 하였다.

박문건(朴文健) 『주역연의(周易衍義)』

牝牛, 六二之牛也. 利其貞, 則麗而進, 故亨也. 剛來畜牛爲二之吉.
'암소'는 육이의 소이다. 그 곧음이 이로우니 붙어서 나아가므로 형통하다. 굳센 양이 와서 소를 기르니 이효가 길하다.
〈問, 牝牛. 曰, 進而見喪, 則謂之喪馬, 退而見喪, 則謂之喪牛也. 六二用順不觸, 故取牝牛之象. 然其實指六二之身而言也. 此與咸卦辭文法略同也.
물었다: '암소'는 무슨 뜻입니까?
답하였다: 나아가서 잃는 경우 "말을 잃는다"고 하고, 물러나서 잃는 경우 "소를 잃는다"고 합니다. 육이는 순해서 저촉되지 않으므로 암소의 상을 취하였습니다. 그러나 실은 육이 자체를 가리켜 말한 것입니다. 이곳은 함괘(咸卦)의 괘사와 문장을 쓰는 법이 대략 같습니다.〉

이지연(李止淵) 『주역차의(周易箚疑)』

附麗之道, 不可以不正. 凡小人之附麗于人也, 以不正媚之, 故始雖說之而竟爲自疏. 君子之附麗于人也, 以正道自持, 故始雖若疏, 終必見信, 離之利正, 尤不可失也.
붙어 있는 도리는 바르지 않아서는 안 된다. 소인은 남에게 붙음에 바르지 못함으로 아첨하기 때문에 처음에는 비록 기쁜 듯하지만, 결국 스스로 소원해진다. 군자는 남에게 붙음에 바른 도리로 스스로 지키기 때문에 처음에는 비록 소원한 듯하지만, 마침내 반드시 신뢰를 받으니 리괘의 '바르게 함이 이로움'을 더욱 잃어서는 안 될 것이다.

김기례(金箕澧) 「역요선의강목(易要選義綱目)」

離, 麗也.
리(離)는 '붙음'이다.
陷必有附著之理.
빠지면 반드시 붙는 이치가 있다.
○ 虛明附物而照, 一陰麗上下陽.
텅 비고 밝아 사물을 따라서 비추니, 하나의 음이 위아래의 양에 붙어있다.
○ 乾坤坎離爲上篇之終始. 蓋乾坤, 陰陽之首, 坎離, 陰陽之中, 以象天地日月, 以分陰陽水火陰卦.
건곤(乾坤)과 감리(坎離)는 상편의 시작과 끝이다. 건괘와 곤괘는 음양의 머리이고, 감괘와 리괘는 음양의 가운데니, 이것으로 천지와 일월을 상징하고, 음양과 수화(水火)의 음괘(陰卦)를 구분한다.

利貞亨.
곧음이 이로우니 형통하다.
坎則陽陷陰, 故戒有孚, 離則陰麗陽, 故戒利正. 蓋附着之理, 易涉不正, 則曰正則亨.
감괘는 양이 음에 빠지므로 "정성을 두어야 한다"고 경계하였고, 리괘는 음이 양에 붙어있으므로 "바름이 이롭다"고 경계하였다. 붙어 있는 이치는 바르지 못한데 빠지기 쉬우므로 "바르게 하면 형통하다"고 하였다.
○ 本義曰, 體陰用陽, 可見坎之體陽用陰
『본의』에서 "몸체는 음이고 작용은 양이다"라 하였으니, 감괘의 몸체는 양이고 작용은 음임을 알 수 있다.

畜牝牛吉.
암소를 기르듯이 하면 길할 것이다.
坤之一陰, 居中而得明, 故取坤牛與牝. 蓋自養順正, 則亨而吉.
곤괘의 한 음이 가운데 있으면서 밝음을 얻었으므로 곤괘의 소와 암컷을 취하였다. 스스로 순하고 바름을 기르면 형통하여 길하다.

심대윤(沈大允) 『주역상의점법(周易象義占法)』

凡物之情, 必有所附麗而存, 附麗得其正, 然後能盛長而有成終, 乃无間斷也. 不得其正則終不成其麗矣. 故能麗而不斷者, 必得正者也. 故曰利貞亨, 言正而後亨, 而利貞也. 牝牛柔而麗於人, 麗之道, 必用柔順, 故曰畜牝牛吉. 離爲牝爲牛.
사물의 실정은 반드시 붙은 바가 있어야 존재하니, 붙음이 바름을 얻은 뒤에야 왕성하게 자라고 끝마칠 수 있어서 끊어짐이 없다. 그 바름을 얻지 못하면 끝내 그 붙음을 이룰 수 없다. 그러므로 붙어서 끊어지지 않을 수 있는 것은 반드시 바름을 얻기 때문이다. 그러므로 "곧음이 이로우니 형통하다"라 함은 바르게 한 뒤에야 형통하니 곧음이 이로움을 말한 것이다. 암소는 유순하여 사람에게 달라붙고, 붙는 도리는 반드시 유순함을 쓰므로 "암소를 기르듯이 하면 길할 것이다"라 하였다. 리괘는 암컷이 되고 소가 된다.

오치기(吳致箕) 「주역경전증해(周易經傳增解)」

離, 麗也. 一陰附於二陽之中, 爲麗之象. 離爲日而日麗于天, 離爲火而火麗于物, 亦爲附麗之象也. 以三畫卦體言, 則最得卦位之正, 以卦義言, 則附麗於物者, 不可不正, 故先言利貞以戒之也.二五以柔順而麗乎中正, 重明以照天下, 故言亨. 牛順屬坤, 而牝尤柔順, 故取象於離. 柔得坤之中而言畜牝牛吉也.

리는 붙음이다. 하나의 음이 두 양의 가운데에 붙어 있으니 붙는 상이 된다. 리괘는 해가 되니 해가 하늘에 붙어 있고, 리괘는 불이 되니 불이 사물에 붙어 있는 것 또한 붙어 있는 상이 된다. 삼획괘의 몸체로서 말하면 괘의 바른 자리를 가장 잘 얻었고, 괘의 뜻으로 말하면 사물에 붙어 있는 것은 바르지 않으면 안 되므로 먼저 “곧음이 이롭다”고 말하여 경계하였다. 이효와 오효는 유순함으로 중정에 붙어있어 거듭된 밝음으로 천하를 비추기 때문에 “형통하다”고 하였다. 소는 순하고 곤괘에 속하는데, 암컷은 더욱 유순하므로 리괘에서 상으로 취하였다. 부드러운 음이 곤괘의 가운데 효를 얻었기에 “암소를 기르듯이 하면 길할 것이다”라고 하였다.

○ 二五不相應, 故不言大亨.
이효와 오효가 서로 호응하지 않으므로 크게 형통하다고는 하지 않았다.

이진상(李震相) 『역학관규(易學管窺)』

卦體, 反坎, 而爲四陽二陰之卦. 大過之行, 離以承之, 中女主事而長女少女, 亦在其中.
괘의 몸체는 감괘의 음양이 바뀌어 양이 넷 음이 둘인 괘가 된다. 대과괘가 행함에 리괘로써 이어받아 둘째 딸이 일을 주관하나 맏딸과 막내딸도 그 가운데 있다.

박문호(朴文鎬) 「경설(經說) · 주역(周易)」

體陰而用陽. 陰在中, 故謂之體, 陽在外, 故謂之用.
몸체는 음이고 작용은 양이다. 음이 속에 있으므로 몸체라 하고, 양이 바깥에 있으므로 작용이라고 한다.

象曰, 離, 麗也, 日月, 麗乎天, 百穀草木, 麗乎土,

「단전」에서 말하였다: 리(離)는 붙음이니, 해와 달이 하늘에 붙어 있고 백곡과 초목이 땅에 붙어 있으니,

中國大全

傳

離麗也, 謂附麗也. 如日月則麗於天, 百穀草木則麗於土, 萬物莫不各有所麗. 天地之中, 无无麗之物. 在人, 當審其所麗, 麗得其正, 則能亨也.

"리는 붙음이다[離麗也]"는 '붙어있음[附麗]'을 이른다. 예컨대 해와 달은 하늘에 붙어 있고, 백곡과 초목은 땅에 붙어 있다. 만물이 각기 붙지 않은 것이 없으니, 하늘과 땅 가운데 붙어 있지 않은 사물이 없다. 사람에게는 마땅히 붙이고 있을 상대를 살펴야 하니, 붙은 것이 올바르면 형통할 수 있다.

小註

節初齊氏曰, 龜山楊氏云, 火无常形, 麗物而有形, 最得本旨. 人之生也, 得水爲精, 得火爲神, 其合也, 氣聚而形成於有, 其分也, 氣散而神泯於无, 蓋精所以爲形而神麗於形者也. 天地, 形之大者也, 日月麗天, 百穀草木麗土, 其神之發見而可見者也.

절초제씨가 말하였다: 구산양씨가 "불은 일정한 형체가 없어 물건에 붙어서 형체가 있게 된다"고 하였으니, 본래의 의미를 아주 잘 파악하였다. 사람의 생명은 물을 얻어 정(精)으로 삼고 불을 얻어 신(神)으로 삼으니, 합해졌을 때에는 기가 모여 형체가 유(有)로 형성되고, 나뉘었을 때에는 기가 흩어져서 신(神)이 무(無)로 없어진다. 이것은 정(精)이 형체가 되어 신(神)이 그것에 붙어있는 것이다. 하늘과 땅은 형체 중에 큰 것이니, 해 · 달이 하늘에 붙어 있고 백곡과 초목이 땅에 붙어있는 것은 신(神)이 발현되어서 볼 수 있는 것이다.

韓國大全

조호익(曺好益) 『역상설(易象說)』

離日伏坎月, 互巽草木, 伏震稼. 又自二至五[8], 似體坎〈丘氏說〉. 此只言麗之義, 而象皆具焉, 易之妙也.

리괘(☲)인 해에는 감괘(☵)인 달이 숨어 있고, 호괘인 손괘(巽卦☴)의 풀과 나무에는 진괘(☳)인 이삭[稼]이 숨어있다. 또 이효부터 오효까지는 몸체가 감괘와 비슷하다. 〈건안구씨의 설이다.〉 여기에서 단지 붙는다는 뜻만을 말했지만, 상(象)에는 모두 갖추어져 있으니, 역(易)의 오묘함이다.

이익(李瀷) 『역경질서(易經疾書)』

日月麗乎天, 百穀草木麗乎土, 其所以爲麗則火也. 齊夢龍引龜山說曰, 火無常形, 麗物而有形也. 人之生也, 得水爲精, 得火爲神. 其合也, 氣聚而形成於有, 其分也, 氣散而神泯於無, 精所以爲形而神麗於形者也. 天地, 形之大者也, 日月百穀, 其神之發見而可見者也, 此說最明. 火者, 只可以氣論, 氣無常住, 推移附物. 天有日月, 土有草木, 莫非著見, 彼日月草木, 非火氣, 安得以麗之.

'해와 달이 하늘에 붙어 있고 백곡과 초목이 땅에 붙어 있으니', 그 붙게 되는 까닭은 불이기 때문이다. 제몽룡이 구산의 설을 이끌어 "불은 일정한 형상이 없이 사물에 붙어 형체가 있게 된다. 사람이 생겨남에 물을 얻어 정(精)이 되고 불을 얻어 신(神)이 된다. 그 합함에 기가 모여 형체가 유(有)로 이루어지고, 그 나뉨에 기가 흩어져 신(神)이 무(無)로 흩어지니, 정(精)이 형체가 됨에 신(神)이 형체에 붙어 있는 것이다. 천지는 형체로서 큰 것이고, 해와 달, 백곡은 그 신(神)이 발현되어 볼 수 있는 것이다"라 하니, 이 설이 가장 분명하다. 불이란 단지 기운으로 말할 수 있을 뿐인데, 기운은 항상 머물러 있는 것이 아니라 옮겨가 사물에 붙는다. 하늘에는 해와 달이 있고, 땅에는 풀과 나무가 있어서 드러나지 않음이 없으니, 저 해와 달, 풀과 나무가 불의 기운이 아니라면 어찌 붙을 수 있겠는가?

8) 五: 경학자료집성DB와 영인본에는 모두 '四'로 되어 있으나, 문맥을 살펴 '五'로 바로잡았다.

유정원(柳正源) 『역해참고(易解參攷)』

正義, 以陰柔之質, 附著中正之宜, 得所著之宜, 故云麗也.
『주역정의』에서 말하였다: 부드러운 음의 바탕으로 중정한 알맞음에 붙어있으니, 붙은 곳이 마땅함을 얻기 때문에 '붙음'이라고 하였다.

서유신(徐有臣) 『역의의언(易義擬言)』

此釋離也. 離之義麗也, 日月麗天, 百穀草木麗土. 凡天地之間, 附麗於物者, 皆爲麗也. 不麗則不成物, 麗之義大矣. 大抵離卦, 始以一陰麗於二陽之間, 而名之曰離, 旣爲之離, 二陽亦麗也.
이는 리(離)를 풀이한 것이다. 리(離)의 뜻은 '붙음[麗]'이니 해와 달은 하늘에 붙고, 백곡과 초목은 땅에 붙는다. 천지사이에 사물에 붙어 있는 것은 모두 '붙음[麗]'이 된다. 붙지 않으면 사물이 이루어지지 않으니 '붙음[麗]'의 뜻이 크다. 리괘는 처음에는 하나의 음이 두 양의 사이에 붙어 있어서 '리(離)'라고 이름 지었는데, 이미 '리'라 하였다면 두 양 또한 붙는다.

박문건(朴文健) 『주역연의(周易衍義)』

此釋卦名, 而贊二五所麗之象也.
이것은 괘의 이름을 풀이하여 이효와 오효가 붙는 상임을 찬미하였다.

김기례(金箕澧) 「역요선의강목(易要選義綱目)」

日月麗天, 指五, 百穀麗地, 指二, 五天位, 二地位.
해와 달이 하늘에 붙음은 오효를 가리키고, 백곡이 땅에 붙음은 이효를 가리키니, 오효는 하늘의 자리이고 이효는 땅의 자리이다.

○ 蓋言君臣上下, 以義相附而得正也.
임금과 신하 및 위아래가 의로써 서로 붙어서 바름을 얻음을 말한다.

重明, 以麗乎正, 乃化成天下.

거듭 밝음으로 바름에 붙어서 천하를 교화하여 이룬다.

中國大全

傳

以卦才言也. 上下皆離, 重明也, 二五皆處中正, 麗乎正也. 君臣上下, 皆有明德, 而處中正, 可以化天下, 成文明之俗也.

괘의 재질로 말하였다. 위 · 아래가 모두 리괘(離☲)인 것이 밝음을 거듭함이고, 이효와 오효가 모두 중정(中正)에 처함이 바름에 붙은 것이다. 군신과 상하가 모두 밝은 덕이 있고 중정에 있으니, 천하를 교화하여 문명한 풍속을 이룰 수 있다.

本義

釋卦名義.

괘 이름을 해석하였다.

小註

朱子曰, 彖辭重明, 自是五二兩爻, 爲君臣重明之義. 大象, 又自說繼世重明之義, 不同.
주자가 말하였다: 「단전」의 '거듭 밝음'은 이로부터 오효와 이효 두 효가 군신간에 밝음을 거듭한다는 뜻이 된다. 「대상전」에서 또 대를 이어 밝음을 거듭한다는 뜻과는 같지 않다.

○ 平庵項氏曰, 日月麗乎天而成明, 百穀草木麗乎土而成文, 故離爲文又爲明. 重明以麗乎正, 此統論一卦之義, 以釋卦名也.

평암항씨가 말하였다: 해 · 달은 하늘에 붙어 밝음을 이루고 백곡과 초목은 땅에 붙어 무늬[文]를 이루기 때문에 리괘가 무늬가 되고 또 밝음이 된다. '거듭된 밝음으로 바름에 붙어서'는 한 괘의 의리를 통론하여 괘 이름을 푼 것이다.

○ 建安丘氏曰, 五爲天位, 故離上有日月麗乎天之象, 此以氣麗氣者也. 二居地位, 故離下有百穀草木麗乎土之象, 此以形麗形者也. 上下皆離, 故曰重明. 君臣上下重明, 而共麗乎正, 則可以成天下文明之化矣.

건안구씨가 말하였다: 오효는 하늘의 자리이기 때문에 리괘(離卦☲)의 상괘에는 해 · 달이 하늘에 붙어 있는 상이 있으니, 이것은 기운으로 기운에 붙어있는 것이다. 이효는 땅의 자리이기 때문에 리괘의 하괘에는 백곡과 초목이 땅에 붙어 있는 상이 있으니, 이것은 형체로서 형체에 붙어있는 것이다. 상괘와 하괘가 모두 리괘이기 때문에 '거듭된 밝음'이라고 말하였다. 군신과 상하가 거듭된 밝음이면서 함께 바름에 붙어 있으니, 천하 문명의 교화를 이룰 수 있다.

韓國大全

송시열(宋時烈) 『역설(易說)』[9]

麗者, 附着也. 上下皆麗, 故日月之麗, 以上麗言, 百穀之麗, 以下麗言. 重明以下, 以卦爻處中而言也.

리(離)는 붙어 있음이다. 상괘와 하괘가 모두 리괘(☲)이기 때문에 해와 달의 붙음은 상괘의 붙음을 가지고 말한 것이고, 백곡의 붙음은 하괘의 붙음을 가지고 말한 것이다. '거듭 밝음' 이하는 괘의 효가 가운데 자리에 있음을 가지고 말한 것이다.

김상악(金相岳) 『산천역설(山天易說)』

釋卦名義. 日月麗乎天, 上離象, 百穀草木麗乎土, 下離象. 重明麗正, 所以利貞, 化成天下, 所以亨也.

9) 이 문장 전체는 경학자료집성DB에 누락되어 있으나, 경학자료집성 원문을 대조하여 보충하였다.

괘의 이름을 풀이하였다. 해와 달이 하늘에 붙어 있는 것은 위에 있는 리괘의 상이고, 백곡과 초목이 땅에 붙은 것은 아래에 있는 리괘의 상이다. 거듭 밝음으로 바름에 붙어 있기에 곧음이 이로운 것이고, 천하를 교화하여 이루기에 형통한 것이다.

○ 日月, 坎離也. 離陰卦, 坎陽卦, 而離象日, 坎象月者, 何也. 離自陰儀中來, 坎自陽儀中來, 而陰陽之精, 互藏[10]其宅. 所以坎之爲卦, 陰居上下一陽居中, 於時爲夜而子生於夜中. 離則陽居上下, 一陰居中, 於時爲日, 而午生於日中. 故坎離得天地陰陽之中也. 離納己土, 土爰稼穡, 故曰百穀草木麗乎土. 重明麗正, 兼二五言, 五雖不正, 陰之麗陽, 得麗之正也.
해와 달은 감괘와 리괘이다. 리괘는 음괘이고, 감괘는 양괘인데 리괘는 해를 상징하고 감괘는 달을 상징함은 왜 그런가? 리괘는 음효로부터 오고, 감괘는 양효로부터 와서 음양의 정(精)이 서로 그 집에 저장된다. 그러므로 감괘는 음이 위아래로 있고 하나의 양이 가운데 있으며, 시간으로는 밤이 되어 자(子)가 한밤에 생긴다. 리괘는 양이 위아래로 있고 하나의 음이 가운데 있으며, 시간으로는 낮이 되어 오(午)가 한낮에 생긴다. 그러므로 감괘와 리괘는 천지음양의 가운데를 얻는다. 리괘의 납갑은 기(己)의 토이고, 토는 농사짓는 것이므로 "백곡과 초목이 땅에 붙는다"고 하였다. '거듭 밝음으로 바름에 붙음'은 이효와 오효를 겸하여 말한 것인데, 오효는 비록 제자리가 아니지만 음이 양에 붙어서 붙음의 바름을 얻은 것이다.

서유신(徐有臣) 『역의의언(易義擬言)』

此釋利貞也. 八卦獨離三畫, 皆得其正, 因以重之, 乃以麗乎正者, 重明也. 上下體, 皆文明而得正, 故爲化成天下之象也. 舜之重華, 最合此象也.
이는 "곧음이 이롭다"를 풀이하였다. 팔괘에서 리괘의 삼획만이 모두 그 바름을 얻고 인하여 거듭하였기에 이에 바름에 붙은 것이 밝음을 거듭한다. 위아래의 몸체가 모두 문명하고 바름을 얻었으므로 천하를 교화하여 이루는 상이 된다. 순임금의 거듭 빛남이 가장 이 상에 부합한다.

박문건(朴文健) 『주역연의(周易衍義)』

麗乎正, 卽麗乎剛也. 此以二五釋利貞之義.
'바름에 붙음'은 곧 굳센 양에 붙는 것이다. 이는 이효와 오효로써 "곧음이 이롭다"는 뜻을

10) 藏: 경학자료집성DB와 영인본에는 모두 '莊'으로 되어 있으나, 문맥을 살펴 '藏'으로 바로잡았다.

풀이한 것이다.
〈問, 重明以麗乎正, 乃化成天下. 曰, 此與卦象所謂繼明照于四方之義同也. 重明, 麗正, 則前後之明, 皆正也.
물었다: "거듭 밝음으로 바름에 붙어서 천하를 교화하여 이룬다"는 무슨 뜻입니까?
답하였다: 이것은 「대상전」에서 말한 "밝음을 이어 사방을 비춘다"는 뜻과 같습니다. 거듭 밝음으로 바름에 붙으면 앞뒤의 밝음이 모두 바른 것입니다.〉

심대윤(沈大允) 『주역상의점법(周易象義占法)』

日月麗乎天, 氣麗氣也, 百穀草木麗乎土, 形麗形也. 重明以麗乎正, 德麗德也, 重明獨言以者, 人爲之也.
'해와 달이 하늘에 붙음'은 기운이 기운에 붙음이고, '백곡과 초목이 땅에 붙음'은 형체가 형체에 붙음이다. '거듭 밝음으로 바름에 붙음'은 덕이 덕에 붙음인데, '거듭 밝음[重明]'에 유독 '이(以)'자를 쓴 것은 사람이 하기 때문이다.

이정규(李正奎) 「독역기(讀易記)」[11]

離, 陽包陰也, 能養物者, 陽之象也. 牝牛, 柔順之物, 陰之象也. 以陽剛得正, 而養成柔順之德, 其亨而吉, 而化成天下, 可知也.
리괘는 양이 음을 싸고 있어 만물을 기를 수 있는 것이니 양(陽)의 상이다. '암소'는 유순한 동물이니, 음의 상이다. 굳센 양으로서 바름을 얻고 유순한 덕을 기르니, 그 형통하고 길하며 천하를 교화하여 이룰 수 있음을 알 수 있다.

11) 경학자료시스템DB에는 「대상전」에 해당하는 것으로 분류했으나, 내용에 따라 이 자리로 옮겼다.

柔麗乎中正, 故亨, 是以畜牝牛, 吉也.

부드러운 음이 중정(中正)에 붙어 있으므로 형통하니, 이 때문에 "암소를 기르듯이 하면 길할 것이다."

中國大全

傳

二五, 以柔順, 麗於中正, 所以能亨. 人能養其至順, 以麗中正, 則吉. 故曰畜牝牛吉也. 或曰, 二則中正矣, 五以陰居陽, 得爲正乎. 曰, 離主於所麗, 五中正之位, 六麗於正位, 乃爲正也. 學者知時義, 而不失輕重, 則可以言易矣.

이효와 오효는 유순함으로 중정에 붙어 있기 때문에 형통할 수 있다. 사람이 지극히 순함을 길러서 중정에 붙을 수 있으면 길하다. 그러므로 "암소를 기르듯이 하면 길하다"고 말한 것이다.
어떤 이가 물었다: 이효는 중정(中正)이나, 오효는 음효로서 양의 자리에 있는데도 '바른 자리'라고 할 수 있습니까?
답하였다: 리괘는 붙음을 위주로 하며, 오효의 자리는 가운데이고 바른 자리입니다. 음[六]이 바른 자리에 붙어 있음이 바로 바름이 되는 것입니다. 배우는 자가 때에 맞는 의리를 알아 가볍게 하고 무겁게 함을 잃지 않는다면 역을 말할 수 있을 것입니다.

本義

以卦體, 釋卦辭.

괘의 몸체로 괘사를 해석하였다.

小註

朱子曰, 六二中正, 六五中而不正. 今言麗乎正, 麗乎中正, 次第說, 六二分數多, 此卦, 惟這爻較好.

주자가 말하였다: 육이는 가운데이며 제자리이지만, 육오는 가운데이지 제자리는 아니다. 지금 '바름[正]에 붙어있음'과 '중정(中正)에 붙어있음'을 말하여 차례로 설명함에 육이의 비중이 더 크니, 리괘는 육이가 비교적 더 좋다.

○ 平庵項氏曰, 柔麗乎中正, 此以二五成卦之爻, 釋卦辭也. 五麗乎中, 二麗乎正中, 人能附順乎中正之道, 故亨. 是以畜牝牛吉. 加是以二字, 明柔附本非令德, 以能附麗乎中正, 是以吉也. 苟附麗非正, 則安得吉哉.
평암항씨가 말하였다: 부드러움이 중정에 붙어 있으니, 이것은 이효·오효가 괘의 효를 이룬 것으로 괘사를 해석한 것이다. 오효가 가운데에 붙어 있고, 이효가 중정에 붙어 있으니, 사람이 중정의 도에 붙어 따를 수 있기 때문에 형통하다. 이 때문에 암소를 기르면 길하다. '이 때문에[是以]'를 더하여 부드러움이 붙는 것이 본래 아름다운 덕이 아니라, 중정에 붙을 수 있어서 이 때문에 길함을 밝혔다. 바름[正]이 아닌데 붙었다면 어찌 길할 수 있겠는가?

○ 雲峯胡氏曰, 坎之剛中, 九五分數多, 故九五曰坎不盈, 卦辭釋有孚, 亦曰水流而不盈. 離之中正六二分數多, 故卦辭曰畜牝牛, 而六二爻辭亦曰黃離元吉.
운봉호씨가 말하였다: 감괘(☵)의 '굳세며 가운데 있음[剛中]'은 구오의 비중이 더 크기 때문에 구오에서 '구덩이가 차지 못함'이라고 하였고, 괘사의 '정성이 있음'을 해석함에 또한 "물이 흘러서 가득차지 않는다"라고 하였다. 리괘의 중정(中正)은 육이의 비중이 더 크기 때문에 괘사에서 "암소를 기르듯이 한다"고 하고, 육이의 효사에서도 "황색에 붙음이니 크게 길하다"고 하였다.

韓國大全

조호익(曺好益)『역상설(易象說)』

麗乎正, 指二五, 重在五, 故不言中. 柔麗乎中正, 指二五, 重在二, 故兼言中. 朱子曰, 五借中字, 包正字, 畜陽包陰象.
'바름에 붙어있음[麗乎正]'은 이효와 오효를 가리킨 것인데, 중함이 오효에 있으므로 중(中)을 말하지 않은 것이다. '부드러운 음이 중정(中正)에 붙어 있음[柔麗乎中正]'은 이효와 오효를 가리킨 것인데, 중함이 이효에 있으므로 중(中)을 겸하여 말한 것이다. 주자는 “오효는 중(中)자를 빌려 정(正)자를 포괄하니, 양을 기르고 음을 포괄하는 상이다”라고 하였다.

이익(李瀷) 『역경질서(易經疾書)』[12]

程傳, 謂二五中正, 恐不然, 六五安得正. 雜卦云, 離上而坎下, 上者從下上也, 下者從上下也. 水非上所下者何因, 火非下所上者何因. 故坎之剛中, 主九五也. 離之中正, 主六二也. 繼之云, 是以畜牝牛吉, 是以二字當熟玩. 重明以麗乎正, 以卦言也, 而柔麗乎中正, 以爻言也, 非六二之黃離乎. 在物柔順而色黃者, 非牝牛乎. 彖傳旣備言, 故爻辭略之.

「단전」의 『정전』에서 “이효와 오효가 중정하다”고 하였으나, 그렇지 않은 듯하니, 육오가 어찌 제자리를 얻겠는가? 「잡괘전」에서 “리괘는 올라가고 감괘는 내려간다”고 하였는데, 올라가는 것은 아래로부터 올라가고, 내려가는 것은 위로부터 내려간다. 물이 올라가는 것이 아니고 내려가는 것임은 무엇 때문이며, 불이 내려가는 것이 아니고 올라가는 것임은 무엇 때문인가? 그러므로 감괘(䷜)의 ‘굳세고 알맞음’은 구오를 주인으로 하고, 리괘(䷝)의 ‘중정함’은 육이를 주인으로 한다. 이어서 “이 때문에[是以] 암소를 기르듯이 하면 길하다”라 하였는데, ‘시이(是以)’ 두 글자는 잘 음미해야 한다. ‘거듭 밝음으로 바름에 붙어서’는 괘로써 말한 것이고, ‘부드러운 음이 중정(中正)에 붙어 있어’는 효로써 말한 것이니, 육이의 ‘황색에 붙음’이 아니겠는가? 동물가운데 유순하고 색이 누런 것은 암소가 아니겠는가? 「단전」에서 이미 조목조목 말하였으므로 효사에서는 간략히 하였다.

유정원(柳正源) 『역해참고(易解參攷)』

正義, 六五六二之柔, 皆麗於中, 中則不偏, 故云中正. 以中正爲德, 故萬事亨.

『주역정의』에서 말하였다: 육오와 육이의 부드러운 음이 모두 가운데 붙어있으니, 가운데 있으면 치우치지 않기 때문에 “중정하다”고 하였다. 중정함으로 덕을 삼기 때문에 모든 일이 형통하다.

○ 案, 此卦, 專以二五言, 利貞亨, 二五之中正也, 畜牝牛, 二五之柔順也.

내가 살펴보았다: 이 괘는 전적으로 이효와 오효로 말했으니, ‘곧음이 이로우니 형통함’은 이효와 오효가 중정하기 때문이고, “암소를 기르듯이 한다”는 이효와 오효가 유순하기 때문이다.

---

12) 경학자료집성DB에서는 리괘(離卦) ‘육이’에 해당하는 것으로 분류했으나, 내용에 따라 이 자리로 옮겼다.

김상악(金相岳) 『산천역설(山天易說)』

此釋卦辭也. 二之中正爲利貞亨之主, 所以畜牝牛而吉也.
이는 괘사를 풀이하였다. 이효는 중정하여 "곧음이 이로우니 형통하다"의 주인이 되니, 그래서 "암소를 기르듯이 하면 길할 것이다."

○ 朱子曰, 離之中正, 六二分數多.
주자가 말하였다: 리괘(☲)의 중정함은 육이의 비중이 더 크다.

按, 坎之中正, 九五分數多者, 坎性潤下, 愈下則陷矣. 故卦曰行有尙, 五曰, 祇旣平. 離之中正, 六二分數多者, 離性炎上, 愈上則焚矣. 故卦曰利貞, 二曰黃離元吉. 蓋離則初二三, 皆得正, 四五六皆不正, 坎則初二三, 皆不正, 四五六皆得正. 故坎主九五而其用下行, 離主六二而其功上行. 故離下坎上則爲旣濟, 坎下離上則爲未濟.
내가 살펴보았다: "감괘(☵)의 중정함은 구오의 비중이 더 크다"는 감괘의 성질은 적셔 내려가니 내려갈수록 빠지는 것이다. 그러므로 괘사에서 "가면 가상(嘉尙)함이 있을 것이다"라 하였고, 오효에서 "장차 평평함에 이른다"고 하였다. "리괘의 중정함은 육이의 비중이 더 크다"는 리괘의 성질은 불타오르니 올라갈수록 타버리는 것이다. 그러므로 괘사에 "바름이 이롭다"고 하였고, 이효에서 "황색에 붙음이니, 크게 길할 것이다"라 하였다. 리괘는 초효·이효·삼효가 모두 바름을 얻었고, 사효·오효·상효는 모두 바름을 얻지 못하였으며, 감괘는 초효·이효·삼효가 모두 바르지 못하고, 사효·오효·상효가 모두 바름을 얻었다. 그러므로 감괘는 구오를 주인으로 하되 그 작용은 아래로 행하고, 리괘는 육이를 주인으로 하되 그 공은 위로 행한다. 그러므로 리괘가 하괘이고 감괘가 상괘이면 기제괘가 되고, 감괘가 하괘이고 리괘가 상괘이면 미제괘가 된다.

김규오(金奎五) 「독역기의(讀易記疑)」

彖, 柔麗乎中正. 傳兼擧二五, 朱子以爲說六二分數多, 又曰五不得正, 特借中字之包正字. 以此見之, 乾文言中正, 說九五分數多, 而九二義中正, 亦借中所包之正也.
「단전」의 "부드러운 음이 중정(中正)에 붙어 있다"에 대해서 『정전』은 이효와 오효를 함께 거론하였는데, 주자는 육이의 비중이 더 큼을 말한 것으로 여겼고, 또 "오효는 바름을 얻지 못하였으므로 다만 '중(中)'자가 '정(正)'자를 포괄함을 빌렸다"라 하였다. 이로써 보면 건괘(乾卦) 「문언전」에서 말한 '중정'은 구오의 비중이 더 큼을 말한 것이고, 구이의 『본의』에서 말한 '중정'도 '중'이 포괄하는 '정'을 빌린 것이다.

○ 麗, 宜音리, 而竝作려, 恐誤. 六五象註之言離音麗.
'麗'는 음을 '리'로 함이 마땅한데, 모두 '려'라고 한 것은 잘못인 듯하다. 육오 상전의 주석에서 말한 '리(離)'는 음이 '리(麗)'이다.

서유신(徐有臣) 『역의의언(易義擬言)』

卦之亨, 由於二五之貞, 故特言柔麗中正, 以釋亨也. 牝牛之吉, 亦由於是也.
괘의 형통함은 이효와 오효의 곧음에 말미암기 때문에 특별히 '부드러운 음이 중정(中正)에 붙어 있음'을 말하여 형통함을 풀이하였다. 암소의 길함도 여기에서 말미암는다.

박문건(朴文健) 『주역연의(周易衍義)』

中正, 故剛能畜之. 此以二五之位, 釋亨之義, 而兼釋畜牝牛之義.
중정하기 때문에 굳센 양이 기를 수 있다. 이는 이효와 오효의 자리를 가지고 '형통함'의 뜻을 풀이하고, 겸하여 '암소를 기르듯 함'의 뜻을 풀이한 것이다.

이지연(李止淵) 『주역차의(周易箚疑)』

麗之時, 故以畜牝牛吉也. 若乃陰陷之時, 則安可以牝牛爲吉也.
붙는 때이므로 암소를 기르듯 함으로써 길하다. 만약 음에 빠지는 때라면 어찌 암소로써 길하다고 여기겠는가!

김기례(金箕澧) 「역요선의강목(易要選義綱目)」

人得水而爲精, 得火而爲神, 神者附於形也. 神不正則散. 凡附鳳附驥之士, 若不以正, 則豈可以亨乎. 柔麗乎中正, 指二五, 麗外剛而明得順正也.
사람이 물을 얻어 정(精)이 되고, 불을 얻어 신(神)이 되니, 신은 형체에 붙는 것이다. 신이 바르지 못하면 흩어진다. 제왕에 붙은 선비가 바르지 못하다면 어찌 형통할 수 있겠는가? '부드러운 음이 중정(中正)에 붙어 있음'은 이효와 오효를 가리키니, 밖의 굳센 양에 붙어 밝음이 바름에 따름을 얻는다.

심대윤(沈大允) 『주역상의점법(周易象義占法)』

言二五得中也.

이효와 오효가 가운데 자리를 얻음을 말한다.

오치기(吳致箕) 「주역경전증해(周易經傳增解)」

此以卦德卦體, 釋卦名義及卦辭也. 五爲天位, 而上離有日月麗天之象, 二爲地位, 而下離有草木麗土之象也. 上下皆離爲重明. 二柔皆處中, 爲麗乎正, 而君臣上下, 皆有明德, 處于中正, 則可以化成天下. 此言卦義也. 二五本以坤順之德, 麗乎中正, 故所以能亨, 人能養其柔順以麗中正, 則吉, 故曰畜牝牛吉, 此言亨吉之辭也. 五以柔居剛, 而亦言中正者, 中可以行正也.
이는 괘의 덕과 괘의 몸체로 괘의 이름과 괘사를 풀이한 것이다. 오효는 하늘의 자리이니 위의 리괘에는 해와 달이 하늘에 붙은 상이 있고, 이효는 땅의 자리이니 아래의 리괘에는 초목이 땅에 붙은 상이 있다. 위아래가 모두 리괘이니 '거듭 밝음'이 된다. 두 부드러운 음이 모두 가운데 있음이 '바름에 붙음'이 되고, 임금과 신하가 모두 밝은 덕이 있어서 중정에 처하니 천하를 교화하여 이룰 수 있다. 이는 괘의 뜻을 말한 것이다. 이효와 오효가 본래 곤괘(☷)의 순한 덕으로 중정함에 붙으므로 형통할 수 있는 것이고, 사람이 그 유순함을 길러 중정함에 붙을 수 있으면 길하므로 "암소를 기르듯 하면 길할 것이다"라 하였으니, 이는 "형통하다"와 "길하다"는 괘사를 말한 것이다. 오효가 부드러운 음으로 굳센 양의 자리에 있는데도 중정함을 말한 것은, 가운데 자리여서 바름을 행할 수 있기 때문이다.

이진상(李震相) 『역학관규(易學管窺)』

蔡氏曰, 牝大腹象, 牛柔順象.
채씨가 말하였다: 암컷은 큰 배의 상이고, 소는 유순한 상이다.

愚按, 離得坤中爻, 坤爲牛, 爲牝, 故離有其象. 離之言麗者, 火無常形, 麗物而有形也.
내가 살펴보았다: 리괘는 곤괘의 가운데 효를 얻었고, 곤괘는 소가 되며 암컷이 되므로 리괘에 그 상이 있다. 리괘에서 붙음을 말한 것은 불이 일정한 형상이 없어 사물에 붙어야 형체가 있기 때문이다.

최세학(崔世鶴) 「주역단전괘변설(周易彖傳卦變說)」

離, 乾之二體變也, 二與五, 二爻爲主. 故彖以柔麗中正言之. 坤二來居於下體之中, 而爲柔麗正, 坤五往居於上體之中, 而爲柔麗中也.

리괘(䷝)는 건괘(䷀)의 두 몸체가 변한 것으로 이효와 오효 두 효가 주인이 된다. 그러므로 「단전」에서 "부드러운 음이 중정에 붙는다"는 것으로 말하였다. 곤괘(䷁)의 이효가 와서 하체의 가운데에 있으니, 부드러운 음이 바름[正]에 붙는 것이고, 곤괘의 오효가 가서 상체의 가운데에 있으니, 부드러운 음이 중(中)에 붙는 것이다.

박문호(朴文鎬) 「경설(經說)·주역(周易)」

五, 中正之位, 此語終未免說不去, 當以小註朱子所云說六二分數多者, 爲定論.
『정전』의 오효가 중정한 자리라는 이 말은, 끝내 말이 되지 않음을 면하지 못하니, 마땅히 소주에서 주자가 "육이의 비중이 더 크다"고 한 것을 정론으로 삼아야 할 것이다.

이정규(李正奎) 「독역기(讀易記)」

彖辭, 柔麗乎中正者, 指二五言也. 二則固得中正矣, 五則不得中正而亦云者, 與乾九二龍德中正者相近耶. 妄意離五所云者, 與二同德而爲重明, 故蒙其二之中正而竝稱也, 乾九二所云者, 正是龍德中之謂也, 非中正之正也, 未知如何.
「단전」의 '부드러운 음이 중정(中正)에 붙어 있음'은 이효와 오효를 가리켜 말한 것이다. 이효는 참으로 중정을 얻었고, 오효는 중정을 얻지 못하였는데도 그렇게 말한 것은 건괘(乾卦䷀) 구이에서 "용의 덕이 중정하다"고 한 것과 비슷하다. 나는, 리괘(離卦)의 오효에서 말한 것은 이효와 덕을 같이하여 거듭 밝음이 되기 때문에 이효의 중정함을 받아 함께 일컬은 것이고, 건괘 구이에서 말한 것은 바로 용(龍)의 덕이 가운데 있음을 말한 것이지 중정의 정(正)은 아니라고 생각하는데, 어떤지는 모르겠다.

이병헌(李炳憲) 『역경금문고통론(易經今文考通論)』

王曰, 離之爲卦, 以柔爲正, 故必貞而後乃亨.
왕필이 말하였다: 리괘는 부드러운 음을 바름으로 삼기 때문에 반드시 곧게 한 뒤에야 형통하다.

荀曰, 牛者土也, 土生于火, 離者陰卦, 牝者陰性, 故曰畜牝牛吉矣.
순상이 말하였다: 소는 토(土)에 속하고 토는 화(火)에서 생기며, 리괘는 음괘이고 암컷은 음의 성질이므로 "암소를 기르듯 하면 길할 것이다"라 하였다.

程傳曰, 二以柔順, 麗於中正.
『정전』에서 말하였다: 이효는 유순함으로 중정함에 붙어 있다.

按, 麗乃附麗之義. 彖辭言日月麗乎天, 所以爲重之義. 卦自反坎而爲離, 俱以八純卦而成一對, 策準中數.

내가 살펴보았다: '리(麗)'는 붙어 있다는 뜻이다. 「단전」에서 "해와 달이 하늘에 붙는다"고 하였기에 거듭한다는 뜻이 되는 것이다. 괘는 음양이 반대인 감괘로부터 리괘가 되었고, 둘 다 팔순괘(八純卦)로 한 짝을 이루어 책수가 360이 된다.[13]

13) 이병헌은 360을 책(策)의 균평한 수[中數]라고 한다. 그 근거를 유추해 보면, 64괘는 모두 11520책인데, 그 가운데 양효 192효×36책=6912책, 음효 192효×24책=4608책이다. 그러므로 64괘 전체 책수를 를 대괘(對卦) 개념에 따라 총 32대괘로 나누면 11520책÷32괘=360책이 된다. 위에서 언급한 8순괘의 음양획을 세어 보면 각각 12개씩이다. 이것을 책수로 환산하면, 양의 책수는 36×12=432, 음의 책수는 24×12=288이다. 이 둘을 더하면 720이고, 이것을 둘로 나누면 360이 되어 음양의 균평한 수가 된다. 360은 순양괘인 건책 216과 순음괘인 곤책 144를 더한 수이다. 건책 216은 36(노음수)×6(효)=216 이고, 곤책 144는 24(노음수)×6(효)=144 이다.

象曰, 明兩作, 離, 大人以, 繼明, 照于四方.

정전 「상전」에서 말하였다: 밝음이 둘인 것이 리(離)가 되니, 대인이 그것을 본받아 밝음을 이어 사방을 비춘다.

본의 「상전」에서 말하였다: 밝음이 두 번 일어남이 리(離)이니, 대인이 그것을 본받아 밝음을 이어 사방을 비춘다.

中國大全

傳

若云兩明, 則是二明, 不見繼明之義. 故曰明兩, 明而重兩, 謂相繼也. 作離, 明兩而爲離, 繼明之義也. 震巽之類, 亦取洊隨之義, 然離之義, 尤重也. 大人, 以德言則聖人, 以位言則王者. 大人觀離明相繼之象, 以世繼其明德, 照臨於四方. 大凡以明相繼, 皆繼明也, 擧其大者, 故以世襲繼照, 言之.

'양명(兩明)'이라고 한다면 이는 두 개의 밝음이니, 밝음을 잇는다는 뜻이 나타나지 않는다. 그러므로 "밝음이 둘이다[明兩]"라고 했다. 밝은데도 둘로 거듭함이니, 서로 이어짐을 이른다. "리괘가 된다[作離]"는 밝음이 둘로 되어 리괘(離卦☲)가 되었으니, 밝음을 잇는다는 뜻이다. 진괘(震卦☳)와 손괘(巽卦☴)의 부류에도 또한 잇따른다는 뜻을 취하지만, 리괘의 뜻이 더욱 중하다. 대인은 덕으로 말하면 성인이고, 지위로 말하면 임금이다. 대인이, 리괘(☲)의 밝음이 서로 이어지는 상(象)을 보고서 밝은 덕을 대대로 이어서 사방을 비춘다. 대체로 밝음으로 서로 이어지는 것은 모두 밝음을 잇는 것이나, 그 중 큰 것을 들었으므로 대를 이어 계속 비추는 것으로 말하였다.

本義

作, 起也.

'작(作)'은 일어남이다.

小註

朱子曰, 明兩作, 猶言水洊至. 今日明, 來日又明, 明字便是指日而言. 若說兩明, 卻是兩箇日. 只是這一箇明, 兩番作, 非明兩, 乃兩作也.

주자가 말하였다: "밝음이 두 번 일어난다[明兩作]"는 "물이 연거푸 밀려온다"[14]라고 말하는 것과 같다. 오늘 밝고 내일 또 밝으니 '밝음[明]'은 곧 해를 가리켜 말한 것이다. 만약 '둘이 밝다(兩明)'라고 한다면 결국 두 개의 해이다. 단지 이 하나의 해가 두 번 나옴이니, '밝음이 둘'이 아니라 "두 번 일어난다"는 것이다.

○ 開封耿氏曰, 重明者, 上下明也, 繼明者, 前後明也. 彖言二五君臣, 故以重明言之, 象言明兩作, 皆君也, 故以繼明言之.

개봉경씨가 말하였다: "밝음을 거듭한다"는 위·아래로 밝은 것이고, "밝음을 잇는다"는 앞·뒤로 밝은 것이다. 「단전」에서는 이효와 오효의 군신을 말했기 때문에 '밝음을 거듭함'으로 말하였고, 「상전」에서는 '밝음이 두 번 일어남'이 모두 임금임을 말했기 때문에 "밝음을 잇는다"로 말하였다.

○ 藺氏廷瑞曰, 離爲火爲日爲電, 而獨言明者, 蓋指一偏, 則不足以盡繼明之義. 六十四卦, 惟離稱大人.

난정서가 말하였다: 리괘는 불이고 해이며 번개인데도 '밝음'이라고만 말한 것은 하나만을 지칭하면 "밝음을 잇는다"는 뜻을 다하기에 부족하기 때문이다. 64괘 중에서 리괘에서만 대인이라고 일컬었다.

○ 平庵項氏曰, 繼明, 如言聖繼聖.

평암항씨가 말하였다: "밝음을 잇는다"는 "성인이 성인을 잇는다"고 말하는 것과 같다.

○ 雲峯胡氏曰, 程傳明兩句絶, 本義以水洊至例之, 故訓作爲起.

운봉호씨가 말하였다: 『정전』에서는 '명량(明兩)'에서 구두를 끊었으나, 『본의』에서는 '물이 연거푸 밀려온다[水洊至]'로 사례를 삼았기 때문에 '작(作)'을 "일어난다"로 풀이하였다.

---

14) 『周易·坎卦』: 象曰, 水洊至習坎.

韓國大全

김장생(金長生) 「주역(周易)」

傳, 世襲繼照.
『정전』에서 말하였다: 대를 이어 계속 비춘다.

世襲繼照之意, 未現.
"대를 이어 계속 비춘다"는 뜻이 잘 드러나지 않았다.

송시열(宋時烈) 『역설(易說)』15)

明兩作, 似以三字作句, 若水洊至看何如耶. 離爲明而上下皆明, 故繼明照四方, 卽明明德於天下意.
'명량작(明兩作)'은 세 글자로 구절을 삼아야 할 듯하니, 감괘 대상전의 "물이 연거푸 이른다[水洊至]"는 것처럼 보면 어떻겠는가? 리괘는 밝음이 되는데, 위아래가 모두 밝으므로 "밝음을 이어 사방을 비춘다"는 것이니, 천하에 밝은 덕을 밝힌다는 뜻이다.

김도(金濤) 「주역천설(周易淺說)」

愚按, 本義下所釋朱子惟一條, 耿氏以下凡四條而皆得於大象之旨矣. 蓋火之爲物, 其體則陰, 而其用則陽也, 一自地二之後, 不絶於天下, 而能使爲民者賴此而生活, 火之爲用, 豈不大哉. 离之爲卦, 明兩相繼, 而所麗者正, 所照者遠. 故大人觀离明相繼之象, 世繼其明德, 能照於四方, 而四方之民, 莫不一歸於順正, 大學所謂明明德於天下者, 卽此也. 大槪人之生也, 受天地精英之氣, 而最靈於萬物者, 以其有五行也. 五行之中水火居先, 而得水者爲精, 得火者爲神, 而精神所發, 无非水火之使然也. 然而多欲者多, 寡欲者寡, 此何故也. 莫非稟受之淸濁耳. 然則學者當何以哉. 先儒氏有言曰陽明勝則德性用, 陰濁勝則物欲行, 苟能法离明遠照之象, 而繼日新之功, 自昭其明德, 則物欲退聽而德性用矣. 可不勉哉.
내가 살펴보았다: 『본의』 아래 풀이한 주자의 말 한 조목과 경씨 이하 네 조목이 모두 「대상

15) 이 문장 전체는 경학자료집성DB에 누락되어 있으나, 경학자료집성 원문을 대조하여 보충하였다.

전」의 뜻에 맞는다. 불[火]은 그 몸체는 음이지만 그 작용은 양으로, 일단 땅의 수(數)인 이(二)에서 나온 뒤로는 천하에서 끊어지지 않아 백성된 자들로 하여금 이를 의지하여 생활하게 하니, 불의 작용이 어찌 크지 않겠는가? 리괘는 밝음 둘이 서로 이어져, 붙어 있는 것이 바르고 비추는 것이 멀다. 그러므로 대인이 리괘의 밝음이 서로 이어진 상을 보고는, 그 밝은 덕을 대대로 이어 사방에 비출 수 있어서 사방의 백성들이 한결같이 순종하고 바른 데로 돌아가게 되었으니, 『대학』에서 말한 "천하에 밝은 덕을 밝힌다"가 이것이다. 대체로 사람이 태어남에 천지의 순수하고 빼어난 기운을 얻는데, 만물에서 가장 신령한 것은 그 오행을 가졌기 때문이다. 오행 가운데 물과 불이 앞에 있는데 물을 얻은 것은 정(精)이 되고 불을 얻은 것은 신(神)이 되니, 정신이 발한 것은 물과 불이 그렇게 한 것이 아님이 없다. 그러나 욕심이 많은 자는 많고 욕심이 적은 자는 적으니, 이는 어째서인가? 받아서 타고난 것이 맑고 탁함이 아닌 것이 없기 때문이다. 그러면 공부하는 이는 어떻게 해야 하는가? 선유들이 "양의 밝음이 성행하면 덕성이 작용하고, 음의 탁함이 성행하면 물욕이 움직인다"고 하였으니, 참으로 리괘의 밝음이 멀리까지 비추는 상을 본받아 날마다 새로워지는 공부를 이어가 스스로 그 밝은 덕을 밝힌다면, 물욕은 물러나 명령을 듣고 덕성이 작용할 것이다. 힘쓰지 않을 수 있겠는가?

이만부(李萬敷)「역통(易統)·역대상편람(易大象便覽)·잡서변(雜書辨)」

傳曰, 若云兩明, 則是二明, 不見繼明之義. 故曰明兩, 明而重兩, 謂相繼也. 作離, 明兩而爲離, 繼明之義也. 震巽之類, 亦取洊隨之義, 然離之義, 尤重也. 大人, 以德言則聖人, 以位言則王者. 大人觀離明相繼之象, 以世繼其明德, 照臨于四方. 大凡以明相繼, 皆繼明也, 擧其大者, 故以世襲繼照言之.

『정전』에서 말하였다: '양명(兩明)'이라고 한다면 이는 두 개의 밝음이니, 밝음을 잇는다는 뜻이 나타나지 않는다. 그러므로 "밝음이 둘이다[明兩]"라고 했다. 밝은데도 둘로 거듭함이니, 서로 이어짐을 이른다. "리괘가 된다[作離]"는 밝음이 둘로 되어 리괘(離卦䷝)가 되었으니, 밝음을 잇는다는 뜻이다. 진괘(震卦䷲)와 손괘(巽卦䷸)의 부류에도 또한 잇따른다는 뜻을 취하지만, 리괘의 뜻이 더욱 중하다. 대인은 덕으로 말하면 성인이고, 지위로 말하면 임금이다. 대인이, 리괘(☲)의 밝음이 서로 이어지는 상(象)을 보고서 밝은 덕을 대대로 이어서 사방을 비춘다. 대체로 밝음으로 서로 이어지는 것은 모두 밝음을 잇는 것이나, 그 중 큰 것을 들었으므로 대를 이어 계속 비추는 것으로 말하였다.

臣謹按, 上條建萬國, 親諸侯, 乃天王之事. 然恭惟我景宗大王, 以祖宗艱大之, 投付之於殿下, 而群生仰戴宗社奠安, 其於建國比民之義, 亦不遠矣. 至於下條明兩繼明, 則惟我殿下以之, 實我國家億萬年旡疆之休乎.
신이 살펴보았습니다: 윗 조목에서 "만국을 건설하고 제후들에게 친밀하게 한다"[16]는 것은 천왕의 일입니다. 그러나 우리 경종대왕께서 조종의 어렵고 큰일을 전하께 맡기셔서 백성들이 종사가 안녕하기를 우러러 바라고 있으니, 그 나라를 건설하고 백성들에게 친밀하게 하는 뜻에서 또한 멀지 않습니다. 아랫 조목의 "밝음이 둘이어서 이어서 밝힌다"에 관해서는 전하께서 그것을 본받으신다면, 실로 우리 국가의 억만년 다함이 없는 아름다운 일입니다.

이익(李瀷) 『역경질서(易經疾書)』[17]

地如彈丸, 居天之內, 日麗乎天, 常照其半面. 作, 起也, 朝起於子至於午, 夕起於午至於子. 一日兩作, 然後遍照上下, 所謂繼明也. 大人與天地合其德, 與日月合其明, 故於此特言之.
땅은 마치 탄환처럼 둥글어 하늘 안에 있고, 해는 하늘에 붙어서 항상 그 절반의 면을 비춘다. '작(作)'은 일어남이니, 아침은 자시[子]에서 일어나 오시[午]에 이르고, 저녁은 오시에서 일어나 자시에 이른다. 하루에 두 번 일어난 연후에 두루 위아래를 비추니, 이른바 "밝음을 잇는다"는 것이다. 대인은 천지와 그 덕을 합하고, 일월과 그 밝음을 합하기 때문에 여기에서 특별히 언급하였다.

심조(沈潮) 「역상차론(易象箚論)」

明照二字連書, 而有日上有日之象, 妙哉.
'밝음[明]'과 '비춤[照]' 두 글자를 연달아 씀에 해 위에 해가 있는 상이 있으니 오묘하다!

유정원(柳正源) 『역해참고(易解參攷)』

王氏曰, 繼謂不絶也. 明照相繼, 不絕曠也.
왕필이 말하였다: "잇는다[繼]"는 끊어지지 않음을 말한다. 밝음과 비춤이 서로 이어져서 끊어져 없어지지 않음이다.

○ 平庵項氏曰, 離之內卦, 明於前者也. 外卦明於後者也. 六五不勝嗣位之悲, 仁孝之子也. 上 九張皇正國之典, 剛明之君也. 有子道焉, 有君道焉, 威德兼備如是, 則足以

16) 『周易 · 比卦』: 象曰, 地上有水比, 先王以, 建萬國, 親諸侯.
17) 경학자료집성DB에서는 리괘(離卦) '육이'에 해당하는 것으로 분류했으나, 내용에 따라 이 자리로 옮겼다.

繼明而照四方矣.
평암항씨가 말하였다: 리괘의 내괘는 앞에서 밝은 것이고, 외괘는 뒤에서 밝은 것이다. 육오는 왕위를 계승하는 슬픔을 이기지 못하니, 어질고 효성스런 자식이다. 상구는 나라를 바르게 하는 표준을 크게 확장하니, 굳세고 현명한 임금이다. 자식의 도가 있고 임금의 도가 있으니, 위엄과 덕을 이처럼 겸비한다면 밝음을 이어 사방을 비추기에 충분할 것이다.

○ 梁山來氏曰, 兩作者, 一明而兩作也.
양산래씨가 말하였다: '양작(兩作)'이란 하나의 밝음[해]이 두 번 일어나는 것이다.

김상악(金相岳) 『산천역설(山天易說)』

作, 起也. 重明者, 上下明也, 繼明者, 前後明也. 明兩作, 所以炤四方也.
'작(作)'은 일어나는 것이다. "밝음을 거듭한다"는 위아래로 밝은 것이고 "밝음을 잇는다"는 앞뒤로 밝은 것이다. 밝음이 두 번 일어나기 때문에 사방을 비추는 것이다.

○ 離出乎乾而得坤中爻, 文明之德甚盛, 於象爲人, 故與乾同稱大人. 乾九五曰大人造也, 九二曰天下文明, 互見其象.
리괘(☲)는 건괘(☰)에서 나와 곤괘(☷)의 가운데 효를 얻어 문명한 덕이 매우 성대한데, 「대상전」에서는 사람이 되므로 건괘와 같이 '대인'이라 하였다. 건괘(乾卦)의 구오에서는 "대인의 일이다"라고 하고, 구이에서는 "천하가 문채로 밝아진다"고 했으니, 서로 그 상이 나타난다.

김규오(金奎五) 「독역기의(讀易記疑)」

大人, 主二五, 人位而言.
'대인'은 이효와 오효의 주인이니, 사람의 자리로 말하였다.

서유신(徐有臣) 『역의의언(易義擬言)』

明兩作, 猶水洊至也. 繼明, 紹述前光也. 明謂其光暉, 日猶人, 明猶德也. 晉明夷之明, 倣此.
"밝음이 두 번 일어난다[明兩作]"는 "물이 연거푸 밀려온다"[18]는 것과 같다. '밝음을 이음'은

18) 『周易 · 坎卦』: 象曰, 水洊至習坎.

앞의 빛을 이어가는 것이다. '밝음'은 그 해가 빛남을 말하니, 해는 사람과 같고, 밝음은 덕과 같다. 진괘(晉卦)와 명이괘(明夷卦)의 밝음도 이와 같다.

박문건(朴文健) 『주역연의(周易衍義)』

兩, 再作起也. 繼明, 言以明相繼也. 繼之, 則其明不息.
'양(兩)'은 다시 일어나는 것이다. '밝음을 이음'은 밝음이 서로 이어짐을 말한다. 이어지면 그 밝음이 그치지 않는다.

이지연(李止淵) 『주역차의(周易箚疑)』

若以繼世之義爲解, 則六十四象, 只以六十四事用, 非易之本意也. 繼明者, 學有緝熙于光明之謂, 緝熙者, 續而明也
"대를 잇는다"는 뜻으로 풀이한다면 64괘의 상을 단지 64개의 일로써 쓰게 되니, 역의 본래 의도가 아니다. "밝음을 잇는다"는 것은 '학문이 광명에 이르러 계속 빛남'을 말하는 것이니,[19] '집희(緝熙)'는 이어서 밝은 것이다.

이항로(李恒老) 「주역전의동이석의(周易傳義同異釋義)」

傳, 云兩明, 則是二明, 不見繼明之義. 故云明兩也. 作離, 明兩爲離也.
『정전』에서 말하였다: '양명(兩明)'이라고 한다면 이는 두 개의 밝음이니, 밝음을 잇는다는 뜻이 나타나지 않는다. 그러므로 "밝음이 둘이다"라고 하였다. "리괘가 된다[作離]"는 밝음이 둘로 되어 리괘(離卦☲)가 됨이다.

本義, 作, 起也.
『본의』에서 말하였다: '작(作)'은 일어남이다.

按, 朱子曰, 明兩作, 猶言水洊至.
내가 살펴보았다: 주자는 "'밝음이 두 번 일어난다[明兩作]'는 '물이 연거푸 밀려온다'라고 말하는 것과 같다"고 하였다.

---

19) 『詩經 · 敬之』: 維予小子, 不聰敬止, 日就月將, 學有緝熙于光明. 佛時仔肩, 示我顯德行.

김기례(金箕澧) 「역요선의강목(易要選義綱目)」

大人以, 繼明, 照于四方
대인이 그것을 본받아 밝음을 이어 사방을 비춘다.

如舜繼欽明而重華.
순임금이 요임금의 공경스럽고 밝은 덕을 이어받아 거듭 빛낸 것과 같다.[20]

○ 離變乾之二五, 故曰大人.
리괘(☲)는 건괘(☰)의 이효와 오효를 변화시킨 것이므로 '대인'이라고 하였다.

심대윤(沈大允) 『주역상의점법(周易象義占法)』

明兩作, 作而又作也. 繼明, 明而又明也. 巽爲方, 兩離爲四.
"밝음이 두 번 일어난다"는 일어나고 또 일어나는 것이다. "밝음을 잇는다"는 밝고 또 밝은 것이다. 손괘(☴)가 '방위[方]'가 되고, 두 리괘(☲)가 '사(四)'가 된다.

오치기(吳致箕) 「주역경전증해(周易經傳增解)」

以明繼明, 其明兩作. 大人觀其象, 以之世繼其明德, 照臨于四方, 而此特擧繼明之大者也. 凡以明相繼者, 皆爲繼明也. 彖言上下之明, 故曰重明, 象言前後之明, 故曰繼明也. 大人以德言則聖人, 以位言則王者, 而六十四卦, 惟離稱大人也, 擧其大者.
밝음으로 밝음을 이어 그 밝음이 두 번 일어나니. 대인이 그 상을 관찰하여 그것을 본받아 그 밝은 덕을 대대로 이어 사방을 비추는데, 여기에서는 특히 '밝음을 잇는' 가운데 큰 것을 거론하였다. 밝음으로 서로 잇는 것은 모두 '밝음을 잇는 것'이 된다. 「단전」에서는 위아래의 밝음을 말하였으므로 "거듭 밝다"고 하였고, 「대상전」에서는 앞뒤로 밝음을 말하였으므로 "밝음을 잇는다"라고 하였다. 대인은 덕으로써 말하면 성인이고, 지위로써 말하면 왕인데, 64괘에서 오직 리괘에서만 대인을 말한 것은 그 가운데 큰 것을 거론한 것이다.

이진상(李震相) 『역학관규(易學管窺)』

繼明, 重離象. 照四, 四陽象.

---

20) 흠명(欽明): 요 임금의 덕을 표현한 말로서, 공경스럽고 밝다는 뜻이다.

‘밝음을 이음’은 리괘를 거듭한 상이다. ‘사방을 비춤’은 네 양의 상이다.

박문호(朴文鎬) 「경설(經說)·주역(周易)」

明兩作, 小註, 朱子云, 猶言水洊至, 此於文勢爲順, 當爲定論. 八重卦, 除乾坤外, 莫不有繼義, 而唯離之繼明, 其事尤重, 故特爲太子之事.
“밝음이 두 번 일어난다[明兩作]”의 소주에서 주자는 “‘물이 연거푸 밀려온다’라고 말하는 것과 같다”고 하였다. 이것이 문세가 순조로우니, 정론으로 삼아야 할 것이다. 여덟 개의 중첩된 괘에서 건괘와 곤괘를 제외하고 “잇는다”는 뜻이 없는 것이 없는데, 리괘에서만 “밝음을 잇는다”고 한 것은 그 일이 더욱 중요하기 때문이다. 그러므로 특별히 태자의 일로 삼았다.

이병헌(李炳憲) 『역경금문고통론(易經今文考通論)』

鄭曰, 作, 起也.
정현이 말하였다: ‘작(作)’은 일어남이다.

按, 明兩作, 有協于陽象. 大人繼明, 六十四卦之所未有也. 卦有非常之象, 經有非常之義, 此夫子特筆也.
내가 살펴보았다: “밝음이 두 번 일어난다”는 것은 양에 끼어있는 상이다. “대인이 밝음을 잇는다”는 64괘에 있지 않은 상이다. 괘에는 늘 있는 것은 아닌 상이 있고, 경(經)에는 늘 있는 것은 아닌 뜻이 있으니, 여기에서 공자가 특별히 쓴 것이다.

初九, 履錯然, 敬之, 无咎.

초구는 발자국이 엇갈리니, 공경하면 허물이 없을 것이다.

中國大全

傳

陽, 固好動, 又居下而離體. 陽居下則欲進, 離性炎上, 志在上麗, 幾於躁動, 其履錯然, 謂交錯也. 雖未進而跡已動矣, 動則失居下之分而有咎也. 然其剛明之才, 若知其義, 而敬愼之, 則不至於咎矣. 初在下无位者也, 明其身之進退, 乃所麗之道也. 其志旣動, 不能敬愼, 則妄動, 是不明所麗, 乃有咎也.

양은 본래 움직이기를 좋아하는데 게다가 아래에 있으면서 리괘(☲)의 몸체이다. 양이 아래에 있으면 나아가고자 하고, 리(離)의 성질은 불타올라 뜻이 위로 붙음에 있어서 거의 조급히 움직여 그 발자국이 엇갈리니, 뒤엉킨다는 말이다. 비록 나아가지 않았으나 자취가 이미 움직였으니, 움직이면 아래에 있는 분수를 잃어 허물이 있다. 그러나 굳세고 밝은 재질이니 만약 그 의리를 알고 공경하여 삼간다면 허물이 있게 되지는 않을 것이다. 초효는 아래에 있어 지위가 없는 자이니, 자신의 진퇴에 밝은 것이 바로 붙어있는 도리이다. 뜻이 이미 움직였는데 공경하고 삼가지 않는다면 함부로 움직이는 것이니, 이는 붙어 있는 것에 밝지 못해 곧 허물이 있는 것이다.

本義

以剛居下, 而處明體, 志欲上進, 故有履錯然之象, 敬之則无咎矣. 戒占者, 宜如是也.

굳셈으로서 아래에 있고 밝은 몸체에 있어 뜻이 위로 나아가고자 하므로 '발자국이 엇갈리는' 상(象)이 있으니, 공경하면 허물이 없다. 점치는 자에게 이와 같이 해야 한다고 경계한 것이다.

小註

進齋徐氏曰, 履在下之象, 錯然交雜之貌. 居離之始, 才剛而妄動, 識淺而未明, 所履乖錯. 未得其當, 烏能无咎. 惟能敬愼, 則其咎可免矣.
진재서씨가 말하였다: '발자국[履]'은 아래에 있는 상이고 '엇갈림[錯然]'은 서로 뒤엉키는 모양이다. 리괘의 초기에 있어 재주가 굳세나 함부로 움직이고 식견이 얕아 밝지 못하다. 밟는 것이 어긋나 마땅함을 얻지 못하니, 어찌 허물이 없겠는가? 오직 공경하고 삼갈 수 있으면 허물을 면할 것이다.

○ 雙湖胡氏曰, 錯然是事物紛錯之意. 能敬則心有主宰, 酬應不亂, 可免於咎. 不能敬, 則反是.
쌍호호씨가 말하였다: '엇갈림'은 사물이 어지럽게 섞이는 뜻이다. 공경할 수 있으면 마음에 주재가 있어 수작하고 대응함에 어지럽지 않아 허물을 면할 수 있다. 공경하지 않으면 이와 반대이다.

韓國大全

조호익(曺好益) 『역상설(易象說)』

履, 在下之象. 錯然, 陽動火躁之象. 敬陽畫實象, 程子曰, 心有主則實.
'발자국'은 아래에 있는 상이다. '엇갈림'은 양이 움직임이 불같이 급한 상이다. '공경함'은 양획이 튼실한 상이니, 정자는 "마음에 주재가 있으면 튼실하다"고 하였다.

송시열(宋時烈) 『역설(易說)』

履者, 來氏云, 初變則爲艮, 艮是震之倒錯也. 震足倒錯, 故有履錯之象云云. 如此等處, 變易似過, 而言則有理, 亦不可不知也. 蓋人麗者, 於土而行者履也, 在離之最下爻, 故云履. 萬物皆麗於土, 有紛雜錯亂之象, 而吾之履, 將始發於其間, 故曰錯. 敬愼之, 則可無顚蹶之咎也.
'발자국'은, 래지덕이 "초효가 변하면 간괘(☶)가 되는데, 간괘는 진괘(☳)가 거꾸로 된 것이다. 진괘의 발이 거꾸로 되었으므로 발자국이 엇갈리는 상이 있다"라 하였다. 이러한 곳은 변역함이 지나친듯하나 말에 이치가 있으니 역시 몰라서는 안 된다. 사람이 걸려있는 것 가운데 땅에서 가는 것이 발걸음이며, 리괘의 가장 아래 있는 효이므로 '발자국[履]'이라고 하였다. 만물이 모두 땅에 걸려 어지럽게 엇갈리는 상이 있는데, 나의 발자국이 그 사이에서 시작되므로 "엇갈린다"고 하였다. 공경하고 신중하게 하면 엎어지는 허물이 없을 수 있다.

이현익(李顯益) 「주역설(周易說)」

履錯然.
발자국이 엇갈리니.

傳義, 只作動進之象, 而進齋徐氏, 謂所履乖錯, 未得其當. 雙湖胡氏, 謂事物紛錯之意, 中溪張氏, 謂所履之邪正善惡紛錯, 而未知的從, 皆不然.
『정전』과 『본의』에서는 단지 움직여 나아가는 상이라 하였고, 진재서씨는 "밟는 것이 어긋나 마땅함을 얻지 못한다"고 하였다. 쌍호호씨는 '사물이 어지럽게 섞이는 뜻'이라고 하였고, 중계장씨는 '발자국의 부정[邪]과 바름[正], 선[善]과 악[惡]이 섞여 있어 따르기에 적당한 것을 모름'이라 하였는데, 모두 그렇지 않다.

이익(李瀷) 『역경질서(易經疾書)』[21]

履, 行者之所需也, 錯則非一人也. 敬, 敬人也. 離爲相見之卦, 火性炎上. 初九雖居最下, 陽剛易動, 有與上俱進之象. 故曰, 履錯然也. 俱進則必有爭疾之咎, 敬之者, 貴讓也.
'신발[履]'은 다니는 자가 필요한 것이고, 엇갈리면 한 사람이 아니다. '경(敬)'은 사람을 공경하는 것이다. 리괘(離卦)는 서로 만나보는 괘이고, 불의 성질은 불꽃처럼 올라간다. 초구가 비록 가장 아래에 있으나 굳센 양이어서 쉽게 움직이니, 위와 함께 나아가려는 상이 있다. 그러므로 "신발이 엇갈린다"고 하였다. 함께 나아가면 반드시 다투어 상하는 허물이 있으니, 공경하는 자는 양보를 귀하게 여긴다.

유정원(柳正源) 『역해참고(易解參攷)』

縉雲馮氏曰, 日方出, 人夙興之晨也. 自寢而興, 以足及履錯然有聲, 是動之始也. 於其始而加敬, 則終必吉. 禍福幾微, 每萌於初動之時, 離性炎上躁急, 故戒於其初.
진운풍씨가 말하였다: 해가 막 나오니 사람이 일찍 일어나는 새벽이다. 잠자리에서 일어나 발로 걸어 다녀 엇갈려 소리를 냄이 처음 움직이는 것이다. 그 시작함에 공경함을 더하면 마침내 반드시 길하다. 화와 복의 기미는 매양 처음 움직일 때에 싹트는데, 리괘의 성질은

---

21) 경학자료집성DB에서는 리괘(離卦) '육이'에 해당하는 것으로 분류했으나, 내용에 따라 이 자리로 옮겼다.

위로 타올라 조급하므로 그 처음을 경계하였다.

○ 梁山來氏曰, 履者, 行也, 進也. 錯者, 雜也, 交雜也. 詩傳云, 東西爲交, 邪行爲錯. 本爻陽剛, 陽性上進, 本卦離火, 火性炎上, 皆有行之之象. 故曰履. 錯然者, 剛則躁, 明則察, 二者交錯乎胸中, 未免東馳西走. 唯敬以直內, 則安靜而不躁. 妄主一而不過察, 敬者醫錯之藥也.
양산래씨가 말하였다: '리(履)'는 행함이고 나아감이다. '착(錯)'은 뒤섞임이니 교차하여 뒤섞이는 것이다. 『시전』에 "동과 서가 교차하고, 사특함과 행함이 뒤섞인다"라 하였다. 본효는 굳센 양이고 양의 성질을 위로 올라가며, 본괘는 리괘인 불이고 불의 성질을 불타오르니 모두 행해가는 상이 있으므로 '발자국'이라 하였다. '엇갈림'은, 굳세면 조급하고 밝으면 살피는데, 두 가지가 마음속에서 엇갈려 동쪽으로 갔다가 서쪽으로 달려감을 면하지 못함이다. 오직 경(敬)으로 마음을 곧게 하면 안정되어 조급하지 않다. 함부로 하나에만 집중하여 그저 살피는데 지나지 않는다면, 경(敬)은 의원이 잘못 처방한 약이 된다.

○ 案, 錯, 紛錯也. 或東以西, 或南以北, 或貳以二, 或參以三者, 是錯也. 敬以直之, 主一旡適, 則旡是病矣.
내가 살펴보았다: 착(錯)은 어지럽게 뒤섞인 것이다. 혹은 서쪽으로 동쪽이라 하고 혹은 북쪽으로 남쪽이라 하며, 혹은 둘로 갈등하고 혹은 셋으로 섞는 것이 '착(錯)'이다. 경(敬)으로써 곧게 하며 하나에 집중하여 분산함이 없으면, 이러한 병이 없을 것이다.

김상악(金相岳) 『산천역설(山天易說)』

初九, 離體比二, 二互巽體. 故有履錯然之象. 以剛得正, 能敬愼, 則可以旡咎也.
초구는 리괘(☲)의 몸체로 이효와 비(比)의 관계이고, 이효는 호괘인 손괘(巽卦☴)의 몸체이다. 그러므로 발자국이 엇갈리는 상이 있다. 굳센 양으로서 바름을 얻어 공경하고 신중할 수 있으면 허물이 없을 수 있다.

○ 履之象, 見履卦, 錯雜也, 淳于髡傳, 履舃交錯, 是也. 離火遇巽風, 風自火出, 火又從風, 有交錯之象. 所以然字從火. 蓋履者, 禮也, 火之象, 敬者, 心之貞也. 人之爲禮, 能敬以直內, 主一旡適, 則旡履錯之失矣. 故履曰, 素履往, 旡咎, 賁曰, 賁其趾, 舍車而徒, 皆敬而旡失者也. 賁者, 人文也.
'발자국'의 상은 리괘(履卦)에 보이고, '착(錯)'은 뒤섞임이니, 「순우곤전」의 "발자국이 엇갈렸다"는 것이 이것이다. 리괘(☲)인 불이 손괘(☴)인 바람을 만나서 바람이 불로부터 나오고, 불이 또 바람을 따르니 엇갈리는 상이 있다. 그래서 '연(然)'자가 '화(火)'자를 부수로 하는 것이다. 대체로 '리(履)'는 예절[禮]이니 불의 상이고, '경(敬)'은 마음의 곧음이다. 사람이 예를 행함에 경(敬)으로 내면을 곧게 하고 하나에 집중하여 분산함이 없으면, 발자국이 엇갈리는 잘못은 없을 것이다. 그러므로 리괘(履卦)에서 "평소의 본분대로 가면 허물이 없을 것이다"라고 하고, 비괘(賁卦)에서 "발을 꾸미니, 수레를 놔두고 걸어간다"라고 하였으니, 모두 공경하여 잘못이 없는 것이다. 비(賁)란 사람이 꾸미는 것이다.

박제가(朴齊家) 『주역(周易)』

初九, 履錯然.
초구는 발자국이 엇갈린다.

此乃賓客衆多之象, 離爲萬物相見之卦, 九爲相見之始, 故有此象. 非欲動而其履之自錯也, 其履則單矣, 何錯褋交錯之有. 若以錯爲誤, 則旣自誤矣. 何敬之无咎之謂乎. 又不當更下然字.
이는 손님이 많은 상이고, 리괘는 만물이 서로 만나보는 괘이며, 구(九)는 서로 만나보는 처음이 되므로 이러한 상이 있다. 움직이려 한다고 해서 그 발자국이 혼자서 엇갈리는 것이 아니며, 그 발자국이 하나일 것이라면 어떻게 뒤섞여 엇갈림이 있겠는가? 만약 엇갈림을 잘못됨이라고 여긴다면 이미 본래가 잘못인 것이니, 어찌 "공경하면 허물이 없을 것이다"라고 하였겠는가! 또한 다시 '연(然)'자를 쓴 것도 온당하지 않다.

서유신(徐有臣) 『역의의언(易義擬言)』

初九, 始出之日也. 日行於天, 四時八節, 各有其道, 故日初出而行, 道交錯於前矣. 在人爲離發之初也, 臨其錯然之道, 而敬愼其所履, 故麗於正而无咎也.
초구는 처음 나온 해[日]이다. 해가 하늘에서 운행하여 네 계절과 여덟 절기에 각기 그 길이 있게 되므로 해가 처음 나와 나감에는 길이 앞에 여러 갈래로 엇갈려 있다. 사람이 길을 떠나는 처음에 엇갈린 길에 임해서는 그 발걸음을 공경스럽고 신중하게 하므로 바름에 붙어 허물이 없다.

강엄(康儼) 『주역(周易)』

按, 初九志欲上進, 而前遇六二, 爲陰所累, 而所履乖錯. 若敬以自持, 則理明而志定, 可以旡咎矣. 或曰, 傳義無此義, 何也. 曰, 夬[22]之九五, 陽剛中正, 以居尊位, 何善如之, 而切近上六, 猶有比陰之象. 故爻辭曰, 中行无咎, 而象復明之曰中未大也, 程傳曰, 人心, 一有所欲, 則離道矣. 夫以夬之九五, 猶恐其爲陰所累, 況當附麗之時. 初九雖得正而未得乎中, 且以離體而在下, 有上麗之志, 而六二又以陰柔切比, 欲麗於陽, 則雖以初九之剛正, 能不爲陰柔所累乎. 旣有所累, 則所履之乖錯宜矣. 君子於此, 豈可無敬之之工乎. 且如小畜之九三, 遇六四而有輿說輻之象, 隨之初九, 遇六二而有出門交之戒. 易卦此類不一, 而足何獨於此爻, 而疑之乎.
내가 살펴보았다: 초구는 뜻이 위로 나아가고자 하는데, 앞에서 육이를 만나 음에게 매인바 되어 발걸음이 어그러진다. 공경함으로 스스로 지킨다면 이치가 분명하고 뜻이 정해져 허물이 없을 것이다.
어떤 이가 물었다: 『정전』과 『본의』에는 이러한 뜻이 없는데, 왜 그렇습니까?
답하였다: 쾌괘(夬卦☱)의 구오는 굳센 양으로 중정하고 존귀한 지위에 있으니 무엇이 그처럼 선하겠습니까? 그렇지만 상육과 매우 가깝기에 오히려 음과 친한 상이 있습니다. 그러므로 효사에서 "중도를 행함에 허물이 없을 것이다"라 하고, 「상전」에서 다시 밝혀서 "중(中)이 아직 크지 못하기 때문이다"[23]라 하였으며, 『정전』에서 "사람의 마음이 하나라도 욕심내는 것이 있으면 도에서 떠나게 될 것이다"라 하였습니다. 쾌괘의 구오라도 음에게 매인바 될까 두려워하는데, 하물며 붙어 있는 때를 맞아서겠습니까? 초구는 비록 바름을 얻었지만 아직 중을 얻지는 못했고, 또 리괘의 몸체로서 아래에 있어서 위로 붙으려는 뜻이 있는데, 육이 또한 유약한 음으로써 지나치게 친해서 양에게 붙고자 한다면, 비록 초구의 굳세고 바른 양이라도 유약한 음에게 매인 바 되지 않을 수 있겠습니까? 이미 매인 바 되었다면 밟은 것이 엇갈림이 마땅할 것입니다. 군자가 이에 어찌 공경하는 공부가 없을 수 있겠습니까? 또 소축괘의 구삼이 육사를 만나 '바퀴살이 벗겨지는' 상이 있고, 수괘(隨卦)의 초구가 육이를 만나 '문을 나가 사귀면'이라는 경계가 있습니다. 『주역』의 괘에서 이러한 종류는 하나가 아닌데, 어찌 이 효에 대해서만 의심스럽다고 하겠습니까?

박문건(朴文健) 『주역연의(周易衍義)』

欲進見拒, 故有履錯之象. 錯然, 言倒錯也. 若退而敬之, 則无咎.
나아가고자 하는데 거절을 당하므로 발자국이 엇갈리는 상이 있다. '엇갈림'은 거꾸로 되고 뒤엉킴을 말한다. 만약 물러나 공경한다면 허물이 없다.

---

22) 夬: 경학자료집성DB와 영인본에는 모두 '支'로 되어 있으나, 문맥을 살펴 '夬'로 바로잡았다.
23) 『周易 · 夬卦』: 上六, 象曰, 中行无咎, 中未光也.

이지연(李止淵) 『주역차의(周易箚疑)』

敬之者, 陽剛得正, 又明體, 故戒之.
'공경함'이란 굳센 양이 바름을 얻고, 또 밝은 몸체이므로 경계하였다.

김기례(金箕澧) 「역요선의강목(易要選義綱目)」

陽性, 上進, 在火體, 則如熾. 居下者, 踐履淺薄, 妄自擬上進, 忙不能正履, 豈曰无咎. 但其本性也, 未彰於事爲, 則敬以愼其躁進之意, 則无咎. 在下故曰履.
양의 성질은 위로 올라가는데 불의 몸체에 있으니 치솟는다. 아래에 있는 자가 행함이 천박하여 제멋대로 위로 오르려 생각하고 황망하여 발걸음을 바르게 할 수 없으니, 어찌 "허물이 없다"고 하였는가? 다만 그 본성이, 아직 일과 행동에 크게 드러나지 않았으니, 공경하여 그 조급히 나아가려는 뜻을 삼간다면 허물이 없을 것이다. 아래에 있으므로 '발자국'이라고 하였다.

심대윤(沈大允) 『주역상의점법(周易象義占法)』

离之爻位, 居剛, 用力以求麗者也, 居柔, 不用力而自麗也. 离之義, 不論君位也.
리괘의 효의 자리에서, 굳센 양의 자리에 있으면 힘써서 붙기를 구하는 자이고, 부드러운 음의 자리에 있으면 힘쓰지 않고 자연히 붙는 것이다. 리괘의 뜻은 임금의 지위를 논하지 않는다.

离之旅䷷, 无所住着也. 初九居剛, 求麗也. 日麗天者也, 而其始出, 麗乎山[24]而不着, 尙爲山之所蔽, 但見光氣接天, 而萬物錯然成章. 德麗君者也, 而其始爲民, 麗乎守牧而不係, 尙爲守牧之所治, 而但以敎化承君, 禮儀錯然成章, 故曰履錯然. 离麗震足曰履, 對節有震艮光, 巽交錯, 曰錯然. 麗而不正, 則有咎, 故敬之則无咎也. 艮爲愼曰敬, 蓋离之初, 交錯而无所住着, 未及麗於其所當麗者, 而但遠相向也. 初九近麗于二, 而离之志上行, 故不着也.
리괘가 려괘(旅卦䷷)로 바뀌었으니, 머무는 바가 없는 것이다. 초구는 굳센 양의 자리에 있으니 붙기를 구한다. 해는 하늘에 붙어 있는 것인데, 처음 나올 때에는 산에 붙어 있으면서 붙지 못하고 오히려 산에 가리게 되니, 다만 빛의 기운이 하늘을 만나게 되서야 만물이 뒤섞여 문채를 이루게 된다. 덕은 임금에게 붙어 있는 것인데, 처음 백성을 다스릴 때에는 수령에게 붙어 있으면서 이어지지 못하고 오히려 수령에게 다스려지니, 다만 교화로 임금을

24) 山: 경학자료집성DB와 영인본에는 모두 '出'로 되어 있으나, 문맥을 살펴 '山'으로 바로잡았다.

받들어야 예의가 뒤섞여 문채를 이루게 된다. 그러므로 "발자국이 엇갈린다"고 하였으니, 리괘가 진괘(☳)의 발에 붙어 있으므로 '발자국'이라고 하였고, 려괘와 음양이 반대인 절괘(節卦䷻)에 진괘와 간괘의 빛이 있으며 손괘는 뒤엉킴이므로 "엇갈린다"고 하였다. 붙어도 바르지 않으면 허물이 있으므로 공경해야만 허물이 없는 것이다. 간괘는 신중함이 되므로 '경'이라 하였으니, 리괘의 처음에 뒤섞여서 가서 붙을 곳이 없고, 마땅히 붙어야 할 곳에 붙지 못하는 것이어서 단지 멀리서 서로 바라보기 때문이다. 초구는 가까이 이효에 붙어 있지만, 리괘의 뜻은 위로 가려하므로 붙어있지 않는다.

오치기(吳致箕) 「주역경전증해(周易經傳增解)」

初九, 陽剛居下, 而上比於柔. 陽之志, 欲爲上進, 火之性, 又爲燥急, 故躁動欲行之心, 東馳西走, 雜錯而不一, 宜若有咎. 然旣剛明而居正, 故戒言若能敬而持守, 則可以旡妄動之咎也.
초구는 굳센 양으로 아래에 있고, 위로 부드러운 음에 친밀하다. 양의 뜻은 위로 나아가고자 하고 불의 성질 또한 조급하므로, 가고자 하는 마음을 조급히 움직여 동쪽으로 달렸다가 서쪽으로 달려가니, 섞여서 한결같지 못하여 허물 있음이 마땅할 듯하다. 그러나 이미 굳세고 밝으며 제자리에 있으므로 경계하여 말하기를 "공경하여 지킬 수 있으면, 함부로 움직이는 허물이 없을 수 있다"고 하였다.

○ 履者, 踐也, 行也. 初在下, 故言履, 而亦取對體互震爲足也. 錯者, 雜也, 交也, 取象於剛柔相錯也. 然者, 雖然之謂也. 易中, 每以如若二字爲語辭, 而不用然字爲語助, 故謂雖然也.
'리(履)'는 실천함이고, 행함이다. 초효는 아래에 있으므로 '발자국'이라고 하였는데, 또 음양이 바뀐 몸체의 호괘인 진괘(☳)가 발이 됨에서 취하였다. '착(錯)'은 섞임이고, 사귐이니, 굳센 양과 부드러움 음이 서로 뒤섞임에서 상을 취하였다. '연(然)'은 '비록 그러하나'를 말한다. 『주역』에서는 언제나 '여약(如若)' 두 글자를 어조사로 삼았지, '연'자를 어조사로 쓰지 않았으므로 '비록 그러하나'를 말한 것이다.

이진상(李震相) 『역학관규(易學管窺)』

火體躁動, 故取履錯象. 中虛外直, 敬象. 履麗於足, 日麗於天, 火麗於物, 其象同也.
불의 몸체는 조급하게 움직이므로 발자국이 엇갈리는 상을 취하였다. 가운데가 비고 바깥은 곧으니 경(敬)의 상이다. 발자국이 발에 걸리고, 해가 하늘에 걸리고, 불이 사물에 걸림은 그 상이 같다.

象曰，履錯之敬，以辟咎也.

「상전」에서 말하였다: "발자국이 엇갈리는 가운데 공경함"은 허물을 피하려는 것이다.

中國大全

傳

履錯然欲動，而知敬愼不敢進，所以求辟免過咎也. 居明而剛，故知而能辟. 不剛明則妄動矣.

발자국이 엇갈려 움직이고자 하나 공경하고 삼갈 줄을 알아 감히 나아가지 않음은 허물을 피하고 면하기를 구하는 것이다. 밝음에 있고 굳세기 때문에 알아서 피할 수 있으니, 굳세고 밝지 않으면 함부로 움직일 것이다.

小註

中溪張氏曰，初居離之始，所履之邪正善惡紛錯，而未知適從也，不敬則妄動而獲咎矣. 故履錯之敬，可以避咎.

중계장씨가 말하였다: 초효는 리괘의 시초에 있어서 발자국의 부정[邪]과 바름[正], 선[善]과 악[惡]이 섞여 있어 따르기에 적당한 것을 모르니, 공경하지 않으면 함부로 움직여 허물을 얻게 된다. 그러므로 '발자국이 엇갈리는 가운데 공경함'은 허물을 피할 수 있는 것이다.

韓國大全

김상악(金相岳)『산천역설(山天易說)』

履錯之敬，求辟於過咎也.

'발자국이 엇갈리는 가운데 공경함'은 허물을 피하기를 구하는 것이다.

○ 與睽初九同辭. 履之錯然, 易失於惡人之見, 故敬以辟之. 在睽之時, 則見之可以辟咎者, 處時之不同也.
규괘(睽卦) 초구의 「소상전」과 사(辭)가 같다.[25] 발자국이 엇갈리면 악인을 만남에서 잘못되기 쉽기 때문에 공경하여 피한다. 규괘의 때에서는 "악인을 보면 허물을 피할 수 있다"는 것이니, 처한 때가 같지 않다.

서유신(徐有臣) 『역의의언(易義擬言)』

之敬疑敬之. 日行順軌, 則可辟薄蝕之咎也. 在初爻, 亦爲朔日象也. 辟字, 亦取離違之意也.
'지경(之敬)'은 '경지(敬之)'일 듯하다. 해가 궤도를 따라서 운행하면 이지러지는 허물을 피할 수 있다. 초효에서도 초하루의 상이 된다. '피(辟)'자에서 또한 떨어져 어긋나는 뜻을 취하였다.

오치기(吳致箕) 「주역경전증해(周易經傳增解)」

剛明而正, 故能敬愼而持守, 則可以避妄動之咎也.
굳세고 밝으며 올바르기 때문에 공경하고 신중하여 지킬 수 있으니, 함부로 움직이는 허물을 피할 수 있다.

이병헌(李炳憲) 『역경금문고통론(易經今文考通論)』

履錯之敬, 言禮意錯然. 四雖無狀, 當敬而遠之, 則在我者, 不失而無咎.
'발자국이 엇갈리는 가운데 공경함'은 예(禮)와 뜻이 엇갈림을 말한다. 사효가 비록 보이지는 않으나 마땅히 공경하고 멀리한다면, 내게 있어서는 실수가 없어 허물이 없다.

王曰, 處離之始, 將進而盛, 故宜愼.
왕필이 말하였다: 리괘의 처음에 처하여 나아가 성대하려 하므로 마땅히 신중해야 한다.

程傳曰, 欲動而愼不敢進, 所以辟免過咎也.
『정전』에서 말하였다: 움직이고자 하나 신중하여 감히 나아가지 않으니, 그래서 허물을 피하는 것이다.

---

25) 『周易 · 睽卦』: 見惡人, 以辟咎也.

六二, 黃離, 元吉.

육이는 황색에 붙으니, 크게 길할 것이다.

中國大全

傳

二居中得正, 麗於中正也. 黃中之色, 文之美也, 文明中正, 美之盛也. 故云黃離. 以文明中正之德, 上同於文明中順之君, 其明如是, 所麗如是, 大善之吉也.

이효는 가운데 자리[中]에 있고 제자리[正]를 얻었으니, 중정(中正)에 붙어 있는 것이다. 황색은 중앙[土]의 색이고 문채가 아름다운 것이며, 문명하고 중정함은 아름다움이 성한 것이다. 그러므로 '황색에 붙음(黃離)'이라고 말하였다. 문명하고 중정한 덕으로서 위로 문명하고 중순(中順)한 군주와 함께 하여 그 밝음이 이와 같고, 붙은 바가 이와 같으니, 크게 선한 길함이다.

本義

黃, 中色, 柔麗乎中, 而得其正. 故其象占如此.

황색은 중앙의 색이니, 부드러운 음이 가운데 자리에 붙어 있고 제 자리를 얻었으므로 그 상과 점이 이와 같다.

小註

朱子曰, 六二一爻, 柔麗乎中, 而得其正, 故元吉. 至六五, 雖是柔麗乎中, 而不得其正. 特借中字,而包正字.

주자가 말하였다: 육이 한 효는 부드러운 음으로 가운데에 붙어있고 제자리를 얻었기 때문에 크게 길하다. 육오에 이르면 부드러운 음이 가운데 붙어있더라도 제자리를 얻지 못했기에 특별히 '중(中)'자를 빌어 '정(正)'자를 포괄하였다.

○ 雲峯胡氏曰, 離六二, 以黃言者, 離之二, 自坤來也. 二與五, 皆自坤來, 而五不以黃離言者, 坤五爻, 皆臣道, 故於五曰黃裳元吉, 離五君二臣, 故於二曰黃離元吉. 況離性炎上, 上之中, 又不如下之中也.
운봉호씨가 말하였다: 리괘(離卦☲)의 육이를 '황색'으로 말한 것은 리괘의 이효가 곤괘(☷)에서 왔기 때문이다. 이효와 오효는 모두 곤괘에서 왔는데 오효에서 '황색에 붙음'으로 말하지 않은 것은, 곤괘는 다섯 효가 모두 신하의 도리이기 때문에 오효에서 "황색치마이니 크게 길하다"라고 한 것이고, 리괘는 오효가 임금이고 이효가 신하이기 때문에 이효에서 "황색에 붙으니 크게 길하다"라고 한 것이다. 더구나 리괘의 성질은 타오르기에, 상괘의 가운데는 하괘의 가운데만 못하다.

○ 李氏開曰, 六二本坤之中爻, 黃地之中色, 與黃裳元吉同. 裳下飾而離爲日, 此其異也.
이개가 말하였다: 육이는 본래 곤괘의 가운데 효이니, 황색은 땅의 가운데 색으로 "황색 치마이니 크게 길하다"와 같다. 황상(黃裳)의 '치마[裳]'는 아래를 꾸미고, 황리(黃離)의 '리(離)'는 해가 되는 것이 다르다.

韓國大全

송시열(宋時烈) 『역설(易說)』

黃者, 得坤土之正色者也. 以柔順之道, 得中正之地, 其吉可知. 五[26]亦如之. 黃字自坤五黃裳來, 元吉亦同.
'황색'은 곤괘(☷)인 흙의 바른 색을 얻은 것이다. 유순한 도로써 중정한 곳을 얻으니 그 길함을 알 수 있다. 오효 또한 그와 같다. '황(黃)'자는 곤괘 오효의 '황색 치마'에서 왔고, '크게 길함'도 마찬가지이다.

유정원(柳正源) 『역해참고(易解參攷)』

六二, 黃離.

26) 五: 경학자료집성DB와 영인본에는 모두 '止'로 되어 있으나, 문맥을 살펴 '五'로 바로잡았다.

육이는 황색에 붙음이다.

魯齋許氏曰, 初與三, 剛而得正, 皆有爲之才也. 然其明照, 各滯一偏. 唯六二中正, 見義理之當然, 而其才幹有不逮其明者甚矣. 才智之難齊也, 得應於上, 則明有所附矣. 然非剛之善用明, 實明之能自用也. 大抵以剛用明, 不若以明用剛之爲順. 故八卦應五附三, 其勢略等, 而離之六五, 有應於下者, 爲最美也.
노재허씨가 말하였다: 초효와 삼효는 굳센 양이고 제 자리를 얻었으니 모두 도모해 볼만한 재질이다. 그러나 그 밝게 비춤이 각각 한 편으로 정체된다. 오직 육이만이 중정하여 의리의 당연함을 알지만, 그 재간이 그 밝음에 미치지 못함이 심하다. 재주와 지혜는 고르게 갖추기 어렵지만, 위에서 호응을 얻는다면 밝음에 붙는 바가 있을 것이다. 그러나 굳센 양이 밝음을 잘 쓰는 것이 아니라, 실상은 밝음이 스스로 쓰는 것이다. 굳셈으로 밝음을 쓰는 것은, 밝음으로 굳셈을 쓰는 것의 순조로움만 못하다. 그러므로 여덟 개의 괘에서 오효에 호응하고 삼효에 붙는 것은 그 형세가 대략 균등하지만, 리괘의 육오에 아래와 호응함이 있는 것이 가장 아름답게 된다.

김상악(金相岳) 『산천역설(山天易說)』

黃, 中色也. 六二比初與三, 麗乎中, 而得其正, 大善之吉也.
'황색'은 중앙의 색이다. 육이는 초효와 삼효를 가까이 하고, 가운데 붙어서 올바름을 얻었으니 크게 선한 길함이다.

○ 離火生坤土, 又地二生火, 故黃離元吉, 與坤六五同象. 或曰, 履之初曰, 素履, 賁之上曰, 白賁, 與離之黃離, 取象相似, 而占辭不同者, 何也. 曰合三卦而言之, 離火生賁之艮土, 克履之兌金, 所以造化不可无生, 亦不可无克. 不生則或幾乎熄矣, 不克則亦无以成就也. 故鎔金合土之功, 火爲之主, 故離之居中, 得元吉, 履賁之分, 居上下, 皆得无咎, 可見其生克之妙.
리괘(☲)인 불이 곤괘(☷)인 흙을 낳고, 또 땅의 수(數)인 이(二)에서 불이 나오므로 "황색에 붙으니 크게 길하다"는 곤괘의 육오와 같은 상이다.
어떤 이가 물었다: 리괘(履卦)의 초효에서 "평소의 본분대로 간다"라 한 것과 비괘(賁卦)의 상효에서 "꾸밈을 희게 한다"라 한 것은, 리괘(離卦)의 "황색에 붙음이다"와 상을 취한 것이 비슷한데, 점사가 같지 않은 것은 왜 그렇습니까?
답하였다: 세 괘를 합하여 말하면, 리괘(離卦)인 불이 비괘(賁卦䷕)에 있는 간괘(☶)의 흙을 낳고, 리괘(履卦䷉)에 있는 태괘(☱)의 쇠를 이겨내니, 그래서 조화에는 낳음이 없을 수 없고 또한 이겨냄도 없을 수 없는 것입니다. 낳지 않으면 혹 거의 멈추게 될 것이고, 이겨내

지 않는다면 역시 성취할 수 없습니다. 그러므로 쇠를 녹이고 흙과 합하는 공로는 불을 주인으로 삼기 때문에, 리괘(離卦)가 가운데 있어서 '크게 길함'을 얻고, 리괘(履卦)와 비괘(賁卦)가 나뉘어 위아래로 있으면서 모두 '허물없음'을 얻으니, 그 생극(生克)의 오묘함을 볼 수 있습니다.

서유신(徐有臣) 『역의의언(易義擬言)』

黃離, 麗於中也, 日行黃道之象也.
'황색에 붙음'은 가운데 붙음이니, 해가 황도를 다니는 상이다.

박문건(朴文健) 『주역연의(周易衍義)』

中德著明, 故有黃離之象, 順以從上, 故大吉.
알맞은 덕이 드러나 밝으므로 '황색에 붙는' 상이 있고, 순종하여 위를 따르므로 크게 길하다.

이지연(李止淵) 『주역차의(周易箚疑)』

六二, 黃離.
육이는 황색에 붙음이다.

中正柔順, 又能明哲, 吉莫大焉.
중정하고 유순하며 또 명철하니 길함이 그보다 큰 것이 없다.

김기례(金箕澧) 「역요선의강목(易要選義綱目)」

二得坤一陰而能明, 又居地爻, 故曰黃. 中正坤道居下體, 故大吉.
이효가 곤괘(䷁)의 한 음을 얻어 밝을 수 있고, 또 땅 자리의 효에 있으므로 '황색'이라 하였다. 중정한 곤괘의 도가 하체에 있으므로 크게 길하다.

심대윤(沈大允) 『주역상의점법(周易象義占法)』

离之大有䷍. 以文明中正居柔, 其得自然附麗, 而无用力之勞. 故曰, 黃離元吉.
리괘가 대유괘(大有卦䷍)로 바뀌었다. 문명하고 중정함으로 부드러운 음의 자리에 있으니,

자연히 붙을 수 있어서 힘쓰는 수고로움이 없다. 그러므로 "황색에 붙으니 크게 길하다"고 하였다.

오치기(吳致箕) 「주역경전증해(周易經傳增解)」

六二, 柔得中正, 有文明之德, 而上同於六五之君, 卽賢臣在位者也. 處柔而和順, 積中行正, 而旡所偏邪, 故爲黃離之象, 而占言大善而吉.
육이는 부드러운 음이 중정함을 얻어 문명한 덕이 있고 위로 육오의 임금과 함께 하니, 어진 신하가 지위에 있는 것이다. 부드러운 음의 자리에 있어 화순하고, 내면을 쌓아 바르게 행하여 치우치고 삿된 것이 없으므로 '황색에 붙는' 상이 되고, 점사에서 크게 선하여 길하다고 하였다.

○ 黃爲中色, 亦以離陰自坤中來, 而坤土屬黃也. 離者, 麗也, 此爻卽所謂柔麗乎中正者也.
'황색'은 중앙의 색이고, 또 리괘의 음이 곤괘의 가운데로부터 왔는데, 곤괘의 흙은 '황색'에 속한다. 리(離)는 붙음이니, 이 효가 바로 '부드러운 음이 중정에 붙어 있다'는 것이다.

이진상(李震相) 『역학관규(易學管窺)』

得坤中爻, 故曰黃, 日行黃道之象.
곤괘의 가운데 효를 얻었으므로 '황색'이라 하였는데, 해가 황도를 다니는 상이다.

이병헌(李炳憲) 『역경금문고통론(易經今文考通論)』

鄭曰, 離南方之卦, 離爲火, 土託位焉. 土色黃, 火之子, 喩子有明德能附麗於父之道也.
정현이 말하였다: 리괘는 남방의 괘이며, 리괘는 불이 되니, 흙이 의탁하는 자리이다. 흙은 색이 황색이며 불의 자식이니, 자식이 밝은 덕을 지녀 아버지의 도에 붙어 있을 수 있음을 비유한다.

象曰, 黃離元吉, 得中道也.

「상전」에서 말하였다: "황색에 붙으니 크게 길함"은 중도(中道)를 얻었기 때문이다.

中國大全

傳

所以元吉者, 以其得中道也. 不云正者, 離以中爲重, 所以成文明, 由中也, 正在其中矣.

크게 길한 까닭은 중도(中道)를 얻었기 때문이다. 바름[正]을 말하지 않은 것은 리괘는 중도를 중하게 여기기 때문이다. 문명을 이룬 까닭은 중도를 말미암기 때문이니, 바름은 그 안에 포함되어 있다.

小註

節齋蔡氏曰, 坎之時用在中. 二五皆卦之中也, 五當位而二不當位, 故五爲勝. 離之時用在中, 二五皆卦之中也, 二當位而五不當位, 故二爲勝.

절재채씨가 말하였다: 감괘(坎卦☵)의 '때에 맞게 쓰임'은 중(中)에 달려있다. 이효와 오효가 모두 괘의 가운데이지만, 오효는 자리에 마땅하고 이효는 자리에 마땅하지 않기 때문에 오효가 뛰어나다. 리괘(離卦☲)의 '때에 맞게 쓰임'도 중(中)에 달려있다. 이효와 오효가 모두 괘의 가운데이지만, 이효는 자리에 마땅하고 오효는 자리에 마땅하지 않기 때문에 이효가 뛰어나다.

○ 雲峯胡氏曰, 坎五之中, 中而未大. 離二之中, 聖人特以得中道許之.

운봉호씨가 말하였다: 감괘(坎卦☵)의 오효가 가운데 있음은 가운데 있어도 크지 않은 것이다. 리괘(離卦☲)의 이효가 가운데 있음은 성인이 다만 중도를 얻은 것으로 인정했다.

❙韓國大全❙

김상악(金相岳)『산천역설(山天易說)』

中, 卽文在中之中也.
'중(中)'은 곧 "문채가 가운데 있다"[27]의 '가운데[中]'이다.

○ 坎離者, 日月也. 日月所行之道, 謂黃道赤道, 而二居中, 故曰得中道也. 坎之初上, 則皆不中, 故曰失道.
감괘와 리괘는 해와 달이다. 해와 달이 운행하는 길을 황도와 적도라 하는데, 이효는 가운데 있으므로 "중도(中道)를 얻었다"고 하였다. 감괘의 초효와 상효는 모두 가운데 있지 못하기 때문에 "도를 잃었다"고 하였다.

서유신(徐有臣)『역의의언(易義擬言)』

日軌, 中正也.
해의 궤도는 중정하다.

오치기(吳致箕)「주역경전증해(周易經傳增解)」

所以元吉者, 以其得中道也. 言中則正在其中矣
크게 길한 까닭은 중도를 얻었기 때문이니, '중도[中]'를 말하면 '바름[正]'은 그 가운데 있는 것이다.

이병헌(李炳憲)『역경금문고통론(易經今文考通論)』

程傳曰, 離以中爲重. 所以成文明, 由中也.
『정전』에서 말하였다: 리괘는 중도를 중하게 여기기 때문이다. 문명을 이룬 까닭은 중도를 말미암기 때문이다.

姚曰, 坤元託位於二, 二得中正. 故元吉, 得中道也.
요신이 말하였다: 곤괘(☷)의 '원(元)'이 이효에 자리를 의탁함은, 이효가 중정을 얻었기 때문이다. 그러므로 '크게 길함'은 중도를 얻었기 때문이다.

---

27)『周易 · 坤卦』: 象曰, 黃裳, 元吉, 文在中也.

九三, 日昃之離, 不鼓缶而歌, 則大耋之嗟, 凶.

구삼은 해가 기울어 걸려 있으니, 질장구를 두드려 노래하지 않으면 너무 늙음을 한탄하는 것이므로 흉하다.

中國大全

傳

八純卦, 皆有二體之義. 乾內外皆健, 坤上下皆順, 震威震相繼, 巽上下順隨, 坎重險相習, 離二明繼照, 艮內外皆止, 兌彼己相說. 而離之義, 在人事最大. 九三, 居下體之終, 是前明將盡, 後明當繼之時, 人之始終, 時之革易也. 故爲日昃之離, 日下昃之明也. 昃則將沒矣. 以理言之, 盛必有衰, 始必有終, 常道也, 達者, 順理爲樂. 缶, 常用之器也, 鼓缶而歌, 樂其常也. 不能如是, 則以大耋爲嗟憂, 乃爲凶也. 大耋, 傾沒也. 人之終盡, 達者, 則知其常理樂天而已, 遇常皆樂, 如鼓缶而歌. 不達者, 則恐怛有將盡之悲, 乃大耋之嗟, 爲其凶也, 此處死生之道也. 耋與昳同.

여덟 순괘(純卦)에는 모두 두 몸체의 뜻이 있다. 건괘(乾卦)는 안팎이 모두 굳셈이고, 곤괘(坤卦)는 위아래가 모두 순함이며, 진괘(震卦)는 위엄과 진동이 서로 이어짐이고, 손괘(巽卦)는 위아래가 순히 따름이며, 감괘(坎卦)는 중첩된 험함이 서로 거듭함이고, 리괘(離卦)는 두 밝음이 이어져 비춤이며, 간괘(艮卦)는 안팎이 모두 멈춤이고, 태괘(兌卦)는 상대와 내가 서로 기뻐함이다. 그런데 리괘의 뜻이 사람의 일에 가장 크다. 구삼은 하체(下體)의 끝에 있어 바로 앞의 밝음이 다하려 하고 뒤의 밝음이 이어져야 할 때이니, 사람의 시작과 끝이며 변역하는 때이다. 그러므로 '해가 기울어 걸려 있음'이 되니, 해가 아래로 기울 때의 밝음이다. 해가 기울면 넘어갈 것이다. 이치로 말하면, 번성함에는 반드시 쇠약함이 있고 시작에는 반드시 종말이 있는 것이 떳떳한 도(道)이니, 통달한 자는 이치에 순응하여 즐거워한다. '질장구'는 항상 쓰는 그릇이고, '질장구를 두드리며 노래함'은 그 떳떳함을 즐거워하는 것이다. 이와 같이 할 수 없다면 너무 늙었음을 한탄하고 근심하는 것이니, 마침내 '흉함'이 된다. 너무 늙었다면 기울어 사라지는 것이다. 사람이 삶을 마칠 적에 통달한 자는 떳떳한 이치를 알아 천명을 즐거워할 뿐이니, 만남에 항상 모두 즐거워서 마치 질장구를 두드리며 노래함과 같다. 통달하지 못한 자는 삶이 다하는 슬픔이 있을까 두려워하니, 바로 '너무 늙음을 한탄함'으로 흉한 것이다. 이것이 '삶과 죽음'을 맞이하는 도이다. '늙음[耋]'은 '해가 기욺[昳]'과 같은 뜻이다.

本義

重離之間, 前明將盡, 故有日昃之象. 不安常以自樂, 則不能自處而凶矣, 戒占者宜如是也.

중첩된 리괘(離卦)의 사이에서 앞의 밝음이 다하려 하므로 해가 기우는 상이 있다. 떳떳함을 편안히 여겨 스스로 즐거워하지 못한다면 스스로 처신하지 못하여 흉할 것이니, 점치는 자에게 당연히 이와 같아야 한다고 경계한 것이다.

小註

或問, 日昃之離. 朱子曰, 死生常理也, 若不能安常以自樂, 則不免有嗟戚. 又問, 生之有死, 猶晝之必夜. 故君子當觀日昃之象, 以自處. 曰, 人固知常理如此, 只是臨時, 自不能安耳.
어떤 이가 물었다: '해가 기울어 걸려 있음'은 무슨 뜻입니까?
주자가 답하였다: 죽고 사는 것은 떳떳한 이치입니다. 만일 떳떳함을 편안히 여겨 스스로 즐거워하지 못한다면, 한탄하고 근심하게 됩니다.
또 물었다: 태어났으면 반드시 죽음이 있는 것은 낮이 있으면 반드시 밤이 있는 것과 같습니다. 그러므로 군자는 해가 기우는 상을 보고는 그것으로 스스로 처신해야 하는 것입니까?
답하였다: 사람이 진실로 떳떳한 이치가 이와 같음을 알고 있으나, 다만 그 때가 되면 저절로 편안할 수 없을 뿐입니다.

○ 雲峯胡氏曰, 日昃晝而將夜也. 晝之必夜, 生之必死, 皆常道也. 缶常用之器, 不鼓缶而歌, 是不安常以自樂也. 不安其常, 則不能自處, 而以大耋爲嗟矣. 嗟者, 歌之反, 故凶.
운봉호씨가 말하였다: 해가 기욺은 낮에서 밤이 되려는 것이다. 낮이면 반드시 밤이 되고, 태어났으면 반드시 죽는 것이 모두 떳떳한 도이다. '질장구'는 항상 쓰는 그릇이다. 질장구를 두드려 노래하지 않는 것은 떳떳함을 편안히 여겨 스스로 즐거워하지 못하는 것이다. 떳떳함을 편안히 여기지 못하면 스스로 처신할 수 없어서 너무 늙음을 한탄할 것이다. '한탄함'은 '노래함'의 반대이므로 흉하다.

○ 藍田呂氏曰, 詩云我今不樂, 逝者其耋, 與此意同.
남전여씨가 말하였다: 『시경』에서 "내가 지금 즐기지 않으면 세월이 흘러가 늙어지리라"[28] 라고 하였는데, 여기의 뜻과 같다.

○ 庸齋趙氏曰, 離爲日, 三過中, 前明將盡, 有日昃之象. 於是時也, 鼓缶而歌, 是以樂消日也, 王羲之所謂年在桑榆, 賴絲竹陶寫是也. 大耋之嗟, 是以憂度日也, 趙孟所謂焉能恤遠, 朝不謀夕 是也.
용재조씨가 말하였다: 리괘는 '해'가 되는데, 삼효는 가운데를 지나서 앞에 밝음이 다하려하니, 해가 기우는 상이 있다. 이러한 때에 '질장구를 두드려 노래 부름'은 즐거움으로 소일하는 것이니, 왕희지(王羲之)가 말한 "늘그막에 거문고와 퉁소에 의지하여 근심 없이 즐겁게 지내리라"[29]가 이것이다. '너무 늙음을 한탄함'은 근심으로 날을 보내는 것이니, 조맹(趙孟)이 말한 "어찌 먼 앞날을 걱정하겠는가? 아침에 저녁의 일도 계획할 수 없다네"[30]가 이것이다.

韓國大全

권근(權近) 『주역천견록(周易淺見錄)』

言九三以陽居陽, 又爲日昃之離, 過剛不中, 而識暗之象. 必不能明於死生之理, 常以大耋爲憂戚者也. 夫君子原始反終, 知死生之道, 故壽夭不貳, 順受其正, 不以終盡爲悲, 而以全歸爲安. 修身以竢死, 樂天以不憂, 常如鼓缶而歌, 以樂其生者也. 不然則以大耋爲嗟[31], 恐怛有將盡之悲. 年彌多而懼彌深, 常懷憂戚, 至死乃已, 是其凶也. 夫死等耳, 達者則知其常理, 寬樂以令終. 生順而死安, 得其正而斃矣, 不可謂之凶也. 吳氏謂, 以其近死, 故凶, 惟超出死生之外者, 能不凶也. 此亦非[32]儒者之言也. 有生必有死, 卽晝夜之道也. 能超出其外者誰歟. 謂神仙是邪, 則服餌之說, 自古不效, 謂釋氏是邪, 則七旬而死, 僅得中壽. 二氏怪誕無實, 先賢論之詳矣. 若果有之, 則當有異人, 終古不死在於天地之間者矣. 何爲人不得而見之也?
구삼이 양으로서 양의 자리에 거하고 또 '해가 기울어 걸려 있음'이 됨을 말하니, 굳셈이 지나쳐 알맞지 못하고 식견이 어두운 상이다. 반드시 삶과 죽음의 이치에 밝지 못해서 항상

28) 『詩經 · 車鄰』: 阪有漆, 隰有栗, 旣見君子, 竝坐鼓瑟, 今者不樂, 逝者其耋.
29) 『世說新語·言語』: 謝太傅語王右軍曰, 中年傷於哀樂, 與親友別, 輒作數日惡. 王曰, 年在桑榆, 自然至此, 正賴絲竹陶寫. 恒恐兒輩覺, 損欣樂之趣.
30) 『春秋左傳 · 昭公』: 趙孟對曰, 老夫罪戾是懼, 焉能恤遠. 吾儕偷食, 朝不謀夕, 何其長也.
31) 嗟: 경학자료집성DB와 영인본에는 모두 '兕'로 되어 있으나, 문맥을 살펴 '嗟'로 바로잡았다.
32) 非: 경학자료집성DB와 영인본에는 모두 '背'로 되어 있으나, 문맥을 살펴 '非'로 바로잡았다.

너무 늙은 것을 근심 걱정하는 자이다. 군자는 처음을 궁구하여 마침을 돌이켜서 삶과 죽음의 도리를 알기 때문에 장수하든 요절하든 마음이 흔들리지 않으며, 바른 도리를 순하게 받아들여 삶이 다함을 슬프게 여기지 않고 온전히 돌아감을 편안히 여긴다. 자신을 닦아 죽음을 기다리고 천도(天道)를 즐겨 근심하지 않으니, 항상 질장구를 두드려 노래하면서 그 삶을 즐기는 자와 같다. 그렇지 않다면 너무 늙는 것을 한탄하고, 삶이 다하는 슬픔이 있을까 두려워할 것이다. 나이가 많아질수록 두려움은 깊어지고, 늘 근심걱정을 품다가 죽은 뒤에야 그치니, 이것이 그 흉함이다. 죽음은 누구에게나 평등하지만, 통달한 자는 떳떳한 이치를 알아서 여유 있게 즐겨서 흔쾌하게 마감한다. 삶에 순응하고 죽음에 편안하여 그 올바름을 얻고 죽으니, 흉하다고 할 수 없다. 오징은 "죽음에 가깝기 때문에 흉한 것이니, 삶과 죽음의 밖으로 벗어난 자만이 흉하지 않을 수 있다"라고 하였는데, 이 또한 유학자의 말이 아니다. 삶이 있으면 반드시 죽음이 있는 것은 바로 낮과 밤의 도이다. 그 밖으로 벗어날 수 있는 사람이 누구란 말인가? 신선이 이것인가 한다면, 복이(服餌)[33]의 설은 예로부터 효험이 없었고, 석씨가 이것인가 한다면 칠순에 죽어 겨우 중간 정도의 수명을 누렸을 뿐이다. 두 종파가 괴이하여 내실이 없음을 선현들이 상세하게 논의하였다. 과연 그런 사람이 있다면, 마땅히 천지 사이에 먼 옛날부터 죽지 않고 존재하는 이인(異人)이 있어야 할 것이다. 어째서 사람들이 그러한 자를 볼 수 없단 말인가?

自宓羲氏至吾夫子, 群聖已往, 是皆未免耋嗟之凶者乎. 後世靖節之徒, 猶能達此, 所謂聊乘化以歸盡, 樂夫天命, 復奚疑者是, 況聖人乎. 夫物之終始, 皆陰陽合散之所爲. 雖有修短先後之不齊, 其歸一也. 以天地之悠久, 亦不外此易之理也. 吳氏解易而有此言, 何哉? 若曰達者其心超然出乎死生之外而無憂, 則庶幾哉!
복희씨로부터 공자에 이르기까지 뭇 성인들은 이미 가버렸으니, 이들은 모두 '늙음을 한탄하는 흉함'을 면하지 못한 사람들인가? 후세의 정절을 지킨 무리들도 오히려 여기에 통달하였으니, 이른바 "조화에 올라타다가 생명이 다하여 죽음으로 돌아가니, 저 천명을 즐거워함에 다시 무엇을 의심하겠는가!"가 이것이거늘, 더구나 성인임에랴! 사물의 끝과 처음은 모두 음양이 모이고 흩어져 그렇게 된 것이다. 비록 길고 짧음, 앞과 뒤의 차이는 있지만, 돌아간다는 점은 마찬가지이다. 천지가 유구하다 해도 이 역의 이치를 벗어나지는 않는다. 오징이 역을 해석하면서 이렇게 말한 것은 무엇 때문인가? 만일 "통달한 사람은 그 마음이 삶과 죽음 밖으로 초연히 벗어나 근심이 없다"고 한다면 거의 가까울 것이다.

---

33) 복이(服餌): 신선이 되기 위해 일반적인 음식을 먹지 않고, 특정한 식물을 생으로 섭취하는 도교의 수련법이다.

조호익(曺好益)『역상설(易象說)』

雙湖曰, 缶瓦器, 取水火土象. 三陰爻, 坤土也.
쌍호호씨가 말하였다: '부(缶)'는 질그릇으로 물과 불과 흙의 상을 취하였다. 세 효가 음효이니, 곤괘(☷)의 흙[土]이다.

愚謂, 三變則卦有三陰爻, 坤土也, 伏體坎, 變體坎, 和爲泥, 離燒之, 有缶之象.
내가 살펴보았다: 구삼이 변하면 괘에 세 개의 음효가 있으니 곤괘의 흙이 되며, 잠복한 몸체가 감괘이고 변한 몸체도 감괘이니 흙과 물이 섞이면 진흙이 되며, 리괘(離卦)로 굽기에 '질그릇[缶]'의 상이 있다.

或曰, 自二至五, 亦似坎. 變體, 上艮手下震動, 有皷之之象.
어떤 이가 말하였다: 이효부터 오효까지가 역시 감괘와 비슷하다. 변한 몸체는 상괘가 간괘(☶)인 손[手]이고 하괘가 진괘(☳)인 움직임[動]이니, '질그릇을 두드리는[鼓之]' 상이 있다.

或曰, 互兌, 亦伏艮, 互巽, 亦伏震, 互兌口離火, 有聲歌之象. 大耋, 前明將盡之象, 所謂日迫西山是也. 嗟, 兌口離火之象.
어떤 이가 말하였다: 호괘인 태괘(☱)에는 또한 간괘(☶)가 잠복하고, 호괘인 손괘(☴)에는 또한 진괘(☳)가 잠복한다. 호괘인 태괘의 입과 리괘의 불에는 소리 내어 노래하는 상이 있다. '너무 늙음[大耋]'은 앞의 밝음이 다하려는 상이니, 이른바 해가 서산에 닥쳤다는 것이 이것이다. '차(嗟)'는 태괘인 입과 리괘인 불의 상이다.

송시열(宋時烈)『역설(易說)』

離爲日而離將盡, 故云日昃, 且離日將入於互兌, 兌日入方也. 離錯則爲坎, 互亦有大坎象, 坎爲缶. 初變如來易之說, 則震爲皷象, 然皷是扣擊之意看似好. 來云離爲歌爲泣, 坎之爲憂恤怵惕之象, 說卦已見. 人之喜則歌, 憂則嗟, 情之常也. 日之特昃, 如人之將老至而不可久. 詩之今我不樂, 日月其除, 意略似否. 梁氏寅, 哀樂之失常云者, 本於程傳而未知是否. 言不久而底凶也.
리괘는 해가 되고 해가 곧 다하려 하므로 "해가 기운다"고 하였고, 리괘의 해가 곧 호괘인 태괘(☱)로 들어가려 하는데, 태괘는 해가 들어가는 방위이다. 리괘가 음양이 바뀌면 감괘(☵)가 되고, 호괘에도 역시 큰 감괘(䷛)의 상이 있는데, 감괘는 '질그릇'이 된다. 초변이 래지덕의 역설과 같다면, 진괘가 북의 상이 되지만,[34] 북은 두드린다는 뜻으로 보는 것이 좋을 듯하다. 래지덕은 "리괘(☲)는 노래가 되고, 울음이 된다"고 하였고, 감괘(☵)가 근심하고 두려워하는 상이 되는 것은 「설괘전」에 이미 나온다. 사람이 기쁘면 노래하고, 근심스러우면 한탄하는 것이 인지상정이다. 해가 기우는 것은 사람이 장차 늙어 오래갈 수 없는 것과 같다. 『시경』의 "지금 우리 즐기지 않으면 세월은 흘러가 버리리라"[35]와 뜻이 대략 비슷하지 않은가 한다. 양인(梁寅)이 "기쁨과 슬픔이 상도를 잃었다"고 한 것은, 『정전』에 근거한 것이지만 옳은지는 모르겠다. 오래지 않아 흉함에 이른다는 말이다.

이익(李瀷) 『역경질서(易經疾書)』

三爲日昃, 則二當日中, 初當日出也. 卦內惟六二中正, 未午非中, 過午非正, 故有此象. 然則四當日入, 五當夜中, 上當將朝之候. 離者象日, 故以渾天之周言之. 至晉明夷, 則各占其半弧.

삼효가 해가 기우는 것이 되니, 이효는 해가 중천에 있음에 해당되고, 초효는 해가 뜨는 것에 해당된다. 괘에서 육이만이 중정한데, 오시[午]에 이르지 않았으면 중(中)이 아니고, 오시를 지나면 정(正)이 아니므로 이러한 상이 있다. 그렇다면 사효는 해가 져서 들어감에 해당되고, 오효는 밤중에 해당되며, 상효는 곧 아침이 되려는 때에 해당된다. 리괘는 해를 상징하므로 하늘의 운행으로 말하였다. 진괘(晉卦䷢) · 명이괘(明夷卦䷣)에 이르러서는 각기 그 원의 반호를 점유한다.[36]

八音之土, 非火煆不成聲, 缶者, 樂器之土屬而火煆者也. 後世納音之術, 亦遇火, 則不稱火而稱土, 理或如此也. 古之歌樂者, 不於朝而必於晝夕之間, 故鄒陽云, 邑號朝歌, 墨子回車. 淮南子亦云, 爲儒而踞里閭, 爲墨而朝吹竽. 竽歌之, 不合於朝, 則於夕斯可矣. 詩曰, 今我不樂, 日月其除, 日昃故不妨其歌樂, 離火故宜鼓缶, 然而不爲者, 緣大耋之嗟故也. 此倒句也, 宜樂反嗟, 非謂樂之可常作也. 生老病死, 豈嗟歎可免, 是以凶也.

팔음(八音)[37]의 토(土)는 불로 굽지 않으면 소리를 이룰 수 없고, '질장구[缶]'는 악기 가운

---

34) 리괘(離卦) 육삼효를 효변하면 내괘가 진괘(震卦☳)가 된다. 진괘는 움직임이고, 감괘(坎卦)는 질그릇이니, 질장구를 두드려 소리가 울리는 상이 된다는 말이다.

35) 『詩經 · 唐風』: 蟋蟀在堂, 歲聿其莫. 今我不樂, 日月其除. 無已大康, 職思其居. 好樂無荒, 良士瞿瞿.

36) 진괘(晉卦䷢)는 상괘가 리괘이고, 명이괘(明夷卦䷣)는 하괘가 리괘로, 각기 해를 상징하는 리괘가 하나씩 있으므로 반호가 된다.

37) 팔음(八音): 악기를 만드는 여덟 가지 재료에 따라서 악기를 분류하는 법이다. 즉, 쇠[金] · 돌[石] · 명주실[絲] · 대나무[竹] · 바가지[匏] · 흙[土] · 가죽[革] · 나무[木] 등 8가지 재료를 말하며, 이에 따라 금부(金部) · 석부(石部) · 사부(絲部) · 죽부(竹部) · 포부(匏部) · 토부(土部) · 혁부(革部) · 목부(木部)로 나눈다. 금부에는 편종 · 특종 · 방향 · 징 · 나발 · 꽹과리 등, 석부에는 편경 · 특경 등, 사부에는 거문고 · 가야금 · 해금 ·

데 토(土)에 속하니, 불로 구운 것이다. 후세에 납음(納音)하는 방법에 또한 화(火)를 만나면 화(火)라 하지 않고 토(土)라 하니, 이치가 이러하기 때문일 것이다. 옛날에 노래하는 자는 아침에 하지 않고 반드시 낮과 저녁의 사이에 하였다. 그러므로 추양이 "마을 이름이 조가(朝歌)라서 묵자가 수레를 돌렸다"[38]고 하였다. 『회남자』에서도 "유학자이면서 마을에 숨어 살고, 묵가이면서 아침에 피리를 분다"라 하였다. 피리불고 노래함은 아침에 적당하지 않으니, 저녁에 하는 것이 좋을 것이다. 『시경』에서 "지금 우리 즐기지 않으면 세월은 흘러가 버리리"[39]라 하였다. 해가 기울기 때문에 노래하여도 무방하고, 리괘는 불이기 때문에 질장구를 두드림이 마땅한데, 그럼에도 하지 않는 자는 너무 늙었음을 한탄하기 때문이다. 이는 도치된 구절로, 즐거워해야 하는데 도리어 한탄한다는 것이지, 음악을 항상 할 수 있다고 하는 것이 아니다. 태어나서 늙고 병들어 죽는데, 어찌 한탄을 면할 수 있겠는가! 이 때문에 흉한 것이다.

유정원(柳正源) 『역해참고(易解參攷)』

王氏曰, 處下離之終, 明在將沒, 故曰日昃之離, 明在將終. 若不委之於人養志无爲, 則至於耋老而有嗟凶. 故曰, 不鼓缶而歌, 則大耋之嗟, 凶也.
왕필이 말하였다: 하괘인 리괘의 끝에 있어서 밝음이 곧 지려고 하므로 "해가 기울어 걸려있다"고 하였으니, 밝음이 곧 끝날 것이다. 만약 사람이 뜻을 길러 무위함에 따르지 않는다면, 크게 늙음에 이르러 한탄하는 흉함이 있을 것이다. 그러므로 "질장구를 두드려 노래하지 않으면 너무 늙음을 한탄하는 것이므로 흉하다"라 하였다.

○ 漢上朱氏曰, 九三, 明盡之際, 大耋也. 九十曰耋, 離三爻, 當乾坤之策九十有六, 故曰耋. 大耋, 猶言大老.
한상주씨가 말하였다: 구삼은 밝음이 다할 때이니, 크게 늙음이다. 구십세를 질(耋)이라 하는데, 리괘의 삼효는 건·곤의 책수인 구십육에 해당하므로 '질(耋)'이라고 했다. '대질(大耋)'은 크게 늙었다고 말함과 같다.

○ 李氏開曰, 初爲日出, 二爲日中, 三爲日昃. 若大耋之嗟, 則有暮年將盡之悲矣.
이개가 말하였다: 초효는 해가 뜨는 것이고, 이효는 해가 중천이며, 삼효는 해가 기운 것이

아쟁·비파 등, 죽부에는 피리·젓대·당적·단소·퉁소 등, 포부에는 생황, 토부에는 훈·부 등, 혁부에는 장구·갈고·좌고·절고·소고 등, 목부에는 박·축·어 등이 포함된다.

38) 『사기·추양전』.

39) 『詩經·唐風』: 蟋蟀在堂, 歲聿其莫. 今我不樂, 日月其除. 無已大康, 職思其居. 好樂無荒, 良士瞿瞿.

다. '너무 늙음을 한탄함'은 말년이 곧 다할 것을 슬퍼함이다.

○ 平庵項氏曰, 九三動成震, 震爲鼓爲聲. 互坎爲缶, 又爲擊缶之聲. 鼓缶而歌, 古樂也.
평암항씨가 말하였다: 구삼이 움직이면 진괘가 되는데, 진괘는 북이 되고 소리가 된다. 호괘인 감괘가 질그릇이 되니, 또한 질장구를 두드리는 소리가 된다. 질장구를 두드리며 노래하는 것은 옛 음악이다.

○ 雙湖胡氏曰, 自九三至六五, 有兌體, 兌爲口, 故又有歌嗟之象.
쌍호호씨가 말하였다: 구삼부터 육오까지[☱]에 태괘(兌卦☱)의 몸체가 있는데, 태괘는 입이므로 또한 노래하고 한탄하는 상이 있다.

○ 梁山來氏曰, 離爲大腹, 又中虛缶之象.
양산래씨가 말하였다: 리괘(☲)는 큰 배[大腹]가 되고, 또 가운데가 빈 질그릇의 상이다.

김상악(金相岳) 『산천역설(山天易說)』

重離之間, 前明將盡, 比二而居上. 互爲兌體, 故有日昃之象. 盛必有衰, 始必有終, 而不能安常自樂, 是以大耋爲嗟, 何凶如之. 詩云, 今我不樂, 逝者其耋, 此之謂也
중첩된 리괘의 사이에서 앞의 밝음이 다하려 할 때에 이효를 가까이 하여 위에 있다. 호괘는 태괘(兌卦)의 몸체가 되므로 해가 기우는 상이 있다. 성대함에는 반드시 쇠퇴함이 있고, 시작에는 반드시 끝이 있는데, 떳떳함을 편안히 여겨 스스로 즐거워하지 못하기 때문에 너무 늙었다고 한탄하니, 무엇이 이처럼 흉하겠는가? 『시경』에서 "지금 우리 즐기지 않으면, 세월 흘러 덧없이 늙어가리"[40]라 한 것은 이를 말한다.

○ 離日居兌西之下, 昃象. 故革之象爻, 皆言巳日. 以爻言, 初日出, 二日中, 三日昃也. 豊則離居震東之下, 故曰宜日中, 又有日昃之戒. 鼓以節樂, 離之象. 缶, 常用之器也, 詳見坎六四註. 周禮國祭蜡, 則龡豳頌, 擊土鼓, 以息老物, 土鼓亦缶之類也. 歌, 漢書所謂擊缶而歌嗚嗚, 是也. 兌口, 性說歌之象. 嗟者, 歌之反也. 耋者, 老也. 耋之言昳, 過七十則力衰, 如日之昳也. 生之有死, 猶晝之必夜, 若不能安常而自樂, 則以大耋爲嗟也. 所謂以欲忘道, 則惑而不樂者, 此也. 故君子所居而安者, 易之序也, 所樂而玩者, 爻之辭也.

---

40) 『詩經・車鄰』: 阪有漆, 隰有栗. 既見君子, 竝坐鼓瑟. 今者不樂, 逝者其耋.

리괘의 해가 태괘 서쪽의 아래에 있으니, 기우는 상이다. 그러므로 혁괘(革卦) 괘사에 모두 "시일이 지나야[已日]"라 하였다. 효를 가지고 말하면, 초효는 해가 뜨는 것이고, 이효는 해가 중천이며, 삼효는 해가 기우는 것이다. 풍괘(豊卦)는 리괘가 동쪽인 진괘의 아래에 있으므로 "해가 중천에 있듯이 해야 한다"고 하였고, 또 해가 기움에 대한 경계가 있다.[41] 북을 두드려 음악의 장단을 맞추는 것은 리괘의 상이다. 질그릇[缶]은 늘 쓰는 기물이니, 감괘 육사효의 주석에 자세히 보인다. 『주례』에 나라에서 음력 12월 사제(蜡祭)를 지낼 때에는 빈송을 연주하고, 흙장구를 두드려 노쇠한 것들을 쉬게 한다고 하였는데, 흙장구는 질그릇[缶] 종류이다. "노래한다[歌]"는 『한서』에서 말한 "질그릇을 두드리며 소리 높여 노래한다"가 이것이다. 태괘는 입이고, 성질상 노래하기를 기뻐하는 상이다. '한탄함'은 '노래함'의 반대이다. '질(耋)'은 늙은 것이다. 질(耋)은 기울어짐을 말하니, 칠십을 지나면 기력이 쇠하여 해가 기운 것과 같다. 삶에 죽음이 있는 것은 낮이 지나면 반드시 밤이 되는 것과 같은데, 떳떳함을 편안히 여겨 스스로 즐거워하지 못한다면 너무 늙었다고 한탄하게 된다. 이른바 "욕심 때문에 도를 잊으면 미혹되어 즐기지 못한다"는 것이 이러한 경우이다. 그러므로 군자가 머물러서 편안히 여기는 것은 역의 차례이고, 즐기면서 완미하는 것은 효의 말씀[辭]이다.[42]

서유신(徐有臣)『역의의언(易義擬言)』

一離將終, 爲日昃也. 互兌爲西, 昃景之所麗也. 缶所以助歡也. 歌所以宣意也. 悲亦歌, 愁亦歌, 不缶而徒歌, 乃悲歌也. 是則大耋之可嗟傷也. 日昃, 年耋, 皆不可久, 故凶也. 互巽爲覆缶, 互兌爲仰缶. 仰缶不可鼓, 從兌象也. 歌亦兌象也. 九三從互兌, 則向前而不久也. 此爲大耋之象也.

리괘 하나가 곧 다하려 하니, 해가 기움이 된다. 호괘인 태괘(☱)가 서쪽이니, 해의 그림자가 걸려 있는 것이다. '질그릇[缶]'은 기쁨을 돕는 물건이고, '노래'는 뜻을 펼치는 것이다. 비탄도 노래이고 한탄도 노래인데, 질장구를 두드리지 않고 노래만 하는 것이 바로 슬픈 노래이다. 이는 너무 늙어 한탄할만한 것이다. 해가 기운 것과 나이가 많은 것은 모두 오래갈 수 없으므로 흉하다. 호괘인 손괘(☴)는 질장구를 엎어놓음이 되고, 호괘인 태괘는 질장구를 하늘을 향해 놓음이 된다. 하늘을 향해 놓은 장구는 두드릴 수 없으니, 태괘의 상이다. 노래 역시 태괘의 상이다. 구삼은 호괘인 태괘를 따르니, 앞으로 향하지만 오래갈 수 없다. 이는 '너무 늙은' 상이 된다.

---

41)『周易·豊卦』: 彖曰, 豊大也, 明以動, 故豊, 王假之, 尙大也, 勿憂宜日中, 宜照天下也. 日中則昃, 月盈則食, 天地盈虛, 與時消息, 而況於人乎, 況於鬼神乎.

42)『周易·繫辭傳』

강엄(康儼)『주역(周易)』

按, 日之有昃, 猶生之有死, 乃常理也, 當順之而已. 若以死生動心, 而不能安常以自樂, 則失其自處之道, 而其爲逆天理者亦大矣. 故不以日昃[43]之離爲凶, 而以大耋之嘘[44]爲凶, 聖人之教至矣.
내가 살펴보았다: 해에 기욺이 있는 것은 삶에 죽음이 있는 것과 같이 떳떳한 이치이니, 당연히 순종해야 한다. 만약 삶과 죽음으로 마음을 동요시켜서 떳떳함을 편안히 여겨 스스로 즐거워하지 못한다면, 스스로 처신하는 도리를 잃어서 크게 천리를 거스르는 일이 될 것이다. 그러므로 해가 기울어 걸려있는 것을 흉함으로 여기지 않고, 큰 무리가 탄식하는 것을 흉함으로 여겼으니, 성인의 가르침이 지극하다.

박문건(朴文健)『주역연의(周易衍義)』

死期不久, 故有日昃之象. 若不鼓缶而歌, 大老之嗟歎必矣, 所以凶.
죽을 날이 멀지 않았으므로 해가 기울어지는 상이 있다. 만약 질장구를 두드려 노래하지 않는다면 반드시 너무 늙음을 한탄하게 될 것이니, 그래서 흉한 것이다.
〈問, 大耋之嗟. 曰, 九三被上九之害, 而死期將至, 如年高者, 將死而不樂, 故取此義也.
물었다: "너무 늙었음을 한탄한다"는 무슨 뜻입니까?
답하였다: 구삼은 상구에게 해를 입어서 죽을 날이 곧 이르는 것이 마치 나이가 많은 사람이 곧 죽게 되어 즐겁지 않은 것과 같으므로 이러한 뜻을 취하였습니다.〉

이지연(李止淵)『주역차의(周易箚疑)』

此九三卽儒佛之分也. 有生則有死, 常理也. 但生而不能盡爲人之道, 則其死也可嗟. 苟知殺身成仁之爲榮, 朝聞夕死之无愧, 則比干之死, 顔子之夭, 非所戚也. 康節詩曰, 還知虛過死萬遍, 都似不曾生一般, 此達觀之論也. 若夫佛者, 以死爲悲, 預爲寂滅之學, 以習其死, 以慈悲爲心, 以積善爲道者, 實則畏其死, 而以祈來世之更生, 此非所謂大耋之嗟乎. 吾儒之道, 當如曾子之得正, 然後可謂鼓缶而歌者也.
이 구삼은 곧 유가와 불가가 나뉘는 지점이다. 삶이 있으면 죽음이 있는 것은 떳떳한 이치이다. 다만 태어나 사람됨의 도리를 다하지 못하면 그 죽음이 한탄할 만하다. 참으로 몸이 죽더라도 인(仁)을 성취함이 영광스럽고, 아침에 도를 들으면 저녁에 죽더라도 부끄러움이

---

43) 昃: 경학자료집성DB와 영인본에는 모두 '昗'로 되어 있으나, 문맥을 살펴 '昃'으로 바로잡았다.
44) 嘘: 경학자료집성DB에는 '虛'로 되어 있으나, 경학자료집성 영인본을 참조하여 '嘘'로 바로잡았다.

없다는 것을 안다면, 비간[45]의 죽음이나 안자(顏子)의 요절도 슬퍼할 일이 아니다. 소강절의 시에 "헛되이 지내다 죽기를 만 번을 하더라도 모두 태어난 적이 없는 것과 같다는 것을 알아야 한다"고 하였으니, 이는 달관한 논의이다. 저 불가는 죽음을 슬프게 여겨, 미리 적멸의 학문을 만들어서 그 죽음을 연습하고, 자비를 마음으로 삼고 선을 쌓음을 도라고 여기지만, 실상은 그 죽음을 두려워하여 내세에 다시 태어나기를 기원하니, 이것이 '너무 늙음을 한탄함'이 아닌가? 우리 유가의 도는 마땅히 증자가 바름을 얻은 것처럼[46] 한 뒤에야 질장구를 두드려 노래하는 것이라고 할 것이다.

이항로(李恒老) 「주역전의동이석의(周易傳義同異釋義)」

傳, 鼓缶而歌, 樂其常也. 不能如是, 則以大耋爲嗟憂, 乃爲凶也.
『정전』에서 말하였다: 질장구를 두드리며 노래함은 그 떳떳함을 즐거워하는 것이다. 이와 같이 할 수 없다면 너무 늙었음을 한탄하고 근심하는 것이니, 마침내 흉함이 된다.

本義, 不安常以自樂, 則不能自處而凶也.
『본의』에서 말하였다: 떳떳함을 편안히 여겨 스스로 즐거워하지 못하면 스스로 처신하지 못하여 흉할 것이다.

按, 君子之所樂者, 道義也, 小人之所恃者, 形氣也, 故君子曰終, 小人曰死, 終謂終其事也, 死謂形氣盡也. 大人小人之分, 只在於此, 而此乃死生之際也. 一樂一嗟一吉一凶, 於斯大判, 尤不可不愼也.
내가 살펴보았다: 군자가 즐거워하는 것은 도의(道義)이고, 소인이 믿는 것은 형기(形氣)이다. 그러므로 군자는 "마친다"고 하고, 소인은 "죽는다"고 하였으니, "마친다"는 그 일을 끝맺음을 말하고, "죽는다"는 형기가 다함을 말한다. 대인과 소인의 구분이 단지 여기에 있으니, 이는 곧 삶과 죽음의 경계이다. 한 번 즐거워하고, 한 번 한탄하며, 한 번 길하고, 한 번 흉함이 여기에서 크게 갈라지니, 더욱 신중하지 않을 수 없다.

김기례(金箕澧) 「역요선의강목(易要選義綱目)」

離爲日, 而三居下體之終, 故曰日昃, 如人至老.

---

45) 『論語 · 微子』: 微子去之, 箕子爲之奴, 比干諫而死. 孔子曰, 殷有三仁焉.
46) 『論語 · 泰伯』: 曾子有疾, 孟敬子問之. 曾子言曰, 鳥之將死, 其鳴也哀, 人之將死, 其言也善. 君子所貴乎道者三, 動容貌, 斯遠暴慢矣, 正顏色, 斯近信矣, 出辭氣, 斯遠鄙倍矣. 籩豆之事, 則有司存.

리괘는 해가 되고 삼효는 하체의 끝에 있으므로, "해가 기운다"고 하였으니, 사람이 늙음에 이른 것과 같다.

○ 缶, 常鼓之樂器, 歌, 常詠之樂調.
'질장구[缶]'는 일반적으로 두드리는 악기이고, '노래[歌]'는 일상적으로 읊조리는 가락이다.

○ 大人至老, 不知日之朝而暮, 人之生而死, 以其至老爲憂, 遏密常樂, 則不安常者也. 在小人而亦可愧, 大耋之嗟歎而憂死者, 可謂順理乎. 不順則宜其凶矣.
대인이 늙음에 이르러 해가 떴다가 저물고, 사람이 태어났다 죽음을 몰라서 늙음을 근심하고 늘 즐거워하기를 그친다면, 떳떳함을 편안해하지 못하는 자이다. 소인이라도 부끄러운 일인데, 너무 늙음을 한탄하며 죽음을 근심하는 것이 이치에 순종하는 것이라 할 수 있겠는가? 순종하지 않는다면 마땅히 흉할 것이다.

○ 大耋, 取大人.
'너무 늙음'은 대인을 취하였다.

심대윤(沈大允) 『주역상의점법(周易象義占法)』

離之噬嗑☲. 以剛居剛而求麗焉, 陽過盛而反虧明, 太耀而反蔽. 前有坎月掩之, 有日蝕之象. 日昃之離, 言過盛而慝作也. 離巽爲牛革, 兌震爲聲音, 曰鼓缶, 二震象. 巽長艮言爲歌, 謂四也. 九三, 不守六二之來麗, 而求麗於四同物, 而非其應, 反爲所蔽. 如龜之前, 又有龜則暗. 又三居內卦之極, 而外卦在前, 皆爲以明蔽明之象. 故曰, 不扣缶而歌, 大昳之嗟. 程子曰, 耋同昳, 昏暮也, 人之昏暮, 亦爲之耋, 是也. 坎離爲耋, 坎憂, 兌音爲嗟. 九三麗於其非所當麗而得凶. 日月之食, 暫昏而旋更, 太明之人, 雖蔽而終寤, 非恒久者, 此噬而後合之義也. 久而不更, 則遂至於息也.
리괘가 서합괘(噬嗑卦☲)로 바뀌었다. 굳센 양으로 굳센 양의 자리에 있어서 붙기를 구하는데, 양이 지나치게 성하여 도리어 밝음을 훼손하니, 지나치게 빛나서 도리어 가려짐이다. 앞에 감괘의 달이 있어 가리니, 일식의 상이 있다. '해가 기울어 걸려있음'은 지나치게 성하여 사특함이 일어남을 말한다. 리괘(☲)와 손괘(☴)가 소가죽이 되고, 태괘(☱)와 진괘(☳)는 소리가 되는데, "질장구를 두드린다"고 한 것은 두 진괘의 상이다. 손괘의 자람[長]과 간괘의 말[言]이 노래가 되니, 사효를 이른다. 구삼은 육이가 와서 붙음을 지키지 못하고 사효의 동류에게 붙기를 구하니, 제대로 된 호응이 아니어서 도리어 가려지게 된다. 거북의 앞에 또 거북이 있으면 어두운 것과 같다. 또한 삼효가 내괘의 끝에 있고 외괘가 앞에 있으니,

모두 밝음으로 밝음을 가리는 상이 된다. 그러므로 "질장구를 두드려 노래하지 않는다"고 하였으니, 크게 기울어짐을 한탄하는 것이다. 정자가 "'늙음[耋]'은 '해가 기움[昳]'과 같다"고 한 것은 황혼이니, 사람의 황혼은 또한 늙음이 된다는 것이 이것이다. 감괘와 리괘가 늙음이 되는데, 감괘는 근심이고, 태괘의 소리가 탄식함이 된다. 구삼이 마땅히 붙을 바가 아닌 것에 붙어 있으니 흉함을 얻는다. 일식과 월식은 잠시 어둡더라도 돌아서 고쳐지고, 크게 밝은 사람은 비록 가려졌더라도 끝내 깨우치니, 오래가지 않음이 깨 물은 뒤에 합쳐진다는 뜻이다. 오래되어도 고쳐지지 않으면 마침내 멈춤에까지 이른다.

오치기(吳致箕) 「주역경전증해(周易經傳增解)」

九三, 陽剛過中而居下離之終, 有日昃之象. 質旣過剛, 性又燥暴, 故戒言盛衰死生, 天運之常也. 人於日昃將頹之時, 不能樂天知命, 皷缶爲歌, 以安常分, 則乃以年壽之大耋爲旡益之嗟, 而不能達理者也. 故占言凶.

구삼은 굳센 양이 가운데를 지나서 아래 리괘의 끝에 있으니, 해가 기우는 상이 있다. 자질이 이미 지나치게 굳세고 성질 또한 조급하고 난폭하기 때문에 성쇠와 생사가 천운의 떳떳한 것임을 경계하여 말하였다. 사람이 해가 기울어 떨어지려는 때에, 천명을 알고 즐기며 북을 두드려 노래하여 떳떳한 분수를 편안히 여기지 못한다면, 나이가 너무 많음을 무익하게 여겨 한탄하니, 이치에 통달하지 못한 자이다. 그러므로 점사에 흉하다고 하였다.

○ 昃者, 過中而將傾之謂也. 皷取於變震, 缶取於離, 歌嗟皆取於互兌也.

'기울어짐'은 가운데를 지나가 장차 기울어지려함을 말한다. 북은 효가 변한 진괘(☳)에서 취하였고, 질장구는 리괘(☲)에서 취하였으며, 노래와 한탄은 모두 호괘인 태괘(☱)에서 취하였다.

이진상(李震相) 『역학관규(易學管窺)』

下卦之終, 故取日昃象. 離爲大[47]腹而中互厚坎, 故言缶. 互兌爲口而動, 又變震, 故言歌. 然互巽則不成坎, 互兌則不成震, 故不鼓缶而歌. 大耋, 日垂盡之象. 嗟, 亦互兌之爲, 而歌反則嗟矣.

하괘의 끝이므로 '해가 기우는' 상을 취하였다. 리괘는 큰 배[腹]가 되고, 가운데에 호괘로 두터운 감괘(☵)가 있으므로 '질장구[缶]'라고 하였다. 호괘인 태괘(☱)는 입이 되어 움직이

47) 大: 경학자료집성DB에는 '火'로 되어 있으나, 경학자료집성 영인본을 참조하여 '大'로 바로잡았다.

고 또 효가 변하면 진괘(☳)가 되므로 "노래한다[歌]"고 하였다. 그러나 호괘가 손괘여서 감괘(☵)가 이루어지지 못하고, 호괘가 태괘여서 진괘가 이루지지 못하므로 질장구를 두드려 노래하지 않는 것이다. '너무 늙음'은 해가 떨어져 다하는 상이다. '한탄'은 역시 호괘인 태괘가 하는 것인데, 노래함이 반대되면 한탄하는 것이다.

박문호(朴文鎬)「경설(經說)·주역(周易)」

鼓缶而歌, 若漢高文之遺命, 宋孝宗之內禪有之, 突如其來如, 唐肅宗宋太宗似之.
'질장구를 두드려 노래함'은 한나라 고조와 문제가 유명(遺命)을 남김과 송나라 효종이 내선(內禪)[48]함에 있고, '돌연히 옴'은 당나라 숙종과 송나라 태종이 그와 비슷하다.

이병헌(李炳憲)『역경금문고통론(易經今文考通論)』

說文引孟易云昃作𣅡, 日在西方, 側也.
『설문』에서 맹희의 역을 인용하여 '측(昃)'을 '측(𣅡)'이라고 하였다. 해가 서쪽에 있으니 기우는 것이다.

鄭曰, 樂器亦有缶, 大耋, 謂年踰七十也.
정현이 말하였다: 악기에 질장구도 있다. '크게 늙음'은 나이가 칠십이 넘었음을 말한다.

程傳曰, 九三居下體之終, 前明將盡, 後明當繼之時, 此處死生之道也.
『정전』에서 말하였다: 구삼은 하체의 끝에 있어 앞의 밝음이 다하려 하고 뒤의 밝음이 이어져야 할 때이니, 이는 삶과 죽음을 맞이하는 도이다.

48) 내선(內禪): 살아있는 동안에 왕위를 물려준다는 뜻이다.

象曰, 日昃之離, 何可久也.

「상전」에서 말하였다: "해가 기울어 걸려 있으니"어찌 오래갈 수 있겠는가?

中國大全

傳

日旣傾昃, 明能久乎. 明者, 知其然也, 故求人以繼其事, 退處以休其身. 安常處順, 何足以爲凶也.

해가 이미 기울었으니, 밝음이 오래갈 수 있겠는가? 현명한 자는 이러한 이치를 알기 때문에 사람을 구하여 자기 일을 계속하게 하고, 자신은 물러나 몸을 쉬게 한다. 떳떳함을 편안히 여기고 순리대로 처신하니, 어찌 흉함이 될 수 있겠는가?

韓國大全

김상악(金相岳)『산천역설(山天易說)』

言明不能長久也.
밝음이 장구할 수 없음을 말한다.

○ 與大過九五, 旣濟上六同辭. 離旣濟, 則皆居上下之極, 大過陽盡於五也.
대과괘 구오[49] 및 기제괘 상육[50]과 사(辭)가 같다. "어찌 오래갈 수 있겠는가?"는 리괘와

49)『周易·大過卦』: 象曰, 枯楊生華, 何可久也. 老婦士夫, 亦可醜也.
50)『周易·旣濟卦』: 象曰, 濡其首厲, 何可久也.

기제괘(䷾)에서는 모두 하괘와 상괘의 끝에 있고, 대과괘(䷛)에서는 양이 오효에서 소진한다.

서유신(徐有臣) 『역의의언(易義擬言)』

西日不久而夕也.
서쪽의 해이기에 오래지 않아 저녁이다.

오치기(吳致箕) 「주역경전증해(周易經傳增解)」

此, 偏辭也, 嗟耋之意, 在其中. 言人嗟其耋則不能久也.
이는 기울었다는 말이니, 늙음을 한탄하는 뜻이 그 가운데 있다. 사람이 그 늙음을 한탄하면 오래갈 수 없음을 말한다.

九四, 突如其來如, 焚如, 死如, 棄如.

구사는 돌연히 오니, 불타오르며 죽으며 버려진다.

中國大全

傳

九四, 離下體而升上體, 繼明之初, 故言繼承之義. 在上而近君, 繼承之地也. 以陽居離體, 而處四, 剛躁而不中正. 且重剛以不正, 而剛盛之勢, 突如而來, 非善繼者也. 夫善繼者, 必有巽讓之誠, 順承之道, 若舜啓然. 今四突如其來, 失善繼之道也. 又承六五陰柔之君, 其剛盛陵爍之勢, 氣焰如焚然, 故云焚如. 四之所行, 不善如此, 必被禍害, 故曰死如. 失繼紹之義, 承上之道, 皆逆德也, 衆所棄絕, 故云棄如. 至於死棄, 禍之極矣, 故不假言凶也.

구사는 하체(下體)를 떠나 상체(上體)로 올라왔으니 밝음을 잇는 초기이기 때문에 이어 받는 뜻을 말하였다. 위에 있으면서 군주를 가까이 하니, 이어서 받드는 자리이다. 양으로서 리괘의 몸체에 있고 사효에 처하여, 강하고 조급하며 중정(中正)하지 못하다. 또 굳셈이 중첩되어 바르지 못한데 매우 굳센 기세로 돌연히 오니, 잘 잇는 자가 아니다. 잘 잇는 자는 반드시 공손하고 겸양하는 정성과 순리대로 받드는 도(道)가 있어야 하니, 순임금과 계(啓)[51]처럼 해야 한다. 이제 사효가 돌연히 오니, 잘 잇는 도리를 잃었다. 또 육오의 부드러운 음인 군주를 받들어 매우 굳센 기세가 기염이 불타오르듯 하기 때문에 "불타오른다[焚如]"고 하였다. 사효가 행하는 것이 이처럼 선하지 못하니, 반드시 재앙의 해로움을 입을 것이므로 "죽는다[死如]"고 하였다. 잇는 의리와 윗사람을 받드는 도(道)를 잃은 것은 모두 패역(悖逆)의 덕이니, 사람들이 버리고 절교하는 바이므로 "버려진다[棄如]"고 하였다. 죽고 버림받게 되는 것은 화가 극에 달한 것이기 때문에 흉함을 말할 필요도 없다.

---

51) 계(啓): 하(夏)나라 우왕(禹王)의 아들이다. 우왕이 죽고 계가 즉위하였는데, 유호씨(有扈氏)가 복종하지 않자, 계가 「감서(甘誓)」를 지어 경계하고, 유호씨를 감(甘)에서 크게 무찔렀다. 『서경』의 「감서」에 있다.

本義

後明將繼之時, 而九四以剛迫之, 故其象如此.

뒤의 밝음이 계승하려는 때인데 구사가 굳셈으로 핍박하기 때문에 그 상이 이와 같다.

小註

朱子曰, 九四, 有侵陵六五之象, 故突如其來如. 又曰, 只是說九四陽爻突出來逼拶上爻, 離爲火,故有焚如之象. 焚如是不戢自焚之意, 棄是死而棄之之意.
주자가 말하였다: 구사에 육오를 침범하고 능멸하는 상이 있기 때문에 돌연히 오는 것이다. 또 말하였다: 구사의 양효가 돌연히 와서 상효를 핍박한다고 말한 것일 뿐이니, 리괘는 불이 되므로 타오르는 상이 있다. '불타오름'은 스스로 불사름을 그칠 수 없다는 뜻이며, '버림받음'은 죽어서 버려진다는 뜻이다.

○ 漢上朱氏曰, 九四處不當位, 不善繼而求繼者也.
한상주씨가 말하였다: 구사는 마땅하지 않은 자리에 처하였으니, 잘 계승하지 못하면서 계승하고자 하는 자이다.

○ 臨川吳氏曰, 繼承之際, 不善如此, 必至身殞國亡.
임천오씨가 말하였다: 계승하는 즈음에 잘하지 못함이 이와 같으니, 반드시 자신은 죽고 나라는 망하게 될 것이다.

○ 雲峯胡氏曰, 離以二五爲主, 本義所謂前明後明者, 指二與五也. 三近二, 則前明將盡, 四近五, 則後明將繼. 突如其來, 四迫五也. 坎三離四, 正上下之交, 故兩卦於此, 深致意焉. 坎性下, 三在下卦之上, 故曰來, 來而下也. 離性上, 四在上卦之下, 故曰突如其來, 來而上也. 水本下, 又來而之下, 入於坎窞而後已. 火本上, 又來而之上, 焚如死如棄如而後已. 然坎之三, 有枕象, 三枕下之險, 而四又下枕三, 故三之入也愈深. 離之四, 有突象, 四旣上突而迫乎五, 三亦上突而迫乎四, 故四之焚也愈甚.
운봉호씨가 말하였다: 리괘는 이효와 오효를 주인으로 하니, 『본의』에서 말한 '앞의 밝음'과 '뒤의 밝음'이 이효와 오효를 가리킨다. 삼효가 이효를 가까이 함은 '앞의 밝음'이 다하려 함이고, 사효가 오효를 가까이 함은 '뒤의 밝음'이 계승하려 함이다. '돌연히 옴'은 사효가 오효를 핍박하는 것이다. 감괘(☵)의 삼효와 리괘(☲)의 사효에서 바로 올라감과 내려감이 교차하므로 감괘와 리괘는 여기에서 깊이 의미를 다한다. 감괘의 성질은 내려가는데, 삼효

가 하괘의 위쪽에 있기 때문에 "온다"고 말하였으니, 와서 내려가는 것이다. 리괘의 성질은 올라가는데, 사효가 상괘의 아래에 있기 때문에 "돌연히 온다"고 말하였으니, 와서 올라가는 것이다. 물은 본래 내려가는데 또 와서 내려가니, 감괘의 구덩이로 들어간 뒤에야 그칠 것이다. 불은 본래 올라가는데 또 와서 올라가니, 타오르고 죽어서 버려진 뒤에야 그칠 것이다. 그러나 감괘의 삼효에는 '의지함'의 상이 있으니, 삼효가 아래의 험함에 의지하고, 또 사효가 아래로 삼효에 의지하고 있기 때문에 삼효가 들어가는 것이 더욱 깊다. 리괘의 사효에는 '돌연함'의 상이 있으니, 사효가 돌연히 올라가 오효를 핍박하고, 삼효도 돌연히 올라가 사효를 핍박하기 때문에 사효의 타오름이 더욱 심하다.

韓國大全

조호익(曺好益) 『역상설(易象說)』

四陽爻而離體, 陽性好動, 離性炎上. 又在上下之交, 有突出而來逼之象. 四在兩離火之間, 有焚死之象, 无應, 有棄象. 如隋煬之牀簀, 是也.

사효는 양효이고 리괘의 몸체인데, 양의 성질은 움직이기를 좋아하고, 리괘의 성질은 불타오른다. 또 위아래가 교차하는 때에 돌연히 들이닥치는 상이 있다. 사효가 불을 의미하는 두 리괘의 사이에 있으니 불타 죽는 상이 있고, 호응이 없으니 버려지는 상이 있다. 수양제가 죽었을 때 상책(牀簀)을 관 대신 사용한 것이 이것이다.

송시열(宋時烈) 『역설(易說)』

卦本順位亦陰, 而陽剛之爻, 若突然而來. 焚如者, 離爲火, 火爲炎上, 而四處近君之上卦, 氣焰薰灼然. 死[52]如者, 雖生而如死, 無燥暴驟烈之氣也. 棄如者, 五爻雖不屏斥, 而其中心斷截遐棄之也. 氣焰之云, 依程傳言之, 然以其焦迫燥悶之意看何如. 蓋四爻雖突然而來, 然若焚死棄, 故無所容身. 小象言彼雖來之突如, 而焚如以下, 皆無所容之事也. 依此看, 則焚如, 非薰灼也, 乃其焦灼也. 與恒之九三小象同, 不言凶, 而其凶可知.

---

52) 死: 경학자료집성DB와 영인본에는 모두 '无'로 되어 있으나, 문맥을 살펴 '死'로 바로잡았다.

사효는 괘에서 본래 유순한 자리로 역시 음의 자리인데, 굳센 양효가 돌연히 왔다. '불타오름[焚如]'은 리괘가 불이 되고 불이 타오르기 때문이니, 사효가 임금을 가까이 하는 상괘에 거처하면서 기염이 타오르는 듯 하는 것이다. '죽음[死如]'는 비록 살아있어도 죽은 것과 같아서 사납고 맹렬한 기운이 없는 것이다. '버려짐[棄如]'은 오효가 비록 물리치지는 않으나 그 마음속으로 단절하여 멀리 버리는 것이다. '기염'이라 한 것은 『정전』을 따라서 말했지만, 초조하고 급박한 뜻으로 보는 것이 어떨까 한다. 사효가 비록 돌연히 왔으나, 불타서 죽고 버려지므로 그 자신이 용납되지 못한다. 「소상전」에서 그가 비록 '돌연히 옴'만 말하였으나, 효사의 '불타오르며'부터도 모두 용납되지 못하는 일이다. 이로써 보면 '불타오름'은 '훈작(薰灼)'이 아니라 '초작(焦灼)'인 것이다. 항괘 구삼효의 「소상전」[53]과 같이 흉함을 말하지는 않았으나 흉함을 알 수 있다.

이익(李瀷) 『역경질서(易經疾書)』[54]

重離, 上下俱火也. 今試於盞燈, 上下俱燃, 則上燈爲之滅, 九四上下重離之接也. 突者, 孤立之貌. 先有下火而上火加之, 故曰來如. 火性必焚, 是火爲火焚也. 旣焚則死, 旣死則棄, 故曰無所容也. 宜及其未甚而防患也.

대성괘인 리괘(離卦䷝)는 위아래가 모두 불이다. 이제 등잔으로 말해보면, 위아래가 모두 불타는데 위의 등잔이 다 타버림이니, 구사가 위아래로 중첩된 리괘와 만나기 때문이다. '돌(突)'은 고립된 모양이다. 먼저 아래의 불이 있고 위의 불이 더해지므로 "온다[來如]"고 하였다. 불의 성질은 반드시 타오르니, 불은 불타오름이 된다. 이미 타버리면 죽고, 죽으면 버려지므로 "용납할 곳이 없다"고 하였다. 아직 심함에 이르지 않았을 때에 환난을 방비하여야 한다.

심조(沈潮) 「역상차론(易象箚論)」

九四, 焚如.

구사: 타오른다.

此在互巽之上爻, 巽木遇火而焚, 故曰焚如. 焚從木, 亦巽也. 巽爲風. 火之遇風, 不焚而何.

이것은 호괘인 손괘(☴)의 상효에 있는데, 손괘의 나무는 불을 만나면 타오르기 때문에 "타

53) 『周易·恒卦』: 象曰, 不恒其德, 无所容也.

54) 경학자료집성DB에서는 리괘(離卦) '구삼'에 해당하는 것으로 분류했으나, 내용에 따라 이 자리로 옮겼다.

오른다"고 하였다. '분(焚)'자도 부수가 '목(木)'이니, 역시 손괘이다. 손괘는 바람도 된다. 불이 바람을 만남이니, 타오르지 않고 어찌하겠는가?

유정원(柳正源) 『역해참고(易解參攷)』

正義, 四處始變之際, 三爲始昏, 四爲始曉. 三爲已八, 四爲始出, 突然而至, 忽然而來, 故曰突如其來如也. 逼近至尊, 履非其位, 欲進其盛, 以焚炎其上, 故云焚如也. 既焚其上, 命必不全, 故云死如也. 違於離道, 无應无承, 衆所不容, 故云棄如也.

『주역정의』에서 말하였다: 사효는 막 변하는 때에 있으니, 삼효는 저물기 시작하는 것이고, 사효는 밝아오기 시작하는 것이다. 삼효는 이미 들어감이 되고 사효는 막 나옴이 되어 돌연히 이르고 홀연히 오기 때문에 "돌연히 온다"고 하였다. 지극히 존귀한 이를 너무 가까이 하고 제 자리가 아닌데도 밟아 왕성함에 나가고자 하여 위를 불사르기 때문에 "불타오른다"고 하였다. 이미 그 위를 불사르니, 운명이 반드시 온전하지 못하므로 "죽는다"고 하였다. 붙는 도리에 어긋나 호응도 없고 계승함도 없어서 여러 사람에게 용납되지 못하기 때문에 "버려진다"고 하였다.

○ 宋祖類要, 太祖卽位, 召陳摶, 問享國長短, 筮之得離之明夷. 摶變色曰, 陛下得國中原而得南方火盛之卦, 非吉兆也. 太祖曰, 朕壽幾何. 曰子年子月子日, 陛下終於火日之下. 離爲火日, 陛下之子孫盡矣. 太祖愕然曰, 孰敢爲之. 摶指離九三明夷之九三曰, 此人爲之, 必在西北, 陛下之親也. 後一百九歲, 南方有妖氣入中國, 天下自此多事矣. 甲午之歲, 有金安者出, 其禍滋甚. 又六年而通于中國. 又六年丙午, 宋其危乎. 明兩者作乎, 焚如死如棄如. 有二君者, 實受其禍. 宋火德也, 火德猶盛, 宋之子孫, 當有興於東北, 終於東南, 有近君者, 實竊其位. 明夷之六四曰, 獲明夷之心, 于出門庭, 東北之位也. 出涕沱若, 興復之志也. 近君者, 雖竊其位, 火德也, 丁巳歲, 其危乎. 陛下得國之初而卜得東南旺卦, 亦終而已矣. 歲在癸巳, 滅我者其衰乎. 甲午, 宋德復興, 有賢人扶之, 則可以復古, 如非其人, 雖能復之, 亦旋失之歲. 在庚申, 宋之祚其衰矣. 自辛酉至庚申, 已三百年, 過此以往, 未之或知也.

『국조유요』의 송 태조에 대한 기록에 따르면, 태조가 즉위하려할 때 진단(陳摶)을 불러서 얼마나 오래 국가를 유지할 수 있는지를 물었는데, 서점(筮占)을 쳐서 리괘(離卦䷝)가 명이괘(明夷卦䷣)로 바뀐 것을 얻었다. 진단이 얼굴빛을 고치고 "폐하께서 나라의 중원을 얻었으나, 남방의 불이 성한 괘를 얻었으니, 길한 조짐이 아닙니다"라고 하였다. 태조가 "짐의 수명은 얼마나 되겠는가?"라고 묻자, 진단이 "자(子)년 자월 자일이니, 폐하께서는 화(火)의 날에 돌아가실 것입니다.[55] 리괘(離卦)가 화(火)의 날이 되니, 폐하의 자손이 다할[盡] 것입니다"라고 하였다. 태조가 놀라서 "누가 감히 그런 짓을 한단 말인가?"라고 하자, 진단이 리괘 구삼과 명이괘 구삼을 가리키며 "그렇게 하는 사람은 반드시 서북쪽에 있으며 폐하의 친지입니다. 백 구년 뒤에 남방에 요사스런 기운이 있어[56] 중국에 들어오니 천하가 이때부터 사건이 많을 것입니다. 갑오년[57]에 김안(金安)[58]이라는 자가 나와 화란이 더욱 심해지고 또 육년이 지나 중국에 퍼질 것입니다. 또 육년 뒤 병오년에는 송나라가 위태로울 것입니다. 밝음이 둘[明兩]이 일어나니, 불타오르며 죽으며 버려집니다. 두 임금이 있으면 실로 그 화를 입습니다. 송나라는 불의 덕이고, 불의 덕은 여전히 왕성하니, 송나라의 자손들은 마땅히 동북쪽에서 흥하고 동남쪽에서 마칠 것인데, 임금을 가까이 있는 자가 그 지위를 도둑질할 것입니다. 명이괘의 육사효에서 '명이의 마음을 얻어서 대문의 뜰로 나온다'라 하였으니, 동북의 자리입니다. '눈물을 줄줄 흘림'은 부흥하려는 뜻입니다. 임금 가까이 있는 자가 비록 그 자리를 도둑질 하나 화(火)의 덕이니, 정사년(丁巳年)에 위태롭습니다. 폐하께서 나라를 얻은 초기에 점을 쳐서 동남쪽이 왕성한 괘를 얻었으니, 역시 거기에서 마칠 뿐입니다. 계사년에 나를 멸하려는 자가 쇠할 것입니다. 갑오년에 송나라의 덕이 부흥하여 어진 이가 도우면 옛 모습을 회복할 수 있으나, 그 사람이 아니라면 비록 회복할 수 있어도 상실의 시대로 돌아갈 것입니다. 경신년에 송나라의 조짐이 쇠할 것입니다. 신유년으로부터 경신년까지 이미 삼백년이니, 이를 지난 뒤로는 혹 알지 못하겠습니다"라고 하였다.

○ 漢上朱氏曰, 互巽兌, 巽木得火, 焚如也. 火王木死, 死如也. 兌毁之, 棄如也. 言不容於內外者如此.
한상주씨가 말하였다: 호괘는 손괘(☴)와 태괘(☱)이니, 손괘의 나무가 불을 얻었으니 불타오르는 것이고, 불이 왕성하여 나무가 죽으니 죽는 것이며, 태괘가 훼손하니 버려지는 것이다. 안팎으로 용납되지 못함이 이와 같음을 말하였다.

○ 丹陽都氏曰, 突如, 言若火之出突, 焚如, 言若火之焚物, 皆取離上之象也.
단양도씨가 말하였다: '돌연히'는 불이 갑자기 나오듯 함을 말하고, '불타오름'은 불이 사물을 태우듯 함을 말하니, 모두 리괘에 있는 상을 취하였다.

○ 饒州李氏曰, 火勢之盛, 必有所焚, 故焚如, 火事已則灰而已, 是死如, 事已則棄於

---

55) 송 태조가 붕어한 날은 개보(開寶) 9년 병자(丙子) 10월이다.
56) 『국조유요(國朝類要)』에서는 '남방의 요사스러운 기운'이 왕안석을 지칭한다고 주석하였다.
57) 갑오년(甲午年)을 『국조유요(國朝類要)』에서는 갑신년(甲申年)이라고 기록하였다.
58) 김안(金安)을 『국조유요(國朝類要)』에서는 김여(金女)로 기록하였다.

土, 棄如.
요주이씨가 말하였다: 불의 형세가 왕성하면 반드시 불타오름이 있으므로 불타오르는 것이고, 불타기를 다하면 재가 되어버리니 죽는 것이고, 일이 끝나버리면 땅에 버려지니 버려지는 것이다.

○ 厚齋馮氏曰, 窰竈之自出火氣者, 謂之突, 如語辭. 下卦之火, 從突出衝上.
후재풍씨가 말하였다: 불가마에서 저절로 불기운이 나오는 것을 '돌(突)'이라 하고, '여(如)'는 어조사이다. 하괘의 불이 돌연히 나와 위와 부딪히는 것이다.

○ 魯齋許氏曰, 九四陽處近君, 而能保其吉者, 以有才而敬愼故也. 火性上炎, 動成躁急, 非唯不順. 君之所用, 且反爲君之所忌也.
노재허씨가 말하였다: 구사의 양이 임금 가까이 있으면서 그 길함을 보존할 수 있는 것은 재주가 있으면서도 공경하고 삼가기 때문이다. 불의 성질은 위로 타올라 움직임이 조급하니, 순종하지 않을 뿐만이 아니다. 임금이 쓰는 바가 도리어 임금이 꺼리는 바가 됨이다.

김상악(金相岳) 『산천역설(山天易說)』

當後明將繼之時, 與五相比, 互爲巽體. 以剛迫之, 故有突如來如焚如之象. 又互坎體, 故死如棄如, 凶不假言也.
뒤의 밝음이 계승하려는 때를 맞아, 오효와 서로 가까이 하고 호괘인 손괘의 몸체가 되어 굳센 양으로 들이닥치기 때문에 돌연히 와서 불타오르는 상이 있다. 또한 호괘인 감괘의 몸체이므로 죽으며 버려지니, 흉함은 말이 필요 없다.

○ 說文註突字義曰, 不順忽出, 如不孝子突出, 不容於內也. 離火巽風, 其炎上之性愈燥, 故曰突如其來如. 焚如者, 不戢自焚之意也. 三四居上下之交, 三之昃, 天陽之下炤也, 四之焚, 地火之炎上也. 死者, 坎爲陰之魄. 凡人物之生, 水以賦形, 火以稟氣, 而火在水上, 魂升魄降, 故曰死如. 所以魂魄未濟也, 日火外影, 金水內影, 便是魂魄之說. 棄如, 謂死而棄其尸也, 詩云, 猶來无棄是也. 兩火相重, 下火盛則上火滅, 故曰死棄. 蓋火用以薪傳, 故突如焚如. 然坎水在中, 故又曰死棄. 所以五之涕沱, 皆從水. 四變則爲賁. 賁之三離互坎體, 故曰賁如濡如而能永貞. 故不至於陷溺, 與死棄相反.
『설문해자』에서 '돌(突)'자의 뜻을 주석하여 "순종하지 않고 갑자기 나오는 것이 불효자가 돌출하여 집안에서 용납되지 못함과 같다"고 하였다. 리괘(☲)는 불이고, 손괘(☴)는 바람이니, 그 불타오르는 성질이 더욱 조급하므로 "구사는 돌연히 온다"고 하였다. '불타오름'은 스스로 불타오르기를 그치지 않는다는 뜻이다. 삼효와 사효는 상괘와 하괘가 교차하는 즈음에 있으니, 삼효의 기울음은 하늘의 양이 아래로 밝힘이고, 사효의 타오름은 땅의 불이 타오르는 것이다. '죽음'은 감괘가 음의 백(魄)이 되어서이다. 사람과 사물이 생겨남에 물[水]로써 형체를 부여받고 불[火]로써 기운을 받는데, 불이 물의 위에 있어서 혼은 올라가고 백은 내려가므로 "죽는다"고 하였다. 그래서 혼백이 가지런하지 못한 것이니, "해와 불은 밖으로 비추고, 쇠와 물은 안으로 비춘다"가 바로 혼백의 설이다. "버려진다"는 죽어서 시체를 버림을 말하니, 『시경』에서 "부디 돌아오고 버려지지 말거라"[59]라 한 것이 이것이다. 두 개의 불이 서로 중첩됨에 아래의 불길이 성하면 위의 불길이 소멸하므로 "죽으며 버려진다"고 하였다. 대체로 불의 쓰임은 땔나무로 퍼지므로 돌연히 불타오른다. 그러나 감괘인 물이 가운데 있으므로 또 "죽으며 버려진다"고 하였다. 그래서 오효의 '눈물을 줄줄 흘림[涕沱]'은 모두 '수(水)'를 부수로 한다. 사효가 변하면 비괘(賁卦☶☲)가 되는데, 비괘의 삼효가 리괘의 호괘인 감괘(☵)의 몸체이므로 "꾸민 것이 윤택하니 영구히 하고 곧게 할 수 있다"[60]고 하였다. 그러므로 빠져드는 데까지 이르지 않으니, 죽어서 버려지는 것과는 서로 반대된다.

박제가(朴齊家) 『주역(周易)』

此言如此則如此, 蓋戒之云耳. 不可以此文綳定爲凶. 蓋雖善繼者, 免不得此位故也. 如漢上朱氏曰, 九四處不當位, 不善而求繼者也. 然則繼明之際, 別有非四之位耶.
이는 이처럼 하면 이렇게 된다고 말한 것이니, 경계삼아 말하였을 뿐이다. 이 문장을 한데 묶어서 흉하다고 해서는 안 될 것이다. 비록 잘 계승하는 자라도 이 자리를 면할 수 없기 때문이다. 한상주씨가 말한 것처럼 구사는 합당한 자리가 아닌 곳에 있고, 잘 하지 못하면서 계승하기를 구하는 자이다. 그러나 밝음을 계승하는 때에 달리 사효의 자리가 아닌 것이 있겠는가?

윤행임(尹行恁) 『신호수필(新湖隨筆)·역(易)』

離之爲卦, 上下皆火, 於文爲炎, 故自下而上爲九四, 則突如其來, 卽炎上而然也.
리괘는 위아래가 모두 불[火]이니, 글자로 보면 '염(炎)'이 된다. 그러므로 아래에서 올라가 구사가 되면, 돌연히 오는 것이 곧 불타올라가 그러한 것이다.

---

59) 『詩經··陟岵』: 陟彼屺兮, 瞻望母兮. 母曰嗟予季行役, 夙夜無寐. 上愼旃哉, 猶來無棄.
60) 『周易·賁卦』: 九三, 賁如濡如, 永貞吉.

서유신(徐有臣) 『역의의언(易義擬言)』

兩明相繼之際, 遽然來, 麗於六五之下, 其象不能爲日而能爲火. 火性急, 故曰突如也. 昏曉之間, 火至突急, 宜有焚爇之灾矣. 太陽旣出, 火滅灰熄, 而棄其餘跋也.
두 개의 밝음이 서로 이어지는 즈음에 갑자기 와서 육오의 아래에 붙으니, 그 상이 '해[日]'가 되지 못하고 '불[火]'이 된다. 불의 성질은 급하기 때문에 '돌연히'라고 하였다. 어둠과 밝음의 사이에 불이 돌연히 급하게 이르니 마땅히 불사르는 재앙이 있는 것이다. 태양이 이미 나오면 불은 소멸하여 재가 되어 그치니 그 남은 것을 버린다.

박문건(朴文健) 『주역연의(周易衍義)』

不意猝至, 故有突來之象. 不善相與, 故至於焚死棄之慘也.
뜻밖에 갑자기 이르기 때문에 돌연히 오는 상이 있다. 함께 하기를 잘하지 못하므로 불타 죽어 버려지는 참화에 이른다.
〈問, 焚義. 曰, 易爻有取焚義者, 有取濡義者, 焚者禍之至也, 如火之猛烈也, 濡者禍之至也, 如水之浸潤也.
물었다: "불타오른다"는 무슨 뜻입니까?
답하였다: 역의 효에 "불타오른다[焚]"는 뜻을 취한 것이 있고, "젖는다[濡]"는 뜻을 취한 것이 있는데, '불타오름'은 화(禍)가 이르는 것이 불의 맹렬함과 같다는 것이고, '젖음'은 화가 이르는 것이 물이 차츰 적심과 같다는 것입니다.〉

이지연(李止淵) 『주역차의(周易箚疑)』

繼明之生, 乃六五也, 六五之柔弱, 如孺子嬰, 漢獻帝, 而九四則其王莽董卓也.
밝음을 계승하여 나온 것이 바로 육오인데, 육오의 유약함은 유자(孺子) 영(嬰)[61]이나 한나라 헌제(獻帝)[62]와 같으니, 구사는 바로 왕망이나 동탁이다.

김기례(金箕澧) 「역요선의강목(易要選義綱目)」

二五爲主, 而四以陽火之性炎上, 而剛躁陵逼於五陰. 其勢突然, 其心如燬, 必被其禍.

---

61) 유영(劉嬰: 5~25): 전한의 마지막(15대) 황제로 어린 나이에 왕망에 의해 폐위되었다.
62) 헌제(獻帝: 181~234): 후한(後漢)의 마지막 황제(189~220 재위)로 아홉 살에 즉위하였다. 당시 황권은 이미 유명무실하였고, 군웅이 할거하여 민생은 피폐하였다. 즉위한 이듬해 동탁(董卓)의 주도로 수도를 장안(長安)으로 옮겼다. 동탁이 살해당한 후 조조의 위세에 눌려 지냈으며, 조조의 아들 조비(曹丕)에 의해 폐위 당하였다.

이효와 오효가 주인이 되지만 사효가 불같은 양의 성질로 불타올라 굳세고 조급하게 오효인 음을 능멸하고 핍박한다. 그 형세가 돌연하고 그 마음이 화염 같으니, 반드시 그 화를 입게 된다.

○ 不知繼明之理, 而失順附之正, 身死衆棄, 理固然矣.
밝음을 잇는 이치를 알지 못하여 순하게 따르는 올바름을 잃어버리니, 몸이 죽음에 무리가 버림은 이치가 참으로 그러하다.

심대윤(沈大允) 『주역상의점법(周易象義占法)』

离之賁☶☲, 文餙也. 九四, 以明附明, 有文餙之義. 居柔, 安於麗五, 而九三, 以炎陽來迫, 而强麗, 故曰突如其來如. 震爲突, 离震爲來. 夫以火承火, 則在上者必滅, 故曰焚如死如棄如. 离互巽木爲焚, 兌爲死喪, 离兌爲有心之亡曰棄. 九四位極人臣, 天下之求麗者, 皆萃焉. 有諂諛以蔽明者焉, 有熒惑以亂心者焉, 有讒間而謀奪其位者焉, 有遷動以變革者焉. 故其辭如此, 而九四, 以剛陽之才, 亦能支撑彌縫, 有其患而无其事. 故皆曰如, 而不言凶咎. 然尊寵之位, 亦不可久居而无事也.
리괘가 비괘(賁卦☶☲)로 바뀌었으니, 아름답게 꾸밈이다. 구사는 밝음으로 밝음에 붙었으니, 아름답게 꾸민다는 뜻이 있다. 부드러운 음의 자리에 있으면서 오효에 붙음을 편안히 여기지만, 구삼이 불타는 양으로 들이닥쳐 강하게 붙으므로 "돌연히 온다"고 하였다. 진괘(震卦☳)는 '돌연함'이 되고, 리괘(離卦)와 진괘(震卦)는 '옴[來]'이 된다. 불로 불을 이으면 위에 있는 것은 반드시 소멸하므로 "불타오르며 죽으며 버려진다"고 하였다. 리괘와 호괘인 손괘(☴)의 나무가 '불타오름'이 되고, 태괘(☱)가 '죽음'이 되며, 리괘와 태괘가 마음이 없어진 것이 되기에 "버려진다"고 하였다. 구사는 자리가 높은 신하이니, 천하에 붙기를 구하는 자가 모두 몰려든다. 아첨하여 밝음을 가리는 자가 있고, 미혹하여 마음을 어지럽히는 자가 있으며, 참소하여 그 자리를 뺏으려는 자도 있고, 옮겨서 변혁하려는 자도 있다. 그러므로 효사가 이와 같지만, 구사는 굳센 양의 재질이어서 또한 지탱하고 미봉할 수 있으니, 근심은 있지만 별일은 없다. 그러므로 모두 "듯하다[如]"고 하였고, '흉함'과 '허물'을 말하지 않았다. 그러나 존귀하고 총애받는 지위는 역시 오래 머물러서는 무사할 수 없다.

오치기(吳致箕) 「주역경전증해(周易經傳增解)」

九四, 剛失中正, 而當兩火相接之際, 下火旣炎, 上火繼熾, 其來暴急, 有突如之象. 其性剛猛, 无所容忍, 物之所麗者, 无不焚死且棄. 其象如此, 占可知矣.

구사는 굳센 양이 중정함을 잃고, 두 불[火]이 서로 만나는 지점에 있다. 아래의 불이 이미 타오르고 위의 불이 이어서 치솟으니, 오는 것이 사납고 급하여 '돌연한' 상이 있다. 성질이 굳세고 맹렬하여 용인하는 바가 없으니, 불이 붙은 사물은 타 죽고 버려지지 않음이 없다. 그 상이 이와 같으니, 점을 알만하다.

○ 突如, 暴急之貌. 其來, 指四之來也. 火之所附, 无物不焚死, 而无不爲棄物, 故其辭如此.
'돌연히[突如]'는 사납고 급한 모양이다. '그 옴[其來]'은 사효가 옴을 가리킨다. 불이 붙은 것은 타서 죽지 않는 것이 없고, 버려지지 않는 물건이 없으므로 그 사(辭)가 이와 같다.

이진상(李震相) 『역학관규(易學管窺)』

三爲昨日之終昏,[63] 四爲今日之始曉, 故曰突如來如. 火能爍物, 不久自滅, 滅則棄灰. 故有焚死棄之象. 九四上陵下替, 衆所不與, 故取是象. 漢上朱氏曰, 互巽兌, 巽木得火, 焚如也. 火王木死, 死如也. 兌毁之, 棄如也.
삼효는 어제의 해가 저무는 것이고, 사효는 오늘의 해가 밝아오기 시작하는 것이므로 "돌연히 온다"고 하였다. 불은 사물을 태울 수 있지만 오래지 않아 스스로 소멸하고, 소멸하면 재처럼 버려진다. 그러므로 불타오르며 죽으며 버려지는 상이 있다. 구사는 위로 능멸하고 아래로 지나치니, 무리들이 함께 하지 않으므로 이러한 상을 취하였다. 한상주씨가 "호괘가 손괘(☴)와 태괘(☱)이니, 손괘의 나무가 불을 얻었기에 불타오르는 것이고, 불이 왕성하여 나무가 죽기에 죽는 것이고, 태괘가 훼손하기에 버려지는 것이다"라고 하였다.

○ 馮氏曰, 窑竈之自出火氣者, 謂之突, 下卦之火, 突出衝上.
후재풍씨가 말하였다: 불가마에서 저절로 불기운이 나오는 것을 '돌연'이라 하니, 하괘의 불이 돌연히 나와서 위로 부딪히는 것이다.

박문호(朴文鎬) 「경설(經說)·주역(周易)」

重剛以不正, 九四以剛居柔, 是非重剛也. 上旣云不中正, 而復云不正, 有嫌於語複, 其義未詳.
『정전』에서 "굳셈이 중첩되어 바르지 못하다"라 하였는데, 구사는 굳센 양으로 부드러운 음의 자리에 있으니 굳셈이 중첩되지 않은 것이다. 위에서 이미 "중정하지 못하다"고 하고,

63) 昏: 경학자료집성DB에는 '皆'로 되어 있으나, 경학자료집성 영인본을 참조하여 '昏'으로 바로잡았다.

다시 "바르지 못하다"고 하였으니,[64] 말이 중복된다는 의혹이 들지만, 그 뜻은 자세히 알 수 없다.

이병헌(李炳憲) 『역경금문고통론(易經今文考通論)』

孟曰, 不孝子突出, 不容於內也.
맹희가 말하였다: 불효자가 돌연히 나와서 집안에서 용납되지 못함이다.

荀曰, 陰以不正居尊, 乘陽歷盡數終, 天命所誅. 故焚死棄如也.
순상이 말하였다: 음이 바르지 못함으로 존귀한 자리에 있어서 양을 타고는 두루 다니다가 운수가 다하니, 천명으로 베어진 것이다. 그러므로 불타서 죽고 버려진다.

程傳曰, 四剛躁而不中正, 突如而來, 非善繼者也. 故至於禍之極矣.
『정전』에서 말하였다: 사효는 굳세고 조급하여 중정하지 못하며, 돌연히 오니 잘 잇는 자가 아니다. 그러므로 화(禍)의 극단에 이른 것이다.

按, 管蔡有違言.
내가 살펴보았다: 관숙(管叔)과 채숙(蔡叔)[65]이 어긋나게 말함이 있다.

---

64) 『周易傳義大全 · 離卦』: 剛躁而不中正, 且重剛以不正.

65) 관숙(管叔)과 채숙(蔡叔): 관숙과 채숙은 주공의 두 형으로, 주공이 역모를 한다고 유언비어를 퍼뜨리고 봉작지에서 반란을 일으키자 주공이 모두 평정하였다.

象曰, 突如其來如, 无所容也

「상전」에서 말하였다: "돌연히 옴"은 용납할 곳이 없는 것이다.

中國大全

傳

上陵其君, 不順所承, 人惡衆棄, 天下所不容也.

위로 군주를 능멸하여 계승한 것을 따르지 않으니, 사람들이 미워하고 무리들이 버려서 천하가 용납하지 않는 것이다.

本義

无所容, 言焚死棄也.

"용납할 곳이 없다"는 불타 죽어서 버려짐을 말한다.

韓國大全

김상악(金相岳) 『산천역설(山天易說)』

不見容於六五之王也.

육오의 임금에게 용납되지 못하는 것이다.

서유신(徐有臣) 『역의의언(易義擬言)』

其來突然, 勢不相容也.
그 오는 것이 돌연하니, 기세에 서로 용납할 수 없다.

심대윤(沈大允) 『주역상의점법(周易象義占法)』

三四, 二剛相接, 爲兩明相迫, 故俱不吉也.
삼효와 사효는 두 굳센 양이 서로 접하여 두 밝음이 서로 들이닥침이 되므로 모두 길하지 못하다.

오치기(吳致箕) 「주역경전증해(周易經傳增解)」

火之性, 无所容忍, 故遇物, 无不焚死而棄也.
불의 성질은 용인하는 바가 없으므로 사물을 만나면 태워서 죽여 버리지 않음이 없다.

六五, 出涕沱若, 戚嗟若, 吉.

정전 육오는 눈물을 줄줄 흘리며 근심하고 한탄하니, 길할 것이다.
본의 육오는 눈물을 줄줄 흘리며 근심하고 두려워하면 길할 것이다.

中國大全

傳

六五, 居尊位而守中, 有文明之德, 可謂善矣. 然以柔居上, 在下无助, 獨附麗於剛强之間, 危懼之勢也. 唯其明也, 故能畏懼之深, 至於出涕, 憂慮之深, 至於戚嗟, 所以能保其吉也. 出涕戚嗟, 極言其憂懼之深耳, 時當然也. 居尊位而文明, 知憂畏如此, 故得吉. 若自恃其文明之德與所麗中正, 泰然不懼, 則安能保其吉也.

육오는 높은 자리에 있고 중(中)을 지키며 문명한 덕이 있으니, 선(善)하다고 이를 만하다. 그러나 부드러움으로서 윗자리에 있고 아래에 돕는 자가 없으며, 홀로 굳세고 굳센 양의 사이에 붙어 있으니, 위태롭고 두려운 형세이다. 오직 밝기 때문에 깊이 두려워하여 눈물을 흘림에 이르고, 깊이 우려하여 상심함에 이르기 때문에 그 길함을 보존하는 것이다. 눈물을 흘리고 상심함은 깊이 근심하고 두려워함을 지극히 말한 것일 뿐이니, 때가 마땅히 그러하다. 높은 자리에 있으면서 문명하고, 이와 같이 근심하고 두려워할 줄 알기 때문에 길함을 얻는다. 만약 스스로 문명한 덕과 붙어 있는 바의 중정함을 믿고서 태연히 두려워하지 않는다면, 어떻게 그 길함을 보존할 수 있겠는가?

本義

以陰居尊, 柔麗乎中, 然不得其正, 而迫於上下之陽, 故憂懼如此, 然後得吉, 戒占者宜如是也.

음으로서 높은 자리에 있고, 부드러운 음이 가운데 자리에 붙어 있지만 제자리를 얻지 못하여 위아래의 양에게 핍박당한다. 그러므로 근심하고 두려워하기를 이와 같이 한 뒤에야 길할 수 있으니, 점치는 자에게 마땅히 이와 같아야 한다고 경계한 것이다.

小註

朱子曰, 五介于兩陽之間, 憂懼如此, 然處得其中, 故不失其吉.
주자가 말하였다: 오효는 두 양의 사이에 끼어있어 근심과 두려움이 이와 같으나, 있는 곳이 가운데 자리를 얻었기 때문에 길함을 잃지 않는다.

○ 潘氏夢旂曰, 五居尊位, 天下之所附麗也. 明德在中, 慮事深遠, 出涕戚嗟, 憂懼之至, 所以吉也.
반몽기가 말하였다: 오효는 높은 자리에 있어서 천하가 붙어 있는 바이다. 밝은 덕으로 가운데에 있고 일을 우려함이 매우 원대하여 눈물을 줄줄 흘리며 근심하고 한탄하니, 근심과 두려움이 지극하기에 길한 것이다.

○ 雲峯胡氏曰, 坎中有離, 自牖, 離虛明之象也., 離中有坎, 沱若, 坎水象, 戚嗟若, 心憂之象也. 九三大耋之嗟, 以死生爲憂者也, 不當憂而憂, 故凶. 六五戚嗟若, 居君位而能憂者也, 憂所當憂, 故吉.
운봉호씨가 말하였다: 감괘(坎卦☵) 속에는 리(離☲)가 있으니, '통한 곳에서 함'[66]은 리(離☲)의 환히 밝은 상이다. 리괘(離卦☲) 속에는 감(坎☵)이 있으니, '눈물을 줄줄 흘림'은 감(坎☵)인 물[水]의 상이고, '근심하고 한탄함'은 마음이 근심하는 상이다. 구삼의 '너무 늙음을 한탄함'은 생사를 근심하는 것이니, 근심하지 말아야 하는데 근심하기 때문에 흉하다. 육오의 '근심하고 한탄함'은 임금의 자리에 있어 근심할 수 있는 것이니, 근심해야 할 것을 근심하기 때문에 길하다.

○ 東谷鄭氏曰, 二五, 皆以柔麗剛, 二之辭安, 五之辭危者, 二得位, 五失位也. 失位則危, 知危則吉.
동곡정씨가 말하였다: 이효 · 오효는 모두 부드러움으로 굳셈에 붙어있는데, 이효의 효사가 편안하고 오효의 효사가 위태로운 것은, 이효는 자리를 얻고 오효는 자리를 잃었기 때문이다. 자리를 잃으면 위태로우나, 위태로움을 알면 길하다.

---

66) 『周易 · 坎卦』: 六四, …, 納約自牖, 終无咎.

韓國大全

권근(權近) 『주역천견록(周易淺見錄)』

吳氏謂, 六五爲重離之主, 繼明而嗣位者也. 居倚廬而无命戒. 其哭泣而出涕也, 至於沱若, 其居喪而戚也, 至於嗟若. 以繼父爲悲, 不以得位爲樂, 嗣天子之孝者也.
오징이 말하였다: 육오는 중첩된 리괘의 주인이며, 밝음을 이어 지위를 계승한 자이다. 의려(倚廬)에 거처하면서 명령하거나 경계하지 않는다. 곡하고 울면서 눈물을 흘리되 줄줄 흘리는 지경에 이르고, 상(喪) 중에 거하면서 슬퍼하되 탄식하는 지경에 이른다. 아버지를 계승하게 됨을 슬퍼하고, 임금 자리를 얻게 된 것을 즐거워하지 않으니, 천자를 계승한 효자이다.

項氏曰, 九四逆子也, 來迫焚如. 六五順子也, 悲憂不樂. 四五之吉凶可知矣.
항안세가 말하였다: 구사는 반역하는 자식이어서 불타오르듯 들이닥치고, 육오는 순종하는 자식이어서 슬퍼하고 근심하여 즐거워하지 않으니, 사효와 오효의 길하고 흉함을 알만하다.

愚按, 吳氏善言孝子承繼之情, 項說亦可爲逆順之勸戒也. 但吳氏以爲居倚廬之時, 恐亦未安. 夫居喪倚廬, 正是出涕戚嗟之時, 若者, 言如此而未必然之辭. 居廬而出涕戚嗟, 雖善於居喪, 亦子職之當然, 未可便謂之吉. 此但泛言孝子承繼之情.
내가 살펴보았다: 오징은 효자가 임금의 자리를 계승하는 실정을 잘 말하였고, 항안세의 설명 또한 순종을 권면하고 반역을 경계하였다고 할만하다. 다만 오징이 '의려에 머물 때'라고 본 것은 온당하지 않는 듯하다. 상(喪)중에 의려(倚廬)에 거처할 때는 바로 눈물을 흘리며 근심하고 한탄할 때이고, '약(若)'이란 이와 같지만 반드시 그렇지는 않음을 말하는 말이다. 의려(倚廬)에 거처하면서 눈물을 흘리고 탄식하는 것이 비록 거상(居喪)을 잘 하는 것이지만, 또한 자식의 직분으로서 당연하므로 곧바로 길하다고 할 수는 없다. 이는 다만 효자가 왕위를 계승하는 실정을 대략 말한 것이다.

或父老而幹蠱, 或喪畢而卽政, 非所涕嗟之時, 而常若涕嗟然, 故曰若也. 其誠孝愛慕, 終身不忘如此, 故能保其宗社, 垂其統緖, 是以爲吉也. 此乃王公之事, 故象曰, 離王公也. 然九三性剛不中, 居暗之時, 以衰盡爲嗟憂, 雖戚, 不可以免, 故凶. 六五中順居尊, 爲明之主, 以盛滿爲憂, 雖危, 可以得安, 故吉也.
아버지가 연로하여 자신이 대신 일을 주관하거나, 상을 마치고 정사를 돌볼 경우는 눈물을 흘리며 탄식할 때는 아니지만, 항상 눈물을 줄줄 흘리는 듯이 탄식하므로 '약(若)'이라고 하였다. 그 진실한 효심으로 사랑하고 추모하여 죽을 때까지 잊지 못하는 것이 이와 같기 때문에 종사를 보존하여 왕업을 후세에까지 드리울 수 있으니, 이 때문에 길하게 된다. 이는 곧 왕공(王公)의 일이므로 「상전」에서 "왕공에 붙어있기 때문이다"라고 하였다. 그러나 구삼은 성질이 굳세고 알맞지 않으며, 어두운 때에 있어서 쇠진함을 한탄하고 근심하니, 비록 슬퍼하더라도 면할 수가 없으므로 흉하다. 육오는 알맞고 순종하며 존귀한 지위에 있어서 밝음의 주인이 되고 흥성하고 가득 찬 것을 근심스럽게 여기니, 비록 위태롭기는 하지만 편안할 수 있으므로 길하다.

조호익(曺好益) 『역상설(易象說)』

雙湖曰, 出涕, 離目兌澤象. 戚嗟, 兌口象.
쌍호호씨가 말하였다: '눈물을 흘림'은 리괘(☲)의 눈과 태괘(☱)의 못의 상이다. '한탄함'은 태괘의 입의 상이다.

愚謂, 上體離, 離爲目, 互體兌, 兌爲澤. 兌在離下, 自目出涕之象. 離爲火, 火有聲, 兌爲口, 離在兌上, 自口出聲之象.
내가 살펴보았다: 상체가 리괘(離卦)인데 리괘는 눈이 되고, 호체는 태괘인데 태괘는 못이 된다. 태괘가 리괘의 아래에 있으니, 눈에서 눈물이 흐르는 상이다. 리괘는 불[火]인데 불은 소리가 있으며, 태괘는 입인데 리괘가 태괘 위에 있으니, 입에서 소리가 나오는 상이다.

송시열(宋時烈) 『역설(易說)』

坎有涕象, 而來云離爲泣戚嗟, 亦坎之加憂象, 蓋離與坎互錯看. 蓋陰柔之君不能自主, 涕出於離, 自嗟發於兌口, 且兌爲附決. 附決者, 附剛而決柔也. 五爲王, 六爲公, 五之柔附麗于六之剛, 而能保其吉. 故小象云, 六五之吉, 離王公也, 言五雖陰柔, 旣居君位, 又能惕若, 則吉而旡咎. 若備嘗艱危, 終得底安之象.
감괘에는 눈물 흘리는 상이 있는데, 래지덕은 "리괘는 울면서 근심하고 한탄함이 되고, 또 감괘가 근심을 더하는 상이다"라 하였으니, 리괘는 감괘와 음양을 바꾸어 볼 수 있기 때문이다. 음으로 유약한 임금은 스스로 주인 노릇할 수 없기에, 리괘로부터 눈물이 나고, 태괘의 입으로부터 스스로 한탄이 나오며, 또 태괘는 '아부하고 절단함'이 된다. '아부하여 절단함'은 굳센 양에 아부하여 유약한 음을 절단하는 것이다. 오효는 왕이고, 상효는 공이 되니, 오효의 유약함이 상효의 굳셈에 붙어 있어 그 길함을 보존할 수 있다. 그러므로 「소상전」에서 "'육오의 길함'은 왕공(王公)에게 붙어 있기 때문이다"라 하였으니, "오효가 비록 부드러운 음이지만 이미 임금의 자리에 있으니, 또 두려운 듯이 할 수 있다면 길하고 허물이 없다"고 말한 것이다. 만약 대비하여 어렵고 위태로운 듯이 한다면, 끝내 편안함에 이를 수 있는 상이다.

석지형(石之珩) 『오위구감(五位龜鑑)』

臣謹按, 離之六五, 以卦中有坎, 坎爲水, 故取出涕沱若之象, 而若言其德, 則當繼明之時, 有守中之美, 可謂善矣. 但以陰柔之質, 介乎兩陽之間, 故不能无憂懼. 然不自恃其文明, 知所憂而憂, 此所以能保其吉也. 伏願殿下, 毋懼於不當懼, 而憂其所當憂焉.
신이 삼가 살펴보았습니다: 리괘의 육오는 괘 가운데 감괘가 있고 감괘가 물이 되기 때문에 눈물을 줄줄 흘리는 상을 취하였으나, 그 덕으로 말하자면 밝음을 잇는 때를 맞이하여 알맞음을 지키는 아름다움이 있으니, 선하다 할 수 있습니다. 다만 부드러운 음의 자질로 두 양의 사이에 끼어있기 때문에, 근심과 두려움이 없을 수 없습니다. 그러나 스스로 그 문명함을 자신하지 않고 근심할 것을 알아 근심하니, 이것이 그 길함을 보존할 수 있는 까닭입니다. 원컨대 전하께서는 마땅히 두려워할 일이 아닌 것에 두려워 마시고, 근심하여야할 일에만 근심하시옵소서.

이현석(李玄錫) 「역의규반(易義窺斑)」

居人君之位, 而迫於剛强之間, 至於出涕戚嗟, 則可謂凶矣. 而所以吉者, 以下有黃離之正應故也. 或曰, 六五六二, 俱是陰柔迫於群剛, 危惧如此, 則雖得相應, 惡能獲吉哉. 曰, 二五離體而中正, 故旣柔而能明, 柔則不忤於物, 明則不失於幾. 君臣之德俱若是, 而又能畏愼憂虞, 則事豈有不吉者哉. 況離之時, 又非禍亂之世, 乃柔順文明之日, 而三四兩爻, 自恃剛强, 不安其分. 故大耋之嗟, 焚死之菑渠, 皆自取, 而五二同德之應, 終遂其吉也. 同人之九五, 陽剛而健體, 故號咷而至於用師, 離之六五, 文明而處柔, 故出涕而自能得吉, 此聖人用柔之微權云.
임금의 지위에 있으면서 굳세고 강한 것들 사이에서 핍박을 받아 눈물을 흘리며 근심하고 탄식하는데 이르렀으니 흉하다 할 것이다. 그런데도 길한 것은 아래에 황색에 붙는 정응(正應)이 있기 때문이다.
어떤 이가 물었다: 육오와 육이는 모두 부드러운 음이 굳센 양의 무리들에게 핍박받아 위태함과 두려움이 이와 같으니, 비록 서로 호응하더라도 어찌 길할 수 있겠습니까?
답하였다: 이효와 오효는 리괘의 몸체이고 중정하기 때문에 이미 부드럽고도 밝을 수 있으니, 부드러우면 남에게 거슬리지 않고, 밝으면 기미를 놓치지 않습니다. 임금과 신하의 덕이

모두 이와 같고, 또 신중하게 근심할 수 있으니, 일에 어찌 불길함이 있겠습니까? 더구나 리괘의 때는 환란의 시대가 아니고, 바로 유순하고 문채가 밝은 날인데, 삼효와 사효가 스스로 굳센 양임을 자부하여 그 분수를 편안히 여기지 못합니다. 그러므로 '너무 늙음을 한탄하고' '밭과 도랑에서 불타서 죽음'은 모두 스스로 취하는 것이고, 오효와 이효는 같은 덕으로 호응하여 마침내 그 길함을 이룹니다. 동인괘(同人卦)의 구오는 굳센 양으로 강건한 몸체이므로 '울부짖어' 군대를 사용하는 데까지 이르지만,[67] 리괘(離卦)의 육오는 문채가 밝으며 부드러운 음의 자리에 있으므로 눈물을 흘릴지라도 스스로 길함을 얻을 수 있으니, 이것이 성인이 부드러운 음을 쓰는 은미한 권도라 하겠습니다.

이익(李瀷) 『역경질서(易經疾書)』[68]

四爲日入之候, 五爲夜中之候. 雖當君王之位, 奸鬼肆行, 不可以有爲也. 故涕沱之不足, 至於戚嗟, 而有反吉之道. 在人衛文燕昭之志也. 六五言離王公, 上九言王出征, 此卽王離其居, 出征不服者也. 不然上九本無位之地, 豈有王征之象哉. 此蓋王室衰亡, 經營恢復之時歟.

사효는 해가 지는 때이고, 오효는 밤중인 때이다. 비록 임금의 자리를 맡았더라도 사악한 자가 날뛰어서 제대로 일을 도모할 수 없다. 그러므로 눈물을 흘리는 것으로도 부족하여 근심하고 한탄함에 이르니, 길함에 반하는 도리가 있다. 사람의 경우 위나라 문제[69]와 연나라 소왕[70]의 뜻이 그러하다. 육오는 "왕공이 떠난다"[71]고 하였고, 상구는 "왕이 출정한다"고 하였으니, 이는 왕이 그 거처를 떠나 나아가 승복하지 않는 자를 정벌하는 것이다. 그렇지 않다면, 상구는 본래 지위가 없는 처지인데 어떻게 왕이 출정하는 상이 있겠는가? 이는 왕실이 쇠망하였다가 경영이 회복하는 때일 것이다.

심조(沈潮) 「역상차론(易象箚論)」

離爲目, 而又爲兌口, 非涕沱乎.

리괘(☲)는 눈이 되고 또 태괘의 입이 되니, 눈물을 줄줄 흘림이 아니겠는가?

---

67) 『周易 · 同人卦』: 九五, 同人, 先號咷而後笑, 大師克, 相遇.

68) 경학자료집성DB에서는 리괘(離卦) '구사'에 해당하는 것으로 분류했으나, 내용에 따라 이 자리로 옮겼다.

69) 위문제(衛文帝): 삼국시대 조조의 아들 조비. 위나라의 초대 황제(재위 220-226)로 새로운 9품관인법과 같은 관리선발제도를 시행, 내정을 개혁하기에 힘썼으나 즉위 후 7년 만에 사망하여 뜻한 바를 이루지 못했다.

70) 연소왕(燕昭王): 전국시대 연나라 군주. 악의(樂毅)와 곽외(郭隗)등 유능한 인재를 등용하여 멸망한 연나라를 부흥시켰으나, 장생술을 추구하다 약물중독으로 사망하였다.

71) 『정전』과 『본의』에 입각하면 "왕공에게 붙어있다"로 번역하는데, 여기에서는 "왕공이 떠난다"는 의미로 보인다.

양응수(楊應秀) 「역본의차의(易本義箚疑)」

戚嗟若이면, 이면恐當改이라야.
'근심하고 두려워하면'에서 '하면'은 '이라야'로 고쳐야 할 듯하다.

○ 戚嗟ᄒᆞ야야
근심하고 두려워하여야

유정원(柳正源) 『역해참고(易解參攷)』

王氏曰, 履非其位, 不勝所履. 以柔乘剛, 不能制下, 下剛而進, 將來害己, 憂傷之深, 至于沱嗟也. 然所麗在尊, 四爲逆首, 憂傷至深, 衆之所助, 故乃沱嗟而獲吉也.
왕필이 말하였다: 제 자리가 아닌데 밟으면 밟은 것을 감당할 수 없다. 부드러운 음으로 굳센 양을 탔으니 아래를 제어할 수 없고, 아래의 굳센 양이 나아가니 장차 와서 나를 해칠 것이기에 근심걱정이 심하여 눈물 흘리고 한탄함에 이른다. 그러나 붙는 바가 존귀한 자리에 있고 사효가 반란의 괴수가 되니, 근심과 상함이 지극히 심하지만 여러 무리가 돕는 바이므로 눈물을 흘리고 한탄하더라도 길함을 획득한다.

○ 隆山李氏曰, 六五當重離之中, 以明繼明者也. 獨離體至柔, 以居尊位, 而九四以剛盛得勢, 突來陵暴, 五柔不能制, 不免有乘剛之憂. 故至于出涕戚嗟. 然而終以獲吉者, 以上制下, 以順攻逆, 終以必勝, 故終獲吉.
융산이씨가 말하였다: 육오는 중첩된 리괘의 가운데에 해당하니, 밝음으로 밝음을 잇는 자이다. 홀로 리괘의 몸체에서 지극히 부드러우며 존귀한 자리에 거하는데, 구사가 왕성하고 굳셈으로 세를 얻어 갑자기 와서 핍박하니, 부드러운 오효가 그를 제어할 수 없어서 굳센 양을 올라탄 근심을 벗어날 수 없다. 그러므로 눈물을 흘리며 근심하고 한탄함에 이른다. 그러나 마침내 길함을 얻는 것은 위로써 아래를 제어하고 순함으로 패역함을 다스려 마침내 반드시 이기기 때문에 결국 길함을 획득한다.

○ 西溪李氏曰, 三日旣昃, 上體繼之, 五爲繼明之主. 四以不正之剛, 乃間其中, 不免有乘間抵戲, 起僥倖覬覦之念者, 不知神器不可妄干也. 故死如棄如, 故象曰旡所容也. 六五出涕戚嗟若吉者, 蓋以繼世易位事也. 故出涕戚嗟則吉. 象曰離王公也. 蓋此禮天子與諸侯達也.
서계이씨가 말하였다: 삼효의 해가 이미 기울어 상체가 그것을 이어 받는데, 오효는 밝음을

잇는 주인이 된다. 사효가 바르지 못한 굳센 양으로 중간에 끼어들었으니, 틈을 타서 일을 꾸며 요행히 넘겨보는 생각을 일으키는 자가 있음을 면하지 못함이며, 제위[神器]에 함부로 간여해서는 안 됨을 모르는 것이다. 그러므로 죽으며 버려지기 때문에 「소상전」에서 "용납할 곳이 없다"고 하였다. 육오가 "눈물을 줄줄 흘리며 근심하고 두려워하면 길하다"는 것은 세대를 잇고 왕위를 바꾸는 일이기 때문이다. 그러므로 눈물을 흘리며 근심하고 두려워하면 길한 것이다. 「소상전」에서 "왕공에 붙어있기 때문이다"라 한 것은 이 예(禮)가 천자와 제후까지 이르기 때문이다.

김상악(金相岳) 『산천역설(山天易說)』

六五爲文明之主, 有麗正之美, 而下有陵鑠之勢. 互爲兌坎, 故有出涕沱若之象. 與上相比, 雖嗟其非正應, 王能用之, 故終必有功而吉也.
육오는 문명한 주인이 되어 바름에 붙는 아름다움이 있지만, 아래에는 능멸하려는 형세가 있다. 호괘가 태괘(☱)와 감괘(☵)가 되므로 눈물을 줄줄 흘리는 상이 있다. 상효와 서로 비(比)의 관계여서 비록 그 정응(正應)이 아님을 한탄하지만, 왕이 쓰기 때문에 마침내 반드시 공로가 있어서 길하다.

○ 坎水從離目而出, 涕沱之象. 坎憂兌口, 戚嗟之象. 凡无應而從比者, 取象多如此者. 萃之三曰萃如嗟如, 上曰齎咨涕洟, 節六三曰不節之嗟, 是也. 三之嗟凶, 日之方昃也, 五之嗟吉, 明之有繼也. 五變爲同人, 同人之五爲三四所爭. 然大師相遇, 故先呼咷而後笑. 離則出征而有嘉, 故始戚嗟而終吉. 或曰, 所謂相火司權, 君火失令, 謂四五二爻. 然在下者, 雖有陵逼之勢, 何能敵征伐之君哉. 四五象傳, 可見其尊君之義也.
감괘(☵)의 물이 리괘(☲)의 눈으로부터 나오니, 눈물을 줄줄 흘리는 상이다. 감괘는 근심이고 태괘(☱)는 입이니, 한탄하는 상이다. 호응이 없이 가까이 하는 것을 따르는 경우, 상을 취함이 이와 같은 것이 많다. 취괘(萃卦䷬)의 삼효에서 "모이려다 한탄한다"[72]고 하고, 상효에서 "한탄하며 눈물과 콧물을 흘린다"고 하며,[73] 절괘(節卦䷻)의 육삼에서 "절제하지 못하여 한탄한다"라 한 것이 이것이다. 삼효의 '한탄하여 흉함'은 해가 막 기울기 때문이고, 오효의 '한탄하여 길함'은 밝음이 이어짐이 있기 때문이다. 오효가 변하면 동인괘가 되는데, 동인괘의 오효는 삼효와 사효가 빼앗으려는 것이 된다. 그러나 큰 군사로 서로 만나게 되므로 먼저는 울부짖고 뒤에는 웃는다.[74] 리괘(離卦)는 출정하여 아름다움이 있기 때문에 처음

72) 『周易·萃卦』: 六三, 萃如嗟如, 无攸利, 往无咎, 小吝.
73) 『周易·萃卦』: 上六, 齎咨涕洟, 无咎.

에는 한탄하나 끝에는 길하다. 어떤 이는 "이른바 '상화(相火)가 명령을 주관하니 군화(君火)가 명령을 잃는다'는 사효와 오효 두 효를 말한다"라 하였다. 그러나 아래에 있는 자가 비록 능멸하고 핍박하는 형세가 있다 할지라도, 어떻게 정벌하러 나선 임금을 대적할 수 있겠는가? 사효와 오효의 「소상전」에서 그 임금을 존숭하는 뜻을 볼 수 있다.

윤행임(尹行恁) 『신호수필(薪湖隨筆) · 역(易)』

黃離元吉, 傅說之遇高宗也. 六五之戚嗟, 若盤庚之籲衆慼也.
"황색에 붙으니 크게 길할 것이다"는 부열(傅說)이 고종을 만난 일이다.[75] 육오의 '근심하고 한탄함'은 반경(盤庚)이 근심하는 무리들을 불러 맹세한 일이다.[76]

서유신(徐有臣) 『역의의언(易義擬言)』

此爻之象, 滕文公近之. 涕沱戚嗟而曰吉, 何義歟. 吉凶者, 失得之象, 六五之涕嗟爲得矣. 人心悅服, 故吉也.
이 효의 상(象)은 등문공이 이에 가깝다.[77] 눈물을 흘리며 근심하고 탄식하는데 "길하다"고 한 것은 무슨 뜻인가? 길흉이란 얻고 잃음에 대한 상인데, 육오의 '눈물 흘리고 탄식함'은 얻는 것이 되기 때문이다. 사람들의 마음이 기쁘게 복종하기 때문에 길하다.

강엄(康儼) 『주역(周易)』

按, 後明將繼之時, 九四以剛迫之, 是猶强臣跋扈, 將有簒奪之心者也. 六五乃以陰柔居尊, 雖麗乎中, 然不得其正, 而迫於上下之陽. 當此之時, 未可有所爲, 只當憂勤恐懼, 不敢遑寧, 可以得吉.
내가 살펴보았다: 뒤의 밝음이 계승하려는 때에 구사가 굳센 양으로 핍박하니, 이는 강한 신하가 발호하여 장차 찬탈하려는 마음이 있는 것과 같다. 육오는 부드러운 음으로 존귀한 지위에 있으니, 비록 가운데 자리에 붙어 있더라도 그 바름을 얻지 못하여 위아래의 양에게 핍박을 당한다. 이러한 때를 맞이해서는 무슨 일을 할 수가 없으니, 단지 근심하고 조심하여

---

74) 『周易 · 同人卦』: 九五, 同人, 先號咷而後笑, 大師克, 相遇.
75) 부열(傅說): 은나라 고종 때의 명재상이다. 고종이 꿈에 성인을 보고, 이를 초상화로 그려 전국을 수소문하여 부열을 맞아들였다고 한다.
76) 『書經 · 盤庚』: 盤庚, 遷于殷, 民不適有居, 率籲衆慼, 出矢言.
77) 『孟子 · 滕文公』.

감히 허둥대거나 편안히 여기지 않아야 길할 수 있을 것이다.

박문건(朴文健) 『주역연의(周易衍義)』

爲下所逼, 故有出涕之象, 沱, 亂滴不止之貌也. 雖然處尊得中, 故終得其吉.
아래로부터 핍박을 당하므로 눈물을 흘리는 상이 있으니, '타(沱)'는 눈물이 넘쳐흘러 그치지 않는 모습이다. 비록 그렇더라도 존귀한 자리에 처하여 알맞음을 얻었기 때문에 마침내 길함을 얻는다.

이지연(李止淵) 『주역차의(周易箚疑)』

涕沱戚嗟差, 勝於貞疾而吉, 則異於恆不死者也. 明而麗之時, 故云耳.
'눈물을 줄줄 흘리며 근심하고 한탄함'은 '바르지만 병을 앓는 것'보다 나아서 길하니, 예괘(豫卦) 육오의 '늘 죽지는 않는 것'[78]과는 다르다. 밝으면서 붙어 있는 때이므로 이렇게 말했을 뿐이다.

김기례(金箕澧) 「역요선의강목(易要選義綱目)」

坎中二陰, 爲離似體, 故取虛明之象, 曰自牖. 離中二陽, 爲坎似[79]體, 故取坎水之象, 曰涕沱, 取加憂之象, 曰戚嗟. 三大耋嗟, 亦此象.
감괘(坎卦䷜) 가운데의 두 음이 리괘(☲)와 비슷한 몸체(☲)가 되므로 텅 빈 밝음의 상을 취해 '들창으로부터'라 하였다. 리괘(離卦䷝) 가운데의 두 양이 감괘(☵)와 비슷한 몸체(☵)가 되므로 감괘인 물의 상을 취해서 "눈물이 흐른다"고 하였고, 근심을 더하는 상을 취해서 "근심하고 한탄한다"고 하였다. 삼효의 '너무 늙음을 한탄함'도 또한 감괘의 상이다.

○ 麗順之道, 愈下愈吉, 故二曰元吉. 五居尊而下无助, 麗于上下剛, 故危懼而得吉. 憂天下而慮事深, 則何不涕嗟. 所謂生於憂患者也.
붙어서 순종하는 도리는 내려갈수록 길하므로 이효에서 "크게 길하다"고 하였다. 오효는 존귀한 지위에 있으나, 아래에서 도움이 없어서 위아래의 굳센 양에 붙으므로 위태롭고 두려워하면서 길함을 얻는다. 천하를 근심하고 일을 염려함이 깊다면, 어찌 눈물을 흘리고 탄식하지 않을 것인가? 이른바 "우환 속에서 산다"는 뜻이다.[80]

---

78) 『周易·豫卦』: 六五, 貞, 疾, 恒不死.
79) 似: 경학자료집성DB에는 '以'으로 되어 있으나, 경학자료집성 영인본을 참조하여 '似'로 바로잡았다.

심대윤(沈大允) 『주역상의점법(周易象義占法)』

离之同人䷌, 同類也. 六五, 居剛而得中, 求麗於上九, 而下有二剛嬲之, 故憂戚也. 人之麗乎正, 而常懷危懼防邪之心, 臣之麗乎君, 而常存兢業遠嫌之戒, 君之麗乎民, 皆當然矣. 六五离道之正也. 變卦之對師震爲出. 六五求麗之心, 變爲防患之慮, 而慮之在彼, 故取變對也. 离目兌澤爲涕, 兌坎爲戚嗟. 六二, 文明而麗乎內卦之中, 不用力焉, 如日月麗天, 是也. 六五, 文明以麗乎外卦之中, 而用力焉, 重明以麗正, 是也.
리괘가 동인괘(同人卦䷌)로 바뀌었으니, 무리와 함께함이다. 육오는 굳센 양의 자리에 있고 알맞음을 얻어서 상구에 붙으려고 하는데, 아래에 두 굳센 양이 희롱함이 있으므로 근심하고 한탄한다. 사람은 바름에 붙어도 항상 위태하고 두려워하여 삿됨을 방비하는 마음을 품어야 하고, 신하는 임금에게 붙음에 항상 전전긍긍하여 혐의를 멀리하려는 경계를 지녀야 하니, 임금이 백성에게 붙는 것도 모두 마땅히 그래야 한다. 육오는 붙는 도리가 바른 것이다. 변한 괘의 음양이 반대인 사괘(師卦䷆)의 진괘(☳)가 '나옴[出]'이 된다. 육오의 붙기를 구하는 마음이 바뀌어 환란을 막으려는 근심이 되는데, 근심함은 상대에 달렸으므로 변한 괘의 음양이 바뀐 괘에서 취하였다. 리괘(☲)의 눈과 태괘(☱)의 못이 눈물이 되고, 태괘와 감괘(☵)가 근심함과 한탄함이 된다. 육이는 문명하고 내괘의 가운데에 붙어 있어서 힘을 쓰지 않으니, '해와 달이 하늘에 붙어 있음'과 같은 것이다. 육오는 문명하면서 외괘의 가운데에 붙어 있어서 힘을 써야 하니, '중첩된 밝음으로 바름에 붙음'이 이것이다.

오치기(吳致箕) 「주역경전증해(周易經傳增解)」

六五, 以文明之德, 柔中而居尊, 爲萬民之所附麗者也. 乘剛臣之上, 而下旡應援, 其勢危畏. 然柔能知懼, 明能察理, 憂以天下, 發於聲色, 有涕沱戚嗟之象. 憂勤如此, 則可以保其邦而得吉, 大義程傳備矣.
육오는 문명한 덕으로 부드럽고 알맞으며 존귀한 지위에 거하니, 만민이 따라붙는 자가 된다. 억센 신하의 위에 올라탔는데, 아래에서 호응하여 후원함이 없으니 그 형세가 위태롭다. 그러나 부드러워 두려워할 줄 알고, 밝아서 이치를 살필 줄 알아서 천하를 근심해서 소리와 낯빛에 드러나니, 눈물을 흘리며 근심하고 한탄하는 상이 있다. 이처럼 근심하고 걱정한다면 그 나라를 보존하여 길함을 얻을 수 있으니, 대체적인 뜻은 『정전』에 갖추어져 있다.

○ 涕沱者, 憂形於色也, 戚嗟者, 憂發於聲也. 涕沱與戚, 皆取於對體之坎, 嗟取於互兌也.

80) 『孟子 · 告子下』: 入則無法家拂士, 出則無敵國外患者, 國恒亡. 然後知生於憂患而死於安樂也.

'눈물을 흘림'은 근심이 낯빛에 나타나는 것이고, '근심하고 한탄함'은 근심이 소리에 드러나는 것이다. 눈물흘림과 근심함은 모두 음양이 바뀐 몸체인 감괘(坎卦)에서 취하였고, 한탄함은 호괘인 태괘(兌卦)에서 취하였다.

이진상(李震相) 『역학관규(易學管窺)』

五, 繼世之君也. 爻當離目之際, 兌口之上, 故目出涕沱, 口發戚嗟. 承乘皆陽, 所以危懼. 上九王也, 九四公也, 五麗於王公之間, 其象如此. 九四凌逼, 故不免於嗟, 上九比護, 故終得其吉.
오효는 세대를 잇는 임금이다. 효가 리괘(☲)인 눈의 사이와 태괘(☱)인 입의 위에 해당되므로 눈에서 눈물이 흐르고, 입에서 근심과 한탄이 나온다. 이어받고 올라탄 것이 모두 양이기에 위태하고 두려운 것이다. 상구는 왕이고 구사는 공(公)이니, 오효가 왕과 공의 사이에 붙어 있어서 그 상이 이와 같다. 구사가 능멸하고 핍박하므로 한탄을 면치 못하지만, 상구가 비호하므로 마침내 길함을 얻는다.

이병헌(李炳憲) 『역경금문고통론(易經今文考通論)』

程傳曰, 出涕戚嗟, 極言憂懼之深, 居尊位而明, 知憂畏, 故得吉.
『정전』에서 말하였다: 눈물을 흘리고 상심함은 깊이 근심하고 두려워함을 지극히 말한 것일 뿐이니, 높은 자리에 있으면서 밝아서 근심하고 두려워할 줄을 알기 때문에 길함을 얻는다.

按, 子之繼父, 豈無出涕戚嗟之情乎.
내가 살펴보았다: 자식이 아버지를 계승하는데, 어찌 눈물을 흘리며 근심하고 한탄하는 정서가 없겠는가!

象曰, 六五之吉, 離王公也.

「상전」에서 말하였다: "육오의 길함"은 왕공(王公)에게 붙어 있기 때문이다.

中國大全

傳

六五之吉者, 所麗得王公之正位也. 據在上之勢, 而明察事理, 畏懼憂虞以持之, 所以能吉也. 不然, 豈能安乎.

육오가 길한 것은 붙어 있는 곳이 왕공(王公)의 바른 자리를 얻었기 때문이다. 위에 있는 형세에 의지해서 사리(事理)를 밝게 살펴서 두려워하고 근심하여 유지하기 때문에 길할 수 있다. 그렇지 않으면 어찌 편안할 수 있겠는가?

小註

孔氏曰, 五爲王位而言公者, 便文以協韻也.
공영달이 말하였다: 오효는 왕의 자리인데 공(公)이라고 말한 것은 글을 편의대로 해서 운율을 맞춘 것이다.

韓國大全

양응수(楊應秀) 「역본의차의(易本義箚疑)」

六五의 吉흠은.
육오의 길함은.

김상악(金相岳) 『산천역설(山天易說)』
六五之吉, 王之用公也.
육오의 길함은 왕이 공(公)을 쓰기 때문이다.

○ 坎之王公, 在守國, 離之王公, 在正邦.
감괘(☵)의 왕공은 나라를 지키는데 있고, 리괘(☲)의 왕공은 나라를 바르게 하는데 있다.

김규오(金奎五) 「독역기의(讀易記疑)」

孔氏說, 以天下則王, 以國則公. 所謂大人, 不止爲天子. 此云王公, 恐不止爲便文也.
공영달은 "천하로는 왕이고, 나라로는 공(公)이다. 이른바 대인은 천자가 되는데 그치지 않는다"라 하였는데, 여기에서 '왕공'이라 한 것은 글을 편의대로 맞춘데 그치지 않는 듯하다.

박제가(朴齊家) 『주역(周易)』

孔氏曰, 五爲王位而言公者, 便文以恊韻也.
공영달이 말하였다: 오효는 왕의 자리인데 '공'이라고 말한 것은 글을 편의대로 하여 운을 맞춘 것이다.

案, 從矦國而占, 則五當爲其國之君, 王公者, 通天子諸矦而言者也. 此何等謹嚴之地, 而聖人豈因叶韻, 强修辭耶. 況王字亦自與邦可通耶.
내가 살펴보았다: 제후국을 가지고 점을 치면 오효가 마땅히 그 나라의 임금이 되는데, '왕공'이라고 한 것은 천자와 제후를 통틀어서 말한 것이다. 이것이 얼마나 근엄한 자리인데, 성인이 어찌 운을 맞추기 위해 억지로 말을 꾸몄겠는가? 하물며 '왕(王)'자는 또한 본래 '방(邦)'자와 통할 수 있음에랴!

서유신(徐有臣) 『역의의언(易義擬言)』

王公, 獨有是象, 麗於繼明之位故也.
'왕공'에게만 이러한 상이 있는데, 밝음을 잇는 자리에 붙어 있기 때문이다.

박문건(朴文健) 『주역연의(周易衍義)』

麗於王公之位, 故終莫之陵也.
왕공의 지위에 붙어 있으므로 끝내 능멸할 수 없다.

심대윤(沈大允) 『주역상의점법(周易象義占法)』

上九居上, 有王公之象.
상구가 위에 있으니, 왕공의 상이 있다.

오치기(吳致箕) 「주역경전증해(周易經傳增解)」

五以柔中之德居君位, 爲天下之所附, 而與上九剛明之賢, 相資爲治, 畏懼憂虞則得吉, 故言以憂而得吉者, 卽以天下所附麗, 在於王公也. 王指六五之君, 公指上九之賢也.
오효는 부드럽고 알맞은 덕으로 임금의 지위에 있으니 천하가 따르는 바가 된다. 그렇지만 상구의 굳세고 밝은 현인과 서로 도와 다스리니, 두려워하고 근심하면 길함을 얻는다. 그러므로 "근심함으로써 길함을 얻는다"고 말한 것은 천하가 붙어 있는 바는 왕공에 달려있기 때문이다. '왕'은 육오의 임금을 가리키고, '공'은 상구의 현인을 가리킨다.

上九, 王用出征, 有嘉,

정전 상구는 왕이 출정하면 아름다움이 있을 것이니,

上九, 王用出征,

본의[81] 상구는 왕이 출정하여

中國大全

傳

九, 以陽居上, 在離之終, 剛明之極者也. 明則能照, 剛則能斷, 能照足以察邪惡, 能斷足以行威刑. 故王者宜用如是剛明, 以辨天下之邪惡, 而行其征伐, 則有嘉美之功也. 征伐, 用刑之大者.

구(九)가 양으로서 꼭대기에 있고 리괘(離卦☲)의 끝에 있으니, 굳세고 밝음이 지극한 자이다. 밝으면 비출 수 있고 굳세면 결단할 수 있으니, 비출 수 있어서 사악함을 충분히 살필 수 있고, 결단할 수 있어서 위엄과 형벌을 충분히 행할 수 있다. 그러므로 왕자(王者)가 마땅히 이와 같은 굳셈과 밝음을 써서 천하의 사악함을 구별하여 정벌을 행한다면 아름다운 공이 있을 것이다. 정벌은 형벌을 크게 쓰는 것이다.

小註

節齋蔡氏曰, 以剛居上, 處離之極, 剛明可以及遠. 故用之出征, 則有嘉美之功.

절재채씨가 말하였다: 굳셈으로 꼭대기에 있어 리괘의 극단에 처하였으니, 굳세고 밝음이 멀리까지 미칠 수 있다. 그러므로 나아가 정벌하는데 쓰면, 아름다운 공이 있는 것이다.

81) 『본의』에서는 '유가(有嘉)'를 뒤의 '절수(折首)'와 한 구(句)로 보았기 때문에 아래로 옮겨 번역하였다.

○ 西溪李氏曰, 繼體之君, 自當出征. 有扈之戰, 啓所以承禹, 商奄淮夷之征, 成王所以繼武王. 周公, 作立政, 終之曰, 其克詰爾戎兵, 以陟禹之迹. 召公畢公命康王, 无他意, 惟曰, 張皇六師, 无壞我高祖寡命而已. 蓋不如是, 不足以正邦也, 然則出征, 豈細事哉.

서계이씨가 말하였다: 부왕(父王)의 자리를 계승한 군주는 스스로 나아가 정벌하는 것이 마땅하다. 유호씨(有扈氏)와의 싸움은 계(啓)가 우왕(禹王)을 계승한 것이고,[82] 상엄(商奄)과 회의(淮夷)의 정벌은 성왕(成王)이 무왕을 계승한 것이다.[83] 주공이 「입정(立政)」을 짓고 임종에 "군대 일을 잘 다스려 우왕의 자취를 높이 실천하소서"[84]라고 하였고, 소공(召公)과 필공(畢公)이 강왕(康王)에게 명한 것도 다른 뜻은 없고, 오직 "육사(六師)를 크게 확장하여 우리 선조의 큰 명을 무너뜨리지 말라"[85]고 하였을 뿐이다. 대체로 이와 같지 않으면 나라를 바르게 하기에 부족하니, 그렇다면 나아가 정벌하는 것이 어찌 자잘한 일이겠는가?

韓國大全

이지연(李止淵) 『주역차의(周易箚疑)』

行師而用刑賞, 非明之極, 則能乎.

군대를 움직이고 상벌을 쓰는 일은 밝음이 지극하지 않으면 할 수 있겠는가?

김기례(金箕澧) 「역요선의강목(易要選義綱目)」

易中, 皆以五爲君位, 上爲无位, 獨離上曰王, 五之象曰王公. 蓋上居明極而剛, 則五麗

82) 우왕이 죽고 계(啓)가 즉위하였으나, 요순처럼 선위(禪位)하지 않았다는 이유로 유호씨(有扈氏)가 복종하지 않았는데, 계가 「감서(甘誓)」를 지어 경계하고, 유호씨를 감(甘)에서 크게 무찌른 뒤 명실상부한 군주가 되었음을 이른다.

83) 상(商)나라가 망하고 주(紂)의 아들인 무경을 봉해 주었는데, 무왕(武王)이 죽은 뒤 무경이 엄(奄)·서(徐)·박고(薄姑)등의 동방지역에서 크게 반란을 일으키자, 성왕이 명하여 주공에게 정벌하게 한 뒤 군주의 위엄을 세웠음을 이른다.

84) 『書經 · 立政』: 其克詰爾戎兵, 以陟禹之迹, 方行天下, 至于海表, 罔有不服. 以覲文王之耿光, 以揚武王之大烈.

85) 『書經 · 康王之誥』: 惟新陟王, 畢協賞罰, 戡定厥功, 用敷遺後人休, 今王, 敬之哉. 張皇六師, 無壞我高祖寡命.

于上, 而有繼明之象. 其實五與上, 陰陽相抱, 俱在天位, 與他卦不同. 五之王公, 以作內時言, 上之王, 以作外時言, 非爲別般它王位.

『주역』가운데 모두 오효를 임금의 자리로 여기고 상효는 지위가 없다고 보는데, 리괘 상효에서만 '왕'이라고 하였고, 오효의 「소상전」에서는 '왕공'이라고 하였다. 상효는 밝음의 끝에 있고 굳세니, 오효가 상효에 붙어 있어서 밝음을 잇는 상이 있다. 실상 오효와 상효는 음양이 서로 안고 있고, 모두 하늘의 자리에 있으니 다른 괘와는 같지 않다. 오효의 '왕공'은 안에서 일할 때로 말한 것이고, 상효의 '왕'은 밖에서 일할 때로 말한 것이니, 별개의 다른 왕위가 되는 것이 아니다.

○ 太子謂之离宮者, 以兩明之意, 稱儲貳之位, 以著繼襲之像, 亦非分位而言也.

태자를 리궁(離宮)이라고 하는 것은 '두 개의 밝음'이라는 뜻으로 태자의 지위를 일컬어 왕위를 계승하는 상을 드러내기 때문이니, 또한 신분을 나누어 말한 것이 아니다.

○ 離爲甲胄, 故曰出征. 蓋內外俱順, 則猶恐過於柔, 故戒之以過斷之意. 折首獲匪其醜无咎, 剛明過中, 故戒以殲厥巨魁, 協從罔治之意.

리괘는 갑옷과 투구가 되므로 "출정한다"고 하였다. 안과 밖이 모두 순하면 오히려 지나치게 유약할까 두렵기 때문에 과감히 결단하는 뜻으로 경계하였다. "괴수(魁首)만 베고, 잡은 것이 일반 무리가 아니면 허물이 없을 것이다"는 굳세고 밝음이 중도를 지나치므로 "큰 괴수를 섬멸하고, 위협에 따른 자들은 처단하지 말라"는 뜻으로 경계하였다.

贊曰, 中虛外實, 體陰用陽. 麗物而照, 虛明生光. 爲日爲電, 天心煌煌. 君子體此, 以柔克彊.

찬미하여 말한다: 가운데가 비고 밖은 차 있으니, 몸체는 음이고 쓰임은 양이네. 사물에 붙어 비추니, 텅 비고 밝아 빛을 내는구나. 해가 되고 우레가 되니, 천심이 빛나네. 군자가 이를 체득하여 부드러움으로 강함을 이긴다네.

이용구(李容九) 「역주해선(易註解選)」

西溪李氏曰, 有扈之戰, 啓所以承禹, 商奄淮夷之征, 成王所以繼武王.

서계이씨가 말하였다: 유호씨와의 싸움은 계(啓)가 우임금을 계승한 것이고,[86] 상엄(商奄)과 회이(淮夷)의 정벌은 성왕(成王)이 무왕(武王)을 계승한 것이다.

86) 『서경 · 감서』.

折首, 獲匪其醜, 无咎.

정전 괴수(魁首)만 베고, 잡은 것이 일반 무리가 아니면[87] 허물이 없을 것이다.

有嘉[88] 折首, 獲匪其醜, 无咎.

본의 괴수(魁首)만 벰을 가상히 여기고, 잡은 것이 일반 무리가 아니니 허물이 없을 것이다.

中國大全

傳

夫明極則无微不照, 斷極則无所寬宥, 不約之以中, 則傷於嚴察矣. 去天下之惡, 若盡究其漸染詿誤, 則何可勝誅. 所傷殘亦甚矣. 故但當折取其魁首. 所執獲者, 非其醜類, 則无殘暴之咎也, 書曰, 殲厥渠魁, 脅從罔治.

밝음이 지극하면 작은 것도 비추지 않음이 없고, 결단함이 지극하면 너그럽게 용서하는 바가 없으니, 중도(中道)로 제약하지 않으면 너무 엄하게 살펴 잘못된다. 천하의 악(惡)을 제거할 때에 만약 물들어서 잘못된 것까지 다 다스리려고 한다면 어떻게 죄인을 다 죽일 수 있겠는가? 상하고 해치는 것이 너무 심할 것이다. 그러므로 그 괴수(魁首)만을 죽여 없애버려야 한다. 사로잡은 자들이 일반 무리가 아니라면, 잔인하고 포악한 허물은 없으니, 『서경 · 윤정(胤征)』에 "큰 괴수를 섬멸하고, 위협에 따른 자들은 처단하지 말라"라고 하였다.

---

87) 여기에 수록된 '획비기추(獲匪其醜)'에 대한 여러 학자들의 해석은 다양하다. "잡은 것이 그 무리가 아니다"란 말의 풀이를 대부분 『정전』 · 『본의』와 같이 "괴수를 따르던 일반 무리들은 잡지 않는다"는 의미로 본다. 그러나 유정원이 인용한 왕필의 해석과 같이 '출정한 왕의 무리가 아닌 자들을 제거한다'는 의미로 보기도 하고, "괴수를 따르는 무리들을 다 잡되 죽이지는 않는다"는 뜻으로 풀이하기도 한다.

88) 『본의』에서는 '유가(有嘉)'를 '절수(折首)'와 한 구(句)로 보았다.

本義

剛明及遠, 威震而刑不濫, 无咎之道也. 故其象占如此.

굳세고 밝음이 먼 곳에까지 미치고, 위엄이 진동하지만 형벌을 남용하지 않으니, 허물이 없는 도(道)이다. 그러므로 그 상과 점이 이와 같다.

小註

朱子曰, 有嘉折首是句.
주자가 말하였다: "괴수(魁首)만 벰을 가상히 여기다[有嘉折首]" 가 한 구절이다.

○ 西溪李氏曰, 有嘉折首, 王者之兵, 只誅首惡, 醜類不獲, 不以爲咎也.
서계이씨가 말하였다: '괴수(魁首)만 벰을 가상히 여김'이란 왕자의 군대는 악의 괴수를 주벌할 뿐이고, 일반 무리를 잡지 않음을 허물로 여기지 않는 것이다.

○ 南軒張氏曰, 離有甲胄兵戈之象. 而周官司馬之職, 列於夏官, 蓋有以也.
남헌장씨가 말하였다: 리괘에는 갑옷과 무기의 상이 있다. 『주례』에서 사마(司馬)의 직분을 하관(夏官)에 배열한 것은 대체로 이런 이유가 있기 때문이다.

○ 雲峯胡氏曰, 坎水, 內明而外暗, 上六暗於外者也, 故必陷於刑. 離火, 內暗而外明, 上九明於外者也, 故可用行兵. 本義云, 剛明及遠, 威震而刑不濫. 蓋剛遠則威震, 故曰折首. 明遠則刑不濫, 故曰獲匪其醜.
운봉호씨가 말하였다: 감괘의 물은 안이 밝고 밖이 어두우니, 상육은 밖에 어두운 자이기 때문에 반드시 형벌에 빠진다. 리괘의 불은 안이 어둡고 밖이 밝으니, 상구는 밖에 밝은 자이기 때문에 군대를 동원할 수 있다. 『본의』에서 "굳세고 밝음이 먼 곳에까지 미치고 위엄이 진동하지만 형벌을 남용하지 않는다"라고 하였다. 굳셈이 멀리 미치면 위엄이 진동하기 때문에 "괴수를 벤다"고 하고, 밝음이 멀리 미치면 형벌을 남용하지 않기 때문에 "잡은 것이 일반 무리가 아니다"라고 하였다.

韓國大全

조호익(曺好益) 『역상설(易象說)』

雙湖曰, 王指五, 首上象.
쌍호호씨가 말하였다: '왕(王)'은 오효를 가리키고, '수(首)'는 상효의 상이다.

愚謂, 折上在兌體上, 兌爲毁折. 匪醜, 因首取象.
내가 살펴보았다: '절(折)'은 상효가 태괘(☱) 몸체의 위에 있어서니, 태괘는 꺾어짐이다. '일반무리가 아님[匪醜]'은 '괴수[首]'를 따라 상을 취하였다.

송시열(宋時烈) 『역설(易說)』

離爲甲兵, 征伐之象也. 互有坎體, 故征其寇盜之象. 征則必有嘉尙之功, 故有嘉也. 兌爲毁折, 上九爲首, 故有折首之象. 匪其醜類, 則獲之而已. 傳引書殲厥巨魁, 脅從罔治之訓得矣. 小象言如是, 則可以正邦也, 其吉可知, 占亦如之.
리괘는 갑옷과 병사가 되니, 정벌하는 상이다. 호괘에 감괘의 몸체가 있으므로 그 도둑을 정벌하는 상이다. 정벌하면 반드시 아름다운 공이 있으므로 아름다움이 있다고 하였다. 태괘는 꺾어짐이 되고 상구는 우두머리가 되므로 '괴수를 베는[折首]' 상이 있다. 일반 무리가 아니라면 포획할 뿐이다. 『정전』에서 『서경』의 "큰 괴수를 섬멸하고, 위협에 따른 자들은 처단하지 말라"란 교훈을 인용한 것이 옳다. 「소상전」에서도 이와 같으면 나라를 바르게 할 수 있다고 하였으니, 그 길함을 알 수 있으며 점도 이와 같다.

이익(李瀷) 『역경질서(易經疾書)』89)

火之重明照及四外, 上九有王用親征之象. 書云火炎崑崗, 玉石俱焚. 天吏逸德, 烈于猛火, 與此相類. 嘉, 如老子所謂嘉兵, 兵以不殺爲嘉也. 但云折首, 則餘皆罔治可知. 首與醜, 韻叶, 卦中歌嗟沱嗟之類可證. 有嘉折首爲句無疑, 漢書陳湯傳亦然. 其下又云美誅首惡之人, 而諸不順者, 皆來從也, 其意若曰, 旣折首惡, 則所獲非獨其醜, 凡畏威歸服者, 亦衆也. 以文勢推之, 亦恐允叶.
불이 거듭 밝게 비춰 사방에 미치니, 상구에는 왕이 친히 출정하는 상이 있다. 『서경』에서

89) 경학자료집성DB에서는 리괘(離卦) '구사'에 해당하는 것으로 분류했으나, 내용에 따라 이 자리로 옮겼다.

"곤강산에 불이 타오르면, 옥과 돌이 함께 다 타버린다. 임금이 덕을 잃으면 사나운 불길보다도 맹렬하다"[90]고 한 것이 이와 서로 유사하다. '아름다움[嘉]'은 『노자』에서 말하는 '아름다운 군대[嘉兵]'이니, 군대는 죽이지 않음을 아름다움으로 여긴다. 다만 "괴수를 벤다"고 말했으니, 나머지는 모두 죄를 다스리지 않음을 알 수 있다. '괴수[首]'와 '무리[醜]'는 운이 맞으니, 괘 가운데 가차(歌嗟)·타차(沱嗟)와 같은 부류로 증명할 수 있다.[91] '괴수를 벰을 가상히 여김[有嘉折首]'이 한 구절이 됨은 의심할 것이 없으니, 『한서·진탕전』도 그러하다. 그 아래에 또 "우두머리 악인을 베어버려서 나머지 순종하지 않던 자들이 모두 와서 따름을 찬미하였다"고 하였으니, 그 뜻은 "이미 악의 수괴를 베었다면 잡은 바의 일반 무리뿐만이 아니라, 두려워하여 귀순해서 복종하는 자들도 또한 많았다"고 말한 것 같다. 문세로 미루어 보아도 어울리는 듯하다.

심조(沈潮) 「역상차론(易象箚論)」

上九, 首.
상구, 수(首).

陽而在上, 故曰首.
양이면서 위에 있으므로 '괴수[首]'라고 하였다.

유정원(柳正源) 『역해참고(易解參攷)』[92]

王氏曰, 處離之極, 離道旣成, 則除其非類, 以去民害, 王用出征之時也.
왕필이 말하였다: 리괘의 끝에 처하여 붙는 도가 이미 이루어지면, 그 무리가 아닌 것을 제거하여 백성의 해로움을 제거하니 왕이 출정할 시기이다.

案, 坎離爲乾坤之用, 而在此上經之終, 故取程朱以下諸儒說, 通論坎離者, 特附著于左.
내가 살펴보았다: 감괘(坎卦)와 리괘(離卦)는 건괘(乾卦)와 곤괘(坤卦)의 작용이고, 상경의 끝에 있으므로 정자·주자 이하 여러 유학자들의 설에서 감괘·리괘를 통론한 것을 취하여 특별히 다음에 붙였다.

---

90) 『書經·胤征』: 火炎崐岡, 玉石俱焚,天吏逸德, 烈于猛火.
91) 『周易·離卦』: 出涕沱若, 戚嗟若, 吉.
92) 경학자료집성DB에서는 리괘(離卦) '육오'에 해당하는 것으로 분류했으나, 내용에 따라 이 자리로 옮겼다.

問, 張子曰, 陰陽之精, 互藏其宅, 然乎. 程子曰, 此言甚有味, 由人如何看. 水離物不得, 故水有離之象, 火能入物, 故火有坎之象.
물었다: 장자(張子)가 "음양의 정기[精]는 서로 상대의 집에 깃든다"라 하였는데, 그러합니까? 정자가 말하였다: 이 말에는 깊이 음미할 점이 있으니, 사람이 어떻게 보느냐에 달려있습니다. 물[水]은 사물에 붙을 수 없으므로 물[水]에는 리괘(離卦)의 상이 있고, 불은 사물에 들어갈 수 있으므로 불에는 감괘(坎卦)의 상이 있습니다.

○ 朱子曰, 水質陰而性本陽, 火質陽而性本陰. 水外暗而內明, 以其根於陽也, 火外明而內暗, 以其根於陰也. 周子太極圖, 陽動之中有黑底, 陰靜之中有白底, 是也. 橫渠曰, 陰陽之精, 互藏其宅, 正此意也.
주자가 말하였다: 물[水]은 바탕이 음이지만 성질은 본래 양이고, 불[火]은 바탕이 양이지만 성질은 본래 음이다. 물이 밖은 어둡지만 속은 밝은 것은 양에 뿌리하기 때문이고, 불이 밖은 밝지만 속은 어두운 것은 음에 뿌리하기 때문이다. 주자(周子)의 「태극도」에 양이 움직이는 가운데 검은 것이 있고, 음이 고요한 가운데 흰 것이 있는 것이 이것이다. 횡거가 "음양의 정기는 서로 상대의 집에 깃든다"라 하였는데, 바로 이러한 뜻이다.

○ 雙湖胡氏曰, 按, 易大傳曰, 日月運行, 一寒一暑, 陰陽之義, 配日月.
쌍호호씨가 말하였다: 내가 살펴보니, 「계사전」에서 "해와 달이 운행하며, 한 번 춥고 한 번 덥다"라고 한 것은 음양의 의미를 해와 달에 짝 지운 것이다.

愚謂, 太虛萬物, 何莫非易之呈露, 特日月繼照, 眞天地自然之象, 圖書迭出, 眞天地自然之數. 作易之原, 雖肇於圖書, 而易之爲義, 尤著明於日月.
내가 살펴보았다: 태허와 만물에서 어떤 것도 역이 드러내지 않은 것이 없지만, 특히 해와 달이 밝음을 이음은 참으로 천지의 자연한 상이고, 「하도」와 「낙서」가 차례로 나옴은 참으로 천지의 자연한 수이다. 역을 지은 근원이 비록 「하도」와 「낙서」에서 시작되지만, 역의 뜻은 해와 달에서 더욱 분명히 드러난다.

鄭氏厚曰, 易從日從月, 天下之理, 一奇一偶盡矣. 天文地理, 人事物類, 以至性命之微變化之妙, 否泰損益剛柔失得出處語默, 皆有對敵, 故易設一長畫二短畫, 以總括之, 所謂一陰一陽之謂道者, 此也.
정후가 말하였다: 역(易)이란 글자는 일(日)과 월(月)로 이루어져 있으니, 천하의 이치가 하나의 기수와 하나의 우수로 다한다. 천문과 지리, 인사와 만물로부터 성명의 은미함이나 변화의 오묘함까지에서, 막히고 통함, 덜어내고 보탬, 굳셈과 부드러움, 얻고 잃음, 나아감과

머무름, 말함과 침묵함이 모두 대대하는 것이므로 『주역』에서는 하나의 긴 획(━)과 두 개의 짧은 획(╍)을 설치하여 총괄하였으니, 이른바 "한 번은 음이 되고 한 번은 양이 되는 것을 도라 한다"는 것이 이것이다.

陸氏秉曰, 易字篆文日下從月, 取日月交配而成. 是日往月來迭相, 爲易之義. 說文, 日, 實也, 太陽之精, 旡虧, 故文從. 圈滿而畫奇於內, 爲日, 圈缺而畫偶於內, 爲月.
육병이 말하였다: '역(易)'자는 전서에 일(日)이 아래로 월(月)을 따르니, 해와 달이 짝함을 취해서 만든 것이다. 해가 가면 달이 와서 번갈아 작용함이니, 역의 뜻이 된다. 『설문해자』에서 '일(日)'은 '가득참[實]'이라 하였는데, 태양의 정(精)은 이지러지지 않으므로 『설문해자』에서 이를 따른 것이다. 네모(口)를 다 그리고 안에 한 획을 그으면 일(日)이 되고, 네모(口)의 한 쪽을 트고(冂) 안에 두 획을 그으면 월(月)이 된다.

徐氏曰, 日月特坎離二象. 易有爻與位, 九六爲爻之陰陽, 初二三四五上爲位之陰陽. 以爻之陰陽言, 坎離二卦, 當日月之象, 以位之陰陽言, 初二三爲位之離, 四五上爲位之坎, 六十四卦之位, 皆坎離, 則六十四卦之位, 皆日月之象也. 或又曰, 離陰卦, 乃日象, 坎陽卦, 乃月象, 陰陽之精, 互藏其宅也. 離雖陰卦, 實生於陽儀, 坎雖陽卦, 實生於陰儀, 陽中有陰, 陰中有陽也. 然則, 離日坎月, 厥義彰矣.
서씨가 말하였다: 해와 달은 특히 감괘와 리괘의 두 상이다. 『주역』에는 효와 자리[位]가 있는데, 구(九)·육(六)은 효의 음양이고, 초효·이효·삼효·사효·오효·상효는 자리의 음양이다. 효의 음양으로 말하면 감괘·리괘 두 괘는 해와 달의 상에 해당하고, 자리의 음양으로 말하면 초효·이효·삼효는 자리로써 리괘가 되고, 사효·오효·상효는 자리로써 감괘가 되어, 육십사괘의 자리가 모두 감괘와 리괘가 되니, 육십사괘의 자리가 모두 해와 달의 상이다. 어떤 이는 또 "리괘는 음괘인데 해의 상이고, 감괘는 양괘인데 달의 상인 것은 음양의 정기가 서로 상대의 집에 깃들기 때문이다"라 한다. 리괘는 비록 음괘이지만 실상 양의(陽儀)에서 생겨나고, 감괘는 비록 양괘이지만 실상 음의(陰儀)에서 생겨나니, 양 가운데 음이 있고, 음 가운데 양이 있다. 그렇다면 리괘가 해이고 감괘가 달인 것은 그 뜻이 뚜렷하다.

김상악(金相岳) 『산천역설(山天易說)』

五之王, 用上剛明之才, 故出征而有嘉. 剛則能折首, 明則獲不及醜. 威震而刑不濫, 故得无咎也.
오효의 왕이 상효인 굳세고 밝은 인재를 쓰기 때문에 출정하여 아름다움이 있다. 굳세면 괴수를 벨 수 있고, 밝으면 잡는 것이 일반무리에까지 미치지 않는다. 위엄이 진동하나 형벌을 남용하지 않으므로 허물이 없을 수 있다.

○ 離之戈兵, 動而居外, 出征之象. 周官, 司馬之職, 列于夏官. 故凡言征伐, 皆在離體之卦, 旣未濟之伐鬼方, 是也. 嘉者, 美也, 四德之亨, 屬之夏, 故曰亨嘉之會也. 卦言亨, 爻言嘉, 與遯相似, 遯爲六月之卦也. 折首, 卽殲厥渠魁, 獲非其醜, 卽脅從罔治也. 故有嘉美之功, 无殘暴之咎也. 此爻之象, 與明夷九三曰, 南狩得其大首, 不可疾貞, 相似. 上變則爲豊, 豊象曰王假之, 勿憂, 宜日中. 離之王, 雖涕沱而戚嗟, 明動相資, 出征而有嘉, 則當假之而无憂, 又能日中而不昃矣.
리괘(☲)의 창과 무기가 움직여 외괘에 있으니 출정하는 상이다. 『주례』에서 사마(司馬)의 직분은 하관(夏官)에 배치되어 있다. 그러므로 정벌을 말한 것은 모두 리괘의 몸체가 있는 괘이니, 기제괘와 미제괘의 "귀방을 정벌한다"[93]가 이것이다. '가(嘉)'는 아름다움이니, 네 가지 덕 가운데 형(亨)은 여름에 속하므로 "형은 아름다움의 모임이다"[94]라고 하였다. 괘사에서는 "형통한다"고 하고, 효사에서는 "아름답다"고 한 것이 돈괘(遯卦䷠)와 서로 비슷하니, 돈괘는 6월의 괘가 된다. '괴수를 벰'은 '큰 괴수를 섬멸함'이고, '잡은 것이 일반 무리가 아님'은 '위협에 따른 자들을 처단하지 않음'이다. 그러므로 아름답다는 공이 있고, 잔학하다는 허물이 없다. 이 효의 상은 명이괘 구삼에서 "남쪽으로 사냥하여 큰 머리를 얻으니, 급히 곧게 해서는 안 된다"[95]라 한 것과 서로 비슷하다. 상효가 변하면 풍괘(豊卦䷶)가 되는데, 풍괘의 「단전」에서 "왕이어야 이르니, 근심하지 않게 하려면 해가 중천에 있듯이 하여야 한다"[96]라 하였다. 리괘(離卦)의 왕은 비록 눈물을 흘리면서 근심하고 한탄하지만, 밝게 움직이고 서로 바탕 삼아 출정하여 아름다움이 있으니, 마땅히 이르러 근심이 없고 또 해가 중천에 있듯이 하여 기울지 않을 것이다.

김규오(金奎五) 「독역기의(讀易記疑)」

上九, 折首.
상구, 괴수를 벤다[折首].

首上象, 比之无首, 是也.

---

93) 『周易 · 旣濟卦』: 九三, 高宗伐鬼方, 三年克之, 小人勿用.
『周易 · 旣濟卦』: 九四, 貞吉, 悔亡, 震用伐鬼方, 三年, 有賞于大國.
94) 『周易 · 乾卦』: 文言曰, 元者善之長也, 亨者嘉之會也, 利者義之和也, 貞者事之幹也.
95) 『周易 · 明夷卦』: 九三, 明夷于南狩, 得其大首, 不可疾貞.
96) 『周易 · 豊卦』: 豊, 亨, 王假之, 勿憂, 宜日中.

'수(首)'는 위의 상이니, 비괘(比卦)의 "돕는데 머리가 없다"[97]가 이것이다.

○ 坎离, 常相反. 水外暗,[98] 故三四, 賢於初上, 火內暗, 故初上, 賢於三四.
감괘와 리괘는 늘 상반된다. 물[水]은 밖이 어둡기 때문에 삼효와 사효가 초효와 상효보다 낫고, 불[火]은 안이 어둡기 때문에 초효와 상효가 삼효와 사효보다 낫다.

박제가(朴齊家) 『주역(周易)』

上九, 獲匪其醜.
상구는 잡은 것이 그 악인이 아니더라도.

傳, 所執獲者, 非其醜類.
『정전』에서 말하였다: 사로잡은 자들이 일반 무리가 아니라면.

案, 不獲則已, 旣曰獲, 而獲者非醜, 是無辜而離者也. 本義, 何謂刑不濫耶. 西溪李氏曰, 醜類不獲. 然經曰獲匪, 不曰匪獲, 蓋曰旣折其首, 則獲雖非醜, 亦不至爲咎也.
내가 살펴보았다: 잡지 않았다면 그만이겠지만, 이미 "잡았다"고 하면서 잡은 것이 악인이 아니라면 무고하게 붙어 있는 자들이다. 『본의』에서는 어째서 "형벌을 남용하지 않는다"고 했는가? 서계이씨는 "따라붙은 무리는 잡지 않는다"라 하였다. 그러나 경문에서는 "잡은 것이 ~이 아니다"라 하였지 "잡지 않는다"고 하지 않았으니, 대체로 "이미 그 괴수를 베었다면 잡은 것이 악인이 아니라 하더라도, 또한 허물됨에 이르지는 않는다"고 말한 것이다.

서유신(徐有臣) 『역의의언(易義擬言)』

日出之際, 輒有雲靄, 太陽旣昇, 氛翳消蕩, 此爲上九之象也. 卦爲離, 故有離畔者而征之也. 在卦外, 故曰出征也. 得上九爲折首象, 互兌爲毁折也. 離爲網罟, 諸爻無不麗焉. 匪其醜類者, 皆獲之, 但不折之也, 劉章耕田歌曰, 匪其類者, 鋤而去之.
해가 뜰 즈음에 문득 구름과 아지랑이가 있고, 태양이 이미 올라오면 그러한 기운의 막이 말끔히 사라지니, 이것이 상구의 상이 된다. 괘가 리괘(離卦)이므로, 배반하는 자가 있으면 가서 정벌한다. 외괘에 있으므로 "출정한다"고 하였다. 상구가 괴수를 베는 상을 얻은 것은

---

97) 『周易 · 比卦』: 上六, 比之无首, 凶.
98) 坎离, 常相反. 水外暗: 경합자료집성DB에는 '□离, 常相反,火內□'로 되어 있고, 경학자료집성 영인본의 '火內□'의 '火內'는 판독이 불가능하기에, 문맥에 따라서 보충하였다.

호괘인 태괘(☱)가 꺾어 훼손함이 되기 때문이다. 리괘(☲)는 그물이 되니, 여러 효가 걸리지 않음이 없다. 그 같은 무리가 아닌 자는 모두 잡았어도 베지는 않으니, 유장(劉章)은 경전가(耕田歌)에서 "그 종류가 아닌 것은 김을 매어 없애버리리라"[99]고 하였다.

강엄(康儼) 『주역(周易)』

按, 此王字, 卽上文離王公之王字. 六五當九四陵逼之時, 若不憂懼戚嗟, 則何以辦得出征折首之擧乎. 傳義皆以明剛之極言, 然惟其憂懼也, 故明剛之德, 至於極而成大業. 若縱欲逸豫, 則喪其明剛, 而身且不保矣. 又何望其出征而正邦乎.

내가 살펴보았다: 여기의 '왕(王)'자는 윗 문장 "왕공에게 붙는다"의 '왕(王)'자이다. 육오가 구사의 능멸하고 핍박하는 때를 맞아서 만약 근심하고 한탄하지 않았다면, 어떻게 출정하여 괴수를 잡을 거사를 실행할 수 있겠는가? 『정전』과 『본의』에서 모두 '밝음과 굳셈'이 지극함으로 말하였으나, 근심하고 두려워하였기 때문에 밝고 굳센 덕이 극에 달하여 대업을 이루는 것이다. 만약 욕심을 따르고 안일하게 즐긴다면, 그 밝고 굳셈을 상실하여 몸도 보존할 수 없을 것이다. 또 어떻게 출정하여 나라를 바로잡기를 기대하겠는가!

박문건(朴文健) 『주역연의(周易衍義)』

三進害己, 故有出征之象. 獲匪其醜, 勉辭也. 若執訊捨醜, 則无咎.

삼효가 나아가 나를 해치므로 출정하는 상이 있다. "잡은 것이 일반무리가 아니다"는 권면하는 말이다. 만약 잡아서 심문하고 일반무리는 놓아준다면, 허물이 없다.

〈問, 王用出征以下. 曰, 九三逼上九, 故取此義也. 王用出征有嘉美之功, 而能折取其魁首也. 若所獲者, 非其醜類, 則无咎也. 蓋上九, 其位高, 故取王用出征之義, 其剛彊, 故取有嘉折首之義, 其明遠, 故取獲匪其醜之義也.

물었다: "왕이 출정한다" 이하는 무슨 뜻입니까?

답하였다: 구삼이 상구를 핍박하므로 이 뜻을 취하였습니다. 왕이 출정함에는 아름다운 공이 있으니, 그 괴수를 베어 취할 수 있습니다. 만약 잡은 것이 그 일반무리가 아니라면 허물이 없습니다. 상구는 그 지위가 높으므로 "왕이 출정한다"는 뜻을 취하였고, 굳셈이 강하므로 "괴수를 벰을 가상히 여긴다"는 뜻을 취하였고, 밝음이 원대하므로 "잡은 것이 일반 무리

---

99) 유장(劉章): 한고조 유방이 혼인전 사귄 여인 조씨와의 사이에서 나은 큰 아들 유비(劉肥)의 아들이다. 한고조가 세상을 떠난 후 여후와 여씨(呂氏)들이 권력을 전횡하였을 때, 궁궐에서 술자리를 책임지는 주리(酒吏)를 맡게 되었다. 술이 취한 유장이 경전가(耕田歌)를 부르겠다고 청하자 여후가 허락하였는데, 그 노래의 내용이 위와 같았다. 후에 유장은 여씨들을 일망타진하고 유씨의 권력을 회복하여 한문제가 제위에 오르도록 하였다.

가 아니다"라는 뜻을 취하였습니다.〉

이항로(李恒老) 「주역전의동이석의(周易傳義同異釋義)」

傳, 行其征伐, 則有嘉美之功也.
『정전』에서 말하였다: 정벌을 행하면 아름다운 공이 있을 것이다.

本義, 小註, 朱子曰, 有嘉折首, 是句.
『본의』 소주에서 주자가 말하였다: "괴수(魁首)만 벰을 가상히 여긴다[有嘉折首]"가 한 구절이다.

按, 嘉, 賞也. 書曰, 嘉乃丕績, 是也. 屬下句, 義暢.
내가 살펴보았다: '가(嘉)'는 상(賞)이다. 『서경』에서 "가(嘉)는 곧 큰 공적이다"[100]라 함이 이것이다. 아래 구절에 붙여야 뜻이 잘 통한다.

심대윤(沈大允) 『주역상의점법(周易象義占法)』

离之豊䷶, 明盛也. 上九, 以剛明居离之上, 臨照天下, 而天下附麗. 故能治不麗者也, 故曰王用出征, 居柔非用力求麗者也, 故曰有嘉. 豊之對渙, 艮震爲用, 震出离征, 艮巽嘉. 有嘉, 言以德服衆, 而不以力也. 取其魁首而已, 不取其徒衆, 故曰折首, 兌折震首. 明德旣盛, 前所不附者, 皆自來麗, 故曰獲匪其醜, 言所[101]獲, 非其類也. 离兵互艮取, 爲獲, 巽爲繁多, 离爲附麗, 曰群醜. 上九, 亦爲師傅之道, 泛麗天下, 而治其不麗, 其自來者, 亦不拒也. 若如程傳不取脅從, 則當曰不獲, 不當曰獲也.
리괘가 풍괘(䷶)로 바뀌었으니, 밝음이 왕성하다. 상구는 굳세고 밝음으로 리괘의 맨 위에 거해서 천하에 임하여 비춰주니 천하가 따라 붙는다. 그러므로 붙지 않는 자를 다스릴 수 있기 때문에 "왕이 출정한다"고 하였고, 부드러운 음의 자리에 있어서 힘써서 붙기를 구하는 자가 아니므로 "아름다움이 있다"고 하였다. 풍괘가 음양이 바뀌면 환괘(渙卦䷺)이니, 간괘(☶)와 진괘(☳)가 쓰임이 되며, 진괘는 나감이고 리괘(☲)는 정벌이며, 간괘와 손괘(☴)는 아름다움이다. '아름다움이 있음'은 덕으로 무리를 복종시키고, 힘으로 하지 않음을 말한다. 그 괴수만을 잡을 뿐이지 따르는 무리를 잡지 않으므로 "괴수를 벤다"고 하였으니, 태괘(☱)

---

100) 『書經 · 大禹謨』: 天下莫與與爭功, 予懋乃德, 嘉乃丕績, 天之歷數, 在汝躬.
101) '征, 艮巽嘉'부터 '獲匪其醜, 言所'까지의 56자는 한국경학자료집성DB에 누락되어 있으나, 한국경학자료집성 영인본을 대조하여 보충하였다.

가 꺾음이고 진괘가 머리이다. 밝은 덕이 이미 성대하여 앞서 따르지 않던 자들이 모두 스스로 와서 붙어 있으므로 "잡은 것이 같은 무리가 아니다"라고 했으니, 잡은 것이 그들의 무리가 아님을 말한다. 리괘는 군사이고 호괘인 간괘는 취함이니 잡음이 되며, 손괘가 번다함이 되고 리괘는 붙어 있음이 되기에 '여러 무리'라고 하였다. 상구가 또한 사부의 도가 되어 널리 천하에 붙어서 그 붙지 않는 자를 다스리는데, 그 스스로 오는 자는 또한 거절하지 않는다. 『정전』과 같이 위협에 따른 자를 취하지 않는다면, 마땅히 "잡지 않는다"고 해야지, "잡는다"고 해서는 안 된다.

오치기(吳致箕) 「주역경전증해(周易經傳增解)」

上九, 以剛明之才, 爲六五柔中之君所倚用, 而專任出征, 以正邦國, 卽民命之所麗也. 剛能振威, 明能照奸, 而有嘉尙之功. 折其魁首, 而不獲其醜, 則乃爲賢而无其咎, 故其戒如此也.
상구는 굳세고 밝은 재질로 육오의 부드럽고 알맞은 임금이 의지하여 쓰는 바가 되어 전적으로 맡아 출정해서 나라를 바로 잡으니, 백성의 운명이 걸린 것이다. 굳세어 위엄을 떨칠 수 있고 밝아서 간사함을 비출 수 있으니, 가상한 공이 있다. 그 괴수를 잡고 그 일반 무리는 잡지 않으면, 이에 어짊이 되고 그 허물이 없으므로 그 경계함이 이와 같다.

○ 上在外, 故言出征, 而離爲戈兵, 爻變爲震, 戈兵震動爲出征之象. 嘉與折, 皆取於互兌. 首謂魁首, 而乾爲首, 故取於陽, 醜者小類也. 上九所應, 乃陽匪陰, 故爲折首匪醜之象, 而卽殲厥渠魁脅從罔治之謂也.
상효는 외괘에 있으므로 "출정한다"고 하였고, 리괘(離卦)는 창과 병사가 되고 효가 변하여 진괘(震卦)가 되면, 창과 병사가 진동하니 출정하는 상이 된다. '아름다움[嘉]'과 '벰[折]'은 모두 호괘인 태괘(兌卦)에서 취했다. '머리[首]'는 괴수를 뜻하는데 건괘(乾卦)가 머리가 되기 때문에 양에서 취하였고, '무리[醜]'는 조무래기이다. 상구가 응하는 바는 양이지 음이 아니므로 조무래기가 아니라 괴수를 베는 상이 되니, 곧 '큰 괴수를 섬멸하고 위협에 따른 자들은 처단하지 않음'을 말한다.

이진상(李震相) 『역학관규(易學管窺)』

離火炎上, 故以上爻爲王, 陽德之盛也. 離爲甲胄戈兵, 有出征象, 下有互兌, 有折首象, 獲匪其醜, 厚坎之盜也.
리괘의 불은 위로 타오르므로 상효를 왕으로 보았으니, 양의 덕이 왕성함이다. 리괘는 갑옷 · 투구 · 창 · 병사가 되니, 출정하는 상이 있고, 아래에 호괘인 태괘(☱)가 있어 '머리를 베는' 상이 있으며, '잡은 것이 일반 무리가 아님'은 큰 감괘(☵)가 도적이기 때문이다.

박문호(朴文鎬) 「경설(經說) · 주역(周易)」

无殘暴之咎, 言宥而不殺也. 然則此无咎, 亦與他例.
『정전』의 "잔인하고 포악한 허물이 없다"는 너그럽게 해서 죽이지 않음을 말한다. 그렇다면 여기의 '허물없음'은 또한 다른 것과 비슷할 것이다.

이정규(李正奎) 「독역기(讀易記)」

上爻, 位之極處, 故各卦爲上者, 例多凶少吉, 離之上, 以王用出征許之, 何也. 天下事物, 皆患其極, 而不患其不極, 惟明者患其不極, 不患其極也. 上九處剛極, 則似有咎也, 而以至明用剛, 故其剛有以能斷有威, 實不爲過矣. 明之德, 豈不大乎. 天一生水, 故陽之根在坎, 地二生火, 故陰之根在離, 陰陽相濟, 水火日月之用, 寒暑晝夜之遞, 莫不係於此. 坎離實天地造化之樞也, 故先天之體, 則乾坤定上下之位, 而坎離分左右之樞要. 后天之用, 則乾坤退去無事之方, 而坎離爲陰陽之中, 運用亨貞之道, 實爲乾坤之樞宰, 而他卦皆其分派也. 乾坤爲萬物之本, 故爲上經之首, 坎離爲陰陽之中, 故爲其終, 而乾坤以純卦分天地之道而首, 故坎離亦以純卦分水火[102]之位而終之. 夫婦人倫之始, 故咸恒爲下經之首, 旣未濟爲水火之互者, 故爲其終. 而咸恒合爲夫婦之義, 故旣未濟亦合坎離而終之. 聖人序卦之意, 深有志焉.
상효는 끝에 있는 자리이기 때문에 각 괘의 상효는 대체로 흉함이 많고 길함은 적은데, 리괘 상효에서 '왕이 출정함'을 허락한 것은 무엇 때문인가? 천하의 사물은 모두 그 끝남을 근심하고 끝나지 않음은 근심하지 않는데, 오직 밝은 자만이 그 끝나지 않음을 근심하고 끝남은 근심하지 않는다. 상구는 굳센 양이 끝에 있으니 허물이 있을 것 같지만, 지극한 밝음으로 굳셈을 쓰기 때문에 그 굳셈이 결단할 수 있어서 위엄이 있으니, 실상 허물이 되지 않는다. 밝은 덕이 어찌 크지 않겠는가? 하늘의 수(數)인 일(一)이 물[水]을 낳으므로 양의 뿌리가 감괘에 있고, 땅의 수(數)인 이(二)가 화(火)를 낳으므로 음의 뿌리가 리괘에 있으니, 음양이 서로 도움과 물 · 불, 해 · 달의 작용과 추위 · 더위, 낮 · 밤의 번갈아듦이 여기에 연계되지 않음이 없다. 감괘와 리괘는 실로 천지조화의 축이므로 선천의 체(體)에서는 건괘 · 곤괘가 위아래로 자리를 정하고, 감괘 · 리괘가 좌우의 중추로 나뉘어 있다. 후천의 용(用)에서

---

102) 火: 경학자료집성DB와 영인본에는 모두 '下'로 되어 있으나, 문맥을 살펴 '火'로 바로잡았다.

는 건괘 · 곤괘가 일없는 방위로 물러나고, 감괘 · 리괘가 음양의 가운데가 되어 형통하고 곧은 도를 운용하니, 실로 건괘 · 곤괘의 중추가 되며 다른 괘는 모두 거기에서 파생된 것이다. 건괘 · 곤괘는 만물의 근본이 되므로 상경의 처음이 되고, 감괘 · 리괘는 음양의 중심이 되므로 상경의 끝이 되는데, 건괘 · 곤괘가 순괘(純卦)로서 천지의 도를 나뉘어 처음이 되기 때문에 감괘 · 리괘도 순괘로서 물 · 불의 자리를 나뉘어 그것을 마친다. 부부는 인륜의 시작이므로 함괘 · 항괘가 하경의 시작이 되고, 기제괘 · 미제괘는 수 · 화가 상호작용하는 것이므로 하경의 끝이 되는데, 함괘 · 항괘가 합하여 부부의 뜻이 되므로 기제괘 · 미제괘가 또한 감괘 · 리괘를 합하여 마친다. 성인이 괘를 순서지은 의미에 깊이 뜻이 있다.

이병헌(李炳憲) 『역경금문고통론(易經今文考通論)』

王謂上, 能行王事也.
왕은 상효를 말하니 왕의 일을 행할 수 있다.

程傳曰, 九以陽居在離之終, 剛明之極, 能斷能照, 是以行威刑. 王者能如是剛明, 能辨邪惡, 行征伐, 有嘉美之功. 征伐用刑之大者, 殲厥渠魁脅從罔治, 所以正其邦國也.
『정전』에서 말하였다: 구(九)가 양으로서 리괘(離卦☲)의 끝에 있으니, 굳세고 밝음이 지극하여 결단하고 비출 수 있으니, 그래서 위엄과 형벌을 행할 수 있다. 왕자(王者)가 이와 같이 굳세고 밝아서 천하의 사악함을 구별하여 정벌한다면 아름다운 공이 있을 것이다. 정벌은 형벌을 크게 쓰는 것으로 큰 괴수를 섬멸하고 위협에 따른 자들은 처단하지 않으니, 그래서 그 나라를 바르게 할 수 있는 것이다.

按, 此指周公征管蔡商奄之事也. 經中嘉與假義通, 別有微旨.
내가 살펴보았다: 이것은 주공이 관숙과 채숙, 그리고 상엄을 정벌한 일을 가리킨다. 경문 가운데 '가(嘉)'는 '가(假)'와 뜻이 통하니, 별도로 은미한 뜻이 있다.

按, 易之例, 以陽爲大, 以陰爲小, 至坎之九二則曰求小得, 九五則曰未光大, 至離之本象則曰明兩作, 大人以, 是則陰陽之大小相反. 故易無通辭, 惟變是適. 但坎水爲資始原素, 故天下之物, 勿論飛潛動植, 必得浸潤之氣而後生. 是謂積極的故坎爲陽. 惟離則不然, 含生之倫, 近觸則必死. 是謂消極的故離爲陰. 然窮陰寒沍之時, 水氣過盛, 物皆閉藏, 必資太陽之溫度而後, 得其生意. 如是則離可爲陽, 而坎亦爲陰, 坎離之陰陽, 互相流通, 元無一定之常體, 後儒迷於道家之說, 專主離日坎月之義, 去孔子之經遠矣.
내가 살펴보았다: 『주역』에서는 으레 양을 크다고 하고 음을 작다고 하는데, 감괘의 구이에

서는 "구하는 것을 조금 얻으리라"[103]라 하였고, 구오에서는 "아직 빛이 크지 못하다"라 하였으며, 리괘의 「대상전」에서는 "밝음이 두 번 일어나니 … 대인이 그것을 본받아 …"라 하였으니, 이는 음양의 크고 작음이 서로 반대인 것이다. 그러므로 『주역』은 통용되는 사(辭)가 없고 오직 변화를 따름이 적절하다. 다만 감괘의 물[水]이 만물이 힘입어 시작하는 원소이므로 천하의 만물은 나는 것이든 물에 사는 것이든, 동물이든 식물이든, 반드시 적셔 윤택하게 하는 기운을 얻은 뒤에 생겨난다. 이는 적극적이기 때문에 감괘는 양이 된다고 말한 것이다. 리괘는 그렇지 않아서 생명을 머금은 무리는 가까이 접촉하면 반드시 죽게 된다. 이는 소극적이기 때문에 리괘는 음이 된다고 말한 것이다. 그러나 음이 다하여 얼어붙는 때에 물의 기운이 지나치게 왕성하면 만물이 모두 막혀 갇히고, 반드시 태양의 온도를 힘입은 후에 그 생겨나는 뜻을 얻을 수 있다. 이렇다면 리괘는 양이라 할 수 있고 감괘는 음이라 할 수 있으니, 감괘와 리괘의 음양은 서로 바뀌어 유통해서 원래 일정하게 고정된 체가 없다. 후세 유학자들이 도가의 설에 미혹되어 오로지 리괘는 해이고 감괘는 달이라는 뜻을 위주로 하였으니, 공자의 경(經)과는 거리가 멀다.

坎遇震則爲雲爲雨, 離遇震則爲日爲電. 諸天萬象, 皆以水火互相組織, 恒星之自發光明者, 內必具坎精之水, 而外繞離電之火. 行星之不能自發光明者, 內必具離雷之火而外繞坎精之水也.

감괘(☵)가 진괘(☳)를 만나면 구름이 되고 비가 되며, 리괘(☲)가 진괘를 만나면 해가 되고 벼락이 된다. 하늘의 만상은 모두 물[水]과 불[火]로 서로 조직되었으니, 스스로 빛을 발하는 항성은 안에 반드시 감괘의 정수인 물을 갖추고서 밖으로 리괘인 벼락의 불이 둘러싸인 것이다. 스스로 빛을 발하지 못하는 행성은 안에 반드시 리괘인 벼락의 불을 갖추고서 밖으로 감괘의 정수인 물로 둘러싸인 것이다.

乾坤爲上經之始, 坎離爲終, 泰否爲往來之關鍵而居其中, 自泰否至坎離, 凡二十卦爲十對, 每一對揲之以三百六十, 則不及者, 四十有八策, 合三千五百五十有二策與乾坤以下一千八百策, 竝計則合五千三百五十有二策. 上經象陽而乾坤坎離, 各爲機體, 乾坤以後, 有坎象而無離象, 泰否以後, 有離象而無坎象.

건괘 · 곤괘는 상경의 시작이고 감괘 · 리괘는 상경의 끝이며, 태괘(泰卦)와 비괘(否卦)가 왕래하는 관건이 되어 그 중간에 있으니, 태괘 · 비괘로부터 감괘 · 리괘에 이르기까지 20괘가 10쌍의 짝이 되고 한 쌍마다 360이 되니, 거기에 미치지 못하는 것은 48책으로, 3,552책과 건괘 · 곤괘 이하의 1,800책과 합하고, 다 합하면 5,352책이다. 상경은 양을 상징하고 건

103) 『周易 · 坎卦』: 九二, 坎有險, 求小得.

괘 · 곤괘 · 감괘 · 리괘는 각기 틀이 되는 몸체인데, 건괘 · 곤괘 뒤로는 감괘(坎卦)의 상은 있으나 리괘(離卦)의 상은 없고, 태괘(泰卦) · 비괘(否卦) 뒤로는 리괘의 상은 있으나 감괘의 상은 없다.

象曰, 王用出征, 以正邦也.

「상전」에서 말하였다:"왕이 출정함"은 나라를 바로잡는 것이다.

中國大全

傳

王者, 用此上九之德, 明照而剛斷, 以察除天下之惡, 所以正治其邦國, 剛明, 居上之道也.

왕자(王者)가 이 상구의 덕을 써서 밝게 비추고 굳게 결단하여 천하의 악을 살펴 제거함은 나라를 바로잡아 다스리는 것이니, 굳세고 밝음이 윗자리에 거하는 도(道)이다.

小註

中溪張氏曰, 征之爲言, 正也, 故曰以正邦也.

중계장씨가 말하였다: '출정[征]'은 바로잡음[正]을 말하므로 "나라를 바로잡는 것이다"라고 하였다.

○ 建安丘氏曰, 離麗也, 以一陰而麗二陽也. 上下皆離, 則二五皆麗. 然離之性上, 上離則炎上之太過, 故下離爲安. 又二得位, 而五不得位也, 故二之黃離元吉, 異乎五之出涕沱若也. 其四陽爻, 則處陰內, 而爲陰所麗者, 最凶. 是以三言日昃之離, 四言焚如棄如, 以皆在二五兩陰之內也. 若初上二陽, 初明在下, 則知以敬而辟咎, 上剛在外, 則能以征而正邦也.

건안구씨가 말하였다: 리(離)는 붙어있음이니, 하나의 음이 두 개의 양에 붙어있는 것이다. 위아래가 모두 리괘이니, 이효와 오효는 모두 붙어있다. 그러나 리괘의 성질이 올라가니 위의 리괘는 타오르는 것이 너무 지나치기 때문에 아래의 리괘가 편안하다. 또 이효는 자리를 얻고 오효는 자리를 얻지 못하였기 때문에 이효의 '황색에 붙음이니 크게 길함'은 오효의

'눈물을 줄줄 흘림'과는 다르다. 네 개의 양효 중에 음(陰)의 안에 있어서 그것들에게 붙어 있는 것이 가장 흉하다. 이 때문에 삼효에서는 "해가 기울어 걸려있다"고 하고, 사효에서는 "불타오르며 버려진다"고 하였으니, 이는 모두 이효와 오효, 두 음효의 안에 있기 때문이다. 초효·상효라는 두 양효의 경우에, 초효는 밝음이 아래에 있으니 공경하여 허물을 피할 줄 알고, 상효는 굳셈이 밖에 있으니 정벌하여 나라를 바르게 할 수 있다.

韓國大全

김상악(金相岳) 『산천역설(山天易說)』

正邦而後, 大人之德, 可以炤四方也.
나라를 바르게 한 후에 대인의 덕이 사방을 비출 수 있다.

서유신(徐有臣) 『역의의언(易義擬言)』

正國之道, 不得不爾也.
나라를 바르게 하는 길은 이렇지 않을 수 없다.

박문건(朴文健) 『주역연의(周易衍義)』

以正邦, 言正邦國之禍亂也.
"나라를 바로잡는 것이다"는 나라의 화란을 바로잡음을 말한다.

심대윤(沈大允) 『주역상의점법(周易象義占法)』

以明出征之, 非威力征戰也. 离者, 萬物之附麗者也, 故居上經之終. 有天地, 然後有萬物, 有萬物, 然後有男女, 夫婦是也. 水火爲形之初也, 坎孕而离著. 离之附麗, 便有咸恒, 男女相合之義. 上下之經, 貫連不斷, 卽先後天之无間也.
밝음으로써 출정하니, 위세와 힘으로 정벌함이 아니다. '리(離)'란 만물이 붙어 있는 것이므로 상경의 끝에 있다. 천지가 있은 후에 만물이 있고, 만물이 있은 후에 남녀가 있으니, 부부가 이것이다. 물과 불이 형체의 초기가 되고, 감괘는 품고 리괘는 붙는다. 리괘의 붙어 있음에 바로 함괘와 항괘가 있으니, 남녀가 서로 합하는 뜻이다. 상경과 하경이 뚫고 이어져 끊기지 않으니, 바로 선후천에 틈이 없는 것이다.

오치기(吳致箕) 「주역경전증해(周易經傳增解)」

用此上九之賢而出征, 以正寇賊之亂邦也.
상구의 어짊을 써서 출정해서 도적이 어지럽힌 나라를 바로 잡는 것이다.

31

함괘

咸卦䷞

中國大全

傳

咸, 序卦, 有天地然後, 有萬物, 有萬物然後, 有男女, 有男女然後, 有夫婦, 有夫婦然後, 有父子, 有父子然後, 有君臣, 有君臣然後, 有上下, 有上下然後, 禮義有所錯, 天地, 萬物之本, 夫婦, 人倫之始. 所以上經, 首乾坤, 下經, 首咸繼以恒也. 天地二物, 故二卦分爲天地之道, 男女交合而成夫婦, 故咸與恒, 皆二體合爲夫婦之義. 咸, 感也, 以說爲主, 恒, 常也, 以正爲本, 而說之道自有正也. 正之道, 固有說焉, 巽而動, 剛柔皆應, 說也. 咸之爲卦, 兌上艮下, 少女少男也, 男女相感之深, 莫如少者, 故二少爲咸也. 艮體篤實, 止爲誠慤之義, 男志篤實以下交, 女心說而上應, 男, 感之先也. 男先以誠感, 則女說而應也.

함괘(咸卦䷞)는 「서괘전」에서 "천지가 있은 연후에 만물이 있고, 만물이 있은 연후에 남녀가 있으며, 남녀가 있은 연후에 부부가 있고, 부부가 있은 연후에 부자가 있으며, 부자가 있은 연후에 군신이 있고, 군신이 있은 연후에 상하가 있으며, 상하가 있은 연후에 예의(禮義)를 둘 곳이 있다"고 하였다. 천지(天地)는 만물의 근본이며, 부부는 인륜(人倫)의 시작이다. 이 때문에 상경(上經)에서는 건괘와 곤괘를 맨 앞에 두었고, 하경(下經)에서는 함괘를 맨 앞에 두고 항괘(恒卦䷟)로써 그 다음을 이었다. 천지는 두 가지 사물이므로 두 괘가 나뉘어 하늘[天]과 땅[地]의 도가 되었고, 남녀는 교합하여 부부를 이루므로 함괘와 항괘는 모두 두 몸체가 합하여 부부의 의로움[義]이 된다. '함'은 느낌이니 기뻐함을 위주로 하고 '항'은 항상됨이니 바름을 근본으로 삼지만, 기뻐하는 도는 스스로 바름을 가지고 있다. 바름의 도에는 진실로 기쁨이 있으니, 공손하면서 움직이고 굳셈과 유순함이 모두 호응하는 것이 기뻐함이다. 함괘는 태괘(兌卦☱)가 위에 있고 간괘(艮卦☶)가 아래에 있으니, 소녀와 소남(少男)이다. 남녀가 서로 느낌의 깊음은 젊은 사람만한 자가 없기 때문에 두 젊은 사람이 '함'이 된다. 간괘의 몸체는 독실하여 간괘가 의미하는 그침은 정성스럽고 참된 뜻이 되니, 남자의 뜻[志]이 독실하여 아래로 사귀면 여자의 마음은 기뻐하여 위로 호응하므로, 남자는 느낌의 먼저이다. 남자가 먼저 정성으로 느끼게 하면 여자는 기뻐하면서 호응한다.

小註

建安丘氏曰, 咸二少相交者, 夫婦之始也, 所以論一時交感之情. 故以男下女爲象, 男先下於女, 婚姻之道, 成矣. 恒二長相承者, 夫婦之終也, 所以論萬世處家之道. 故以男尊女卑爲象 女下於男, 居室之倫, 正矣. 或曰, 卦以二少二長相重者, 不有損益乎. 曰, 損雖二少而, 男不下女, 咸感之義, 微矣, 益雖二長, 而女居男上, 恒久之義, 悖矣. 此下經所以不首損益而首咸恒也.
건안구씨가 말하였다: 함괘에서 두 젊은 남녀가 서로 사귀는 것은 부부의 시작이니, 이 때문에 한동안에 교감하는 정을 논하였다. 그러므로 남자가 여자에게 낮추는 것으로 상을 삼았으니, 남자가 먼저 여자에게 낮추면 혼인의 도가 이루어진다. 항괘에서 두 나이 든 남녀가 서로를 받드는 것은 부부의 끝이니, 이 때문에 만세(萬世) 동안 가정에 거처하는 도를 논하였다. 그러므로 남자는 높고 여자는 낮다는 것으로써 상을 삼았으니, 여자가 남자에게 낮추면 가정에 거처하는 질서가 바르게 된다. 어떤 이가 "괘에서 젊은 두 남녀와 나이가 든 두 남녀를 가지고 서로 중하게 여긴 것은 손괘(損卦䷨)와 익괘(益卦䷩)에 있지 않습니까?"라고 하였다. 답하기를 "손괘에서는 비록 두 젊은 남녀이지만 남자가 여자에게 낮추지 않으므로 함괘에 보이는 느낌의 뜻은 미미하고, 익괘에서는 비록 두 나이 든 남녀이지만 여자가 남자 위에 있으므로 항구의 뜻이 어그러진다. 이것이 하경(下經)에서 손괘와 익괘를 맨 앞에 두지 않고 함괘와 항괘를 맨 앞에 둔 까닭이다"라고 하였다.

○ 雲峯胡氏曰, 先天八卦之象, 說卦凡兩言之. 先言天地而卽繼之以山澤, 繼言水火雷風而終之以山澤. 相薄者有貴於不相悖, 不相射者有貴於相逮, 唯通氣, 則兩言之不改, 然則上經首於乾坤者, 天地定位也, 下經首於咸者, 山澤通氣也. 位欲其分, 故乾坤分而爲二卦, 氣欲其合, 故山澤合而爲一卦. 又易八純卦六爻, 皆不應, 泰否咸恒損益旣未濟六爻, 皆應, 泰否天地相應, 故居上篇, 咸損少男少女相應, 恒益長男長女相應, 旣未濟中男中女相應, 故居下篇. 咸以少男下少女, 又應之切至者, 故居下篇之首. 故上經彖辭不言女, 下經咸取女吉, 家人利女貞, 姤勿用取女漸女歸吉, 多言婚娶之事, 而自於咸見之.
운봉호씨가 말하였다: 선천팔괘의 상을 「설괘전」에서 모두 두 번 말하였다. 앞에서는 '천지(天地)'를 말하고서 곧바로 '산택(山澤)'으로 이었고,[1] 이어서는 '수화(水火)'·'뢰풍(雷風)'을 말하고서 '산택'으로 끝마쳤다.[2] '서로 부딪히는' 것은 '서로 어긋나지 않는' 것보다 귀함이 있고 '서로 해치지 않는' 것은 '서로 이르지 않는' 것보다 귀함이 있지만, 오직 "기(氣)를 통한다"에 대해서는 두 곳에서 말을 고치지 않았다. 그러므로 상경에서 건괘와 곤괘를 맨 앞에 둔 것은 천지가 자리를 정하기 때문이며, 하경에서 함괘를 맨 앞에 둔 것은 산택이 기를 통하기 때문이다. 자리는 나누고자 하기 때문에 건괘와 곤괘는 나뉘어 두 괘가 되었고, 기는 합치고자 하기 때문에 산과 택(澤)이 합하여 하나의 괘가 되었다. 또 여덟 개의 순수한

---

1) 『周易 · 說卦傳』: 天地定位, 山澤通氣, 雷風相薄, 水火不相射, 八卦相錯. 『周易 · 伏羲八卦方位之圖』: 右, 說卦傳曰, 天地定位, 山澤通氣, 雷風相薄, 水火不相射, 八卦相錯, 數往者, 順, 知來者, 逆.
2) 『周易 · 說卦傳』: 故, 水火相逮, 雷風不相悖, 山澤通氣然後, 能變化, 旣成萬物也.

괘[3]의 여섯 효는 모두 서로 호응하지 않지만, 태괘(泰卦)·비괘(否卦)·함괘(咸卦)·항괘(恒卦)·손괘(損卦)·익괘(益卦)·기제괘(既濟卦)·미제괘(未濟卦)의 여섯 효는 모두 서로 호응하는데, 태괘와 비괘는 천지가 서로 호응하기 때문에 상편(上篇)에 있고 함괘와 손괘는 젊은 남자와 젊은 여자가 서로 호응하고 항괘와 익괘는 나이 든 남자와 나이 든 여자가 서로 호응하며 기제괘와 미제괘는 중년의 남자와 중년의 여자가 서로 호응하기 때문에 하편(下篇)에 있다. 함괘는 젊은 남자가 젊은 여자에게 낮춤으로써 또한 호응하기가 절실하고 지극한 것이기 때문에 하편의 맨 앞에 있다. 그러므로 상경의 괘사에서는 여자를 말하지 않았지만, 하경에서는 함괘의 괘사에서 "여자를 취하면 길하다"고 하였고, 가인괘(家人卦䷤)의 괘사에서 "여자의 바름이 이롭다"[4]고 하였으며, 구괘(姤卦䷫)의 괘사에서 "여자를 취하지 말아야 한다"[5]고 하여 혼인의 일을 많이 말하였는데 함괘로부터 보인다.

---

3) 팔순괘(八純卦): 소성괘인 팔괘가 중첩된 여덟 괘를 말한다. 『전의·리괘(離卦)』의 구삼에서 "八純卦, 皆有二體之義, 乾, 內外皆健, 坤, 上下皆順, 震, 威震相繼, 巽, 上下順隨, 坎, 重險相習, 離, 二明繼照, 艮, 內外皆止, 兌, 彼己相說, 而離之義, 在人事最大."라고 하였다.

4) 『周易·家人卦』: 家人, 利女貞.

5) 『周易·姤卦』: 姤, 女壯, 勿用取女.

咸, 亨, 利貞, 取女, 吉.

함(咸)은 형통하니 바름이 이로우므로 여자를 취하면 길하리라.

中國大全

傳

咸, 感也. 不曰感者, 咸有皆義, 男女交相感也. 物之相感, 莫如男女而少復甚焉. 凡君臣上下, 以至萬物, 皆有相感之道, 物之相感則有亨通之理. 君臣能相感則君臣之道通, 上下能相感則上下之志通, 以至父子, 夫婦, 親戚, 朋友, 皆情意相感則和順而亨通, 事物皆然, 故咸有亨之理也. 利貞, 相感之道利在於正也, 不以正則入於惡矣. 如夫婦之以淫姣, 君臣之以媚說, 上下之以邪僻, 皆相感之不以正也. 取女吉, 以卦才言也. 卦有柔上剛下, 二氣感應相與, 止而說, 男下女之義, 以此義取女, 則得正而吉也.

'함(咸)'은 느낌이다. '감(感)'이라고 말하지 않은 것은 '함'자에 모두라는 뜻이 있어서 남자와 여자가 사귀어 서로 느끼기 때문이다. 만물이 서로 느끼는 데에는 남녀만한 것이 없고 젊을수록 더욱 심하다. 군신과 상하로부터 만물에 이르기까지 모두 서로 느끼는 도가 있으니, 만물이 서로 느끼면 형통한 이치가 있다. 군신이 서로 느낄 수 있다면 군신의 도는 통하고, 상하가 서로 느낄 수 있다면 상하의 뜻이 통하며, 부자와 부부와 친척과 친구에 이르기까지 모두 감정과 의지를 서로 느끼게 되면 화순(和順)하여 형통하니, 사물이 모두 그러하기 때문에 함괘에는 형통한 이치가 있다. "바름이 이롭다[利貞]"란 서로 느끼는 도는 이로움이 바름에 있으므로 바름으로써 하지 않는다면 악한 데로 들어간다. 예를 들어 부부가 음란함으로써 사랑함과 군신이 아첨함으로써 기뻐함과 상하가 사특하고 편벽됨으로 함은 모두 서로 느끼기를 바름으로써 하지 않는 것이다. "여자를 취하면 길하다"는 것은 괘의 재질로써 말한 것이다. 괘에는 유순한 음이 위로 올라가고 굳센 양이 아래로 내려와 두 기가 감응하여 서로 함께해서 그치며 기뻐하고 남자가 여자에게 낮추는 뜻이 있으니, 이러한 뜻을 가지고서 여자를 취하면 바름을 얻어 길하게 된다.

本義

咸, 交感也. 兌柔在上, 艮剛在下, 而交相感應. 又艮止則感之專, 兌說則應之至. 又艮以少男, 下於兌之少女, 男先於女, 得男女之正, 婚姻之時. 故其卦爲咸, 其占亨而利貞取女則吉. 蓋感有必通之理, 然不以貞, 則失其亨而所爲皆凶矣.

'함(咸)'은 사귀어 느낌이다. 태괘(兌卦☱)의 유순함이 위에 있고 간괘(艮卦☶)의 굳셈이 아래에 있어서 사귀어 서로 감응한다. 또 간괘는 그침이니 느낌이 전일하고, 태괘는 기뻐함이니 호응함이 지극하다. 또 간괘는 막내아들로서 태괘의 막내딸에게 낮추니, 남자가 여자보다 먼저 하여 남녀의 바름과 혼인의 때를 얻은 것이다. 그러므로 그 괘가 '함'이 되고 그 점(占)이 형통하니, 바름이 이로우므로 여자를 취하면 길하다는 것이다. 느끼는 데에는 반드시 통하는 이치가 있으나, 바름으로써 하지 않으면 그 형통함을 잃어, 하는 바가 모두 흉하게 된다.

小註

西溪李氏曰, 易无思也, 无爲也, 寂然不動, 感而遂通天下之故, 有心於求感, 非易之道也. 故去心而名卦以咸.

서계이씨가 말하였다: "역(易)은 생각함도 없고 행위 함도 없어서 고요하게 움직이지 않다가 느끼게 되면 마침내 천하의 모든 연고(緣故)를 통하게 된다"[6]고 하였으니, 느낌을 구하고자 하는 데에 마음을 두면 역(易)의 도가 아니다. 그러므로 감(感) 자에서 '심(心)'을 없애고 '함'으로 괘의 이름을 지었다.

○ 閭丘氏昕曰, 感非其正, 則夫婦不以禮合, 君臣不以道合, 朋友不以義合, 終必至於睽離, 故曰亨利貞.

여구흔이 말하였다: 느끼는 것이 바르지 않다면 부부는 예(禮)로써 합하지 못하고 군신은 도로써 합하지 못하며 친구는 의(義)로써 합하지 못하여 끝내 서로 등지고 헤어지고야 말 것이기 때문에 "형통하니, 바름이 이롭다"고 하였다.

○ 中溪張氏曰, 物之相感, 莫如男女之少者, 故二少爲咸. 上下交感, 則有亨通之理, 然相感之道, 利在守正, 以此道而取女, 其吉可知.

중계장씨가 말하였다: 상대가 서로 느끼는 데에는 젊은 남자와 여자만한 것이 없기 때문에 두 젊은 사람이 함괘가 되었다. 상하가 사귀어 느낀다면 형통한 이치가 있지만, 서로 느끼는 도는 이로움이 바름을 지키는 데에 있으므로 이러한 도를 가지고서 여자를 취한다면, 그

---

6) 『周易·繫辭傳』: 易, 无思也, 无爲也, 寂然不動, 感而遂通天下之故, 非天下之至神, 其孰能與於此.

길함을 알 수가 있다.

○ 雲峯胡氏曰, 咸, 感也. 不曰感而曰咸, 咸皆也, 无心之感也. 无心於感者, 无所不感也. 感則必通, 而利在於貞, 凡言感之道當如此, 取女吉, 專言取女者當如此. 女以靜正爲主, 男不下女而女從之, 非貞女也, 不可取矣.
운봉호씨가 말하였다. '함(咸)'은 느낌이다. '감(感)'이라고 말하지 않고 '함'이라고 한 것은 '함'은 모두라는 뜻이며 무심한 느낌이기 때문이다. 느낌에 무심하다는 것은 느끼지 않는 바가 없는 것이다. 느끼면 반드시 통하지만 이로움은 바름에 있으므로 느낌의 도가 이와 같아야 함을 일반적으로 말한 것이며, "여자를 취하면 길하다"란 오로지 여자를 취함이 이와 같아야 함을 전적으로 말한 것이다. 여자는 조용하고 바름을 위주로 하니, 남자가 여자에게 낮추지 않는데도 여자가 그를 따르면 바른 여자가 아니므로 취해서는 안 된다.

○ 雙湖胡氏曰, 文王於咸卦, 自取取女象. 一卦重在三上兩爻, 三爲艮主, 上爲兌主. 男女皆得其正, 故曰, 利貞故取女吉也. 況二五又正, 其不正者, 初四而已. 曰取女, 二體又以艮爲重, 而咸之所以得名, 亦由於艮, 艮爲感主而兌已是應體. 本義謂艮止則感之專, 兌說則應之至, 已盡卦義. 此所以二少尤有夫婦感應之道, 而爲下經之首, 與乾坤分主上下經也. 先儒謂上經乾坤以二老對立, 下經咸以二少合體, 深爲得之.
쌍호호씨가 말하였다: 문왕은 함괘에 대하여 여자를 취하는 상을 스스로 취하였다. 본괘는 삼효와 상효가 중요하니, 삼효는 간괘(艮卦☶)의 주인이 되고 상효는 태괘(兌卦☱)의 주인이다. 남녀가 모두 그 바름을 얻었기 때문에 "바름이 이로우므로 여자를 취하면 길하리라"고 하였다. 하물며 이효와 오효가 또한 바르고 바르지 않는 것이 초효와 사효일 뿐임에 있어서랴! "여자를 취한다"고 말한 것은 두 몸체에서 또 간괘를 중요하게 여기고 함괘의 이름을 얻은 바도 또한 간괘에서 비롯되었으며, 간괘는 느낌의 주인이 되고 태괘는 이미 호응하는 몸체이기 때문이다. 『본의』에서 "간괘는 그침이니 느낌이 전일하고, 태괘는 기뻐함이니 호응함이 지극하다"고 하여 괘의 뜻을 이미 다 밝혔다. 이것이 두 젊은 남녀에 더욱 부부가 감응하는 도가 있어서 하경의 맨 처음이 되어 건괘와 곤괘와 나누어 상경과 하경의 주인이 된 까닭이다. 이전의 유학자들은 상경의 건괘와 곤괘는 두 나이 든 사람으로 대립하고 하경의 함괘는 두 젊은 사람으로 합체한다고 하였으니, 깊이 터득한 바가 된다.

‖韓國大全‖

송시열(宋時烈) 『역설(易說)』

感應, 故亨. 旣利於貞, 以少男配少女. 六爻俱爲正應, 故曰取女吉. 折中易丘氏富國曰, 損雖二少而男不下女, 感之義微, 益雖二長而女居男上, 恒久之義悖. 此則男下於女, 婚姻之道成矣, 恒則女下於男, 居室之倫正矣, 所以下經首咸恒云云.

'감(感)'은 호응함이기 때문에 형통하다. 이미 곧음을 이롭게 여기니 막내아들이 막내딸을 배필로 맡는다. 여섯 효가 모두 정응이 되기 때문에 "여자를 취하면 길하리라"라고 했다. 『절중역』에서 구부국은 손괘(損卦䷨)는 비록 막내아들과 막내딸이지만 남자가 여자에게 낮추지 않으니, 감응의 뜻이 미약하고, 익괘(益卦䷩)는 비록 큰아들과 큰딸이지만 여자가 남자 위에 있으니, 항구의 뜻이 어그러졌다. 함괘는 남자가 여자에게 낮추니 혼인의 도가 완성되며, 항괘(恒卦䷟)는 여자가 남자보다 낮추니 가정의 윤리가 올바르게 되므로, 하경의 처음에서 함괘와 항괘를 언급한 것이다.

이익(李瀷) 『역경질서(易經疾書)』

咸, 感也, 感諧聲, 從心咸聲. 據六書, 諧聲十居其九, 皆後來轉益者也. 名卦時無此字, 故以咸命之, 至孔子斷作感, 其實同也. 咸者, 本訓皆也, 物與共之之義. 天不獨天, 與地共之, 則感也. 聖人不獨聖人, 與衆共之, 則感也. 後世旣有從心之感, 則咸只爲皆義, 此古今之別也. 剛柔, 故感應, 少男少女, 故相與. 天感而地應, 聖人感而衆心應, 如少男少女之相與, 其可遏乎. 如此, 只患無感, 不患無應.

함(咸)은 감(感)자의 뜻이니, 감(感)은 해성(諧聲)이며, 심(心)자를 부수로 하고 함(咸)자를 소리로 한다. 육서에 따르면 해성이 십 분의 구로 모두 후대로 내려오며 전주되어 보태졌다. 괘에 이름을 붙일 당시에는 이 글자가 없었기 때문에 함(咸)자로 지었는데, 공자 때에 이르러 감(感)자로 기록했으니 실제로는 동일하다. '함(咸)'자는 본래 모두[皆]라는 의미이니, 사물이 함께 한다는 뜻이다. 하늘이 하늘로만 있지 않고 땅과 함께 하면 느끼고, 성인이 성인으로만 있지 않고 백성과 함께 하면 느끼게 된다. 후세에 심(心)자를 부수로 하는 감(感)자가 생겨난 뒤에는 함(咸)자는 모두라는 의미로만 쓰였으니, 이것이 옛 글자와 요즘 글자의 차이이다. 굳셈과 부드러움이기 때문에 감응하고, 막내아들과 막내딸이기 때문에 서로 함께 한다. 하늘이 느끼면 땅이 호응하고, 성인이 느끼면 백성의 마음이 호응하니, 막내아들과 막내딸이 서로 함께 함과 같은 경우를 어떻게 막을 수 있겠는가? 이러한 경우는 느낌이 없을

까 걱정이지 호응함이 없을 것은 걱정할 것도 없다.

유정원(柳正源)『역해참고(易解參攷)』

正義, 繫辭云二篇之策, 則是六十四卦舊分上下. 乾坤象天地, 咸恒明夫婦, 乾坤乃造化之本, 夫婦寔人倫之原. 此卦明人倫之始, 夫婦之義, 必須男女共相感應, 方成夫婦, 旣相感應, 乃得亨通.

『주역정의』에서 말하였다: 「계사전」에서는 상하 두 편의 책수(策數)라고 했으니, 육십사괘는 예전에 상하로 구분되어 있었다. 건괘와 곤괘는 천지를 상징하고 함괘와 항괘(恒卦䷟)는 부부를 밝힌 것이니, 건괘와 곤괘는 조화의 근본이고 부부는 인륜의 근원이다. 이 괘는 인륜의 시작이 부부라는 뜻을 밝혔으니, 반드시 남녀가 함께 더불어서 감응을 해야 부부를 이루게 되며, 이미 서로 감응한 뒤에야 형통할 수 있다.

本義, 男先於女.

『본의』에서 말하였다: 남자가 여자보다 먼저 한다.

〈郊特牲男子親迎, 男先於女, 剛柔之義也.

「교특생」에서는 "남자는 친영(親迎)[7]을 하는데, 남자가 여자를 앞장서는 것은 강유(剛柔)의 뜻에 따르기 때문이다"[8]라고 했다.〉

婚姻之時.

『본의』에서 말하였다: 혼인의 때이다.

〈案, 少男少女, 政婚姻之時.

내가 살펴보았다: 막내아들과 막내딸은 바로 혼인할 때이다.〉

김상악(金相岳)『산천역설(山天易說)』

咸之爲卦, 兌柔在上, 艮剛在下, 故亨在九五. 艮止則感之專, 兌說則應之至, 故利貞在六二. 以艮之少男, 下於兌之少女, 故取女吉在三上.

함괘는 태괘(兌卦☱)의 부드러운 음이 위에 있고, 간괘(艮卦☶)의 굳센 양이 아래에 있기 때문에 형통함이 구오에 달려있다. 간괘는 그치니 감함을 오로지 하고, 태괘는 기뻐하니

---

7) 친영(親迎): 혼례(婚禮)에서 시행하는 여섯 가지 예식(禮式) 중 하나이다. 사위될 자가 여자 집에 가서 혼례를 치르고, 자신의 집으로 데려오는 예식을 뜻한다.

8)『禮記·郊特牲』: 男子親迎, 男先於女, 剛柔之義也. 天先乎地, 君先乎臣, 其義一也.

응함이 지극하기 때문에, 바름이 이로움은 육이에 달려 있다. 간괘의 막내아들이 태괘의 막내딸에게 낮추기 때문에, 여자를 취하여 길함은 삼효와 상효에 달려 있다.

○ 凡言四德之卦, 乾坤以天地相交, 震兌坎離以陰陽相交, 而咸恒之兌震, 雖相交, 艮巽不交, 故皆言亨利貞, 而不言元也. 咸二少相配者, 夫婦之始, 恒二長相承者, 夫婦之終也, 故爲下經之首. 損益者, 咸恒之交也. 然損之二少, 男不下女, 交感之義微矣. 益之二長, 女居男上, 恒久之道悖矣, 故不以夫婦言之. 止而說主兌, 故亨利貞, 與重兌同德, 男下女主艮, 故取女吉, 與漸同義.
사덕을 말한 괘에서, 건괘(乾卦☰)와 곤괘(坤卦☷)는 천지가 서로 교류하며, 진괘(震卦☳)·태괘(兌卦☱)·감괘(坎卦☵)·리괘(離卦☲)는 음양이 서로 교류하지만, 함괘와 항괘(恒卦䷟)의 태괘와 진괘는 비록 서로 교류하지만, 간괘(艮卦☶)와 손괘(巽卦☴)가 교류하지 않기 때문에 모두 형리정(亨利貞)은 말했지만 원(元)은 말하지 않았다. 함괘의 막내아들과 막내딸은 서로 짝을 하니 부부의 시작이고, 항괘의 큰아들과 큰딸은 서로 받드니 부부의 끝이 된다. 그렇기 때문에 하경의 처음이 된다. 손괘(損卦䷨)와 익괘(益卦䷩)는 함괘와 항괘가 사귄 것이다. 그러나 손괘의 막내아들과 막내딸은 남자가 여자에게 낮추지 않아서 교감의 뜻이 미약하다. 익괘의 큰아들과 큰딸은 여자가 남자보다 위에 있으니 오래 유지시키는 도가 어그러지기 때문에 부부라고 말하지 않았다. 그쳐서 기뻐하는 것은 태괘를 위주로 하기 때문에 '형통하니 바름이 이로우니'는 중복된 태괘와 덕을 함께 하고, 남자가 여자에게 낮추는 것은 간괘를 위주로 하기 때문에 여자를 취함이 길한 것이니, 점괘(漸卦䷴)와 뜻이 같다.

김규오(金奎五) 「독역기의(讀易記疑)」

卦辭取女吉, 與离畜牝牛, 語勢同, 而義則異. 咸取夫婦之道, 則取女爲主, 离言附麗之道, 則畜牛爲一事.
괘사에서 "여자를 취하면 길하다"는 말은 리괘(離卦䷝)의 "암소를 기르듯이 하면 길할 것이다"[9]는 말과 어세가 같지만 의미는 다르다. 함괘는 부부의 도에 따르니 여자를 취하는 것을 위주로 하고, 리괘는 바름에 붙는 도를 언급했으니 암소를 기른다는 것은 하나의 일이다.

서유신(徐有臣) 『역의의언(易義擬言)』

咸, 亨, 感而通也, 山澤, 通氣也. 利貞, 感而正也, 六爻, 正應也. 二少相感, 男下於女,

9) 『周易·離卦』: 離, 利貞, 亨, 畜牝牛吉.

取女之象也.
함(咸)이 형통함은 감응하여 통한다는 뜻이니, 산과 못은 기운을 소통시키기 때문이다. 바름이 이로움은 감응하고 올바르다는 뜻이니, 여섯 효가 정응이기 때문이다. 막내아들과 막내딸이 서로 감응하고 남자가 여자에게 낮추니, 여자를 취하는 상이다.

윤행임(尹行恁) 『신호수필(薪湖隨筆) · 역(易)』

地天爲泰, 天地爲否, 以天地之三奇三耦綜錯而爲咸恒. 天開於子, 地開於丑, 咸恒其寅乎, 其以儷皮制婚嫁之世乎.
땅[☷]과 하늘[☰]은 태괘(泰卦䷊)가 되고 하늘과 땅은 비괘(否卦䷋)가 되며, 천지의 세 양효와 음효가 섞여서 함괘와 항괘(恒卦䷟)가 된다. 하늘은 자(子)에서 열리고 땅은 축(丑)에서 열리니, 함괘와 항괘는 인(寅)에서 열린 것이며, 예물로 혼인을 치르는 시기일 것이다.

강엄(康儼) 『주역(周易)』

按, 咸有亨通之理, 而利在貞正, 此通萬事言也. 其言取女吉者, 以男女相感, 易於失正, 必如卦才之善, 然後可以得正而吉, 故特言取女吉. 蓋就萬事中擧其尤切要者言之耳. 非貞正之道, 只利於取女, 一事而已也.
내가 살펴보았다: 함괘에는 형통하는 이치가 있고 이로움은 곧고 바름에 있으니, 이것은 모든 일을 통괄해서 한 말이다. "여자를 취하면 길하리라"고 한 말은 남녀가 서로 감응하면 올바름을 잃기가 쉬우니, 반드시 괘의 재질처럼 선하게 한 뒤라야 올바름을 얻어서 길할 수 있기 때문에 특별히 "여자를 취하면 길하다"고 했다. 모든 일 중에서 더욱 간절하고 요긴한 것을 기준으로 말한 것일 뿐이다. 곧고 올바른 도가 아니면, 여자를 취함이 이롭다는 것은 한 가지 일일 따름이다.

박문건(朴文健) 『주역연의(周易衍義)』

升進處高, 其道雖亨, 然貞則能順剛也. 三進取女, 爲女之吉.
올라가서 높은 곳에 있으니, 그 도는 비록 형통하지만 곧아야만 굳센 양에 따를 수 있다. 삼효가 나아가 여자를 취함은 여자의 길함이 된다.
〈問, 咸義. 曰, 咸之義, 與蠱之義同. 咸有交徧之義, 故爲感也, 更不取交徧之義. 蠱有敗壞之義, 故爲事也, 更不取敗壞之義也. 此與臨爻咸臨本爻咸拇之類互考, 則可見其義也. 然彖辭則或兼二義也.

물었다: 함괘의 뜻은 무엇입니까?
답하였다: 함괘의 뜻은 고괘(蠱卦䷑)의 뜻과 같습니다. 함괘는 두루 사귀는 뜻이 있기 때문에 감응함이 되므로 더 이상 두루 사귀는 뜻을 취하지 않았습니다. 고괘는 무너지는 뜻이 있기 때문에 일이 되므로 더 이상 무너지는 뜻을 취하지 않았습니다. 이것은 림괘(臨卦䷒)의 효에서 "감동하여 임한다"라고 하고, 본효에서 "발가락에서 느낀다"는 부류와 서로 살펴보면, 그 뜻을 볼 수 있습니다. 그러나 단사의 경우에는 간혹 두 뜻을 겸한 것도 있습니다.〉

이지연(李止淵) 『주역차의(周易箚疑)』

感之道, 苟如男女之少者, 而又得正焉, 則天下之感, 孰有大於此者乎.
감응하는 도가 진실로 막내아들과 막내딸의 부류와 같고 또한 올바름을 얻었다면, 천하의 감응함 중에 무엇이 이것보다 크겠는가?

윤종섭(尹鍾燮) 『경(經)-역(易)』

易无思无爲, 寂然不動, 感而後通天下之志. 六十四卦, 無往非感, 而獨於咸曰感, 感者, 發於心之謂也. 卦爲山澤通氣, 少男少女之交媾者也. 天地之道, 始於山澤通氣, 而化生萬物, 人倫之道, 始於男女居室, 而化成萬物. 大傳曰, 天地絪緼, 萬物化醇, 男女媾精, 萬物化成者, 釋損之象, 而損亦艮兌之交也.
역은 생각이 없고 행함이 없어 적연히 움직이지 않다가 감응하여 마침내 천하의 뜻을 통한다.[10] 육십사괘 중에는 가서 감응하지 않는 것이 없는데, 유독 함괘에 대해서 "감응한다"라고 말한 이유는 감응한다는 것은 마음에서 발현함을 뜻하기 때문이다. 괘는 산과 못이 기운을 통하고, 막내아들과 막내딸이 교합한 것이다. 천지의 도는 산과 못이 기운을 통하는 데에서 시작하여 만물을 화육하고 생장시키며, 인륜의 도는 남녀가 결합하는 데에서 시작하여 만물을 화육하고 완성한다. 「대전」에서는 "천지의 기운이 왕성하게 교감하여 만물을 화육하여 무성히 성장시키며, 남녀의 정기가 결합하여 만물을 화육하여 완성한다"[11]고 했는데, 손괘(損卦䷨)의 상을 해석한 것이지만, 손괘 또한 간괘와 태괘가 교감함이다.

김기례(金箕澧) 『역요선의강목(易要選義綱目)』

上經乾坤二老對立, 下經艮兌二少合體.

---

10) 『周易 · 繫辭上』: 易无思也, 无爲也, 寂然不動, 感而遂通天下之故.
11) 『周易 · 繫辭下』: 天地絪緼, 萬物化醇, 男女構精, 萬物化生.

상경에서는 건괘와 곤괘의 두 노인이 대립하고, 하괘에서는 간괘와 태괘의 두 어린 자가 합체를 한다.

○ 相感之深, 莫如男女之少者.
서로 교감함이 깊은 것은 어린 남녀만한 것이 없다.

○ 男下於女, 卽婚姻之禮.
남자가 여자에게 낮추는 것이 혼인의 예이다.

亨, 利貞, 取女, 吉.
형통하니 바름이 이로우므로 여자를 취하면 길하리라.

感而遂通, 故曰亨.
감응하여 마침내 통하기 때문에 형통하다.

○ 相感之際, 不正則邪, 故戒正則利.
서로 교감하는 사이 바르지 못하다면 사특하기 때문에 바름으로 경계를 하면 이롭다.

○ 兌爲少女, 艮有畜聚之像, 故取女吉.
태괘는 막내딸이 되고, 간괘에는 쌓고 모은다는 상이 있기 때문에, 여자를 취하면 길하다.

허전(許傳) 「역고(易考)」

咸, 少男少女之象也. 男先女, 故曰取女, 此親迎之禮所本也. 男女皆少, 故未能具乾坤之四德, 而曰亨利貞而已.
함괘는 막내아들과 막내딸의 상이다. 남자가 여자보다 앞서기 때문에 "여자를 취한다"고 했으니, 이것은 친영(親迎)의 예를 근본으로 삼는 것이다. 남녀가 모두 어리기 때문에 건괘와 곤괘의 사덕을 모두 갖출 수가 없어서 "형통하고 바름이 이롭다"고 말하였을 뿐이다.

심대윤(沈大允) 『주역상의점법(周易象義占法)』

咸, 皆也, 感也. 物必交相說而後感應也. 物必交相感合而後長進, 故曰亨. 凡以不正相感者, 乃同欲暫合耳, 非心誠感說也. 久而必離, 非咸止而說之義也, 故曰利貞. 男女以正交感, 故曰取女吉.
함(咸)은 모두[皆]라는 뜻이며, 감응한다는 뜻이다. 만물은 반드시 교감하여 서로 기뻐한 뒤라야 감응한다. 만물은 반드시 교감하여 서로 감응해서 합한 뒤에라야 발전하기 때문에, "형통하다"라고 말했다. 올바르지 못함으로 서로 감응하는 경우는 욕심을 함께 하여 잠시 합한 것일 뿐이니, 마음의 진실됨으로 감응하여 기뻐한 경우가 아니다. 오래되면 반드시 떠나게 되니 감응하여 그쳐서 기뻐하는 뜻이 아니기 때문에 "곧음이 이롭다"고 하였다. 남녀가 바름으로 교감하기 때문에 "여자를 취하면 길하다"고 하였다.
〈皆也感也者, 言无私无偏也.
모두라는 것과 감응한다는 것은 사특함도 없고 치우침도 없다는 말이다.〉

오치기(吳致箕)「주역경전증해(周易經傳增解)」

咸者, 感也, 謂男女相感也. 男女相感之深, 莫如少者, 故艮少男止于下, 而感以剛實, 兌少女說于上, 而應以柔和, 爲咸之象. 山高而降在下, 澤卑而升在上, 乃山澤通氣, 亦爲咸之象也. 卦體則二五剛柔, 俱得中正, 卦義則男女相與感應, 故言亨. 兌柔艮剛, 皆得正位, 故言利貞. 男下乎女, 而二氣感應, 故言取女吉也. 感去心而言咸者, 取於无心而皆相感也. 男女之以心相感爲卦義, 而感於心有邪正之分, 故不言大亨. 上經首乾坤者, 卽天地定位對待而位分, 故乾坤分爲二卦. 下經首咸恒者, 卽山澤通氣流行而氣合, 故山澤合爲一卦也. 夫婦人倫之始, 所以首咸繼恒, 程傳已詳矣.
함(咸)은 감응한다는 뜻이니, 남녀가 서로 감응한다는 의미이다. 남녀가 서로 감응함이 깊은 것은 어린 남녀의 감응만한 것이 없기 때문에, 간괘의 막내아들이 아래에서 그치고 굳세고 진실됨으로 '감'하고, 태괘의 막내딸이 위에서 기뻐하고 부드럽고 조화로움으로 '응'하니, 함괘의 상이 된다. 산은 높지만 내려와서 밑에 있고, 못은 낮지만 올라가서 위에 있어서 산과 못이 기운을 통하니, 이 또한 함괘의 상이 된다. 괘의 몸체는 이효와 오효의 굳세고 부드러움이 모두 중정함을 얻었고, 괘의 뜻은 남녀가 서로 함께 하며 감응을 하기 때문에 "형통하다"고 하였다. 태괘는 부드럽고 간괘는 굳센데 모두 올바른 자리를 얻었기 때문에 "곧음이 이롭다"고 하였다. 남자가 여자보다 낮추고 두 기운이 감응하기 때문에 "여자를 취하면 길하다"고 하였다. 감(感)자에서 심(心)자를 빼고 함(咸)이라고 말한 것은 사사로운 마음이 없고 모두 서로 감응한다는 뜻을 취한 것이다. 남녀가 마음으로 서로 감응함을 괘의 뜻으로 삼았지만, 마음으로 감응함에는 사특함과 올바름의 구분이 있기 때문에 크게 형통하다고는 말하지 않았다. 상경에서 건괘와 곤괘를 앞에 둔 것은 천지의 확정된 자리가 대대가 되어 자리가 구분되기 때문에, 건괘와 곤괘가 나뉘어 두 괘가 되었다. 하경에서 함괘와 항괘를 앞에 둔 것은 산과 못의 기운이 통하고 유행하여 기운이 합하기 때문에, 산과 못이 합하여 하나의 괘가 되었다. 부부는 인륜의 시작이기 때문에 함괘를 앞에 두고 항괘를 그 뒤에 둔 것이니, 『정전』에서 이미 상세히 설명하였다.

이진상(李震相) 『역학관규(易學管窺)』

卦體.
괘의 몸체.

陰陽敵體而後, 男女之義定, 天地定位而後, 山澤之氣通. 上經首乾坤, 而下經首咸恒. 卦各三陰三陽合而爲乾坤, 分而爲咸恒. 咸恒者, 一家之乾坤也. 坎離之中男中女, 旣對於成終之位, 而咸之少男少女, 恒之長男長女, 次之, 所以致六子之用也.
음양이 대등한 몸체가 된 이후에야 남녀의 뜻이 확정되고, 천지가 자리를 정한 후에 산과 못의 기운이 통한다. 상경에서는 건괘와 곤괘를 앞에 두고, 하경에서는 함괘와 항괘를 앞에 두었다. 괘는 각각 세 음과 세 양이 합하여 건괘와 곤괘가 되고, 나눠서 함괘와 항괘가 된다. 함괘와 항괘는 한 가정 내에서의 건괘와 곤괘이다. 감괘와 리괘의 둘째아들과 둘째딸은 이미 상경의 끝에서 마주하고 있고, 함괘의 막내아들과 막내딸, 항괘의 큰아들과 큰딸이 그 뒤에 있는 것은 여섯 자녀의 쓰임을 이루기 위해서이다.

이정규(李正奎) 「독역기(讀易記)」

咸卦以感爲義, 有感必通, 故卦象有亨吉之意, 而至於爻才, 則一無有亨吉者, 何也. 蓋感之不誠, 則應之必不誠, 感之非其道, 則應之必非其道也, 故感之道, 誠與正而已, 爻才則每隨時與位而有不誠不正之象故歟.
함괘는 감응함을 뜻으로 삼아서 감응하여 반드시 통함이 있기 때문에, 괘의 상에 형통하고 길한 뜻이 있는데, 효의 재질에 있어서 형통하고 길하다는 뜻이 하나도 없는 것은 어째서인가? '감'하는 것이 진실되지 않으면 호응하는 것도 반드시 진실되지 않는 것이니, '감'함에 그 도로써 하지 않는다면 '응'함도 반드시 그 도로써 하지 않기 때문에 '감'의 도는 진실되고 바르게 해야 할 따름인데, 효의 재질은 매번 때와 자리에 따르므로 진실되지 않고 바르지 않은 상이 있기 때문일 것이다.

彖曰, 咸, 感也,

「단전」에서 말하였다: 함(咸)은 느낌이니,

中國大全

本義

釋卦名義.

괘 이름을 풀이하였다.

小註

臨川吳氏曰, 卦之二體, 陽感而陰應, 陰感而陽應, 六畫皆相與, 卦之所以得咸感之名也.
임천오씨가 말하였다: 괘의 두 몸체는 양이 느낌에 음이 호응하고, 음이 느낌에 양이 호응하여 여섯 효가 모두 서로 함께하니, 괘가 함께 느낀다는 이름을 얻은 까닭이다.

○ 建安丘氏曰, 咸者, 感也, 所以感者, 心也. 无心者, 不能感, 故咸加心而爲感. 有心於感者, 亦不能咸感, 故感去心而爲咸, 咸皆也. 唯无容心於咸, 然後无所不感, 聖人以咸名卦, 而彖以感釋之, 所以互明其旨也.
건안구씨가 말하였다: '함(咸)'이란 느낌이니, 느낄 수 있는 것은 마음이다. 마음이 없는 자는 느낄 수 없기 때문에 '함'에다 '심(心)'을 더하여 '감(感)'이 되었다. 느끼는 데에 마음을 두는 자는 또한 함께 느낄 수 없기 때문에 '감'자에 '심'을 없애서 '함'이 되었으니, '함'이란 모두라는 뜻이다. 오직 함께 하는 데에 마음을 쓰지 않는 후에야 느끼지 않는 바가 없으므로 성인(聖人)은 '함'으로써 괘의 이름으로 삼았고 「단전」에서는 '느낌[感]'으로써 이를 풀이하였으니, 그 뜻을 서로 밝혀 준다.

‖ 韓國大全 ‖

이진상(李震相) 『역학관규(易學管窺)』

兌女在艮男之上, 而上爻以陰乘陽, 故不曰元亨. 男先於女, 故曰取女吉.
태괘인 여자가 간괘인 남자 위에 있고 상효가 음으로서 양을 타고 있기 때문에 "크게 형통하다"고 말하지 않았다. 남자가 여자보다 앞서기 때문에 "여자를 취하면 길하다"고 하였다.

○ 傳.
『정전』.
上體本乾, 而六三之柔往居上, 下體本坤, 而上九之剛來居三. 一陰一陽, 交相往來, 而上卦變成兌女, 下卦變成艮男, 此卦變之妙也.
상체는 건괘에 근본하고 육삼의 부드러운 음이 가서 상효에 있으며, 하체는 곤괘에 근본하고 상구의 굳센 양이 와서 삼효에 머문다. 한 번 음이 되고 한 번 양이 되어 서로 교감하여 왕래하며, 상괘가 변화하여 태괘의 여자를 이루고 하괘가 변화하여 간괘의 남자를 이루니, 이것이 오묘한 괘의 변화이다.

柔上而剛下, 二氣感應以相與, 止而說, 男下女. 是以亨利貞取女吉也.

유순한 음이 위에 있고 굳센 양이 아래에 있어서 두 기가 감응하여 서로 함께하여, 그치고 기뻐하며 남자가 여자에게 낮춘다. 이 때문에 "형통하니 바름이 이로우므로 여자를 취하면 길하리라."

中國大全

傳

咸之義, 感也. 在卦則柔爻上而剛爻下, 柔上變剛而成兌, 剛下變柔而成艮, 陰陽相交, 爲男女交感之義, 又兌女在上, 艮男居下, 亦柔上剛下也. 陰陽二氣相感相應而和合, 是相與也. 止而說, 止於說, 爲堅慤之意. 艮止於下, 篤誠相下也, 兌說於上, 和說相應也, 以男下女, 和之至也. 相感之道如此, 是以能亨通而得正, 取女如是則吉也. 卦才如此, 大率感道利於正也.

'함(咸)'의 뜻은 느낌이다. 괘에 있어서는 유순한 음의 효가 올라가고 굳센 양의 효가 내려와서, 유순한 음이 올라가 굳센 양을 변화시켜 태괘(兌卦☱)를 이루고 굳센 양이 내려와 유순한 음을 변화시켜 간괘(艮卦☶)를 이루니 음과 양이 서로 사귀어 남녀가 서로 느끼는 뜻이 되고, 또 태괘인 여자가 위에 있고 간괘인 남자가 아래에 있으니 또한 유순함이 위에 있고 굳셈이 아래에 있다는 것이다. 음양 두 기가 서로 느끼고 서로 호응하여 화합하니, 이것이 서로 함께하는 것이다. "그치고 기뻐한다"란 기뻐함에서 그치는 것이니, 견고하고 성실한 뜻이 된다. 간괘가 아래에서 그치니 독실하고 성실하게 서로 낮추는 것이고, 태괘가 위에서 기뻐하니 화합하고 기뻐하여 서로가 호응하는 것이며, 남자로서 여자에게 낮추니 화합함이 지극한 것이다. 서로 느끼는 도가 이와 같기 때문에 형통할 수 있어서 바름을 얻으니, 여자를 취함이 이와 같으면 길하다. 괘의 재질이 이와 같으니, 대체로 느끼는 도는 바름에서 이롭다.

小註

厚齋馮氏曰, 剛柔以質言, 感應以氣言. 乾之氣應乎坤, 坤應之而成兌, 是坤與乾也. 坤之氣感乎乾, 乾應之而成艮, 是乾與坤也.
후재풍씨가 말하였다: '굳셈[剛]'과 '유순함[柔]'은 재질로써 말하였고, '감응'은 기로써 말하였다. 건괘의 기가 곤괘에 호응하고 곤괘가 이에 호응하여 태괘를 이루었으니, 이는 곤괘가 건괘와 함께 하는 것이다. 곤괘의 기가 건괘에 감응하고 건괘가 이에 호응하여 간괘를 이루었으니, 이는 건괘가 곤괘와 함께 하는 것이다.

○ 縉雲馮氏曰, 柔上剛下, 感應相與, 所以爲亨. 止而說, 所以利貞. 男下女, 所以取女吉也.
진운풍씨가 말하였다: "유순한 음이 위에 있고 굳센 양이 아래에 있다"는 것은 감응하여 서로 함께함이니, 형통하게 되는 까닭이다. "그치고 기뻐한다"는 것은 바름이 이로운 까닭이다. "남자가 여자에게 낮춘다"는 것은 여자를 취하면 길한 까닭이다.

○ 龜山楊氏曰, 止而說, 以卦才言也. 夫婦之道, 止而不說則離, 說而不止則亂. 男不下女則剛柔不接, 非夫婦之正也.
구산양씨가 말하였다: "그치고 기뻐한다"란 괘의 재질을 가지고서 말하였다. 부부의 도는 그쳐서 기뻐하지 않으면 이별하게 되고, 기뻐하여 그치지 않으면 어지럽게 된다. 남자가 여자에게 낮추지 않으면 굳셈과 유순함이 사귀지 못하니, 부부의 바름이 아니다.

○ 建安丘氏曰, 柔上, 上也, 六本居三, 上與乾交而爲兌也. 剛下, 三也, 九本居上, 下與坤交而爲艮也. 二氣感應以相與, 山澤通氣也. 不言山澤者, 言山澤則不見相與之義, 故以二氣言之. 觀恒言雷風相與, 則知二氣相與之爲山澤爾, 此釋咸亨義. 止而說, 以二德言, 人心之說, 動易失正, 唯止而能說, 則无徇情縱欲之失, 此釋利貞義. 男下女, 以二象言, 謂以艮之少男下於兌之少女也. 凡婚姻之道, 无女先男者, 必女守貞靜, 男先下之, 則爲得女之正, 此釋取女吉義. 故下以是以二字, 總結之.
건안구씨가 말하였다: "유순한 음이 위에 있다"는 것은 상효를 말하니, 음[六]이 본래 삼효의 자리에 있다가 위로 올라가 건괘와 사귀어 태괘가 되었다. "굳센 양이 아래에 있다"란 삼효를 말하니, 양[九]이 본래 상효의 자리에 있다가 아래로 내려와 곤괘와 사귀어 간괘가 되었다. 두 기가 감응하여 서로 함께하니, "산과 못이 기를 통한다"[12]는 것이다. 여기에서 산과 못이라고 말하지 않은 것은 산과 못이라고 말한다면 서로 함께한다는 뜻을 볼 수가 없기 때문에 두 기로써 말한 것이다. 항괘(恒卦)의 「단전」에서 "우뢰와 바람이 서로 함께한다"[13]

---

12) 『周易 · 說卦傳』: 天地定位, 山澤通氣, 雷風相薄, 水火不相射, 八卦相錯. 『周易 · 伏羲八卦方位之圖』: 右, 說卦傳曰, 天地定位, 山澤通氣, 雷風相薄, 水火不相射, 八卦相錯, 數往者, 順, 知來者, 逆.

고 말한 것을 보면, 두 기가 서로 함께함이 산과 못이 될 뿐임을 알 수 있으니, 이것이 "함은 형통하다"는 뜻을 풀이한 것이다. "그치고 기뻐한다"란 두 덕으로써 말한 것으로, 사람의 마음이 기뻐함은 움직여 쉽게 바름을 잃으므로 오직 그치고 기뻐할 수 있다면 사사로운 정에 얽매이고 욕심을 쫓는 잘못이 없게 되니, 이것이 "바름이 이롭다"는 뜻을 풀이한 것이다. "남자가 여자에게 낮춘다"란 두 상으로써 말한 것으로, 간괘의 젊은 남자로서 태괘의 젊은 여자에게 낮춤을 일컫는다. 혼인의 도에 여자가 남자보다 먼저 하는 것이 없으니, 반드시 여자는 바름과 조용함을 지키고 남자는 먼저 여자에게 낮춘다면 여자를 얻는 바름이 되니, 이것이 "여자를 취하면 길하다"는 뜻을 풀이한 것이다. 그러므로 아래 구절에서 '시이(是以)'라는 두 글자를 가지고서 전체를 끝맺었다.

本義

以卦體卦德卦象, 釋卦辭. 或以卦變, 言柔上剛下之義, 曰咸自旅來, 柔上居六, 剛下居五也, 亦通.

괘의 몸체와 괘의 덕과 괘의 상으로 괘사를 풀이하였다. 혹 괘의 변화로 유순한 음이 위에 있고 굳센 양이 아래에 있다는 뜻에 대하여 "함괘가 려괘(旅卦䷷)로부터 와서 유순한 음이 위로 올라가 육효에 있고 굳센 양이 아래로 내려와 오효에 있다"고 한 말도 통한다.

小註

雲峯胡氏曰, 以卦體釋亨, 以卦德釋利貞. 止而後說, 所以爲貞, 不止, 非貞也. 以卦象釋取女吉.

운봉호씨가 말하였다: 괘의 몸체로 "형통하다"를 풀이하였고, 괘의 덕으로 "바름이 이롭다"를 풀이 하였다. 그친 후에 기뻐함은 바름이 되는 까닭이니, 그치지 않는다면 바름이 아니다. 괘의 상으로 "여자를 취하면 길하다"를 풀이하였다.

---

13) 『周易 · 恒卦』: 剛上而柔下, 雷風, 相與, 巽而動, 剛柔皆應, 恒.

韓國大全

유정원(柳正源) 『역해참고(易解參攷)』

柔上 [至] 吉也.
유순한 음이 위에 있고 … 길하리라.

王氏曰, 感之爲道, 不能感非類者也, 故因取女以明同類之義也. 同類而不相感應, 以其各亢所處也, 故女雖應男之物, 必下之而後, 取女乃吉也.
왕씨가 말하였다: 감응하는 도는 동류가 아닌 것들은 감응할 수 없기 때문에, 여자를 취하는 것에 연유하여 동류의 뜻을 밝혔다. 동류이지만 서로 감응하지 못함은 각각 머문 곳에서 대적하기 때문이니, 여자가 비록 남자에게 감응하는 상대이지만, 반드시 그녀에게 낮춘 뒤에 여자를 취하면 길하다.

○ 正義, 若剛自在上, 柔自在下, 則不相交感, 無由得通婚姻之義. 男先求女, 親迎之禮, 御輪三周, 皆是男下於女. 然後女應於男.
『주역정의』에서 말하였다: 만약 굳센 양이 스스로 위에 있고 부드러운 음이 스스로 밑에 있다면, 서로 교감할 수 없어서 혼인을 이룰 수 있는 뜻이 없다. 남자가 먼저 여자를 찾으니 친영의 예법에서 수레의 바퀴가 세 바퀴가 굴러가도록 하는 것[14]은 모두 남자가 여자에게 낮춤이다. 그렇게 한 뒤에야 여자가 남자에게 호응한다.

○ 林氏栗曰, 男不下女而女從之, 非正女也, 君不下士而士從之, 非貞士也, 如是者, 不可取矣. 爲女爲士者, 不待禮而行, 爲君爲士者, 唯其易而畜之, 未有不悔於終者也.
임률이 말하였다: 남자가 여자에게 낮추지 않았는데도 여자가 따른다면, 올바른 여자가 아니고, 임금이 선비에게 낮추지 않았는데도 선비가 따른다면, 곧은 선비가 아니니, 이와 같은 자들은 취해서는 안 된다. 여자와 선비가 예를 기다리지 않고 행동하면, 임금과 남자가 쉽게 여겨 기르기만 할 것이니, 끝내 후회하지 않을 일이 없을 것이다.

傳.
『정전』.

---

14) 『禮記 · 昏義』: 降出, 御婦車, 而壻授綏, 御輪三周, 先俟于門外.

〈案, 傳末本有說音悅三字.
내가 살펴보았다: 『정전』의 끝에는 본래 '열음열(說音悅)'이라는 세 글자가 있다.〉

天地 [至] 見矣.
천지가 … 볼 수가 있다.
正義, 咸道之廣大, 則包天地, 小則該萬物, 感物而動, 謂之情也.
『주역정의』에서 말하였다: 함괘의 도 중 광대한 것은 천지를 포괄하고, 작은 것은 만물은 포용하며, 사물에 감응하여 움직이는 것을 정(情)이라고 부른다.

김기례(金箕澧) 『역요선의강목(易要選義綱目)』

柔上而剛下.
유순함이 위에 있고 굳셈이 아래에 있어서,
釋卦體.
괘의 몸체를 풀이한 말이다.

○ 卦變自旅來, 六往居上, 九來居五, 而爲兌. 亦指兌上艮下, 而爲男女之位.
괘의 변화는 려괘(旅卦䷷)로부터 와서 육(六)이 가서 상효에 있고, 구(九)가 와서 오효에 있으니 태괘가 된다. 이것은 또한 태괘가 위에 있고 간괘가 아래에 있어서, 남녀의 자리가 됨을 나타낸다.

二氣感應.
두 기가 감응하여,
山出水, 水潤山, 故曰山澤通氣.
산에서 물이 나오고 물은 산을 적시기 때문에, "산과 못은 기운이 통한다"고 하였다.

止而悅.
치고 기뻐하며.
釋卦德.
괘의 덕을 풀이한 말이다.
○ 艮止兌悅, 悅而不止, 不得貞.
간괘는 그치고 태괘는 기뻐하니, 기뻐만 하고 그치지 않으면 곧음을 얻지 못한다.

男下女.
남자가 여자에게 낮춘다.
釋卦像.
괘의 상을 풀이하였다.

○ 婚姻之始, 男不下女, 剛柔不接, 君之禮士, 亦此意.
혼인의 시작에 있어서, 남자가 여자에게 낮추지 않으면 굳센 양과 부드러운 음이 서로 만나지 못하니, 임금이 선비를 예우함도 이러한 뜻이다.

○ 天地人本无二理, 上經首天地之道, 而具人道於其中, 下經以婚姻之禮首人道, 而具天地之道於其中, 以備三才之道.
천 · 지 · 인에는 본래 두 가지 이치가 없으니, 상경에서 천지의 도를 앞에 두었지만 인도가 그 안에 포함된 것이며, 하경에서 혼인의 예를 통해 인도를 앞에 두었지만 천지의 도도 그 안에 포함되어 있으니, 이로써 삼재의 도를 갖추었다.

심대윤(沈大允) 『주역상의점법(周易象義占法)』

彖曰, 咸, 感也, 柔上而剛下, 二氣感應以相與, 止而說, 男下女, 是以亨利貞取女吉也.
「단전」에서 말하였다: 함(咸)은 느낌이니, 유순한 음이 위에 있고 굳센 양이 아래에 있어서 두 기가 감응하여 서로 함께하여서, 그치고 기뻐하며 남자가 여자에게 낮춘다. 이 때문에 형통하니 바름이 이로우므로 여자를 취하면 길하리라.

程子曰, 柔爻上而成兌, 剛爻下而成艮, 兌柔在上, 艮剛在下, 柔上剛下也. 止而說, 專一交感而不變也.
정자가 말하였다: 부드러운 음효가 위에 있어서 태괘를 이루고, 굳센 양효가 아래에 있어서 간괘를 이루며, 태괘의 부드러움이 위에 있고 간괘의 굳셈이 밑에 있으니, 부드러운 음이 위에 있고 굳센 양이 아래에 있는 것이다. 그쳐서 기뻐함은 전일하게 교감하여 변하지 않는 것이다.

天地感而萬物化生, 聖人, 感人心而天下和平, 觀其所感而天地萬物之情, 可見矣.
천지가 감응하여 만물이 화생하고 성인이 사람의 마음을 감동시켜서 천하가 화평해지니, 감응하는 바를 관찰하면 천지 만물의 실정을 알 수 있다.

天地感而萬物化生, 自然而無心也. 聖人感人心而天下和平, 有心而自然也. 天地感有氣而不能感無氣, 聖人感有心而不能感無心, 故自然而不可强也. 天地萬物之情, 感於氣類而已矣.
천지가 감응하여 만물이 화생함은 자연스러운 일이고 마음이 없는 것이다. 성인이 사람의 마음을 감응시켜 천하가 화평함은 마음이 있지만 자연스러운 것이다. 천지는 기운이 있는 것을 감응시키지만 기운이 없는 것을 감응시킬 수 없고, 성인은 마음이 있는 것을 감응시키지만 마음이 없는 것을 감응시킬 수 없기 때문에, 저절로 그러하지 억지로 할 수 없는 것이다. 천지만물의 정은 기운에 감응하는 것일 뿐이다.

최세학(崔世鶴) 『참양설(參兩說)』

咸, 彖曰, 柔上而剛下, 二氣感應以相與.
함괘의 「단전」에서 말하였다: 유순한 음이 위에 있고 굳센 양이 아래에 있어서 두 기가 감응하여 서로 함께하여서.

咸, 否之二體變也. 三與上二爻爲主, 故彖以柔上剛下言之. 泰三來居於下體之上而爲艮, 泰上往居於上體之上而爲兌. 少男在下, 少女在上, 而有交感相與之象.
함괘는 비괘(否卦䷋)의 두 몸체가 변화한 괘이다. 삼효와 상효가 주인이 되기 때문에 「단전」에서는 부드러운 음이 위에 있고 굳센 양이 아래에 있다고 말했다. 태괘(泰卦䷊)의 삼효가 와서 하체의 위에 있어 간괘를 이루고, 태괘의 상효가 가서 상체의 위에 있어 태괘를 이룬다. 막내아들이 아래에 있고 막내딸이 위에 있어서, 교감하여 서로 함께 하는 상이 있다.

天地感而萬物化生, 聖人, 感人心而天下和平, 觀其所感而天地萬物之情, 可見矣.

천지가 감응하여 만물이 화생하고 성인이 사람의 마음을 감동시켜서 천하가 화평해지니, 감응하는 바를 관찰하면 천지 만물의 실정을 알 수 있다.

中國大全

傳

旣言男女相感之義, 復推極感道, 以盡天地之理, 聖人之用. 天地二氣, 交感而化生萬物, 聖人至誠以感億兆之心, 而天下和平, 天下之心所以和平, 由聖人感之也. 觀天地交感化生萬物之理, 與聖人感人心致和平之道, 則天地萬物之情, 可見矣, 感通之理, 知道者, 默而觀之, 可也.

이미 남녀가 서로 느끼는 뜻을 말하였고, 다시 느끼는 도를 미루어 지극히 하여 천지의 이치와 성인의 씀을 다하였다. 천지라는 두 기는 사귀어 느껴서 만물을 화생하고 성인은 지극히 성실하여 억조의 마음을 감동시켜서 천하가 화평해지니, 천하 사람들의 마음이 화평해지는 까닭은 성인이 그들을 감동시켰기 때문이다. 천지가 사귀어 느껴서 만물을 화생하는 이치와 성인이 사람의 마음을 감동시켜 화평함을 이루는 도를 관찰하면 천지 만물의 실정을 알 수 있으니, 느껴서 통하는 이치는 도를 아는 자만이 묵묵히 관찰할 수 있다.

本義

極言感通之理.

느껴서 통하는 이치를 지극히 말하였다.

小註

胡氏曰, 天地感而萬物化生, 言乾坤交而大化行也. 聖人感人心而天下和平, 言二五交而治化行也.
호씨가 말하였다: "천지가 감응하여 만물이 화생한다"는 것은 건괘와 곤괘가 사귀어 화생을 크게 함을 말한 것이다. "성인이 사람의 마음을 감동시켜서 천하가 화평해진다"는 것은 이효와 오효가 사귀어 화생을 다스림을 말한 것이다.

○ 張氏彭老曰, 分而言之, 則天地萬物, 以化生相感應, 聖人天下, 以和平相感應, 天地自天地, 聖人自聖人也. 合而言之, 此之呼吸語默, 卽彼之翕張闔闢, 此之喜怒哀樂, 卽彼之慘舒榮悴, 道化之宰, 生意之充, 天地卽聖人, 聖人卽天地也.
장팽로가 말하였다: 나누어 말한다면 천지와 만물은 화생으로써 서로 감응하고 성인과 천하 사람들은 화평으로써 서로 감응하니, 천지는 천지이고 성인은 성인이다. 합하여 말한다면 이것의 숨을 내쉬고 들이마심과 말하고 침묵하는 것이 곧 저것의 수축하고 폄과 열고 닫음이며 이것의 희노애락이 곧 저것의 움츠려지고 펴지며 영화롭고 초췌해짐이니, 도로써 바른 길로 이끎을 주재하고 생의(生意)를 가득 채우므로 천지가 곧 성인이고 성인이 곧 천지이다.

○ 中溪張氏曰, 天地之感也以氣, 聖人之感人也以心. 天地交感而萬物有化生之理, 聖人感人心而天下有和平之治. 寂然不動, 性也, 感而遂通, 情也. 於其所感而觀之, 而天地萬物之情, 可得而見矣. 情者, 感而動者也.
중계장씨가 말하였다: 천지가 감응하는 것은 기 때문이고, 성인이 사람을 감동시키는 것은 마음 때문이다. 천지가 사귀어 느끼므로 만물은 화생하는 이치를 가지고 있고, 성인은 사람의 마음을 감동시키므로 천하는 화평한 다스림을 가지고 있다. 조용하여 움직이지 않는 것은 성(性)이고, 느껴서 마침내 통하는 것은 정(情)이다. 느끼는 바에 대하여 관찰하여 보면, 천지 만물의 실정을 알 수가 있다. 정이란 느껴서 움직이는 것이다.

○ 節齋蔡氏曰, 天地萬物之情, 感而必應, 應感之間, 情无所遁矣.
절재채씨가 말하였다: 천지와 만물의 정(情)은 느껴서 반드시 호응하니, 호응하고 느끼는 사이에 정은 숨을 곳이 없다.

○ 雲峯胡氏曰, 上經首乾, 氣化之始, 而曰品物流形, 下經首咸, 形化之始, 而曰二氣感應. 氣與形固未嘗相離也. 上經首乾, 彖傳言性, 下經首咸, 彖傳言情, 復之彖言天地之心, 咸言人心, 學易者, 於此當有悟矣.
운봉호씨가 말하였다: 상경의 맨 앞에 있는 건괘는 기가 변화하는 시작이니, 건괘의 「단전」에서 "만물이 형체를 갖춘다"[15]고 하였고, 하경의 맨 앞에 있는 함괘는 형체가 변화하는 시작이니, "두 기가 감응한다"고 하였다. 기와 형체는 진실로 일찍이 서로 떨어지지 않았다. 상경의 맨 앞에 있는 건괘는 「단전」에서 '성(性)'을 말하였고,[16] 하경의 맨 앞에 있는 함괘는 「단전」에서 '정(情)'을 말하였으며, 복괘(復卦䷗)의 「단전」에서는 '천지의 마음'[17]을 말하였고 함괘의 「단전」에서는 '사람의 마음'을 말하였으니, 『주역』을 배우는 자는 이에 대하여 마땅히 깨달음이 있어야 한다.

韓國大全

권근(權近) 『주역천견록(周易淺見錄)』

咸, 彖曰, 天地感而萬物化生, 聖人感人心, 而天下和平.
함괘의 「단전」에서 말하였다: 천지가 감응하여 만물이 화생하고 성인이 사람의 마음을 감동시켜서 천하가 화평해진다.

夫天地之道, 聖人之心, 同一至誠也. 聖人感人心, 非有所作爲而欲感之也. 老者安之, 朋友信之, 少者懷之, 便是感之之道. 各因其理而順應之, 自然有以合乎人心而悅服, 推而至於疲癃殘疾之得其易, 鰥寡孤獨之得其養,
천지의 도와 성인의 마음은 지극히 정성스럽다는 점에서 동일하다. 성인이 사람의 마음을 감응시킴은 인위적인 일을 통해서 감응시키고자 함이 아니다. 노인이 편안하게 여기며 벗이 믿으며 어린이가 그리워하는 것[18]이 감응시키는 도이다. 각각 그 이치에 따라 순응하여 자연스럽게 사람의 마음에 합치되어 기뻐하며 복종함이 있으니, 이것을 미루어서 쇠약하고 병든 자들이 편안함을 얻고, 홀아비 · 과부 · 고아 등이 부양을 받게 된다.

---

15) 『周易 · 乾卦』: 雲行雨施, 品物, 流形.
16) 『周易 · 乾卦』: 乾道變化, 各正性命, 保合大和, 乃利貞.
17) 『周易 · 復卦』: 復, 其見天地之心乎.
18) 『論語 · 公冶長』: 子曰, 老者安之, 朋友信之, 少者懷之.

曁鳥獸魚鼈咸若, 使萬物各得其所, 聖人奚容心哉, 順其理而已矣. 如舜四罪而天下咸服, 舜豈欲使天下咸服哉. 但因四凶有可罪而罪之, 無一毫之私意. 自然天下咸服, 其用刑之當罪也. 若矯情而飾行, 達道以干譽, 欲使人心悅服, 非聖人感人之道也.
날짐승 · 들짐승 · 물고기 · 자라 등이 모두 순응하여, 만물로 하여금 각각 제 자리를 얻게 함이 어찌 성인이 마음을 써서 된 것이겠는가? 이치에 순응했을 따름이다. 예를 들어 순임금이 사흉(四凶)[19]을 벌주자 천하가 감응하여 복종한 것이 어찌 순임금이 천하 사람들로 하여금 감응하여 복종하도록 한 것이겠는가? 단지 사흉에게 벌줄만한 일이 있어서 벌준 것이며, 터럭만큼도 사특한 뜻이 없었다. 따라서 자연스럽게 천하가 감응하여 복종했으니, 형벌을 사용한 것이 죄에 합당했기 때문이다. 만약 마음을 꾸미고 행동을 수식하며 도를 어기고 명예를 구하면서, 사람의 마음이 기뻐서 복종하기를 바라게 된다면, 성인이 사람을 감응시키는 도가 아니다.

조호익(曺好益)『역상설(易象說)』

天地感而萬物化生, 聖人, 感人心而天下和平.
천지가 감응하여 만물이 화생하고 성인이 사람의 마음을 감동시켜서 천하가 화평해진다.

上卦本乾, 下交於坤而成艮, 是乾道成男. 下卦本坤, 上交於乾而成兌, 是坤道成女. 卽天地感而萬物化生之象. 二五人位, 九居五而應二, 是以人感人, 六居二而應五, 是以人應人. 卽聖人感人心, 而天下和平之象.
상괘는 본래 건괘인데 아래로 곤괘와 사귀에 간괘를 이루니, 이것은 건괘의 도가 남자를 이룬 것이다. 하괘는 본래 곤괘인데 위로 건괘와 사귀어 태괘를 이루니, 이것은 곤괘의 도가 여자를 이룬 것이다. 곧 천지가 감응하여 만물이 화생하는 상이다. 이효와 오효는 사람의 자리인데, 구(九)가 오효에 있으며 이효와 호응하니, 이것은 사람으로 사람에게 감하는 것이

---

19) 사흉(四凶): 요순(堯舜)시대 때 악명(惡名)을 떨쳤던 네 부족의 수장들을 뜻한다. 다만 네 명의 수장들에 대해서는 이견(異見)이 있는데, 『춘추좌씨전』「문공(文公) 18년」편에서는 "舜臣堯, 賓于四門, 流四凶族, 渾敦 · 窮奇 · 檮杌 · 饕餮, 投諸四裔, 以禦螭魅."라고 하여, '사흉'을 혼돈(渾敦) · 궁기(窮奇) · 도올(檮杌) · 도철(饕餮)이라고 하였다. 한편 『서』「우서(虞書) · 순전(舜典)」편에서는 "流共工于幽洲, 放驩兜于崇山, 竄三苗于三危, 殛鯀于羽山. 四罪而天下咸服."이라고 하여, '사흉'을 공공(共工) · 환두(驩兜) · 삼묘(三苗) · 곤(鯀)이라고 하였다. 이 문제에 대해 『채침(蔡沈)』의 『집전(集傳)』에서는 "春秋傳所記四凶之名與此不同, 說者以窮奇爲共工, 渾敦爲驩兜, 饕餮爲三苗, 檮杌爲鯀, 不知其果然否也."라고 하였다. 즉 『춘추좌씨전』과 『서』에서 설명하는 '사흉'의 이름이 다른데, 어떤 자들은 궁기(窮奇)를 공공(共工)으로 여기고, 혼돈(渾敦)을 환두(驩兜)라고 여기며, 도철(饕餮)을 삼묘(三苗)라고 여기고, 도올(檮杌)을 곤(鯀)으로 여기기도 하는데, 이 말이 맞는지에 대해서는 확신할 수 없다는 뜻이다.

며, 육(六)이 이효에 있으며 오효와 호응하니, 이것은 사람으로 사람에게 응하는 것이다. 곧 성인이 사람의 마음을 감응시켜서 천하가 화평하게 되는 상이다.

송시열(宋時烈) 『역설(易說)』

彖, 柔上剛下, 感應相與, 所以釋亨義. 止而說, 釋利貞. 男下女, 釋取女吉也.
「단전」에서 "유순한 음이 위에 있고 굳센 양이 아래에 있어서 두 기가 감응하여 서로 함께 한다"는 말은 '형(亨)'자의 뜻을 풀이한 말이다. "그치고 기뻐한다"는 "바름이 이롭다"는 뜻을 풀이한 말이다. "남자가 여자에게 낮춘다"는 "여자를 취하면 길하리라"는 뜻을 풀이한 말이다.

권만(權萬) 『역설(易說)』

咸者, 少男少女之卦, 男女感也.
함괘는 막내아들과 막내딸의 괘로, 남녀가 감응하는 것이다.

○ 卦本否, 故曰柔上而剛下, 謂三與六變否之三柔上而六剛下也.
함괘(咸卦䷞)는 본래 비괘(否卦䷋)이기 때문에 부드러운 음이 위에 있고 굳센 양이 아래에 있다고 말하였으니, 삼효와 육효가 변화하여 비괘의 부드러운 삼효가 위로 가고 굳센 육효가 아래로 내려왔음을 이른다.

○ 二氣, 指少男少女也. 感應, 言三與六爲應爻而相感也. 相與, 言此往彼來, 柔變剛而剛變柔. 是相與也, 與姤與隣之與.
두 기운은 막내아들과 막내딸을 가리킨다. 감응함은 삼효와 육효는 감응하는 효가 되어 서로 감응한다는 뜻이다. 서로 함께 함은 이것이 가고 저것이 온 것으로, 부드러운 음이 굳센 양으로 변화하고 굳센 양이 부드러운 음으로 변화한 것이다. 이것이 서로 함께 한다는 뜻으로, 구(姤)와 함께 하고 이웃과 함께 한다고 했을 때의 여(與)자이다.

○ 止而說, 言成卦上下兩體. 男下女, 言男在下而下於女, 下, 禮下也. 三六爲相應之爻, 而少男以艮體止, 有進意而不妄進, 少女與九五相比而待三之來求, 是女之貞者也.
그치고 기뻐함은 이루어진 괘의 상하 두 몸체를 뜻한다. 남자가 여자에게 낮춤은 남자가 밑에 있어 여자보다 낮다는 뜻으로, 낮춘다는 뜻은 예법에 따라 낮추는 것이다. 삼효와 상효는 서로 호응하는 효이니, 막내아들은 간괘의 몸체로 그치지만, 나아가는 뜻이 있어서 나아감을 잊지 않고, 막내딸은 구오와 서로 비(比)가 되나 삼효가 찾아와서 구하기를 기다리니, 곧은 여자이다.

○ 艮止, 猶爲人君止於仁之義. 男下女, 猶君下臣, 君止於仁, 而臣下咸悅, 故天下和平.
간괘의 그침은 임금이 인(仁)에 그친다는 뜻이다.[20] 남자가 여자에게 낮춤은 임금이 신하에게 낮춤과 같으니, 임금은 인(仁)에 그치면, 신하가 아래에서 감응하여 기뻐하기 때문에 천하가 화평하다.

○ 少男, 亦有六二之比, 近而不爲二牽, 亦止於義之男也. 男女相感, 故亨. 男易爲二牽, 女易爲五誘, 故曰利貞, 言貞則利也.
막내아들도 가까이에 육이가 있으나 이효에게 끌리지 않으니, 또한 의로움에 그친 남자이다. 남녀가 서로 감응하기 때문에 형통하다. 남자는 이효에게 끌리기 쉽고, 여자는 오효에게 유혹되기 쉽기 때문에 '리정(利貞)'이라고 했으니, 곧다면 이롭다는 말이다.

○ 女貞, 不爲比五之所誘, 取如此之女, 何不吉之有.
여자가 곧으면 비(比)의 관계인 오효에게 유혹되지 않으니, 이러한 여자를 취한다면 어찌 길하지 않음이 있겠는가?

○ 卦本天地否, 故曰天地感, 言三六相感也.
괘는 본래 천지비괘[否卦䷋]이기 때문에 "천지가 감응한다"고 하였으니, 삼효와 육효가 서로 감응함을 뜻한다.

○ 萬物化生, 坤有萬物之象. 聖人, 指九五. 人心, 指下位二陰. 二非萬物而陰有多底象. 天下, 亦指下體而言. 艮止, 有君君臣臣父父子子夫夫婦婦之象, 而各止其止, 自然有和平之象, 且其止其說, 見感萬物之情也.
만물이 화생함은 곤괘에 만물의 상이 있음이다. 성인(聖人)은 구오를 가리킨다. 인심(人心)은 아래에 자리한 두 음을 가리킨다. 두 음은 만물은 아니지만 음에는 많은 상이 있다. 천하(天下) 또한 하체를 가리켜서 한 말이다. 간괘의 그침에는 군주는 군주답고, 신하는 신하다우며, 부친은 부친답고, 자식은 자식다우며, 남편은 남편답고, 부인은 부인다운 상이 있어, 각각 그 그칠 곳에서 그치니, 자연스럽게 화평한 상이 있고, 또 그치고 기뻐함에는 만물을 감응시킨 실정이 나타난다.

20) 『大學』: 爲人君, 止於仁.

김상악(金相岳) 『산천역설(山天易說)』

彖曰, 咸, 感也,
「단전」에서 말하였다: 함(咸)은 느낌이니,

釋卦名義, 咸, 感也. 无心者, 不能感, 有心者, 不能咸, 惟无容心於其間, 則无所不感, 故以咸名, 卦以感釋彖也.
괘의 이름과 뜻을 풀이했으니, 함(咸)은 감응한다는 뜻이다. 마음이 없는 자는 감응할 수 없고, 마음이 있는 자는 함께 할 수 없으니, 오직 그 사이에 마음을 개입하지 않아야만 감응하지 못할 것이 없기 때문에, 함(咸)으로 괘의 이름을 삼고, 괘에서는 감(感)자로 단사를 풀이하였다.

柔上而剛下, 二氣感應以相與, 止而說, 男下女. 是以亨利貞取女吉也. 天地感而萬物化生, 聖人, 感人心而天下和平, 觀其所感而天地萬物之情, 可見矣.
유순한 음이 위에 있고 굳센 양이 아래에 있어서 두 기가 감응하여 서로 함께하고, 그치고 기뻐하며 남자가 여자에게 낮춘다. 이 때문에 "형통하니 바름이 이로우므로 여자를 취하면 길하리라." 천지가 감응하여 만물이 화생하고 성인이 사람의 마음을 감동시켜서 천하가 화평해지니, 감응하는 바를 관찰하면 천지 만물의 실정을 볼 수가 있다.

以卦體卦德卦象, 釋卦辭而極言之. 柔謂兌, 剛謂艮也. 以卦變言, 六往居上九來居五, 亦柔上剛下也. 二氣感應, 山澤之通氣也. 止而說, 所以亨利貞. 男下女, 所以取女吉也. 天地感者, 感也, 萬物化生者, 應也. 聖人感人心而天下和平, 亦不出感應之理也, 故天地萬物之情可見也.
괘의 몸체 · 괘의 덕 · 괘의 상을 통해서 괘사를 풀이하여 지극히 말하였다. 부드러운 음은 태괘를 뜻하고 굳센 양은 간괘를 뜻한다. 괘의 변화로 말하면, 육(六)이 가서 상효에 있고 구(九)가 와서 오효에 있으니, 이 또한 부드러움이 위에 있고 굳셈이 아래에 있는 것이다. 두 기운이 감응함은 산과 못의 기운이 통한 것이다. 그치고 기뻐함은 형통하여 바름이 이로운 이유이다. 남자가 여자에게 낮추는 것은 여자를 취하면 길한 이유이다. 천지가 감한다는 것은 감함이며, 만물이 화생함은 응함이다. 성인이 사람의 마음을 감응시켜서 천하가 화평하게 됨 또한 감응의 이치에서 벗어나지 않기 때문에 천지와 만물의 실정을 볼 수 있다.

윤행임(尹行恁) 『신호수필(薪湖隨筆) · 역(易)』

山澤出雲, 卽二氣交感而然也. 男女感而家齊, 君臣感而國治, 神人感而格于郊廟, 感而後通.

산과 못에서 구름이 생기는 것은 두 기운이 교감하여 그렇게 된다. 남녀가 감응하여 집안이 다스려지고, 임금과 신하가 감응하여 나라가 다스려지며, 신과 사람이 감응하여 교묘[21]에 이르니, 감응한 뒤에 소통된다.

復, 其見天地之心者, 統性情而言也. 咸恒所謂天地萬物之情者, 以其感應化成以後已發之情可見而然也. 聖人感人心者, 在下之人觀感而自致和平也.

복괘(復卦䷗)에서 천지의 마음을 본다는 것[22]은 성정을 통괄하여 한 말이다. 함괘와 항괘(恒卦䷟)에서 말한 천지와 만물의 실정[23]은 감응하고 화성한 이후에 이미 발현된 실정을 볼 수 있기 때문에 그런 것이다. 성인이 사람의 마음을 감응시키는 것은 아래에 있는 자가 감응함을 보고 스스로 화평함을 이룬다는 뜻이다.

서유신(徐有臣) 『역의의언(易義擬言)』

咸, 感也, 柔上而剛下, 二氣感應以相與, 止而說, 男下女. 是以亨利貞取女吉也.

함(咸)은 느낌이니, 유순한 음이 위에 있고 굳센 양이 아래에 있어서 두 기가 감응하여 서로 함께해서, 그치고 기뻐하며 남자가 여자에게 낮춘다. 이 때문에 "형통하니 바름이 이로우므로 여자를 취하면 길하리라."

損變爲咸, 而兌上往, 艮下來, 故曰柔上而剛下也.

손괘(損卦䷨)가 변화하여 함괘가 되고, 태괘가 위로 나아가고 간괘가 아래로 오기 때문에, "유순한 음이 위에 있고 굳센 양이 아래에 있다"고 했다.

---

21) 교묘(郊廟): 고대에 천자가 천지(天地) 및 조상에게 제사지내던 제례(祭禮)를 가리키기도 하며, 그러한 제례가 이루어지는 장소 및 그 때 사용되는 음악을 가리키기도 한다. '교묘'에서의 교(郊)자는 천지에 대한 제사를 뜻하는데, 천(天)에 대한 제사는 '남쪽 교외[南郊]'에서 시행되었고, 지(地)에 대한 제사는 '북쪽 교외[北郊]'에서 시행되었다. 그렇기 때문에 '교'자가 천지에 대한 제사를 뜻하게 된 것이다. '묘(廟)'자는 종묘(宗廟)를 뜻하므로, 선조에 대한 제사를 가리킨다. 따라서 '교묘'라고 용어가 천지 및 조상신에 대한 제사를 뜻하게 된다. 『서경 · 우서(虞書) · 순전(舜典)』에는 "汝作秩宗."이라는 기록이 있는데, 이에 대한 공안국(孔安國)의 전(傳)에서는 "秩, 序. 宗, 尊也. 主郊廟之官."이라고 풀이하였고, 이 문장에 나오는 '교묘'에 대해 공영달(孔穎達)의 소(疏)에서는 "郊謂祭天南郊, 祭地北郊. 廟謂祭先祖, 卽周禮所謂天神人鬼地祇之禮是也."라고 풀이하였다.

22) 『周易 · 復卦』: 復, 其見天地之心乎.

23) 『周易 · 恒卦』: 聖人久於其道而天下化成, 觀其所恒, 而天地萬物之情可見矣.

澤氣上而山氣下, 故曰感應也. 動而說者, 或未必正, 而止而說者, 感必正也. 男下女, 婚姻之禮, 而君臣亦有此道也. 柔上而剛下, 二氣感應, 以相與屬亨, 止而說, 屬利貞, 男下女, 屬取女, 然兼此數者之善, 故爲亨利貞吉也. 是故總而言之, 曰是以亨利貞吉也.
못의 기운이 위에 있고 산의 기운이 아래에 있기 때문에 '감응(感應)'이라고 했다. 움직여서 기뻐하는 자는 간혹 반드시 바르지 않은 경우도 있지만, 그쳐서 기뻐하는 경우는 감응함에 반드시 바르다. 남자가 여자에게 낮춤은 혼인의 예이고, 임금과 신하에게도 이러한 도가 있다. 부드러움이 위에 있고 굳셈이 밑에 있어서 두 기운이 감응하니, 서로 함께 함은 형통함에 해당하고, 그쳐서 기뻐함은 곧음이 이로움에 해당하며, 남자가 여자에게 낮춤은 여자를 취함에 해당하지만, 이러한 여러 선함을 겸하기 때문에 형통하며 곧음이 이로워서 길함이 된다. 이러한 까닭으로 총괄적으로 언급하여, "이 때문에 형통하니 바름이 이로우므로 여자를 취하면 길하리라"고 하였다.

天地感而萬物化生, 聖人, 感人心而天下和平, 觀其所感而天地萬物之情, 可見矣.
천지가 감응하여 만물이 화생하고 성인이 사람의 마음을 감동시켜서 천하가 화평해지니, 감응하는 바를 관찰하면 천지 만물의 실정을 볼 수가 있다.

感應之理至矣. 感之以偏, 故應之不和, 感之以私, 故應之不平. 惟聖人以中而不以偏, 以公而不以私, 故致天下之和平也. 夫心之感爲情, 天地萬物之情, 莫非感也. 天地萬物, 無不可感之情也.
감응하는 이치가 지극하다. 치우침으로 감하기 때문에 응함이 조화롭지 못하고, 사사로움으로 감하기 때문에 응함이 균평하지 않다. 오직 성인만이 알맞음으로써 하며 치우침으로써 하지 않고, 공평함으로써 하고 사사로움으로써 하지 않기 때문에, 천하의 화평함을 이룬다. 마음이 감응함은 정이니 천지만물의 정 중에는 감응하지 않는 것이 없다. 천지만물에는 감응하지 못하는 정이 없다.

강엄(康儼) 『주역(周易)』

彖曰, 天地感 [止] 可見矣.
「단전」에서 말하였다: 천지가 감응하여 … 볼 수가 있다.

按, 天地以正感, 而萬物化生, 聖人以正感人心, 而天下和平, 萬物化生, 天地之亨也, 天下和平, 聖人之亨也. 天地萬物之情, 一箇正而已, 故觀其所感, 而天地萬物之情可見矣. 觀乎天地萬物之情, 則聖人感天下之情, 亦可見矣[24].
내가 살펴보았다: 천지는 올바름으로 감응하여 만물이 화생하고, 성인은 올바름으로 사람의 마음을 감응하여 천하가 화평하니, 만물이 화생함은 천지의 형통함이고, 천하가 화평함은 성인의 형통함이다. 천지만물의 정은 올바름일 따름이니, 감응하는 것을 살펴서 천지만물의 정을 볼 수 있다. 천지만물의 정을 살피면 성인이 천하의 정을 감응시킴 또한 볼 수 있다.

박문건(朴文健) 『주역연의(周易衍義)』

彖曰, 咸, 感也, 柔上而剛下, 二氣感應以相與, 止而說, 男下女, 是以亨利貞取女吉也.
「단전」에서 말하였다: 함(咸)은 느낌이니, 유순한 음이 위에 있고 굳센 양이 아래에 있어서 두 기가 감응하여 서로 함께하여서, 그치고 기뻐하며 남자가 여자에게 낮춘다. 이 때문에 "형통하니 바름이 이로우므로 여자를 취하면 길하리라."

止而說, 指上六而言也. 此以卦變卦體卦德卦象釋卦名, 而兼釋卦辭.
그쳐서 기뻐함은 상육을 가리켜서 한 말이다. 이것은 괘의 변화 · 괘의 몸체 · 괘의 덕 · 괘의 상으로써 괘의 이름을 풀이하고, 괘사까지도 함께 풀이한 것이다.
〈問, 二氣. 曰, 二氣, 指三上之剛柔也. 曰二氣, 而不曰山澤者, 不關於卦辭也.
물었다: 두 기운은 무엇입니까?
답하였다: 두 기운은 삼효와 상효의 굳센 양과 부드러운 음을 가리킵니다. 두 기운이라고 말하고 산과 못이라고 말하지 않은 것은 괘사와 연계되지 않기 때문입니다.〉

〈○ 問, 卦變以下之義, 分屬於卦辭, 則當如何. 曰, 卦變卦體屬亨, 卦德屬利貞, 卦象屬取女吉也.
물었다: 괘의 변화 이하의 뜻을 나누어 괘사에 연결한다면, 어떻게 해야 합니까?
답하였다: 괘의 변화와 괘의 몸체는 형통함에 해당하고, 괘의 덕은 곧음이 이로움에 해당하며, 괘의 상은 여자를 취하면 길한 것에 해당합니다.〉

天地感而萬物化生, 聖人, 感人心而天下和平, 觀其所感而天地萬物之情, 可見矣.
천지가 감응하여 만물이 화생하고 성인이 사람의 마음을 감동시켜서 천하가 화평해지니, 감응하는 바를 관찰하면 천지 만물의 실정을 볼 수가 있다.

---

24) 矣: 경학자료집성DB에는 '失'로 되어 있으나, 영인본에 따라 '矣'로 바로잡았다.

天地感而有化生, 聖人感而致和平, 故觀其所感之理, 而可見天地萬物之情也. 此極言天地萬物皆有感道也.
천지가 감응하여 화생이 있고 성인이 감응하여 화평을 이루기 때문에, 감응하는 이치를 살피고 천지만물의 정을 볼 수 있다. 이것은 천지만물에 모두 감응하는 도가 있음을 지극히 말하였다.

윤종섭(尹種燮) 『경(經)-역(易)』

上經首乾而彖傳曰, 乾道變化, 各正性命, 天地無心而感, 寂然不動, 體以之立者, 性命也. 下經首咸而彖傳曰, 二氣交感, 萬物之情可見, 聖人有心而感, 感而遂通, 用以之行者, 情也.
상경에서는 건괘를 앞에 내세우고, 「단전」에서는 "건도가 변화하여 각각 성명을 바르게 한다"[25]고 했으니, 천지가 무심히 감응하고 적연히 움직이지 않아서 본체가 이를 통해 서는 것이 성명(性命)이다. 하경에서는 함괘를 앞에 내세우고, 「단전」에서는 "두 기운이 교감하여 만물의 정을 볼 수 있다"고 했으니, 성인이 유심히 감응하고 감응하여 마침내 통해서 작용이 이를 통해 행하는 것이 정(情)이다.

박문호(朴文鎬) 『경설(經說)-주역(周易)』

剛柔相應, 非止, 此卦而特於此言之者, 蓋剛柔或應或不應, 則不可謂之恒, 惟皆應然後, 可謂之恒也.
굳센 양과 부드러운 음이 서로 감응하니 그침이 아닌데, 이 괘에서 특별히 이곳에서 그친다고 말한 이유는 굳센 양과 부드러운 음이 어떤 때에는 감응하고 또 어떤 때에는 감응하지 않으니 항구하다고 말할 수 없고, 오직 모든 경우에 감응한 뒤에라야 항구하다고 말할 수 있기 때문이다.

終則有始, 程傳只蒙利有攸往釋之, 本義竝蒙上久於其道釋之, 以則字觀之, 本義似長.
끝나면 시작하니, 『정전』에서는 단지 가는 바가 있어 이롭다는 말로 풀이를 했고, 『본의』에서는 그 도에 오래도록 한다는 것도 함께 풀이했는데, '즉(則)'자를 통해 살펴보면 『본의』의 주장이 더 낫다.

---

25) 『周易 · 乾卦』: 彖曰, 大哉乾元! 萬物資始, 乃統天. 雲行雨施, 品物流形. 大明終始, 六位時成, 時乘六龍以御天. 乾道變化, 各正性命, 保合太和, 乃利貞. 首出庶物, 萬國咸寧.

박문호(朴文鎬) 『경설(經說)-주역(周易)』

柔上而剛下, 本義不以卦變爲主, 而歸之餘意者, 蓋咸男女之卦, 故以男女之剛柔爲正. 恒卦視此.
부드러운 음이 위에 있고 굳센 양이 아래에 있다는 것에 대해, 『본의』에서는 괘의 변화를 위주로 설명하지 않고 다른 뜻에 귀속시켰는데, 그 이유는 함괘는 남녀에 대한 괘이므로, 남녀의 굳셈과 부드러움을 올바름으로 삼았다. 항괘도 견주어 이와 같이 했다.

以量而容之, 則所容者有限, 擇合而受之, 則所不受者多, 故曰非聖人有感必通之道也.
헤아려서 수용한다면 수용할 것에 제한이 있지만, 합할 것을 가려서 받아들인다면 받아들이지 못하는 것이 많아지기 때문에, "성인이 감응함에 있어 반드시 통하는 도가 아니다"고 하였다.

이병헌(李炳憲) 『역경금문고통론(易經今文考通論)』

鄭曰, 與猶親也.
정현이 말하였다: '여(與)'자는 친애한다는 뜻이다.

程傳曰, 兌女在上, 艮男在下.
『정전』에서 말하였다: 태괘인 여자가 위에 있고, 간괘인 남자가 아래에 있다.

按, 自天地感至萬物之情可見矣三十二字, 聖人推卦辭以外之指而言, 象之言感人心者, 乃聖人微意, 三陰三陽, 實乾坤交感, 而謂從否泰來者, 下皆倣此.
내가 살펴보았다: '천지감(天地感)'부터 '만물지정가견의(萬物之情可見矣)'까지의 32자는 성인이 괘사에서 말하지 않은 뜻을 미루어서 말한 것이며, 단사에서 "사람의 마음에 감응한다"고 한 말은 성인의 은미한 뜻이며, 세 음과 세 양은 실로 건괘와 곤괘가 교감한 것인데, 비괘(否卦䷋)와 태괘(泰卦䷊)로부터 왔다고 했으니, 아래의 것들도 모두 이와 같다.

象曰, 山上有澤, 咸, 君子以, 虛受人.

「상전」에서 말하였다: 산위에 못이 있는 것이 함(咸)이니, 군자가 이를 본받아서 마음을 비워 사람을 받아들인다.

中國大全

傳

澤性潤下, 土性受潤, 澤在山上而其漸潤通徹, 是二物之氣相感通也. 君子觀山澤通氣之象, 而虛其中, 以受於人, 夫人中虛則能受, 實則不能入矣. 虛中者, 无我也, 中无私主則无感不通. 以量而容之, 擇合而受之, 非聖人有感必通之道也.

못[澤]의 성질은 아래를 적셔주고 흙의 성질은 적셔줌을 받아들이니, 못이 산 위에 있어서 점점 적셔주어 막힘없이 두루 통함은 두 물건의 기가 서로 느껴서 통하는 것이다. 군자가 산택이 기를 통하는 상을 관찰하고서 마음을 비워 다른 사람에게서 받아들이니, 사람이 마음을 비우면 받아들일 수 있고 마음이 가득 차면 받아들일 수 없다. 마음을 비우는 것은 나의 주장을 없애는 것이니, 마음에 사사로운 주장이 없으면 느낌에 통하지 않음이 없다. 헤아려서 수용하고 합할 것을 가려서 받아들이는 것은 성인이 느껴서 반드시 통하는 도가 아니다.

小註

朱子曰, 山上有澤, 當如伊川說, 水潤土燥, 有受之義. 上若不虛, 如何受得. 上兌下艮, 兌上缺, 有澤口之象, 兌下二陽畫, 有澤底之象, 艮上一畫陽, 有土之象, 下二陰畫中虛, 便是滲水之象.

주자가 말하였다: "산 위에 못[澤]이 있다"는 것은 마땅히 이천의 설과 같아야 하니, 물은 적셔주고 흙은 마르게 하므로 받아들이는 뜻이 있다. 위에서 만약 비어 있지 않다면 어찌 받아들일 수 있겠는가? 위가 태괘이고 아래가 간괘이니, 태괘의 위는 음으로 비어있어서 못의 입구인 상이 있고 태괘의 아래는 양효가 둘이 있어서 못의 바닥인 상이 있으며, 간괘의 위는 하나의 효가 양이어서 흙의 상이 있고 아래는 두 음효의 가운데가 비어있으니, 물에 잠기는 상이다.

○ 問, 程傳以量而容之, 莫是要著意容之否. 曰, 非也. 以量者, 乃是隨我量之大小以容之, 便是不虛了.
물었다: 『정전』에서 "헤아려서 수용한다"고 한 것은 뜻을 두어 용납해야 한다는 것이 아닙니까? 답하였다: 아닙니다. '헤아려서'란 곧 내 국량의 크고 작음에 따라 받아들이는 것이니, 곧 비어있지 않는 것입니다.

○ 中溪張氏曰, 水之性潤下, 土之性受潤. 土之中虛者, 則於潤无所不受, 心之中虛者, 則於人何所不容. 實則不能相入矣.
중계장씨가 말하였다: 물의 성질은 아래를 적시는 것이고 흙의 성질은 적셔줌을 받아들이는 것이다. 흙이 가운데가 비어있는 경우라면 적심에 받아들이지 않는 바가 없고, 마음이 비어있는 경우라면 사람들에 대해 받아들이지 않는 바가 무엇이겠는가? 가득 차 있다면 서로 들어 갈 수 없다.

本義

山上有澤, 以虛而通也.

산 위에 못이 있으니, 비움으로써 통한다.

小註

白雲郭氏曰, 山澤通氣而後, 萬物化生. 君子法之, 以虛受人, 唯虛故受, 受故能感. 不能感者, 以不能受故也, 不能受者, 以不能虛中故也.
백운곽씨가 말하였다: 산과 못이 기를 통한 뒤에 만물이 화생한다. 군자가 이를 본받아 비움으로써 사람을 받아들이니, 오직 비었기 때문에 받아들이고 받아들였기 때문에 느낄 수 있다. 느낄 수 없는 것은 받아들일 수 없기 때문이며, 받아들일 수 없는 것은 마음을 비울 수 없기 때문이다.

○ 建安丘氏曰, 山上有澤, 其中必虛, 虛則山澤之氣通, 而感應之理以生. 君子觀虛而能感之象, 而以虛受人. 人之一心, 其寂然不動, 感而遂通者, 虛故也. 苟以私意實之, 則先入者爲主, 而感應之機窒, 雖有至者, 皆捍之而不受矣. 故山以虛則能受澤, 心以虛則能受人.
건안구씨가 말하였다: 산 위에 못이 있으니 그 가운데가 반드시 비어있을 것이고, 비어있다

면 산과 못이 기를 통하여 감응하는 이치가 생겨날 것이다. 군자는 비어서 느낄 수 있는 상을 본받아 비움으로써 사람을 받아들인다. 사람의 한 마음이 고요히 움직이지 않다가 느껴서 마침내 통하는 것은 비어있기 때문이다. 만약 사사로운 뜻으로 채워있다면 먼저 들어온 것이 주인이 되어, 감응하는 기틀이 막혀 비록 이르는 것이 있더라도 모두 막아 받아들이지 않는다. 그러므로 산은 비움으로써 한다면 적심을 받을 수 있고, 마음은 비움으로써 한다면 다른 사람을 받아들일 수 있다.

○ 雲峯胡氏曰, 咸, 取无心之義, 以虛受人, 无心之感也. 上經首乾坤, 自强反諸己, 厚德施於人, 下經首咸恒, 虛以施於人, 立則反諸己.
운봉호씨가 말하였다: 함괘는 무심하다는 뜻을 취하였으니, "본받아서 비워 사람을 받아들인다[以虛受人]"는 것은 무심하게 느끼는 것이다. 상경에서 건괘와 곤괘를 맨 앞에 두었는데 '스스로 힘씀'26)은 자신에게서 돌이켜 보는 것이고 '두터운 덕'27)은 다른 사람에게 베푸는 것이며, 하경에서 함괘와 항괘(恒卦)를 맨 앞에 두었는데 '비움'은 이로써 사람들에게 베푸는 것이고 '섬'28)은 자신에게서 돌이켜 보는 것이다.

韓國大全

조호익(曺好益) 『역상설(易象說)』

土之體虛, 澤之性潤, 山上有澤, 以虛受潤之象. 君子法之, 虛其心而受於人.
흙의 몸체는 비어 있고 못의 성질은 적시는데, 산 위에 못이 있으니 빈 것으로 적심을 받아들이는 상이다. 군자가 그것을 본받아 마음을 비워서 남을 받아들이는 것이다.

송시열(宋時烈) 『역설(易說)』

澤在山上, 是山之在下而受澤木也. 君子以之, 蓋此卦綜則爲震巽爲恒. 初之拇三之股, 亦以震足巽股言之. 艮兌震巽配合於先後天之位, 故其綜爲恒, 蓋在初, 故言拇, 互

---

26) 『周易 · 乾卦』: 象曰, 天行, 健, 君子以, 自彊不息
27) 『周易 · 坤卦』: 象曰, 地勢坤, 君子以, 厚德, 載物.
28) 『周易 · 恒卦』: 象曰, 雷風, 恒, 君子以, 立不易方.

巽, 故言股, 見下.
못이 산 위에 있는 것은 산이 아래에 있어서 못과 나무를 받아들이는 것이다. 군자가 이것을 본받는 것은 함괘가 거꾸로 된 괘는 진괘와 손괘가 되어 항괘(恒卦䷟)가 되기 때문이다. 초효의 발가락과 삼효의 넓적다리 또한 진괘의 발과 손괘의 넓적다리로 말한 것이다. 간괘·태괘·진괘·손괘는 선천과 후천의 자리에 짝하기 때문에 거꾸로 된 괘는 항괘가 되는데, 초효에 있기 때문에 발가락을 말했고 호괘인 손괘이기 때문에 넓적다리를 말했으니, 아래에 나온다.

이만부(李萬敷) 「역통(易統)·역대상편람(易大象便覽)·잡서변(雜書辨)」

納諫.
간언을 받아들임.

傳曰, 澤性潤下, 土性受潤, 澤在山上, 而其漸潤通徹, 是二物之氣相感通也. 君子觀山澤通氣之象, 而虛其中, 以受於人, 夫人虛中則能受, 實則不能入矣. 虛中者, 无我也, 中无私主則无感不通. 以量而容之, 擇合而受之, 非聖人有感必通之道也.
『정전』에서 말하였다: 못의 성질은 아래를 적시고 흙의 성질은 적심을 받아들이니, 못이 산 위에 있어서 점점 적셔주어 두루 통함은 두 사물의 기운이 서로 감응하여 통하는 것이다. 군자가 산과 못이 기를 통하는 상을 관찰하고, 마음을 비워서 남을 받아들이니, 사람이 마음을 비우면 받아들일 수 있고 마음을 가득 채우면 들일 수가 없다. 마음을 비우는 것은 나를 주장함이 없는 것이며, 마음에 사사로운 주장이 없으면, 감응하여 통하지 않음이 없다. 헤아려서 수용하고 합할 것을 가려서 받아들이는 것은 성인이 감응함에 반드시 통하는 도가 아니다.

本義曰, 山上有澤, 以虛而通也.
『본의』에서 말하였다: 산 위에 못이 있으니, 비움으로써 통한다.

臣謹按, 傅說曰木從繩則直, 后從諫則聖, 蓋自古以來, 未有受諫而不興, 拒諫而不亡者. 考之前史, 如持左契, 宜爲之鑑戒焉. 然其所以受諫者, 又若先立私意, 擇其合於意者而聽之, 且雖有不合而矯情應副, 實不渙然察納, 則徒有容言之名, 而無致效之實, 此所以虛受爲戒者, 如所謂有言逆于汝心, 必求諸其道, 有言遜于汝心, 必求諸非其道者, 是也. 講學之道, 亦莫如虛受, 而於納諫尤切, 故敢以此次于侍講之下焉.
신이 삼가 살펴보았습니다: 부열은 "나무가 먹줄을 따르면 곧고, 임금이 간언을 따르면 성인이 됩니다"[29)]라고 했는데, 예로부터 간언을 받아들이고도 흥성하지 않고, 간언을 막고도 망하지 않은 자가 없었습니다. 역사를 통해 상고하여, 부신처럼 지니며 마땅히 거울처럼 경계로 삼아야 합니다. 그런데 간언을 받아들임에 있어서, 또한 먼저 자신의 개인적인 뜻을 세우고 그 뜻에 부합되는 것만 가려서 들으며, 또 비록 부합되지 않은 것이 있지만 뜻을 억눌러 호응하여 실제로 확연하게 살펴본 뒤에 받아들이지 않는다면, 다만 잘 꾸민 말의 허명만 있고 효과가 있는 실질은 없게 될 것이니, 이것은 마음을 비우고 받아들이는 것을 경계로 삼은 것으로, 마치 "말이 당신의 마음을 거스르거든 반드시 도에서 찾고, 말이 당신의 뜻에 공손히 따르거든 반드시 도가 아닌 것에서 찾으소서"[30]라고 한 말에 해당합니다. 강학의 도 또한 마음을 비우고 받아들임만 같은 것이 없고, 간언을 받아들이는 일에 있어서 더욱 간절하기 때문에, 이러한 뜻을 시강(侍講) 아래에 두고자 합니다.

○ 又按, 凡有國之急於求賢何也. 將以有爲也. 使其君爲堯舜之君, 使其民爲堯舜之民, 以之新其邦而永其命, 乃賢人君子之志願. 而上所以用之者, 無得以自致而自盡, 則所謂賢人君子, 亦未嘗少枉以求合, 寧以枯死草莽爲安, 苟然初不如不求之爲愈也. 今若廣詢博訪盡禮推誠如上所陳, 而果得其人, 察道德之大小學業之淺深材幹之所宜, 或處以輔弼之重, 或寘之勸講之任, 或委以耳目之寄, 使各盡所學, 則其於國家之事, 豈少補哉. 此三章尤宜深留聖意焉.
또 살펴보았습니다: 국가에 있어서 현명한 자를 구하는 일이 시급한 이유는 어째서입니까? 장차 큰 일을 하고자 함입니다. 임금을 요순과 같은 임금으로 만들어야 하고 백성들을 요순 시대의 백성처럼 만들어서, 이를 통해 그 나라를 새롭게 하고 천명을 영원토록 해야만, 현명한 자와 군자가 뜻을 지녀 지원을 합니다. 그러나 위정자가 그들을 등용함에 스스로 성심을 다하지 않는다면, 현명한 자와 군자는 또한 일찍이 조금이라도 굽혀서 합치되기를 구한 적이 없고, 차라리 고목이 시들 듯이 초야에 묻혀 사는 것을 편안하게 여겨서, 애초부터 구하지 않는 것이 더 나음만 못합니다. 현재 앞서 진술한 것처럼 널리 묻고 널리 찾으며, 예를 다하고 성심을 미루어서 그에 걸맞은 사람을 얻어 도덕의 크기와 학업의 깊이와 재능함의 합당함을 살펴, 어떤 자는 보필하는 중책을 맡고 어떤 이는 강학의 임무를 맡으며, 어떤 자는 눈과 귀가 되어 그들로 하여금 배운 것을 다 펼치도록 한다면, 국가를 다스리는 일에 있어서 어찌 작은 보탬이 된다 하겠습니까? 이곳 세 장의 뜻을 임금의 뜻에 더욱 깊이 머물게 하소서.

이익(李瀷) 『역경질서(易經疾書)』

澤者, 水之渟, 山者, 地之高. 山上有澤, 非虛不能也. 山虛而渟水, 水下而潤山, 所以

29) 『書經 · 說命上』: 說復于王曰, 惟木從繩則正, 后從諫則聖, 后克聖, 臣不命其承, 疇敢不祗若王之休命.
30) 『書經 · 太甲下』: 有言逆于汝心, 必求諸道. 有言遜于汝志, 必求諸非道.

爲感.

못은 물이 고인 것이고, 산은 땅 중에서도 높은 것이다. 산 위에 못이 있는 것은 비지 않는다면 할 수 없다. 산이 비어서 물을 모으고 물이 밑으로 흘러 산을 적시니, 감응하는 이유이다.

심조(沈潮) 「역상차론(易象箚論)」

艮爲土, 兌爲口, 故咸字從戌從口. 又艮手也, 兌口也, 手與口皆受物底物事, 故曰虛受. 就人身取象, 故下人字. 六爻亦多人字.

간괘는 흙이 되고 태괘는 입이 되기 때문에, 함(咸)자는 술(戌)자와 구(口)자로 구성되어 있다. 또 간괘는 손이고 태괘는 입인데, 손과 입은 모두 사물을 받아들이는 것들이기 때문에, "마음을 비워서 받아들인다"라고 했다. 신체에서 상을 취했기 때문에 그 뒤에 인(人)자를 썼다. 여섯 효에도 또한 대부분 인(人)자가 기록되어 있다.

김상악(金相岳) 『산천역설(山天易說)』

山以虛則能受澤, 心以虛則能受人.

산이 비움으로써 한다면 못을 받아들일 수 있고, 마음이 비움으로써 한다면 남을 받아들일 수 있다.

김규오(金奎五) 「독역기의(讀易記疑)」

大象虛受, 主艮而言也. 艮又二體之主也. 是以爻皆靜吉而動凶.

「대상전」에서 비워서 받아들인다고 한 말은 간괘를 위주로 한 말이다. 간괘는 또한 두 몸체의 주인이다. 이러한 까닭으로 효에서는 모두 고요함이 길하고 움직임이 흉하다고 한 것이다.

윤행임(尹行恁) 『신호수필(薪湖隨筆)·역(易)』

長白山之上有澤甚鉅, 雨而不加盈, 旱而不少縮. 聖人觀象於澤山, 而爲之辭曰虛受人, 聖人之言無往不實類如此.

장백산 위에 못이 있는데 깊고 커서, 비가 내리더라도 넘치지 않고 가물더라도 줄어들지 않는다. 성인은 못과 산의 상을 살펴보고 "비워서 남을 받아들인다"고 했으니, 성인의 말은 어디에서나 실질되지 않은 것이 없으니, 대체로 이와 같다.

서유신(徐有臣) 『역의의언(易義擬言)』

崑崙有星宿海, 太華有玉女盆. 我東白頭山有大澤, 太白山有黃池, 漢拏山有白鹿潭, 堪輿書謂太山之上必有池云爾. 山至實之物, 而以其有空虛處, 故能受澤. 相受所以相感通, 君子亦實而虛以受人.
곤륜산에는 성숙해가 있고, 태화산에는 옥녀분이 있다. 우리나라에는 백두산에 대택이 있고, 태백산에 황지가 있으며, 한라산에는 백록담이 있으니, 풍수에 관한 책에는 "큰 산 위에는 반드시 못이 있다"고 했다. 산은 지극히 꽉 찬 사물이지만 빈 공간이 있기 때문에 못을 받아들일 수 있다. 서로 받아들이는 것은 서로 감응하고 소통하는 방법이므로, 군자는 또한 채우면서도 비워서 남을 받아들인다.

박문건(朴文健) 『주역연의(周易衍義)』

虛其體而受水者, 相感之道也, 故君子以之虛其心而受人也.
몸체를 비워서 물을 받아들이는 것은 서로 감응하는 도이기 때문에, 군자는 그것을 본받아 마음을 비워서 남을 받아들인다.

이지연(李止淵) 『주역차의(周易箚疑)』

虛者, 我也, 人者, 他也. 器不虛, 則不能盛物, 人不虛, 則不能受善, 故凡驕而滿者, 无容物之量. 人之虛己, 如艮土之虛中而受澤水, 則其相感可知也.
비우는 것은 나이고 인(人)은 남이다. 기물이 비어 있지 않으면 사물을 채울 수 없고, 사람이 비우지 않으면 선함을 받아들일 수 없기 때문에, 교만하고 가득 찬 자들은 남을 포용할 수 있는 도량이 없다. 사람이 자신을 비우는 것을 간괘의 흙이 가운데를 비워서 못의 말을 받아들임과 같게 한다면, 서로 교감하게 됨을 알 수 있다.

김기례(金箕澧) 『역요선의강목(易要選義綱目)』

君子以, 虛受人.
군자가 그것을 본받아 마음을 비워 사람을 받아들인다.

咸卽无心之感字, 若有心則如茅之塞, 不能受道, 又不能受感, 何以感而遂通乎. 如澤在山上, 土燥而受潤, 二氣通而萬物化生也.
함(咸)은 심(心)자가 없는 감(感)자이니, 만약 마음이 있다면, 띠풀로 가린 것과 같아서 도를 받아들일 수 없고, 또 감응함도 받아들일 수 없는데, 어떻게 감응하여 마침내 통하겠는가? 못이 산 위에 있고 흙이 말라서 적심을 받아들임과 같아야만 두 기운이 소통하여 만물이 화생한다.

심대윤(沈大允) 『주역상의점법(周易象義占法)』

我虛則受, 人虛則入, 君子兼是二者, 故曰山上有澤. 虛而入者, 在人而不專在我, 不可以也, 故獨言虛受人也. 對离虛, 艮受, 乾人.
내가 비우면 받아들이고 남이 비우면 들어가니, 군자는 이 두 가지를 겸하고 있기 때문에 "산 위에 못이 있다"고 했다. 비우면 들어가는 것은 남에게 달려 있지 전적으로 나에게만 달려 있는 것이 아니니, 이것을 본받을 수 없기 때문에, "비워서 남을 받아들인다"고 하였다. 음양이 바뀐 리괘의 비움는 비움이고 간괘는 받아들임이며, 건괘는 남이다.

이진상(李震相) 『역학관규(易學管窺)』

三陰在外, 虛也. 三陽在內, 人也. 澤虛艮止, 故有受人之象.
세 음이 밖에 있으니 비움이다. 세 양이 안에 있으니 남이다. 못이 비우고 간괘가 그치기 때문에 남을 받아들이는 상이 있다.

박문호(朴文鎬) 『경설(經說)-주역(周易)』

凡大象之竝取二象, 以上下言者, 是竪說也. 以相與言者, 是横說也.
「대상전」에서 두 상을 취하여 위나 아래로 말한 것은 세로로 말한 것이고, 서로 함께 하는 것으로 말한 것은 가로로 말한 것이다.

以虛而通, 言澤虛, 故氣與山通.
비워서 통함을 가지고 못이 빈 것을 뜻하기 때문에 기운이 산과 소통한다.

이병헌(李炳憲) 『역경금문고통론(易經今文考通論)』

本義曰, 山上有澤, 以虛而通也.
『본의』에서 말하였다: 산 위에 못이 있으니 비움으로써 통한다.

荀子曰, 心何以知, 曰虛壹而靜.
순자가 말하였다: 마음은 어떻게 아는가? 비고 한결같아 고요하기 때문이다.[31]

---

31) 『荀子 · 解蔽』: 人何以知道. 曰心. 心何以知. 曰虛壹而靜. 心未嘗不臧也.

初六, 咸其拇.

초육은 그 발가락에서 느낀다.

中國大全

傳

初六, 在下卦之下, 與四相感, 以微處初, 其感未深, 豈能動於人. 故如人拇之動, 未足以進也. 拇, 足大指. 人之相感, 有淺深輕重之異, 識其時勢, 則所處不失其宜矣.

초육은 하괘의 가장 아래에 있어서 사효와 서로 느끼지만 미천함으로써 초효에 있으므로 그 느낌이 깊지 않으니, 어떻게 다른 사람을 감동시키겠는가? 그러므로 사람의 발가락이 움직이는 것과 같아 충분히 나아가지 못한다. '무(拇)'는 발의 엄지발가락이다. 사람이 서로 느낌은 얕고 깊음과 가볍고 무거움의 차이가 있으니, 때와 형세를 알면 처신하는 바에 마땅함을 잃지 않을 것이다.

本義

拇, 足大指也. 咸以人身取象, 感於最下, 咸拇之象也. 感之尙淺, 欲進未能, 故不言吉凶. 此卦, 雖主於感, 然六爻皆宜靜而不宜動也.

'무(拇)'는 발의 엄지발가락이다. 함괘는 사람의 몸을 가지고 상을 취하였으니, 가장 아래에서 느낌은 발가락에서 느끼는 상이다. 느낌이 아직 얕아서 나아가고자 하지만 할 수가 없기 때문에, 길(吉)과 흉(凶)을 말하지 않았다. 이 괘는 비록 느낌을 위주로 하지만, 여섯 효가 모두 고요함을 마땅히 하고 움직임을 마땅하게 하지 않는다.

小註

藍田呂氏曰, 初與四應, 四以心感, 而初以足行. 不曰足而曰拇者, 以陰居下, 靜而未行, 蓋心感而跡未應也.

남전여씨가 말하였다: 초효와 사효는 호응하는데, 사효는 마음으로 느끼고 초효는 발로 간 것이다. 발[足]이라고 말하지 않고 '엄지발가락[拇]'이라고 말한 것은 음이 아래에 있어서 조용하면서 가지 않으니, 마음은 느끼면서도 자취는 아직 응하지 않았기 때문이다.

○ 厚齋馮氏曰, 九四心之象, 咸之主也. 下體自拇而腓, 腓而股, 皆聽命於心, 而初六正應九四, 則尤爲所感之專者. 特去四尙歷三爻, 視腓之近以爲行, 故未有吉凶. 吉凶, 生乎動者也.

후재풍씨가 말하였다: 구사는 마음의 상이니, 함괘의 주인이다. 하체는 엄지발가락부터 장딴지까지이다. 장딴지부터 넓적다리까지는 모두 마음으로부터 명령을 받지만, 초육은 구사와 정응하니 더욱 느끼는 바가 전일한 것이다. 다만 사효와의 거리는 오히려 세 효를 지나야 하므로 장딴지가 가까운 것에 비하여 더 가야 하기 때문에 아직 길과 흉이 없다. 길과 흉은 움직이는 데에서 생긴다.

○ 雙湖胡氏曰, 拇, 只取下體初象. 解九四解而拇, 亦指初也. 嘗觀文王於兩體重在三上兩爻, 以男女之正取婚姻之象, 周公於六爻, 又自以人身取象, 以四當心位爲感之主, 絶无卦辭之意, 卦爻不同如此. 使爻辭皆作於文王, 必互相發明矣.

쌍호호씨가 말하였다: '무(拇)'는 단지 하체 초효의 상에서 취하였다. 해괘(解卦䷧) 구사의 효사에서 "너의 엄지발가락을 풀라"[32]고 하였는데, 여기서의 엄지발가락도 초효를 가리킨다.[33] 일찍이 문왕이 두 몸체에 대해서 중요함을 삼효와 상효인 두 효에 두고서 남녀의 바름을 가지고서 혼인의 상을 취하였고, 주공은 여섯 효에 대해서 또 스스로 사람의 몸을 가지고서 상을 취하여 사효가 마음의 자리에 해당하기 때문에 느낌의 주인이라고 여겼던 것을 살펴보면, 절대로 괘사의 뜻이 없으니, 괘사와 효사가 같지 않음이 이와 같다. 가령 효사가 모두 문왕에게서 지어졌다고 한다면, 반드시 서로 뜻을 밝혀 주었을 것이다.

○ 雲峯胡氏曰, 咸恒初爻, 皆淺之地. 咸拇, 感之未深, 而艮性能止, 故不言吉凶. 恒初未可求深, 而巽性善入, 雖貞亦凶, 淺深輕重異, 宜學易者信不可不知時也.

운봉호씨가 말하였다: 함괘와 항괘(恒卦䷟)의 초효는 모두 미천한 곳이다. 함괘에서의 '엄지발가락'은 느낌이 깊지 않고 간괘의 성질은 그칠 줄 알기 때문에 길과 흉을 말하지 않았다. 항괘의 초효는 구하기를 깊게 할 수가 없고 손괘의 성질은 들어오기를 잘하기 때문에 비록 곧더라도 또한 흉하니, 얕음과 깊음, 가벼움과 무거움이 다르므로 마땅히 『주역』을

---

32) 『周易 · 解卦』: 九四, 解而拇, 朋至, 斯孚.

33) 『傳義 · 解卦』: 拇, 在下而微者, 謂初也. 『本義 · 解卦』: 拇, 指初.

배우는 자는 진실로 때를 알지 않아서는 안 된다.

韓國大全

조호익(曺好益)『역상설(易象說)』

雙湖曰, 拇, 只取下體初象.
쌍호호씨가 말하였다: '무(拇)'는 단지 하체 초효의 상에서 취하였다.

愚謂, 震爲足, 艮震之反, 亦有拇之象.
내가 살펴보았다: 진괘(震卦☳)는 발이 되고, 간괘(艮卦☶)는 진괘의 반대이므로, 또한 발가락의 상이 있다.

○ 本義似不取相應, 泛論感應之義, 三爻皆然.
『본의』는 아마도 서로 호응한다는 뜻을 취하지 않고, 감응하는 뜻을 일반적으로 논의한 것 같으니, 세 효에 대해서 모두 이러하다.

송시열(宋時烈)『역설(易說)』

拇者, 足之大指也. 艮震相錯, 如離之初爻, 然以震足言也, 足將動, 四爻爲應而在於外卦, 故小象云志在外也. 凡自初以上, 一身上下俱, 是感動意.
'무(拇)'는 발 중에서도 엄지발가락이다. 간괘와 진괘가 뒤섞였으니, 리괘의 초효와 같지만, 진괘의 발을 통해 말한 것이며, 발이 움직이려고 하면 사효가 호응하는데 외괘에 있기 때문에, 「소상전」에서는 "뜻이 바깥에 있다"고 하였다. 초효로부터 그 이상은 한 몸의 위아래가 모두 갖춰져 있으니, 이것은 느끼어 움직이는 뜻이 된다.

이익(李瀷)『역경질서(易經疾書)』

初不言吉, 凶於二可見. 二之腓感則凶, 居則吉, 況初之拇[34]乎. 二五雖正應, 二陰而五陽, 陽先於陰理也. 二不先動而待五之來感, 則順於理也. 順不害者, 謂不害其爲順也.

初之於四亦然. 志在外者, 戒之之辭, 其凶可知.
초효에서는 길함을 언급하지 않았는데, 흉함은 이효에서 볼 수 있다. 이효의 장딴지에서 느끼게 되면 흉하고, 그대로 있으면 길한데, 하물며 초효의 발가락에 있어서는 어떻겠는가? 이효와 오효는 비록 정응이지만, 이효는 음이고 오효는 양이며, 양이 음보다 앞서는 것은 이치이고, 이효가 먼저 움직이지 않고 오효가 찾아와 느끼길 기다린다면, 이치에 따르는 것이다. "순리대로 하면 해롭지 않다"는 말은 순리에 따르는 것이 해롭지 않다는 의미이다. 초효와 사효의 관계 또한 이와 같다. "뜻이 바깥에 있다"는 말은 경계하는 말이니, 흉함을 알 수 있다.

유정원(柳正源) 『역해참고(易解參攷)』

正義: 初應在四, 俱處卦始, 爲感淺末, 取譬一身, 在於足指而已.
『주역정의』에서 말하였다: 초효의 호응함은 사효에 달려 있는데, 모두 괘의 처음에 있어 느낌이 옅고 짧으니, 한 몸에서 비유를 든다면 발가락에 있는 것일 뿐이다.

○ 雙湖胡氏曰, 林黃中謂艮爲指, 初在下體之下, 拇象. 然於他卦无艮而稱拇, 多不通.
쌍호호씨가 말하였다: 임황중은 간괘는 손가락을 가리키는데, 초효는 하체의 밑에 있어서 발가락의 상이라고 했다. 그러나 다른 괘에서는 간괘가 없는데도 발가락을 지칭한 것이 있으니, 대체로 뜻이 통하지 않는다.

김상악(金相岳) 『산천역설(山天易說)』

拇, 足大指也. 初以陰居艮之下, 與四爲應, 四互巽體而不交, 其感尙淺, 故有咸其拇之象. 不言吉凶, 止於下而不進也.
'무(拇)'는 발의 엄지발가락이다. 초효는 음으로 간괘의 밑에 있고, 사효와 호응을 하며, 사효는 호괘인 손괘의 몸체가 되어 사귀지 않으니, 느끼는 것이 오히려 얕기 때문에 발가락에서 느끼는 상이 있다. 길흉을 언급하지 않은 것은 밑에서 멈추어 나아가지 않기 때문이다.

初分拇也. 巽股在上, 故初二三之取象, 各差一位. 咸爲人道之始, 人生於艮之寅, 故皆取象於人身也. 咸則有應而動, 故曰咸其拇. 艮則无應而止, 故曰艮其趾. 二則皆以隨物爲腓, 而艮之腓隨三之限而止, 咸之股隨下之足而動也. 五曰咸其脢, 卽艮之背也. 上曰咸其輔頰舌, 亦艮之輔也. 咸以二少相感成卦, 六爻以陰陽相應爲象, 而初之拇先四

34) 拇: 경학자료집성DB와 영인본에는 '悔'로 되어 있으나, 문맥에 따라 '拇'로 바로잡았다.

之思, 二之腓先五之脢, 三之股先上之輔, 皆不得感道之正, 故陽悔吝而陰凶. 朱子曰, 六爻皆宜靜而不宜動, 是也. 蓋艮爲山之止, 兌爲水之止, 故雖主於感, 不可以先動也.
초효의 분수는 발가락이다. 손괘의 넓적다리는 위에 있기 때문에 초효 · 이효 · 삼효에서 상을 취함에 각각 한 등급의 차등이 있다. 함괘는 인도의 시작이고, 사람은 간괘인 인(寅)에서 생겨나기 때문에, 모두 사람의 몸에서 상을 취했다. 함괘의 경우는 느끼는 것이 있어서 움직이기 때문에 "발가락에서 느낀다"고 하였다. 간괘의 경우는 호응함이 없어서 그치기 때문에 "발꿈치에서 멈춘다"[35]고 하였다. 두 괘의 경우 두 괘 모두 사물에 따라 움직임을 장딴지로 여겼는데, 간괘의 장딴지는 삼효의 한계에 따라서 멈추고,[36] 함괘의 넓적다리는 아래의 발을 따라서 움직인다. 오효에서는 "등살에서 느낀다"라고 했으니, 간괘의 등에 해당한다. 상효에서는 "볼과 뺨과 혀에서 느낀다"고 했으니, 이 또한 간괘의 볼에 해당한다. 함괘는 막내아들과 막내딸이 서로 느끼는 것으로 괘를 이루고, 여섯 효는 음양이 서로 호응하는 것을 상으로 삼았는데, 초효의 발가락은 사효의 생각함보다 앞서고, 이효의 장딴지는 오효의 등살보다 앞서며, 삼효의 넓적다리는 상효의 볼보다 앞서니, 이 모두는 느끼는 도의 올바름을 얻지 못했기 때문에, 양은 뉘우치고 부끄러우며 음은 흉하다. 주자가 "여섯 효는 마땅히 고요해야 하며, 움직여서는 안 된다"고 한 말에 해당한다. 간괘는 산의 그침이 되고 태괘는 물의 그침이 되기 때문에, 비록 느끼는 것 위주로 하지만 먼저 움직일 수 없다.

김규오(金奎五) 「독역기의(讀易記疑)」

初六雙湖說使爻辭作於文王, 必互相發明.
초육에 대해 쌍호호씨가 말하였다: 가령 효사가 모두 문왕에게서 지어졌다고 한다면, 반드시 서로 뜻을 밝혀 주었을 것이다.

按, 同是周公所作, 然屯初豫四本爻自好, 而二五乘之則爲難爲疾, 頤初本爻自凶, 而六四下視則爲賢爲吉, 易道之變如是. 卦辭之統言, 爻辭之偏言, 體例懸殊, 其可謂周公異於文王而然耶. 況四爲主爻而貞吉云云, 卽卦辭利貞, 何可謂絶无卦辭之意耶.
내가 살펴보았다: 이것은 모두 주공이 지은 것인데, 준괘(屯卦䷂)의 초효와 예괘(豫卦䷏)의 사효는 본래의 효 자체가 좋은 것이지만, 이효와 오효가 타고 있어서 어려움[37]과 병[38]이 되며, 이괘(頤卦䷚)의 초효는 본래의 효 자체가 흉하지만,[39] 육사가 아래로 살펴보면 현명

35) 『周易 · 艮卦』: 初六, 艮其趾, 无咎, 利永貞.
36) 『周易 · 艮卦』: 九三, 艮其限, 列其夤, 厲薰心.
37) 『周易 · 屯卦』: 象曰, 六二之難, 乘剛也, 十年乃字, 反常也.
38) 『周易 · 豫卦』: 六五, 貞疾, 恒不死.

함이 되며 길함이 되니,[40] 역의 도가 변화되는 것이 이와 같다. 괘사는 통괄적으로 말했고 효사는 치우쳐 말했으니, 체례가 현격히 다른데, 주공이 작성한 것이 문왕이 작성한 것과 달라서 그랬다고 할 수 있겠는가? 하물며 사효는 주인이 되는 효이고, 곧으면 길하다고 말한 것들이 괘사에서 "곧음이 이롭다"고 한 것에 해당하는데, 어떻게 결코 괘사의 뜻이 없다고 할 수 있겠는가?

서유신(徐有臣)『역의의언(易義擬言)』

外指九四也. 志在外者, 欲行也.

'외(外)'는 구사를 가리킨다. "뜻이 바깥에 있는 것이다"는 가고자 함이다.

서유신(徐有臣)『역의의언(易義擬言)』

拇, 足指也. 初六感於四而動, 故曰咸其拇. 感而動者, 拇也. 拇之動, 感之初也. 吉凶悔吝, 惟在所感如何耳.

'무(拇)'는 발가락이다. 초육은 사효에 느껴서 움직이기 때문에 "발가락에서 느낀다"고 하였다. 느껴서 움직이는 것은 발가락이다. 발가락이 움직이는 것은 느끼는 초기에 해당한다. 길흉과 뉘우침 및 부끄러움은 오직 느끼는 것이 어떠하냐에 달려 있을 뿐이다.

박제가(朴齊家)『주역(周易)』

拇字, 當從足爲(足+母)

무(拇)자는 마땅히 족(足)자를 부수로 한 무(踇)자가 되어야 한다.

윤행임(尹行恁)『신호수필(薪湖隨筆)·역(易)』

遠取諸物, 如乾龍坤馬之類. 近取諸身, 如賁趾咸拇之類. 所謂說卦取象, 不免猥雜. 愚意竊以爲說卦猥雜之文, 非夫子之書, 卽秦漢間傅會之作也.

멀리 사물에서 취한 것은 건괘의 용과 곤괘의 말과 같은 부류이다. 가까이 몸에서 취한 것은 비괘의 발꿈치와 함괘의 발가락과 같은 부류이다. 이른바 괘를 설명하며 상을 취함이 난잡함을 벗어나지 못한다고 하는데, 내가 생각하기에, 괘를 설명하며 난잡한 문장들은 공자의

---

39)『周易·頤卦』: 初九, 舍爾靈龜, 觀我朶頤, 凶.

40)『周易·頤卦』: 六四, 顚頤, 吉, 虎視眈眈, 其欲逐逐, 无咎.

기록이 아니며, 진나라와 한나라 사이에 견강부회한 기록이다.

박문건(朴文健) 『주역연의(周易衍義)』

志在正應, 故有咸拇之象. 拇, 足大指也.
뜻이 정응에 있기 때문에, 발가락에 느끼는 상이 있다. '무(拇)'는 발 중에서도 엄지발가락이다.
〈問, 拇腓股脢輔頰舌之取義. 曰, 此皆以爻之上下取象也. 拇腓股取上行之義, 脢取處僻之義, 輔頰舌取盡言之義也.
물었다: 발가락 · 장딴지 · 넓적다리 · 등살 · 볼 · 뺨 · 혀는 어떤 의미를 취한 것입니까?
답하였다: 이것들은 모두 효의 위치에 따라 상을 취한 것입니다. 발가락 · 장딴지 · 넓적다리는 위로 간다는 뜻을 취했고, 등살은 피신한다는 뜻을 취했으며, 볼 · 뺨 · 혀는 말을 다한다는 뜻을 취했습니다.〉

〈○ 問, 咸艮皆取人身之象何. 曰, 咸艮有肖人形, 故六爻之內多取人身之義也, 如剝之取牀象也.
물었다: 함괘와 간괘가 모두 사람에게서 상을 취한 이유는 무엇입니까?
답하였다: 함괘와 간괘에는 사람을 닮은 형상이 있기 때문에, 여섯 효 내에서는 대부분 사람의 뜻을 취했으니, 박괘(剝卦䷖)가 평상의 상을 취한 것과 같습니다.〉

이지연(李止淵) 『주역차의(周易箚疑)』

栂之爲物, 在下者也. 心有欲行之心而後, 栂乃應而感之, 此則在下者, 不待在上之心而先感, 所謂心不動, 足先動者也. 獨先安往.
발가락이라는 것은 밑에 달려 있는 부위이다. 마음에 가고자 하는 마음이 생긴 뒤에라야 발가락도 호응하여 느끼게 되는데, 초효는 밑에 있는 것이 위에 있는 마음을 기다리지 않고 먼저 느낀 것이니, 이른바 마음이 움직이지 않는데, 발이 먼저 움직인 경우이다. 홀로 먼저 한다면 어떻게 가겠는가?

김기례(金箕澧) 『역요선의강목(易要選義綱目)』

足大指曰拇. 初在下而微, 故曰拇.
발 중에서도 엄지발가락을 '무(拇)'라고 부른다. 초효는 아래에 있고 미약하기 때문에 '엄지발가락'이라고 말했다.

○ 九四有心感初, 初以陰居下, 靜而不行, 故不取足而取拇者, 以其心動而跡未動也.
구사는 마음이 있어 초효와 감응하는데, 초효는 음으로 밑에 있고, 고요하여 가지 않기 때문에, 발에서 상을 취하지 않고 발가락에서 취했으니, 마음은 움직이지만 발이 움직이지 않기 때문이다.

○ 六爻皆宜靜.
여섯 효는 마땅히 고요해야 한다.

심대윤(沈大允) 『주역상의점법(周易象義占法)』

感應之理, 同氣相求, 同聲相應, 咸之道, 貴乎精一感應也. 不可用心以强求, 亦不可無精而漫應也. 咸之爻位, 居剛, 有心而求感者也, 居柔, 無心而相應者也.
감응하는 이치는 기운이 같아서 서로 구하고, 소리가 같아서 서로 응하니, 함괘의 도는 정일하게 감응함을 귀하게 여긴다. 마음을 써서 억지로 해서는 안 되고, 또한 정일함이 없이 태만하게 호응해서도 안 된다. 함괘의 효 자리에서 굳센 양의 자리에 있는 것은 마음이 있어서 느끼는 자를 찾는 것이고, 부드러운 음의 자리에 있는 것은 무심하게 서로 호응하는 것이다.

咸之革䷰, 去故也. 咸之道, 虛其中, 然後能入, 有革變之義. 初六居剛, 求感于四, 而爲三所隔, 才柔居初, 未見感動之跡, 如足拇之動而不能離其所, 故曰咸其拇. 拇, 足大指也, 取在下而動之象.
함괘가 혁괘(革卦䷰)로 바뀌었으니, 옛것을 제거하는 것이다. 함괘의 도는 가운데를 비운 뒤에라야 들어갈 수 있으니, 변혁의 뜻이 있다. 초육은 굳센 양의 자리에 있으면서 사효와 느끼기를 구하지만 삼효에게 막히며, 재질은 부드러운 음인데 초효에 있어서, 느껴서 움직이는 자취를 보이지 못하니, 발의 엄지발가락이 움직이지만 그곳을 떠날 수 없음과 같기 때문에, "발가락에서 느낀다"고 하였다. '무(拇)'는 발의 엄지발가락이니, 아래에 있으면서 움직이는 것에서 상을 취했다.

이진상(李震相) 『역학관규(易學管窺)』

艮爲身而初居最下, 故取拇象. 未能進, 故不言足. 志已動, 故特言拇. 震爲足, 而離附震下, 變離有拇象, 解體亦然.
간괘는 몸이 되고 초효는 가장 밑에 있기 때문에 발가락의 상을 취했다. 아직 나아갈 수 없기 때문에 발이라고 하지 않았다. 뜻은 이미 움직이기 때문에 특별히 발가락이라고 말했다. 진괘는 발이 되지만 리괘가 진괘 밑에 붙어 있고, 변한 리괘에는 발가락의 상이 있으니, 해괘의 몸체가 또한 이와 같다.

박문호(朴文鎬) 『경설(經說)-주역(周易)』

天下之物, 皆以形入, 惟風以氣入, 故無堅不入, 雖水土金石之中, 亦能入焉. 故云巽爲入.
천하의 사물들은 모두 형체를 가지고 들어가지만, 오직 바람만 기운을 통해 들어가기 때문에, 견고하다고 하여 들어가지 못하는 경우가 없으니, 비록 물 · 흙 · 쇠 · 돌 속이라도 들어갈 수 있다. 그렇기 때문에 "손괘는 들어감이 된다"고 했다.

이병헌(李炳憲) 『역경금문고통론(易經今文考通論)』

鄭曰, 拇, 足大指也.
정현이 말하였다: '무(拇)'는 발의 엄지발가락이다.

象曰, 咸其拇, 志在外也.

「상전」에서 말하였다: "그 발가락에서 느낌"은 뜻이 바깥에 있는 것이다.

中國大全

傳

初志之動, 感於四也, 故曰在外. 志雖動而感未深, 如拇之動, 未足以進也.

초효의 뜻이 움직여 사효에 대해 느끼기 때문에 "밖에 있다"고 하였다. 뜻은 비록 움직이지만 느낌이 깊지 못하여 엄지발가락이 움직이는 것과 같으니, 나아가기에 충분하지 않다.

小註

中溪張氏曰, 初與四爲正應, 所感雖淺, 然觀其拇之動, 則知其志已在乎外卦之九四矣.
중계장씨가 말하였다: 초효는 사효와 정응이 되므로, 느끼는 바가 비록 얕더라도 그 엄지발가락의 움직임을 살펴본다면, 그 뜻이 이미 외괘의 구사에 있음을 알 수 있다.

韓國大全

조호익(曺好益) 『역상설(易象說)』

如本義意, 則外字非指外卦, 泛言所感之在外.
『본의』의 뜻과 같다면, '외(外)'자는 외괘를 가리키는 말이 아니나, 느끼는 것이 밖에 있음을 일반적으로 말한 것이다.

김상악(金相岳) 『산천역설(山天易說)』

初四爲應而感之尙淺, 故志雖在外, 未足以進也.
초효와 사효는 호응을 하지만 느끼는 것이 아직 옅기 때문에, 뜻이 비록 밖에 있지만 나아가기에는 부족하다.

박문건(朴文健) 『주역연의(周易衍義)』

外, 謂九四也.
'외(外)'는 구사를 뜻한다.

김기례(金箕澧) 『역요선의강목(易要選義綱目)』

志在外
뜻이 바깥에 있는 것이다.

初志在四, 姑不感動.
초효의 뜻은 사효에 있어서, 일부러 느껴서 움직이지 않는 것이다.

이병헌(李炳憲) 『역경금문고통론(易經今文考通論)』

程傳曰, 初志之動, 感於四也, 故曰在外.
『정전』에서 말하였다: 초효의 뜻이 움직여 사효에 대해 느끼기 때문에 "밖에 있다"고 하였다.

六二, 咸其腓, 凶, 居, 吉.

정전 육이는 장딴지에서 느끼면 흉하니, 그대로 있으면 길하리라.
본의 육이는 장딴지에서 느끼니 흉하나, 그대로 있으면 길하리라.

中國大全

傳

二以陰在下, 與五爲應, 故設咸腓之戒. 腓足肚, 行則先動, 足乃擧之, 非如腓之自動也. 二若不守道, 待上之求, 而如腓之動, 則躁妄自失, 所以凶也. 安其居而不動, 以待上之求, 則得進退之道而吉也. 二, 中正之人, 以其在咸而應五, 故爲此戒. 復云居吉, 若安其分, 不自動則吉也.

이효는 음으로 아래에 있으면서 오효와 호응이 되기 때문에 "장딴지에 느낀다"는 경계를 세웠다. '비(腓)'는 장딴지이니 가려면 먼저 움직이고, 발은 따라서 들리니 장딴지가 스스로 먼저 움직이는 것과 같지 않다. 이효가 만약 도를 지키지 않고 윗사람의 구함을 기다리지 않고 장딴지가 움직이는 것과 같이 한다면, 조급하고 망령되어 스스로를 잃게 되니, 흉하게 된다. 그 거처를 편안히 여기고 움직이지 않아 윗사람의 구함을 기다린다면, 나아가고 물러나는 도를 얻어 길하게 된다. 이효는 중정한 사람이지만, 함괘에 있으면서 오효와 호응하기 때문에 이러한 경계를 하였다. 다시 "그대로 있으면 길하다"고 말하였으니, 만약 그 분수를 편안하게 여겨 스스로 움직이지 않는다면 길할 것이다.

本義

腓, 足肚也, 欲行則先自動, 躁妄而不能固守者也. 二當其處, 又以陰柔, 不能固守, 故取其象. 然有中正之德, 能居其所, 故其占, 動凶而靜吉也.

'비(腓)'는 장딴지이니, 가려고 한다면 먼저 스스로 움직이므로 조급하고 망령되어 굳게 지킬 수 없는 자이다. 이효는 마땅히 그 자리에 해당하고 또 음으로써 유순하여 굳게 지킬 수 없기 때문에 그러한 상을 취하였다. 그러나 중정한 덕이 있어서 제 자리에 머물러 있을 수 있기 때문에 그 점(占)이 움직이면 흉하고 고요하면 길한 것이다.

小註

進齋徐氏曰, 咸體宜靜. 二柔不知順理, 而躁妄失正, 故凶.
진재서씨가 말하였다: 함괘의 몸체는 마땅히 고요해야 한다. 이효의 유순함은 순리를 알지 못하고 조급하게 망령되어 바름을 잃기 때문에 흉하다.

○ 中溪張氏曰, 六二在下體之中, 故曰咸其腓. 二與五爲正應, 當待五之感而後動. 今乃不待九五之感而先動, 躁妄自失, 所以凶也. 然以柔履柔, 則當其位. 苟能居以俟之, 不亦吉乎.
중계장씨가 말하였다: 육이는 하체의 가운데 자리에 있기 때문에 "장딴지에서 느낀다"고 하였다. 이효는 오효와 정응이 되니, 마땅히 오효의 느낌을 기다린 후에 움직여야 한다. 이제 구오의 느낌을 기다리지 않고 먼저 움직여 조급하고 망령되어 스스로를 잃으니, 흉하게 된다. 그러나 유순한 음으로 유순한 음의 자리를 밟고 있으니, 그 자리에 마땅하다. 만약 제자리에 있으면서 기다릴 수 있다면, 또한 길하지 않겠는가?

○ 楊氏曰, 六二之感以腓, 可謂凶矣. 然居而不行, 靜而不動, 故可以易凶而吉, 易害而利矣.
양씨가 말하였다: 육이가 장딴지로써 느끼는 것은 흉하다고 할 수 있다. 그러나 그대로 있으면서 가지 않고 고요하면서 움직이지 않기 때문에 흉함을 바꾸어 길할 수 있고 해로움을 바꾸어 이로울 수 있다.

○ 誠齋楊氏曰, 鍾不扣而鳴則妖. 石非言之物而言則怪. 物有不感而自動者乎. 故以居爲吉.
성재양씨가 말하였다: 종을 치지 않는데도 울리면 요사스럽고, 돌은 말하지 않는 물건인데도 말을 하면 괴이하다. 만물이 느끼지 않으면서 스스로 움직이는 것이 있겠는가? 그러므로 그대로 있으면 길하게 된다.

○ 雲峯胡氏曰, 咸艮皆取身爲象. 咸六二, 卽艮六二. 艮其腓不言吉凶, 咸其腓則曰凶者, 躁動故凶也. 居吉, 卽艮其腓之謂也. 在咸下體則凶, 如艮本體則吉.
운봉호씨가 말하였다: 함괘와 간괘(艮卦䷳)는 모두 몸을 취하여 상으로 삼았다. 함괘의 육이는 곧 간괘의 육이이다. 간괘의 육이에서는 "장딴지에서 멈춘다"고 하고 길과 흉을 말하지

않았고 함괘의 육이에서는 "장딴지에서 느낀다"고 하고 "흉하다"고 말한 것은 조급하게 움직이기 때문에 흉한 것이다. "그대로 있으면 길하다"는 말은 곧 "장딴지에서 멈춘다"는 말이다. 함괘의 하체에 있으면 흉하니, 만일 간괘의 본체라면 길하다.

韓國大全

조호익(曺好益)『역상설(易象說)』

雙湖曰, 腓下體取象.
쌍호호씨가 말하였다: '장딴지'는 하체에서 상을 취했다.

愚謂, 腓, 亦取反體震象, 居, 艮止象.
내가 살펴보았다: '장딴지'는 또한 위아래가 뒤집혀진 몸체인 진괘의 상에서 취했고, "그대로 있다"는 간괘의 그치는 상이다.

○ 按, 腓, 平聲. 說文, 腓, 脛腨也. 腨字, 又考廣韻, 則時兗反, 腓腸也. 然則脛之下跟之上, 方擧足而先動處, 是足肚也.
내가 살펴보았다: '비(腓)'자는 평성이다. 『설문해자』에서는 "'비(腓)'자는 종아리[脛腨]이다"라고 했다. '천(腨)'자에 대해 또 『광운』을 살펴보면, "시(時)자와 연(兗)자의 반절이니, 장딴지[腓腸]이다"라고 했다. 그렇다면 정강이 아래와 발꿈치 위로, 발을 들어 먼저 움직이는 곳이니, 이곳이 장딴지이다.

송시열(宋時烈)『역설(易說)』

腓, 足肚也. 不當動而動, 則其凶可知. 若能安居, 待九五之來求而動, 則其所感應者吉矣. 其道順而不害也.
비(腓)는 장딴지를 뜻한다. 움직여서는 안 되는데도 움직인다면, 흉하게 됨을 알 수 있다. 만약 편안하게 머물며 구오가 찾아와 구하기를 기다린 뒤에 움직인다면, 감응하는 것이 길하다. 그 도는 순하여 해롭지 않다.

유정원(柳正源) 『역해참고(易解參攷)』

王氏曰, 咸道, 轉進離拇升腓, 腓體動躁者也. 感物以躁, 凶之道也. 由躁故凶, 居則吉矣. 處不乘剛, 故可以居而獲吉.
왕씨가 말하였다: 함괘의 도는 굴러 나아가서 발가락을 떠나 장딴지로 올라가는데, 장딴지는 몸이 움직임에 조급하게 움직이는 부위이다. 사물을 느낌에 조급함으로써 하는 것은 흉한 도이다. 조급함에 따랐기 때문에 흉하니, 머문다면 길하다. 처함에 굳센 양을 타지 않았기 때문에, 머물러서 길함을 얻을 수 있다.

○ 龜山楊氏曰, 腓, 下體之中也. 二居下卦之中, 故有腓象.
구산양씨가 말하였다: 장딴지는 하체의 가운데에 해당한다. 이효는 하괘의 가운데 있기 때문에 장딴지의 상이 있다.

○ 白雲蘭氏曰, 腓在下體之中, 隨股而動者也. 上有九五之正應, 隔碍於三, 不能交感, 隨九三之股而動, 則凶. 然六二中正, 能安居以待九五之正應則吉.
백운난씨가 말하였다: 장딴지는 하체의 가운데 있고 넓적다리를 따라서 움직이는 부위이다. 위로 구오의 정응이 있지만, 삼효에게 막혀 있어서 교감할 수 없으니, 구삼의 넓적다리를 따라서 움직인다면 흉하다. 그러나 육이는 중정하니, 편안하게 머물러서 구오의 정응을 기다릴 수 있다면 길하다.

○ 問, 詩采薇章小人所腓, 註腓猶庇也, 又引程子曰, 腓, 隨動也. 如足之腓, 足動則隨而動也. 易咸傳曰, 腓, 足肚, 行則先動, 足乃擧之, 非如腓之自動也, 本義亦曰, 欲行則先自動. 由程子前說觀之, 則腓爲隨足以動之物, 由後二說觀之, 則腓爲先足而動明矣, 不若猶庇之得也. 生民詩, 牛羊腓字之, 傳亦以腓爲庇. 朱子曰, 今詳兩說, 誠不合. 又百卉俱腓, 有他訓, 不知此字竟是何義.
물었다: 『시경 · 채미』에서는 "소인은 비호를 받는 바로다"[41]고 했고, 주석에서는 "비(腓)는 비호를 받는다는 뜻이다"라고 했으며, 또 정자의 말을 인용하여, "비(腓)는 따라서 움직인다는 뜻이니, 발의 장딴지와 같아서, 발이 움직이면 따라서 움직인다"고 했습니다. 『주역』의 함괘에 대한 『정전』에서는 "'비(腓)'는 장딴지이니, 가려면 먼저 움직이고, 발은 따라서 들리니, 장딴지가 스스로 먼저 움직이는 것과는 같지 않다"고 했고, 『본의』에서도 "가려고 한다면 먼저 스스로 움직인다"고 했습니다. 정자의 앞 주장을 통해 살펴보면, 비(腓)는 발을 따라서 움직이게 되는 부위이고, 뒤의 두 주장에 통해 살펴보면 비(腓)는 발보다 먼저 움직이

41) 『詩經 · 采薇』: 駕彼四牡, 四牡騤騤. 君子所依, 小人所腓. 四牡翼翼, 象弭魚服. 豈不日戒, 玁狁孔棘.

는 부위가 확실하니, 비호를 받는다는 뜻으로 풀이함만 못합니다. 「생민」편의 시에서 "소와 양이 비호하고 사랑해준다"[42]고 한 기록에 대해, 『집전』에서도 비(腓)자를 비호한다는 뜻으로 여겼습니다.
주자가 답하였다: 현재 두 주장을 살펴보니, 진실로 합치되지 않습니다. 또 "온갖 초목들이 모두 병든다"[43]라고 했는데, 이때의 비(腓)자에 다른 뜻이 있으므로, 이 글자의 뜻이 결국 어떤 의미인지 모르겠습니다.

○ 息齋余氏曰, 自王輔嗣以腓爲躁動之物, 而諸儒引之. 但以實驗之, 則腓豈自動者. 蓋腓居內而附於脛, 猶六居二而輔於三, 動止不由己者也. 方其止於艮也, 雖不能拯其所隨之三, 而猶未失腓之正也. 若自所感而動, 則失腓之常, 斯爲凶矣. 居則復常, 故吉.
식재여씨가 말하였다: 왕필이 비(腓)를 조급히 움직이는 부위로 여긴 것으로부터, 여러 학자들이 그 주장을 인용했다. 다만 실제로 검증을 해보면, 장딴지가 어떻게 제 스스로 움직이는 부위이겠는가? 장딴지는 안쪽에 있고 정강이에 붙어 있으니, 육(六)이 이효 자리에 있으며 삼효에 붙어 있어서 움직이고 그치는 것이 자신으로부터 비롯되지 않는 것과 같다. 간괘에서 그치려고 함에 비록 따르게 되는 삼효를 구원할 수 없더라도, 여전히 장딴지의 바름을 잃지 않았다. 만약 느끼는 것에 따라서 움직인다면 장딴지의 항상됨을 잃어 이에 흉하게 된다. 그대로 있게 되면 항상됨을 회복하기 때문에 길하다.

○ 案, 咸之道, 男先於女, 陽下於陰, 乃其正也. 而六二以陰居陰, 求應於上, 是躁妄而自動者也, 故有咸腓之戒, 位居中正, 故安分守德則吉.
내가 살펴보았다: 함괘의 도는 남자가 여자보다 앞서고, 양이 음에게 낮추어야 올바르게 된다. 그런데 육이는 부드러운 음으로 음의 자리에 있으면서 위로 호응을 구하니, 조급하고 망령되어 스스로 움직이는 자이기 때문에 "장딴지에서 느낀다"는 경계가 있으나 자리가 중정함에 있기 때문에 분수에 만족하며 덕을 지킨다면 길하다.

김상악(金相岳) 『산천역설(山天易說)』

腓, 足肚也. 二以陰居艮之中, 比三而動則凶, 應五而止則吉. 居者, 待五之應也.
비(腓)는 장딴지이다. 이효는 음으로 간괘의 가운데 있는데, 삼효와 비(比)의 관계에 있어

---

42) 『詩經 · 生民』: 誕寘之隘巷, 牛羊腓字之. 誕寘之平林, 會伐平林. 誕寘之寒冰, 鳥覆翼之. 鳥乃去矣, 后稷呱矣. 實覃實訏, 厥聲載路.
43) 『詩經 · 四月』: 秋日淒淒, 百卉具腓. 亂離瘼矣, 爰其適歸.

움직이면 흉하고 오효와 호응하여 멈추면 길하다. 머문다는 것은 오효의 호응을 기다리는 것이다.

○ 來註, 巽性入, 上卦兌說, 情說性入, 必不待其求而感. 若居則不感矣, 不感則不變, 尙爲艮體之止, 故設此居吉之戒也. 蓋此爻之象與艮六二相反, 艮則艮其腓而止, 故不拯其所隨而心不快而已. 居吉則其征凶可知, 非吉之吉也, 乃凶之吉也.
래지덕의 주에서는 "손괘의 성질은 들어가고 상괘인 태괘는 기뻐하니, 정감이 기뻐하고 성질이 들어가므로 반드시 구함을 기다리지 않아도 느끼게 된다. 만약 머물게 된다면 느끼지 못하고 느끼지 못한다면 변하지 못하니, 오히려 간괘 몸체의 그침이 되기 때문에 이처럼 머묾이 길하다는 경계를 하였다"고 했다. 이 효의 상은 간괘(艮卦䷳) 육이의 상과 상반되니, 간괘에서는 장딴지를 멈추게 하여 그치기 때문에 따르는 바를 구원하지 않아 마음이 기쁘지 않을 따름이다. 머무는 것이 길하다면 가서 흉하게 됨을 알 수 있으니, 길함 중의 길함이 아니라 흉함 중의 길함이다.

서유신(徐有臣)『역의의언(易義擬言)』

腓, 脛也, 拇之上股之下也. 六二居下體之中, 感於五而動, 是腓之感也. 腓在拇股之間, 行止非其所自由, 而妄自光動, 故爲凶也. 然終不可自行, 但當止居而順其道, 乃爲吉也. 蓋九三限隔於上下之間, 此時未可以妄動也. 六二中正, 所應亦中正, 又是艮體, 居吉, 卽其所自有也.
'비(腓)'는 정강이이니, 발가락 위와 넓적다리 아래에 있다. 육이는 하체의 가운데 있고 오효와 느껴서 움직이니, 정강이의 느낌이다. 정강이는 발가락과 넓적다리 중간에 있고 가고 그침은 자기 마음대로 할 수 있는 것이 아닌데도, 망령되게 스스로 날뛰기 때문에 흉함이 된다. 그러나 끝내 스스로 가지 못하므로, 단지 멈춰서 그대로 있고 그 도에 순종한다면 길함이 된다. 구삼이 상하 중간을 막고 있으니, 이러한 시기에는 망령되게 움직일 수 없다. 육이는 중정하고 감응하는 것 또한 중정하며 또 간괘의 몸체이니, 그대로 있으면 길하다는 것은 스스로 가지고 있는 것이다.

박문건(朴文健)『주역연의(周易衍義)』

不度妄動, 故有咸腓之象. 腓, 脛腨也. 若居而不往, 則轉凶爲吉.
헤아리지 못하고 망령되게 움직이기 때문에, 장딴지에 감응하는 상이 있다. '비(腓)'는 장딴지이다. 만약 그대로 있고 가지 않는다면, 흉함을 바꿔서 길함이 된다.

〈問, 咸其腓凶, 居吉. 曰, 六二不度其上之害己而欲進, 是咸其腓也, 所以凶. 若居則致吉.
물었다: "장딴지에서 느끼니 흉하나, 그대로 있으면 길하리라"는 무슨 뜻입니까?
답하였다: 육이는 위에서 자신을 해치는 것을 헤아리지 못하고 나아가고자 하니, "장딴지에서 느낀다"는 것이 흉함이 되는 이유입니다. 만약 그대로 있다면 길하게 됩니다.〉

이지연(李止淵) 『주역차의(周易箚疑)』

腓亦近足, 然而動容周旋中禮, 則順理而无害於相感之道也.
장딴지 또한 발과 가깝지만, 행동거지가 예에 맞는다면, 이치에 따라서 서로 느끼는 도에는 해가 없다.

김기례(金箕澧) 『역요선의강목(易要選義綱目)』

六二, 咸其腓.
육이는 장딴지에서 느낀다.

腓, 足肚.
'비(腓)'는 장딴지이다.

○ 咸體宜靜, 況二爲下體, 當有艮止之像, 不待五感, 先自妄動, 如足將行, 而腓先動, 則凶. 居吉, 以陰居陰, 陰性本靜, 以其中正之位靜則吉.
함괘의 몸체는 마땅히 고요해야 하는데, 하물며 이효는 하체에 있으니, 마땅히 간괘의 그치는 상이 있는데도, 오효의 느낌을 기다리지 않고, 먼저 스스로 망령되게 움직여서, 발이 가려고 할 때 장딴지가 먼저 움직이는 것과 같다면 흉하게 된다. 그대로 있는 것이 길한 이유는 음이 음의 자리에 있고, 음의 성질은 본래 고요하니, 중정의 자리에서 고요하면 길하기 때문이다.

심대윤(沈大允) 『주역상의점법(周易象義占法)』

咸之大過(䷛), 過而有形也. 六二以柔居柔, 無精求之心, 應于五而爲三四所隔, 隨之以動爲大過之義. 如腓之隨股而動, 不能自動也, 故曰咸其腓凶, 以其得中, 知其不可動而不動, 故曰居吉. 二在巽之下, 知腓之爲股之下足之上也.
함괘에서 대과괘(大過卦䷛)로 바뀌었으니, 지나쳐서 형체가 생긴다. 육이는 부드러운 음으로 음의 자리에 있어서, 간절히 구하는 마음이 없는데, 오효와 호응하지만 삼효와 사효에게 막히니, 움직임으로써 따른다면 대과괘의 뜻이 된다. 마치 장딴지가 넓적다리를 따라서 움직이지만, 스스로 움직일 수 없음과 같기 때문에, "장딴지에 느끼면 흉하다"고 한 것이고, 육이는 가운데 자리를 얻었으므로, 움직일 수 없음을 알고서 움직이지 않기 때문에, "그대로 있으면 길하리라"고 하였다. 이효는 손괘의 아래에 있으니, 장딴지가 넓적다리의 밑과 발 위에 있음을 알 수 있다.
〈隨股而動, 而動過於從, 大過之義也. 不自動, 故居吉也.
넓적다리를 따라서 움직이는데, 움직임이 따름에 지나친 것이 대과괘의 뜻이 된다. 스스로 움직이지 않기 때문에 그대로 있으면 길하다.〉

오치기(吳致箕) 「주역경전증해(周易經傳增解)」

六二柔居下體之中, 而當腓之位, 上應九五之剛, 志動而欲感, 有咸其腓之象. 在咸之時, 不守其正而先動以求感, 則反失其道, 故爲凶. 然已居止體矣, 能守中不動, 以待九五之先求, 則於理爲順, 故戒言居則得吉也.
육이는 부드러운 음으로 하체의 가운데 있으니, 장딴지의 자리에 해당하는데, 위로 구오의 굳센 양과 호응하여, 움직이고자 하고 느끼기를 바래서 장딴지에 느끼는 상이 있다. 함괘의 시기에 있어서 올바름을 지키지 못하고 먼저 움직여서 느끼기를 찾는다면, 반대로 그 도를 잃기 때문에 흉하게 된다. 그러나 이미 멈추는 간괘의 몸체에 있으니, 알맞음을 지키고 움직이지 않음으로써 구오가 먼저 찾기를 기다린다면, 이치에 따라 순응함이 되기 때문에, 그대로 있으면 길함을 얻는다고 경계하였다.

○ 腓, 足肚也, 欲行則肚先動, 而稍上於拇矣. 取象與拇同. 居, 止也, 取於艮.
'비(腓)'는 장딴지이니 가고자 한다면 장딴지가 먼저 움직이고 발가락보다 조금 위에 있다. 상을 취함이 발가락에 대한 경우와 같다. 그대로 있음은 그친다는 뜻이니, 간괘에서 상을 취했다.

이진상(李震相) 『역학관규(易學管窺)』

咸其腓.
장딴지에서 느낀다.

腓, 卽俗所謂魚腹, 非自動之物. 腓之附於脛而動, 譬二之附於三而往, 蓋二與五正應, 當以中正自守, 乃反附三而動, 則失其貞矣, 故動凶[44]而居吉. 詩中牛羊腓字, 言能庇附其兒也, 百卉俱腓, 言其不能生動而粘附不地也, 傳義所訓, 恐未安.
'비(腓)'는 세속에서 말하는 '물고기의 배처럼 불룩하게 나온 부분[魚腹]'이니, 스스로 움직일 수 있는 것이 아니다. 장딴지가 넓적다리에 붙어서 움직이는 것을 이효가 삼효에 붙어서 가는 것에 비유를 했는데, 이효와 오효는 정응이 되니, 마땅히 중정함으로 스스로 지켜야 하는데, 반대로 삼효에 붙어서 움직인다면 곧음을 잃기 때문에, 움직이면 흉하고 그대로 있으면 길하다. 『시경』에서는 "소와 양이 비호하고 사랑해준다"[45]고 했는데, 이때의 비(腓)자는 아이를 비호해서 곁에 둘 수 있음을 뜻하며, "온갖 초목들이 모두 병든다"[46]고 했는데, 이때의 비(腓)자는 생동할 수 없어서 붙어 있지만 자리를 잡지 못한다는 뜻이니, 『정전』과 『본의』에서 풀이한 말은 아마도 옳지 않은 것 같다.

박문호(朴文鎬) 『경설(經說)-주역(周易)』

足肚者, 脛之腹也, 腓腨, 皆是也. 蓋自足而稍上也.
장딴지는 정강이의 볼록하게 튀어나온 부분이니, 비(腓)나 천(腨)이 모두 여기에 해당한다. 발로부터 조금 위에 있는 부분이다.

主當持守, 言主當而持守也.
『본의』에서 '주당지수(主當持守)'라고 한 말은 주관을 해서 잡아 지킨다는 뜻이다.

이정규(李正奎) 「독역기(讀易記)」

六二之凶者, 男先於女, 則夫婦之道正矣, 且當艮止之時, 則宜待男先而守貞矣. 不度時顧行, 貪於正應之九五, 有躁動之象, 則其凶必矣, 故曰居則吉.
육이가 흉하게 됨은 남자가 여자보다 앞선다면 부부의 도가 올바르게 되고, 또 간괘의 그치는 시기에 해당한다면 마땅히 남자가 선도하는 것을 기다리며 곧음을 지켜야 한다. 그러나 시기를 헤아리지 못하고 행실을 돌아보지 못하여, 정응하는 구오를 탐하여 조급히 움직이는 상이 있다면, 반드시 흉하게 되기 때문에 "그대로 있으면 길하리라"라고 했다.

○ 夫婦之道一也. 咸少女在上, 少男在下, 交感至矣, 而家道未備. 恒長男在上, 長女

---

44) 凶: 경학자료집성DB에는 '匈'으로 되어 있으나, 영인본에 따라 '凶'으로 바로잡았다.
45) 『詩經 · 生民』: 誕寘之隘巷, 牛羊腓字之. 誕寘之平林, 會伐平林. 誕寘之寒冰, 鳥覆翼之. 鳥乃去矣, 后稷呱矣. 實覃實訏, 厥聲載路.
46) 『詩經 · 四月』: 秋日淒淒, 百卉具腓. 亂離瘼矣, 爰其適歸.

在下, 尊卑之道內外之分定, 家道於是乎大成矣.
부부의 도는 한 가지이다. 함괘의 막내딸은 위에 있고, 막내아들은 아래에 있어서, 교감함이 지극하지만 가정의 도는 아직 갖춰지지 않았다. 항괘(恒卦䷟)는 큰아들이 위에 있고, 큰딸이 아래에 있어서, 존비의 도와 내외의 분수가 확정되어 가정의 도가 여기에서 크게 완성된다.

이용구(李容九) 「역주해선(易註解選)」

咸六二, 鍾不叩而鳴則妖, 石非言之物而言則怪. 六二居吉, 卽洪範之用靜吉也. 九四聖人感天下之心, 如寒暑雨陽, 无不通无不應.
함괘의 육이는 종이 치지도 않았는데 울리면 요사하고, 돌은 말을 하는 사물이 아닌데 말을 하면 괴이한 것과 같다. 육이가 그대로 있어서 길함은 「홍범」에서 "고요함을 쓰면 길하다"[47]고 한 말에 해당한다. 구사는 성인이 천하의 마음을 감동시키는 것이니, 추위와 더위 흐린 날과 맑은 날이 통하지 않음이 없고 호응하지 않음도 없는 것과 같다.

이병헌(李炳憲) 『역경금문고통론(易經今文考通論)』

程傳曰, 腓足肚.
『정전』에서 말하였다: '비(腓)'는 장딴지이다.
〈指膝下腓腸.
무릎 아래에 있는 장딴지를 뜻한다.〉

行則先動, 故戒以先動求君則凶, 居以自守則吉. 象復明之云, 非戒之不得相感, 唯順理則不害, 謂守道不先動也.
이동하면 먼저 움직이기 때문에 먼저 움직여서 임금을 찾는다면 흉하고, 그대로 있으며 스스로를 지킨다면 길하다고 경계하였다. 「상전」에서 다시 그 내용을 언급하기를 서로 느끼지 못함을 경계한 말이 아니라 오직 이치에 순응해야만 해롭지 않다고 하였으니, 도를 지키며 먼저 움직이지 말아야 함을 이른다.

---

47) 『書經 · 洪範』: 汝則從, 龜從, 筮逆, 卿士逆, 庶民逆, 作內吉, 作外凶. 龜筮共違于人, 用靜吉, 用作凶.

象曰, 雖凶居吉, 順, 不害也.

「상전」에서 말하였다: 비록 "흉하더라도 그대로 있으면 길함"은 순리대로 하면 해롭지 않은 것이다.

中國大全

傳

二居中得正, 所應, 又中正, 其才本善, 以其在咸之時, 質柔而上應, 故戒以先動求君則凶, 居以自守則吉. 象復明之云, 非戒之不得相感, 唯順理則不害, 謂守道不先動也.

이효는 가운데 자리에 있으면서 바른 자리를 얻었으며 호응하는 오효도 또한 중정하니 그 재질이 본래 좋지만, 함괘의 때에 있고 재질이 유순하면서 위로 호응하기 때문에 먼저 움직여 임금을 구한다면 흉하고, 그대로 있어서 스스로를 지킨다면 길하다고 경계하였다. 「상전」에서 이것을 다시 밝혀 말하기를 서로 느낄 수 없음을 경계한 것이 아니라, 오직 이치에 따른다면 해롭지 않다고 하였으니, 도를 지키고 먼저 움직이지 않는다는 말이다.

小註

中溪張氏曰, 陰性本靜. 二能順其性而不動, 則不至有私感之害矣. 六二之居吉, 卽洪範之用靜吉也.

중계장씨가 말하였다: 음의 성질은 본래 고요하다. 이효가 그 성질을 따라서 움직이지 않을 수 있다면 사사로운 느낌에 의한 해로움이 있게 되는 데에 이르지 않을 것이다. 육이의 "그대로 있으면 길하다"라고 하는 것은 곧 「홍범」에서 말하는 "고요히 있으면 길하다"[48]는 것이다.

48)『書經·洪範』: 龜筮, 共違于人, 用靜, 吉, 用作, 凶.

韓國大全

김상악(金相岳) 『산천역설(山天易說)』

居而自守, 惟其順也, 故不至有私感之害也.
머물러서 스스로 지킴은 오직 순리에 따르기 때문에, 사사롭게 느껴서 피해가 발생하는 지경에는 이르지 않는다.

김규오(金奎五) 「독역기의(讀易記疑)」

六二象順不害, 順字未甚穩貼, 恐亦愼之通用也.
육이의 「상전」에서는 "순리대로 하면 해롭지 않은 것이다"라고 했는데, '순(順)'자는 매우 알맞지 않으니, 아마도 신중히 한다는 뜻과 통용되는 것 같다.

서유신(徐有臣) 『역의의언(易義擬言)』

居而得吉以其順也. 感而能止, 不害於感也.
그대로 있어서 길한 것은 순종하기 때문이다. 느끼지만 그칠 수 있다면, 느낌에 해를 끼치지 않는다.

박문건(朴文健) 『주역연의(周易衍義)』

順, 古愼字通, 愼其處, 則无害.
'순(順)'자가 옛날에는 '신(愼)'자와 통용되었으니, 머문 곳을 신중하게 한다면 해가 없다.
〈問, 順字作愼, 何. 曰, 作愼則義明, 與坤之六四象愼不害, 同也.
물었다: '순(順)'자를 '신(愼)'자로 기록한다면 어떻게 됩니까?
답하였다: '신(愼)'자로 기록한다면 의미가 분명해지니, 곤괘의 육사 「상전」에서 "삼가면 해롭지 않다"[49]는 말과 동일한 뜻입니다.〉

---

49) 『周易 · 坤卦』: 象曰, "括囊无咎", 愼不害也.

오치기(吳致箕) 「주역경전증해(周易經傳增解)」

先動而求感則凶矣, 居而自守則順而无害, 吉之道也.

먼저 움직여서 느끼기를 구한다면 흉하고, 그대로 있으면서 스스로를 지킨다면 순응하여 해가 없으니, 길함의 도이다.

九三, 咸其股. 執其隨, 往, 吝.

구삼은 넓적다리에서 느낀다. 따르는 데에만 집착하니, 가면 부끄럽다.

中國大全

傳

九三, 以陽居剛, 有剛陽之才, 而爲主於內. 居下之上, 是宜自得於正道, 以感於物, 而乃應於上六. 陽好上而說陰, 上居感說之極, 故三感而從之. 股者在身之下足之上, 不能自由, 隨身而動者也, 故以爲象. 言九三不能自主, 隨物而動, 如股然, 其所執守者隨於物也. 剛陽之才, 感於所說而隨之, 如此而往, 可羞吝也.

구삼은 양으로서 굳센 양의 자리에 있으니 굳센 양의 재질을 가지고 있으면서 내괘의 주인이 된다. 하괘의 맨 위에 있으므로, 마땅히 스스로 정도에 맞게 하여 대상을 느껴야 하는데도 이에 상육과 호응하고 있다. 양은 위를 좋아하고 음을 기뻐하며 상육은 느끼고 기뻐하는 끝에 있기 때문에 삼효가 상육을 느끼면서 쫓는다. 넓적다리는 몸통의 아래와 발의 위에 있어서 자유로울 수 없으므로 몸을 따라서 움직이기 때문에 이로써 상을 삼았다. 구삼이 스스로 주장할 수 없어서 상대를 따라 움직임이 마치 넓적다리가 그러한 것과 같아서, 그 잡아 지키는 바가 상대를 따르는 것을 말하였다. 굳센 양의 재질로 기뻐하는 것에 대해 느껴 따라가니, 이와 같이 가면 부끄러울만하다.

小註

東谷鄭氏曰, 初與二, 陰也, 感於陽而動, 故其咸爲拇爲腓. 三陽, 爲艮主, 宜止而不動, 今亦說上陰而應之, 故爲咸其股.

동곡정씨가 말하였다: 초효와 이효는 음으로 양에 대해 느껴서 움직이기 때문에 그 느끼는 곳이 엄지발가락이 되며 장딴지가 된다. 삼효는 양으로 간괘(艮卦)의 주인이 되니 마땅히 그쳐서 움직이지 않아야 하지만, 이제 또한 상효인 음을 기뻐하며 호응하기 때문에 '넓적다리에서 느끼게' 된다.

本義

股, 隨足而動, 不能自專者也. 執者, 主當持守之意. 下二爻, 皆欲動者, 三亦不能自守而隨之, 往則吝矣. 故其象占如此.

‘넓적다리[股]’는 발을 따라 움직이므로 스스로 마음대로 할 수 없다. ‘집(執)’이란 주관하여 잡아 지킨다는 뜻이다. 아래에 있는 두 효는 모두 움직이고자 하고, 삼효도 스스로 지킬 수 없어서 따라가니, 가면 부끄럽다. 그러므로 그 상과 점이 이와 같다.

小註

中溪張氏曰, 九三居下體之上, 故曰咸其股. 股不能自行而隨足以動, 是堅執下隨之說者也. 以此而往, 誠有羞吝.

중계장씨가 말하였다: 구삼은 하체의 맨 위에 있기 때문에 “넓적다리에서 느낀다”라고 하였다. 넓적다리는 스스로 갈 수가 없어서 발을 따라 움직이니, 이것이 아래로 따르는 기쁨을 견고하게 잡는 것이다. 이것을 가지고서 가면 진실로 부끄러움이 있다.

○ 雲峯胡氏曰, 腓居下體之中二象, 股居下體之上三象. 程子謂三隨上, 蔡氏謂三動而二隨之, 本義以爲股隨足而動象, 三隨二與初而動. 艮言隨在二, 二腓隨三之限而止也. 咸言隨在三, 三股隨下之足而動也.

쌍봉호씨가 말하였다: 장딴지[腓]는 하체의 가운데에 있으므로 이효의 상이고, 넓적다리[股]는 하체의 맨 위에 있으므로 삼효의 상이다. 정자는 삼효가 상효를 따른다고 하였고, 채씨는 삼효가 움직이고 이효가 이를 따른다고 하였으며, 『본의』에서는 넓적다리가 발을 따라 움직이는 상으로 여겼으니, 삼효가 이효와 초효를 따라 움직이는 것이다. 간괘(艮卦䷳)에서는 “따른다[隨]”[50]는 말이 이효에 있으니, 이효의 장딴지는 삼효의 한계[51]를 따라서 그친다. 함괘에서는 “따른다”는 말이 삼효에 있으니, 삼효의 넓적다리는 아래의 발을 따라서 움직인다.

○ 進齋徐氏曰, 世之君子位居人上, 所守不正, 感不以道, 而反徇夫褻御臣僕在下者之私情, 至於多行可愧者, 皆執其隨者也.

진재서씨가 말하였다: 세상의 군자가 자리는 다른 사람의 위에 있으면서 지키는 바가 바르지 않고 느낌에 도로써 하지 않으며, 도리어 아래에 있는 심부름꾼이나 신하의 사사로운 감정을 따라 괴이한 일을 많이 행하는 것은 모두 따르는데 집착하기 때문이다.

---

50) 『周易 · 艮卦』: 六二, 艮其腓, 不拯其隨. 其心不快.

51) 『本義 · 艮卦』:三爲限, 則腓所隨也而過剛不中, 以止乎上, 二雖中正, 而體柔弱, 不能往而拯之.

韓國大全

조호익(曺好益)『역상설(易象說)』

九三, 咸其股. 執其隨.
구삼은 넓적다리에서 느낀다. 따르는 데에만 집착하니.

雙湖曰, 股互巽象, 執, 艮手象.
쌍호호씨가 말하였다: 넓적다리는 호괘인 손괘의 상이며, 집착함은 간괘 손의 상이다.

愚謂, 隨因股取義, 或曰艮二變則隨之反體, 咸反下艮則爲隨, 故艮之二咸之三皆言隨.
내가 살펴보았다: 따름[隨]은 넓적다리에 따라서 의미를 취한 것인데, 어떤 이는 "간괘(艮卦䷳)의 이효가 변화하면 수괘(隨卦䷐)를 거꾸로 뒤집은 몸체가 되고, 함괘에서 하괘인 간괘를 뒤집으면 수괘가 되기 때문에, 간괘의 이효[52]와 함괘의 삼효에서 모두 '수(隨)'를 언급했다"고 말한다.

송시열(宋時烈)『역설(易說)』

互爲巽, 巽爲股, 股者, 隨身而動者也. 若但以隨動爲操執, 而不能居貞如六二, 則其往必吝. 小象亦不處[53]之亦字以繼二爻而言也. 不處者, 不居吉之意也. 其志但在於隨人而動, 則其所執者卑下也. 然股本在下, 故云然也.
호괘는 손괘가 되고, 손괘는 넓적다리가 되며, 넓적다리는 몸을 따라 움직이는 부위이다. 만약 단순히 따라서 움직임을 집착으로 여기고, 곧음에 머물지 못하여 육이처럼 된다면, 가면 반드시 부끄럽게 된다. 「소상전」에서 "또한 그대로 머물러 있지 않다[亦不處]"고 할 때의 '역(亦)'자는 이효를 이어서 말한 것이다. 그대로 머물러 있지 않음은 길함에 그대로 머물지 않는다는 뜻이다. 뜻이 단지 남을 따라서 움직이는 데에 있다면, 잡고 있는 것이 낮게 된다. 그러나 넓적다리는 본래 아래에 있기 때문에 이처럼 말했다.

---

52)『周易 · 艮卦』: 六二, 艮其腓, 不拯其隨, 其心不快.
53) 處: 경학자료집성DB와 경학자료집성 영인본에 모두 '變'으로 되어 있으나, 문맥을 살펴 '處'로 바로 잡았다.

이익(李瀷)『역경질서(易經疾書)』

三之所應, 上也. 上在事外, 五非其應而兩皆剛陽, 其義不當先動也. 其動也, 不過與下二陰同感也, 故曰亦不處也. 添一亦字, 則下二陰之不處可知, 謂陰固然, 陽亦不免也. 據傳文, 執, 執下也, 隨, 隨人也, 卽執下而隨人也. 下與人, 皆指下二陰也.
삼효가 호응하는 대상은 상효이다. 상효는 일 밖에 있고, 오효는 호응하지 않는데 둘 모두 굳센 양이니, 그 뜻은 먼저 움직여서는 안 된다. 움직임에 있어서 밑의 두 음과 함께 느끼는 데 불과할 따름이기 때문에, "또한 그대로 머물러 있지 않음이다"고 했다. '역(亦)'이라는 한 글자를 더했기에 아래 두 음이 머물지 않음을 알 수 있으니, 음은 본래 그러하므로 양 또한 면하지 못한다는 뜻이다. 『정전』의 기록에 따르면, '집(執)'자는 아래를 잡는다는 뜻이고, '수(隨)'자는 남을 따른다는 뜻이니, 곧 아래를 잡고서 남을 따른다는 의미이다. 아래와 남은 모두 아래에 있는 두 음을 가리킨다.

심조(沈潮)「역상차론(易象箚論)」

九三, 股.
구삼의 넓적다리에 대하여.

互有巽, 故稱股, 又陽畫長, 亦股象.
호괘로 손괘가 되기 때문에 '넓적다리[股]'라고 부른 것이고, 또 양효의 획은 길기 때문에 넓적다리의 상이 된다.

유정원(柳正源)『역해참고(易解參攷)』

王氏曰, 股之爲物, 隨足者也. 進不能制動, 退不能靜處, 所感在股, 志在隨人者也. 志在隨人, 所執, 亦以賤矣. 用斯以往吝, 其宜也.
왕씨가 말하였다: 넓적다리라는 부위는 발을 따라 움직이는 것이다. 나아감에 움직임을 제어할 수 없고, 물러남에 고요하게 있을 수 없으며, 느끼는 것이 넓적다리에 있고, 뜻은 남을 따르는데 있다. 뜻이 남을 따르는데 있으니, 잡는 것 또한 미천함으로써 한다. 이것을 사용해서 가면 부끄럽게 되는 것이 마땅하다.

○ 劉氏曰, 股在下體之上三象也. 雖於拇爲大, 於腓爲剛, 然感於上而動則均也.
유씨가 말하였다: 넓적다리는 하체의 위에 있는 삼효의 상이다. 비록 발가락보다 크고, 장딴지보다 굳세지만, 위에서 느껴서 움직인다는 점에서는 동일하다.

○ 雙湖胡氏曰, 股互巽象, 然咸以人身取象. 初拇二腓, 則三當爲股矣, 固不專以巽取也. 執其隨, 艮止象. 若不執而往, 則吝矣, 大抵下三爻用靜吉.
쌍호호씨가 말하였다: 넓적다리는 호괘인 손괘의 상인데, 함괘는 사람의 몸에서 상을 취했다. 초효가 발가락이고 이효가 장딴지라면, 삼효는 마땅히 넓적다리가 되므로, 오로지 손괘에서만 상을 취한 것이 아니다. 따르는 것을 잡는 것은 간괘의 그치는 상이다. 만약 잡지 않고서 가면 부끄럽게 되니, 대체로 아래의 세 효는 고요함을 사용하는 것이 길하다.

○ 案, 執艮止象, 重剛不中, 故不能守而隨動.
내가 살펴보았다: 잡는 것은 간괘의 그치는 상인데, 양효로 양의 자리에 있지만 가운데가 아니기 때문에 지킬 수 없어서 따라서 움직인다.

김상악(金相岳) 『산천역설(山天易說)』

股者, 髀也, 隨足而動, 不能自專者也. 下二爻皆欲動者, 而艮體互巽, 不能自由, 是其所執守者, 隨於下也, 往則吝矣.
'고(股)'자는 넓적다리를 뜻하니, 발을 따라 움직이는 것으로 자기 마음대로 움직일 수 없다. 아래 두 효는 모두 움직이려고 하는 자이며, 간괘의 몸체와 호괘인 손괘가 자기 마음대로 할 수 없고, 잡고 지키는 것이 아래를 따르는 것으로, 가면 부끄럽게 된다.

○ 執者, 艮性之止也. 巽爲進退, 故旣言隨, 復言往也. 隨者, 卦名也, 艮反震而爲隨, 隨之三處震之陰, 隨上而求得, 故居貞吉. 咸則居艮之陽, 隨下而不處, 故往吝, 皆戒辭也. 蓋九三艮體得正, 宜得其正道以感於物, 而互巽而入, 陽性說陰, 故失咸感之義也.
잡는 것은 간괘의 그치는 성질이다. 손괘는 나아감과 물러남이 되기 때문에, 이미 따른다고 말했으면서도 재차 간다고 말한 것이다. 따른다는 것은 괘의 이름을 뜻하니, 간괘가 거꾸로 된 진괘가 되어 수괘(隨卦䷐)가 되며, 수괘의 삼효는 진괘의 음효 자리에 있고, 위를 따라서 얻기를 구하기 때문에, 곧음에 그대로 있는 것이 길하다.[54] 함괘의 경우에는 삼효가 간괘의 양효 자리에 있고, 아래를 따라서 머물러 있지 않기 때문에, 가면 부끄럽게 되니, 이 모두는 경계하는 말이다. 구삼은 간괘의 몸체로 올바름을 얻어서, 마땅히 정도에 따라 사물을 느껴야 하지만, 호괘인 손괘가 들어왔고, 양의 성질은 음을 좋아하기 때문에, 함괘의 느끼는 뜻을 잃었다.

54) 『周易 · 隨卦』: 六三, 係丈夫, 失小子, 隨有求得, 利居貞.

김규오(金奎五) 「독역기의(讀易記疑)」

九三, 咸其股, 互巽象.
"구삼은 넓적다리에서 느낀다"는 말은 호괘인 손괘의 상이다.

서유신(徐有臣) 『역의의언(易義擬言)』

股, 腓之上也, 又互巽爲股也. 九三居下體之上上體之下, 感於上六而動, 是股之感也. 執, 猶執御執射也, 隨隨從之事也. 所感者股, 所執者隨, 不能使下體隨己而止, 便欲應於上體隨人而動, 失其本體之艮, 而從其互體之巽, 此爲可吝也.
넓적다리는 장딴지 위에 있고, 또 호괘인 손괘는 넓적다리가 된다. 구삼은 하체의 위와 상체의 밑에 있고, 상육에서 느껴서 움직이니, 이것은 넓적다리의 느낌이다. '집(執)'자는 수레의 고삐를 잡고, 활을 잡는다고 할 때[55]의 '집(執)'자와 같으니, 잘 따르는 일을 뜻한다. 느끼는 것은 넓적다리이고, 집착하는 것은 따름이니, 하체로 하여금 자신을 따르도록 해서 그치도록 할 수 없는데, 상체에 호응하여 남을 따라서 움직이고자 하니, 본체인 간괘의 뜻을 잃고, 호체인 손괘를 따르는 것으로, 이것이 부끄럽게 되는 까닭이다.

박제가(朴齊家) 『주역(周易)』

九三, 執其隨, 股隨足爲是. 象傳亦曰, 所執, 下也, 雖曰義, 亦象也.
구삼에서 "따르는 데에만 집착한다"고 했는데, 넓적다리는 발을 따르는 것이 옳다. 「상전」에서도 "지키는 수준이 낮다"고 했는데, 비록 뜻을 말했으나 이 또한 상이다.

박문건(朴文健) 『주역연의(周易衍義)』

志在必隨, 故有咸股之象. 股, 腿也. 若上往則致吝.
뜻은 반드시 따르고자 하는데 있기 때문에, 넓적다리에서 느끼는 상이 있다. '고(股)'는 넓적다리이다. 만약 위로 간다면 부끄럽게 된다.
〈問, 咸其股以下. 曰, 九三欲從其上, 是咸其股也. 其所專執, 在於隨人也. 若上往則致窮吝, 蓋徒知悅陰而不知有害者也.
물었다: "넓적다리에서 느낀다"는 말로부터 그 이하의 문장은 어떤 뜻입니까?

---

55) 『論語 · 子罕』: 達巷黨人曰, 大哉孔子! 博學而無所成名. 子聞之, 謂門弟子曰, 吾何執? 執御乎? 執射乎? 吾執御矣.

답하였다: 구삼은 위를 따르고자 하니, 이것은 넓적다리에서 느낀다는 뜻입니다. 오로지 집착하는 것이 남을 따르는데 있습니다. 만약 위로 간다면 궁색해져서 부끄럽게 되니, 다만 음을 기뻐할 줄만 알고 해가 있음은 알지 못한 것입니다.〉

이지연(李止淵) 『주역차의(周易箚疑)』

九三以同體之艮, 位則雖高於腓, 而志則隨足而動. 上有正應, 亦勝口舌, 无實之人, 從下而往, 則有屈而下之吝, 從上而往, 則有卑而下之吝.
구삼은 동체인 간괘이므로, 자리는 비록 장딴지보다 높지만, 뜻은 발을 따라서 움직이고자 한다. 위에 정응함이 있어서 또한 구설수를 이기지만 실체가 없는 자이니, 아래를 따라서 가게 되면 굽혀서 낮추게 되는 부끄러움이 있고 위를 따라서 가게 되면 낮추게 되는 부끄러움이 있다.

김기례(金箕澧) 『역요선의강목(易要選義綱目)』

股之所執, 不能自持, 隨足而動者.
넓적다리가 집착하는 것은 스스로 가지고 있을 수 없으니, 다리를 따라서 움직이는 것이다.

○ 三以重剛居下體之上, 不有艮止之義. 妄感上六, 與初二二爻隨動, 如股隨足而動, 則非在上之道, 失於正, 剛而隨陰, 故曰吝.
삼효는 중강으로 하체의 위에 있으니, 간괘의 멈추는 뜻이 없다. 망령되게 상육을 느끼고 초효와 이효 두 효를 따라서 움직이니, 마치 넓적다리가 발을 따라서 움직이는 것과 같이 한다면 위에 있는 도가 아니며, 바름을 잃어서 굳센 양이면서도 음을 따르기 때문에 "부끄럽다"고 하였다.

이항로(李恒老) 「주역전의동이석의(周易傳義同異釋義)」

傳, 九三, 應於上六, 咸而從之. 股者, 在身之下足之上, 不能自由, 隨身而動者也, 故以爲象.
『정전』에서 말하였다: 구삼은 상육과 호응하고, 느껴서 따른다. 넓적다리는 몸통의 아래와 발의 위에 있어서 자유로울 수 없으므로 몸을 따라서 움직이기 때문에 이로써 상을 삼았다.

本義, 股, 隨足而動, 不能自專者也. 下二爻, 皆欲動者, 三亦不能自守而隨之, 往則吝矣. 故其象占如此.
『본의』에서 말하였다: 넓적다리는 발을 따라 움직이므로 스스로 마음대로 할 수 없다. 아래에 있는 두 효는 모두 움직이고자 하고, 삼효는 스스로 지킬 수 없어서 따라가니, 가면 부끄럽다. 그러므로 그 상과 점이 이와 같다.

按, 三與上自是正應, 不當以隨言, 據象傳亦不處也之亦字, 承初六六二两爻而言也, 可見咸股之隨足而動也.
내가 살펴보았다: 삼효와 상효는 본래 정응이 되므로, 따른다고 말해서는 안 되는데, 「상전」에서 "또한 그대로 머물러 있지 않음이다"라고 했을 때의 '역(亦)'자에 근거해보면, 이것은 초육과 육이 두 효를 이어서 한 말이니, 넓적다리에서 느낌이 발을 따라서 움직이는 것임을 확인할 수 있다.

허전(許傳) 「역고(易考)」

九三은 咸이 그股라 隨홈을 執ᄒᆞ야 往ᄒᆞ면 吝ᄒᆞ리라
구삼은 느끼는 곳이 넓적다리라서 따름을 집착하여 가면 부끄럽다.

股者, 乾爲股, 艮之上爻, 得之於乾, 故稱股. 股動, 則欲進之志, 甚於拇腓之動矣, 故戒之以若執守其所隨之意而往, 則吝也.
'넓적다리'란 건괘(乾卦☰)가 넓적다리가 되고 간괘(艮卦☶)의 상효는 건괘(乾卦)에서 얻었기 때문에 '넓적다리'라고 하였다. 넓적다리가 움직임은 나아가려는 의지가 발가락이나 장딴지보다 심하기 때문에, 만약 따르고자 하는 바의 뜻을 집착하여 지켜서 간다면 부끄럽게 된다고 하여 경계하였다.

심대윤(沈大允) 『주역상의점법(周易象義占法)』

咸之萃䷬, 聚也. 九三下有二陰, 爲感應者漸聚之象, 而居剛以求感乎上, 而爲四五所隔而隨之, 如股之能自動而猶隨身也, 故曰咸其股. 巽爲股, 執其下之二陰而隨于四五, 故曰執其隨. 艮爲執, 初二居艮, 其無專主也. 巽离爲行而麗於後曰隨, 言隨四五也. 對卦有离.
함괘가 취괘(萃卦䷬)로 바뀌었으니, 모은다는 뜻이다. 구삼의 아래에는 두 음이 있어서 감응하는 자가 점진적으로 모이는 상이 되는데, 굳센 양의 자리에 있으면서 상효를 느끼기를 구하지만, 사효와 오효에게 막혀서 따르니, 마치 넓적다리가 스스로 움직일 수 있지만, 여전

히 몸을 따르게 됨과 같기 때문에, “넓적다리에서 느낀다”고 하였다. 손괘는 넓적다리가 되고, 아래의 두 음을 집착하고 사효와 오효를 따르기 때문에 “따르는 데에만 집착한다”고 하였다. 간괘는 집착함이 되는데, 초효와 이효는 간괘에 머물러 있어서, 오로지 주관하는 자가 없다. 손괘와 리괘는 감이 되지만, 뒤에 걸리기 때문에 “따른다”고 하였으니, 사효와 오효를 따른다는 뜻이다. 음양이 반대인 괘 속에 리괘가 있다.

오치기(吳致箕) 「주역경전증해(周易經傳增解)」

九三陽剛居下體之終, 而當股之位, 上應上六之柔, 有咸其股之象. 然止而不動, 則自有相感之道, 而以其過剛, 故不能自止. 所執, 乃欲隨下而動矣, 所隨在下, 則爲可羞, 故戒言往則爲吝也.
구삼은 굳센 양이 하체의 끝에 있고, 넓적다리의 자리에 해당하는데, 위로 상육의 부드러운 음과 호응하여, 넓적다리에서 느끼는 상이 있다. 그러나 그쳐서 움직이지 않는다면, 저절로 서로 느끼는 도가 있지만, 지나친 굳셈을 사용하기 때문에, 스스로 그칠 수 없다. 집착하는 것은 곧 아래를 따라서 움직이고자 하는 것이니, 따르는 것이 아래에 있다면, 부끄러울만하기 때문에, 가면 부끄럽게 된다는 경계의 말을 했다.

○ 股, 髀也, 居下體之上腰之下, 隨足而動者也. 互巽爲股之象. 持守之謂執, 而取於艮, 股隨腓動, 故言隨也.
‘고(股)’자는 넓적다리이니, 하체의 위와 허리 밑에 있고, 발을 따라서 움직인다. 호괘인 손괘는 넓적다리의 상이 된다. 가지고 지킨다는 말은 집착이라고 하는데 간괘에서 취하였으며, 넓적다리가 장딴지를 따라서 움직이기 때문에 “따른다”고 했다.

이진상(李震相) 『역학관규(易學管窺)』

入巽體之中, 故以股[56]言. 陽志趨上, 不思兩陽之爲隔, 而隨之以動, 隨人卽隨四也.
손괘의 몸체 가운데로 들어갔기 때문에, ‘넓적다리[股]’라고 말했다. 양의 뜻은 위로 나아가는데, 두 양이 가로막는다는 것을 생각하지 못하고, 따라서 움직였으니, 남을 따른다는 것은 곧 사효를 따른다는 뜻이다.
〈三山柳公曰, 執, 艮止象. 重剛不中, 故不能守而隨動.
삼산유공이 말하였다: 집착한다는 것은 간괘의 그치는 상이다. 양효가 양의 자리에 있지만

---

56) 股: 경학자료집성DB에는 ‘服’으로 되어 있으나, 문맥에 따라 ‘股’로 바로 잡았다.

가운데 자리가 아니기 때문에 지킬 수 없어서 따라 움직이는 것이다.〉

박문호(朴文鎬) 『경설(經說)-주역(周易)』

或之承, 承, 程傳作受義, 本義作授義. 承之羞, 猶言承以羞也, 本義似長.

'혹지승(或之承)'[57]의 승(承)자에 대해서 『정전』에서는 받는다는 뜻으로 기록했고, 『본의』에서는 준다는 뜻으로 기록했다. '승지수(承之羞)'는 "부끄러움으로 받는다"는 뜻과 같으니, 『본의』의 주장이 더 낫다.

박문호(朴文鎬) 『경설(經說)-주역(周易)』

本不與易相比, 易指爻辭經文也, 謂古易也.

"본래 역(易)의 본문과 함께 나란히 있지 않는다"고 했는데, '역(易)'이라는 말은 효사의 경문을 가리키므로, 고대의 역을 뜻한다.

이병헌(李炳憲) 『역경금문고소전(易經今文考小箋)』

本義, 股, 隨足而動, 不能自專者也. 執者, 主當持守之意. 言亦者, 因前二爻皆欲動而云也. 宜靜而動, 可吝之甚也.

『본의』에서 말하였다: 넓적다리는 발을 따라 움직이므로 스스로 마음대로 할 수 없다. '집(執)'이란 주관하여 잡아 지킨다는 뜻이다. '또한[亦]'이라고 말한 것은 앞의 두 효는 모두 움직이고자 하기 때문에 그렇게 말하였다. 마땅히 고요해야 하는데도 움직이니, 심하게 부끄러울만하다.

---

57) 『周易·恒卦』: 九三, 不恒其德, 或承之羞, 貞吝.

象曰, 咸其股, 亦不處也, 志在隨人, 所執, 下也.

「상전」에서 말하였다: "넓적다리에서 느낌"은 또한 그대로 머물러 있지 않음이니, 뜻이 다른 사람을 따르는 데에 있으므로 지키는 수준이 낮다.

中國大全

傳

云亦者, 蓋象辭本不與易相比, 自作一處, 故諸爻之象辭, 意有相續者. 此言亦者, 承上爻辭也. 上云咸其拇, 志在外也, 雖凶居吉, 順不害也, 咸其股亦不處也. 前二陰爻, 皆有感而動, 三雖陽爻, 亦然, 故云亦不處也. 不處, 謂動也. 有剛陽之質, 而不能自主, 志反在於隨人, 是所操執者, 卑下之甚也.

'또한[亦]'이라고 말한 것은 「상전」이 본래 『주역』의 본문과 함께 나란히 있지 않고 따로 있었기 때문에 모든 효의 「상전」은 뜻이 서로 이어짐이 있기 때문이다. 여기서 '또한'이라고 말한 것은 앞의 효의 말을 이어받은 것이다. 앞에서 "'그 발가락에서 느낌'은 뜻이 바깥에 있는 것이다"[58]라고 하고, "비록 '흉하더라도 그대로 있으면 길함'은 순리대로 하면 해롭지 않은 것이다"[59]라고 하고, "'넓적다리에서 느낌'은 또한 그대로 머물러 있지 않음이다"라고 하였다. 앞의 두 음효가 모두 느낌이 있어서 움직였는데, 삼효가 비록 양효이더라도 또한 그러하기 때문에 "또한 그대로 머물러 있지 않는다"라고 하였다. "머물러 있지 않다[不處]"란 움직인다는 말이다. 굳센 양의 재질을 가지고 있으면서도 스스로 주장할 수 없어서 뜻이 도리어 다른 사람을 따르는 데에 있으니, 이는 잡는 바가 심하게 비천하고 낮은 것이다.

本義

言亦者, 因前二爻皆欲動而云也. 二爻陰躁, 其動也宜, 九三, 陽剛, 居止之極,

58) 『周易 · 咸卦』: 初六, 象曰, 咸其拇, 志在外也.
59) 『周易 · 咸卦』: 六二, 象曰, 雖凶居吉, 順, 不害也.

宜靜而動, 可吝之甚也.

'또한[亦]'이라고 말한 것은 앞의 두 효는 모두 움직이고자 하기 때문에 그렇게 말하였다. 두 효는 음으로 조급하므로 그 움직임이 마땅하지만, 구삼은 양으로 굳세어 그침의 지극한 곳에 있으므로[60] 마땅히 고요해야 하는데도 움직이니, 심하게 부끄러울만하다.

小註

建安丘氏曰, 下卦二陰, 感物而動, 故不知止. 三剛而止體, 乃亦如二陰之爲, 故曰亦不處. 陽在上而下隨二陰, 故曰所執下也.
건안구씨가 말하였다: 하괘의 두 음은 대상에 느껴서 움직이기 때문에 그칠 줄을 알지 못한다. 삼효는 굳센 양이면서 그치는 몸체이면서도 또한 두 음의 행위와 같이 하기 때문에 "또한 그대로 머물러 있지 않는다"라고 하였다. 양이 위에 있으면서도 아래로 두 음을 따르기 때문에 "지키는 수준이 낮다"고 하였다.

○ 雲峯胡氏曰, 彼不處而我亦不處, 不能自立而日究[61]乎汚下者也.
운봉호씨가 말하였다: 그가 그대로 머물러 있지 않아서 나도 또한 그대로 머물러 있지 않으니, 스스로 설 수가 없어 날마다 더럽고 낮은 곳으로 나아가는 것이다.

韓國大全

유정원(柳正源)『역해참고(易解參攷)』

亦不處.
또한 그대로 머물러 있지 않는다.

梁山來氏曰, 處者, 居也, 卽六二居吉之居因艮止, 故言居言處. 處則不隨, 隨則不處. 曰亦者, 承二爻而言.

60) 그침을 상징하는 간괘(艮卦☶)의 끝에 있다는 말이다.
61) 究: 호병문(胡炳文)이 지은『주역본의통해(周易本義通釋)』에는 '구(究)'가 '취(就)'로 되어 있다.

양산래씨가 말하였다: 머문다는 말은 그대로 있다는 뜻이니, 육이에서 “그대로 있으면 길하다”라고 했을 때의 그대로 있음은 간괘의 그침에 따르기 때문에, 그대로 있다고 말하고 머문다고 말한 것이다. 머문다면 따르지 않고, 따른다면 머물지 않는다. ‘또한[亦]’이라고 한 말은 두 효를 이어서 한 말이다.

김상악(金相岳) 『산천역설(山天易說)』

亦者, 因前二爻也. 下謂初也. 九五曰末, 指上也.
‘또한[亦]’은 앞의 두 효에 기인했기 때문이다. ‘하(下)’자는 초효를 뜻한다. 구오에서 ‘말(末)’이라고 한 말은 상효를 가리킨다.

서유신(徐有臣) 『역의의언(易義擬言)』

感其股, 動行之意也. 執其隨, 卑下之事也.
“넓적다리에서 느낀다”는 움직이는 뜻이다. “따르는 데에만 집착한다”는 낮추는 일이다.

박문건(朴文健) 『주역연의(周易衍義)』

亦者, 承上二爻之義而言也. 下言其志卑下也.
‘역(亦)’자는 위의 두 효의 뜻을 이어서 한 말이다. ‘하(下)’자는 그 뜻이 낮다는 의미이다.

심대윤(沈大允) 『주역상의점법(周易象義占法)』

亦猶二之不能自處而隨人以動也. 咸之患在牽於私欲, 而不得其正, 隨人以動者, 牽於私欲也.
‘역(亦)’자는 이효가 스스로 머물러 있을 수 없어서, 남을 따라 움직임과 같다. 함괘의 우환은 사사로운 욕심에 이끌려서 올바름을 얻지 못하는데 있으니, 남을 따라서 움직이는 것은 사사로운 욕심에 이끌린 것이다.

오치기(吳致箕) 「주역경전증해(周易經傳增解)」

不能自守其志, 亦欲隨人而動, 其所執在於從下也.
스스로 그 뜻을 지킬 수 없고, 또 남을 따라서 움직이고자 하니, 집착하는 것은 아래를 따르고자 함에 있다.

九四, 貞, 吉, 悔亡, 憧憧往來, 朋從爾思.

구사는 곧으면 길하여 후회가 없으리니, 자주 가고 오면 벗만 네 생각을 따를 것이다.

中國大全

傳

感者, 人之動也, 故皆就人身取象. 拇, 取在下而動之微, 腓, 取先動, 股, 取其隨, 九四, 无所取, 直言感之道, 不言咸其心, 感乃心也. 四在中而居上, 當心之位, 故爲感之主而言感之道, 貞正則吉而悔亡, 感不以正則有悔也.

느낌이란 사람이 움직이는 것이기 때문에 모두 사람의 신체에 나아가 상을 취하였다. '엄지발가락'은 맨 아래에 있으면서 움직임이 미미함을 취하였고, '장딴지'는 먼저 움직임을 취하였으며, '넓적다리'는 따름을 취하였다. 구사는 취하는 바가 없이 다만 느끼는 도를 말하고 마음에서 느낀다고 말하지 않았으나, 느끼는 것이 바로 마음이다. 구사는 괘 전체에서 가운데에 있으면서 상괘에 있으므로 마음의 자리에 해당하기 때문에 느낌의 주인이 되어 느끼는 도를 말하였으니, 곧고 바르면 길하여 후회가 없을 것이며, 바름으로써 느끼지 않으면 후회가 있다.

又四說體居陰而應初, 故戒於貞, 感之道, 无所不通, 有所私係則害於感通, 乃有悔也. 聖人感天下之心, 如寒暑雨暘, 无不通无不應者, 亦貞而已矣, 貞者, 虛中无我之謂也.

또 사효는 기쁨을 의미하는 태괘(兌卦☱)의 몸체로 음의 자리에 있으면서 초효와 호응하기 때문에 곧음[貞]에 대하여 경계하였으니, 느끼는 도는 통하지 않는 곳이 없으나 사사롭게 매이는 바가 있으면 느껴 통하는 데에 해로우므로 곧 후회가 있다. 성인이 천하 사람들의 마음을 감동시키는 것은 춥고 더우며 비가 오고 햇볕이 나는 것과 같아서 통하지 않음이 없고 호응하지 않음이 없는 것은 또한 곧기 때문일 뿐이니, '곧음'은 마음을 비워 아집이 없음을 말한다.

憧憧往來, 朋從爾思, 夫貞一則所感无不通, 若往來憧憧然, 用其私心以感物, 則思之所及者, 有能感而動, 所不及者, 不能感也, 是其朋類, 則從其思也. 以有

係之私心, 旣主於一隅一事, 豈能廓然无所不通乎.

"자주 가고 오면 벗이 네 생각을 따를 것이다"고 함은 곧고 한결같으면 감동함에 통하지 않음이 없고, 만약 가고 오기를 자주 자주하여 사사로운 마음을 써서 다른 사람을 감동시킨다면 생각이 미치는 자는 느껴서 움직일 수 있지만 생각이 미치지 못하는 자는 느낄 수가 없으니, 이것이 그 벗들이어야만 그 생각을 따르는 것이다. 이미 매임이 있는 사사로운 마음으로써 한 귀퉁이와 한 가지 일을 주장하였다면, 어찌 확연하게 통하지 않는 곳이 없을 수 있겠는가?

繫辭曰, 天下何思何慮. 天下同歸而殊塗, 一致而百慮, 天下何思何慮, 夫子因咸, 極論感通之道. 夫以思慮之私心, 感物, 所感狹矣. 天下之理, 一也, 塗雖殊而其歸則同, 慮雖百而其致則一, 雖物有萬殊, 事有萬變, 統之以一則无能違也, 故貞其意則窮天下无不感通焉. 故曰天下何思何慮, 用其思慮之私心, 豈能无所不感也.

「계사전」에서 "천하가 무엇을 생각하며 무엇을 걱정하리오! 천하가 돌아감이 같아도 길은 다르며, 이룸이 하나여도 걱정은 갖가지이니, 천하가 무엇을 생각하며 무엇을 걱정하리오!"[62]라고 하였으니, 공자가 함괘를 가지고서 느껴서 통하는 도를 지극히 논하였다. 생각하고 근심하는 사사로운 마음으로 다른 사람을 감동시키면 감동시키는 바가 좁다. 천하의 이치는 한 가지이니, 길은 비록 다르더라도 돌아감은 똑같고 생각은 비록 백 가지더라도 이룸은 한 가지이며, 비록 물(物)이 만 가지로 다름이 있고 일이 만 가지로 변함이 있더라도 하나로써 통솔하면 어긋날 수가 없기 때문에, 그 뜻을 곧게 하면 천하를 다하여 느껴서 통하지 않음이 없다. 그러므로 "천하가 무엇을 생각하고 무엇을 걱정하리오!"라고 하였으니, 생각하고 걱정하는 사사로운 마음을 쓴다면, 어찌 '감동시키지 못하는 바가 없을' 수 있겠는가?

日往則月來, 月往則日來, 日月相推而明生焉, 寒往則暑來, 暑往則寒來, 寒暑相推而歲成焉. 往者, 屈也, 來者, 信也, 屈信, 相感而利生焉, 此, 以往來屈信, 明感應之理. 屈則有信, 信則有屈, 所謂感應也. 故日月相推而明生, 寒暑相推而歲成, 功用由是而成, 故曰屈信相感而利生焉, 感, 動也, 有感, 必有應. 凡有動, 皆爲感, 感則必有應, 所應, 復爲感, 感復有應, 所以不已也.

"해가 가면 달이 오고, 달이 가면 해가 와서 해와 달이 서로 밀쳐서 밝음이 나오며, 추위가 가면 더위가 오고, 더위가 가면 추위가 와서 추위와 더위가 서로 밀쳐서 한 해가 이루어진다. 가는 것은 굽힘이고 오는 것은 폄이니, 굽힘과 폄이 서로 감응하여 이로움이 나오는 것이다"[63]라고 하였으니, 이것은 가고 옴과 굽히고 폄을 가지고서 감응하는 이치를 밝혔다. 굽히면 폄이 있고 펴면 굽힘이 있으니,

---

62) 『周易 · 繫辭傳』: 易曰, 憧憧往來, 朋從爾思, 子曰, 天下何思何慮, 天下同歸而殊塗, 一致而百慮, 天下何思何慮.

63) 이 문장은 『주역(周易) · 계사전(繫辭傳)』에 나온다.

이른바 감응이다. 그러므로 해와 달이 서로 밀쳐서 밝음이 나오며 추위와 더위가 서로 밀쳐서 한 해가 이루어지니, 공과 쓰임이 이로 말미암아 이루어지기 때문에 "굽힘과 폄이 서로 감응하여 이로움이 나오는 것이다"라고 하였다. '느낌'은 움직이는 것이니, 느낌이 있으면 반드시 호응이 있다. 움직임이 있으면 모두 느끼게 되니, 느끼면 반드시 호응이 있고 호응하는 바는 다시 느끼게 되며, 느끼면 다시 호응이 있게 되므로 그치지 않는다.

尺蠖之屈, 以求信也, 龍蛇之蟄, 以存身也, 精義入神, 以致用也, 利用安身, 以崇德也, 過此以往, 未之或知也, 前云屈信之理矣, 復取物以明之.

"자벌레가 굽힘은 이것으로 폄을 구함이고, 용과 뱀이 칩거함은 이것으로 몸을 보존함이고, 의리를 정밀히 하여 신묘함에 들어감은 이것으로 씀을 이룸이고, 씀을 이롭게 하여 몸을 편안히 함은 이것으로 덕을 높임이니, 이를 지나간 뒤로는 혹 알지 못한다"[64]고 하였으니, 앞에서는 굽히고 펴는 이치를 말하고서 다시 물(物)을 취하여 그 이치를 밝혔다.

尺蠖之行, 先屈而後信, 蓋不屈則无信, 信而後有屈, 觀尺蠖則知感應之理矣. 龍蛇之藏, 所以存息其身而後, 能奮迅也, 不蟄則不能奮矣, 動息相感, 乃屈信也. 君子潛心精微之義, 入於神妙, 所以致其用也, 潛心精微, 積也, 致用, 施也, 積與施, 乃屈信也. 利用安身, 以崇德也, 承上文致用而言, 利其施用, 安處其身, 所以崇大其德業也. 所爲合理則事正而身安, 聖人能事盡於此矣, 故云過此以往, 未之或知也.

자벌레가 가는 것은 먼저 굽힌 후에 펴므로, 굽히지 않는다면 펼 수가 없으며 편 후에 굽힘이 있으니, 자벌레를 관찰하면 감응하는 이치를 알게 된다. 용과 뱀이 숨어서 나오지 않는 것은 자신을 보존하고 쉰 후에야 분발하여 빠르게 할 수 있으므로, 숨어 있지 않는다면 분발할 수가 없으니, 움직임과 쉼이 서로 느끼는 것이 바로 굽힘과 폄이다. 군자가 정미한 뜻을 마음에 잠겨두어 신묘한 경지에 들어감은 그 씀을 지극히 하는 것이니, 마음에 정미한 것을 잠겨 둠은 쌓는 것이며 씀을 지극히 함은 베푸는 것이다. 쌓음과 베풂이 곧 굽히고 폄이다. "씀을 이롭게 하여 몸을 편안히 하는 것은 덕을 높이려고 하기 때문이다"라고 한 것은 위의 문장에서 말한 "씀을 지극히 한다"를 이어서 말한 것이니, 그 베풂과 씀을 이롭게 하여 그 자신을 편안하게 처함은 덕업을 높고 크게 하는 것이다. 하는 바가 이치에 부합되면 일이 바르게 되어 자신은 편안하게 되니, 성인의 능한 일은 여기서 다하였기 때문에 "이것을 지나간 것은 혹 알지 못한다"고 하였다.

窮神知化, 德之盛也, 旣云過此以往, 未之或知, 更以此語終之, 云窮極至神之妙, 知化育之道, 德之至盛也, 无加於此矣.

---

64) 이 문장은 『주역(周易)·계사전(繫辭傳)』에 나온다.

"신묘함을 궁구하며 조화를 앎이 덕의 성대함이다"라고 하였으니, 이미 "이것을 지나간 것은 혹 알지 못한다"고 하였고 다시 이 말로써 끝을 맺으면서 지극히 신묘한 묘함을 극도로 궁구하여 화육하는 도를 앎은 덕이 지극히 성한 것이므로 여기에 더할 수 없다고 말한 것이다.

小註

程子曰, 咸九四言貞吉悔亡, 言感之不可以心也.
정자가 말하였다: '함괘'의 구사에서 "곧으면 길하여 후회가 없으리라"라고 말한 것은 느낌은 의도적인 마음을 가지고서 하면 안 됨을 말한다.

○ 天地之間, 只有一箇感與應而已, 更有甚事.
천지의 사이에 다만 하나의 느낌과 호응이 있을 뿐이니, 다시 더 무엇이 있겠는가?

○ 天地之常, 以其心普萬物而无心, 聖人之常, 以其情順萬物而无情. 故君子之學, 莫若廓然而大公, 物來而順應.
천지의 항상됨은 그 마음이 만물에 두루 미치기 때문에 마음이 없으며, 성인의 항상됨은 그 감정[情]이 만물을 따르기 때문에 감정이 없다. 그러므로 군자의 배움은 확 트이고 텅 비어 크게 공정하여 상대가 옴에 따라 호응함만한 것이 없다.

○ 窮神知化, 化之妙者, 神也.
「계사전」에서 "신묘함을 궁구하며 조화를 안다"[65]고 하였으니, 조화의 오묘한 것이 신이다.

○ 易, 聖人所以立道, 窮神則无易矣.
역(易)은 성인이 도를 세우는 방법인데, 신묘함을 궁구하면 역은 필요가 없다.

○ 或問, 咸九四傳, 說虛心貞一處, 全似敬. 朱子曰, 蓋嘗有此語曰, 敬, 心之貞也.
어떤이가 물었다: '함괘'의 구사에 대하여 『정전』에서 "마음을 비우고" · "곧고 한결같다"고 설명한 곳은 온전하게 경(敬)과 같습니까?
주자가 말하였다: 일찍이 이러한 말이 있었으니, "경(敬)은 마음의 곧음이다"라고 하였습니다.

---

65) 『周易 · 繫辭傳』: 過此以往, 未之或知也, 窮神知化, 德之盛也.

○ 問, 感通之理, 曰, 感是事來感我, 通是自家受他感處之意.
물었다: 느껴 통하는 이치는 무엇입니까?
답하였다: '느낌[感]'이란 일[事]이 와서 나를 느끼게 하는 것이고, "통한다"란 내가 다른 사람이 느끼는 부분을 받아들인다는 뜻입니다.

○ 問, 明道云莫若廓然而大公, 物來而順應, 如何. 曰, 廓然大公, 便不是憧憧, 物來順應, 便不是朋從爾思. 此只是比而不周, 周而不比之意.
물었다: 명도가 말한 "확 트이고 텅 비어 크게 공정하여 상대가 옴에 따라 호응한다"란 무슨 뜻입니까?
답하였다: 확 트이고 텅 비어 크게 공정하다는 것이 곧 '자주 자주'라는 말은 아니며, 상대가 옴에 따라 호응한다는 것이 곧 "벗만 네 생각을 따를 것이다"라는 말은 아닙니다. 이는 단지 "편을 가르고 두루 하지 않고, 두루 하고 편을 가르지 않는다"[66]는 뜻입니다.

○ 問, 伊川解屈信往來一段, 以屈伸爲感應, 屈伸之與感應, 若不相似, 何也. 曰, 屈則感伸, 伸則感屈, 自然之理也. 今以鼻息觀之, 出則必入, 出感入也, 入則必出, 入感出也. 故曰感則有應, 應復爲感, 所感復有應, 屈伸非感應而何.
물었다: 정이천은 굽히고 폄과 가고 옴이라는 한 단락으로 풀이하여 굽히고 폄을 느끼고 호응함으로 여겼으나, 굽히고 폄이 느끼고 호응함과 서로 유사하지 않은 듯하니, 어째서입니까?
답하였다: 굽히면 펼 것을 느끼고 펴지면 굽힐 것을 느끼는 것이 자연의 이치입니다. 이제 코로 숨쉬는 것을 관찰하면, 숨이 나가면 반드시 숨이 들어오니 나가면 들어올 것을 느끼고, 숨이 들어오면 반드시 숨이 나가게 되니 들어오면 나갈 것을 느낍니다. 그러므로 "느끼면 호응함이 있고 호응함은 다시 느끼게 되며 느끼는 바에는 다시 호응함이 있다"고 하였으니, 굽히고 폄이 느끼고 호응함이 아니고서 무엇이겠습니까?

○ 凡在天地間, 无非感應之理, 造化與人事, 皆是感應. 且如雨暘, 雨不成只管雨, 便感得箇暘來, 暘不成只管暘, 暘已是應處, 又感得雨來. 寒暑晝夜, 无非此理. 如人夜睡, 不成只管睡, 至曉須著起來, 一日運動, 向晦亦須當息. 凡一死一生, 一出一入, 一往一來, 一語一默, 皆是感應. 如古今天下, 有一盛必有一衰. 聖人在上, 兢兢業業, 必曰保治. 及至衰廢, 自是整頓不起, 然不成一向如此, 必有興起時節.
하늘과 땅 사이에는 느끼고 호응하는 이치가 아님이 없으니, 조화(造化)와 사람의 일은 모

66) 『論語 · 爲政』: 子曰, 君子, 周而不比, 小人, 比而不周.

두 느끼고 호응함이다. 또한 비가 오고 날이 갬과 같은 경우에, 비란 다만 앞으로도 계속 올 수 있는 비가 되지 못하므로 곧 날이 갤 것이라고 느낄 수 있으며, 개어 있는 날씨도 다만 앞으로 계속 될 수 있는 개어 있는 날씨가 되지 못하고, 개어 있는 날씨가 이미 호응한 곳이므로 또한 비가 올 것이라고 느낄 수 있다. 춥고 더움과 낮과 밤에도 이러한 이치가 아님이 없다. 사람이 밤에 잘 때와 같은 경우에, 계속되는 잠을 이루지는 못하므로 새벽에 이르러 반드시 일어나게 되며, 하루의 운동은 어두워지기 시작하면 또한 마땅히 쉬어야 한다. 한 번 죽으면 한 번 태어나고, 한 번 나가면 한 번 들어오며, 한 번 가면 한 번 오고, 한 번 말하면 한 번 침묵하니, 모두 느끼고 호응하는 것이다. 예를 들면 예나 오늘이나 천하에서는 한 번 성대함이 있으면 반드시 한 번 쇠함이 있게 된다. 성인이 윗자리에 있어서 항상 조심하고 공경하면서 부지런히 한다면, 반드시 다스림을 도와준다고 할 수 있다. 점점 쇠하여 없어지는 데에 이르러서는 자연히 어지러운 것들을 정리하여 바로 잡지 못하지만, 이와 같은 방향으로 계속되지는 않으므로 반드시 흥기하는 시절이 있게 된다.

○ 問, 如日往, 則感得那月來, 月往, 則感得那日來, 寒往, 則感得那暑來, 暑往, 則感得那寒來, 一感一應, 一往一來, 其理无窮. 感應之理是如此. 曰, 此以感應之理言之, 非有情者. 云有動皆爲感, 似以有情者言, 父慈, 則感得那子愈孝, 子孝, 則感得那父愈慈, 其理亦只一般.

물었다: 해가 가면 저 달이 올 것을 느낄 수 있고 달이 가면 저 해가 올 것을 느낄 수 있으며, 추위가 가면 저 더위가 올 것을 느낄 수 있고 더위가 가면 저 추위가 올 것을 느낄 수 있는 것과 같이, 한 번 느끼면 한 번 호응하고 한 번 가면 한 번 오니, 이러한 이치가 무궁합니다. 느끼고 호응하는 이치가 이와 같습니까?

답하였다: 이것은 느끼고 호응하는 이치로 말한 것이지, 실정이 있는 것은 아닙니다.

물었다: 『정전』에서 "움직임이 있으면 모두 느끼게 된다"고 한 것은 아마도 실정이 있음을 가지고 말한 듯합니다.

답하였다: 아버지가 아들을 자애하면 저 아들이 더욱 효도할 것을 느낄 수 있고, 아들이 아버지에게 효도하면 저 아버지가 더욱 자애할 것을 느낄 수 있으니, 그 이치가 또한 같습니다.

○ 又問, 那感應理, 於學者工夫有用處否. 曰, 此理无乎不在, 如何學者用不得. 精義入神, 以致用也, 利用安身, 以崇德也, 正是這道理.

또 물었다: 저 느끼고 호응하는 이치는 배우는 사람이 공부를 하는 데에서 쓰일 곳이 있습니까?

답하였다: 이러한 이치는 있지 않음이 없으니, 어찌하여 배우는 사람이 쓸 수 없겠습니까? "의리를 정밀히 하여 신묘함에 들어감은 이것으로 씀을 이룸이고, 씀을 이롭게 하여 몸을

편안히 함은 이것으로 덕을 높임이다"라고 하였으니, 바로 이것이 이러한 도리입니다.

○ 易傳中說過此以往, 未之或知也之意, 爲學正如推車子相似, 才用力推得動了, 便自轉將去. 更不費力
『주역 · 계사전』에서 말한 "이를 지난 뒤로는 혹 알지 못한다"는 뜻은 학문을 함이란 바로 '수레를 뒤에서 미는'[67] 것과 서로 비슷하니, 잠시 힘 써 밀어 줄 수 있어서 움직이면 곧 스스로 굴러가게 되어 힘을 낭비하지 않는다는 것이다.

○ 節齋蔡氏曰, 憧憧, 動心之貌. 貞則靜, 靜則虛, 虛則一, 一則於來也, 无迎, 於往也, 无將, 旣應之後, 蓋猶未應之初也. 靜亦定, 動亦定, 寂也, 未嘗不感, 感也, 未嘗不寂. 何憧憧之有.
절재채씨가 말하였다: '자주 가고 옴'이란 마음을 움직이는 모양이다. 곧으면 고요하고 고요하면 비어 있게 되며, 비어 있으면 한결같이 되니, 한결같이 되면 올 때에는 맞이함이 없고 갈 때에는 보냄도 없으므로,[68] 아직 호응하지 않은 처음과 같다. 고요해도 또한 안정되어 있고 움직여도 또한 안정되어 있으니, 적막할 때에도 일찍이 느끼지 않음이 없으며, 느낄 때에도 일찍이 적막하지 않음이 없다. 어찌 '자주 가고 옴'이 있겠는가?

○ 誠齋楊氏曰, 九四適當心位, 不言心而言思者, 責其廢心而任思也. 以思窮物, 適以物窮思, 安能窮神知化而成光大之盛德哉. 子曰, 天下何思何慮, 此之謂也.
성재양씨가 말하였다: 구사는 마음의 자리에 적당한데도 마음을 말하지 않고 '생각[思]'을 말한 것은 그 마음을 폐하고 생각에 맡김을 책망한 것이다. 생각으로써 대상을 궁구하면 다만 대상만으로도 생각을 다해야 하니, 어찌 신(神)을 궁구하여 조화를 알아 빛나고 큰 성대한 덕을 이룰 수 있겠는가?[69] 공자가 "천하가 무엇을 생각하고 무엇을 근심하겠는가?"[70]라고 한 말이 이 말이다.

○ 龜山楊氏曰, 初言咸其拇, 二言咸其腓, 三言咸其股, 五言咸其脢, 上言咸其輔頰舌, 而九四一爻, 由一身觀之, 則心是也. 獨不言心, 其說蓋有心以感物, 則其應必狹. 唯无心而待物之感, 故能无所不應焉. 其繇曰, 貞吉悔亡憧憧往來朋從爾思, 夫思皆緣

67) 『춘추좌전 · 성공』 2년 조목.
68) 『莊子 · 知北遊』; 『近思錄 · 爲學』
69) 『周易 · 繫辭傳』: 過此以往, 未之或知也, 窮神知化, 德之盛也.
70) 『周易 · 繫辭傳』: 易曰, 憧憧往來, 朋從爾思, 子曰, 天下何思何慮, 天下同歸而殊塗, 一致而百慮, 天下何思何慮.

其類而已, 不能周也. 所謂朋從者, 以類而應故也. 故繫辭曰, 天下何思何慮. 天下同歸而殊塗, 一致而百慮, 天下何思何慮. 夫心猶鏡也, 居其所而物自以形來, 則所鑒者廣矣. 若執鏡隨物以度其形, 其照幾何.
구산양씨가 말하였다: 초효에서는 "그 발가락에서 느낀다"라고 하였고, 이효에서는 "장딴지에서 느낀다"고 하였으며, 삼효에서는 "넓적다리에서 느낀다"라고 하였고, 오효에서는 "등살에서 느낀다"라고 하였으며, 상효에서는 "광대뼈와 뺨과 혀에서 느낀다"라고 하였는데, 구사한 효는 신체의 한 부분으로 본다면 마음이다. 유독 마음이라고 말하지 않은 것은 마음을 가짐으로써 상대에 느낀다고 설명한다면, 그 호응하는 것이 반드시 협소해지기 때문이다. 오직 마음이 없으면서 상대의 느낌을 기다리기 때문에 호응하지 않는 바가 없다. 점사에서 "곧으면 길하여 후회가 없으리니, 자주 자주 가고 오면 벗만 네 생각을 따를 것이다"라고 하였는데, 생각이란 모두 그 부류를 따를 뿐이므로 두루 할 수가 없다. 이른바 "벗만 따른다"란 비슷하여서 호응하기 때문이다. 그러므로 「계사전」에서 "천하가 무엇을 생각하며 무엇을 걱정하리오! 천하가 돌아감이 같아도 길은 다르며, 이룸이 하나여도 걱정은 갖가지이니, 천하가 무엇을 생각하며 무엇을 걱정하리오!"[71]라고 하였다. 마음이란 거울과 같아서, 그 자리에 있고 대상이 스스로 형체로써 오니, 비추는 바가 넓다. 만약 거울을 잡고 대상을 따라 그 형체를 살펴본다면, 비추는 바가 얼마나 되겠는가?

本義

九四居股之上脢之下, 又當三陽之中, 心之象, 咸之主也. 心之感物, 當正而固, 乃得其理, 今九四乃以陽居陰, 爲失其正而不能固. 故因占設戒, 以爲能正而固, 則吉而悔亡, 若憧憧往來, 不能正固而累於私感, 則但其朋類從之, 不復能及遠矣.

구사는 넓적다리의 위와 등살의 아래에 있고 또 세 양의 가운데에 해당하니, 마음의 상이며 느낌의 주체이다. 마음이 대상을 느낌은 마땅히 바르고 굳어야 그 이치를 얻을 수 있는데, 이제 구사가 양으로 음의 자리에 있으므로 바름을 잃고 굳게 할 수가 없게 된다. 그러므로 점을 인하여 경계를 세워 바르고 굳게 할 수 있다면 길하여 후회가 없고, 만약 자주 자주 가고 오면 바르고 굳게 될 수가 없어 사사로운 느낌에 얽매이면 단지 그 벗들만이 따르고 다시 멀리까지 미칠 수 없다고 한 것이다.

---

71) 『周易·繫辭傳』: 易曰, 憧憧往來, 朋從爾思, 子曰, 天下何思何慮, 天下同歸而殊塗, 一致而百慮, 天下何思何慮.

小註

或問, 程傳云, 貞者, 虛中无我之謂. 本義云, 貞者, 正而固, 不同何也. 朱子曰, 某尋常解經, 只要依訓詁說字. 如貞字作正而固, 子細玩索, 自有滋味. 若曉得正而固, 則虛中无我, 亦在裏面.
어떤 이가 물었다: 『정전』에서 말하기를 "'곧음[貞]'이란 마음을 비워 아집이 없음을 말한다"고 하였고 『본의』에서는 '곧음이란 바르고 굳음'이라고 하여, 서로 같지 않으니 어째서입니까?
주자가 답하였다: 내가 보통 경(經)을 풀이할 때에는 다만 훈고에 의거하여 글자를 설명하려고 합니다. 예를 들어 '정(貞)'자는 바르고 굳세다는 뜻으로 되어 있으니, 자세하게 음미하여 살펴본다면 저절로 재미를 가지게 됩니다. 만약 바르고 굳음이라고 깨달을 수 있다면, '마음을 비워 아집이 없음'이라는 뜻도 또한 그 안에 있습니다.

○ 問, 貞吉悔亡, 憧憧往來, 朋從爾思, 蓋一往一來, 皆感應之常理也. 加憧憧焉則私矣. 此以私感, 彼以私應, 所謂朋從爾思, 非有感必通之道矣. 曰, 然.
물었다: "곧으면 길하여 후회가 없으리니, 자주 자주 가고 오면 벗만 네 생각을 따를 것이다"란 한 번 가면 한 번 오는 것이니, 모두 느끼고 호응하는 항상 된 이치입니다. 여기에 '자주 자주[憧憧]'를 더하면 사사롭게 됩니다. 여기서 사사롭게 느끼고 저기서 사사롭게 호응하니, 이른바 "벗만 네 생각을 따를 것이다"란 느낌이 있으면 반드시 통하는 도가 아닙니까?
답하였다: 그렇습니다.

○ 問, 憧憧往來, 朋從爾思. 曰, 往來自不妨. 天地間自是往來不絶. 只不合著憧憧了, 便是私意. 聖人未嘗不教人思, 只是不可憧憧, 這便是私了. 感應自有箇自然底道理, 何必思他. 若是義理, 卻不可不思.
물었다: "자주 자주 가고 오면 벗만 네 생각을 따를 것이다"란 무슨 뜻입니까?
답하였다: '오고 감[往來]'는 본래 괜찮습니다. 천지 사이에는 본래 왕래가 끊어지지 않습니다. 다만 '자주 자주[憧憧]' 해서는 안 되니, 이는 곧 사사로운 뜻이기 때문입니다. 성인은 일찍이 사람들에게 생각하도록 하지 않은 적이 없지만, 단지 '자주 자주' 하는 것은 안 되니, 이것은 곧 사사롭게 되기 때문입니다. 느껴 호응함에는 본래 자연적인 도리가 있으니, 하필 그것을 생각하겠습니까? 만약 의리(義理)라고 한다면, 도리어 생각하지 않을 수 없습니다.

○ 問, 憧憧往來, 朋從爾思, 莫是此感彼應, 憧憧是添一箇心否. 曰, 往來固是感應, 憧憧是一心方欲感他, 一心又欲他來應. 如正其義, 便欲謀其利, 明其道, 便欲計其功. 又如赤子入井之時, 此心方怵惕要去救他, 又欲他父母道我好, 這便是憧憧底病.
물었다: "자주 자주 가고 오면 벗만 네 생각을 따를 것이다"란 여기서 느끼면 저기서 호응하

는 것이 아니니, '자주 자주[憧憧]'란 하나의 마음을 더하는 것이 아닙니까?
답하였다: '가고 오는 것'은 진실로 느껴 호응함이며, '자주 자주'란 하나의 마음이 막 그것을 느끼고자 하는 것이고, 또 하나의 마음은 그것이 와서 호응할 것을 욕구하는 것입니다. 마치 그 의리를 바르게 하자마자 곧 그 이익을 도모하고자 하며, 그 도를 밝히자마자 곧 그 공을 계획하고자 하는 것과 같습니다.[72] 또 어린 아이가 우물로 들어가려고 할 때에 이 마음은 막 놀라고 두려워하여 그 아이를 구하고자 하지만, 또 그 아이의 부모에게서 내가 좋은 사람이라는 말을 듣고자 하니[73], 이것이 곧 '자주 자주' 하는 병통입니다.

○ 問, 往來, 是心中憧憧然往來, 猶言往來於懷否. 曰, 非也. 繫辭分明說, 日往則月來, 月往則日來, 寒往則暑來, 暑往則寒來, 安得爲心中之往來. 這箇只是對那日往則月來底說. 那箇是自然之往來, 此憧憧者, 是加私意, 不好底往來. 憧憧, 只是加一箇忙迫底心, 不能順自然之理, 猶言助長正心, 與計獲相似. 方往時, 又便要來, 方來時, 又便要往, 只是一箇忙.
물었다: '가고 오는 것'이란 마음속에서 자주 자주 왔다 갔다 하는 것이니, 생각 속에서 왔다 갔다라고 말하는 것과 같습니까?
답하였다: 아닙니다. 「계사전」에서 분명하게 설명하기를 "해가 가면 달이 오고 달이 가면 해가 오며, 추위가 가면 더위가 오고 더위가 가면 추위가 온다"[74]고 하였으니, 어찌 마음속에서 왔다 갔다 하는 것이 된다고 할 수 있겠습니까? 이것은 단지 해가 가면 달이 온다는 설에 대한 것입니다. 저것은 자연의 왕래이며 여기서 '동동(憧憧)'이란 사사로운 뜻이 더해진 것으로 좋지 않은 왕래입니다. '동동(憧憧)'이란 단지 하나의 몹시 바쁜 마음을 더한 것으로 자연의 이치를 따를 수 없으니, '조장(助長)'[75]이나 '정심(正心)'[76]을 말하는 것과 같으므로 계획하여 얻는다는 것과 서로 유사합니다. 바야흐로 갈 때에 또 곧바로 오고자 하고, 바야흐로 올 때에 또 곧바로 가고자 하니, 단지 이것이 분주함입니다.

○ 問, 憧憧往來, 如覇者, 以私心感人, 便要人應. 自然往來, 如王者, 我感之也, 无心而感, 其應我也, 无心而應, 周徧公溥, 无所私係. 如此是否. 曰, 是如此. 又問, 此以私

---

72) 『近思錄·爲學』: 董仲舒謂, 正其義, 不謀其利, 明其道, 不計其功.
73) 『맹자·공손추』에 다음과 같은 내용이 보인다. "所以謂人皆有不忍人之心者, 今人乍見孺子將入於井, 皆有怵惕惻隱之心, 非所以內交於孺子之父母也, 非所以要譽於鄕黨朋友也, 非惡其聲而然也."
74) 『周易·繫辭傳』: 日往則月來, 月往則日來, 日月相推而明生焉, 寒往則暑來, 暑往則寒來, 寒暑相推而歲成焉, 往者, 屈也, 來者, 信也, 屈信相感而利生焉.
75) 『孟子·公孫丑』: 必有事焉而勿正, 心勿忘, 勿助長也, 無若宋人然.
76) 『大學』: 欲齊其家者, 先脩其身, 欲脩其身者, 先正其心, 欲正其心者, 先誠其意, 欲誠其意者, 先致其知, 致知在格物.

而感, 恐彼之應者非以私而應, 只是應之者有限量否. 曰, 也是以私而應, 如自家以私惠及人, 少間被我之惠者, 則以我爲恩, 不被我之惠者, 則不以我爲恩矣. 王者之感, 如云王用三驅, 失前禽, 去者, 不以爲恩, 獲者, 不以爲怨, 如此方是公正无私心.
물었다: "자주 자주 가고 온다"란 패자(覇者)와 같아서 사사로운 마음으로 다른 사람들을 감동시켜 곧바로 사람들이 호응하기를 구합니다. 자연스러운 왕래는 왕자(王者)와 같아서 내가 그에게 감동함에 의도적인 마음이 없이 감동하며, 그가 나와 호응함에 의도적인 마음이 없이 호응하니, 모든 면에 걸쳐 공정하고 넓어져 사사롭게 얽매임이 없습니다. 이와 같습니까?
답하였다: 이와 같습니다.
또 물었다: 여기서는 사사로움을 가지고 느끼더라도, 아마도 저기서 호응하는 것은 사사로움을 가지고 호응하는 것이 아닌 듯하니, 단지 호응을 하는 것에는 한도가 있는 것입니까?
답하였다: 또한 사사로움을 가지고 호응하는 것이니, 마치 내가 사사로운 은혜를 다른 사람에게 미치게 할 때에, 적을지라도 나의 은혜를 입은 자는 나를 은혜롭다고, 여기고 나의 은혜를 입지 않은 자는 나를 은혜롭다고 여기지 않는 것과 같습니다. 왕자가 감동시킴은 마치 "왕이 세 군데로 모는데 앞의 새를 잃는다"[77]고 한 말과 같으므로 도망가는 것도 은혜롭다고 여기지 않고 잡힌 것도 원망스럽게 여기지 않으니, 이와 같아야 곧 공정하고 사사로운 마음이 없는 것입니다.

○ 感應二字, 有二義, 以感對應而言, 則彼感而此應, 專於感而言, 則感又兼應意.
'감응(感應)'이라는 두 글자에는 두 가지 뜻이 있으니, 느낌이 호응함과 대응하는 것으로써 말한다면 저기서 느껴 여기서 호응한다는 뜻이고, 오로지 느낌에서 말한다면 느낌이 호응의 뜻을 겸한다.

○ 易咸感處, 伊川說得未備. 往來, 自還他有自然之理. 唯正靜爲主, 則吉而悔亡. 至於憧憧, 則私意爲主, 而思慮之所及者朋從, 所不及者不從矣. 是以事未至, 則迎之, 事已過, 則將之, 全掉脫他不下. 今人皆病於无公平之心, 所以事物之來, 少有私意雜焉, 則陷於所偏重矣.
『주역』에 나오는 "함(咸)은 느낌이다"[78]라고 한 곳에 대하여 이천의 설명은 갖추어 지지 않았다. '가고 옴'은 본래 여전히 자연의 이치를 가지고 있다. 오직 바르고 고요함이 위주가 된다면 길하여 후회가 없게 된다. '자주 자주[憧憧]'에 이르게 되면 사사로운 뜻이 위주가

77) 『周易 · 比卦』: 九五, 顯比, 王用三驅, 失前禽, 邑人不誡, 吉.
78) 『周易 · 咸卦』: 彖曰, 咸, 感也.

되어, 생각함이 미치는 바는 벗들이 따르고 미치지 못하는 바는 따르지 않는다. 이 때문에 아직 이르지 않은 일은 맞이하고 이미 지나간 일은 보내니, 전부 그것을 벗어날 수가 없다. 오늘날 사람들은 모두 공평한 마음이 없는 병폐가 있기 때문에 사물이 올 때에 약간이라도 사사로운 뜻이 섞이게 되면, 한 쪽으로 치우침에 빠지게 됨이 크다.

○ 往來是感應合當底, 憧憧是私. 感應自是當有, 只是不當私感應爾.
'가고 옴'은 느끼고 호응함이 합당한 것이며, '자주 자주[憧憧]'는 사사로움이다. 느끼고 호응함은 본래 마땅히 가지고 있어야 하지만, 단지 사사롭게 느끼고 호응함은 마땅하지 않을 뿐이다.

○ 問, 感只是內感. 曰, 物固有內感者. 然亦不專是內感, 固有外感者. 所謂內感, 如一動一靜, 一往一來, 此只是一物先後自相感. 如人語極須默, 默極須語, 此便是內感. 若有人自外來喚自家, 只是喚做外感. 感於內者自是內, 感於外者自是外. 如此看, 方周徧平正, 只做內感, 便偏頗了.
물었다: 느낌은 단지 안에서 느끼는 것입니까?
답하였다: 사물은 진실로 안에서 느끼는 것을 가지고 있습니다. 그러나 또한 안에서 느끼는 것만을 오로지 하지 않으니, 진실로 밖에서 느끼는 것도 가지고 있습니다. 이른바 안에서 느낌이란 마치 한 번 움직이면 한 번 고요해지고 한 번 가면 한 번 오는 것과 같으니, 이것은 단지 하나의 사물이 앞과 뒤에서 자체 내에 서로 느끼는 것입니다. 예를 들면 사람은 말을 극도로 하면 반드시 침묵하게 되고, 침묵을 극도로 하면 반드시 말을 하게 되니, 이것이 곧 안에서 느낌입니다. 만약 어떤 사람이 밖으로부터 와서 자신을 부른다면 단지 부르는 것은 밖에서 느끼게 만드는 것입니다. 안에서 느끼는 것은 본래 안이고, 밖에서 느끼는 것은 본래 밖입니다. 이와 같이 보아야 두루 걸쳐 공평하고 바르게 되며, 단지 안에서 느끼기만 하면 편파적이 됩니다.

○ 節齋蔡氏曰, 四當心位, 不曰咸其心者, 感通之道, 如天地. 聖人无不感通者, 亦唯此理之公无係於物云爾. 有心則拘矣, 故不言心.
절재채씨가 말하였다: 사효는 마음의 자리에 해당하는 데도 그 마음에서 느낌이라고 말하지 않은 것은 느껴 통하는 도가 천지(天地)와 같기 때문이다. 성인이 느껴 통하지 않음이 없다는 것은 또한 오직 이러한 이치의 공정함에는 대상에 얽매임이 없다는 말일 뿐이다. 마음이 있으면 얽매이기 때문에 마음을 말하지 않았다.

○ 雙湖胡氏曰, 四不正而云貞吉悔亡者, 貞則吉而悔可亡, 戒之也. 蓋四與初爲往來之爻, 而二爻皆不正, 故戒以憧憧往來, 則所感者狹而不廣矣. 四當心象而不言心者, 以心在內而不可見, 故特言心之用. 思者, 心之用也.
쌍호호씨가 말하였다: 사효가 바르지 않는데도 "곧으면 길하여 후회가 없다"고 한 것은 곧으면 길하여 후회를 없앨 만 하다고 경계한 것이다. 사효는 초효와 가고 오는 효의 관계가 되지만, 두 효는 모두 바른 자리에 있지 않기 때문에 '자주 자주 가고 오면', 느끼는 바가 협소하여 넓지 않다고 경계하였다. 사효는 마음의 상에 해당하는 데도 마음을 말하지 않은 것은 마음은 안에 있어서 볼 수가 없기 때문에 다만 마음의 쓰임을 말하였다. '생각[思]'은 마음의 쓰임이다.

○ 雲峯胡氏曰, 爻言貞吉悔亡, 凡四卦, 皆先占後象. 巽九五, 咸大壯未濟, 皆九四. 九居四本非貞而有悔. 聖人因占設戒兩開其端, 以爲貞者正而固也. 如是則吉而悔亡, 若憧憧於往來, 則失其正而固者矣. 寂然不動, 心之體, 感而遂通天下之故, 心之用. 憧憧往來, 已失其寂然不動之體. 所思者朋類之從爾, 安能感而遂通天下之故哉.
운봉호씨가 말하였다: 효사에서 "곧으면 길하여 후회가 없다"고 말한 것은 네 가지 괘이니, 모두 점을 먼저하고 상을 뒤로 하였다. 손괘(巽卦䷸) 구오에 나오고 함괘 · 대장괘(大壯卦䷡) · 미제괘(未濟卦䷿)는 모두 구사에 나온다. 양이 사효에 있으니, 본래 곧지 않아서 후회가 있다. 성인이 점에 인하여 경계를 세워 양쪽으로 그 단서를 열어 두었으니, '정(貞)'이란 바르고 굳은 것이라고 하였다. 이와 같이 하면 길하여 후회가 없겠지만, 만약 가고 오는 데에 자주 자주한다면, 그 바르고 굳은 것을 잃게 된다. 적막하게 움직이지 않는 것은 마음의 본체이고, 느껴서 마침내 천하의 연고를 통하는 것은 마음의 작용이다. "자주 자주 가고 온다"는 것은 이미 그 적막하여 움직이지 않는 본체를 잃었다. 생각하는 바를 벗인 부류만이 따를 뿐이니, 어찌 느껴서 마침내 천하의 연고를 통할 수 있겠는가?

韓國大全

조호익(曺好益) 『역상설(易象說)』

九四, 憧憧往來, 朋從爾思.
구사는 자주 가고 오면 벗만 네 생각을 따를 것이다.

四在上下之交, 亦有往來象. 朋指初.
사효는 상체와 하체가 사귀는 데에 있으니, 또한 오고 가는 상이 있다. '붕(朋)'은 초효를 가리킨다.

○ 往來, 是自然底往來, 憧憧, 是加私意不好底往來. 往來二字, 不可連憧憧說. 憧憧中別有往來之義. 程子說微倒了, 致人疑也. 蓋往來, 卽感應之義, 感應本自然, 而用私意要如此, 是憧憧也.
'왕래(往來)'는 저절로 왕래하는 것이고 '동동(憧憧)'은 사심을 더해 좋지 않은 뜻으로 왕래하는 것이다. '왕래(往來)' 두 글자는 '동동(憧憧)'과 연결해서 말해서는 안 된다. '동동(憧憧)' 속에는 별도로 왕래의 뜻이 있다. 정자의 설은 조금 전도되어서 사람들의 의심을 불러일으킨다. 왕래는 감응하는 뜻인데 감응은 본래 자연스럽게 되는 것이고, 이처럼 사사로운 뜻으로 쓰는 것이 바로 '동동'이다.

○ 朱子曰, 心無私主, 如天地一般. 寒則徧天下皆寒, 熱則徧天下皆熱, 便是有感皆通.
주자가 말하였다: 마음에 사사롭게 주관함이 없음은 천지와 똑같다. 추우면 천하가 모두 춥고 더우면 천하가 모두 더우니, 느끼는 바가 있으면 모두 통한다.

又曰: 且如雨暘. 雨不成只管雨, 便感得箇暘出來. 暘不成只管暘, 暘已是應處, 又感得雨來. 感則必有應, 所應復爲感. 寒暑晝夜, 無非此理.
또 말하였다: 또한 비가 오고 볕이 나는 것과 같다. 비는 비가 오는 일만을 이루지 않고 문득 볕이 날 것임을 느낄 수 있고, 볕은 볕이 나는 일만을 이루지 않고 볕이 이미 호응한 곳에서는 또 비가 올 것임을 느낄 수 있다. 느끼면 반드시 호응함이 있고 호응하는 바는 다시 느낌이 된다. 추위와 더위 낮과 밤이 모두 이 이치 아닌 것이 없다.

〈右下義, 是程子意, 亦兼有上義也.
윗글 아랫부분의 뜻은 정자(程子)의 뜻인데, 또한 윗부분의 뜻도 겸하고 있다.〉

곽설(郭設) 『역전요의(易傳要義)』

咸九四爻, 易曰憧憧往來, 朋從爾思. 子曰, 天下何思何慮, 天下同歸而殊塗, 一致而百慮, 天下何思何慮, 日往則月來, 月往則日來, 日月相推而明生焉, 寒往則暑來, 暑往則寒來, 寒暑相推而歲成焉. 往者屈也, 來者信也, 屈信相感而利生焉.
함괘 구사의 효에 대해서, 『주역』에서는 "자주 가고 오면 벗만 네 생각을 따를 것이다"라고 하였고, 공자는 "천하가 무엇을 생각하며 무엇을 걱정하리오! 천하가 돌아감이 같아도 길은 다르며, 이룸이 하나여도 걱정은 갖가지니, 천하가 무엇을 생각하며 무엇을 걱정하리오! 해가 가면 달이 오고 달이 가면 해가 와서 해와 달이 서로 밀쳐서 밝음이 나오며, 추위가 가면 더위가 오고 더위가 가면 추위가 와서 추위와 더위가 서로 밀쳐서 한 해가 이루어진다. 가는 것은 굽히고 오는 것은 펴니, 굽힘과 폄이 서로 감응하여 이로움이 나온다"고 하였다.[79]

○ 尺蠖之屈, 以求信也, 龍蛇之蟄, 以存身也. 精義入神, 以致用也, 利用安身, 以崇德也, 過此以往, 未之或知也, 窮神知化, 德之盛也.
자벌레가 굽힘은 이것으로 폄을 구하는 것이고 용과 뱀이 칩거함은 이것으로 몸을 보존하는 것이며, 의리를 정밀히 하여 신묘함에 들어감은 이것으로 씀을 이루는 것이고 씀을 이롭게 하여 몸을 편안히 함은 이것으로 덕을 높이는 것이니, 이를 지나간 뒤로는 혹 알지 못하리니, 신묘함을 궁구하며 조화를 아는 것이 덕의 성대함이다.[80]

김장생(金長生) 『주역(周易)』

咸九四.
함괘 구사에 대하여,

傳, 屈信, 相感而利生.
『정전』에서 말하였다: 굽힘과 폄이 서로 느껴서 이로움이 생겨난다.

利生之利, 似非利害生之謂也. 利字, 指明生歲成而言也. 右臨川吳氏之說也.
"이로움이 생긴다"고 할 때의 '이(利)'자는 "이로움과 해로움이 나온다"[81]고 할 때의 '이(利)'자를 뜻하지 않는다. '이(利)'자는 밝음이 생기고 한 해가 이루어진다는 것[82]을 가리키는 말이다. 이것은 임천오씨의 주장이다.

---

79) 『周易·繫辭下』: 易曰, "憧憧往來, 朋從爾思." 子曰, "天下何思何慮? 天下同歸而殊塗, 一致而百慮, 天下何思何慮? 日往則月來, 月往則日來, 日月相推而明生焉, 寒往則暑來, 暑往則寒來, 寒暑相推而歲成焉. 往者屈也, 來者信也, 屈信相感而利生焉.

80) 『周易·繫辭下』: 尺蠖之屈, 以求信也, 龍蛇之蟄, 以存身也. 精義入神, 以致用也, 利用安身, 以崇德也. 過此以往, 未之或知也, 窮神知化, 德之盛也.

81) 『周易·繫辭下』: 故愛惡相攻而吉凶生, 遠近相取而悔吝生, 情僞相感而利害生.

82) 『周易·繫辭下』: 日往則月來, 月往則日來, 日月相推而明生焉, 寒往則暑來, 暑往則寒來, 寒暑相推而歲成焉.

송시열(宋時烈) 『역설(易說)』

九四, 能貞靜, 則吉而无悔, 占亦如之. 四與初爻爲正應, 而既處陰位, 又非中正, 不能光明正大. 但其心憧憧然往來于中也. 朋從者, 以四之陰位從初之陰爻, 是朋比而相從也. 係私應則害於感, 而此則未害而已.
구사는 곧고 고요할 수 있다면 길하여 후회가 없으니, 점 또한 이와 같다. 사효와 초효는 정응이 되지만 이미 음의 자리에 있고 또 중정하지도 않아서, 광명정대할 수가 없다. 다만 그 마음이 자주 그 속으로 왕래를 한다. "벗이 따른다"는 말은 사효가 음의 자리로 초효인 음효를 따르니, 이것이 벗이 가까이하여 서로 따른다는 의미이다. 사사롭게 호응함과 연계된다면 느끼는데 해를 끼치지만, 이처럼 한다면 해롭지 않을 따름이다.

이익(李瀷) 『역경질서(易經疾書)』

九四悔亡, 據傳文未字帖亡害字帖悔, 謂未可以感爲害也. 初與四, 剛柔相應, 而此陽彼陰, 其感宜也. 此當以聖人之言斷之, 有感必應, 感應便是往來, 往來非害, 惟憧憧爲害. 往來如日月寒暑, 屈伸如龍蛇, 以至於致用崇德, 則所謂貞吉者是也. 苟不能然, 憧憧然, 只與朋類相從, 豈光大之謂乎. 光帖日月寒暑, 大帖致用崇德.
구사의 "후회가 없다"는 말은 『정전』에 근거해보면 '미(未)'자를 '망(亡)'자에 더하고 '해(害)'자를 '회(悔)'자에 더했으니, 느낌을 해로움으로 삼을 수 없다는 뜻이다. 초효와 사효는 굳센 양과 부드러운 음이 서로 느끼고 이것은 양이고 저것은 음이니, 느끼는 것은 마땅하다. 이것은 성인의 말로써 판결을 해야 하니, 느끼면 반드시 호응하고 감응함은 곧 왕래함이며 왕래함은 해로움이 아니지만 오직 자주하는 것이 해로움이 된다. 왕래함이 해와 달 및 추위와 더위와 같고 굽히고 폄이 용이나 뱀과 같아서, 씀을 다하고 덕을 숭상하는데 이르게 되면 이른바 "곧으면 길하다"는 뜻이 된다. 진실로 이처럼 하지 못하고 자주 함은 단지 벗들과 서로 따르는 것이니, 어찌 광대하다고 하겠는가? '광(光)'자는 해와 달 및 추위와 더위에 붙고, '대(大)'자는 씀을 다함과 덕을 숭상함에 붙는다.

심조(沈潮) 「역상차론(易象箚論)」

九四, 憧憧.
구사의 자주함에 대하여,

四當心位而下有艮, 故憧憧, 從心從童.
구사는 심장의 자리에 해당하는데 아래에 간괘가 있기 때문에, '동동(憧憧)'의 '동(憧)'자가 심(心)자와 '동(童)'자로 되어 있는 것이다.

유정원(柳正源) 『역해참고(易解參攷)』

王氏曰, 處上卦之初, 應下卦之始, 居體之中, 在股之上. 二體始相交感以通其志, 心神始感者也. 凡物先感而不以之於正, 則至於害, 故必貞然後, 乃吉, 吉然後, 乃得亡其悔也.
왕씨가 말하였다: 구사는 상괘의 처음에 있어서 하괘와 호응하는 시작이 되며, 몸체의 가운데 있어서 넓적다리의 위에 있다. 두 몸체가 처음으로 교감하여 그 뜻을 통하니, 마음과 정신이 처음으로 느낀다. 모든 사물은 먼저 느끼지만 올바름에 따르지 않는다면 해로움에 이르기 때문에, 반드시 곧은 뒤에야 길하게 되고 길한 뒤에야 후회가 없을 수 있다.

○ 白雲蘭氏曰, 易言貞吉悔亡者, 三爻, 咸也, 大壯也, 未濟也. 皆以九居四, 履非其位悔也, 故戒之. 雖有應在初而近碍九三, 未能相與交感, 故戒以貞固則吉.
백운난씨가 말하였다: 『주역』에서 구사에 대해 "곧으면 길하여 후회가 없다"고 한 말은 세 효에 해당하니, 함괘 · 대장괘(大壯卦䷡)[83] · 미제괘(未濟卦䷿)[84]의 구사이다. 이 세 괘는 모두 구(九)가 사효의 자리에 있어서 밟고 있는 것이 그 자리가 아니므로 후회하기 때문에 경계하였다. 비록 호응함이 초효에 있지만 구삼과 가까워서 장애가 되므로, 서로 교감할 수가 없기 때문에 곧으면 길하다고 경계하였다.

○ 厚齋馮氏曰, 朋正應, 一云九三九五.
후재풍씨가 말하였다: 벗은 정응인데 한편으로는 구삼과 구오의 관계라고도 말한다.

○ 梁山來氏曰, 此心不思乎正應之陰柔, 則廓然大公物來順應, 正而固矣. 吉者, 誠无不動也. 朋者, 中爻三陽牽連也. 四應乎初之陰, 初乃四之所思也. 五應乎二之陰, 二乃五之所思也. 三應乎六之陰, 六乃三之所思也. 爾者, 呼其心而名之也. 朋從爾思者, 言四與三五共從乎心之所思也. 心之官思, 思之象也.
양산래씨가 말하였다: 구사의 마음이 정응하는 부드러운 음을 생각하지 않는다면, 확연히 크게 공정하여 사물이 찾아와 순응하여 바르고 곧다. 길함은 진실로 움직이지 않음이 없다. 벗은 가운데 효인 세 양이 서로 당김이다. 사효는 초효의 음과 호응하니, 초효는 곧 사효가 생각하는 대상이다. 오효는 이효의 음과 호응하니, 이효는 오효가 생각하는 대상이다. 삼효

---

83) 『周易 · 大壯卦』: 九四, 貞吉, 悔亡, 藩決不羸, 壯于大輿之輹.
84) 『周易 · 未濟卦』: 九四, 貞吉, 悔亡, 震用伐鬼方, 三年有賞于大國.

는 육효의 음과 호응하니, 육효는 삼효가 생각하는 대상이다. '이(爾)'는 마음을 가리켜서 쓴 말이다. "벗만 네 생각을 따를 것이다"는 사효가 삼효 및 오효와 함께 마음의 생각하는 바에 따른다는 뜻이다. 마음의 기관은 생각하니, 생각의 상이 된다.

傳此終.
『정전』의 차종(此終)에 대하여.
案, 終一作結.
내가 생각하였다: '종(終)'자는 다른 판본에 '결(結)'자로 기록되어 있다.

小註, 程子說, 无易.
소주에서 정자가 말한 '무역(无易)'에 대하여.
案, 聖人作爲易書, 道之形象, 於是而立焉. 苟能窮極神妙, 則吾心都是易, 而无事於易之書矣. 姜希孟跋春秋傳云, 經所以明理也, 理旣明, 則雖无經可也. 語意與此相似.
내가 살펴보았다: 성인이 『주역』이라는 책을 지어서 도의 형상이 여기에서 세워지게 되었다. 진실로 신묘한 이치를 지극히 한다면 내 마음이 모두 역과 같아지고 『주역』이라는 책에서 일삼을 것이 없다. 강희맹이 『춘추전』의 발문을 지으며 "경문은 이치를 밝히는 것이니, 이치가 이미 밝아졌다면, 비록 경문이 없더라도 괜찮다"고 했는데, 그 말이 이곳의 말과 유사하다.

김상악(金相岳) 『산천역설(山天易說)』

九四居咸之時, 與初爲應, 貞吉悔亡. 然三陽同聚, 互爲巽體, 故憧憧往來, 惟其朋類從之, 不復能及遠矣.
구사는 함괘의 시기에 있으며 초효와 호응을 하여, 곧으면 길하고 후회가 없다. 그러나 세 양이 함께 모여 호괘로 손괘의 몸체가 되기 때문에, 자주 가고 오면 벗만이 따르니 멀리까지 이를 수 없다.

○ 上經卦爻无貞吉悔亡之辭, 而下經於咸大壯巽未濟言之, 而皆在外卦者, 內貞外悔之義也, 故曰萬物之情可見矣. 情者, 心之發於外者也. 九四居互乾之中, 不厲不亢, 初之以陰居下, 亦得正, 故曰貞吉悔亡. 然變於互體, 憧憧往來, 卽所謂流注想. 四爲心之主, 而三五居心位之上下, 憧憧之象. 往來者, 巽之進退也. 五居外爲往, 三居內爲來. 朋, 陽朋也. 四變則爲蹇, 蹇之五曰朋來, 亦謂陽也. 又兌艮交則爲損, 損之三曰, 三人行, 則損一人, 一人行, 則得其友. 曰損曰得, 亦往來之象, 而此言致一之理也, 故繫辭釋本爻之義, 亦曰天下同歸而殊塗, 一致而百慮, 天下何思何慮. 又泰九二居正體之乾而得中, 故曰朋亡, 君子之公心也. 咸則居互體之乾而不正, 故曰朋從, 小人之私心也, 故象辭相反. 又四變爲坎, 艮反震而爲解, 解則解拇之比而得朋, 至咸則有拇之應而惟朋從, 所以取象相似而實相反. 思者, 心之官也. 感道之正, 愼其思而已. 能愼其思而一於正, 則无私感之害, 而吉且悔亡也. 蓋兌體居上爲咸之主, 咸取无心之感, 兌取不言之說, 而四居貞悔之交, 故曰貞吉悔亡. 然朋從爾思, 非无心之感. 上曰咸其輔頰舌, 非不言之說也, 俱失咸感之道也.

상경의 괘사와 효사에는 "곧으면 길하여 후회가 없다"는 말이 없는데, 하경에서는 함괘 · 대장괘(大壯卦䷡)[85] · 손괘(巽卦䷸)[86] · 미제괘(未濟卦䷿)[87]에서 언급을 했지만 모두 외괘에 해당하니, 안이 곧고 밖이 후회한다는 뜻이므로 "만물의 정을 볼 수 있다"고 하였다. '정(情)'은 마음이 밖으로 드러난 것이다. 구사는 호괘인 건괘의 가운데 있어서 사납지 않고 높지 않으며, 초효는 음으로 아래에 있고 또 올바름을 얻었기 때문에 "곧으면 길하여 후회가 없다"고 했다. 그러나 호괘의 몸체에서 변화하면 자주 가고 오니, 이른바 '어지러운 망상'이란 뜻이 된다. 사효는 마음의 주인이 되고 삼효와 오효가 심장자리의 위아래에 있으니 자주 하는 상이 된다. 왕래함은 손괘의 나아가고 물러남이다. 오효는 외괘에 있어서 감이 되고 삼효는 내괘에 있어서 옴이 된다. 벗은 양의 벗들을 뜻한다. 사효가 변화하면 건괘(蹇卦䷦)가 되고 건괘의 오효에서 "벗이 온다"[88]고 한 말 또한 양을 가리킨다. 또 태괘와 간괘가 사귀면 손괘(損卦䷨)가 되는데, 손괘의 삼효에서는 "세 사람이 가면 한 사람을 덜어내고, 한 사람이 가면 그 벗을 얻는다"[89]고 했다. 잃는다거나 얻는다고 한 말 또한 왕래하는 상인데, 이곳에서는 하나를 이루는 이치를 언급하였기 때문에, 「계사전」에서는 본효의 뜻을 풀이하며 또한 "천하가 돌아감이 같아도 길은 다르며, 이룸이 하나여도 걱정은 갖가지니, 천하가 무엇을 생각하며 무엇을 걱정하리오!"[90]라고 한 것이다. 또 태괘(泰卦䷊)의 구이는 정체인 건괘에 있고 가운데를 얻었기 때문에 "붕당을 없앤다"[91]라고 했으니, 군자의 공평한 마음에 해당한다. 함괘에서는 호괘의 몸체인 건괘에 있고 올바르지 않기 때문에 "벗이 따른다"라고 했으니, 소인의 사사로운 마음에 해당하기 때문에 「상전」의 말이 상반된 것이다. 또 사효는 변화하여 감괘가 되고 간괘는 거꾸로 뒤집어진 진괘가 되어 해괘(解卦䷧)가 되는데, 해

85) 『周易 · 大壯卦』: 九四, 貞吉, 悔亡, 藩決不羸, 壯于大輿之輹.
86) 『周易 · 巽卦』: 九五, 貞吉, 悔亡, 无不利, 无初有終, 先庚三日, 後庚三日, 吉.
87) 『周易 · 未濟卦』: 九四, 貞吉, 悔亡, 震用伐鬼方, 三年有賞于大國.
88) 『周易 · 蹇卦』: 九五, 大蹇, 朋來.
89) 『周易 · 損卦』: 六三, 三人行, 則損一人, 一人行, 則得其友.
90) 『周易 · 繫辭下』: 天下同歸而殊塗, 一致而百慮, 天下何思何慮.
91) 『周易 · 泰卦』: 九二, 包荒, 用馮河, 不遐遺, 朋亡, 得尙于中行.

괘가 되었다면 발가락을 풀어서 가까워지면 벗을 얻지만,[92] 함괘에 있어서는 발가락의 호응이 있더라도 오직 벗만이 따르니, 상을 취한 것이 유사하나 실제로는 상반된다. 생각이란 마음이 주관하는 것이다. 느끼는 도의 올바름은 그 생각을 신중히 할 따름이다. 그 생각을 신중히 하여 올바름에 한결같게 한다면 사사롭게 느끼는 해로움이 없어서 길하고 또 후회가 없다. 태괘의 몸체는 위에 있어서 함괘의 주인이 되는데, 함괘는 무심한 느낌을 따르고, 태괘는 말하지 않는 기쁨을 취하며, 사효는 곧음과 후회가 교차하는 지점에 있기 때문에 "곧으면 길하여 후회가 없다"고 말했다. 그러나 벗이 네 생각을 따름은 무심한 느낌이 아니다. 상효에서는 "볼과 뺨과 혀에서 느낀다"고 했으니, 말이 없는 기쁨이 아니므로 이 모두는 함괘의 느끼는 도를 잃어버린 것이다.

김규오(金奎五) 「독역기의(讀易記疑)」

九四朋從爾思, 朋指初六, 象傳私應是也. 四爲咸主, 宜其溥遍六位, 而係於初應. 憧憧不已, 所以悔也. 抑朋之爲言, 亦自不一, 有以同類而言者, 有以相應而言者.
구사에서는 "벗만 네 생각을 따를 것이다"라고 했는데, 벗은 초육을 가리키며 「상전」의 『정전』에서 "사사롭게 응한다"고 한 말에 해당한다. 사효는 함괘의 주인이므로 마땅히 여섯 자리에 두루 펼치게 되지만 초효의 호응함에 얽매인다. 자주하여 그치지 않음은 후회가 된다. 또 벗을 풀이하는 말이 일치하지 않으니 동류로써 말을 하는 경우도 있고, 서로 호응하는 것으로써 말을 하는 경우도 있다.

○ 天下何思何慮. 傳以思慮之私心釋之, 所謂將迎之心忙迫, 不能順理者也, 非謂可都无思慮, 如枯木死灰云也. 上蔡答近日事之問, 似與繫辭本意不同, 而程子印之, 豈謝意以爲世道升降, 難容人力, 不必私自思慮云云. 故程子以爲有此理耶.
"천하가 무엇을 생각하며 무엇을 걱정하리오!"[93]라는 말에 대해, 『정전』에서는 '생각하고 근심하는 사사로운 마음'으로 풀이를 했으니, 맞이하려는 마음이 바빠서 이치에 따르지 못한 것으로, 생각함과 걱정함을 없애서 죽은 나무와 꺼진 불씨처럼 한다는 뜻이 아니다. 상채사씨가 근래의 일에 대한 물음에 대해 답한 것은 「계사전」의 본의와는 다른 것 같은데, 이천이 부합된다고 여겼으니, 어찌 사씨의 뜻이 세상의 도가 오르고 내림에 사람의 힘을 받아들이기 어려워서 사사롭게 생각할 필요가 없다고 여긴 것이겠는가? 그렇기 때문에 정자는 이러한 이치가 있다고 여겼다.

---

92) 『周易 · 解卦』: 九四, 解而拇, 朋至斯孚.

93) 『周易 · 繫辭下』: 易曰, "憧憧往來, 朋從爾思." 子曰, "天下何思何慮? 天下同歸而殊塗, 一致而百慮, 天下何思何慮?"

서유신(徐有臣) 『역의의언(易義擬言)』

九四以剛居柔, 當有不正之悔, 而所感者正應, 故貞吉而悔亡也. 貞則貞矣, 而係應則偏, 故曰憧憧也. 憧憧, 心有所係而不能置也. 往者, 四泩於初我感物也. 來者, 初來於四物感我也. 天地陰陽之相感, 往者無心, 來者亦無心, 自然而然也, 而四人位人不能無心, 四心位心不能無感, 憧憧而往, 憧憧而來, 其所感應者, 特其朋相從而已. 朋, 初六也. 大抵咸之諸爻, 有應爲感, 故俱不能公溥光大矣. 四爲心位, 故於此發其義也.
구사는 굳센 양으로 부드러운 음의 자리에 있어서 마땅히 올바르지 못한 후회가 있으나, 느끼는 대상이 정응이기 때문에 곧으면 길하여 후회가 없다. 곧음은 곧은 것이지만 호응하는 것과 연계되면 치우치기 때문에 '자주 자주[憧憧]'라고 하였다. '자주 자주'는 마음에 연계됨이 있어서 놓아두지 못한 것이다. '가는 것[往]'은 사효가 초효에게 가서 내가 그 대상을 느끼는 것이다. '오는 것[來]'은 초효가 사효에게 와서 그 대상이 나를 느끼는 것이다. 천지와 음양이 서로 느낌에 있어서 가는 것은 무심하고 오는 것도 무심하니 자연히 그렇게 된 것이지만, 사효는 사람이고 자리도 사람의 자리여서 무심할 수 없고, 사효는 마음에 해당하고 자리도 마음의 자리여서 느낌이 없을 수 없으니, 자주 자주 가고 자주 자주 와서 감응하는 것이 단지 벗들만 서로 따를 뿐이다. '벗[朋]'은 초육을 뜻한다. 대체로 함괘의 여러 효 중에는 호응함이 있으면 느끼게 되기 때문에 모두 공평하고 광대할 수가 없다. 사효는 마음의 자리가 되기 때문에 여기에서 그 의미를 드러내었다.

박문건(朴文健) 『주역연의(周易衍義)』

溺於係戀, 故有憧憧之象. 憧憧意, 未忘之貌也. 朋, 謂初, 爾, 謂四也.
사랑하여 서로 매임에 빠지기 때문에 '자주 자주[憧憧]'하는 상이 있다. 자주 자주하는 뜻은 아직 잊지 못하는 모양이다. '벗[朋]'은 초효를 이르고 '너[爾]'는 사효를 이른다.
〈問, 貞吉悔亡以下.
曰, 九四往初, 故悔存, 若用剛貞而不往, 則吉而悔亡也. 不知初之害己, 憧憧然進退從朋之恒思, 是感害而非感利者也.
물었다: "곧으면 길하여 후회가 없으리니" 이하는 무슨 뜻입니까?
답하였다: 구사가 초효에게 가기 때문에 후회가 있는데, 만약 굳셈과 곧음을 사용하여 가지 않는다면 길하여 후회도 없게 됩니다. 초효가 자신을 해치는 것은 모르고 자주 나아가고 물러나서 벗이 항상 생각해줌을 따르니, 느끼는 것이 해롭게 되고 느끼지 않는 것이 이롭게 됩니다.〉

이지연(李止淵) 『주역차의(周易箚疑)』

九四不正, 故有愛黨之戒. 未感害之未字, 與未順命之未字, 其意相似, 言未爲害也.
구사는 바르지 못하기 때문에 무리를 아낀다는 경계가 있다. "아직 해를 당하지 않는 것이다[未感害]"라고 했을 때의 '미(未)'자는 "아직 명령에 순종하는 것이 아니다[未順命]"[94]라고 했을 때의 '미(未)'자와 그 의미가 서로 유사하니, 아직 해롭지 않다는 말이다.

김기례(金箕澧) 『역요선의강목(易要選義綱目)』

朋,[95] 指五三.
'벗[朋]'은 오효와 삼효를 가리킨다.

○ 爾, 謂四責之也.
'너[爾]'는 사효가 책망한다는 뜻이다.

○ 四居三陽中上體下, 如人身之心, 若貞心相感則吉, 而以陽居陰, 故猶有進退之本性. 應初而動, 私心憧憧反失貞, 固非寂然而感通天下之心. 其所感應狹於私, 故諸陽接跡, 各從其應, 相感不遠, 何以及窮神知化之功乎, 故未光大, 害於感也.
사효는 세 양의 가운데 있고 상체의 밑에 있어서 마치 사람의 몸 중 심장과 같으니, 만약 곧은 마음으로 서로 느끼게 된다면 길하지만, 양이 음의 자리에 있기 때문에 여전히 나아가고 물러나고자 하는 본성이 있다. 초효에 호응하여 움직이면 사심으로 자주 자주하여 도리어 곧음을 잃으니, 진실로 고요하게 있으며 느껴서 천하의 마음에 통함이 아니다. 감응하는 것이 사심에 좁혀졌기 때문에 여러 양들이 서로 연속하여 각각 호응하는 것을 따라 서로 느낌이 멀지 않으니, 어떻게 신묘함을 궁구하며 조화를 아는 공덕[96]에 미치겠는가? 그렇기 때문에 아직 빛나고 크지 못하여 느낌에 해를 입힌다.

윤종섭(尹種燮) 『경(經)-역(易)』

心爲一身之主, 而心之官則思. 以卦體言之, 上爲口, 五爲脢, 三股, 二腓, 初足指, 而四爲身, 正當心之部位, 故取諸思. 人生而靜, 是謂之中, 其感於物而動也. 物來而順應,

---

94) 『周易 · 臨卦』: 象曰, 咸臨吉无不利, 未順命也.
95) 朋: 경학자료집성DB에는 '明'으로 되어있으나 영인본에 따라 '朋'으로 바로잡았다.
96) 『周易 · 繫辭下』: 過此以往, 未之或知也, 窮神知化, 德之盛也.

是謂發而中節, 若有心於物, 爲物之所移, 憧憧然靡有所正, 則朋從其思而失其中也.
마음은 한 몸의 주인이 되고 마음의 기관은 생각함이다. 괘의 몸체로 말하면 상효는 입이 되고 오효는 등살이 되며 삼효는 넓적다리가 되고 이효는 장딴지가 되며 초효는 발가락이 되는데, 사효가 몸이 된다면 심장의 위치에 해당하기 때문에 생각함에서 취했다. 사람이 태어나 고요한 것을 '중(中)'이라고 부르니, 대상에게 느껴서 움직이는 것이다. 사물이 와서 순리대로 하여 호응함을 '발하여 절도에 맞음'이라고 한다. 만약 대상에 대한 마음이 있어서 대상의 이동에 따라 자주 자주하여 올바른 것이 없다면, 벗이 그 생각에 따라서 알맞음을 잃을 것이다.

심대윤(沈大允) 『주역상의점법(周易象義占法)』

咸之蹇䷦, 流行而朋合也. 九四始能自動而不隨乎人, 居柔不求而朋類感應, 故曰貞吉悔亡, 動而無心, 故曰憧憧往來. 憧憧, 不用力而往來之貌, 离巽爲往, 震离爲來, 對損有震彼來就我, 故取對也. 初應三不應, 故曰朋從爾思. 艮爲思, 言所從止於類也. 四在背之下股之上, 咸之全卦爲坎, 又變卦上下皆坎, 而四居其中, 坎爲陰, 男女之相感以有陰也, 故四爲咸之主也. 咸之道, 同類相感而不能感異物, 同心相感而不能感異心, 故雖聖人, 不能感蟲魚, 不能感頑嚚也. 咸之感應, 中心相與也. 必同德相合觀之, 觀化以風氣相變也, 故可使下愚日遷善, 不自知, 咸專而觀廣也.
함괘가 건괘(蹇卦䷦)로 바뀌었으니, 유행해서 벗들이 합한다. 구사는 처음으로 스스로 움직일 수 있어 남을 따르지 않는데, 음의 자리에 있어서 찾지 않아도 벗들이 감응하기 때문에, "곧으면 길하여 후회가 없다"고 하였고, 움직임에 무심하기 때문에 "자주 가고 온다"고 했다. '자주 자주[憧憧]'는 힘을 쓰지 않고 오가는 모습이니, 리괘와 손괘는 감이 되고 진괘와 리괘는 옴이 되는데, 손괘(損卦䷨)에 진괘가 있어 상대방이 찾아와 나에게 오는 것과 대비가 되기 때문에 상대함에서 취하였다. 초효는 호응하지만 삼효는 호응하지 않기 때문에 "벗만 네 생각을 따를 것이다"고 하였다. 간괘는 생각이 되니 따르는 것이 동류에 그친다는 의미이다. 사효는 등 아래와 넓적다리 위에 있고, 함괘의 전체 괘는 감괘가 되고 변화된 괘 또한 상하가 모두 감괘이며, 사효는 그 가운데 있고 감괘는 음이 되니, 남녀가 서로 느낌에 음으로써 하기 때문에 사효는 함괘의 주인이 된다. 함괘의 도는 동류가 서로 느끼지만 다른 사물에 대해서는 느낄 수 없고, 마음이 같은 자가 서로 느끼지만 마음이 다른 자에 대해서는 느낄 수 없기 때문에, 비록 성인이라 하더라도 곤충이나 물고기 같은 하찮은 미물들을 느낄 수 없고 완고하고 어리석은 자들을 느낄 수 없다. 함괘의 감응함은 마음을 알맞게 하여 서로 참여하는 것이다. 반드시 덕이 같은 자들이 서로 합하여 살펴야만 하고, 변화를 살피길 바람과 기운이 서로 변화됨으로써 하기 때문에, 매우 어리석은 자라고 하더라도 그들을 매일 선한 곳으로 옮겨가도록 하면서도 스스로 알아차리지 못하게 하니,[97] 함께 느낌을 오로지 하되 봄은 넓힌 것이다.

오치기(吳致箕) 「주역경전증해(周易經傳增解)」

九四, 剛失其正而下應, 初六, 不正之柔, 故先戒守正則能吉而所悔者亡矣. 心爲一身之主, 而感在於心, 九四正當心之位, 故戒言相感之際, 此心憧憧往來而朋類相從者, 惟爾之所思, 則乃是私感而不能光明正大也. 繫辭傳及程傳本義已備矣.
구사는 굳센 양이지만 바름을 잃어서 밑으로 호응하고, 초육은 바르지 못한 음이기 때문에 바름을 지킨다면 길할 수 있고 후회도 없게 된다고 먼저 경계하였다. 마음은 한 몸의 주인이고 느낌은 마음에 달려 있는데, 구사는 바로 마음에 해당하는 자리이기 때문에 서로 느낄 때 이 마음이 자주 왕래하여 벗이 서로 따른다는 말로 경계했으니, 단지 너의 생각에만 따른다면 이것은 사사롭게 느껴서 빛나고 크지 못한다는 의미이다. 「계사전」 및 『정전』과 『본의』에 이미 설명되어 있다.

○ 四在股之上脢之下爲心之位, 而爲一身之主, 故特不言心也. 憧憧, 心動貌, 思者, 心之官, 皆取於爻變互離. 往來, 卽以感應言也. 朋, 指相感者, 而從, 謂隨也, 爾, 指四也.
사효는 넓적다리 위와 등살 아래에 있어서 마음의 자리가 되고, 한 몸의 주인이 되기 때문에 특별히 '심(心)'자를 언급하지 않았다. '동동(憧憧)'은 마음이 움직이는 모습이고 '생각[思]'은 마음의 기능이니, 모두 효가 변화된 호괘인 리괘에서 취했다. '왕래(往來)'는 감응함을 말한다. '붕(朋)'은 서로 느끼는 자를 뜻하며 '종(從)'자는 "따른다"는 뜻이고 '이(爾)'자는 사효를 가리킨다.

이진상(李震相) 『역학관규(易學管窺)』

朋從爾思, 小註誠齋說.
"벗만 네 생각을 따를 것이다"에 대한 소주의 성재양씨 주장에 대하여.

心之官, 思, 不思則心失其職, 特患思有所蔽而不盡乎心之量耳. 今曰廢心而任思, 則是有無心之思也, 不亦誤乎.
마음의 기관은 생각하는 것인데 생각하지 않는다면 마음은 직무를 잃게 되고, 특히 생각에

97) 『孟子 · 盡心上』: 殺之而不怨, 利之而不庸, 民日遷善而不知爲之者.

가려짐이 생기고 마음의 재량을 다하지 못함을 걱정할 따름이다. 이제 "그 마음을 폐하고 생각에 맡긴다"라고 했다면, 무심한 생각도 있는 것인데 또한 잘못된 말이 아니겠는가?

박문호(朴文鎬) 『경설(經說)-주역(周易)』

田无禽, 宋人之守株待兎, 可以當之.
"사냥을 하지만 잡은 짐승이 없다"는 송나라 사람 중 그루터기를 지켜 토끼를 기다리는 자에 해당할 것이다.

박문호(朴文鎬) 『경설(經說)-주역(周易)』

九四爲卦之主, 故特取卦辭之意以爲爻辭.
구사는 괘의 주인이 되기 때문에 특별히 괘사의 뜻을 가져다가 효사로 삼았다.

九四雖不言心字, 然之從心者有三, 而思字尤近於心, 其言感心愈明矣.
구사에서는 비록 '심(心)'자를 언급하지 않았지만 '심(心)'자를 부수로 삼은 글자는 세 가지가 있는데, '사(思)'자가 더욱 심(心)자에 가까우니, 마음을 느낀다는 뜻임이 더욱 분명하다.

象曰, 貞吉悔亡, 未感害也, 憧憧往來, 未光大也.

「상전」에서 말하였다: "곧으면 길하여 후회가 없음"은 느낌에 아직 해를 당하지 않은 것이고, "자주 자주 가고 옴"은 아직 빛나고 크지 못한 것이다.

中國大全

傳

貞則吉而悔亡, 未爲私感所害也, 係私應則害於感矣. 憧憧往來, 以私心相感, 感之道狹矣, 故云未光大也.

바르게 하면 길하여 후회가 없다는 것은 아직 사사로움 느낌에 의하여 해로움을 당하지 않은 것이니, 사사롭게 응함에 얽매이면 느끼는 데에 해로움이 된다. "자주 자주 가고 온다"고 함은 사사로운 마음으로써 서로 느낌이니, 느끼는 도가 협소하기 때문에 "아직 빛나고 크지 못하다"고 하였다.

本義

感害, 言不正而感則有害也.

"느낌에 해를 당한다"고 하는 것은 바르지 못하면서 느끼면 해로움이 있음을 말한다.

小註

中溪張氏曰, 四當心位而不言心, 爻言思, 象言感者, 卽心也. 夫本然虛靜之天, 純乎貞一, 未有私感之害, 故吉而悔亡. 若憧憧然往來乎比應之間, 則意向不定, 其所感者狹矣. 匪其朋則不從, 故曰未光大也.

중계장씨가 말하였다: 사효는 마음의 자리에 해당하는데도 마음을 말하지 않으나 효사에서 '생각'을 말하고 「상전」에서 '느낌'이라고 말한 것이 곧 마음이다. 본연의 비어 있고 고요한

하늘은 곧고 한결 같은 데에 순수하여 아직 사사롭게 느끼는 해로움이 없기 때문에 길하여 후회가 없다. 만약 비(比)와 호응의 사이에서 "자주 자주 가고 온다"면 의향이 일정하지 않아 그 느끼는 바가 좁게 된다. 그 벗이 아니라면 따르지 않기 때문에 "아직 빛나고 크지 못하다"라고 하였다.

○ 雲峯胡氏曰, 二與四皆有吉, 四正而感, 則亦免於害.
운봉호씨가 말하였다: 이효와 사효에는 모두 길함이 있고 사효가 바르게 느끼니, 또한 해로움을 당하는 데에서 면한다.

韓國大全

조호익(曺好益)『역상설(易象說)』

象曰, 憧憧往來, 未光大也.
『상전』에서 말하였다: "자주 자주 가고 옴"은 아직 빛나고 크지 못한 것이다.

艮爲光, 四在艮外, 故未光. 陽爲大, 九居四, 故未大.
간괘는 빛이 되지만 사효는 간괘 밖에 있기 때문에 빛이 되지 못한다. 양은 큼이 되지만 구(九)가 사효의 자리에 있기 때문에 큼이 되지 못한다.

김상악(金相岳)『산천역설(山天易說)』

從應與從比不同, 故分二節釋之.
응(應)을 따르고 비(比)를 따르는 것은 다르기 때문에 두 문단으로 나누어서 해석하였다.

서유신(徐有臣)『역의의언(易義擬言)』

感非爲害, 憧憧爲害也. 感欲光大, 憧憧未光大也.
느끼는 것은 해로움이 되지 않고 자주함이 해가 된다. 느끼는 것은 빛나고 크려고 하나 자주함은 아직 빛나고 크지 않다.

박문건(朴文健) 『주역연의(周易衍義)』

未光大, 言其志未大也.
"아직 빛나고 크지 못한 것이다"는 뜻이 아직 크지 못함을 의미한다.

이항로(李恒老) 「주역전의동이석의(周易傳義同異釋義)」

[傳] 貞則吉而悔亡, 未爲私感所害也.
『정전』에서 말하였다: 바르게 하면 길하여 후회가 없다는 것은 아직 사사로운 느낌에 의하여 해로움을 당하지 않은 것이다.

[本義] 感害, 言不正而感則有害也
『본의』에서 말하였다: "느낌에 해를 당한다"고 하는 것은 바르지 못하면서 느끼면 해로움이 있음을 말한다.

按, 傳謂貞吉悔亡者, 未爲私感之所害也, 本義謂未感於不正而有害者也. 然則諺釋當曰, 害에 感홈이 아니오, 不當與傳同釋, 恐當改.
내가 살펴보았다: 『정전』에서 "바르게 하면 길하여 후회가 없다"는 말은 아직 사사롭게 감응함이 해가 되지 않았다는 의미이고, 『본의』의 뜻은 아직 바르지 못한 데에서 느껴 해로움이 생기지 않았다는 의미이다. 그렇다면 언해는 마땅히 "해로움에 감함이 아니오"라고 해야 하니, 『정전』과 동일하게 해석해서는 안 되므로 아마도 고쳐야 할 것 같다.

심대윤(沈大允) 『주역상의점법(周易象義占法)』

不能感異類, 故不求, 感以自害, 故曰未感害也. 所感止於同類, 故曰未光大也. 九四不用力, 而感應者止於其所思. 繫辭傳曰天下何思可慮者, 言天下之事不可思慮而强求感也, 言同類自然相感, 亦無所用其思慮也. 是故九四之思, 止于其朋之思者, 不求於天下而徧感之也. 一致而百慮, 同歸而殊塗者, 言以類相感物各不同也. 蠖屈龍蟄者, 言不强求於異類之人以自害也, 卽未感害之義也. 情僞相感而利害生.
다른 부류를 느낄 수 없기 때문에 구하지 않고, 느껴서 스스로 해를 입기 때문에 "느낌에 아직 해를 당하지 않는다"고 말했다. 느끼는 대상이 같은 부류에만 그치기 때문에 "아직 빛나고 크지 못한 것이다"라고 했다. 구사는 힘을 쓰지 않고 감응하는 것도 생각하는 것에 그친다. 「계사전」에서 "천하가 무엇을 생각하며 무엇을 걱정하리오!"[98]라고 한 말은 천하의 일들에 대해서는 생각하거나 걱정하여 억지로 느끼기를 구할 수 없다는 뜻이며, 같은 부류는 자연스럽게 서로 느끼니 또한 생각하거나 걱정할 것이 없다는 의미이다. 이러한 까닭으로 구사의 생각은 벗의 생각에 그쳐서 천하에 대해 구하여 두루 느끼지 못한다. "이름이 하나여도 걱정은 갖가지이며 천하가 돌아감이 같아도 길은 다르다"는 말은 부류가 서로 느끼지만 대상은 각각 다르다는 의미이다. "자벌레가 굽히고 용이 칩거한다"[99]는 말은 다른 부류의 사람에게 억지로 구하여 스스로를 해치지 않는다는 뜻이니, 아직 느낌에 해를 당하지 않는다는 의미이다. 실정과 거짓이 서로 느껴서 이로움과 해로움이 생겨난다.

오치기(吳致箕) 「주역경전증해(周易經傳增解)」

感不以正則有害, 能守其正則悔亡, 而未爲私感所害矣. 若偏係於私感, 則不能光明正大矣, 故不言心.

느낌에 바름으로 하지 않는다면 해가 생기니, 바름을 지킬 수 있다면 후회가 없고 사사롭게 감응하여 해가 되지 않는다. 만약 사사로운 느낌에 치우치고 빠진다면 빛나고 크게 될 수 없기 때문에 '심(心)'을 말하지 않았다.

이병헌(李炳憲) 『역경금문고통론(易經今文考通論)』

陸曰, 憧憧, 懷思慮也.

육씨가 말하였다: '동동(憧憧)'은 근심과 걱정을 품는다는 뜻이다.

本義曰, 九四居股之上脢之下, 又當三陽之中, 心之象, 咸之主也.

『본의』에서 말하였다: 구사는 넓적다리의 위와 등살의 아래에 있고 또 세 양의 가운데에 해당하니, 마음의 상이며 느낌의 주체이다.

按, 先聖論九四大旨, 則見繫辭, 熟察上下爻辭, 則當有咸其心一句, 而夫子刪之, 另明神化之心於彖辭及大傳矣. 讀者當以意會之可也.

내가 살펴보았다: 공자는 구사의 큰 뜻을 논의하여 「계사전」에 나타냈으니, 상하의 효사를 자세히 살펴보면 마땅히 '함기심(咸其心)'이라는 한 구문이 있어야 하지만, 공자가 산정을 하여 신묘한 변화의 마음에 대해서 「단전」과 「대전」에 별도로 밝혀두었다. 읽는 자는 마땅히 잘 이해해야만 한다.

---

98) 『周易 · 繫辭下』: 子曰, 天下何思何慮, 天下同歸而殊塗, 一致而百慮, 天下何思何慮.

99) 『周易 · 繫辭下』: 尺蠖之屈, 以求信也, 龍蛇之蟄, 以存身也.

九五, 咸其脢, 无悔.

구오는 등살에서 느끼니, 후회가 없으리라.

中國大全

傳

九居尊位, 當以至誠感天下, 而應二比上, 若係二而說上, 則偏私淺狹, 非人君之道, 豈能感天下乎. 脢, 背肉也, 與心相背而所不見也. 言能背其私心, 感非其所見而說者, 則得人君感天下之正而无悔也.

양이 존귀한 자리에 있으므로 마땅히 지성으로써 천하를 감동시켜야 하는 데도, 이효와 호응하고 상효와 비(比)의 관계에 있다고 해서, 만약 이효에 얽매이고 상효를 기뻐한다면, 사사로운 데에 치우치고 얕고 좁아서 임금의 도가 아니니, 어찌 천하를 감동시킬 수 있겠는가? '매(脢)'는 등의 살이니, 심장과 서로 등져서 보이지 않는 곳이다. 그 사사로운 마음을 등져서 그 보고서 기뻐하는 자가 아닌 자까지도 감동시킬 수 있다면, 임금이 천하를 감동시키는 바름을 얻어 후회가 없게 됨을 말한다.

小註

或問, 程傳曰, 感非其所見而說者, 此是任貞一之理則如此. 朱子曰, 武王不泄邇, 不忘遠, 是其心量該遍, 故周流如此. 是此義也.

어떤 이가 물었다: 『정전』에서 "그 보고서 기뻐하는 자가 아닌 자까지도 감동시킨다"라고 하였으니, 이것은 곧고 한결 같게 하는 이치를 감당해 내면 이와 같다는 말입니까?

주자가 말하였다: "무왕(武王)은 가까이 있는 사람들을 지나치게 가까이 하지 않고, 멀리 있는 사람들을 잊지 않았다"[100]고 하였으니, 그 마음의 크기가 모든 것을 갖추고 있기 때문에 두루 흘러 퍼짐이 이와 같았다. 이러한 뜻이다.

---

100) 『孟子 · 離婁』: 武王, 不泄邇, 不忘遠.

○ 西溪李氏曰, 悔亡, 是有悔而亡之也. 无悔, 是无復有悔也.
서계이씨가 말하였다: "후회가 없어지리라"란 후회가 있지만 이것을 없앤다는 것이다. "후회가 없으리라"란 다시 후회가 없다는 것이다.

○ 中溪張氏曰, 九五尊居君位, 可以感人心而天下和平矣, 而僅能无悔何耶. 蓋五與六二爲應, 又比上六, 係二而說上, 所感以私, 非聖人感人心之正道, 亦猶背肉之脢, 與心相背而昧, 无所見也.
중계장씨가 말하였다: 존귀한 구오가 임금의 자리에 있으므로 사람의 마음을 감통시켜 천하가 화평할 수 있도록 해야 하는 데도 겨우 후회가 없을 수 있는 것은 어째서인가? 구오와 육이는 호응이 되고 또 상육과는 비(比)의 관계에 있으므로 이효에 얽매이고 상효를 기뻐하니, 느끼는 바가 사사롭기 때문에 성인이 사람들의 마음을 감동시키는 올바른 도가 아니므로, 또한 등의 살인 '매(脢)'는 심장과 서로 등져서 어두워 보는 바가 없는 것과 같다.

本義

脢, 背肉, 在心上而相背, 不能感物而无私係. 九五適當其處, 故取其象而戒占者以能如是, 則雖不能感物, 而亦可以无悔也.

'매(脢)'는 등의 살이니, 심장의 위치에 있지만, 서로 등지므로 상대를 느낄 수가 없어 사사롭게 얽매임이 없다. 구오는 그 처한 곳이 적당하기 때문에 그 상을 취하여 이로써 점치는 자가 이와 같이 할 수 있다면 비록 상대를 감동시킬 수 없어도 또한 후회는 없을 수 있다고 경계하였다.

小註

節齋蔡氏曰, 脢, 无所感者. 无所感, 故无悔.
절재채씨가 말하였다: '매(脢)'는 느끼는 바가 없다. 느끼는 바가 없기 때문에 후회가 없다.

○ 雲峯胡氏曰, 子夏云, 在脊曰脢. 諸爻象拇象股象心, 皆戒其感於物而動. 五象脢不動矣, 而又不能感物. 諸爻動而无靜, 五靜而无動, 皆非心之正也. 但以其无私係, 故曰无悔, 非深取之也.
쌍봉호씨가 말하였다: 자하는 "등에 있는 것을 '매(脢)'라고 한다"[101]고 하였다. 여러 효에서

---

101) 『周易要義』: 正義曰, 脢者, 心之上口之下者, 子夏易傳曰, 在脊曰脢, 馬融云, 脢, 背也, 鄭玄云, 脢, 脊肉也.

'엄지발가락'을 상징하고 '넓적다리'를 상징하며 심장을 상징하였으니, 모두 대상에 느껴서 움직임을 경계하였다. 오효는 '등살'이 움직이지 않고, 또 대상을 느낄 수가 없음을 상징하였다. 여러 효들은 움직이고 고요함이 없지만 오효는 고요하고 움직임이 없으니, 모두 마음의 바름이 아니다. 다만 그 사사롭게 얽매임이 없기 때문에 "후회가 없다"고 하였으니, 깊게 취할 것은 아니다.

韓國大全

송시열(宋時烈) 『역설(易說)』

脢, 背肉之不見者也. 五居君位, 不能往從六二, 是感於所不見, 而其不見而在後者, 卽上六也. 初爲本, 六爲末, 五之志在於末而不在於六二也, 小象已言之.
'등살[脢]'은 등의 살이라서 볼 수 없는 부위이다. 오효는 임금의 자리에 있어서 가서 육이를 따를 수 없으니, 이것은 볼 수 없는 것에 느끼는 것이고 볼 수 없어서 뒤에 있는 것은 상육에 해당한다. 초효는 본(本)이고 상효는 말(末)인데, 오효의 뜻은 말(末)에 있고 육이에 있지 않으니 「소상전」에서 이미 말했다.

석지형(石之珩) 『오위귀감(五位龜鑑)』

臣謹按, 咸之九五, 取咸其脢之義, 何也. 卦之諸爻, 皆配一體, 拇腓股頰, 擧在所見, 而脢獨在脊, 感於所不見也. 感於所見者, 偏私淺狹, 非君德之盛, 感於所不見者, 廣大公平, 得感應之正, 此所以取背肉於君位, 欲其背私而從公也. 大抵咸者, 感也, 有心然後能感, 故加心而爲感, 无心於相感者, 乃能咸感, 故去心而爲咸. 聖人以咸名卦, 而以感釋彖者, 所以互明其旨, 而要不過本末淺深之辨而已. 伏願殿下, 推心於感心, 而應物於无心焉.
신이 삼가 살펴보았습니다: 함괘의 구오에서 "등살에서 느낀다"는 뜻을 취한 것은 어째서입니까? 괘의 여러 효들은 모두 짝하여 하나의 몸체가 되는데, 발가락 · 장딴지 · 넓적다리 · 뺨 등은 볼 수 있는 부위이지만, 등살만은 유독 등에 있어서 볼 수 없는 부위에서 느끼게 됩니다. 볼 수 있는 데에서 느끼는 것은 사사로움에 치우쳐서 편협하니 임금의 덕이 융성한 것이 아니며, 볼 수 없는 데에서 느끼는 것은 광대하고 공평하여 감응의 올바름을 얻은 것이니,

이것이 임금의 자리에 대해 등살에서 취하여 사사로움을 등지고 공평함을 따르게끔 한 이유입니다. 대체로 함(咸)이라는 것은 느낀다는 뜻인데, 마음이 있은 뒤에라야 느낄 수 있기 때문에 '심(心)'자를 더하여 '감(感)'자가 된 것이며, 서로 느끼는 것에 대해 무심하면 곧 모두 느낄 수 있기 때문에 '심(心)'자를 제거하여 '함(咸)'자가 된 것입니다. 성인이 '함(咸)'자로 괘의 이름을 삼았지만 '감(感)'자로 「단전」을 풀이한 것은 그 뜻을 상호 호환되도록 나타냈기 때문이며, 요점은 본말(本末)과 천심(淺深)을 구별하는 것에 지나지 않습니다. 삼가 바라건대, 전하께서는 느끼는 마음에 마음을 미루어 무심한 데에서 대상에 응하소서.

홍여하(洪汝河) 「책제(策題): 문역(問易)・독서차기(讀書箚記)-주역(周易)」

咸九五, 本義, 脢背肉.
함괘의 구오의 『본의』에서 말하였다: '매(脢)'는 등의 살이다.

與艮其背, 同取下卦艮象.
그 등에 그친다는 것과 함께 하괘인 간괘의 상에서 취했다.

九五象, 咸其脢, 志末也.
구오의 「상전」에서는 등살에서 느낌은 뜻이 지엽적이기 때문이라고 했다.

五咸其背, 不獲其身, 曷云志末. 庭中有人.
오효는 그 등에 감응함이니, 몸을 얻지 못했는데 어떻게 뜻이 지엽적이라고 할 수 있는가? 마당 가운데 사람이 있는 것이다.

이현석(李玄錫) 「역의규반(易義窺斑)」

脢, 背肉, 不能感物, 而又無私係, 非如拇股心口之易感而易動也. 然一身皆動, 則脢亦隨之而動, 此猶君居尊位, 不爲小感而動, 不見微物而說, 必天下皆說皆動之事, 然後隨之而動也. 或曰, 苟然則眞所謂與天下同其好惡者, 乃君道之善者也, 何迺止謂无悔, 而象亦曰志末也哉. 曰, 九五有陽剛中正之德, 固非偏私淺狹者也. 第爲咸之主, 不能以至誠倡天下之感, 使之綏來動和桴鼓響應而乃反隨天下之說而動, 此所以止於无悔而有志末之譏也. 蓋居兌卦有說體, 故莫能自樹立自斷制而終不免隨人也.
'매(脢)'는 등살로 대상을 느낄 수 없지만 또한 사사롭게 얽매임도 없으니, 발가락・넓적다리・마음・입이 쉽게 느껴서 쉽게 움직이는 것과는 다르다. 그러나 한 몸이 모두 움직이게 되면 등살 또한 그에 따라 움직이니, 이것이 임금이 높은 지위에 있어서 작게 느껴서 움직이지 않고 미물을 보고 기뻐하지 않으며, 반드시 천하의 모든 사람들이 기뻐하고 모두 움직이는 일인 뒤에라야 그에 따라 움직이는 것과 같다.

어떤 이가 물었다: 진실로 그렇다면 천하 사람들과 그 좋고 싫어함을 함께 한다는 것[102]이 곧 임금의 도리 중 좋은 것인데, 어찌하여 단지 "후회가 없다"고만 말하고, 「상전」에서는 또한 "뜻이 지엽적이기 때문이다"라고 말한 것입니까?

답하였다: 구오는 굳센 양이 중정한 덕을 갖추고 있어서 진실로 사사로운데 치우치거나 편협한 자가 아닙니다. 그 순서는 함괘의 주인이 되는데, 지극한 진실됨으로 천하의 느낌을 인도하여, 그들로 하여금 편안히 와서 움직여 조화를 이루고 북채가 북을 쳐서 울림이 호응하도록 하지 못하니, 이것은 곧 반대로 천하가 모두 기뻐하는 것을 따라서 움직이는 것으로, 후회가 없는 것에만 그치고 뜻이 지엽적이라는 책망이 있는 이유입니다. 태괘에 있어서 기뻐하는 몸체를 가지고 있기 때문에 스스로 수립하고 스스로 재단할 수 없어서, 끝내 남을 따르는 데에서 벗어나지 못합니다.

이익(李瀷) 『역경질서(易經疾書)』

五與二爲中正相應, 義當元吉, 但稱无悔, 何也. 據傳文志末也. 末者, 何楷引繫辭及大過彖傳, 以上六當之者是也. 既在感中, 志無所不在, 不能專於感二, 而又志於比近之上六, 所以不得爲元吉. 但云无悔, 非謂志末者无悔也. 脢者, 心之所繫, 心雖動而脢常靜, 故言脢, 不言心者, 勉其靜也.

오효와 이효는 중정하여 상응하니 그 뜻은 크게 길함이 되는데, 단지 "후회가 없다"고 한 이유는 무엇인가? 「상전」에 나오는 "뜻이 지엽적이기 때문이다"라는 말에 근거한 것이다. '말(末)'에 대해서, 하해는 「계사전」 및 대과괘(大過卦䷛)의 「단전」을 인용하여, 상육에 해당한다고 했다. 이미 느끼는 가운데 있지만 뜻은 없는 데가 없어서, 이효를 느끼는 것을 오로지 할 수 없고, 또 뜻은 상육과 가까워서 크게 길할 수 없으니, 단지 "후회가 없다"고 말한 것이지 지엽적인 것은 후회가 없다는 뜻이 아니다. 등살은 마음이 연계된 것이고, 마음이 비록 움직이지만 등살은 항상 고요하기 때문에 등살이라고 말하고 마음이라고 말하지 않았으니, 고요하기를 권한 것이다.

유정원(柳正源) 『역해참고(易解參攷)』

厚齋馮氏曰, 咸其脢, 心感而欲言之象, 脢, 喉之出納所也. 說者以爲脊胂, 非自心而

102) 『中庸』: 尊其位, 重其祿, 同其好惡, 所以勸親親也.

脢, 脢而口其序也.
후재풍씨가 말하였다: "등살에서 느낀다"는 말은 마음이 느껴서 말을 하고자 하는 상이며, '등살[脢]'은 숨이 들고 나는 곳이다. 학자들에 따라서는 등뼈[脊胂]라고도 하는데, 마음으로부터 등뼈로 가는 것이 아니며, 등뼈로부터 입으로 가는 것이 그 순서이다.

○ 爻居心上口下, 則脢也. 心有所感, 然後動於脢, 乃形於言. 言之是非, 係乎所感之邪正, 而爻居其間, 邪正係四而是非係上, 故无悔尤也.
효가 심장 위와 입 아래에 있다면 등살[脢]이 된다. 마음에 느끼는 것이 생긴 뒤에라야 등살에서 움직이고 곧 말을 통해 나타난다. 말의 시비는 느끼는 것의 옳고 그릇됨에 연계되니, 효가 그 중간에 위치하고, 옳고 그릇됨이 사효와 연계되고 상효에 연계된 것이 아니기 때문에 더욱 후회가 없다.

○ 平庵項氏曰, 脢在口下心上, 卽喉中脢核, 今謂三思臺者, 是也.
평암항씨가 말하였다: '매(脢)'는 입 아래와 심장 위에 있으니 목구멍 속에 있는 매핵(脢核)으로, 오늘날 '삼사대(三思臺)'라고 부르는 것이 바로 이것이다.

김상악(金相岳) 『산천역설(山天易說)』

九五以兌乘艮, 應二而不交, 故有咸其脢之象. 雖比上而交, 五之中正, 不累於私係, 故亦可以无悔也.
구오는 태괘로 간괘를 타고 이효와 호응하지만 사귀지 않기 때문에 등살에서 느끼는 상이 있다. 비록 상효와 비(比)의 관계로 사귀지만 오효의 중정함은 사사로운 얽매임에 연루되지 않았기 때문에 또한 후회가 없을 수 있다.

○ 脢, 背肉也. 艮之象與心相背, 不能感物者也. 中三爻爲人腹背象, 故此言脢. 悔者, 私感之悔也. 悔生于動, 旣不能動而感, 則何悔之有, 與同人上九曰, 同人于郊, 无悔, 相似.
'매(脢)'는 등살이다. 간괘의 상은 심장과 서로 등지고 있어서 대상을 느낄 수 없는 자이다. 가운데 세 효는 사람의 배와 등의 상이 되기 때문에 이곳에서는 등살이라고 말했다. 후회는 사사롭게 느껴서 생긴 후회이다. 후회는 움직임에서 생기는데 이미 움직여서 느낄 수 없다면 어떻게 후회가 있겠는가? 이것은 동인괘(同人卦䷌)의 상구에서 "사람들과 함께 하기를 들에서 하니 후회가 없다"[103]라고 한 뜻과 유사하다.

김규오(金奎五) 「독역기의(讀易記疑)」

九五傳以咸脢爲人君感天下之正, 朱子以武王事證之, 而本義乃以不能感物歉之, 蓋因象辭而然. 然竊疑此云咸脢, 略與艮背相類, 若言一身之中, 獨感之以所不感, 不爲二上所累, 如是爲解則庶可合於傳說. 但同人上九大壯六五與此本爻, 皆言无悔, 而象皆有貶辭, 獨渙三不然耳. 然則无悔字雖若賢於悔亡, 而諸爻之可見者, 實不及於有悔而能亡之意, 此本義所以不從傳意者也. 若中溪所感以私, 亦猶背肉之說, 專說爻之不好處, 不但違於傳意, 亦不合於本義, 果如其言則其可悔吝甚矣, 何得言无悔也.

구오의 『정전』에서는 등살에서 느낌을 임금이 천하를 느끼는 올바름으로 여겼고, 주자는 무왕에 대한 일로 증명을 했는데, 『본의』에서는 곧 대상을 느낄 수 없다고 의심을 했으니, 아마도 「상전」의 말에 따라서 이처럼 설명한 것이다. 그러나 내가 생각하기에, 이곳에서 "등살에서 느낀다"라고 했는데 대략 간괘의 등과 서로 비슷한 부류가 되니, 마치 한 몸에서 유독 느끼지 못하는 곳으로 느껴서, 이효와 상효에게 얽매이지 않는 것이니, 이처럼 풀이를 하면 대체로 『정전』의 주장과 합치될 수 있다. 다만 동인괘(同人卦䷌)의 상구[104]와 대장괘(大壯卦䷡)의 육오[105] 및 함괘의 본효에서는 모두 "후회가 없다"라고 했고 「상전」에는 폄하하는 말이 있는데, 유독 환괘(渙卦䷺)의 삼효[106]만 그렇지 않을 따름이다. 그렇다면 '무회(无悔)'라는 글자의 뜻은 비록 현명한 자는 후회가 없다는 뜻과 같지만, 여러 효에서 확인할 수 있는 것은 실제로 후회가 있는데도 없을 수 있는 지경에는 이르지 못했다는 뜻이니, 이것은 『본의』에서 『정전』의 뜻을 따르지 않았던 이유이다. 중계장씨처럼 느끼는 것이 사사로워서 또한 등살과 같다는 주장은 오로지 효 중 좋지 않은 곳에 대해서만 설명한 말이니, 『정전』의 뜻에 위배될 뿐만 아니라 『본의』와도 부합되지 않고, 과연 그의 말대로라면 후회와 부끄러움이 매우 심하게 되는데, 어떻게 "후회가 없다"고 할 수 있는가?

○ 象雲峯說, 蓋取本義, 而其釋末字, 復取傳意, 若義之釋末乃未能之意, 猶子路所謂末之之末也.

『상전』에 대한 운봉호씨의 주장은 아마도 『본의』의 주장에 따른 것인데, '말(末)'자의 해석은 재차 『정전』의 뜻을 따랐으니, 『본의』의 '말(末)'자 풀이는 곧 "아직 능치 못한다[未能]"는 의미로, 자로가 "갈 데가 없다[末之]"[107]고 했을 때의 '말(末)'자와 같다.

---

103) 『周易·同人卦』: 上九, 同人于郊, 无悔.
104) 『周易·同人卦』: 上九, 同人于郊, 无悔.
105) 『周易·大壯卦』: 六五, 喪羊于易, 无悔.
106) 『周易·渙卦』: 六三, 渙其躬, 无悔.
107) 『論語·陽貨』: 子路不說, 曰, 末之也已, 何必公山氏之之也?

서유신(徐有臣)『역의의언(易義擬言)』

王肅云, 脢在背夾脊, 脢, 非動者也. 惟肩胛動, 則脢亦動焉. 五之位, 脢也, 所應六二, 艮爲手也, 是爲手感而脢亦感也. 中正相應, 其感則正, 而但不公溥, 故无悔而已.
왕숙이 말하였다: 등살은 등의 척추 사이에 끼어 있으니, 등살은 움직이는 부위가 아니다. 오직 어깨가 움직여야만 등살 또한 움직인다. 오효의 자리는 등살에 해당하고 느끼는 대상은 육이인데, 간괘는 손이 되므로 이것은 손이 느껴서 등살 또한 느낀 것이다. 중정하고 상응하니, 느끼는 것은 올바르지만 공평하고 넓지 않기 때문에, 후회가 없을 따름이다.

박제가(朴齊家)『주역(周易)』

九五, 咸其脢.
구오는 등살에서 느낀다.

本義, 不能感物而無私係.
『본의』에서 말하였다: 상대를 느낄 수가 없어 사사롭게 얽매임이 없다.

案, 踇腓股皆感而後動, 故謂之能感物, 則脢亦然矣, 何嘗不感耶. 脢亦隨脊而動, 隨癢而感. 雖曰不感, 經曰咸, 與下三爻同, 不可謂之不感, 但其感, 比足爲用差緩則固矣. 象傳所謂志末也, 末者, 緩也, 又在心之外之上, 故曰末. 初曰[108]志, 三亦曰志, 此亦曰志, 則焉有不感之志乎. 程傳謂感非其所見而說者, 義自好, 亦未嘗曰, 不能感物. 節齋蔡氏曰, 脢無所感者, 雲峯胡氏曰, 脢不動矣, 而又不能感物者, 皆從本義而皆終可疑.
내가 살펴보았다: 발가락 · 장딴지 · 넓적다리는 모두 느낀 이후에 움직이기 때문에 "대상을 느낄 수 있다"고 할 수 있으니, 등살 또한 그러한데도 어찌 일찍이 느끼지 못하겠는가? 등살 또한 척추를 따라서 움직이고 가려움에 따라서 느끼게 된다. 비록 "느끼지 못한다"고 했지만 경문에서는 "느낀다"라고 말하여 아래의 세 효와 동일하므로, 느끼지 못한다고 말할 수 없는데 다만 그 느낌에 있어서 다리와 비교해보면 힘을 씀이 느린 것은 진실로 그러하다. 「상전」에서는 "뜻이 지엽적이기 때문이다"고 했는데, '말(末)'자는 느리다는 의미이며 또 마음 밖의 위에 있기 때문에 '말(末)'이라고 부른 것이다. 초효에서는 뜻을 언급했고 삼효에서도 또한 뜻을 언급했는데 오효에서도 뜻을 언급했으니, 어찌 느끼지 못하는 뜻이 있겠는가? 『정전』에서 "그 보고서 기뻐하는 자가 아닌 자까지도 감동시킬 수 있다"고 한 말은 그 의미 자체로는 좋지만 또한 일찍이 "대상을 느낄 수 없다"라고는 하지 않았다. 절재채씨는 "등살은 느끼

108) 曰: 경학자료집성DB에는 '日'로 되어 있으나, 영인본에 따라 '曰'로 바로잡았다.

는 것이 없다"라고 했고, 운봉호씨는 "등살은 움직이지 않고 또 대상을 느낄 수가 없다"고 했는데, 이러한 설명들은 모두 『본의』에 따른 것이지만, 모두 그 의미가 의심스럽다.

박문건(朴文健) 『주역연의(周易衍義)』

志在退避, 故有咸脢之象. 脢, 背肉也. 處僻, 故所以无悔.
뜻이 물러나 숨는데 있기 때문에 등살에서 느끼는 상이 있다. '매(脢)'는 등살이다. 피신한 곳에 있기 때문에 후회가 없다.

이지연(李止淵) 『주역차의(周易箚疑)』

九五其志與同人于郊者无異, 而末之爲言猶云所.
구오의 뜻은 동인괘(同人卦䷌)의 상구에서 "사람들과 함께 하기를 들에서 한다"[109]고 한 말과 차이가 없으니, '말(末)'이라는 말은 '장소[所]'를 뜻한다.

김기례(金箕澧) 『역요선의강목(易要選義綱目)』

脢, 背肉, 與心相背處.
'매(脢)'는 등살이니, 마음과 서로 등진 부위이다.

○ 五隔二[110]陽, 不見正應, 故不動, 則如脢之無心而不動者.
오효는 두 양에게 막혀 있어서 정응을 보지 못하기 때문에 움직이지 못하니, 등살이 무심하여 움직이지 않음과 같다.

○ 密比上六而悅, 則亦不知感物之道也. 但靜而不動, 則雖无悔, 非人君感而遂通天下之志也. 志末, 猶言末計.
상육을 매우 가까이 하여 기뻐한다면 또한 대상을 느끼는 도를 모르는 것이다. 다만 고요하여 움직이지 않는다면 비록 후회가 없지만, 임금이 느껴서 천하의 뜻을 통하게 함이 아니다. '지말(志末)'은 '구차한 계교[末計]'를 뜻한다.

---

109) 『周易 · 同人卦』: 上九, 同人于郊, 无悔.
110) 二: 경학자료집성DB에는 '一'로 되어 있으나, 영인본에 따라 '二'로 바로잡았다.

이항로(李恒老) 「주역전의동이석의(周易傳義同異釋義)」

傳, 脢, 背肉也, 與心相背而所不見也. 言能背其私心, 感非其所見而說者, 則得人君感天下之正而无悔也.
『정전』에서 말하였다: '매(脢)'는 등의 살이니, 심장과 서로 등져서 보이지 않는 곳이다. 그 사사로운 마음을 등져서 그 보고서 기뻐하는 자가 아닌 자까지도 감동시킬 수 있다면, 임금이 천하를 감동시키는 바름을 얻어 후회가 없게 됨을 말한다.

本義, 脢, 背肉, 在心上而相背, 不能感物而无私係. 九五適當其處, 故取其象而戒占者以能如是, 則雖不能感物, 而亦可以无悔也.
『본의』에서 말하였다: '매(脢)'는 등의 살이니, 심장의 위치에 있지만, 서로 등지므로 상대를 느낄 수가 없어 사사롭게 얽매임이 없다. 구오는 그 처한 곳이 적당하기 때문에 그 상을 취하여 이로써 점치는 자가 이와 같이 할 수 있다면 비록 상대를 감동시킬 수 없어도 또한 후회는 없을 수 있다고 경계하였다.

按, 九五咸脢, 伊川以爲正大之道, 朱子以爲僅可之象, 何也. 蓋感者, 感其心爲上, 故彖傳曰, 聖人, 感人心而天下和平. 九四於人身適當心位, 故[111]備言貞吉悔亡. 憧憧朋從之義, 大抵立於此, 而感通於天下者, 神也, 神之所舍, 心也, 故不及乎心, 而曰拇, 曰腓, 曰股, 已過乎心而曰脢, 曰頰, 皆感之淺且末者也, 何也. 局於一物, 囿於一形, 所感不公不大故也. 然隨其地位材質, 而各有得失, 二與五得中得正也, 故咸腓尙有居吉之象, 咸脢猶有无悔之象. 初與上居先居後也, 故咸拇无可貞之象, 咸頰无可輔之象. 九三過剛不中, 故咸股有隨人之吝. 九四適當心位, 故極言感道之得失. 蓋至公至正之中, 有篤實孚信之體, 然後感而能通天下之心, 若憧憧往來, 則所感不光, 與他爻之只感一物, 亦无以異矣. 於此可以觀感道之善不善也. 曰咸吉卦也, 而六爻無元吉, 何也. 曰, 止而說, 爲咸以說感人, 終非至善之道, 故視乾之九五, 與天地合其德, 與日月合其明, 與四時合其序, 與鬼神合其吉凶, 其氣象自不同矣.
내가 살펴보았다: 구오는 등살에서 느끼는데 이천은 올바르고 큰 도라고 여겼고, 주자는 겨우 괜찮은 상이라고 했으니 어째서인가? 느낀다는 것은 마음을 느끼는 것을 상위로 치기 때문에 「단전」에서는 "성인이 사람의 마음을 감동시켜서 천하가 화평해진다"라고 했다. 구사는 사람의 몸으로 따지면 마음의 위치에 해당하기 때문에 "곧으면 길하여 후회가 없다"고 말한 것이다. 자주 자주하여 벗이 따른다는 뜻은 대체로 여기에서 수립되지만, 천하에 느껴

---

111) 故: 경학자료집성DB에는 '敀'로 되어 있으나, 영인본에 따라 '故'로 바로잡았다.

서 통하게 하는 것은 신(神)이며 신(神)이 머무는 곳은 심(心)이기 때문에, 심(心)에는 미치지 못하여 발가락 · 장딴지 · 넓적다리라고 말했고, 이미 마음의 자리를 지나쳐서 등살 · 빰이라고 말한 것이니, 이 모두가 느낌이 얕고 지엽적인 것들이라고 한 것은 어째서인가? 한 사물에 국한되고 한 형체에 사로잡혀서, 느끼는 것이 공평하고 크지 못하기 때문이다. 그런데 그 자리와 재질에 따르면 각각 득실이 있으니, 이효는 오효와 함께 중정하기 때문에 장딴지에서 느낌은 오히려 그대로 있으면 길한 상이 있고, 등살에서 느낌에는 여전히 후회가 없는 상이 있다. 초효는 상효와 더불어 앞뒤에 머물고 있기 때문에 발가락에서 느낌에는 곧을 수 있는 상이 없고, 빰에서 느낌에는 도울 수 있는 상이 없다. 구삼은 지나친 굳셈으로 알맞지 못하기 때문에 넓적다리에서 느낌은 남을 따르는 부끄러움이 있다. 구사는 마음의 자리에 해당하기 때문에 함괘의 도에 나타난 득실을 지극히 표명하였다. 지극히 공평하고 올바른 가운데 독실함과 믿음의 본체가 있은 뒤에야 느껴서 천하의 마음을 통하게 할 수 있는데, 만약 자주 왕래하게 된다면 느끼는 것이 빛나지 못하여 다른 효에서 단지 한 사물에만 느끼는 것과 차이가 없다. 여기에서 느끼는 도의 선과 불선을 확인할 수 있다.

물었다: 함괘는 길한 괘라고 하는데, 여섯 효 중에 크게 길한 효가 없음은 어째서입니까?

답하였다: 그쳐서 기뻐함은 함괘가 기쁨으로 남을 느끼는 것인데, 끝내 지극히 선한 도로써 하지 못하기 때문에 건괘의 구오에서 "천지와 덕이 부합하며, 해·달과 밝음이 부합하고, 사계절과 질서가 부합하며, 귀신과 길흉이 부합한다"112)고 한 말과 비교해보면, 그 기상이 자연히 같지 않습니다.

심대윤(沈大允) 『주역상의점법(周易象義占法)』

咸之小過䷽, 無形之過也. 九五居剛而求感, 居三四二陽之上而得其附從, 然終不如二之相應也. 咸之道, 精一之至, 同志旣感而可及於異類, 而終無專應之, 實如脢之動附於身, 而不能獨動也. 脢, 背肉也. 五居艮背之上, 有脢之象, 以其得中, 故無悔.

함괘가 소과괘(小過卦䷽)로 바뀌었으니, 형체가 없는 지나침이다. 구오는 굳센 양의 자리에 있으면서 느끼기를 구하며, 삼효 · 사효라는 두 양 위에 있으면서 붙어서 따를 수 있지만, 끝내 두 효가 상응함만 못하다. 함괘의 도는 정일의 지극함이니, 뜻이 같은 자가 이미 감응하여 다른 부류에까지 미칠 수 있지만, 끝내 오로지 느끼기만 하는 일이 없으니, 실로 등살이 몸에 붙어서 움직이지만 홀로 움직일 수 없음과 같다. '매(脢)'는 등살이다. 오효는 간괘의 등 위에 있어서 등살의 상이 있고, 가운데 자리를 얻었기 때문에 후회가 없다.

---

112) 『周易 · 乾卦』: 夫大人者, 與天地合其德, 與日月合其明, 與四時合其序, 與鬼神合其吉凶. 先天而天弗違, 後天而奉天時. 天且弗違, 而況於人乎, 況於鬼神乎.

오치기(吳致箕) 「주역경전증해(周易經傳增解)」

九五以剛居上體之中, 當脢之位, 卽不能動而未有感者也. 在咸之時, 不能感物, 宜若有悔, 然能无妄求之羞私係之害, 故言无悔.
구오는 굳센 양으로 상체의 가운데 있으니 등살의 위치에 해당하므로, 움직일 수 없어서 아직 느낌이 없는 자이다. 함괘의 때에 처하여 대상을 느낄 수 없다면 마땅히 후회가 있을 것 같지만, 망령되게 구하는 부끄러움이 없고 사사롭게 얽매이는 해도 없기 때문에 "후회가 없다"고 하였다.

○ 脢, 背肉, 在心後, 不動者, 而對艮爲背之象.
'매(脢)'는 등살로 심장의 뒤에 있어서 움직이지 못하니, 음양이 바뀐 간괘는 등의 상이 된다.

이진상(李震相) 『역학관규(易學管窺)』

咸其脢.
등살에서 느낀다.

項氏以脢爲喉中脢核, 今謂三思臺者是也. 馮氏曰, 爻居心上口下則脢也, 心有所感, 然後動於脢, 乃形於言, 言之是非, 係於所感之邪正, 邪正係四, 是非係上, 而五居其間, 所以無悔尤, 兩說甚新.
항씨는 매(脢)를 목구멍 속의 매핵(脢核)이라고 하였는데, 오늘날 '삼사대(三思臺)'라고 부르는 것이 여기에 해당한다. 풍씨는 "효가 마음 위와 입 아래에 있으니 등살이 되며, 마음에 느끼는 것이 있은 뒤에야 등살에서 움직이고, 곧 말로 형용되며, 말의 시비는 느끼는 것의 옳고 그름에 연계되고, 옳고 그름은 사효와 연계되고, 시비는 상효에 연계되는데, 오효가 그 중간에 위치하여, 후회가 없게 된다"고 했는데, 두 주장이 참신하다.

박문호(朴文鎬) 『경설(經說)-주역(周易)』

夫死不嫁, 是從一而終也. 妻死復娶, 是制以義也.
남편이 죽어서 부인이 다른 사람에게 시집가지 않는 것은 하나를 따라 끝마치는 것이다. 처가 죽어서 다시 아내를 들이는 것은 의로움에 따라 재단한 것이다.

박문호(朴文鎬) 『경설(經說)-주역(周易)』

如寒暑雨暘, 言公而無私也. 何思何慮, 此謂思慮之私者也.
"춥고 더우며 비가 오고 햇볕이 남과 같음"은 공평하고 사사로움이 없다는 말이고, "무엇을 생각하고 무엇을 걱정하리오!"[113]는 사사로운 생각과 근심을 뜻한다.

感非其所見而說者, 此感字當釋於者字.
"보고서 기뻐하는 자가 아닌 자까지도 감동시킨다"고 했는데, 이때의 '감(感)'자는 마땅히 '어(於)'자로 풀이해야 한다.

113) 『周易 · 繫辭下』: 子曰, 天下何思何慮, 天下同歸而殊塗, 一致而百慮, 天下何思何慮.

象曰, 咸其脢, 志末也.

정전 「상전」에서 말하였다: "등살에서 느낌"은 뜻이 지엽적이기 때문이다.
본의 「상전」에서 말하였다: "등살에서 느낌"은 뜻이 지엽적이다.

中國大全

傳

戒使背其心而咸脢者, 爲其存心淺末, 係二而說上, 感於私欲也.

심장을 등져서 등살에서 느끼도록 경계한 것은 마음을 보존함이 얕고 지엽적이어서 이효에 얽매이고 상효를 기뻐하여 사사로운 욕심을 느끼기 때문이다.

本義

志末, 謂不能感物.

"뜻이 지엽적이다"라는 것은 대상을 느낄 수 없음을 말한다.

小註

雲峯胡氏曰, 初曰志在外, 三曰志在隨人. 五雖无私係, 不能感物, 其志如此, 亦末矣.
운봉호씨가 말하였다: 초효에서는 "뜻이 바깥에 있다"고 하였고, 삼효에서는 "뜻이 다른 사람을 따르는 데에 있다"고 하였다. 오효는 비록 사사롭게 얽매임이 없지만 대상을 느낄 수가 없어서 그 뜻이 이와 같으니, 또한 지엽적이다.

韓國大全

조호익(曺好益)『역상설(易象說)』

末指上, 在卦之終. 大過, 本末弱也, 末同義.

'말(末)'자는 상효를 가리키니 괘의 끝에 있어서이다. 대과괘(大過卦䷛)에서는 "밑과 끝이 약해서이다"[114]라고 했는데, 이때의 '말(末)'자도 같은 뜻이다.

유정원(柳正源)『역해참고(易解参攷)』

志末也.

뜻이 지엽적이기 때문이다.

正義, 末猶淺也. 感以心爲深, 過心則謂之淺末矣.

『주역정의』에서 말하였다: '말(末)'자는 얕다는 뜻이다. 느낌은 마음으로 함이 깊으니 마음을 지나쳤다면 얕다고 말한다.

김상악(金相岳)『산천역설(山天易說)』

應遠而比近, 故有志末之戒, 與初六曰志在外也, 同意.

먼 곳과 호응하고 가까운 것과 비(比)가 되기 때문에 뜻이 지엽적이라는 경계가 있으니, 초육에서 "뜻이 바깥에 있는 것이다"라고 한 말과 같은 의미이다.

서유신(徐有臣)『역의의언(易義擬言)』

末者, 手爲支末也, 應於手, 故曰志末也, 小之也.

'말(末)'은 손은 지엽적인 것이 되어 손에서 느끼기 때문에, "뜻이 지엽적이기 때문이다"라고 했으니 작다는 의미이다.

114)『周易 · 大過卦』: 象曰, "大過", 大者過也, "棟撓", 本末弱也. 剛過而中. 巽而說行, 利有攸往, 乃亨. "大過"之時大矣哉!

강엄(康儼) 『주역(周易)』

按, 此爻與同人上九大意相近, 同人上九獨處事外无與爲同, 故曰, 同人于郊, 无悔, 而象曰, 志未得也. 此爻在心之上, 不能感物, 故曰, 咸其晦, 无悔, 而象曰, 志末也. 蓋悔吝生乎動, 不能感物而无所私係, 則悔何由生. 然以心而不能感物, 亦非心之道也, 故曰志末.
내가 살펴보았다: 이 효는 동인괘(同人卦䷌)의 상구와 대체적인 뜻이 유사하니, 동인괘의 상구는 홀로 일밖에 있으면서 참여하여 함께 할 자가 없기 때문에, "사람들과 함께 하기를 들에서 하니 후회가 없다"[115]라고 했고, 「상전」에서는 "뜻을 얻지 못한 것이다"[116]라고 한 것이다. 함괘의 구오는 심장 위에 있지만 대상을 느낄 수 없기 때문에, "등살에서 느끼니, 후회가 없으리라"라고 했고, 「상전」에서는 "뜻이 지엽적이기 때문이다"라고 한 것이다. 후회와 부끄러움은 움직임에서 생기는데 대상을 느낄 수 없어서 사사롭게 얽매이는 것도 없으니, 후회가 어디를 통해서 생겨나겠는가? 그러나 마음으로써 대상을 느낄 수 없는 것은 마음의 도가 아니기 때문에 "뜻이 지엽적이기 때문이다"라고 한 것이다.

박문건(朴文健) 『주역연의(周易衍義)』

以陽剛居尊, 而妄生疑慮, 不欲與下, 其志淺末也.
굳센 양으로 존귀한 자리에 있지만, 망령되게 의심과 근심이 생겨나서 아래와 함께 하고자 하지 않으므로 그 뜻이 얕고 지엽적이다.

심대윤(沈大允) 『주역상의점법(周易象義占法)』

求感於難感, 故曰志末也.
느끼기 어려운 곳에서 느끼기를 구하기 때문에 "뜻이 지엽적이다"라고 했다.

오치기(吳致箕) 「주역경전증해(周易經傳增解)」

居不動之位, 故其志末有所感也. 末者, 無也, 如末之難矣之末也.
움직이지 않는 자리에 있기 때문에 그 뜻에 아직 느끼는 것이 없다. '말(末)'자는 없다는 의미로 "어려움이 없다"[117]고 했을 때의 '말(末)'자와 같다.

---

115) 『周易 · 同人卦』: 上九, 同人于郊, 无悔.
116) 『周易 · 同人卦』: 象曰, "同人于郊", 志未得也.

이병헌(李炳憲) 『역경금문고통론(易經今文考通論)』

虞曰, 脢夾脊[118]肉也.
우번이 말하였다: 매(脢)는 등뼈 사이에 있는 살이다.

本義曰, 志末, 謂不能感物.
『본의』에서 말하였다: '지말(志末)'은 대상을 느낄 수 없다는 뜻이다.

或曰, 上爲末.
어떤 이가 말하였다: 상효는 '말(末)'이 된다.

117) 『論語 · 憲問』: 子曰, 果哉, 末之難矣.
118) 脊: 경학자료집성 DB에는 '眷'으로 되어 있으나, 영인본에 따라 '脊'으로 바로잡았다.

上六，咸其輔頰舌.

상육은 볼과 뺨과 혀에서 느낀다.

中國大全

傳

上, 陰柔而說體, 爲說之主, 又居感之極, 是其欲感物之極也. 故不能以至誠, 感物而發見於口舌之間, 小人女子之常態也. 豈能動於人乎. 不直云口而云輔頰舌, 亦猶今人謂口過曰唇吻, 曰頰舌也. 輔頰舌, 皆所用以言也.

상효는 유순한 음이면서 기뻐하는 몸체[119]로 기쁨의 주인이 되며, 또 느낌의 지극한 데에 있으니 대상을 느끼고자 함이 지극한 것이다. 그러므로 지성으로 대상을 감동시킬 수 없어서 입과 혀의 사이에서 나타났으니, 소인과 여자의 일상적인 태도이다. 어찌 다른 사람을 감동시킬 수 있겠는가? 곧바로 입이라고 말하지 않고 볼과 뺨과 혀라고 말한 것은 또한 오늘날 사람들이 말실수[口過]를 '입술[唇吻]'이라고 하고 '협설(頰舌)'이라고 하는 것과 같다. 볼과 뺨과 혀는 모두 말을 하는 데에 쓴다.

本義

輔頰舌, 皆所以言者而在身之上. 上六, 以陰居說之終, 處咸之極, 感人以言而无其實, 又兌爲口舌. 故其象如此, 凶咎, 可知.

볼과 뺨과 혀는 모두 말하는 데에 쓰이며 몸의 위에 있다. 상육은 음으로서 기쁨을 상징하는 태괘(兌卦☱)의 끝에 있고,[120] 함괘의 끝에 있어서 사람들을 말로써 감동시키려고 하지만 그 실상이 없으며, 또 태괘(兌卦)는 입과 혀가 되기 때문에 그 상이 이와 같으니, 흉함과 허물을 알만하다.

---

119) 상괘인 태괘(兌卦☱)를 가리킨다.
120) 상괘로 기쁨을 의미하는 태괘(兌卦☱)의 맨 위에 있음을 가리킨다.

小註

或問, 上六, 咸其輔頰舌. 竊意此爻宜有悔吝, 而不言悔吝, 何也. 朱子曰, 吉凶悔吝係乎邪正, 此但見其不足以感人之意耳. 未見有失, 故不得以悔吝言也.
어떤 이가 물었다: 상육에서는 "볼과 뺨과 혀에서 느낀다"고 하였습니다. 제가 생각하기에 이 효에는 마땅히 후회와 부끄러움이 있어야 하는 데도 후회와 부끄러움을 말하지 않은 것은 어째서입니까?
주자가 말하였다: 길흉과 후회와 부끄러움은 사특하고 바름에 매어 있으니, 이것은 다만 다른 사람을 감동시키기에 부족한 뜻을 보였을 뿐이지, 아직 잃어버리게 된 것은 아니기 때문에 후회와 부끄러움으로써 말할 수 없습니다.

○ 童溪王氏曰, 上六, 居感之極, 常以兌之口舌務爲柔媚極感之事, 此小人女子之常態, 故曰咸其輔頰舌.
동계왕씨가 말하였다: 상육은 느낌의 지극한 곳에 있으면서 항상 태괘가 의미하는 구설(口舌)을 가지고서 부드럽고 매력적으로 지극히 느끼는 일에 힘을 쓰니, 이것은 소인과 여자의 항상 된 태도이기 때문에 "그 볼과 뺨과 혀에서 느낀다"라고 하였다.

○ 雲峯胡氏曰, 拇腓股動於下, 輔頰舌動於上. 感宜靜不宜動, 況動以口乎. 感以言非矣, 況无實乎. 艮象輔, 咸象輔頰舌, 咸極於說, 艮終於止.
운봉호씨가 말하였다: 엄지발가락과 장딴지와 넓적다리는 아래에서 움직이고, 볼과 뺨과 혀는 위에서 움직인다. 느낌은 마땅히 고요해야하고 마땅히 움직이지 않아야 하는데, 하물며 입으로써 움직이는 데에 있어서랴! 말로써 느낌은 잘못인데, 하물며 실상이 없는 데에 있어서랴! 간괘(艮卦☶)은 볼을 상징하고 함괘는 볼과 뺨과 혀를 상징하며, 함괘는 기쁨에 지극하고 간괘는 그침에서 끝난다.

○ 新安程氏曰, 初與四應, 故拇與心, 皆在前. 二與五應, 故腓與脢, 皆在後. 三與上應, 故股與輔頰, 皆在兩旁而舌居中, 有至理存焉.
신안정씨가 말하였다: 초효와 사효는 호응하기 때문에 엄지발가락과 심장은 모두 앞에 있다. 이효와 오효는 호응하기 때문에 장딴지와 등살은 모두 뒤에 있다. 삼효와 상효는 호응하기 때문에 넓적다리와 볼과 뺨은 모두 양쪽에 있고 혀는 가운데에 있으니, 지극한 이치가 보존되어 있다.

韓國大全

송시열(宋時烈) 『역설(易說)』

兌爲輔頰口舌, 而感之道已極矣. 蓋艮兌相感, 而初曰拇, 自下而漸上也, 二曰腓, 三曰股, 四曰憧憧, 五曰脢, 六曰輔頰. 身之上下無處不感, 而至于六, 則感之極說之道也. 兌爲說, 故小象騰口者, 發於言語也. 說, 非言說之說, 乃兌說之說耶. 不敢質言. 王弼及程傳, 皆以無實轉末顯, 有不慊意, 未詳.

태괘는 볼·뺨·입·혀가 되니 느끼는 도가 이미 지극한 것이다. 간괘와 태괘가 서로 느끼는데 초효에서는 발가락이라고 말했고 밑으로부터 점차 위로 올라가서 이효에서는 장딴지라 말했으며, 삼효에서는 넓적다리라고 말했고 사효에서는 자주 자주한다고 말했으며, 오효에서는 등살이라고 말했고 육효에서는 볼과 뺨이라고 말했다. 신체의 상하 모두가 처한 곳에서 느끼지 못한 경우가 없고, 육효에 이르게 되면 느낌이 지극하고 기뻐하는 도가 된다. 태괘는 기쁨이 되기 때문에 「소상전」에서 '등구(騰口)'라고 한 말은 말을 통해 내뱉는다는 뜻이다. '열(說)'자는 언설(言說)이라고 할 때의 '설(說)'자가 아니라 태괘의 기뻐한다는 뜻의 '열(說)'자일 것이다. 그러나 단언할 수는 없다. 왕필과 『정전』에서 모두 실제로 전말을 드러냄이 없어 미심적인 뜻이 있으나 자세히 알 수 없다.

이익(李瀷) 『역경질서(易經疾書)』

輔頰舌皆屬口, 舌繫於輔頰, 如心繫於脢也, 言從舌出而言. 若徐緩有序, 舌動而輔頰常靜, 其輔頰與舌俱動者, 卽燥急無序, 故曰騰口說也. 騰者, 浮動不定之貌, 謂騰口而說也. 與艮其輔相反, 史所謂緩頰, 亦有序之言也. 龔煥曰, 艮與咸, 皆取象於人身, 艮止而咸動, 故咸不如艮之吉多凶少, 其言亦精.

볼·뺨·혀는 모두 입에 속해 있고 혀는 볼과 뺨에 연결되어 있으니, 마음이 등살에 연결된 것과 같으므로 혀로부터 말이 나옴을 뜻한다. 만약 천천히 하여 체계가 있으면 혀는 움직이지만 볼과 뺨은 항상 고요하고, 볼과 뺨이 혀와 함께 모두 움직인다면 조급하여 체계가 없기 때문에 "입을 멈추지 않고 말한다"라고 했다. '등(騰)'자는 이리저리 떠다니며 고정되지 않은 모양을 뜻하니, 입을 멈추지 않고 말한다는 의미이다. "볼에 그치다"[121]는 말과 상반되니, 『사기』에서 말한 '온건하고 천천히 말함[緩頰]'[122]으로 또한 체계를 갖춘 말이다. 공환은 "간

121) 『周易·艮卦』: 六五, 艮其輔, 言有序, 悔亡.

괘와 함괘는 모두 사람의 몸에서 상을 취했는데, 간괘는 그치고 함괘는 움직이기 때문에 함괘는 간괘가 길함이 많고 흉함이 적은 것만 못하니, 그 말이 또한 정밀하다"라고 했다.

권만 (權萬) 『역설(易說)』

上六咸其輔, 韻會云, 古文易咸其酺, 今文作輔.
"상육은 볼에서 느낀다"고 했는데, 『운회』에서는 "고문(古文) 『역』에서는 '함기보(咸其酺)' 라고 기록했고, 금문(今文) 『역』에서는 '보(酺)'자를 '보(輔)'자로 기록했다"라고 했다.

심조(沈潮) 「역상차론(易象箚論)」

上六輔頰舌
상육의 볼과 뺨과 혀에 대하여.

此爻有兩頰象.
이 효에는 양쪽 뺨의 상이 있다.

유정원(柳正源) 『역해참고(易解參攷)』

龜山楊氏曰, 兌三索得女, 則上六, 兌之主也. 兌爲口舌, 故咸其輔頰舌, 然不凶咎者, 以說感人, 未至於凶也.
구산양씨가 말하였다: 태괘는 세 번째로 찾아서 여자아이를 얻었으니,[123] 상육은 태괘의 주인이다. 태괘는 입과 혀가 되기 때문에 볼과 뺨과 혀에서 느끼게 되는데도, 흉하거나 허물이 되지 않는 이유는 말로 남을 느끼게 하여 흉함에 이르지 않기 때문이다.

○ 梁山來氏曰, 輔在內, 頰在外, 舌動則輔應而頰從.
양산래씨가 말하였다: 볼은 안에 있고 뺨은 밖에 있는데, 혀가 움직이면 볼이 호응하고 뺨이 따른다.

○ 案, 艮只言輔, 而咸兼言輔頰舌, 何也. 蓋吉人之辭寡, 躁人之辭多, 止其所止而言語有序, 則輔一字足矣. 感人无其實而專以口舌說人者, 其巧佞便給之態, 蓋无所不

122) 『史記 · 魏豹彭越列傳』: 謂酈生曰, 緩頰往說魏豹, 能下之, 吾以萬戶封若.
123) 『周易 · 說卦傳』: 艮三索而得男, 故謂之少男, 兌三索而得女, 故謂之少女.

至, 故歷擧出言之物而深戒之. 輔也頰也舌也一也. 爲輔字說不足, 故更著頰字, 爲輔頰字猶未盡, 故更著舌字, 其深惡而痛斥之者乎.
내가 살펴보았다: 간괘에서는 단지 볼[輔]만을 언급했는데,[124] 함괘에서는 볼과 뺨과 혀를 함께 언급한 이유는 어째서인가? 길한 자는 말이 적고 조급한 자는 말이 많으니, 그쳐야 할 곳에서 그치고 말에도 체계가 있다면 '볼[輔]'이라는 한 글자로도 충분하다. 남을 느낌에 실질이 없이 오로지 구설로만 남을 기쁘게 만드는 자는 교묘히 꾸미고 약삭빠르게 행동함이 이르지 못한 곳이 없기 때문에 차례대로 말을 내뱉는 부위를 열거하여 깊이 경계하였다. 따라서 볼·뺨·혀는 동일한 사물이다. '볼[輔]'이라는 글자로는 설명이 부족하여 다시 '뺨[頰]'이라는 글자를 더했고, '볼과 뺨[輔頰]'이라는 글자로도 그 뜻이 여전히 미진하기 때문에 다시금 '혀[舌]'라는 글자를 더했으니, 매우 싫어하고 배척한다는 뜻이다.

本義, 咸之極.
『본의』에서 말하였다: 함괘의 끝이다.

〈案, 咸一作感.
내가 살펴보았다: '함(咸)'자를 다른 판본에서는 '감(感)'자로 기록한다.〉

김상악(金相岳) 『산천역설(山天易說)』

上六, 居咸之終, 爲說之主, 雖有承應之交, 不能以至誠相感, 而發見於口舌之間, 何能感人乎.
상육은 함괘의 끝에 있어서 기쁨의 주인이 되니, 비록 호응하는 사귐을 받들고 있지만 지극한 진실됨으로 서로 느낄 수 없어서 입과 혀 사이로 드러나니, 어떻게 남을 느낄 수 있겠는가?

○ 輔頰舌, 皆兌象, 輔與股在身之兩傍, 不足以感物, 舌則在中而動, 故曰滕口說也. 咸感之道, 始於心思, 成於言語, 然感人以言而无其實, 宜有悔而得免者, 艮陽塞兌之上口也. 艮六五曰, 艮其輔, 言有序, 是也.
볼·뺨·혀는 모두 태괘의 상인데 볼과 넓적다리는 신체의 양 측면에 있어서 대상을 느끼기에는 부족하고, 혀의 경우에는 가운데 있고 움직이기 때문에 "입과 말로만 올려주는 것이다"라고 했다. 함괘의 느끼는 도는 마음으로 생각하는 것에서 시작하여 말로 나타나는 데에서 완성되는데, 남을 느낄 때 말로만 하고 실질이 없으니 마땅히 후회가 있어야 하지만, 면할

124) 『周易·艮卦』: 六五, 艮其輔, 言有序, 悔亡.

수 있는 것은 간괘의 양이 태괘의 상효인 입을 막기 때문이다. 간괘(艮卦䷳)의 육오에서 "볼에 그쳐서 말이 순서가 있다"125)고 한 말이 바로 이러한 뜻이다.
然兌之爲說, 柔之掩剛, 而困象曰尙口乃窮, 故此不言吉, 蓋象辭者卦之靜也, 爻辭者爻之動也, 故卦言其靜而相感之理, 爻言其動而不咸之義, 所以吉凶悔吝之辭, 備見於六爻.
그러나 태괘는 기쁨이 되는데 부드러운 음이 굳센 양을 가리고, 곤괘(困卦䷮)의 「단전」에서 "입을 숭상하여 곤궁한 것이다"126)라고 했기 때문에, 이곳에서도 말을 하지 않음이 길하니, 단사는 괘의 고요함을 뜻하고 효사는 효의 움직임을 뜻하기 때문에, 괘사에서 고요하여 서로 느끼는 이치를 말하였고 효사에서 움직여 느끼지 못하는 뜻을 말하였으니, 길흉과 뉘우침 및 부끄러움의 말을 육효에서 모두 볼 수 있다.

김규오(金奎五) 「독역기의(讀易記疑)」

上六義其凶咎可知, 小註未見有失, 恐當以義爲正.
상육의 『본의』에서는 "흉하고 허물이 됨을 알 수 있다"고 했는데, 소주에서는 "아직 잃어버리게 된 것은 아니다"라고 했으니, 아마도 『본의』를 올바른 뜻으로 삼아야 할 것 같다.

서유신(徐有臣) 『역의의언(易義擬言)』

在脢之上, 又兌爲口舌也. 感於三而動, 是口之感也. 輔與頰與舌重疊爲言, 何也. 上六, 感說之極, 故有是義也. 輔, 從後可見, 頰, 從左右可見, 舌, 從前可見, 前後左右, 皆見其感動之形, 其爲感極矣. 只言感之極, 故不言吉凶也.
육효는 등살 위가 되고 또 태괘는 입과 혀가 된다. 삼효에서 느껴서 움직이니 입의 느낌이 된다. 볼과 뺨과 혀라고 하여 중첩되게 말한 것은 어째서인가? 상육은 함괘의 기뻐하는 끝에 있기 때문에 이러한 뜻이 있다. 볼은 뒤를 통해서 볼 수 있고 뺨은 좌우를 통해서 볼 수 있으며 혀는 앞을 통해서 볼 수 있으니, 전후좌우가 모두 느껴서 움직이는 형상을 드러내므로 느낌의 지극함이 된다. 단지 느낌의 끝이라고 말했기 때문에 길흉을 언급하지 않았다.

강엄(康儼) 『주역(周易)』

按, 不但曰輔, 而又言頰, 不但曰輔頰, 而又言舌. 蓋說之終感之極, 而无有其實, 徒以

125) 『周易·艮卦』: 六五, 艮其輔, 言有序, 悔亡.
126) 『周易·困卦』: 有言不信, 尙口乃窮也.

言語感人, 則其便佞口給之狀, 无所不至矣, 故竝言三者, 以形容之, 而象又言騰口說, 騰之一字, 尤見其以言感人.
내가 살펴보았다: '볼[輔]'이라고만 말하지 않고 또 '뺨[頰]'이라고 했으며, '볼과 뺨[輔頰]'이라고만 말하지 않고 또 '혀[舌]'라고도 했다. 기쁨의 끝이고 느낌의 지극함이 되지만, 실질이 없고 단지 말로만 남을 느끼게 된다면, 말을 꾸미고 약삭빠른 모습이 이르지 못할 데가 없기 때문에, 이 세 가지를 함께 언급하여 형용을 했고 「상전」에서 또 "입과 말로만 올려주는 것이다"라고 했는데, '등(騰)'이라는 한 글자는 더욱이 말로만 남을 느낀다는 뜻을 잘 드러낸다.

박문건(朴文健) 『주역연의(周易衍義)』

有疑尙口, 故有咸輔之象. 輔, 頰骨也.
입을 숭상한다는 의심이 생기기 때문에 볼에서 느끼는 상이 있다. '볼[輔]'은 뺨의 뼈대이다.

이지연(李止淵) 『주역차의(周易箚疑)』

欠者, 耳口舌之感, 所謂豈以聲音笑貌爲者也
하품은 귀와 입과 혀의 느낌이니, 이른바 "어떻게 말씨와 웃는 모습으로만 할 수 있겠는가"[127]라는 의미이다.

김기례(金箕澧) 『역요선의강목(易要選義綱目)』

兌爲口舌, 荀易云, 兌爲輔頰, 言其動於上也.
태괘는 입과 혀가 되며, 『순역』에서는 "태괘는 볼과 뺨이 되니, 위에서 움직이는 것을 뜻한다"고 했다.

○ 居感極而爲悅主, 以陰感陽, 柔媚不正, 自發口舌, 非感物之道, 但无所失, 故不言吉凶.
느낌의 끝에 있고 기쁨의 주인이 되는데, 음으로 양을 느끼고 연약하고 바르지 못하여 스스로 입과 혀를 움직이니, 대상을 느끼는 도가 아니지만 단지 잃는 것이 없기 때문에 길흉을 언급하지 않았다.

---

127) 『孟子 · 離婁上』: 恭儉, 豈可以聲音笑貌爲哉.

○ 六爻皆无感物之正理, 近取諸人, 而拇腓股隨身而動, 則應感者也. 脢無心口徒言, 而但四居心位, 則可爲感主, 而只感私應, 豈能寂然不動遂通天下之理乎.
여섯 효는 모두 대상을 느끼는 올바른 이치가 아니며, 가까이 사람에게서 취했는데 발가락 · 장딴지 · 넓적다리는 몸을 따라 움직이니 감응하는 것들이다. 등살에는 마음이 없고 입은 단지 말만 하는데, 다만 사효는 마음의 자리에 있으니 느낌의 주인이 될 수 있지만 사사로운 호응을 느끼는데, 어떻게 조용하게 움직이지 않아서 천하의 이치를 통하게 할 수 있겠는가?

贊曰, 人道之始, 始於婚姻. 山澤通氣, 二體絪縕. 感之如何, 虛則受人. 感應之道, 无遠不親.
찬미하여 말하였다: 인도의 시작은 혼인으로부터 비롯되네. 산과 못이 기운을 통하며, 두 몸체가 왕성하네. 느낌을 어떻게 하겠는가? 비워서 남을 받아들이네. 감응하는 도는 멀더라도 친하지 않은 자가 없네.

심대윤(沈大允) 『주역상의점법(周易象義占法)』

咸之遯☰☶, 舍舊從新也. 上六以柔居柔, 而處咸之極, 旣無精求之心, 亦無專應之志, 徧於三陽, 無精一相感之實. 如以口說感人, 而心不相應, 故曰咸其輔頰舌, 言徧而不精也. 兌爲口舌, 上六有三之應, 而爲四五所隔, 舍三而從四五, 咸之道, 不可感通者舍之, 而取新有遯之義. 夫以口舌感人, 暫而不久, 亦有舍舊從新義也. 咸之兌爲前面, 艮爲背後, 故雜取前後之象也.
함괘가 돈괘(遯卦☰☶)로 바뀌었으니, 옛 것을 버리고 새로운 것을 따른다. 상육은 부드러운 음으로 음의 자리에 있고 함괘의 끝에 있는데, 이미 정밀히 구하는 마음이 없고 또 오로지 호응하는 뜻도 없어서, 세 양에게 두루 하지만 정일하게 서로 느끼는 실체가 없다. 마치 입과 말로만 남을 느끼고 마음이 서로 호응하지 않음과 같기 때문에 "볼과 뺨과 혀에서 느낀다"고 했으니, 두루 하되 정밀하지 못하다는 뜻이다. 태괘는 입과 혀가 되고 상육은 삼효의 호응이 있지만, 사효와 오효에게 가로막히고 삼효를 버리고 사효와 오효를 따르니, 함괘의 도는 느껴서 통할 수 없는 것은 버리고 새로운 것에 따라 회피하는 뜻이 있다. 입과 혀로 남을 느끼게 하는 것은 잠시만 될 뿐 오래할 수 없으니, 이 또한 옛 것을 버리고 새로운 것을 따르는 뜻이다. 함괘의 태괘는 전면에 있고 간괘는 배후에 있기 때문에 전후에서 이리저리 상을 취했다.

오치기(吳致箕) 「주역경전증해(周易經傳增解)」

上六, 陰柔在上, 當輔頰之位, 而以其柔居說體, 故感人以口舌言說, 而无其實, 卽象而占可知矣.
상육은 부드러운 음이 위에 있어서 볼과 뺨의 자리가 되고, 부드러운 음으로 기쁨의 몸체에 있기 때문에 남을 느낌에 입과 혀로 말하지만 실질이 없으니 상과 점을 알 수 있다.

○ 輔, 口輔也. 輔在口內, 頰在口外, 舌在口中, 皆所以言者, 而竝取象於兌也. 初與四應, 故拇與心, 皆在前, 二與五應, 故腓與脢, 皆在後, 三與上應, 故股與輔頰, 皆在兩旁, 而舌居中.
'보(輔)'는 볼을 뜻한다. 볼은 입안에 있고 뺨은 입밖에 있으며 혀는 입 가운데 있으니, 이 모두에 대해 언급한 것은 모두가 태괘에서 상을 취했기 때문이다. 초효와 사효는 호응을 하기 때문에 발가락과 마음은 모두 앞에 있고, 이효와 오효는 호응을 하기 때문에 장딴지와 등살은 모두 뒤에 있으며, 삼효와 상효는 호응을 하기 때문에 넓적다리와 볼 및 뺨은 모두 양쪽 측면에 있고 혀는 가운데 있다.

이진상(李震相) 『역학관규(易學管窺)』

兌爲口舌象, 歷言輔頰舌, 明其巧佞諂悅之甚也.
태괘는 입과 혀의 상이 되는데 볼·뺨·혀를 차례대로 열거한 것은 말을 교묘히 꾸며서 아첨함이 심하다는 뜻을 나타낸다.

박문호(朴文鎬) 『경설(經說)-주역(周易)』

體乃止物, 言體乃止之物也, 此物字, 或讀屬下句.
'체내지물(體乃止物)'이라는 말은 체(體)는 곧 멈추는 물건이라는 뜻인데, 여기에서의 '물(物)'자는 뒤의 구문과 연결시켜 읽기도 한다.

박문호(朴文鎬) 『경설(經說)-주역(周易)』

長當謹正, 言長者當謹其正道也. 正道, 卽常久之道也.
'장당근정(長當謹正)'이라는 말은 첫째는 마땅히 올바른 도에 신중해야 한다는 뜻이다. '정도(正道)'는 항상되고 오래될 수 있는 도이다.

象曰, 咸其輔頰舌, 滕口說也.

「상전」에서 말하였다: "볼과 뺨과 혀에서 느낌"은 입과 말로만 올려주는 것이다.

中國大全

傳

唯至誠, 爲能感人, 乃以柔說, 滕揚於口舌言說, 豈能感於人乎.

오직 지극히 성실하여야만 다른 사람을 감동시킬 수 있는데, 부드럽고 기뻐함으로써 입과 말로만 치켜 올려주니, 어떻게 다른 사람을 감동시킬 수 있겠는가?

本義

滕, 騰通用.

'등(滕)'은 등(騰)과 통용된다.

小註

童溪王氏曰, 夫以心思感人, 所感已狹, 況滕口說以求感, 其能感人乎. 此感道之衰也.
동계왕씨가 말하였다: 마음의 생각으로써 다른 사람을 감동시킴은 감동시키는 바가 이미 좁은데, 하물며 입과 말로만 치켜 올려 감동하기를 구하여 다른 사람을 감동시킬 수 있는 데에 있어서랴! 이것은 느끼는 도가 쇠약해 진 것이다.

○ 中溪張氏曰, 蘇秦張儀之徒, 縱橫其說, 卽滕口說也.
중계장씨가 말하였다: 소진(蘇秦)과 장의(張儀)의 무리들은 합종설과 연횡설을 자유자재로 폈으니, 입과 말로만 치켜 올려준 것이다.

○ 或問, 咸內卦艮, 止也, 何以皆說動. 朱子曰, 艮雖是止, 然咸有交感之義, 都是要動, 所以都說動. 卦體雖是動, 然纔動便不吉. 動之所以不吉者, 以其內卦屬艮也.
어떤 이가 물었다: 함괘의 내괘는 간괘(艮卦☶)로 그침을 의미하니, 어째서 모두 움직임을 좋아합니까?
주자가 말하였다: 간괘가 비록 그친다는 의미가 되지만 함괘에는 사귀어 느낀다는 뜻이 있어서 모두 움직이고자하니, 그래서 모두 움직이기를 좋아합니다. 괘의 몸체가 비록 움직임이지만 움직이자마자 곧 불길하게 됩니다. 움직임이 불길한 까닭은 내괘가 간괘에 속하기 때문입니다.

○ 艮咸二卦, 皆就人身取義, 皆主靜. 如艮其趾, 能止其動便无咎. 艮其腓, 腓亦動物, 故止之. 不拯其隨, 是不能拯, 止其隨, 限而動也. 故其心不快, 限卽腰所在. 咸其拇, 自是不合動, 咸其腓, 亦是欲隨股而動. 動則凶, 不動則吉.
간괘(艮卦䷳)와 함괘 두 괘는 모두 사람의 몸에 나아가 뜻을 취하였으니, 모두 고요함을 위주로 한다. 예를 들어 "발꿈치에서 멈춘다"[128]라고 할 때에는 그 움직임을 멈출 수 있어서 곧 허물이 없다. "장딴지에서 멈춘다"[129]에서 '장딴지'는 또한 움직이는 물건이기 때문에 그것을 멈춘다는 것이다. "구원하지 못하고 따른다"란 구원할 수가 없어서 다만 따를 뿐으로 제한적으로 움직이는 것이다. 그러므로 그 마음이 불쾌하니, 제한이란 허리가 있는 곳이다. "엄지발가락에서 느낀다"란 본래 움직임과 부합하지 않고 "장딴지에서 느낀다"란 또한 넓적다리를 따라 움직이고자 하는 것이다. 움직이면 흉하고 움직이지 않으면 길하다.

○ 咸就人身取象, 看來便也是有些取象說. 咸上一畫如人口, 中三畫有腹背之象, 下有人脚之象. 艮就人身取象, 便也如此. 上一陽畫有頭之象, 中二陰有口之象, 所以艮其輔於五爻見. 內卦之下亦有足之象.
함괘는 사람의 몸에 나아가서 상을 취하였는데, 보아하니 곧 또한 약간 괘의 상을 취하는 설이 있다. 함괘의 맨 위의 한 효는 사람의 입과 같고, 가운데 세 효에는 배와 등의 상이 있으며, 아래에는 사람 다리의 상이 있다. 간괘(艮卦䷳)도 사람의 몸에 나아가서 상을 취하였으니, 곧 이와 같다. 맨 위의 한 양효에는 머리의 상이 있고 가운데 두 음효에는 입의 상이 있으므로, "볼에서 그친다"[130]는 말은 간괘(艮卦)의 오효에서 보인다. 내괘의 아래에는 또한 발의 상이 있다.

---

128) 『周易 · 艮卦』: 初六, 艮其趾. 无咎, 利永貞.
129) 『周易 · 艮卦』: 六二, 艮其腓, 不拯其隨. 其心不快.
130) 『周易 · 艮卦』: 六五, 艮其輔, 言有序, 悔亡.

○ 厚齋馮氏曰, 吉凶悔吝生乎動者, 咸感於物而動. 故六爻之中, 吉凶悔吝之辭備焉. 然感生於心, 唯心正則所感正而所動皆正, 故以貞吉戒. 九四蓋吉凶悔吝之所由生也, 下三爻足之象, 感於動者也, 上二爻喉舌之象, 感於言者也.
후재풍씨가 말하였다: 길흉회린(吉凶悔吝)이 움직임에서 생겨나는 것은 모두 대상에 대하여 느끼면서 움직이기 때문이다. 그러므로 여섯 효 가운데에는 길흉회린이라는 말이 갖추어져 있다. 그러나 마음에서 느낌이 생겨나므로 오직 마음이 바르면 느끼는 바가 바르고 움직이는 바도 모두 바르게 되기 때문에 "곧으면 길하다"라고 하여 경계하였다. 구사는 길흉회린이 생겨나는 곳이고, 하괘의 세 효는 발의 상이니 움직임에 대하여 느끼는 것이며, 맨 위의 두 효는 목구멍과 혀의 상이니 말에 대하여 느끼는 것이다.

○ 建安丘氏曰, 咸六爻, 以人身取象. 上卦象上體, 下卦象下體. 初在下體之下爲拇, 二在下體之中爲腓, 三在下體之上爲股. 此下卦三爻之序也. 四在上體之下爲心, 五在上體之中爲脢, 上在上體之上爲口. 此上卦三爻之序也. 拇腓股隨體而動應感者也. 脢不能思, 无感者也. 輔頰舌以言爲說, 不足以感人者也. 皆不能盡乎感之道, 惟四居心位爲感之主, 似知感之義者. 然无心者固无所感, 而有心者, 憧憧往來, 亦不能以咸感, 感之道其難哉. 大傳曰, 夫易无思也, 无爲也, 寂然不動, 感而遂通天下之故, 必如是而後可以言咸感之道.
건안구씨가 말하였다: 함괘의 여섯 효는 사람의 몸으로써 상을 취하였다. 상괘는 사람의 상체를 상징하고, 하괘는 사람의 하체를 상징한다. 초효는 하체의 맨 아래에 있어서 '엄지발가락'이 되고, 이효는 하체의 가운데에 있어서 '장딴지'가 되며, 삼효는 하체의 맨 위에 있어서 '넓적다리'가 된다. 이것이 하괘에 있는 세 효의 순서이다. 사효는 상체의 맨 아래에 있어서 '심장'이 되고, 오효는 상체의 가운데에 있어서 '등살'이 되며, 상효는 상체의 맨 위에 있어서 '입'이 된다. 이것이 상괘에 있는 세 효의 순서이다. '엄지발가락'과 '장딴지'와 '넓적다리'는 몸을 따라서 움직여 호응하여 느끼는 것이다. '등살'은 생각할 수 없어서 느낌이 없다. '볼'과 '뺨'과 '혀'는 말로써 기뻐하므로 다른 사람을 감동시키기에는 충분하지 않은 것이다. 모두 느낌의 도를 다할 수 없고, 오직 사효만이 심장의 위치에 있어서 느낌의 주인이 되어 느낌의 의리를 아는 듯 하다. 그러나 무심한 것은 진실로 느끼는 바가 없고 의식적인 것은 '자주 자주 가고 와서' 또한 함께 느낄 수 없으니, 느낌의 도란 어렵구나! 「계사전」에서 말하기를 "역(易)은 생각이 없고 함이 없어 적연하게 움직이지 않다가 느껴서 마침내 천하의 연고를 통한다"[131]라고 하였으니, 반드시 이와 같은 뒤에야 함께 느끼는 도를 말할 수 있다.

131) 『周易 · 繫辭傳』: 易, 无思也, 无爲也, 寂然不動, 感而遂通天下之故, 非天下之至神, 其孰能與於此.

‖ 韓國大全 ‖

유정원(柳正源) 『역해참고(易解参攷)』

滕口說.
입과 말로만 올려주는 것이다.

王氏曰, 憧憧往來, 猶未光大, 況在滕口薄可知也.
왕씨가 말하였다: '자주 자주 가고 옴'도 여전히 아직 빛나고 크지 못한 것인데, 하물며 입으로만 올려주는 경우라면 야박함을 알 수 있다.

김상악(金相岳) 『산천역설(山天易說)』

滕, 騰也. 上六自五而上, 故曰滕口說也.
'등(滕)'자는 오른다는 뜻이다. 상육은 오효로부터 위로 올라갔기 때문에 "입으로만 올려준다"고 했다.

서유신(徐有臣) 『역의의언(易義擬言)』

輔頰之動, 由於口之動, 口開方見舌也. 滕口說者, 謄諸口而喜說也.
볼과 뺨의 움직임은 입의 움직임에서 비롯되니, 입이 열려서 혀가 드러나는 때이다. '등구설(滕口說)'이라는 말은 입으로 옮겨서 기뻐하며 말한다는 뜻이다.

박문건(朴文健) 『주역연의(周易衍義)』

滕, 騰也, 騰口之說, 盡言以媚人也.
'등(滕)'자는 오르다는 뜻이니, 입에 오른 말은 곧 온갖 말을 다하여 남에게 아첨한다는 뜻이다.

심대윤(沈大允) 『주역상의점법(周易象義占法)』

巽風羽, 互离震爲騰, 對損有离震. 凡人之相感, 必以言語喩志乃其常也, 是恒之義也.
손괘는 바람과 깃털이며 호괘인 리괘와 진괘는 오름이 되는데, 음양이 바뀐 손괘(損卦䷨)에는 리괘와 진괘가 있다. 사람이 서로 느낄 때에는 반드시 말을 통해서 뜻을 깨우쳐주는 것이 일상적이니, 이것은 항상됨의 뜻이다.

오치기(吳致箕) 「주역경전증해(周易經傳增解)」

不以誠信感人, 而以柔說騰揚於口舌者, 不足有感也.
진실됨으로 남을 느끼지 않고 부드러운 말을 입에 올리는 자는 느낌이 있기에는 부족하다.

이병헌(李炳憲) 『역경금문고통론(易經今文考通論』

說文云, 輔, 頰車也. 頰, 面旁也.
『설문』에서 말하였다: '보(輔)'는 얼굴 중 협거(頰車)라는 부위이다. '협(頰)'은 얼굴의 측면이다.

虞曰, 兌爲口舌, 滕, 送也.
우번이 말하였다: 태괘는 입과 혀가 되며, 등(滕)은 전송한다는 뜻이다.

32

항괘

恒卦䷟

中國大全

傳

恒, 序卦, 夫婦之道, 不可以不久也, 故受之以恒, 恒, 久也. 咸, 夫婦之道, 夫婦, 終身不變者也, 故咸之後, 受之以恒也. 咸, 少男, 在少女之下, 以男下女, 是男女交感之義, 恒, 長男, 在長女之上, 男尊女卑, 夫婦居室之常道也. 論交感之情, 則少爲親切, 論尊卑之序, 則長當謹正, 故兌艮爲咸而震巽爲恒也. 男在女上, 男動於外, 女順於內, 人理之常, 故爲恒也, 又剛上柔下, 雷風相與, 巽而動, 剛柔相應, 皆恒之義也.

항괘(恒卦)는 「서괘전」에서 "부부의 도는 오래하지 않을 수 없기 때문에 항괘로써 받았다"고 하였으니, '항(恒)'이란 오래한다는 것이다. 함괘(咸卦䷞)는 부부의 도이니, 부부는 종신토록 변하지 않기 때문에 함괘의 뒤에 항괘로써 받았다. 함괘(咸卦䷞)는 막내아들이 막내딸 아래에 있으면서 남자로서 여자에게 낮추니 남녀가 사귀어 감응하는 의리이고, 항괘는 맏아들이 맏딸 위에 있으면서 남자가 높고 여자가 낮으니, 부부가 집에 있는 항상된 도이다. 사귀어 감응하는 실정을 논한다면 나이가 어림은 친절한 것이고, 존비의 차례를 논한다면 나이가 많음은 마땅히 신중하고 바르게 해야 하는 것이기 때문에 태괘(兌卦☱)와 간괘(艮卦☶)가 함괘가 되었고, 진괘(震卦☳)와 손괘(巽卦☴)가 항괘가 되었다. 남자가 여자 위에 있는 것은 남자가 밖에서 활동하고 여자가 안에서 유순하니 인륜의 떳떳함이기 때문에 항괘가 되었고, 또 굳센 양이 위에 있고 부드러운 음이 아래에 있는 것은 우레와 바람이 서로 함께 하며 공손하면서 움직이고 굳센 양과 부드러운 음이 서로 호응하는 것이니, 모두 항괘의 뜻이다.

小註

程子曰, 咸恒, 體用也. 體用无先後.
정자가 말하였다: 함괘와 항괘는 본체와 작용이다. 본체와 작용은 선후가 없다.

○ 節齋蔡氏曰, 上篇首乾坤, 言天地氣化之道, 下篇首咸恒, 言男女形化之道. 氣形之分, 雖有兩端, 究其所自, 則一原耳, 形化, 卽氣化也. 使形化或息, 則氣化復作矣, 積土之草木, 聚水之蟲魚, 皆自然而生者也.
절재채씨가 말하였다: 상편에서는 건괘와 곤괘를 맨 앞에 두어 천지가 기로 운행하고 변화하는[氣化] 도를 말하였고, 하편에서는 함괘와 항괘를 맨 앞에 두어 남녀가 형체로 결합하여 낳는[形化] 도를 말하였다. 기와 형체를 나눔에는 비록 양단이 있지만, 그 비롯된 바를 살펴

본다면 하나의 근원일 뿐이니, 형화(形化)가 곧 기화(氣化)다. 가령 형화가 혹 쉰다면 기화가 다시 일어나니, 흙이 쌓인 곳에 자라는 초목과 물이 모인 곳에 사는 벌레와 물고기는 모두 자연히 생겨난 것이다.

○ 孫氏曰, 咸以男下女, 以成其家, 旣成其家, 不可以不正也, 猶君先下臣, 以成其國, 旣成其國, 不可以不治也. 故恒以二長相與, 因見正家之道.
손씨가 말하였다: 함괘에서는 남자가 여자에게 낮춤으로써 집안을 이루니, 이미 집안을 이루었다면 바르지 않아서는 안 되니, 임금이 먼저 신하에게 낮춤으로써 나라를 이루고, 이미 나라를 이루었다면 다스리지 않아서는 안 되는 것과 같다. 그러므로 항괘에서는 두 맏아들과 맏딸이 서로 함께 하는 것을 가지고 집안을 바르게 하는 도를 보였다.

○ 隆山李氏曰, 易中諸卦, 大率皆以兩兩相從, 而合兩爲一, 陰陽相等, 則其爲用, 可以至於久大. 不爾偏陰偏陽, 造化將无所寄其作用矣. 然以巽遇艮, 而陰老陽少, 則爲蠱, 以兌遇震, 而陽老陰少, 則爲歸妹, 不若咸少男少女之相配, 恒長男長女之相匹, 陰陽之氣等而无差. 此其所以爲下經之首歟.
융산이씨가 말하였다: 『주역』의 여러 괘는 대체로 모두 쌍쌍으로 서로 따르고 쌍으로 합하여 하나가 되며, 음양이 서로 대등하면 그 쓰임이 오래되고 크게 될 수 있다. 그렇지 않으면 음에 치우치거나 양에 치우쳐 조화(造化)가 그 작용에 기댈 수 없게 될 것이다. 하지만 손괘(巽卦☴)로서 간괘(艮卦☶)를 만나 음이 노쇠하고 양이 어리다면 고괘(蠱卦䷑)가 되고, 태괘(兌卦☱)로서 진괘(震卦☳)를 만나 양이 노쇠하고 음이 어리다면 귀매괘(歸妹卦䷵)가 되니, 함괘에서 어린 남자와 어린 여자가 서로 짝이 되고 항괘에서 나이 많은 남자와 나이 많은 여자가 서로 배필이 되어 음양의 기가 대등하여 차이가 없는 것만 못하다. 이 때문에 하경의 맨 앞이 되었다.

恒, 亨无咎, 利貞, 利有攸往.

정전 항(恒)은 형통하여 허물이 없으니, 곧음이 이로우니, 가는 것이 이롭다.
본의 항(恒)은 형통하여 허물이 없으니, 곧음이 이로우니, 가는 것이 이롭다.

中國大全

傳

恒者, 常久也, 恒之道, 可以亨通. 恒而能亨, 乃无咎也, 恒而不可以亨, 非可恒之道也, 爲有咎矣. 如君子之恒於善, 可恒之道也, 小人恒於惡, 失可恒之道也. 恒所以能亨, 由貞正也, 故云利貞. 夫所謂恒, 謂可恒久之道, 非守一隅而不知變也. 故利於有往, 唯其有往, 故能恒也, 一定則不能常矣. 又常久之道, 何往不利.

항(恒)이란 항구한 것이니, 항구한 도는 형통할 수 있다. 항구하면서 형통할 수 있으면 이에 허물이 없지만, 항구하면서 형통할 수 없으면 항구한 도가 아니니 허물이 있게 된다. 예를 들어 임금이 선(善)에 항상됨은 항구할 수 있는 도이지만, 소인이 악(惡)에 항상됨은 항구할 수 있는 도를 잃음과 같다. 항괘가 형통할 수 있는 까닭은 곧고 바르기 때문이니, "곧음이 이롭다"고 하였다. 이른바 '항'이란 항구할 수 있는 도를 말하니, 한 쪽 귀퉁이만을 지켜서 변통할 줄 모르는 것이 아니다. 그러므로 가는 것이 이롭다. 오직 가는 바가 있기 때문에 항구할 수 있고, 일정하게 정해져 있으면 항구하지 못하니, 또 상구(常久)의 도가 어디를 간들 이롭지 않겠는가?

本義

恒, 常久也. 爲卦震剛在上, 巽柔在下, 震雷巽風, 二物相與, 巽順震動, 爲巽而動, 二體六爻, 陰陽相應, 四者皆理之常, 故爲恒. 其占, 爲能久於其道, 則亨而无咎, 然又必利於守貞, 則乃爲得所常久之道而利有所往也.

항(恒)은 항구함이다. 괘는 진괘(震卦)의 굳셈이 위에 있고 손괘(巽卦)의 유순함이 아래에 있으며, 진괘의 우레와 손괘의 바람인 두 가지가 서로 함께하고, 손괘의 유순함과 진괘의 움직임이 공손하면서도 움직이며, 두 몸체의 여섯 효가 음과 양으로 서로 호응하니, 네 가지가 모두 이치의 항상 됨이기 때문에 항괘가 된다. 그 점(占)은 그 도에서 오래할 수 있다면 형통하여 허물이 없지만, 또한 반드시 바름을 지키는 데에서 이로우니, 항구하게 할 수 있는 도를 얻어 가는 곳이 있는 것에 이롭다.

小註

中溪張氏曰, 恒, 常久也. 恒字左旁從立心, 右旁從一日, 乃立心如一日也. 男上女下, 男尊女卑, 長男居外, 長女居內, 乃居室之恒, 故爲恒也. 恒而能久, 有亨之理, 亨則无咎, 而利於貞正, 利有攸往也.
중계장씨가 말하였다: '항(恒)'이란 항구함이다. '항(恒)'자는 왼쪽에 '심(心)'자가 세워져 있고 오른쪽에는 일(一)과 일(日)이 있으니, 마음을 세워 하나의 태양처럼 하라는 것이다. 남자가 위에 있고 여자가 아래에 있으니 남자가 존귀하고 여자가 낮으며, 나이 든 남자가 밖에 있고 나이 든 여자가 안에 있으니 부부가 함께 사는 항상 됨이기 때문에 항괘(恒卦)가 된다. 항상되게 하면서 오래 할 수 있으면 형통한 이치가 있고 형통하면 허물이 없으나, 곧고 바름에서 이롭고 가는 것이 이롭다.

○ 進齋徐氏曰, 聞之師曰, 恒有二義, 有不易之恒, 有不已之恒. 利貞者, 不易之恒也, 利有攸往者, 不已之恒也, 合而言之, 乃常道也, 倚於一偏則非道矣.
진재서씨가 말하였다: 나는 스승께서 "'항(恒)'에는 두 가지 뜻이 있으니, 바뀌지 않는다는 뜻과 그치지 않는다는 뜻이 있다. '곧음이 이롭다'는 것은 바뀌지 않는다는 뜻의 '항'이고 '가는 것이 이롭다'는 것은 그치지 않는다는 뜻의 '항'이다. 이 둘을 합하여 말하면 곧 항상된 도[常道]이니, 한 쪽에 치우친다면 도가 아니다"[1]라고 말씀하시는 것을 들었다.

○ 雲峯胡氏曰, 乾坤氣化之始, 故曰元亨利貞, 咸恒形化之始, 故曰亨而不言元. 然咸亨不以正, 徒爲人欲之感, 恒亨不以正, 亦非天理之常也, 故皆以利貞戒之.
운봉호씨가 말하였다: 건괘와 곤괘는 기(氣)가 변화하는 시작이기 때문에 원형리정(元亨利貞)이라고 하였고, 함괘와 항괘는 남녀의 형체가 결합하여 낳는 시작이기 때문에 "형통하다[亨]"고 말하면서도 "크다[元]"고 말하지 않았다. 그러나 함괘의 형통함을 바름으로써 하지 않는다면 한갓 인욕(人欲)의 움직임이 되고, 항괘의 형통함을 바름으로써 하지 않는다면 또한 천리의 항상 됨이 아니기 때문에, 모두 곧음이 이로움을 가지고서 경계하였다.

1) 『주역연의』.

韓國大全

조호익(曺好益) 『역상설(易象說)』

利貞, 上震下巽, 男尊女卑, 外震內巽, 男動女順, 皆正之義. 利有攸往, 順以動也.
"곧음이 이롭다"는 상괘가 진괘이고 하괘가 손괘여서 남자는 높고 여자는 낮으며, 외괘가 진괘이고 내괘가 손괘여서 남자는 움직이고 여자는 유순하니, 모두 바르다는 뜻이다. "가는 것이 이롭다"는 유순함으로써 움직이기 때문이다.

송시열(宋時烈) 『역설(易說)』

作字之意, 左立心右一曰, 立心如一曰, 爲恒. 恒之道, 有亨而无咎, 利於貞而利於攸往.
'항(恒)'자의 뜻은 좌측에 심(忄)자를 세우고, 우측에 '일(一)'자와 '일(日)'를 두었으니, 마음을 세우는 것을 하나의 태양처럼 해야 항(恒)이 된다. 항괘의 도는 형통함은 있어도 허물이 없으며, 곧음에 이로워서 가는 것이 이롭다.

유정원(柳正源) 『역해참고(易解參攷)』

梁山來氏曰, 恒字廣玉篇皆有下一畫, 獨易經无下一畫.
양산래씨가 말하였다: '항(恒)'자를 『광운』과 『옥편』에서는 모두 그 밑에 한 획을 그었는데, 유독 『주역』의 경문에만 아래 한 획이 없다.

正義, 恒久之道, 所貴變通. 必須變通隨時, 方可長久. 能久能通, 乃无咎也.
『주역정의』에서 말하였다: 항구할 수 있는 도는 변통함을 존귀하게 여기니 반드시 변통하여 때에 따라야만 오래될 수 있다. 항구할 수 있고 변통할 수 있다면 허물이 없다.

○ 盤澗董氏曰, 月之圜爲恒, 故詩云如月之恒. 蓋朏明魄暗以時進退, 而恒其常存者也.
반간동씨가 말하였다. 달이 둥근 것은 항(恒)이 되기 때문에, 『시경』에서는 "보름달과 같다"[2)]고 했다. 초승달과 보름달은 밝음과 어둠이 때에 따라 나아가고 물러나지만, 항상됨은 항시 보존되어 있다.

---

2) 『詩經 · 天保』: 如月之恒, 如日之升. 如南山之壽, 不騫不崩. 如松栢之茂, 無不爾或承.

○ 雙湖胡氏曰, 上經, 固以天道言也, 然乾坤亦有父母之道焉. 下經, 固以夫婦言也, 然艮兌巽震亦有男女之道焉. 唯論天地夫婦, 而獨不及父母, 可乎. 至若恒卦, 特以震上巽下, 男尊女卑, 不瀆不僭, 爲可恒之道, 故亨而无咎. 如論諸爻初二四五爻皆不正, 而云利貞者, 戒之也. 利有攸往, 卦變也. 恒自泰來, 泰初四變則爲恒. 言泰之初利往而居四以成恒也.
쌍호호씨가 말하였다: 『주역』의 상경은 진실로 천도를 기준으로 말했지만 건괘와 곤괘에는 또한 부모의 도리가 포함된다. 하경은 진실로 부부를 기준으로 말했지만 태괘 · 손괘 · 진괘에는 또한 남녀의 도리가 포함되어 있다. 그러니 단지 천지와 부부에 대해서만 논의하고 유독 부모에 대해서 언급하지 않음이 가능하겠는가? 항괘(恒卦䷟)에 와서 특히 진괘가 위에 있고 손괘가 아래에 있어, 남자가 높고 여자가 낮으니, 욕되지 않고 참람되지 않아 항구할 수 있는 도가 되기 때문에 형통하며 허물이 없다. 여러 효들을 논의해보면 초효 · 이효 · 사효 · 오효는 모두 바르지 않은데 "곧음이 이롭다"고 한 이유는 경계를 했기 때문이다. "가는 것이 이롭다"는 말은 괘의 변화를 뜻한다. 항괘는 태괘(泰卦䷊)로부터 왔으니, 태괘의 초효 · 사효가 변화하면 항괘가 된다. 즉 태괘의 초효가 가서 사효에 머무름으로 항구한 도를 이루는 것이 이롭다는 말이다.

김상악(金相岳) 『산천역설(山天易說)』

恒之爲卦, 巽震之合, 剛上而柔下, 雷風相與, 巽而動, 陰陽相應, 故亨无咎利貞. 貞者, 事之終, 終則有始, 故又利有攸往. 利貞者, 不易之恒也, 利往者, 不息之恒也, 所以恒久也.
항괘(恒卦䷟)는 손괘와 진괘가 합한 괘로, 굳센 양이 위에 있고 유순한 음이 아래에 있으며, 우레와 바람이 서로 함께하고, 음양이 서로 호응하기 때문에 형통하여 허물이 없으니, 곧음이 이롭다. 곧음은 사물의 끝이다. 끝나면 시작하기 때문에 또한 가는 것이 이롭다. "곧음이 이롭다"는 말은 바뀌지 않는 항상됨이고, "가는 것이 이롭다"는 그치지 않는 항상됨이기 때문에 항구하다.

○ 咸恒皆言亨利貞, 而恒於亨利之間, 係以无咎者, 二長之交, 久而能亨, 可以得无咎而利於貞也. 如乾坤之義, 恒則雷風相與, 未濟則水火相逮, 而剛柔皆應, 故亨在卦名之下, 又亨无咎利貞屬震, 故與隨元亨利貞无咎相似, 利有攸往屬巽, 故與重巽同辭.
함괘(咸卦䷞)와 항괘에서는 모두 형통함과 곧음이 이롭다고 말했는데,[3] 항괘에 형통함과 이로움 사이에 "허물이 없다"는 말이 연결되어 있는 이유는 맏아들과 맏딸의 사귐이 오래되

3) 『周易 · 咸卦』: 咸, 亨, 利貞, 取女吉.

어 형통할 수 있으니, 허물이 없어서 곧음이 이로울 수 있기 때문이다. 이를테면 건과 곤의 의미에서 항괘는 우레가 서로 함께 하고, 미제괘는 물과 불이 서로 이어져서 굳셈과 부드러움이 모두 호응하기 때문에 형통함은 괘의 이름 뒤에 있다. 또 "형통하여 허물이 없으니, 곧음이 이롭다"는 말은 진괘에 포함되기 때문에 수괘(隨卦䷐)에서 "크게 형통하니, 곧게 하는 것이 이롭고 허물이 없다"[4]고 한 말과 유사하며, "가는 것이 이롭다"는 말은 손괘에 포함되기 때문에 손괘(巽卦䷸)와 말이 같다.[5]

김규오(金奎五) 「독역기의(讀易記疑)」

山澤靜物, 故取其動而稱咸. 雷風動物, 故取其靜而謂恒.

산과 못은 고요한 것이기 때문에 움직임에서 취하여 함괘(咸卦䷞)라고 했다. 우레와 바람은 움직이는 것이기 때문에 고요함에서 취하여 항괘라고 했다.

서유신(徐有臣) 『역의의언(易義擬言)』

可亨, 故恒也. 可恒, 故无咎也. 利貞, 以貞恒也. 利有攸往, 以恒行也.

형통할 수 있기 때문에 항구하다. 항구할 수 있기 때문에 허물이 없다. "곧음이 이롭다"는 말은 곧음으로써 항구하게 한다는 뜻이다. "가는 것이 이롭다"는 말은 항구함으로써 시행한다는 뜻이다.

박문건(朴文健) 『주역연의(周易衍義)』

陰有升進之勢, 故亨也. 以陰處下, 雖无咎, 然用柔貞爲利也.

음에는 올라가고 나아가는 기세가 있기 때문에 형통하다. 음으로 아래에 있어 비록 허물이 없더라도 부드러움을 써서 곧음이 이롭다.

〈問, 利有攸往. 曰, 有升進之勢, 故有此象也.

물었다: "가는 것이 이롭다"는 무슨 뜻입니까?

답하였다: 올라가고 나아가는 기세가 있기 때문에 이러한 상이 있습니다.〉

김기례(金箕澧) 『역요선의강목(易要選義綱目)』

恒

---

4) 『周易·隨卦』: 隨, 元亨, 利貞, 无咎.

5) 『周易·巽卦』: 巽, 小亨, 利有攸往, 利見大人.

'항(恒)'자에 대하여.
久也, 常也.
오래된다는 뜻이며, 항상된다는 뜻이다.
○ 夫婦之道久, 當如常男在女上, 正家之道.
부부의 도가 오래 유지되려면 항상 남자가 여자 위에 있어야 하는 것이 올바른 가정의 도이다.

亨无咎.
형통하여 허물이 없다.
剛上柔下, 得恒久之道, 故亨通. 不貞則有咎, 故曰无咎. 乾坤氣化之始, 故有四德. 咸恒形化之始, 故只亨利貞而无元.
굳센 양이 위에 있고 부드러운 음이 밑에 있어서 항구할 수 있는 도를 얻었기 때문에 형통하다. 곧지 않다면 허물이 생기기 때문에 "허물이 없다"고 했다. 건괘와 곤괘는 기화(氣化)의 시작이기 때문에 사덕이 포함된다. 함괘(咸卦䷞)와 항괘는 형화(形化)의 시작이기 때문에 단지 형통하고 곧음이 이로우며[亨利貞], 큼[元]이 없다.

利貞, 利有攸往.
곧음이 이로우니, 가는 것이 이롭다.
長男居外, 長女居內, 得室家恒久之道, 故利於貞.
맏아들이 밖에 있고 맏딸이 안에 있어서 가정이 항구할 수 있는 도를 얻었기 때문에 곧음이 이롭다.
○ 內巽外動, 久而不變, 故无往不利.
안에서는 순종하고 밖에서는 움직이며 오래도록 변하지 않기 때문에 가는 곳에 이롭지 않음이 없다.

심대윤(沈大允) 『주역상의점법(周易象義占法)』

恒者, 道之正, 德之常也, 故亨. 無咎利貞, 守正而斃, 亦不可咎也. 正者, 大體也, 權者, 小目也. 正而無權, 則正幾乎亡矣. 君子守其大不變, 而行其萬小變. 故其不變者, 常不變也, 居仁制中是已, 故曰利有攸往. 夫有恒者, 必正人也. 小人無正, 則無恒也. 仁者正, 正以立信, 智者權, 權以應變. 正權, 相配而行者也. 一德非有變也, 隨其所遇而異措也. 小德, 恒用之權也. 大過, 變常之權也.
'항(恒)'은 도의 올바름이며 덕의 항상됨이기 때문에 형통하다. "허물이 없으니, 곧음이 이롭다"는 끝까지 이로움을 지키다 죽으니 또한 허물될 것이 없다는 것이다. 올바름은 큰 본체이고 권도는 자잘한 항목이다. 올바르기만 하며 권도가 없다면 올바름은 없어지게 된다. 군자가 큰 본체를 지킴에는 변화가 없지만 만사를 시행함에는 다소 변화가 있기 때문에 변화가 없는 것은 항상 변화가 없다. 인(仁)에 머물며 알맞음을 제재하는 것일 뿐이기 때문에, "가는 것이 이롭다"고 했다. 항상됨을 갖춘 자는 반드시 남도 바르게 한다. 소인은 올바름이 없으니 항상됨도 없다. 인자한 자는 올바르고 올바름으로써 신의를 세우며, 지혜로운 자는 권도를 사용하고 그렇게 함으로써 변화에 대응한다. 올바름과 권도는 서로 짝을 해서 시행하니, 한결같은 덕은 변화가 있는 것이 아니지만 하는 일에 따라 다르게 마무리한다. 작은 덕은 항상 쓰임을 항상되게 하는 권도이고, 크게 지나침은 항상됨을 변화시키는 권도이다.

〈正謂之大德, 權謂之小德, 與大過之權異矣.
올바름은 큰 덕을 뜻하며 권도는 작은 덕을 뜻하니, 큰 과실의 권도와는 다르다.〉

오치기(吳致箕) 「주역경전증해(周易經傳增解)」

恒者, 常久也. 常則久, 久則常也. 震陽動而處乎外, 巽陰入而處乎內, 爲男女居室得常之象, 長男長女尊卑謹嚴, 有終身偕老, 久而不變之象也. 卦體則剛上柔下, 外內皆應, 卦義則恒久而有常, 故言亨. 男不下女, 剛柔不交, 宜若有咎, 而男外女內, 爲居室之正, 故言无咎, 而又言利貞, 以戒恒久之道, 當守其正也. 久於其道者, 有終則有始, 故言利有攸往.
'항(恒)'자는 항상되고 오래된다는 뜻이다. 항상되면 오래되고 오래되면 항상된다. 진괘의 양이 움직여서 밖에 있고 손괘의 음이 들어와서 안에 머무니, 남녀가 가정을 이룸에 항상됨을 얻는 상이고, 장성한 남녀의 신분이 엄격하게 지켜져서 종신토록 해로하여 오래도록 변하지 않는 상이 있다. 괘의 몸체는 굳센 양이 위에 있고 부드러운 음이 아래에 있어서 밖과 안이 모두 호응하며, 괘의 뜻은 항구하여 항상됨이 있기 때문에 "형통하다"고 했다. 남자가 여자에게 낮추지 않아 굳센 양과 부드러운 음이 사귀지 않으니 마땅히 허물이 있는 것 같지만, 남자가 밖에 있고 여자가 안에 있어서 가정을 이루는 올바름이 되기 때문에 "허물이 없다"고 했고, 또 "곧음이 이롭다"고 말하여 항구할 수 있는 도는 그 올바름을 지켜야 한다고 경계를 하였다. 그 도에 오래할 수 있는 자는 끝이 있으면 시작이 있기 때문에 "가는 것이 이롭다"고 했다.

○ 在恒之時, 主爻皆未得中正, 故不言大亨.
항의 때에 주된 효들은 모두 중정함을 얻지 못했기 때문에 크게 형통하다고 말하지 않았다.

이진상(李震相) 『역학관규(易學管窺)』

利有攸往.

가는 것이 이롭다.

此言初往居四, 可成交泰之功也. 蓋恒卦始自泰來, 四居初, 而終自恒往, 則終而復始矣.
여기에서는 초효가 사효에 가 있으니 사귀어서 편안한 공을 이룰 수 있음을 말하였다. 항괘는 처음 태괘(泰卦䷊)로부터 와서 사효가 초효에 머물며, 끝으로는 항괘로부터 갔으니, 끝나면 다시 시작된다.

이정규(李正奎) 「독역기(讀易記)」

雷風多變者而名之以恒者, 何也. 蓋恒者體也, 變者用也. 无其用而恒, 則其恒不可恃而不可久也, 无其體而變, 則其變必多至於不善變矣. 故有一寒一暑一晝一夜之變, 而天地之道恒矣, 有或承或違或繼或改之變, 而父子之親恒矣, 有或順或犯或行或藏之變, 而君臣之義恒矣. 推之萬物萬事, 无其變而有恒者, 未之有也. 若膠於恒而不知變, 則豈知恒之義者哉.
우레와 바람이라서 변화됨이 많은 괘를 '항(恒)'이라고 부른 것은 어째서인가? 항상됨은 본체이고, 변화됨은 작용이다. 작용이 없는데도 항상된다면, 항상됨을 믿을 수 없고 오래할 수도 없으며, 본체가 없는데도 변한다면, 그 변화는 반드시 대부분 불선한 변화가 될 것이다. 그렇기 때문에 한 번은 춥고 한 번은 더우며 한 번은 낮이 되고 한 번은 밤이 되는 변화가 있어야 천지의 도가 항상되며, 어떤 경우에는 받들고 어떤 경우에는 어기며 어떤 경우에는 계승하고 어떤 경우에는 고치는 변화가 있어야 부자의 친애함이 항상되고, 어떤 경우에는 따르고 어떤 경우에는 범하며 어떤 경우에는 행하고 어떤 경우에는 숨는 변화가 있어야 군신의 도의가 항상된다. 이것을 모든 사물에 대입해보면, 변화가 없고서 항상됨이 있는 것은 없다. 항상됨에 집착하면서도 변화를 알지 못한다면, 어찌 항상됨의 뜻을 안다고 하겠는가?

恒之六爻, 三陰三陽各居相應之地, 无一相差, 宜隨爻亨吉, 而无一爻之全吉者, 陰陽時位之變幻難測故也. 不知此玅而可言易理哉.
항괘의 여섯 효는 세 음과 세 양이 각각 서로 호응하는 자리에 있고, 하나라도 어그러짐이 없으니, 마땅히 효에 따르면 형통하고 길한데도, 한 효도 완전히 길한 경우가 없는 이유는 음양의 시기와 자리가 변환하는 것은 헤아리기가 어렵기 때문이다. 이러한 현묘함을 모르고서 역의 이치를 말할 수 있겠는가?

象曰, 恒, 久也,

「단전」에서 말하였다: 항(恒)은 오래 함이니,

中國大全

傳

恒者, 長久之義也.

'항(恒)'이란 장구하다는 뜻이다.

小註

朱子曰, 恒是箇一條物事, 徹頭徹尾, 不是尋常字. 古字作恆, 其說象一隻船兩頭靠岸, 可見徹頭徹尾.

주자가 말하였다: '항(恒)'이란 하나의 물건이나 사건마다 철두철미 한다는 것이니, 예사로운 글자가 아니다. 옛날에는 긍(恆)자로 되어 있었으며, 이에 대해 한 척의 배가 두 머리를 양쪽 물가에 대고 있는 형상이라고 설명하였으니, 철두철미함을 알 수가 있다.

韓國大全

서유신(徐有臣) 『역의의언(易義擬言)』

恒, 常也, 常常不已則久也. 可久爲恒, 不可久非恒也.

'항(恒)'자는 항상됨을 뜻하니, 항상되어 그치지 않는다면 오래될 수 있다. 오래될 수 있음은 항상됨이 되니, 오래될 수 없음은 항상됨이 아니다.

剛上而柔下, 雷風, 相與, 巽而動, 剛柔皆應恒,

굳센 양이 위에 있고 유순한 음이 아래에 있으며, 우레와 바람이 서로 함께하고, 공손하면서 움직이며, 굳센 양과 유순한 음이 모두 호응함이 항(恒)이니,

中國大全

傳

卦才, 有此四者, 成恒之義也. 剛上而柔下, 謂乾之初上居於四, 坤之初下居於初, 剛爻上而柔爻下也. 二爻易處則成震巽, 震上巽下, 亦剛上而柔下也, 剛處上而柔居下, 乃恒道也. 雷風相與, 雷震則風發, 二者相須, 交助其勢, 故云相與, 乃其常也. 巽而動, 下巽順上震動, 爲以巽而動. 天地造化恒久不已者, 順動而已, 巽而動, 常久之道也. 動而不順, 豈能常也. 剛柔皆應, 一卦剛柔之爻, 皆相應, 剛柔相應, 理之常也. 此四者, 恒之道也, 卦所以爲恒也.

괘의 재질에 이러한 네 가지가 있으니, '항(恒)'을 이루는 뜻이다. "굳센 양이 위에 있고 부드러운 음이 아래에 있다"는 것은 건괘(乾卦☰)의 초효가 사효에 올라가 있고, 곤괘의 초효가 초효에 내려와 있어서 굳센 양효가 올라가고 부드러운 음효가 아래로 내려옴을 말한다. 두 효가 자리를 바꾸면 진괘(震卦☳)와 손괘(巽卦☴)를 이루니, 진괘가 위에 있고 손괘가 아래에 있음은 또한 굳센 양이 위에 있고 부드러운 음이 아래에 있는 것이다. 굳센 양이 위에 있고 부드러운 음이 아래에 있음은 항구한 도이다. "우뢰와 바람이 서로 함께 한다"란 우뢰가 진동하면 바람이 일어나는 이 두 가지는 서로를 기다려 그 형세를 서로 돕는 것이기 때문에 "서로 함께 한다"고 하였으니, 이는 그 떳떳함이다. "공손하면서 움직인다"는 것은 아래는 손괘(巽卦)로 부드럽고 위는 진괘(震卦)로 움직이니, 공손함을 가지고서 움직임이 된다. 천지의 조화가 항구하여 그치지 않는 것은 부드럽게 움직일 뿐이기 때문이니, 공손하면서 움직임은 항상되게 하고 오래하는 도이다. 움직이면서 공손하지 않는다면 어찌 항상되게 할 수 있겠는가? "굳센 양과 부드러운 음이 모두 호응한다"는 것은 한 괘의 굳센 양과 부드러운 음의 효가 모두 서로 호응함이니, 굳센 양과 부드러운 음이 서로 호응함은 이치의 떳떳함이다. 이 네 가지는 항구한 도이니, 괘가 '항괘'가 된 까닭이다.

小註

雙湖胡氏曰, 剛上柔下, 乾坤交而雷風相與矣. 巽而後動, 卦體成而剛柔皆應矣. 此名卦所以有取於恒也.
쌍호호씨가 말하였다: '굳센 양이 위에 있고 부드러운 음이 아래에 있음'은 건괘와 곤괘가 사귀어 우레와 바람이 서로 함께 하는 것이다. '공손한 이후에 움직임'은 괘의 몸체가 이루어져 굳센 양과 부드러운 음이 모두 호응하는 것이다. 이것이 괘를 이름 지을 때에 '항(恒)'에서 취한 까닭이다.

○ 兼山郭氏曰, 剛上柔下, 剛柔之常也. 雷風相與, 二氣之常也. 剛柔皆應, 交感之常也.
겸산곽씨가 말하였다: '굳센 양이 위에 있고 부드러운 음이 아래에 있음'은 굳센 양과 부드러운 음의 떳떳함이다. '우레와 바람이 서로 함께함'은 두 기(氣)의 떳떳함이다. '굳센 양과 부드러운 음이 모두 호응함'은 서로 감응하는 떳떳함이다.

○ 童溪王氏曰, 恒之六爻, 剛柔皆應, 自初至上, 三剛三柔, 各居相應之地, 理之常也.
동계왕씨가 말하였다: 항괘의 여섯 효는 굳센 양과 부드러운 음이 모두 호응하여 초효부터 상효까지 세 개의 굳센 양과 세 개의 부드러운 음이 각각 서로 호응하는 곳에 있으니 이치의 떳떳함이다.

○ 中溪張氏曰, 不能體常者, 不可以盡變, 不能盡變者, 不可以體常. 天地所以能常久者, 以其能盡變也. 經曰易窮則變, 變則通, 通則久, 久而无弊者, 其變之謂乎. 知柔上剛下者爲變, 則知剛上柔下者爲常矣, 知震雷暴風爲變, 則知雷風相與爲常矣.
중계장씨가 말하였다: 항상됨을 체득할 수 없는 자는 변화를 다할 수가 없고, 변화를 다할 수가 없는 자는 항상됨을 체득할 수가 없다. 천지가 항상되고 오래갈 수 있는 까닭은 변화를 다할 수 있기 때문이다. 『역경』에서 "역이 궁(窮)하면 변화하고, 변화하면 통하며, 통하면 오래간다"라고 하였으니, 오래하면서 폐해가 없는 것은 그 변화를 말하는 것이구나! 부드러운 음이 위에 있고 굳센 양이 아래에 있는 것이 변화가 됨을 안다면, 굳센 양이 위에 있고 부드러운 음이 아래에 있는 것이 떳떳함이 됨을 알고, 움직이는 우레와 몰아치는 바람이 변화가 됨을 안다면, 우레와 바람이 서로 함께함이 떳떳함이 됨을 안다.

本義

以卦體卦象卦德, 釋卦名義. 或以卦變, 言剛上柔下之義曰, 恒自豊來, 剛上居二, 柔下居初也, 亦通.

괘의 몸체와 괘의 상과 괘의 덕을 가지고서 괘의 이름을 풀이하였다. 어떤 이가 괘의 변화를 가지고서 "굳센 양이 위에 있고 부드러운 음이 아래에 있다"는 뜻에 대해 말하기를 "항괘(恒卦䷟)가 풍괘(豊卦䷶)로부터 와서 굳센 양이 위로 올라가 이효에 있고 부드러운 음이 아래로 내려와 초효에 있다"고 하였으니, 이 또한 뜻이 통한다.

小註

雲峯胡氏曰, 咸, 以卦體卦德卦象, 釋卦辭. 恒, 亦疊是三者, 僅以釋卦名義. 蓋咸之感者, 易知, 恒之所以爲久者, 未易知也.
운봉호씨가 말하였다: 함괘는 괘의 몸체와 괘의 덕과 괘의 상을 가지고서 괘사를 풀이하였다. 항괘도 또한 이 세 가지를 겸한 것은 단지 괘 이름의 뜻을 풀이하기 위해서이다. '함(咸)'이 느낌인 것은 쉽게 알 수 있지만, '항(恒)'이 오래함이 되는 까닭은 쉽게 알 수가 없다.

韓國大全

권근(權近) 『주역천견록(周易淺見錄)』

恒彖曰, 雷風相與.
항괘의 「단전」에서 말하였다: 우레와 바람이 서로 함께한다.

疑當作風雷, 彖例言卦象卦德, 皆先內而後外, 說已現噬嗑.
'뇌풍(雷風)'은 아마도 '풍뢰(風雷)'로 기록해야 할 것 같으니, 「단전」의 용례에서 괘의 상과 괘의 덕을 말할 때에는 모두 내괘를 먼저 말하고 외괘를 뒤에 말했기 때문으로, 자세한 설명은 이미 서합괘(噬嗑卦䷔)에서 했다.

김상악(金相岳) 『산천역설(山天易說)』

彖曰, 恒, 久也, 剛上而柔下, 雷風相與, 巽而動, 剛柔皆應恒.
「단전」에서 말하였다: 항(恒)은 오래 함이니, 굳센 양이 위에 있고 유순한 음이 아래에 있으며, 우레와 바람이 서로 함께하고, 공손하면서 움직이며, 굳센 양과 유순한 음이 모두 호응함이 항(恒)이니.

以卦體卦象卦德釋卦名義. 剛謂震, 柔謂巽. 以卦變言, 九往居二, 六來居初, 亦剛上而柔下也.
괘의 몸체·괘의 상·괘의 덕으로 괘의 이름을 풀이하였다. '강(剛)'은 진괘를 뜻하며 '유(柔)'는 손괘를 뜻한다. 괘의 변화로 말을 하면 구(九)가 가서 이효에 있고 육(六)이 와서 초효에 있으니, 또한 굳센 양이 위에 있고 유순한 음이 아래에 있다.

서유신(徐有臣) 『역의의언(易義擬言)』

益變爲恒, 而震上往巽下來, 故曰剛上而柔下也. 雷自下而上, 風自上而下, 故曰相與也. 雷風相與, 亨也. 巽而動, 无咎也. 剛柔皆應, 利貞也. 所以能恒久也.
익괘(益卦䷩)가 변화하여 항괘(恒卦䷟)가 되었는데 진괘가 위로 가고 손괘가 아래로 오기 때문에 "굳센 양이 위에 있고 유순한 음이 아래에 있다"고 했다. 우레는 아래로부터 위로 올라가고, 바람은 위로부터 아래로 내려오기 때문에 "서로 함께한다"고 했다. "우레와 바람이 서로 함께 한다"는 형통함을 뜻한다. "공손하면서 움직인다"는 허물이 없음을 뜻한다. "굳센 양과 유순한 음이 모두 호응한다"는 곧음이 이롭다는 뜻이다. 이러한 것들이 항구할 수 있는 이유이다.

박문건(朴文健) 『주역연의(周易衍義)』

巽而動, 指初六而言也. 此以卦變卦象卦德卦體釋卦名.
"공손하면서 움직인다"는 초육을 가리켜서 한 말이다. 이것은 괘의 변화·괘의 상·괘의 덕·괘의 몸체로 괘의 이름을 풀이한 것이다.
〈問, 雷風相與. 曰, 雷動於上, 風入於下, 是二氣相簿也, 故謂之相與也.
물었다: "우레와 바람이 서로 함께한다"는 무슨 뜻입니까?
답하였다: 우레가 위에서 움직이고 바람이 아래로 들어와서 두 기운이 서로 따르기 때문에 "서로 함께한다"고 했습니다.〉

심대윤(沈大允) 『주역상의점법(周易象義占法)』

恒, 常久也. 以恭巽而動者, 君子之常也. 其威怒刑戰者, 君子之變也.

'항(恒)'자는 항상되고 오래됨이다. 공손함으로 움직임은 군자의 항상됨이다. 위엄과 성냄을 나타내며 형벌과 전쟁을 시행하는 것은 군자의 변통이다.
〈人之能久長者, 以有正也. 忠信篤愛, 正之物也.
사람이 오래갈 수 있는 이유는 올바름을 갖추고 있기 때문이다. 진실과 믿음 및 독실함과 사랑함은 올바른 것이다.〉

최세학(崔世鶴) 『참양설(參兩說)』

恒彖曰, 剛上而柔下, 雷風相與, 剛柔皆[6]應.
항괘 「단전」에서 말하였다: 굳센 양이 위에 있고 유순한 음이 아래에 있으며, 우레와 바람이 서로 함께하고, 굳센 양과 유순한 음이 모두 호응한다.

恒, 泰之二體變也. 初與四二爻爲主, 故彖以剛上柔下言之. 否初來居於下體之下, 而否四往居於上體之下, 男上女下, 有剛柔相應之象.
항괘(恒卦䷟)는 태괘(泰卦䷊)의 두 몸체가 변화한 괘로 초효와 사효의 두 효가 주인이 되기 때문에 「단전」에서 "굳센 양이 위에 있고 유순한 음이 아래에 있다"고 말했다. 비괘(否卦䷋)의 초효가 와서 하체의 아래에 있고, 비괘의 사효가 가서 상체의 아래에 있어 남자가 위에 있고 여자가 아래에 있으니, "굳센 양과 유순한 음이 서로 호응한다"는 상이 있다.

6) 皆: 경학자료집성DB와 영인본에는 모두 '相'으로 되어 있으나, 문맥을 살펴 '皆'로 바로잡았다.

恒亨无咎利貞, 久於其道也,

"항(恒)은 형통하여 허물이 없으니, 곧음이 이로움"은 그 도를 오래함이니,

中國大全

傳

恒之道, 可致亨而无過咎, 但所恒, 宜得其正, 失正則非可恒之道也, 故曰久於其道, 其道, 可恒之正道也. 不恒其德, 與恒於不正, 皆不能亨而有咎也.

항구한 도는 형통함을 이루어 허물이 없을 수 있으나, 다만 항상되게 하는 바는 그 바름을 얻어야 한다. 바름을 잃으면 항상되게 할 수 있는 도가 아니기 때문에 "그 도를 오래한다"고 하였으니, 그 도는 항상되게 할 수 있는 바른 도이다. 그 덕을 항상되게 하지 못함과 바르지 못한 것에 항상되게 하는 것은 모두 형통할 수 없어서 허물이 있다.

小註

雲峯胡氏曰, 咸恒皆言利貞, 咸止而說, 卽是貞. 恒巽而動, 動未必貞也, 故彖詳焉.

운봉호씨가 말하였다: 함괘와 항괘에서 모두 "곧음이 이롭다"고 하였으나, 함괘에서는 '그치고 기뻐함'이 곧 '곧음[貞]'이다. 항괘에서는 '공손하면서 움직임'은 움직임이 반드시 곧은 것은 아니기 때문에 「단전」에서 이에 대해 상세히 말하였다.

韓國大全

이진상(李震相) 『역학관규(易學管窺)』

久於其道.

그 도를 오래함이다.

日月之得天, 體也, 久照, 用也. 四時之變化, 用也, 久成, 體也. 日月有形, 故先體而後用. 四時有氣, 故先用而後體. 若聖人, 則體立而用行, 用成而體定, 故曰久於其道而天下化成.

해와 달이 천리에 따름은 본체에 해당하고, 오래 비춤은 작용에 해당한다. 사계절이 변화함은 작용에 해당하고, 오래 이룸은 본체에 해당한다. 해와 달에는 형체가 있기 때문에 먼저 본체를 말하고 이후에 작용을 말했다. 사계절은 기운이기 때문에 먼저 작용을 말하고 이후에 본체를 말했다. 성인의 경우라면 본체가 확립되고 작용이 시행되며 작용이 완성되어 본체가 안정되기 때문에 "도에 오래해서 천하가 교화되어 이루어진다"고 했다.

小註誠齋說.

소주 성재의 주장에 대하여.

溫而暑, 凉而寒, 以漸而變, 循環不已, 萬古如一者. 無非恒而變變而恒者也. 今曰, 溫凉繼以寒凜, 寒凜繼以溽暑, 恐有差紊.

따뜻하다가 더워지고 서늘하다가 추워지며 점진적으로 변화하며 순환하여 그치지 않으니, 영원토록 한결같은 것은 항상되면서 변화하고 변화하면서 항상되지 않은 것이 없다. 그런데 "따뜻하고 서늘한 것은 차고 추운 것으로써 잇고, 차고 추운 것은 무더운 더위로써 잇는다"고 했으니, 아마도 어긋난 것이 있는 것 같다.

天地之道, 恒久而不已也.

천지의 도는 항구하여 그치지 않는다.

中國大全

傳

天地之所以不已, 蓋有恒久之道, 人能恒於可恒之道, 則合天地之理也.

천지가 그치지 않는 것은 항구한 도를 가지고 있어서이니, 사람이 항상되게 할 수 있는 도에 항상되게 할 수 있다면 천지의 이치와 부합된다.

本義

恒固能亨, 且无咎矣, 然必利於正, 乃爲久於其道, 不正則久非其道矣. 天地之道所以長久, 亦以正而已矣.

'항(恒)'은 진실로 형통할 수 있고 또 허물이 없으나, 반드시 바름에 이로우니 이에 '그 도를 오래함'이 되는데, 바르지 않으면 도가 아닌 것에 오래하게 된다. 천지의 도가 장구한 까닭도 또한 바름으로써 할 뿐이기 때문이다.

小註

朱子曰, 正便能久. 天地之道, 恒久而不已, 這箇只是說久.
주자가 말하였다: 바르면 곧 오래할 수 있다. "천지의 도는 항구하여 그치지 않는다"는 것은 단지 오래함을 말하는 것일 뿐이다.

○ 雙湖胡氏曰, 亨无咎者, 以其利在於貞也. 恒久之大者, 莫如天地. 天地之道, 亦貞觀而已. 卦自乾坤交, 故以天地言也.

쌍호호씨가 말하였다: "형통하여 허물이 없다"는 것은 그 이로움이 곧음에 있기 때문이다. 항구한 것 중에서 큰 것은 천지만한 것이 없다. 천지의 도도 바름으로 보여주는 것일 뿐이다. 괘는 건괘와 곤괘로부터 사귀는 데에서 비롯되었기 때문에 천지로써 말하였다.

韓國大全

조호익(曺好益) 『역상설(易象說)』

下體本乾, 上交於坤, 而成震. 上體本坤, 下交於乾, 而成巽. 雙湖曰, 卦自乾坤交, 故以天地言也.
하체는 본래 건괘인데 위로 곤괘와 사귀어 진괘를 이루었다. 상체는 본래 곤괘인데 아래로 건괘와 사귀어 손괘를 이루었다. 그러나 쌍호호씨는 "괘는 건괘와 곤괘의 사귐으로부터 이루어지기 때문에 천지(天地)로 말을 했다"라고 했다.

유정원(柳正源) 『역해참고(易解參攷)』

天地 [至] 不已.
천지의 도는 … 그치지 않는다.

晦齋先生曰, 書曰, 德唯一, 動罔不吉, 德二三, 動罔不凶. 一者, 恒之謂也. 二三者, 不恒之謂也. 程子所謂恒, 非一定之謂者, 蓋言物理之始終變易, 所以爲恒而不窮, 非謂人心之德, 亦當有時而變易也. 故恒之九三曰, 不恒其德, 或承之羞. 聖人之意, 可見矣. 蓋天之道, 有春夏秋冬, 晝夜昏明, 變易无窮, 而天之剛健之德生物之心, 則萬古不改也. 聖人之事有潛見飛躍, 仕止久速, 隨時變易, 而聖人仁義之德濟世之心, 則未嘗斯須變也.
회재선생이 말하였다: 『서경』에서는 "덕이 한결같으면 움직임에 길하지 않음이 없고, 덕이 한결같지 않으면 움직임에 흉하지 않음이 없다"[7]고 했으니, 한결같다는 말은 항구하다는 뜻이다. 한결같지 않다는 말은 항구하지 않다는 뜻이다. 정자가 말한 '항(恒)'자는 일정하다

---

7) 『書經 · 咸有一德』: 德惟一, 動罔不吉, 德二三, 動罔不凶. 惟吉凶不僭在人, 惟天降災祥在德.

는 뜻이 아니니, 사물의 이치가 시작하고 끝나면서 변하고 바뀌니 항구하여 다함이 없다는 것이지, 사람 마음의 덕이 또한 때에 따라 변하고 바뀌어야 됨을 뜻하지 않는다. 그렇기 때문에 항괘의 구삼에서는 "그 덕을 항상되게 하지 않음이다. 혹 부끄러움이 이를 것이다"[8] 라고 했으니, 성인의 뜻을 여기에서 살펴볼 수 있다. 하늘의 도에는 봄·여름·가을·겨울이 있어서 낮과 밤으로 어둠과 밝음이 끝없이 변화하지만 하늘의 강건한 덕이 만물을 낳는 마음은 영원토록 바뀌지 않는다. 성인의 일에는 잠겨있고 나타나며 날고 뛰어오르고 벼슬하고 그치며 오래도록 하거나 빨리하는 것이 때에 따라 변화하고 바뀌지만, 성인의 인의(仁義)라는 덕으로 세상을 구제하는 마음은 변한 적이 없다.

서유신(徐有臣) 『역의의언(易義擬言)』

恒久其道, 故亨无咎利貞也. 苟久於匪道, 安得以无咎也. 其道者, 剛上而柔下, 雷風相與, 巽而動, 剛柔皆應, 是也. 天地之道, 亦不過恒久而不已也, 道一也.
그 도를 항구하게 하기 때문에 형통하여 허물이 없으니 곧음이 이롭다. 만일 그릇된 도에 오래한다면 어떻게 허물이 없을 수 있겠는가? 그 도는 "굳센 양이 위에 있고 유순한 음이 아래에 있으며, 우레와 바람이 서로 함께하고, 공손하면서 움직이며, 굳센 양과 유순한 음이 모두 호응한다"는 것이다. 천지의 도는 또한 항구하여 그치지 않는데 불과하니, 도는 동일하다.

박문건(朴文健) 『주역연의(周易衍義)』

恒之道, 巽動也, 天地之道, 生成也. 此釋卦辭而贊其道之合天地也.
항구함의 도는 겸손하면서 움직이고 천지의 도는 낳으면서 완성한다. 이것은 괘사를 풀이하고 그 도가 천지에 합치됨을 찬미한 것이다.
〈問, 恒亨无咎利貞, 久於其道也. 曰, 恒於其道, 則能亨而无咎, 然且貞正爲利也.
물었다: "'항(恒)은 형통하여 허물이 없으니, 곧음이 이로움'은 그 도를 오래함이다"는 무슨 뜻입니까?
답하였다: 그 도에 항상된다면 형통하여 허물이 없을 수 있지만, 또한 곧고 올바름이 이롭게 된다는 뜻입니다.〉

---

8) 『周易·恒卦』: 九三, 不恒其德, 或承之羞, 貞吝.

利有攸往, 終則有始也.

"가는 것이 이로움"은 마치면 시작이 있기 때문이다.

中國大全

傳

天下之理, 未有不動而能恒者也. 動則終而復始, 所以恒而不窮. 凡天地所生之物, 雖山嶽之堅厚, 未有能不變者也, 故恒非一定之謂也, 一定則不能恒矣. 唯隨時變易, 乃常道也, 故云利有攸往, 明理之如是, 懼人之泥於常也.

천하의 이치는 움직이지 않고서 항상되게 할 수 있는 것이 없다. 움직이면 끝났다가 다시 시작되니, 항상되게 하고 다하지 않는 까닭이다. 천지가 낳은 것은 비록 산악과 같이 견고하고 두터운 것이라 하더라도 변하지 않을 수 있는 것이 없기 때문에 '항(恒)'이란 일정함을 말하는 것이 아니다. 일정하면 항상되게 할 수 없다. 오직 때에 따라 변하고 바뀜이 항상되게 하는 도이기 때문에 "가는 것이 이롭다"고 하여 이치가 이와 같음을 밝혔으니, 사람들이 일정함에 빠질까 두려워하였기 때문이다.

小註

或問, 易傳云, 恒非一定之謂, 一定則不能恒矣, 唯隨時變易, 乃常道也. 竊謂有不一定而隨時變易者, 有一定而不可變易者. 朱子曰, 他政是論物理之始終, 變易所以爲恒而不窮處. 然所謂不易者, 亦須有變通, 乃能不窮. 如君尊臣卑, 分固不易, 然上下不交也不得. 父子固是親親, 然所謂命士以上, 父子皆異宮, 則又有變焉. 唯其如此, 所以爲恒, 論其體終是常. 然體之常, 所以爲用之變, 用之變, 所以爲體之常.

어떤 이가 물었다: 『정전』에서 "'항(恒)'이란 일정함을 말하는 것이 아니니, 일정하면 항상되게 할 수 없다. 오직 때에 따라 변하고 바뀜이 항상되게 하는 도이다"라고 하였습니다. 제가 생각하건대, 일정하지 않아서 때에 따라 변하고 바뀌는 것도 있고, 일정하여서 변하고 바뀔 수가 없는 것도 있습니다.

주자가 답하였다: 그것은 바로 사물에 대한 이치의 시작과 끝을 논하였으니, 변하고 바뀜이

항상되어 다하지 않는 까닭입니다. 그러나 이른바 바뀌지 않음이란 또한 반드시 변통이 있어야 이에 다하지 않을 수 있습니다. 예를 들어 임금은 존귀하고 신하는 낮음은 분수가 진실로 바뀌지 않는 것이지만, 아래와 위는 교류하지 않을 수 없습니다. 아버지와 아들은 진실로 친한 사람을 친하게 하는 것이지만, 이른바 "명사(命士)[9] 이상은 아버지와 아들이 거처하는 방을 달리한다"[10]고 하였으니, 여기에 바뀜이 있습니다. 오직 이와 같다면 항상됨이란 그 본체[體]가 끝내 항상됨을 논한 것입니다. 그러나 본체의 항상됨은 작용[用]의 변함이 되고, 작용의 변함은 본체의 항상됨이 됩니다.

又曰, 恒非一定之謂, 故晝則必夜, 夜而復晝, 寒則必暑, 暑而復寒. 若一定, 則不能常也. 其在人, 冬日則飮湯, 夏日則飮水, 可以仕則仕, 可以止則止, 今日道合便從, 明日不合則去. 又如孟子辭齊王之金而受薛宋之餽, 皆隨時變易, 故可以爲常也.
또 말하였다: '항(恒)'이란 일정함을 말하는 것이 아니기 때문에, 낮이 되면 반드시 밤이 오고 밤이 되어야 다시 낮이 오며, 추우면 반드시 더워지고 더워져야 다시 추워집니다. 만약 일정하다면 항상되게 할 수 없습니다. 사람에게서는 겨울날에는 따뜻한 탕(湯)을 마시고 여름날에는 시원한 물을 마시며, 벼슬할 만하면 벼슬을 하고 그만둘 만하면 그만두며, 오늘 도와 부합하면 곧 따르다가 다음날 도와 부합하지 않으면 떠납니다. 또 맹자가 제나라 왕의 겸금(兼金)은 받지 않으면서도 설나라와 송나라에서 보낸 궤(餽)는 받았던 일[11]과 같은 경우는 모두 때에 따라 변화시키고 바꾼 것이기 때문에 항상되게 될 수 있습니다.

○ 能常而後能變, 能常而不已, 所以能變. 及其變也, 常亦只在其中. 伊川卻說變而後能常, 非是.
항상되게 할 수 있은 후에 변화할 수 있고, 항상되게 해서 그치지 않을 수 있기 때문에 변화할 수 있으니, 변화에는 일정하게 함이 또한 그 안에 있을 뿐이다. 그런데 이천은 도리어 변화를 한 후에 일정하게 할 수 있다고 설명하였으니, 옳지 않다.

○ 童溪王氏曰, 天地之道, 自百刻積而爲晝夜, 自晝夜積而爲寒暑. 晝夜寒暑相爲往來, 遲速進退機緘不停, 故終始相循如環无端者, 蓋有恒而然也. 唯其有恒, 故有往而利如此也. 如使有往而不利, 則止有今日之晝夜今歲之寒暑, 烏有來日晝夜來歲寒暑乎.

---

9) 명사(命士): 『주례』에 의하면, 구의(九儀)의 명(命)으로 조정에서 벼슬을 받은 자를 말한다.
10) 『禮記 · 內則』: 由命士以上, 父子皆異宮. 昧爽而朝, 慈以旨甘, 日出而退, 各從其事, 日入而夕, 慈以旨甘.
11) 『孟子 · 公孫丑』: 陳臻問曰, 前日於齊, 王餽兼金一百而不受, 於宋餽七十鎰而受, 於薛餽五十鎰而受, 前日之不受是, 則今日之受非也, 今日之受是, 則前日之不受非也, 夫子必居一於此矣. 孟子曰, 皆是也.

동계왕씨가 말하였다: 천지(天地)의 도는 모든 시각이 쌓여서 낮과 밤이 되고, 낮과 밤이 쌓여 추위와 더위가 된다. 낮과 밤, 그리고 추위와 더위는 서로 가고 오는 상대가 되며, 느리고 빠름과 나아가고 물러남은 기운의 변화가 멈추지 않기 때문에, 끝과 시작은 서로 순환하여 마치 고리가 시작이 없는 것과 같으니, 항상됨[恒]이 있어 그런 것이다. 오직 항상됨이 있기 때문에 가는 것이 이로움이 이와 같다. 만약 가는 것이 이롭지 않다면, 단지 오늘의 낮과 밤, 그리고 올해의 추위와 더위가 있을 뿐이지, 어찌 내일의 낮과 밤, 그리고 내년의 추위와 더위가 있겠는가?

本義

久於其道, 終也, 利有攸往, 始也. 動靜相生, 循環之理, 然必靜爲主也.

'그 도를 오래함'이 끝이고 '가는 것이 이로움'은 시작이다. 움직임과 고요함이 서로 낳음은 순환하는 이치이지만, 반드시 고요함이 주인이 된다.

小註

臨川吳氏曰, 天地之道, 非以一定爲可恒久, 以其變易相禪運動不已也. 所謂利有攸往者, 欲其終則復始, 如環无端而後可恒久也.
임천오씨가 말하였다: 천지의 도는 일정함으로 항상되게 오래 할 수 있는 것이 아니니, 그 변화하고 바뀌어 서로 교대하여 운동함이 그치지 않기 때문이다. 이른바 '가는 것이 이로움'은 끝나면 다시 시작하기를 끝없는 고리처럼 하고자 한 이후에 항구할 수 있는 것이다.

○ 雙湖胡氏曰, 利有攸往者, 以二體相仍, 終則有始也. 巽終於三, 有震陽以始之. 震終於上, 又有巽陰以始之, 无間容息也.
쌍호호씨가 말하였다: '가는 것이 이로움'은 두 몸체가 서로 의지하여 끝나면 시작이 있는 것이다. 손괘(巽卦☴)는 삼효에서 끝나지만 진괘(震卦☳)의 양효가 있어서 시작한다. 진괘는 상효에서 끝나지만 또 손괘의 음효가 있어서 시작하니, 끊길 틈이 없다.

○ 雲峯胡氏曰, 本義釋乾彖曰, 始卽元也, 終則貞也. 不終則无始, 不貞則无以爲元. 乾言天道之終始, 此言人之於道, 其始終當如此. 不貞无以爲元, 不靜无以爲動, 其爲始終循環之妙一也.
운봉호씨가 말하였다: 『본의』에서는 건괘의 「단전」을 풀이하면서 "시작[始]은 곧 '원(元)'이

며 끝[終]은 곧 '곧음[貞]'이다. 끝나지 않으면 시작이 없으며 곧지 않으면 '원'이 될 수가 없다"고 하였다. 건괘는 천도의 끝과 시작을 말하고 여기서는 사람이 도에 대하여 시작과 끝이 이와 같아야 함을 말하였다. 곧지 않으면 원(元)이 될 수 없고 고요하지 않으면 움직일 수 없으니, 시종으로 순환하는 묘함은 하나이다.

韓國大全

홍여하(洪汝河) 「책제(策題): 문역(問易) · 독서차기(讀書箚記)-주역(周易)」

恒彖傳本義, 必靜爲主也.

항괘의 「단전」에 대한 『본의』에서 말하였다: 반드시 고요함이 주인이 된다.

靜爲主, 以利貞而言.

고요함이 주인이 됨은 "곧음이 이롭다"는 뜻으로 한 말이다.

유정원(柳正源) 『역해참고(易解參攷)』

利有 [至] 始也.

이롭다 … 시작이 있기 때문이다.

正義, 人用恒久之道, 會於變通, 故終則復始, 往无窮極, 同於天地之不已, 所以爲利也.

『주역정의』에서 말하였다: 사람들이 항구한 도를 사용하여 변통에 부합하기 때문에 끝마치면 다시 시작을 하여 감에 끝이 없으면서 천지의 그치지 않음과 하나가 되니, 이롭게 되는 이유이다.

傳, 小註, 朱子說命士.

『정전』의 소주에서 주자가 명사(命士)를 설명함에 대하여.

〈周禮典命, 公矦伯之士一命, 子男之大夫一命. 宗伯註, 王之下士. 亦一命.

『주례 · 전명』편에서 공작 · 후작 · 백작에게 소속된 사는 1명(命)의 등급이고, 자작 · 남작에게 소속된 대부는 1명(命)의 등급이라고 했다.[12] 『주례 · 대종백』편에 대한 정현의 주에서는 천자에게 소속된 하사(下士)[13] 또한 1명(命)의 등급이라고 했다.〉

異宮.
『정전』의 소주에서 주자가 이궁(異宮)을 설명함에 대하여.
〈內則, 命士以上父子異宮.
『예기 · 내칙』편에서는 명사[14] 이상의 등급은 부친과 자식이 거주하는 건물을 달리한다고 했다.[15]〉

本義.
『본의』에 대하여.
案, 久於其道, 以靜言也. 利有攸往, 以動言也. 動靜不能相无, 然不貞則无以爲元, 不翕聚則不能發散, 故曰以靜爲主也.
내가 살펴보았다: "그 도를 오래함이다"는 고요함을 기준으로 한 말이다. "가는 것이 이롭다"는 말은 움직임을 기준으로 한 말이다. 움직임과 고요함은 서로 없을 수 없지만 곧지 않다면 크게 될 수 없고, 모이지 않는다면 발산할 수 없기 때문에 "고요함을 주인으로 삼는다"고 했다.

서유신(徐有臣) 『역의의언(易義擬言)』

日往則月來, 寒往則暑來, 是之謂終則有始也, 乃所以爲恒也.
해가 지면 달이 뜨고 추위가 가면 더위가 오니, 이것이 "마치면 시작이 있다"는 뜻으로 곧 항구함이 되는 이유이다.

박문건(朴文健) 『주역연의(周易衍義)』

終於上, 則始於下也. 此以卦變釋卦辭.
위에서 끝이 나면 아래에서 시작하니, 이것은 괘의 변화로 괘사를 풀이한 것이다.

---

12) 『周禮 · 典命』: 公之孤四命, 以皮帛視小國之君, 其卿三命, 其大夫再命, 其士一命, 其宮室 · 車旗 · 衣服 · 禮儀, 各視其命之數. 侯伯之卿大夫士亦如之. 子男之卿再命, 其大夫一命, 其士不命, 其宮室 · 車旗 · 衣服 · 禮儀, 各視其命之數.
13) 하사(下士) : 고대의 사(士) 계급은 상(上) · 중(中) · 하(下)의 세 부류로 구분되기도 하였는데, 하사(下士)는 사 계급 중에서도 가장 낮은 등급의 부류이다.
14) 명사(命士) : 사(士) 중에서도 작명(爵命)을 받은 자를 뜻한다.
15) 『禮記 · 內則』: 由命士以上, 父子皆異宮. 昧爽而朝, 慈以旨甘; 日出而退, 各從其事; 日入而夕, 慈以旨甘.

김기례(金箕澧) 『역요선의강목(易要選義綱目)』

終則有始
마치면 시작이 있기 때문이다.

巽陽終於三, 震一陽始於四, 震陰終於上, 巽一陰又始於下, 循環相仍往愈常久.
손괘의 양은 삼효에서 끝나고 진괘의 한 양은 사효에서 시작되며, 진괘의 음은 상효에서 끝나고 손괘의 한 음은 또한 아래에서 시작하니, 순환하며 서로 의지하여 가면 갈수록 항상되고 오래된다.

○ 元生於貞也. 非貞, 无元. 不靜, 无動. 乾爲天道之終始, 咸恒爲人道之終始.
큼은 곧음에서 생겨나니, 곧음이 아니라면 큼도 없고 고요하지 않다면 움직임도 없다. 건괘는 천도의 끝과 시작이 되고, 함괘(咸卦䷞)와 항괘는 인도의 끝과 시작이 된다..

이항로(李恒老) 「주역전의동이석의(周易傳義同異釋義)」

傳, 天下之理, 未有不動而能恒者也. 動則終而復始, 所以恒而不窮. 凡天地所生之物, 雖山嶽之堅厚, 未有能不變者也. 故恒非一定之謂也, 一定則不能恒矣.
『정전』에서 말하였다: 천하의 이치는 움직이지 않고서 항상되게 할 수 있는 것이 없다. 움직이면 끝났다가 다시 시작되니, 항상되게 하고 다하지 않는 까닭이다. 천지가 낳은 물(物)은 비록 산악과 같이 견고하고 두터운 것이라 하더라도 변하지 않을 수 있는 것이 없기 때문에 '항(恒)'이란 일정함을 말하는 것이 아니니, 일정하면 항상되게 할 수 없다.

本義, 久於其道, 終也. 利有攸往, 始也. 動靜相生, 循環之理, 然必靜爲主也.
『본의』에서 말하였다: '그 도를 오래함'이 끝이고 '가는 것이 이로움'은 시작이다. 움직임과 고요함이 서로 낳음은 순환하는 이치이지만, 반드시 고요함이 주인이 된다.

按, 傳以動言, 本義以主靜言, 何也. 曰, 程子之說, 本於孔子復其見天地之心之訓, 朱子之說, 本於周子定之以中正仁義而主靜之訓. 二說各有所明, 以此卦言之, 則象曰雷風恒, 此則動之象也, 曰君子以, 立不易方, 此則主靜之義也. 學者叅觀則可見矣.
내가 살펴보았다: 『정전』에서 움직임을 기준으로 말하고, 『본의』에서 고요함을 위주로 말한 이유는 어째서인가? 정자의 설명은 공자가 복괘(復卦䷗)에서 천지의 마음을 볼 수 있을 것이라고 한 말[16)]에 근본을 두었고, 주자의 설명은 주렴계가 중정과 인의로 확정하여 고요함을 위주로 한다고 한 말에 근본을 두었다. 두 설명이 각각 밝히는 점이 있는데 항괘로 설명

한다면 「상전」에서는 "우레와 바람이 항(恒)이다"고 했으니 이것은 움직이는 상(象)이고 "군자가 그것을 본받아 서서 방소(方所)를 바꾸지 않는다"고 했으니 이것은 고요함을 위주로 한 뜻이다. 배우는 자들이 자세히 살펴보면 이러한 뜻을 확인할 수 있다.

심대윤(沈大允) 『주역상의점법(周易象義占法)』

久於其道, 言守正也. 特言天地之恒, 以明利有攸往之爲終而有始也. 晝夜昏明, 春秋寒暑, 迭遷更變, 終而復始, 而其序則萬世不易, 天地之恒也. 行權以立其正, 聖人之恒也.

"그 도를 오래함이다"는 올바름을 지킨다는 뜻이다. 특별히 천지의 항상됨을 언급하여 "가는 것이 이로움"이 "마치면 시작이 있기 때문이다"는 것을 밝혔다. 낮과 밤 어둠과 밝음, 봄과 가을 및 추위와 더위는 교대로 옮겨가고 교대로 바뀌며 끝이 나면 다시 시작하여 그 질서가 곧 영원토록 바뀌지 않는 것은 천지의 항상됨이다. 권도를 시행하여 올바름을 세우는 것은 성인의 항상됨이다.

박문호(朴文鎬) 『경설(經說)-주역(周易)』

利有攸往, 程傳恐學者認恒以執一, 故先明此義, 又字下復以常例釋之. 蓋利有攸往, 立不易方, 兩義竝行而不悖也.

"가는 것이 이롭다"에 대해, 『정전』에서는 아마도 배우는 이들이 항상됨을 알아 그것만 지킬 것을 염려했기 때문에 여기의 의미를 먼저 밝혔고, 또 글의 뒤에서 다시 일반적인 사례로 풀이를 했다. "가는 것이 이롭다"는 말과 "서서 방소를 바꾸지 않는다"는 두 뜻이 병행되어도 어그러짐이 없다.

---

16) 『周易 · 復卦』: 復, 其見天地之心乎.

日月, 得天而能久照, 四時變化而能久成, 聖人, 久於其道而天下化成, 觀其所恒而天地萬物之情, 可見矣.

해와 달이 천리(天理)에 순종하여 오래 비출 수 있으며, 사시(四時)가 변화하여 오래 이룰 수 있으며, 성인이 도에 오래해서 천하가 교화되어 이루어지니, 그 항상되게 하는 바를 보면 천지 만물의 실정을 알 수가 있다.

中國大全

傳

此, 極言常理. 日月, 陰陽之精氣耳, 唯其順天之道, 往來盈縮. 故能久照而不已, 得天, 順天理也. 四時, 陰陽之氣耳, 往來變化, 生成萬物, 亦以得天, 故常久不已. 聖人, 以常久之道, 行之有常而天下化之, 以成美俗也. 觀其所恒, 謂觀日月之久照, 四時之久成, 聖人之道所以能常久之理, 觀此則天地萬物之情理, 可見矣. 天地常久之道, 天下常久之理, 非知道者, 孰能識之.

이는 항상된 이치를 지극하게 말하였다. '해'와 '달'은 음양의 정기일 뿐이니, 오직 하늘의 도에 순종하여 가고 오고 차고 기운다. 그러므로 오랫동안 비추면서 그치지 않을 수 있으니, '득천(得天)'은 하늘의 이치에 순종하는 것이다. 사시(四時)는 음양의 기운일 뿐이니, 가고 오고 변화하여 만물을 낳고 이룸은 또한 천리에 순종하기 때문이므로 항상되게 하고 오래하여 그치지 않는다. 성인은 항상되게 하고 오래하는 도로써 행할 때에 항상됨이 있어서 천하가 교화되어 아름다운 풍속을 이룬다. '그 항상된 바를 봄'은 해와 달이 오래 비춤과 사시가 오래 이루는 것과 성인의 도가 항상되고 오래하는 이치를 봄을 말하니, 이를 보면 천지 만물의 실정과 이치를 알 수가 있다. 천지의 항상되고 오래하는 도와 천하의 항상되고 오래하는 이치는 도를 아는 자가 아니면 누가 이를 깨달을 수 있겠는가?

本義

極言恒久之道.

항구의 도를 지극하게 말하였다.

小註

朱子曰, 物各有箇情. 有箇人在此, 決定是有箇羞惡惻隱是非辭讓之情. 性只是箇物事, 情卻多般, 或起或滅, 然而頭面卻只一般. 長長恁地, 這便是觀其所恒, 而天地萬物之情可見之義.
주자가 말하였다: 사물에는 각기 개별적인 정이 있다. 사람에게도 이러한 것이 있으니, 결정적으로 부끄러워하고 미워하며, 측은해 하며, 시비를 가리려고 하며, 사양하려고 하는 정(情)이다. 성(性)은 단지 하나의 사물이고 정은 오히려 여러 가지여서 혹 일어나기도 하고 혹 없어지기도 하지만 처음에는 오히려 한 가지이다. 길이길이 이와 같은 즉, 이것이 곧 "그 항상된 바를 보면 천지 만물의 정을 알 수가 있다"는 뜻이다.

○ 誠齋楊氏曰, 天地能變, 故三百六十五度之推移, 終古而不息. 日月能變, 故或一月一周天, 或一歲一周天, 故其明不已. 四時能變, 故溫涼者繼之以寒凜, 寒凜者繼之以溽暑, 循環不已. 卽是而推, 无非由變而恒, 恒而變也.
성재양씨가 말하였다: 천지는 변화할 수 있기 때문에 삼백육십오도의 추이(推移)가 끝내 오래되어도 쉬지 않는다. 해와 달은 변화할 수 있기 때문에 혹 한 달에 한 번 하늘을 돌고 혹 한 해에 한 번 하늘을 돌기 때문에 그 밝음이 그치지 않는다. 사시는 변화할 수 있기 때문에 따뜻하고 서늘한 것은 차고 추운 것으로써 잇고, 차고 추운 것은 무더운 더위로써 이어서 순환하여 그치지 않는다. 이에 나아가 미루어 보면, 변화를 말미암아 항상되지 않음이 없으니, 항상되면서 변화하는 것이다.

○ 白雲郭氏曰, 彖言所以爲恒者四, 剛上而柔下, 雷風相與, 巽而動, 剛柔相應是也. 又言恒之所以爲道者二, 久於其道也, 終則有始也. 久於其道, 雖天地亦如之, 終則有始, 雖日月四時亦如之, 此所以見天地萬物之情也.
백운곽씨가 말하였다: 「단전」에서 '항(恒)'이라고 여긴 것이 네 가지이니, "굳센 양이 위에 있고 부드러운 음이 아래에 있으며", "우뢰와 바람이 서로 함께하고", "공손하면서 움직이며", "굳센 양과 부드러운 음이 모두 호응함"이라고 한 것이 이것이다. 또 말하기를 '항'의 도가 되는 것이 두 가지이니, "그 도를 오래함"과 "마치면 시작이 있음"이다. "그 도를 오래함"은 비록 천지라도 또한 이와 같고, "마치면 시작이 있음"은 비록 해와 달, 그리고 사시도 또한 이와 같으니, 이것이 "천지 만물의 정을 알 수 있는" 까닭이다.

韓國大全

조호익(曺好益) 『역상설(易象說)』

位有坎離, 日月之象, 六虛周流, 四時之象. 上二爻, 天之位, 中二爻, 人之位, 下二爻, 地之位.

자리에 감리(坎離)가 있으니, 일월의 상이고, 육허에 두루 유행하니 사계절의 상이다. 위의 두 효는 하늘의 자리이고, 가운데 두 효는 사람의 자리이며, 아래의 두 효는 땅의 자리이다.

송시열(宋時烈) 『역설(易說)』

剛上柔下反, 咸之柔上剛下, 互相爲綜, 竝見賁卦下註.

항괘의 굳센 양이 위에 있고 부드러운 음이 아래에 있는 것을 반대로 하면 함괘(咸卦䷞)의 부드러운 음이 위에 있고 굳센 양이 아래에 있는 것이 되어, 상호 거꾸로 된 괘가 되니, 이 모든 설명은 비괘(賁卦) 밑의 주에 나온다.

권만 (權萬) 『역설(易說)』

恒, 久也. 恒卦, 卽咸卦之倒看者. 咸爲少男女, 而恒爲長男女, 自少爲長, 有久義. 卦本地天泰, 而初陽上爲四, 四陰下爲初, 故剛上而柔下.

'항(恒)'은 오래함이다. 항괘는 함괘(咸卦䷞)를 거꾸로 뒤집어 본 괘이다. 함괘는 어린 남녀인데, 항괘는 장성한 남녀이니 어린 것에서 장성하여 오래한다는 뜻이 있다. 괘는 본래 지천의 태괘(泰卦䷊)괘인데, 초효의 양이 위로 올라가서 사효가 되고, 사효의 음이 아래로 내려가서 초효가 되었기 때문에, 굳센 양이 위에 있고 유순한 음이 아래에 있다.

○ 以成卦觀之, 則震之長男爲剛, 巽之長女爲柔, 故剛上而柔下. 以變卦釋之, 則當曰, 剛이上ᄒᆞ고, 柔ㅣ下ᄒᆞ고. 以成卦釋之, 則當曰, 剛이上이오, 柔ㅣ下라.

이루어진 괘로 살펴보면 진괘의 장성한 남자는 굳센 양이 되고 손괘의 장성한 딸은 유순한 음이 되기 때문에 굳센 양이 위에 있고 유순한 음이 아래에 있다. 괘의 변화로 풀이를 해보면 마땅히 "굳센 양이 위로 올라가고 유순한 음이 아래로 내려간다"고 말해야 한다. 이루어진 괘로 풀이를 해보면 마땅히 "굳센 양이 위이고 유순한 음이 아래이다"고 말해야 한다.

○ 相與之義, 見上.
"서로 함께 한다"는 뜻은 앞에 나온다.

○ 剛柔皆應, 恒六爻, 爻爻皆應. 他卦之應, 重在二五, 而咸恒二卦, 似當以變卦之爻爲重.
굳센 양과 유순한 음이 모두 호응하는데, 항괘의 여섯 효는 효마다 모두 호응한다. 다른 괘의 호응은 그 중요함이 이효와 오효에 있지만 함괘(咸卦䷞)와 항괘는 마땅히 괘를 변화시킨 효를 중요함으로 삼아야 할 것 같다.

○ 由咸爲恒, 由少爲長, 爲久之道.
함괘(咸卦䷞)로부터 항괘가 되어, 어린이가 장성했으니, 오래하는 도가 된다.

○ 風以履之, 雷以動之, 爲化成之妙, 觀夏月則可知.
바람이 불고 우레가 치니 변화하여 이루는 오묘한 이치가 되므로, 여름철을 살펴보면 알 수 있다.

○ 以二五陰陽爻言之, 則咸之二陰五陽, 得位之正, 恒之二陽五陰, 失內外之位. 恒但以長女在內, 長男在外看, 不可以一例膠, 故无咎. 男女陰陽相感之久, 其亨可知, 故曰无咎.
이효와 오효의 음양에 따른 효로 말해본다면, 함괘(咸卦䷞)의 이효는 음이고 오효는 양이어서 자리의 올바름을 얻었고, 항괘의 이효는 양이고 오효는 음이어서 내외의 자리를 잃었다. 항괘는 다만 장성한 여자가 안에 있고 장성한 남자가 밖에 있는 것으로 볼뿐이다. 일률적으로 고착시킬 수 없기 때문에 허물이 없게 된 것이다. 남녀와 음양은 서로 교감하기를 오래도록 하여 형통함을 알 수 있기 때문에 "허물이 없다"고 했다.

○ 風與雷皆動, 物動則易於失正, 故戒以利貞. 不已, 合咸恒二卦通言之. 風雷皆動, 故曰往. 終始, 以三終四始言之耶.
바람과 우레는 모두 움직이니 사물이 움직인다면 올바름을 잃는 쪽으로 바뀌기 때문에 "곧음이 이롭다"고 경계를 하였다. "그치지 않는다"는 말은 함괘(咸卦䷞)와 항괘를 통괄해서 한 말이다. 바람과 우레는 모두 움직이기 때문에 "간다"고 했다. 끝과 시작은 삼효의 끝남과 사효의 시작됨으로 한 말일 것이다.

○ 日月四時, 聖人之久, 盛言恒道之大. 然震爲日月所出之位, 成卦震巽之際, 爲乾天, 故借用得天字. 先天西南之巽爲後天東南位, 四時變化, 亦可推知, 聖人以用言, 若以體象言之, 則錯矣.
해와 달 및 사계절과 성인의 오래함은 항괘의 도리가 큼을 융성하게 표현한 말이다. 그런데 진괘는 해와 달이 나오는 자리이고, 이루어진 괘(☱)에서 진괘와 손괘의 사이가 건괘인 하늘이 되기 때문에 '천(天)'자를 사용할 수 있다. 「선천도」의 서남쪽에 있는 손괘는 「후천도」에서는 동남쪽의 자리가 되니, 사계절의 변화는 또한 미루어서 알 수 있다. 성인은 작용의 측면에서 말하였으니, 만약 본체와 상(象)으로 말을 한다면 어그러진다.

○ 化成, 不但感之和平而已, 久故也.
교화가 이루어짐은 교감이 조화롭고 평탄할 뿐만이 아니라 오래되기 때문이다.

유정원(柳正源) 『역해참고(易解參攷)』

日月 [至] 見矣.
해와 달이 … 알 수가 있다.

案, 久照, 日月之用也. 久成, 四時之用也. 久於其道, 聖人之體, 而天下化成, 聖人之用也. 日月四時, 只言其用, 而聖人分上兼言體用, 何也. 曰, 日月順天而行, 則其所謂得天者, 日月之體, 而包四時在其中矣. 曰, 聖人之道, 必待久而後成, 則孔子所謂三年有成, 朞月亦可, 何也. 曰, 此所謂久, 非久位久世之謂, 乃恒久之道也. 以夫子恒久之道, 豈不能化成於三年朞月之內乎. 曰, 日月能久照, 四時能久成, 而聖人之不能久其化者, 何也. 曰, 日月萬古長明, 四時萬古不忒, 而聖人无萬古常繼之勢, 此人事之不能无憾於天地者也. 然堯舜心法, 文武方策, 將與天壤俱弊, 則亦不可謂不久其化也.
내가 살펴보았다: "오래 비춘다"는 말은 해와 달의 쓰임을 뜻한다. "오래 이룬다"는 말은 사계절의 쓰임을 뜻한다. "그 도에 오래한다"는 말은 성인의 본체이고, "천지가 교화된다"는 말은 성인의 쓰임이다.
물었다: 해와 달 및 사계절에 대해서는 단지 그 쓰임만 언급했는데 성인에 대해서는 구분을 하여 본체와 쓰임을 함께 말한 것은 어째서입니까?
답하였다: 해와 달은 하늘에 따라 운행되니 이른바 "천리에 순종한다"는 말은 해와 달의 본체를 뜻하지만 사계절을 포함하는 것은 그 속에 있습니다.
물었다: 성인의 도는 반드시 오래됨을 기다린 뒤에야 완성이 된다면, 공자가 "삼년이면 이룸이 있고, 일년만 하더라도 괜찮다"[17]고 한 말은 무슨 뜻입니까?
답하였다: 이 말은 오래됨을 뜻하며, 오래도록 지위에 있고 오래도록 세대를 잇는 것을 뜻하

지 않으니, 곧 항구의 도에 해당합니다. 공자가 항구의 도로 어찌 삼년이나 일년의 기한 내에 교화하여 완성을 시킬 수 없겠습니까?
물었다: 해와 달은 오래 비출 수 있고 사계절은 오래 이룰 수 있지만, 성인은 그 교화를 오래도록 할 수 없는 것은 어째서입니까?
답하였다: 해와 달은 영원토록 밝게 빛나고 사계절은 영원토록 어긋나지 않는데, 성인은 영원토록 항상 계승하는 추세가 없으니, 이것이 인사(人事)가 천지에 대해서 유감이 없을 수 없는 이유입니다. 그러나 요순의 심법이나 문무의 방책은 천지와 함께 없어지게 될 것이니, 이것은 또한 그 교화를 오래할 수 없다고 말할 수 없습니다.

小註誠齋說, 溫凉溽暑.
소주에서 성재가 말한 따뜻하고 서늘함과 무더위에 대하여.
案, 溫凉, 若兼春秋言, 而曰繼之以寒凜, 寒凜之後, 直曰繼之以溽暑, 其次序差紊, 恐有字誤.
내가 살펴보았다: 따뜻하고 서늘함은 봄·여름과 함께 언급한 것 같은데, "차고 추운 것으로 잇는다"고 했고, 차고 추운 것 이후에는 곧바로 "무더위로써 잇는다"고 하여 그 순서가 어긋난다. 아마도 잘못된 글자가 있는 것 같다.

김상악(金相岳) 『산천역설(山天易說)』

恒亨无咎利貞, 久於其道也, 天地之道, 恒久而不已也. 利有攸往, 終則有始也. 日月得天而能久照, 四時變化而能久成, 聖人久於其道而天下化成, 觀其所恒而天地萬物之情可見矣.
「단전」에서 말하였다: '항(恒)은 형통하여 허물이 없으니, 곧음이 이로움'은 그 도를 오래함이니, 천지의 도는 항구하여 그치지 않는다. '가는 것이 이로움'은 마치면 시작이 있기 때문이다. 해와 달이 천리(天理)에 순종하여 오래 비출 수 있으며, 사시(四時)가 변화하여 오래 이룰 수 있으며, 성인이 도에 오래해서 천하가 교화되어 이루어지니, 그 항상되게 하는 바를 보면 천지 만물의 실정을 알 수가 있다.

釋卦辭而極言之. 久於其道者, 恒久之恒也, 終則有始者, 變易之恒也. 日月之能久照, 四時之能久成, 皆由於變而恒恒而變也. 故聖人之久於其道, 合乎天地之恒久, 天下化成, 合乎日月四時之變易也.

---

17) 『論語·子路』: 子曰, 苟有用我者, 期月而已可也, 三年有成.

괘사를 풀이하여 지극히 한 말이다. "그 도를 오래함이다"는 항구함의 항(恒)이고, 마치면 시작이 있기 때문이다"는 변역의 항(恒)이니, 해와 달이 오래 비출 수 있고 사계절이 오래 이룰 수 있음은 모두 변화하면서 항구하고 항구하면서 변화하는 것에서 비롯된다. 그러므로 성인이 그 도에 오래하여 천지의 항구함에 합치하고, 천하를 교화하여 이루어 해와 달 및 사계절이 변역함에 합치한다.

서유신(徐有臣) 『역의의언(易義擬言)』

日月四時聖人, 皆得天而變化, 久於其道而化成, 互文也. 恒, 非一定之謂. 一定則不能恒, 裘葛履屐隨時移易, 卽不易之常理也, 是之謂得天, 是之謂變化, 是之謂其道, 是之謂所恒, 是之謂天地萬物之情也.

해와 달·사계절·성인은 모두 천리를 얻어 변화되니, 도에 오래해서 교화되어 이루어지는 것은 서로 보충해서 도와주는 글이다. '항(恒)'은 일정함을 말하는 것이 아니다. 일정하다면 항구할 수 없으니, 갖옷은 갈옷으로 신은 나막신으로 때에 따라 바뀌는 것이 바로 바뀌지 않는 이치이다. 이것을 천리에 순종함이라 하고 변화라 하며 도라 하며 항상되게 하는 바라고 하고 천지 만물의 실정이라고 한다.

윤행임(尹行恁) 『신호수필(薪湖隨筆)·역(易)』

以後天方位推究, 則震巽相比而爲恒, 巽離相比而爲家人. 震巽則水生木, 巽離則木生火. 少男少女之相配, 艮土生兌金, 相生之後相配恒.

후천의 방위로 미루어보면 진괘와 손괘가 서로 나란히 해서 항괘가 되며, 손괘와 리괘가 서로 나란히 해서 가인괘(家人卦䷤)가 된다. 진괘와 손괘는 수(水)가 목(木)을 생하고, 손괘와 리괘는 목(木)이 화(火)를 생한다. 어린 남자와 어린 여자가 서로 짝이 되어 간괘의 토(土)가 태괘의 금(金)을 생하니, 서로 생한 이후에 서로 짝함은 항괘이다.

강엄(康儼) 『주역(周易)』

按, 上段言天地之道, 恒久而不已, 故此言日月得天而能久照, 言其得恒久不已之天而能久照也. 然得天二字, 雖言於日月, 而實該四時及聖人. 四時變化, 卽天道之變化也, 聖人所久之道, 卽天地不已之道也.

내가 살펴보았다: 앞 단락에서는 "천지의 도는 항구하여 그치지 않는다"고 했기 때문에, 이곳에서는 해와 달이 천리에 순종하여 오래 비출 수 있다고 했으니, 곧 항구하여 그치지 않는 천리에 순종하여 오래도록 비출 수 있다는 뜻이다. 그러나 "천리에 순종한다"는 말은 비록

해와 달에 대해서 언급했지만, 실제로는 사계절 및 성인까지도 포괄한다. 사계절이 변화하는 것은 곧 천도의 변화이고 성인이 오래될 수 있는 도는 곧 천지의 그치지 않는 도이다.

박문건(朴文健) 『주역연의(周易衍義)』

得天, 謂得麗於天也. 道, 謂脩治之事也. 此極言天地萬物皆有恒道也.
"천리에 순종한다"는 천리에 걸릴 수 있음을 뜻한다. '도(道)'는 자신을 닦고 남을 다스리는 일을 말한다. 이는 천지와 만물이 모두 항구한 도를 갖추고 있음을 지극히 말했다.

이지연(李止淵) 『주역차의(周易箚疑)』

巽而動三字, 可以終身誦之. 利有攸往, 終則有始者, 貞則復元之謂也.
"공손하면서 움직인다[巽而動]"는 말은 종신토록 암송할 수 있는 좋은 구문이다. "'가는 것이 이로움'은 마치면 시작이 있기 때문이다"는 말은 곧다면 다시 크게 됨을 말한다.

심대윤(沈大允) 『주역상의점법(周易象義占法)』

得天, 言麗天而往來隱見也. 天地萬物之能久者, 以其能變化而有常也. 天地萬物之情, 安於常而已矣. 可常者乃正道也.
"천리를 순종한다"는 하늘에 걸려 가고 오며 숨고 드러난다는 뜻이다. 천지와 만물이 오래될 수 있는 이유는 변화할 수 있으면서도 항상됨을 갖추고 있기 때문이다. 천지와 만물의 실정은 항상됨을 편안하게 여길 따름이다. 항상될 수 있는 것은 곧 올바른 도이기 때문이다.

오치기(吳致箕) 「주역경전증해(周易經傳增解)」

此以卦反卦象卦德卦體, 釋卦名義及卦辭也. 以卦反言, 則咸之下體艮剛上而爲本卦上體之震剛, 咸之上體兌柔下而爲本卦下體之巽柔, 爲男外女內, 居室之象, 而有恒之義. 終又極言天地聖人恒久之道而推廣之也. 餘見彖解.
이 문장은 괘가 거꾸로 된 것 · 괘의 상 · 괘의 덕 · 괘의 몸체로 괘의 이름 및 괘사를 풀이하였다. 괘가 거꾸로 된 것으로 말을 하면 함괘(咸卦䷞)의 하체인 간괘의 굳센 양이 위로 올라가서 항괘(恒卦䷟) 상체인 진괘의 굳센 양이 되고, 함괘 상체인 태괘의 부드러운 음이 아래로 내려가 항괘 하체인 손괘의 부드러운 음이 되니, 바깥의 남자와 안의 여자가 함께 사는 상이 되어 항구함의 뜻이 있다. 끝에서는 또한 천지와 성인이 항구할 수 있는 도를 지극히 언급하여 미루어 넓혔다. 나머지는 「단전」의 해석에 나온다.

象曰, 雷風, 恒, 君子以, 立不易方.

「상전」에서 말하였다: 우레와 바람이 항(恒)이니, 군자가 그것을 본받아 서서 방소(方所)를 바꾸지 않는다.

中國大全

傳

君子觀雷風相與成恒之象, 以常久其德, 自立於大中常久之道, 不變易其方所也.

군자는 우레와 바람이 서로 더불어 항(恒)을 이루는 상을 관찰해서 그 덕을 항상되게 하고 오래하여, 크게 알맞아서 항상되고 오래하는 도에 스스로 서서 그 방소를 변화시켜 바꾸지 않는다.

小註

西溪李氏曰, 雷風, 天下之至震動者. 衆人當雷風震動之時, 必倉皇自失, 改其常度, 唯德至於舜, 然後弗迷, 是舜能有常, 故處風雷震動之時, 視如平日, 可見胸中之有常. 故君子於此, 當立不易方. 若做箇事, 確爾如是, 初不因人作輟也.
서계이씨가 말하였다: 우레와 바람은 천하에서 진동함이 지극한 것이다. 여러 사람들은 우레와 바람이 진동하는 때를 맞아서 반드시 멍하게 당황하여 그 항상된 법도를 고치게 된다. 오직 덕이 순임금에 이른 후에야 미혹되지 않는 것은 순임금이 항상될 수 있어서이다. 그러므로 바람과 우레가 진동하는 때에 평상시처럼 보니, 마음속에 있는 항상함을 볼 수가 있기 때문에 군자는 이에 방소를 바꾸지 않아야 한다. 만약 일을 할 때에 확고하게 이와 같이 한다면, 처음부터 다른 사람 때문에 하다가 말다가 하지는 않을 것이다.

○ 建安丘氏曰, 巽入也, 而在內, 震出也, 而在外. 二物各居其位, 則謂之恒. 故君子體之而立不易方. 方者理之所不可易者. 若雷入而從風, 風出而從雷, 二物易位而相從, 則謂之益矣. 故君子體之亦有遷改之義. 此恒益二象之所以不同也.
건안구씨가 말하였다: 손괘(巽卦☴)는 들어와서 안에 있고, 진괘(震卦☳)는 나아가서 밖에

있다. 이 두 가지가 각기 제 자리에 있으니, 그것을 '항(恒)'이라고 한다. 그러므로 군자는 이것을 체인(體認)하여 서서 방소를 바꾸지 않는다. '방소'란 이치상 바꿀 수 없는 것이다. 만약 우레가 들어와서 바람을 따르거나 바람이 나가서 우레를 따른다면, 이 두 가지가 위치를 바꾸어 서로를 따르므로 '익(益)'이라고 한다. 그러므로 군자는 이것을 체인하였으니, 또한 개과천선의 뜻이 있다. 이것이 항괘(恒卦䷟)와 익괘(益卦䷩)의 두 상이 같지 않는 이유이다.

○ 雲峯胡氏曰, 雷風雖變而有不變者存, 體雷風之變者, 爲我之不變者, 善體雷風者也.
운봉호씨가 말하였다: 우레와 바람은 변하더라도 변하지 않는 것이 있으니, 우레와 바람의 변함이 나의 변하지 않음임을 체득한 자는 우레와 바람을 잘 체득한 자이다.

○ 童溪王氏曰, 大學曰, 於止, 知其所止, 而其所止之目, 則曰, 爲人君止於仁, 爲人臣止於敬, 爲人子止於孝, 爲人父止於慈, 與國人交止於信, 此不易之地也. 君子立其身於此地, 則所謂有常之德也.
동계왕씨가 말하였다: 『대학』에서 말하기를 "머무르는 데에서는 머물러야 할 곳을 알아야 한다"고 하였고, 머물 곳의 항목에 대하여 "임금이 되어서는 인(仁)에 머물고, 신하가 되어서는 공경에 머물며, 자식이 되어서는 효에 머물고, 아버지가 되어서는 자애로움에 머물며, 다른 나라 사람들과 교류할 적에는 믿음에 머문다"고 하였으니, 이것은 바뀌지 않는 항목이다. 군자가 이러한 곳에서 자신을 세운다면, 이른바 항상된 덕을 가진 것이다.

韓國大全

조호익(曺好益) 『역상설(易象說)』

愚謂, 雷震於上, 風發於下, 各居其所恒之象. 立不易方, 法居其所之象. 雷風上下, 理之常, 不易方, 所德之常.
내가 살펴보았다: 우레는 위에서 움직이고 바람은 밑에서 부니 각각 항상됨에 머무는 상이다. "서서 방소(方所)를 바꾸지 않는다"는 자신의 자리에 머무는 것을 본받는 상이다. 우레와 바람이 위와 아래에 있음은 이치의 항상됨이며, 방소를 바꾸지 않음은 덕으로 삼는 것의 항상됨이다.

송시열(宋時烈)『역설(易說)』

立不易方, 以恒之名與義言也. 君子處風雷之處而不易其常也.
"서서 방소(方所)를 바꾸지 않는다"는 항괘의 이름과 뜻으로 한 말이다. 군자는 바람불고 우레치는 장소에 있을지라도 상도를 바꾸지 않는다.

김도(金濤)「주역천설(周易淺說)」

愚按, 程傳下所釋, 李氏丘氏胡氏王氏凡四條, 而皆合於大象之旨矣. 蓋恒者, 常久之道也. 日月得天而能久照, 四時變化而能久成, 聖人久於其道而天下化成, 恒之爲道, 豈不大哉. 恒之爲卦, 雷風相與, 而變動无常, 變則動, 動則變者, 此理之常也. 是以君子觀雷風變動之象, 而自立於常久之道, 不易其方所, 則其所以體風雷之象者, 可謂至矣. 大槪此卦震陽在上, 巽陰居下, 震則長男也, 巽則長女也. 男在上而女在下, 男女得位, 尊卑有序, 則此夫婦居室之正也. 正以居室, 則恒久而家道立矣. 咸恒, 皆夫婦始終之事, 而有始則有終者, 乃天地自然之理也. 爲夫婦者, 可不有其始而有其終也哉.
내가 살펴보았다: 『정전』 밑에 기술된 소주 중 이씨 · 구씨 · 호씨 · 왕씨의 네 조목은 모두 「대상전」의 뜻에 맞는다. '항(恒)'이란 항상되고 오래되는 도이다. "해와 달이 천리(天理)에 순종하여 오래 비출 수 있으며, 사시(四時)가 변화하여 오래 이룰 수 있으며, 성인이 도에 오래해서 천하가 교화되어 이루어진다"는 항상됨의 도가 되는데, 어떻게 크지 않겠는가? 항괘는 우레와 바람이 서로 함께 하여 변화함과 움직임에 항상됨이 없지만, 변화하면 움직이고 움직이면 변화하는 것이 바로 이치의 항상됨이다. 이러한 까닭으로 군자는 우레와 바람이 변동하는 상을 관찰하여 항상되고 오래될 수 있는 도에 스스로 서서 그 방소를 바꾸지 않으니, 바람과 우레의 상을 체득한 것이므로 지극하다고 평할 수 있다. 대체로 항괘에서는 진괘의 양이 위에 있고 손괘의 음이 아래에 있는데, 진괘라면 장성한 남자가 되고 손괘라면 장성한 여자가 된다. 남자가 위에 있고 여자가 아래에 있어서 남녀가 제자리를 얻고 높고 낮음에 질서가 생기니, 부부가 함께 사는 올바름이다. 올바름으로써 함께 산다면 항구하여 가정의 도가 확립된다. 함괘(咸卦䷞)와 항괘는 모두 부부의 시작과 끝에 대한 사안인데, 시작이 생기면 끝이 생기는 것은 곧 천지자연의 이치이다. 부부가 되는 것이 그 시작이 있지 않은데, 끝이 있을 수 있겠는가?

이만부(李萬敷)「역통(易統) · 역대상편람(易大象便覽) · 잡서변(雜書辨)」

傳曰, 君子觀雷風相與成恒之象, 以常久其德, 自立於大中常久之道, 不變易其方所也.
『정전』에서 말하였다: 군자는 우레와 바람이 서로 함께 하여 항(恒)을 이루는 상을 관찰해서 그 덕을 항상되게 하고 오래하여, 크게 알맞아서 항상되고 오래하는 도에 스스로 서서 그 방소를 변화시켜 바꾸지 않는다.

臣謹按, 巽入而在內, 震出而在外, 此雷風所以爲恒也. 文王以九卦成德, 一陳卦德曰恒德之固也, 二陳卦材曰恒雜而不厭, 三陳用卦曰恒以一德. 蓋德之存於身者, 常久而常一, 然後其德固而不厭, 故象辭所以立不易方, 戒之也. 若擧事而言, 則先儒有曰爲人君止於仁, 爲人臣止於敬, 爲人子止於孝, 爲人父止於慈, 與國人交止於信, 此不易之地也. 然則凡事物所當止之處, 是爲不易之方, 若於是方也, 或有所過或有所不及, 則皆未免易方而其德不固. 舜之烈風雷雨弗迷者, 无他, 乃立不易方故也.
신이 삼가 살펴보았습니다: 손괘는 들어와서 안에 있고 진괘는 나가서 밖에 있으니, 이것은 우레와 바람이 항상될 수 있는 이유입니다. 문왕은 아홉 괘로 덕을 이룸에 첫 번째 괘의 덕을 기술하며 '항상된 덕의 굳셈'을 말했고, 두 번째 괘의 재질을 기술하며 "항상되며 뒤섞여서 싫증을 내지 않는다"고 말했으며, 세 번째 괘를 씀을 기술하며 "항상되어 덕을 한결같이 한다"고 했습니다. 덕 중 자신에게 간직된 것은 항상되고 오래되며 항상 한결같으니, 그런 뒤에야 그 덕이 굳세어 싫증을 내지 않게 되기 때문에 「상전」에서 '서서 방소를 바꾸지 않음'으로써 경계를 했습니다. 사안을 통해 말해본다면 선대 학자들은 "군주가 된 자는 인자함에 그치고, 신하가 된 자는 공경함에 그치며, 자식이 된 자는 효성에 그치며, 부친이 된 자는 자애로움에 그치고, 나라 사람들과 사귐에는 신의에 그친다"[18]고 했으니, 바로 바꾸지 않는 곳을 뜻합니다. 그러므로 모든 사물에는 멈춰야 할 곳이 있으니 이것은 바꾸지 않는 방소에 해당하고, 그 방소에 있어서 지나치거나 미치지 못한 점이 있다면, 모두 방소를 바꾸게 되어 그 덕이 확고하지 못하게 됨을 면하지 못합니다. 순임금이 거센 바람과 우레 및 폭우에 놀라지 않으셨던[19] 이유는 다른 것이 없고 바로 서서 방소를 바꾸지 않았기 때문입니다.

심조(沈潮) 「역상차론(易象箚論)」

恒象, 立不易方.
항괘 「상전」에서 말하였다: 서서 방소(方所)를 바꾸지 않는다.

巽爲股, 有立象. 在恒, 故曰不易方.
손괘는 넓적다리가 되니 서 있는 상이 있다. 항괘에 있기 때문에 "방소를 바꾸지 않는다"고 했다.

18) 『大學』: 爲人君, 止於仁, 爲人臣, 止於敬. 爲人子, 止於孝. 爲人父, 止於慈. 與國人交, 止於信.
19) 『書經 · 舜典』: 愼徽五典, 五典克從, 納于百揆, 百揆時敍, 賓于四門, 四門穆穆, 納于大麓, 烈風雷雨弗迷.

유정원(柳正源) 『역해참고(易解參攷)』

雷風 [至] 易方.
우레와 바람이 … 방소(方所)를 바꾸지 않는다.

正義, 君子立身, 得其恒久之道, 故不改易其方, 方, 猶道也.
『주역정의』에서 말하였다: 군자는 입신을 함에 항구한 도를 얻었기 때문에, 그 방(方)을 고치지 않으니, '방(方)'이라는 말은 도(道)와 같다.

○ 雙湖胡氏曰, 震巽木有立象, 同處東南, 故有不易方聚.
쌍호호씨가 말하였다: 진괘와 손괘의 나무에는 서게 되는 상이 있고, 함께 동남쪽에 있기 때문에 방향을 바꾸지 않는다.

○ 梁山來氏曰, 立者, 至于此而不遷也. 方者, 大中至正之理, 理之不可易者也.
양산래씨가 말하였다: '입(立)'자는 이곳에 이르러 옮겨가지 않음을 뜻한다. '방(方)'자는 크고 알맞으며 지극히 바른 이치이니, 이치 중 바꿀 수 없는 것이다.

김상악(金相岳) 『산천역설(山天易說)』

雷風相與, 則曰立不易方, 風雷易位, 則曰遷善改過, 可見聖人所以用易之道也.
우레와 바람이 서로 함께 하면 "서서 방소를 바꾸지 않는다"고 하고, 바람과 우레가 자리를 바꾸면 "선으로 옮겨가고 잘못을 고친다"고 하니, 성인이 역의 도를 쓰는 방법을 알 수 있다.

서유신(徐有臣) 『역의의언(易義擬言)』

雷風不恒有, 而其作必有時候, 是爲恒, 不恒而恒, 乃所以恒也. 若乃非其時而作者, 失其常也. 天地之灾陰陽之乖, 在所不論也. 立不易方, 君子之恒也. 不易猶言不錯也. 當東則立於東, 當西則立於西, 是爲立不易方, 非謂一立於東, 更不敢西也. 震巽二位先天則對立, 後天則竝立, 是謂當立之方也. 立, 震足巽股象.
우레와 바람은 항상 있지 않지만, 작용이 일어날 때에는 반드시 적절한 시후가 있으니, 이것이 항상됨이며, 항상되지 않지만 항상된 것이 바로 항상된 것이다. 만약 그 시기가 아닌데도 일어난다면 항상됨을 잃은 것이니, 천지의 재앙과 음양의 어그러짐은 논의할 것이 아니다. "서서 방소를 바꾸지 않는다"는 군자의 항상됨이다. 바꾸지 않는다는 말은 어긋나지 않는다는 뜻이다. 동쪽에 해당한다면 동쪽에 서고 서쪽에 해당한다면 서쪽에 서니, 이것이 서서 방소를 바꾸지 않는다는 뜻이며, 한결같이 동쪽에 서서 서쪽으로 고쳐서 서지 않음을 뜻함이 아니다. 진괘와 손괘의 두 위치는 「선천도」에 따르면 대립을 하는데 「후천도」에 따르면 병립을 하니, 이것이 마땅히 서야 하는 장소이다. 선다는 것은 진괘의 다리와 손괘의 넓적다리 상이다.

윤행임(尹行恁) 『신호수필(新湖隨筆)·역(易)』

立不易方, 見理分明, 始可議, 到男正位于外, 女正位于內, 卽不易之方也. 如尾生之抱柱子莫之執中, 則不可, 孟子所謂居天下之廣居, 是不易方也.

"서서 방소를 바꾸지 않는다"는 이치를 드러냄이 분명하여 비로소 의론할 수 있으니, 남자가 밖에서 자리를 바르게 하고 여자가 안에서 자리를 바르게 함은 곧 바꾸지 않는 방소가 된다. 미생이 기둥을 감싸고[20] 자막이 중간을 잡는 것[21]은 불가하니, 맹자가 말한 "천하의 넓은 집에 거처한다"[22]고 한 말이 바로 장소를 바꾸지 않는다는 뜻이다.

박문건(朴文健) 『주역연의(周易衍義)』

問, 雷風恒. 曰, 震陽動於上, 巽陰入於下, 各得其恒者也, 故君子以之而立其所, 則更不易方也.

물었다: "우레와 바람이 항(恒)이다"는 무슨 뜻입니까?

답하였다: 진괘의 양이 위에서 움직이고 손괘의 음이 아래로 들어와서 각각 항상됨을 얻은 것이기 때문에, 군자는 그것을 본받아서 그 장소에 서 있게 된다면 다시금 장소를 바꾸지 않습니다.

이지연(李止淵) 『주역차의(周易箚疑)』

春則雷發, 秋則雷收, 春則風解, 秋則風凉, 年年如是, 古今不易. 君子事親則孝, 事君則忠, 與朋友交則信, 窮則獨善其身, 達則兼善天下, 而吾道一以貫之, 所謂不易方者也.

봄이 되면 우레가 발생하고 가을이 되면 우레가 멈추며, 봄이 되면 바람이 풀리고 가을이

---

20) 『장자·도척』.

21) 『孟子·盡心上』: 子莫執中. 執中爲近之. 執中無權, 猶執一也. 所惡執一者, 爲其賊道也, 擧一而廢百也.

22) 『孟子·盡心上』: 孟子曰, 王子宮室·車馬·衣服多與人同, 而王子若彼者, 其居使之然也, 況居天下之廣居者乎?

되면 바람이 서늘하니, 해마다 이처럼 되어 고금을 통틀어 바뀌지 않았다. 군자가 부모를 섬길 때에는 효를 다하고, 군주를 섬길 때에는 충을 다하며, 벗과 사귈 때에는 신의를 다하고, 곤궁하면 홀로 그 선함을 시행하고, 두루 통하면 천하와 함께 선을 하며 자신의 도를 한결같이 하여 꿰뚫으니, 이것이 바로 "방소를 바꾸지 않는다"는 뜻이다.

김기례(金箕澧)『역요선의강목(易要選義綱目)』

君子以, 立不易方.
군자가 그것을 본받아 서서 방소(方所)를 바꾸지 않는다.

男動女巽, 震出巽入, 皆有常理, 故曰不易.
남자는 움직이고 여자는 순종하며, 진괘는 나오고 손괘는 들어가니, 이 모두에는 항상된 도리가 있기 때문에 "바꾸지 않는다"고 했다.

이항로(李恒老)「주역전의동이석의(周易傳義同異釋義)」

或問, 震德動而巽德入, 震象雷而巽象風, 於此見隨時變易之道則可也, 何以見立不易方之義乎. 曰, 震陽生之始也, 巽陰生之始也. 一陰一陽, 變動不居, 而其本體則有一定而不易者, 立於其中, 是所謂太極也, 是所謂道也. 向无所謂太極者爲陰陽之主焉, 則天只管上, 地只管下, 陰只管靜, 陽只管動, 不成造化也久矣. 惟其太極之道, 立於其中而一定不易也, 故一動而一靜, 一出而一入, 一陞而一降, 循環流行而無窮焉. 觀此象者, 只見雷風之變易, 而不見立不易方之義, 則烏足以語其道乎. 曰, 信子之言, 凡天地水火山澤相交之象, 皆可發明此義, 而獨於雷風言之者, 何也. 曰, 易只是微顯闡幽之書也, 故於其易知處則不必言, 於其難見處則必言之. 夫雷風相薄, 變動不居, 造化不測之物也. 於此不見立不易方之體則無以見易, 故特言之. 然默察則六十四卦三百八十四爻, 無非明此箇道理而已. 以河圖言, 則一六二七三八四九循環無窮, 而其五與十居中而爲主. 以洛書言, 則一九三七四六二八相含周流, 而五則位內而不易. 以八卦生圖言, 則兩儀四象八卦生生不窮, 而太極則一定而爲之根盤. 以圓圖言, 則天地定位, 水火不相射, 山澤通氣, 雷風相薄, 而其中間虛處, 一定而不易. 以方圖言, 則乾坤否泰兌艮咸損坎离旣濟未濟震巽恒益, 交互博易, 而太極立乎其中. 以周子太極圖言, 則陽動陰靜, 五行男女萬物, 生生不窮, 而莫不各具一圈子卽太極也, 故邵子冬至詩曰, 冬至子之半, 天心無改移, 朱子詩曰, 若識無中含有象, 許君親見伏羲來, 程子曰, 隨時變易以從道, 引以伸之, 觸類而長之, 思過半矣.
어떤 이가 물었다: 진괘의 덕이 움직이고 손괘의 덕이 들어오며 진괘는 우레를 형상하고

손괘는 바람을 형상하니, 여기에서 때에 따라 변역하는 도를 본다는 측면은 괜찮지만, 어찌하여 "서서 방소를 바꾸지 않는다"는 뜻으로 풀이했습니까?
답하였다: 진괘는 양이 생겨나는 시작이고 손괘는 음이 생겨나는 시작입니다. 한 번 음하고 한 번 양하여 변하고 움직여서 머물지 않은데, 그 본체는 일정하여 바뀌지 않는 것이 있으니, 그 가운데 서 있으면 바로 '태극(太極)'이라는 부르며, '도(道)'라고 부르는 것입니다. 그 이전에 "태극은 음양의 주인이다"고 한 말이 없다면, 하늘은 단지 위만 주관하고 땅은 단지 아래만 주관하며, 음은 단지 고요함만을 주관하고 양은 단지 움직임만을 주관하여, 조화를 이룸이 오래될 수 없습니다. 오직 태극의 도여야만 그 가운데 서서 일정하여 바뀌지 않기 때문에, 한 번 움직이고 한 번 고요하며 한 번 나오고 한 번 들어가고 한 번 오르고 한 번 내리니, 순환하며 유행하여 다함이 없습니다. 이러한 상을 살펴보는 자가 단지 우레와 바람이 변역하는 것은 볼 수 있고 서서 방소를 바꾸지 않는다는 뜻을 볼 수 없다면, 어찌 그 도를 말할 수 있겠습니까?
물었다: 그대의 말을 믿는다면 하늘과 땅 · 물과 불 · 산과 못이 서로 교류하는 상이 모두 이러한 뜻을 나타낼 수 있는데, 우레와 바람에 대해서만 말한 이유는 어째서입니까?
답하였다: 『주역』은 단지 드러난 것을 은미하게 하며 숨은 것을 드러내는 책이기 때문에, 쉽게 알 수 있는 것에 대해서는 굳이 말할 필요가 없지만, 살피기 어려운 것에 대해서는 반드시 말해야 합니다. 우레와 바람은 서로 가까워서 변함과 움직임이 일정하지 않아서 조화를 예측하기 어려운 대상입니다. 여기에서 서서 방소를 바꾸지 않는 본체를 볼 수 없다면, 『주역』의 뜻을 볼 수 없기 때문에 특별히 언급했습니다. 그러나 묵묵히 살펴보면 육십사괘와 삼백팔십사효에는 이러한 도를 드러내지 않은 것이 없을 따름입니다. 「하도」를 통해 말해본다면, 일과 육 · 이와 칠 · 삼과 팔 · 사와 구가 순환하여 끝이 없는데, 오와 십은 중간에 있어서 주인이 됩니다. 「낙서」를 통해 말해본다면, 일과 구 · 삼과 칠 · 사와 육 · 이와 팔이 서로 포함하여 두루 유행하는데, 오는 그 자리가 안쪽에 있어서 바뀌지 않습니다. 「팔괘생도」를 통해 말해본다면, 양의 · 사상 · 팔괘는 낳고 낳아 다함이 없지만, 태극은 일정하여 그것들의 기반이 됩니다. 「원도」를 통해 말해본다면, 천지는 자리를 확정하여, 물과 불이 서로 쏘지 못하고 산과 못이 기운을 통하며 우레와 바람이 서로 가깝지만 그 중간의 빈 곳은 일정하여 바뀌지 않습니다. 「방도」를 통해 말해본다면, 건괘 · 곤괘 · 비괘 · 태괘 · 태괘 · 간괘 · 함괘 · 손괘 · 감괘 · 리괘 · 기제괘 · 미제괘 · 진괘 · 손괘 · 항괘 · 익괘는 서로 교류하지만 태극은 그 가운데 위치합니다. 주렴계의 「태극도」를 통해 말해본다면, 양은 움직이고 음은 고요하며, 오행 · 남녀 · 만물은 낳고 낳아서 다하지 않지만, 각각 태극에 해당하는 하나의 원을 갖추지 않은 것이 없기 때문에, 소강절은 「동지」의 시에서 "동짓날 자시의 반에는 하늘의 중심을 옮기지 않는다"고 했고, 주자의 시에서는 "만약 없음 중에 있음의 상이 포함되어 있음을 안다면 그대가 친히 복희를 맞이함이다"라고 했으며, 정자는 "때에 따라 변역하

여 도를 따른다"라고 했으니, 이것들을 인용하여 거듭 밝히고 같은 부류를 통해서 확장하면 생각이 반을 넘게 됩니다.

심대윤(沈大允) 『주역상의점법(周易象義占法)』

搖動萬物而聲氣相與者, 雷風是也. 風常存於四時而來必有方. 雷有藏出遷動之變. 恒之爲卦, 體巽而用震, 君子體正而用權, 正方而權圓, 方以立之, 圓以行之. 權者, 所以爲正也. 未有舍正而獨權也. 旣正則權在其中矣. 無權則正從而亡矣. 故獨曰立不易方, 而權在其中矣. 震爲立, 兌巽爲不易, 巽爲方.

만물을 움직이면서 소리와 기운이 함께 하는 것은 우레와 바람에 해당한다. 바람은 사계절 내내 있지만 불어옴에 반드시 방향이 있고, 우레는 숨고 나오며 옮겨가고 움직이는 변화가 있다. 항괘는 손괘를 본체로 삼고 진괘를 쓰임으로 삼으며, 군자는 정도를 본체로 삼고 권도를 쓰임으로 삼는데, 정도는 바르고 권도는 원만하니, 바름으로 서고 원만함으로 행한다. 권도는 정도를 시행하는 방법이기 때문에 정도를 버리고서 권도만 시행하는 경우는 없으니, 이미 정도가 된다면 권도는 그 속에 있고, 권도가 없다면 정도도 따라서 없다. 그렇기 때문에 "서서 방소를 바꾸지 않는다"고만 말했지만, 권도가 그 속에 포함된다. 진괘는 섬이 되고 태괘와 손괘는 바꾸지 않음이 되며 손괘는 방소가 된다.

〈今人之能有執守者, 亦多壽, 考此守正而久長之一驗也.

오늘날의 사람들이 이것을 굳게 지킬 수 있는 경우에도 장수를 하니, 여기에서 상고해 정도를 지켜 장구한 것이 하나의 증험이다.〉

오치기(吳致箕) 「주역경전증해(周易經傳增解)」

巽陰入而在內, 震陽出而在外, 二物各居外內, 爲不易方之象, 故君子以之, 常久其道而不變, 恒立其方而不易也. 方者, 理之所不可易者也.

손괘의 음이 들어가서 안에 있고 진괘의 양이 나와서 밖에 있는데, 두 가지가 각각 내외에 머물러서 방소를 바꾸지 않는 상이 되기 때문에, 군자는 그것을 본받아 그 도를 항상되고 오래도록 하여 변하지 않으며, 그 장소에 항상 서서 바꾸지 않는다. 방소는 이치 중 바꿀 수 없는 것이다.

이진상(李震相) 『역학관규(易學管窺)』

雷風, 恒.

우레와 바람이 항(恒)이다.

雷動東北, 風順西南. 二氣相薄而皆有定位, 故君子以之, 立不易方, 況迅雷風烈, 易失常度乎.
우레는 동북쪽에서 움직이고 바람은 서남쪽에서 따른다. 두 기운이 서로 부딪히는데도 모두 정해진 자리가 있기 때문에 군자가 그것을 본받아 서서 방소를 바꾸지 않는데, 하물며 맹렬한 우레와 바람이 쉽게 항상된 법도를 잃겠는가?

박문호(朴文鎬) 『경설(經說)-주역(周易)』

卦辭雖言利有攸往, 然立不易方, 是恒字之本訓也. 君子之卓然自立, 至死不變, 是恒之大者也.
괘사에서는 비록 가는 것이 이롭다고 했지만 서서 장소를 바꾸지 않는 것[23]은 항(恒)자의 본래 뜻이다. 군자가 높고 의젓하게 스스로 서서 죽음이 닥치더라도 변하지 않음은 항(恒) 중에서도 큰 것이다.

이병헌(李炳憲) 『역경금문고통론(易經今文考通論)』

王曰, 得其所久, 故不易也.
왕필이 말하였다: 오래됨을 얻을 수 있기 때문에 바꾸지 않는다.

按, 易之道變易無常, 自其變者而能知其不易之方, 然後可與言易矣.
내가 살펴보았다: 역의 도는 변화하여 고정됨이 없으니, 변화됨으로부터 바뀌지 않는 방소를 알 수 있은 뒤에야 함께 역을 말할 수 있다.

---

23) 『周易 · 恒卦』: 象曰, 雷風, 恒, 君子以立不易方.

初六, 浚恒. 貞, 凶, 无攸利.

정전 초육은 깊게 항상되게 함이다. 곧게 고집하여 흉하니, 이로운 바가 없다.
본의 초육은 깊게 항상되게 함이다. 바르더라도 흉하여 이로운 바가 없다.

中國大全

傳

初居下而四爲正應, 柔暗之人, 能守常而不能度勢, 四, 震體而陽性, 以剛居高, 志上而不下, 又爲二三所隔, 應初之志異乎常矣, 而初乃求望之深, 是知常而不知變也. 浚, 深之也, 浚恒, 謂求恒之深也. 守常而不度勢, 求望於上之深, 堅固守此, 凶之道也. 泥常如此, 无所往而利矣. 世之責望故素而致悔咎者, 皆浚恒者也. 志旣上求之深, 是不能恒安其處者也, 柔微而不恒安其處, 亦致凶之道. 凡卦之初終, 淺與深微與盛之地也, 在下而求深, 亦不知時矣.

초효는 아래에 있고 사효는 정응이 되니, 유순하고 어두운 사람이 항상됨을 지킬 수 있어도 형세를 헤아릴 수 없으며, 구사는 진괘(震卦☳)의 몸체로서 양의 성질이면서 굳셈으로 높은 자리에 있어 뜻이 올라가려고 하여 내려오지 못하며, 또 이효와 삼효에 의하여 막히게 되어 초효와 호응하려는 뜻이 일반적인 경우와는 다른데, 초효가 이내 구하고 바라기를 깊게 하니, 이것은 항상됨을 알면서도 변화를 모르는 것이다. '준(浚)'이란 깊게 하는 것이니, '준항(浚恒)'이란 항상됨을 구함이 깊음을 말한다. 항상됨을 지키면서 형세를 헤아리지 않고 윗사람에게 구하고 바라기를 깊게 하니, 견고하게 이것을 지킨다면 흉한 도이다. 항상됨에 빠짐이 이와 같다면 가는 곳마다 이로움이 없다. 세상의 오래 사귄 친구를 책망하여 후회와 허물을 이룬 자가 모두 깊게 항상된 자이다. 뜻이 이미 위에 대해 구하기를 깊게 하면 이것은 그 있는 곳을 항상되게 하고 편안하게 할 수 없는 것이며, 유순하고 미미하여 그 있는 곳을 항상되게 하고 편안하게 하지 않음은 또한 흉함을 이루는 도이다. 괘의 처음과 끝은 얕음과 깊음, 미세함과 성대함의 자리이니, 아래에 있으면서 깊게 구함은 또한 때를 알지 못하는 것이다.

本義

初與四爲正應, 理之常也, 然初居下而在初, 未可以深有所求, 四震體而陽性, 上而不下, 又爲二三所隔, 應初之意異乎常矣, 初之柔暗, 不能度勢, 又以陰居巽下, 爲巽之主, 其性務入, 故深以常理求之, 浚恒之象也. 占者如此, 則雖貞, 亦凶而无所利矣.

초효와 사효는 정응이 되니 이치의 떳떳함이지만, 초효는 하괘에 있으면서 처음 자리에 있어서 아직 깊게 구하는 바가 있어서는 안 되며, 사효는 진괘(震卦☳)의 몸체이면서 양의 성질이라서 위로 올라가고 내려오지 않으며, 또 이효와 삼효에 의하여 막히게 되어 초효와 호응하려는 뜻이 일반적인 경우와는 다른데도, 초효의 유순하고 어두움이 형세를 헤아릴 수 없고, 또 음으로서 손괘(巽卦)의 아래에 있어서 손괘의 주인이 되어 그 성질이 들어가기에 힘쓰기 때문에 항상된 이치로써 깊게 구하니, '깊게 항상된' 상이다. 점을 치는 사람이 이와 같이 한다면 비록 바르더라도 또한 흉하여 이로운 바가 없다.

小註

或問, 浚恒貞凶, 恐是不安其常, 而深以常理求人之象. 朱子曰, 未見有不安其常之象, 只是欲深以常理求人耳.

어떤 이가 물었다: "초육은 깊게 항상됨이다. 바르더라도 흉하다"란 아마도 그 항상됨을 편안하게 여기지 못하면서도 깊게 항상된 이치로써 다른 사람을 구하려는 상인 듯합니다. 주자가 답하였다: 그 항상됨을 편안하게 여기지 못하는 상을 아직 못 보았으니, 다만 항상된 이치로써 다른 사람에게 구하기를 깊게 하고자 할 뿐입니다.

○ 雲峯胡氏曰, 此以時位言也. 本義兼卦德言, 震體性, 上而不下, 初爲巽主, 其性務入, 兩性字得其指矣. 二四相應, 固理之常. 時方初也, 而深以常理入之, 雖貞亦凶矣.

운봉호씨가 말하였다: 이것은 때와 자리를 가지고서 말하였다. 『본의』에서는 괘의 덕을 겸하여, 진괘(震卦☳)의 몸체는 성질이 위로 올라가려고 하면서 아래로 내려오지 않으며, 초효는 손괘(巽卦☴)의 주인이 되어서 그 성질이 들어오기에 힘쓴다고 하였으니, '성질'이라는 두 곳의 말은 그 뜻을 얻었다. 이효와 사효가 서로 호응함은 진실로 이치의 항상됨이다. 때는 바야흐로 처음인데 항상된 이치로써 깊게 들어가니, 비록 바르더라도 또한 흉하다.

○ 雙湖胡氏曰, 恒初乃咸上之反, 兌澤反爲巽入, 故有浚恒象. 爻不正, 故戒以貞亦凶, 況於不貞乎.

쌍호호씨가 말하였다: 항괘의 초효는 함괘(咸卦)의 상효와 상하로 거꾸로 되어 있으므로

태괘가 의미하는 연못은 반대로 손괘가 의미하는 들어옴이 되기 때문에 '깊게 항상된' 상이 있다. 초효는 제 자리에 있지 않기 때문에 바르더라도 또한 흉하다고 경계하였는데, 하물며 바르지 않는 경우에 있어서랴.

○ 漢上朱氏曰, 初居巽下, 以深入爲恒, 上居震極, 以震動爲恒. 在始而求深, 在上而好動, 皆凶道也. 初如未信而諫, 未信而勞其民之類, 上如秦皇漢武之類, 是也.
한상주씨가 말하였다: 초효는 손괘(巽卦☴)의 아래에 있으면서 깊게 들어옴을 항상됨으로 여겼고, 상효는 진괘(震卦☳)의 끝에 있으면서 진동함을 항상됨으로 여겼다. 처음에서는 깊게 구하고 끝에서는 움직임을 좋아하니, 모두 흉한 도이다. 초효는 아직 믿음을 얻지 못했는데 간언하며 아직 믿음을 얻지 못했는데 백성들을 부리는[24] 부류와 같고, 상효는 진(秦)나라 시황(始皇)과 한(漢)나라 무제(武帝)의 부류와 같은 경우가 이것이다.

韓國大全

송시열(宋時烈) 『역설(易說)』

巽爲入爲伏, 浚者, 深入之義, 言巽雖入而在初爻, 猶爲始入則此不當深入而求深入也. 與四爲應求望太深, 所謂掘井而欲速也. 若堅守此心, 則凶而无所利, 小象始求深盡之矣. 遇此占者, 凶而无所利, 言當爲貞固而卽改也.
손괘는 들어감이 되며 숨음이 된다. 깊음은 깊이 들어갔다는 뜻으로 손괘가 비록 들어가서 초효에 있지만, 처음 들어감이 된다면 깊이 들어가서는 안 되는데도 깊이 들어가기를 구한다는 말이다. 사효와 호응하여 아주 깊게 되기를 구하고 바라니, 이른바 우물을 파며 빠르게 하고자 함이다. 만약 이러한 마음을 단단하게 지킨다면 흉하여 이로울 것이 없으니, 「소상전」에서 "처음에 구하기를 깊게 하기 때문이다"는 그 뜻을 극진하게 표현했다. 이러한 점괘를 만난 자는 흉하여 이로울 것이 없으니, 마땅히 곧음을 지켜서 곧 고쳐야 함을 뜻한다.

이익(李瀷) 『역경질서(易經疾書)』

---

24) 『論語 · 子張』: 子夏曰, 君子信而後, 勞其民, 未信則以爲厲己也. 信而後諫, 未信則以爲謗己也.

人之特拔曰俊, 山之突起曰峻. 水之浚亦猶是也, 卽陡深而不以漸也. 巽入而居下, 非浚而何. 凡事物莫不以漸而致之, 若猝急求之成, 亦偶然鮮, 或不敗其可恒乎.
사람 중에서 특출하게 빼어난 자를 '준(俊)'이라고 부르며, 산 중에서 우뚝 솟아 있는 곳을 '준(峻)'이라고 부른다. 물 중에서도 깊은 곳은 또한 이와 같으니, 곧 갑작스럽게 깊고 점진적으로 하지 않는 경우에 해당한다. 손괘가 들어가서 아래에 머무니 깊지 않다면 무엇이겠는가? 사물들 중에는 점진적으로 이루어지지 않는 것이 없는데, 만약 갑작스럽게 완성하기를 구하면 또한 우연일지라도 혹시 잘못되지 않음이 드무니, 항구할 수 있겠는가?

유정원(柳正源) 『역해참고(易解參攷)』

案, 陰柔居下, 猶有貞正之道. 正應在上, 若有可合之理, 而六之才不足以有爲也, 初之時, 不可以有行也. 徒恃正應之常而深入以求之, 則入之者不正而應之者亦不正矣, 其凶可知.
내가 살펴보았다: 부드러운 음이 아래에 머무니 곧고 바른 도가 있는 것 같고, 정응이 위에 있으니 마치 합치될 수 있는 이치가 있는 것 같지만, 육(六)의 재질은 큰일을 하기에는 초효인 때에는 일을 행해서는 안 된다. 한갓 정응의 항상됨을 믿고 깊이 들어가서 찾는다면, 들어가는 것은 바르지 못하고 호응하는 것도 바르지 못하니, 흉하게 됨을 알 수 있다

傳, 責望故素.
『정전』에서 말하였다: 오래 사귄 친구를 책망하다.
案, 故素猶言故舊也. 如嚴光以光武之故人, 自高不屈, 亦責望之深也.
내가 살펴보았다: '고소(故素)'는 옛 친구를 뜻한다. 예를 들어 엄광(嚴光)은 광무제(光武帝)의 옛 친구였는데 스스로를 높이고 굽히지 않았으니, 책망함이 심한 경우이다.

김상악(金相岳) 『산천역설(山天易說)』

浚, 深也. 在恒之時, 以陰居下, 二之比四之應, 皆與之不交, 而巽性入[25], 處初而求深, 故有浚恒之象, 非可貞之道貞, 則必凶而无所利也.
'준(浚)'자는 깊다는 뜻이다. 항괘의 때에 음으로 아래에 있고, 이효와 가깝고 사효와 호응을 하지만 모두 그들과 사귀지 않는다. 그런데 손괘의 성질은 들어가서 초효에 있으면서도 깊기를 구하기 때문에 깊게 항상되는 상이 있지만 곧게 할 수 있는 도가 아니니, 곧다면 반드시 흉하여 이로울 것이 없다.

---

25) 入: 경학자료집성DB에는 '八'로 되어 있으나, 영인본에 따라 '入'으로 바로잡았다.

○ 來註, 浚卽浚井之浚也. 蓋以震木生於坎水, 反其所由生而爲井也. 又先儒云, 咸上之兌澤反爲恒初之巽入, 故曰浚恒. 蓋士之從仕者, 遽望其高顯, 女之從夫者, 始求其深入, 皆浚恒之凶也.
래지덕의 주에서 말하였다: '준(浚)'은 곧 곶 깊은 우물을 뜻할 때의 '준(浚)'자이다. 진괘의 나무는 감괘의 물에서 생겨나니, 생겨난 곳으로 되돌아가면 우물이 된다. 또 이전의 학자들은 함괘(咸卦䷞) 위에 있는 태괘인 못은 뒤집으면 항괘 초효인 손괘의 들어감이 되기 때문에, "깊게 항상되다"고 했다. 선비가 벼슬살이를 하는 경우 갑자기 지위가 높아지고 명성이 드날리기를 바라고, 여자가 남편을 따름에 처음부터 깊이 사랑받기를 구하는 것은 모두 깊게 항상됨에 나타나는 흉함이다.

김규오(金奎五) 「독역기의(讀易記疑)」

初六貞凶, 本義初與四爲正應. 九三貞吝, 本義位雖得正. 然則正應正位, 皆可謂之貞. 頤三之貞, 指正應也. 屯五之貞, 指正位也. 此等皆因爻有此象而戒占者之辭也.
초육의 "바르더라도 흉하다"에 대하여, 『본의』에서는 "초효와 사효는 정응이 된다"고 했다. 구삼의 "곧게 하더라도 부끄러우리라"에 대하여, 『본의』에서는 "자리가 비록 제자리를 얻었다"고 했다. 그렇다면 정응이 되고 올바른 자리라면 모두 곧다고 할 수 있다. 이괘(頤卦䷚)의 삼효에 나온 곧음[26]은 정응을 가리킨다. 둔괘(屯卦䷂)의 오효에 나온 곧음[27]은 올바른 자리를 가리킨다. 이러한 것들은 모두 효에 이러한 상이 있는 것에 따라서 점치는 자에게 경계를 한 말이다.

서유신(徐有臣) 『역의의언(易義擬言)』

浚恒者, 以浚爲恒也. 初六自益四來于互兌之下, 故曰浚也. 以初則淺, 以下則深, 蓋淺而深也. 夫恒非一定之謂, 而諸爻各有定位, 各有定應, 而不知變通. 初以應四爲恒, 在淺而遽欲深, 雖曰正應, 乃取凶之道也, 又无所利於九四也. 新進之士宜戒夫躁妄干進之心也.
'준항(浚恒)'는 깊음을 항상됨으로 삼은 것이다. 초육은 익괘(益卦䷩)의 사효로부터 호괘인 태괘 아래로 왔기 때문에 "깊다"고 했다. 초효이므로 얕고 아래에 있으므로 깊으니, 얕은데 깊어지려는 것이다. 항상됨은 일정함을 뜻하는 말이 아니다. 여러 효들은 각각 정해진 자리

26) 『周易 · 頤卦』: 六三, 拂頤, 貞凶, 十年勿用, 无攸利.
27) 『周易 · 屯卦』: 九五, 屯其膏. 小, 貞吉, 大, 貞凶.

가 있고, 각각 고정된 호응이 있어서 변통을 몰라 초효는 사효와 호응함을 항상됨으로 삼아 얕은 데 있으면서 갑작스럽게 깊어지려고 하니, 비록 정응이라고 하지만 흉함을 취하는 도이고 또 구사에 대해서 이로울 점이 없다. 새로이 벼슬길에 오른 선비는 조급하게 승진하려는 마음을 경계해야 한다.

박문건(朴文健) 『주역연의(周易衍義)』

處微固結, 故有浚恒之象. 浚恒, 深其恒也.
은미한 곳에 처하여 굳게 응결되었기 때문에 항상됨을 깊게 구하는 상이 있다. '준항(浚恒)'은 항상됨을 깊게 한다는 뜻이다.
〈問, 浚恒, 貞凶, 无攸利. 曰, 初六以微陰處下而從上之心不變, 是過深其恒而不知時義者也. 若用貞則有凶而无所利也, 言見傷於其上必矣.
물었다: "항상됨을 깊게 함이다. 곧게 고집하여 흉하니, 이로운 바가 없다"는 무슨 뜻입니까? 답하였다: 초육은 은미한 음이 아래에 있고 위를 따르려는 마음이 변하지 않으니, 항상됨을 지나치게 깊게 하지만 시의(時義)를 알지 못하는 자입니다. 만약 곧음을 쓴다면 흉함이 있고 이로울 점도 없으니, 분명히 그 윗사람에게서 상처를 받게 됨을 뜻합니다.〉

이지연(李止淵) 『주역차의(周易箚疑)』

浚恒, 所謂子莫之執中, 趙括之讀兵.
"깊게 항상되게 함이다"는 자막이 중간을 잡음[28]과 조괄이 병법서만 읽었던 경우를 뜻한다.

김기례(金箕澧) 『역요선의강목(易要選義綱目)』

初六浚恒貞凶.
초육은 깊게 항상되게 함이다. 바르더라도 흉하다.

震動而上, 巽入而下, 二體相違, 而初以下柔, 但知四爲正應, 不度相違之時勢, 求應之深, 則雖正凶.
진괘는 움직여서 위로 올라가고 손괘는 들어와서 아래로 내려가서 두 몸체가 서로 위배된다. 그런데 초효는 아래에 있고 부드러운 음이면서 사효가 정응인 줄만 알고 서로 위배되는 때와 기세를 헤아리지 못하여 깊게 호응하기를 바라니, 비록 바르더라도 흉하다.

---

28) 『孟子·盡心上』: 子莫執中. 執中爲近之. 執中無權, 猶執一也. 所惡執一者, 爲其賊道也, 擧一而廢百也.

심대윤(沈大允) 『주역상의점법(周易象義占法)』

恒之道有正有權. 權者, 貴其得中也, 故恒之義中爲重, 恒無淺深之異, 故不取時也. 恒之爻位居剛守正而不知權者也, 居柔居正而好權者也. 故初三五俱言貞, 二四六俱不言貞也.
항괘의 도에는 정도와 권도가 있다. 권도는 알맞음을 얻는 것을 존귀하게 여기기 때문에, 항괘의 뜻에서는 알맞음이 중대하며, 항상됨에 있어서는 얕고 깊은 차이가 없기 때문에, 시의에 따르지 않는다. 항괘의 효 중 그 자리가 굳센 양에 있는 것은 정도를 지키지만 권도를 모르는 자이고, 부드러운 음에 있는 것은 정도를 지키지만 권도만 좋아하는 자이다. 그렇기 때문에 초효 · 삼효 · 오효에서는 모두 곧음을 언급하고, 이효 · 사효 · 육효에서는 모두 곧음을 언급하지 않았다.

恒之大壯䷡, 壯而有不實之義. 初六居剛而求恒之深, 知正而不知權, 在三剛之下, 有徧從之志, 才柔而居初, 未有恒之實. 浚深取之也. 兌革互坎巽, 水風爲浚, 蓋每事深求而無其實也.
항괘가 대장괘(大壯卦䷡)로 바뀌었으니, 장성하지만 실하지 않는 뜻이 있다. 초육은 굳센 자리에 있어서 항상됨을 구함이 깊고, 바름을 알지만 권도를 알지 못하며, 세 굳센 양 아래에 있어서 두루 따르려는 뜻이 있지만, 재질은 유약하고 초효에 있어서 항상됨의 실질은 아직 갖추지 못했다. '깊게[浚]'는 깊게 취하려고 함이다. 태괘(兌卦䷹)와 혁괘(革卦䷰)의호괘인 감괘와 손괘의 물과 바람이 '깊게'가 되니, 매사에 깊이 구하지만 실질이 없다.

오치기(吳致箕) 「주역경전증해(周易經傳增解)」

初六陰柔在下而不正, 上有九四之剛應而亦爲失正, 性動而居高, 志上而不下, 且爲二三所隔, 故應初之志異乎常矣. 初之柔暗不能度勢, 知常而不知變, 其性務入, 在恒之初, 深以常理求望, 有浚恒之象, 是以戒言在初. 情志未孚, 遽爾求深, 則正爲凶之道, 而亦无所利也.
초육의 부드러운 음은 아래에 있어 바르지 않고, 위로 구사의 굳센 양이 호응할지라도 바름을 잃었고 성질이 움직이나 높은 데 있어 뜻이 위로 가고 내려오지 않는데다가 또 이효와 삼효에 의해 막혀 있기 때문에 초효의 뜻에 호응함이 항상됨과 다르다. 초효의 부드러운 음은 어두워서 형세를 헤아릴 수 없고, 항상됨은 알지만 변화는 알지 못하며, 그 성질은 들어가는데 힘쓰지만 항괘 초효에 있어 깊이 항상된 이치를 바라니, "깊게 항상되게 함이다"라는 상이 있어서, 경계하는 말이 초효에 있다. 정과 뜻이 아직 미덥지 않은데 갑작스럽게 깊게 되기를 구하니, 바르더라도 흉한 도가 되고, 또 이로운 점도 없다.

○ 浚, 深也, 巽爲入深之象.
'준(浚)'자는 깊게 함이니 손괘는 깊이 들어가는 상이 된다.

이진상(李震相) 『역학관규(易學管窺)』

浚恒, 傳責望故素.
"깊게 항상되게 함이다"에 대한 『정전』에서 "오래 사귄 친구를 책망한다"에 대하여.

參攷素猶言故舊者得之, 而但以嚴光事證之未安. 嚴公正宜自重, 而光武不能盡禮耳. 責望故素, 猶東漢之龐萌, 後周之王峻, 是也.
『역해참고』에서 '소(素)'자를 옛 친구로 말하는 경우는 옳지만, 엄광에 대한 일화를 통해 증명을 하면 뜻이 합당하지 않다. 엄광은 올바르게 해서 스스로 조심했지만, 광무제가 예법대로 따르지 못했던 것일 뿐이다. "오래 사귄 친구를 책망한다"는 경우는 동한 때의 방맹이나 후주 때의 왕준과 같은 경우이다.

채종식(蔡鍾植) 『주역전의동귀해(周易傳義同歸解)』

恒初六浚恒貞凶.
항괘 초육은 깊게 항상됨이다. 곧게 고집하여 흉하다.

傳云, 堅固守此, 凶之道也.
『정전』에서 말하였다: 견고하게 이것을 지킨다면 흉한 도이다.

本義謂, 雖貞亦凶.
『본의』에서 말하였다: 비록 바르더라도 또한 흉하다.

蓋貞有正固兩義. 程子以固釋之, 而言浚恒非恒之善者, 而堅固守此, 凶之道也. 朱子以正釋之, 而言浚恒之象, 雖正亦凶也. 然則初六浚恒, 雖正亦凶, 況其不正而固守此乎, 乃凶之道也. 合兩說而義益明.
정(貞)자에는 바르다는 뜻과 견고하다는 뜻이 있다. 정자는 견고하다는 뜻으로 풀이해서 말하였으니, "깊게 항상되게 함이다"는 항상됨의 선한 것이 아니고 견고하게 이것을 지킨다면 흉한 도이다. 주자는 바르다는 뜻으로 풀이하여 말하였으니, "깊게 항상되게 함이다"라는 상은 비록 바르더라도 또한 흉하다. 그렇다면 초육의 "깊게 항상되게 함이다"는 비록 바르더라도 또한 흉한데, 하물며 바르지 않고 이것을 견고하게 지키는 경우에서는 어떠하겠는가? 곧 흉의 도가 된다. 두 주장을 합하면 의미가 더욱 명백해진다.

象曰, 浚恒之凶, 始, 求深也.

「상전」에서 말하였다: "깊게 항상되게 하는 흉함"은 처음에 구하기를 깊게 하기 때문이다.

中國大全

傳

居恒之始, 而求望於上之深, 是知常而不知度勢之甚也. 所以凶, 陰暗, 不得恒之宜也.

항괘의 처음에 있으면서 윗사람에게 구하고 바라기를 깊게 하니, 이는 항상됨만을 알고 형세를 헤아릴 줄 모름이 심하다. 이 때문에 흉하니, 어둡고 침침하여 항상됨의 마땅함을 얻지 못한다.

小註

或問, 劉蕡. 程子曰, 浚恒之凶, 始求深也. 曰, 然則宜如何. 曰, 尺蠖之屈, 以求伸也. 疏逖小臣, 一旦欲以新間舊, 難矣.

어떤 이가 물었다: 유분(劉蕡)[29]이 이러한 경우의 사람입니까?

정자가 답하였다: '깊게 항상됨의 흉함'은 처음부터 구하기를 깊게 하기 때문입니다.

물었다: 그렇다면 어떻게 하여야 합니까?

답하였다: 자벌레가 몸을 굽히는 것은 몸을 펴고자 해서입니다. 소원(疏遠)한 소신(小臣)은 하루아침에 새로운 것으로 옛것을 등한시하고자 하니, 어렵습니다.

---

29) 유분(劉蕡): 당나라 유주(幽州) 창평(昌平) 사람. 자는 거화(去華)다. 경종(敬宗) 보력(寶曆) 연간에 진사가 되었다. 문종(文宗) 태화(太和) 원년(827) 비서랑(秘書郞)을 지냈다. 다음 해 현량방정과에 응시하여 환관이 정치를 전횡하는 재앙에 대해 격렬한 어조로 논했는데, 시험관도 탄복했지만 선발되지는 못했다. 9년(835) 영호초(令狐楚)와 우승유(牛僧孺)가 자기 막부로 불러 비서랑(秘書郞)에 임명했다. 환관들이 극도로 미워해 무고로 죄를 만들어 유주사호참군(柳州司戶參軍)으로 좌천시켰고, 재직 중 죽었다. 문장을 잘 지었고, 춘추학(春秋學)에 밝았다. 저서에 『유분책(劉蕡策)』이 있다.

○ 中溪張氏曰, 初以陰柔而居下, 相應之始而求望於九四者, 太深, 是以凶也.
중계장씨가 말하였다: 초효는 음으로써 유순하면서 아래에 있어 서로 호응하는 처음인데, 구사에게 구하고 바라는 것이 크게 심하기 때문에 흉하다.

○ 進齋徐氏曰, 大凡交際之道, 自有淺深. 交之深則可求之深, 若交淺而遽以深望之, 豈常理哉.
진재서씨가 말하였다: 대체로 교제를 하는 도리에는 본래 얕고 깊음이 있다. 교제가 깊을 때에 구할만한 것이 깊게 되니, 만약 교제가 얕으면서 갑자기 바라기를 깊게 한다면 어찌 항상된 이치이겠는가?

韓國大全

유정원(柳正源) 『역해참고(易解參攷)』

始求深.
처음에 구하기를 깊게 하기 때문이다.

案, 位卑而言高, 交淺而望深, 凶之道也. 君子之於恒初, 將奈何. 孔子爲乘田曰, 牛羊茁壯長, 爲委吏曰, 會計當而已. 君子之仕止, 唯其時而已.
내가 살펴보았다: 지위가 낮은데도 높은 것을 언급하고 얕은 것과 교류하면서도 깊기를 바란다면 흉함의 도가 된다. 군자는 항괘의 초효에 대해서 장차 어찌해야 하는가? 공자는 목축을 담당하는 관리가 되어서는 "소와 양을 잘 키운다"고 했고, 창고의 양곡 출납을 맡은 관리가 되어서는 "회계를 마땅하게 할 따름이다"고 했다. 군자가 벼슬하고 그침은 오직 그 때에 따를 뿐이다.

김상악(金相岳) 『산천역설(山天易說)』

居始而求深, 故凶也.
처음에 있으면서 깊기를 구하기 때문에 흉하다.

○ 凡言求者, 陽求于陰, 陰求于陽也. 下卦本乾, 乾一索而得巽, 陽變爲陰, 故始求而凶. 隨則下卦本坤, 坤一索而得震, 陰變爲陽, 故六三曰隨有求得, 他卦之變類多如此. 대체로 "구한다"고 한 말은 양이 음에서 구하고 음이 양에서 구함을 뜻한다. 하괘는 본래 건괘인데, 건괘가 첫 번째로 찾아 손괘를 얻음에 양이 변화하여 음이 되기 때문에 처음으로 구했지만 흉한 것이다. 수괘(隨卦䷐)는 하괘가 본래 곤괘인데, 곤괘가 첫 번째로 찾아 진괘를 얻음에 음이 변화하여 양이 되기 때문에 육삼에서는 "따름에 구하던 것을 얻다"[30]고 했으니, 다른 괘의 변화되는 부류도 대부분 이와 같다.

서유신(徐有臣) 『역의의언(易義擬言)』

方淺而遽深之也.
얕은데 갑작스럽게 깊어지려고 하기 때문이다.

박문건(朴文健) 『주역연의(周易衍義)』

始求深, 言處始求恒過深也.
"처음에 구하기를 깊게 하기 때문이다"는 처음에 처하여 항상됨을 지나치게 깊게 하고자 함을 뜻한다.

오치기(吳致箕) 「주역경전증해(周易經傳增解)」

始求之深者, 不能度勢, 未得恒道之宜, 故凶也.
처음으로 구함에 깊게 하고자 하는 것은 형세를 헤아릴 수 없어, 아직 항상된 도의 마땅함을 얻지 못했기 때문에 흉한 것이다.

이병헌(李炳憲) 『역경금문고통론(易經今文考通論)』

程傳曰, 浚, 深之也. 初柔暗守常, 求望於上之深, 凶之道也.
『정전』에서 말하였다: '준(浚)'자는 깊게 함이다. 초효는 부드럽고 어두운데 항상됨을 지키고, 윗사람에게 구하고 바라기를 깊게 하니, 흉의 도이다.

---

30) 『周易·隨卦』: 六三, 係丈夫, 失小子, 隨有求得, 利居貞.

九二, 悔亡.

구이는 후회가 없어지리라.

中國大全

傳

在恒之義, 居得其正則常道也, 九陽爻, 居陰位, 非常理也. 處非其常, 本當有悔, 而九二以中德而應於五, 五復居中, 以中而應中, 其處與動, 皆得中也, 是能恒久於中也. 能恒久於中, 則不失正矣. 中, 重於正, 中則正矣, 正, 不必中也. 九二以剛中之德, 而應於中, 德之勝也, 足以亡其悔矣. 人能識重輕之勢, 則可以言易矣.

항괘(恒卦)의 뜻에서 거처함이 바름을 얻으면 항상된 도이지만, 구(九)는 양효로서 음의 자리에 있으니 항상된 이치가 아니다. 거처함이 그 항상됨이 아니라면 본래 마땅히 후회가 있게 되지만, 구이는 알맞은 덕을 가지고 오효와 호응하고 오효는 다시 가운데 자리에 있어서 알맞음으로써 알맞음과 호응하므로 그 거처함과 움직임이 모두 알맞음을 얻었으니, 알맞음에 항구할 수 있는 것이다. 알맞음에 항구할 수 있으면 바름을 잃지 않는다. 알맞음[中]은 바름[正]보다 중요하므로 알맞으면 바를 수 있지만, 바름은 반드시 알맞지는 않다. 구이는 굳세고 알맞은 덕을 가지고서 알맞음에 호응하므로 덕의 우세함이 후회를 충분히 없게 할 수 있다. 사람이 무겁고 가벼운 형세를 알 수가 있다면 역(易)을 말할 수 있다.

小註

或問, 伊川云, 中无不正, 正未必中, 如何. 朱子曰, 如君子而時中, 則是中无不正. 若君子有時乎不中, 卽'正未必中'. 蓋正是骨子好了, 而所作事未有恰好處, 故未必中也. 又曰, "中重於正, 正不必中," 一件物事自以爲正, 卻有不中在. 且如飢渴飮食是正, 若過些了, 便非中節. 中節處乃中也. 責善, 正也, 父子之間不責善.

어떤 이가 물었다: 이천이 말하기를 "알맞음[中]은 바르지 않음이 없지만, 바름은 반드시 알맞지는 않다"라고 하였으니, 어떻습니까?

주자가 말하였다: "군자이면서 때에 알맞게 하다"[31]와 같은 말은 "알맞음이 바르지 않음이

없다"는 것입니다. 만약 군자가 알맞게 하지 못한 때에 있다면 곧 바름이 굳이 알맞을 필요는 없습니다. '바름'은 핵심이 좋게 하는 것인데, 일을 하는 데에 꼭 좋은 것만 있지 않기 때문에 반드시 알맞지는 않습니다.
또 말하였다: "알맞음이 바름보다 중요하고, 바름이 반드시 알맞지는 않다"는 말은 하나의 사물이 스스로 바르더라도 오히려 알맞지 않음이 있다는 것입니다. 또 만일 굶주리고 목마를 때에 마시고 먹는 것은 바르지만, 만약 약간이라도 지나친다면 곧 절도(節度)에 맞는 것이 아닙니다. 절도에 맞는 것이 바로 알맞음[中]입니다. 선(善)을 권함[責善]은 바름이지만, 아버지와 자식 간에는 선을 요구하지 않습니다.[32]

本義

以陽居陰, 本當有悔, 以其久中, 故得亡也.

양으로써 음의 자라에 있으니 본래 마땅히 후회가 있을 것이지만, 중(中)을 오래하기 때문에 후회가 없을 수 있다.

小註

中溪張氏曰, 二以陽而居陰, 非恒也. 處非其恒, 宜有悔也, 然二五相應, 唯能恒久於中道, 守而不變, 其悔乃亡.
중계장씨가 말하였다: 이효는 양으로서 음의 자리에 있으므로 항상됨이 아니다. 항상됨이 아닌 데에 있으니 당연히 후회해야 하지만, 이효와 오효가 서로 호응하여 오직 중도(中道)에 항구할 수 있어 그것을 지키고 변하지 않으므로 그 후회가 없게 된다.

○ 雲峯胡氏曰, 咸恒六爻, 非不相應, 得者不過悔亡而已. 咸九四曰貞吉悔亡, 九居四非貞也, 故必貞然後悔亡. 恒九二亦非貞也, 但曰悔亡, 而不勉以貞何也. 咸九四不正又不中, 恒九二不正而得中, 是爲久於中者也. 所謂中重於正者, 此也.
운봉호씨가 말하였다: 함괘(咸卦䷞)와 항괘(恒卦䷟)의 여섯 효는 서로 호응하지 않는 것이 아니지만, 얻은 것은 후회가 없게 되는 데에 불과할 뿐이다. 함괘의 구사에서 "곧으면 길하여 후회가 없어진다"[33]라고 하였으니, 양[九]이 사효의 자리에 있어서 곧음[貞]이 아니기 때

31) 『中庸』: 君子之中庸也, 君子而時中, 小人之中庸也, 小人而無忌憚也.
32) 『孟子 · 離婁』: 責善, 朋友之道也, 父子責善, 賊恩之大者.
33) 『周易 · 咸卦』: 九四, 貞, 吉, 悔亡, 憧憧往來, 朋從爾思.

문에 반드시 곧은 다음에 후회가 없게 된다. 항괘의 구이도 또한 곧음이 아닌데도 단지 "후회가 없어진다"고만 말하여 곧음으로써 권면하지 않은 것은 무엇 때문인가? 함괘의 구사는 바르지도 않고 알맞지도 않지만, 항괘의 구이는 바르지는 않지만 알맞음을 얻어 알맞음에 오래하는 것이니, 이른바 알맞음이 바름보다 중요하다고 하는 것이 이것이다.

○ 沙隨程氏曰, 大壯九二, 解初六及本爻, 皆不著其所以然, 蓋以爻明之也.
사수정씨가 말하였다: 대장괘(大壯卦)의 구이와 해괘(解卦)의 초육 및 본 효는 모두 그렇게 되는 까닭을 드러내지 않고 있으니, 아마도 효로써 이를 밝힌 듯하다.

韓國大全

송시열(宋時烈) 『역설(易說)』

以陽剛之爻得中正之位, 恒久而不變, 得恒之時者也, 故无悔. 遇此占, 知恒之義, 能久居中正, 則將無悔吝. 諸爻皆有戒凶, 而此獨无悔, 然亦堇堇免過而已.
굳센 양의 효로 중정한 자리를 얻어서 항구하여 변하지 않으니, 항구한 때를 얻은 자이기 때문에 후회가 없다. 이러한 점을 얻어서 항구함의 뜻을 알아 오랫동안 중정함에 머물 수 있다면, 장차 후회가 없게 된다. 여러 효에 대해서 모두 흉함을 경계함이 있었는데, 이효에서 유독 "후회가 없어지리라"라고 말했지만 이 또한 겨우 과실을 면한 상태일 뿐이다.

이익(李瀷) 『역경질서(易經疾書)』

九二悔亡, 彖所謂亨无咎利貞是也, 故不言象辭. 彖傳云, 久於其道也, 象傳云, 能久中也, 可以互發, 六爻之內, 惟此無貶, 然中而不正, 故不言吉. 凡卦主必在陽卦之陽陰卦之陰, 二非卦主也. 然初與三皆有凶吝, 惟二得久中之義, 故云爾, 與大壯同例.
"구이는 후회가 없어지리라"라고 했는데, 「단전」에서 "형통하여 허물이 없으니, 곧음이 이롭다"는 말에 해당하기 때문에 「상전」에서 말하지 않았다. 「단전」에서는 "그 도를 오래함이다"라고 했고, 「상전」에서는 "알맞음을 오래할 수 있기 때문이다"라고 했던 것은 상호 그 뜻을 드러낼 수 있기 때문인데, 여섯 효 중에서 오직 이 효에서만 낮춤이 없지만, 알맞으면서 바르지 않기 때문에 길함을 언급하지 않았다. 괘 중에서 주인이 되는 것은 반드시 양괘의 양효에 있고 음괘의 음효에 있으니, 이효는 괘의 주인이 아니다. 그러나 초효와 삼효는 모두 흉하고 인색함이 있고, 오직 이효만이 오래하고 알맞은 뜻을 얻었기 때문에 이처럼 말했으니, 대장괘(大壯卦䷡)의 경우와 동일하다.

유정원(柳正源) 『역해참고(易解參攷)』

正義, 失位故稱悔, 居中故悔亡.
『주역정의』에서 말하였다: 자리를 잃었기 때문에 후회함에 걸맞지만, 가운데 있기 때문에 후회가 없어진다.

○ 案, 九二久中, 吉之道也, 而只言悔亡, 何也. 蓋中道難, 能久中尤難. 慢些子便不是, 緊些子便不是. 戰兢臨履之心, 恒存乎中, 所以爲悔亡之道也. 悔亡則其終也吉, 可知矣.
내가 살펴보았다: 구이가 알맞음을 오래할 수 있음은 길한 도인데, 단지 "후회가 없어지리라"라고 말한 이유는 어째서인가? 알맞은 도는 오래하기 어려운 것 가운데 더욱 어려워 조금만 태만해도 아니고 조금만 서둘러도 아니니, 전전긍긍하며 깊은 못과 살얼음 위를 건듯이[34] 조심하는 마음이 항상 마음속에 있어야 후회가 없을 수 있는 도가 된다. 후회가 없다면 끝내 길하게 됨을 알 수 있다.

김상악(金相岳) 『산천역설(山天易說)』

九二以陽居陰, 應遠而比近, 宜若有悔, 然得中于下, 從應而不變, 故能亡其悔, 能久中, 乃其象也.
구이는 양으로 음의 자리에 있고 먼 곳과 호응하며 가까운 곳과 친하니, 마땅히 후회가 있을 것 같지만, 아래에서 알맞음을 얻었고 호응함에 따라 변하지 않기 때문에 후회가 없을 수 있어서 알맞음을 오래할 수 있음이 그 상이 된다.

○ 卦變而失其正爲悔, 得其中爲亡, 與晉六五相似. 蓋夫婦之道, 不可以不久, 而二之久中得處恒之道, 故能悔亡, 而六五又以婦人夫子言之. 咸九五无悔, 而六二先凶後吉, 恒九二悔亡, 而六五先吉後凶, 可見反對之義也.
괘가 변화하여 올바름을 잃으면 후회가 되고 알맞음을 얻으면 후회가 없게 되니, 진괘(晉卦䷢)의 육오와 서로 유사하다.[35] 부부의 도는 오래하지 않을 수가 없는데, 이효의 알맞음에

---

34) 『詩經 · 小旻』: 不敢暴虎, 不敢馮河. 人知其一, 莫知其他. 戰戰兢兢, 如臨深淵, 如履薄冰.

오래함이 항괘의 도에 머물 수 있기 때문에 후회가 없을 수 있고, 육오 또한 부인과 남편으로 말을 했다. 함괘(咸卦䷞)의 구오에서 "후회가 없으리라"[36]라고 했고, 육이에서는 먼저 흉이라 했고 뒤에 길이라 했으며,[37] 항괘의 구이에서는 "후회가 없어지리라"라고 했고, 육오에서는 먼저 길이라고 했고 뒤에 흉이라고 했으니,[38] 반대의 뜻을 확인할 수 있다.

서유신(徐有臣) 『역의의언(易義擬言)』

以剛居柔, 本當有悔, 而剛中應中, 能得可恒之宜, 故悔亡也. 恒無一定時, 中爲恒也.
굳센 양이 부드러운 음의 자리에 있으면 본래 후회가 있어야 하는데, 굳센 양이 알맞고 호응함도 알맞아서 항구할 수 있는 마땅함을 얻을 수 있기 때문에 후회가 없게 된다. 항상됨은 일정한 때가 없고 알맞음이 항상됨이 된다.

박문건(朴文健) 『주역연의(周易衍義)』

守貞不進, 故有悔亡之象. 悔亡者, 久於中而不失其道也.
곧음을 지켜서 나아가지 않기 때문에 후회가 없을 수 있는 상이 있다. 후회가 없음은 알맞음에 오래하여 그 도를 잃지 않기 때문이다.
〈問, 悔亡. 曰, 二五勢敵, 故未免悔存, 然用剛固守而不往者, 處得其中也, 所以悔亡也.
물었다: "후회가 없어지리라"는 무슨 뜻입니까?
답하였다: 이효와 오효는 그 기세가 대등하기 때문에 후회가 생김은 벗어날 수 없지만, 굳셈을 사용하여 고수하고 가지 않은 것은 대처함이 알맞음을 얻은 것이므로, 후회가 없게 됩니다.〉

이지연(李止淵) 『주역차의(周易箚疑)』

九二, 於中庸之道, 知中而未知庸者也.
구이는 중용의 도에 있어서 중(中)은 알지만 아직 용(庸)을 모르는 자이다.

김기례(金箕澧) 『역요선의강목(易要選義綱目)』

陽居陰位, 非常理, 然二本居中, 又應五中, 雖不正悔亡.

---

35) 『周易 · 晉卦』: 六五, 悔亡, 失得勿恤, 往吉, 无不利.
36) 『周易 · 咸卦』: 九五, 咸其脢, 无悔.
37) 『周易 · 咸卦』: 六二, 咸其腓, 凶, 居吉.
38) 『周易 · 恒卦』: 六五, 恒其德, 貞, 婦人吉, 夫子凶.

양이 음의 자리에 있음은 항상된 도리가 아니지만 이효는 본래 가운데 있고 또 가운데 있는 오효에 호응하니, 비록 바르지 않더라도 후회가 없다.

심대윤(沈大允) 『주역상의점법(周易象義占法)』

恒之小過䷽, 過而無形也. 九二才剛而應五, 居正過於權, 居柔能權而得中. 夫權可以行其正而已, 不可令其勝於正也. 九二有焉恒之主也, 以其正而能權也, 故悔亡. 正而無權, 則有悔也. 不言吉者, 權不得已也, 非吉道也. 權者, 一時之宜也, 非可長者也.
항괘가 소과괘(小過卦䷽)로 바뀌었으니, 지나쳐서 형체가 없다. 구이는 재질이 굳센 양이고 오효에 호응하여 정도가 권도보다 지나친 데 있고, 부드러운 음이 권도를 발휘하여 알맞음을 얻는데 있다. 권도는 정도를 행할 따름이며 정도보다 지나치게 해서는 안 된다. 구이가 어떻게 항괘의 주인이 되는가? 정도를 쓰면서도 권도를 쓸 수 있기 때문에 후회가 없다. 정도를 쓰지만 권도가 없다면 후회가 있다. 길함을 언급하지 않은 것은 권도가 부득이할지라도 길한 도가 아니기 때문이다. 권도는 한 시기의 합당함이며 오래할 수 있는 것이 아니다.

오치기(吳致箕) 「주역경전증해(周易經傳增解)」

九二在恒之時, 以剛居柔, 不得其正, 宜若不能常久而有悔, 然剛而得中, 上有六五柔中之應中以行正, 能得久之道者也. 非如初柔之不正而貞凶, 三剛之過中而貞吝, 故言其悔乃亡也. 雖不言象, 因其占而可知矣.
구이는 항괘의 때에 있으며 굳센 양으로 부드러운 음의 자리에 있어서 올바름을 얻지 못하여, 마땅히 항상되고 오래할 수 없어 후회가 있을 것 같지만, 굳세면서도 알맞음을 얻었고 위로 육오의 부드러운 음이 알맞음으로 알맞음에 호응하여 바름을 시행함이 있기 때문에, 오래하는 도를 얻을 수 있는 자이다. 이것은 초효의 부드러운 음이 올바르지 않아서 곧게 고집하여 흉함[39]과는 다르며, 삼효의 굳센 양이 알맞음을 지나쳐서 곧으면 부끄럽게 됨[40]과도 다르기 때문에, 후회는 곧 없어지게 된다고 했다. 비록 상을 언급하지 않았지만 점사를 통해서 알 수 있다.

이진상(李震相) 『역학관규(易學管窺)』

以陽居陰, 中而不正, 所應亦然, 故但言悔亡.

---

39) 『周易・恒卦』: 初六, 浚恒, 貞凶, 无攸利.
40) 『周易・恒卦』: 九三, 不恒其德, 或承之羞, 貞吝.

양으로 음의 자리에 있어서 알맞지만 바르지 않고 호응하는 오효도 또한 이러하기 때문에, 단지 "후회가 없어지리라"라고 했다.

이병헌(李炳憲) 『역경금문고통론(易經今文考通論)』

本義曰, 以陽居陰, 本當有悔, 以其久中, 故得亡也.
『본의』에서 말하였다: 양으로써 음의 자라에 있으니 본래 마땅히 후회가 있을 것이지만, 중(中)을 오래하기 때문에 후회가 없을 수 있다.

象曰, 九二悔亡, 能久中也.

「상전」에서 말하였다: "구이가 후회가 없어짐"은 알맞음[中]에 오래할 수 있기 때문이다.

中國大全

傳

所以得悔亡者, 由其能恒久於中也, 人能恒久於中, 豈止亡其悔. 德之善也.

후회가 없을 수 있는 까닭은 알맞음[中]에 항구할 수 있기 때문이니, 사람이 알맞음에 항구할 수 있다면, 어찌 후회를 없게 할뿐이겠는가? 덕 중에 훌륭한 것이다.

小註

張子曰, 以陽係陰, 用以爲常, 不能无悔, 以其久中, 故免.
장자가 말하였다: 양으로써 음에게 얽매여 있으니, 쓰임이 항상되어 후회가 없을 수 없지만, 알맞음에 오래하기 때문에 이를 면할 수 있다.

○ 臨川吳氏曰, 有悔而悔亡者, 以能常久於中, 而不過於剛也.
임천오씨가 말하였다: 후회가 있을 만하면서도 후회가 없게 되는 것은 알맞음에 항구할 수 있어 굳셈에 지나치지 않기 때문이다.

○ 白雲郭氏曰, 可久之道无他, 中焉而已矣. 過猶不及, 皆非可久也.
백운곽씨가 말하였다: 오래할 수 있는 도는 다름이 아니라 알맞게 하는 것일 뿐이다. "지나침은 미치지 못함과 같으니", 모두 오래할 수 있는 것이 아니다.

○ 雲峯胡氏曰, 九二提出能久中三字, 諸爻不中, 故不久, 皆可見也.
운봉호씨가 말하였다: 구이에서는 "알맞음[中]에 오래할 수 있기 때문이다[能久中]"라는 말을 제시하였으나, 여러 효들은 알맞지 않기 때문에 오래하지 못함을 모두 알 수가 있다.

韓國大全

김상악(金相岳) 『산천역설(山天易說)』

雷風之交, 易失其中, 而九二能久而不失, 故悔亡也.
우레와 바람이 사귐에 알맞음을 잃기 쉬운데, 구이는 오래도록 잃지 않을 수 있기 때문에 후회가 없다.

서유신(徐有臣) 『역의의언(易義擬言)』

既中矣, 又能久而不失也. 咸九四不稱咸, 故象稱感以明之. 恒二四不稱恒, 故象稱久以明之也. 昔年恭承庭訓云.
이미 알맞은데다가 또 오래도록 할 수 있어 잘못되지 않는다. 함괘(咸卦䷞)의 구사에서는 함(咸)을 언급하지 않았으므로[41] 「상전」에서는 감(感)을 언급하여 밝혔다.[42] 항괘의 이효와 사효에서는 항(恒)을 언급하지 않았기 때문에[43] 「상전」에서는 구(久)를 언급하여 그 뜻을 밝혔으니,[44] 예전에 집안의 가르침을 공손히 받들었다는 말이다.

오치기(吳致箕) 「주역경전증해(周易經傳增解)」

所以得悔亡者, 由其能恒久於中也.
후회가 없을 수 있는 이유는 알맞음에 항구할 수 있음에 연유한다.

---

41) 『周易 · 咸卦』: 九四, 貞吉, 悔亡, 憧憧往來, 朋從爾思.
42) 『周易 · 咸卦』: 象曰, "貞吉悔亡", 未感害也, "憧憧往來", 未光大也.
43) 『周易 · 恒卦』: 九四, 田无禽.
44) 『周易 · 恒卦』: 象曰, 久非其位, 安得禽也.

九三, 不恒其德. 或承之羞, 貞, 吝.

정전 구삼은 그 덕을 항상되게 하지 않음이다. 혹 부끄러움이 이를 것이니, 곧으면 부끄러우리라.
본의 구삼은 그 덕을 항상되게 하지 않음이다. 혹자가 부끄러움을 받듦이니, 곧게 하더라도 부끄러우리라.

中國大全

傳

三, 陽爻居陽位, 處得其位, 是其常處也. 乃志從於上六, 不唯陰陽相應, 風復從雷, 於恒處而不處, 不恒之人也. 其德不恒, 則羞辱或承之矣, 或承之, 謂有時而至也. 貞吝, 固守不恒以爲恒, 豈不可羞吝乎.

삼효는 양의 효로서 양의 자리에 있어서 처함에 마땅한 자리를 얻었으니, 떳떳한 처함이다. 뜻이 상육을 따르므로, 오직 음과 양이 서로 호응할 뿐만 아니라, 바람이 다시 우레를 따라 항상된 곳에 있지 못하니, 항상되지 못한 사람이다. 그 덕이 항상되지 못하면 부끄러움과 욕됨이 혹 이를 것이니, '혹 이를 것이니'란 때로 이름을 말한다. "곧으면 부끄러우리라"란 "항상되지 않음을 굳게 지켜 항상됨으로 여긴다면, 어찌 부끄럽지 않을 수 있겠는가?"라는 뜻이다.

本義

位雖得正, 然過剛不中, 志從於上, 不能久於其所, 故爲不恒其德或承之羞之象. 或者, 不知其何人之辭. 承, 奉也, 言人皆得奉而進之, 不知其所自來也. 貞吝者, 正而不恒, 爲可羞吝, 申戒占者之辭.

자리가 비록 제자리를 얻었지만 지나치게 굳세고 알맞지 않으며 뜻이 상효를 따라 그 자리에 오래할 수가 없기 때문에, 그 덕을 항상되게 하지 못하여 혹자가 부끄러움을 받드는 상이 된다. '혹(或)'이란 어떤 사람인지 알지 못한다는 말이다. '받듦'이란 이어받음이니, 사람들이 모두 이어받아 나아가면서도 어디로부터 온지를 알지 못하는 것이다. "곧게 하더라도 부끄러우리라"란 바르지만 항상되게 하지 못하여 부끄러울 수 있게 되는 것이니, 점치는 자를 거듭 경계한 말이다.

小註

朱子曰, 承, 如承奉之承, 如人送羞辱與之也.
주자가 말하였다: '받듦'이란 받들어 올린다고 할 때의 받듦과 같으니, 사람이 부끄러움과 치욕을 뒤따라가 함께 하는 것과 같다.

○ 兼山郭氏曰, 九三剛已過中, 而巽爲不果, 進退无常, 不恒其德者也.
겸산곽씨가 말하였다: 구삼은 굳세면서 이미 알맞음을 지나쳤고, 손괘(巽卦)는 과단성이 없음을 의미하여 나아가고 물어남에 항상됨이 없으니, 그 덕을 항상되게 하지 못하는 자이다.

○ 中溪張氏曰, 三以剛躁而處雷風之交, 德之不恒者也. 不恒其德, 則或承受其羞辱矣. 雖貞亦吝.
중계장씨가 말하였다: 삼효는 굳세고 조급하면서 우레와 바람이 교차하는 곳에 있으니, 덕이 항상되지 않는 자이다. 그 덕을 항상되게 하지 않으면 혹 그 부끄러움과 치욕을 받들어 받게 된다. 비록 바르더라도 또한 부끄럽다.

○ 雲峯胡氏曰, 九二得中, 故悔亡, 九三不中, 故羞且吝. 蓋在恒之時, 二爲久於中, 三不中則不能久也.
운봉호씨가 말하였다: 구이는 알맞음을 얻었기 때문에 후회가 없게 되고, 구삼은 알맞지 않기 때문에 부끄럽고 인색하다. 항괘의 시기에 이효는 알맞음을 오래할 수 있고, 삼효는 알맞지 않으니 오래할 수 없다.

○ 厚齋馮氏曰, 巽爲進退不果, 九二與九三同也. 然九二以剛處柔而位得中, 是以悔亡. 九三過剛而不中, 其究爲躁卦, 是以不恒其德也. 六五體震, 而以柔處尊位而得中, 故爲恒其德, 象意甚明.
후재풍씨가 말하였다: 손괘가 나아가고 물러남에 과단성이 없다는 것은 구이와 구삼이 같다. 그러나 구이는 굳센 양으로 부드러운 음의 자리에 있고 가운데 자리를 얻었으니, 이 때문에 후회가 없게 된다. 구삼은 지나치게 굳세고 알맞지 않아 끝내 조급한 괘가 되니, 이 때문에 그 덕을 항상되게 하지 못한다. 육오는 진괘(震卦)를 몸체로 하여 부드러운 음으로 존귀한 자리에 있으면서 알맞음을 얻었기 때문에 그 덕을 항상되게 한다. 상의 뜻이 매우 분명하다.

韓國大全

조호익(曺好益) 『역상설(易象說)』

不恒, 巽爲進退不果, 又三處巽極其究, 爲躁卦之象. 羞, 陰吝象. 九變則陰. 否之三以本爻言, 故曰包. 恒之三以變爻言, 故曰或. 或者, 未定之辭.

"항상되게 하지 않음이다"는 손괘가 나아가고 물러남을 과감하게 하지 않고 또 삼효가 손괘가 그 끝을 다하는 데 있어 조급한 괘의 상이 된 것이다. '부끄러움'은 음의 부끄러운 상이니, 구(九)가 변한 것이 음이다. 비괘(否卦䷋)의 삼효는 본래의 효로써 말했기 때문에 "품는다"[45]고 했다. 항괘의 삼효는 변화된 효로써 말했기 때문에 '혹'이라고 말했다. '혹(或)'이라는 말은 아직 확정되지 않았다는 말이다.

송시열(宋時烈) 『역설(易說)』

過剛不中, 巽爲進退, 爲不果失中, 則失其常矣. 陽過則變爲陰矣, 故曰不恒其德. 或者, 有時而或至之謂也. 本義不知何人之云, 未詳. 凡喜者, 陽之道, 羞者, 陰之道. 承者, 繼有之意也. 固守其不恒之德則吝, 小象無所容, 與離四略同, 言无措躬之地也, 言不恒而承羞則改之可矣, 若貞固而不改則其道悔吝, 占亦如之.

굳셈이 지나쳐서 알맞지 못하고, 손괘는 나아가고 물러남이 되는데 과감히 하지 않아서 알맞음을 잃은 것이 되었으니, 항상됨을 잃은 것이다. 양이 지나치면 변하여 음이 되기 때문에 "그 덕을 항상되게 하지 않음이다"라고 했다. '혹(或)'이라는 말은 때에 따라서 간혹 이르기도 한다는 뜻이다. 『본의』에서 "어떤 사람인지 알지 못한다"고 한 말은 정확한 해설이 아니다. 기쁨이란 양의 도이고 부끄러움은 음의 도이다. '받듦'이라는 말은 계승하여 가진다는 뜻이다. 항상되지 못한 덕을 고수한다면 부끄럽게 된다. 「소상전」에서 "용납할 바가 없다"라고 한 말은 리괘(離卦䷝) 사효와 대체적으로 동일하니,[46] 몸을 둘 곳이 없다는 뜻이며, 항상되지 못하여 부끄러움을 잇는다면 고치는 것이 옳다는 말이다. 만약 굳게 지키며 고치지 않는다면 그 도는 후회하고 부끄럽게 되니, 점 또한 이와 같다.

---

45) 『周易·否卦』: 六三, 包羞.

46) 『周易·離卦』: 象曰, "突如其來如", 无所容也.

이익(李瀷) 『역경질서(易經疾書)』

不恒無德, 其凶吝必矣, 故聖人斷謂, 不占而已矣. 或之者, 幸之也, 不多之稱. 如此者, 其或承之以羞者, 亦幸也. 周公之意, 本如此, 孔子恐後人錯看, 釋之曰無所容也.
항상되지 못하여 덕이 없음은 반드시 흉하고 부끄럽게 되기 때문에 성인이 결단하여 말하였으니, 점칠 것까지도 없다. 혹(或)이라는 말은 요행으로 취한다는 뜻으로 드문 경우를 뜻한다. 이와 같은 경우 간혹 부끄러움으로 잇는 자가 있다면 이 또한 요행으로 된 것이다. 주공의 의도는 본래 이와 같은데 공자는 아마도 후세 사람들이 잘못 볼 것을 염려했기 때문에 "용납할 바가 없다"고 풀이했다.

유정원(柳正源) 『역해참고(易解參攷)』

王氏曰, 處三陽之中, 居下體之上, 處上體之下, 上不全尊, 下不全卑, 中不在體, 體在乎恒而分无所定, 无恒者也. 德行无恒, 故或承之羞.
왕필이 말하였다: 세 양의 가운데 있고 하체의 위에 있으며 상체의 아래에 있어 위로는 존귀함을 온전히 하지 못하고 아래로는 미천함을 온전히 하지 못하며 가운데로는 그 몸체에 있지 않다. 몸체가 항상됨에 있으면서 나누어져 확정된 것이 없으니, 항상됨이 없는 자이다. 덕을 시행함에 항상됨이 없기 때문에 혹 부끄러움이 이를 것이다.

○ 梁山來氏曰, 陽德居正, 故得稱德. 九三雖得正, 然過剛不中, 當雷風交接之際, 雷動而風從, 不能自守, 故有不恒其德, 或承之羞之象.
양산래씨가 말하였다: 양의 덕이 올바름에 있기 때문에 '덕(德)'이라고 지칭할 수 있다. 구삼은 비록 올바름을 얻었지만 굳센 양이 지나쳐서 알맞지 않으니, 우레와 바람이 교류할 때에 해당하여, 우레가 움직임에 바람이 따라서 스스로 지킬 수 없기 때문에, 그 덕을 항상되게 하지 못하여 혹 부끄러움이 이르는 상이 있다.

○ 案, 以陽居陽, 處得其正, 九三之德也, 而過剛不中, 進退不果, 其德之不恒也. 德之不恒, 天下之羞辱歸之, 如玄宗開元之治, 若將有爲, 而由其用心不恒, 卒致天寶之亂, 羞孰甚焉.
내가 살펴보았다: 양으로 양의 자리에 있으니 처함에 올바름을 얻은 것으로 구삼의 덕에 해당하지만, 굳센 양이 지나쳐서 알맞지 못하고 나아가고 물러남에 과감하지 않으니, 그 덕이 항상되지 못한다. 덕이 항상되지 못하여 천하의 치욕이 그곳으로 회귀할 것이니, 현종(玄宗) 개원(開元) 연간의 정사에서는 훌륭한 정치를 기대할만 했는데 그 마음을 씀이 항상되지 못함에서 비롯되어 결국 천보 연간의 난리를 초래하였으니, 그 어떤 부끄러움이 이보다

심하겠는가?

김상악(金相岳) 『산천역설(山天易說)』

九三過剛不中, 處巽之終, 應震之極, 相交而動, 故有不恒其德之象. 或承之羞者, 九二承三而羞之也, 固守而不變, 亦可吝矣.

구삼은 굳센 양이 지나쳐서 알맞지 못하고 손괘의 끝에 있으며 진괘의 끝과 호응하여 서로 사귀어 움직이기 때문에 그 덕을 항상되게 하지 못하는 상이 있다. "혹 부끄러움이 이를 것이다"는 구이가 삼효를 이어서 부끄럽게 된다는 뜻이니, 고수하며 변하지 않기 때문에 부끄러울 수 있다.

○ 三互乾體而得正, 有可恒之德, 而巽爲進退, 風復從雷, 不恒之象, 所以益上卦乾變爲巽, 故其上九曰立心勿恒, 而或擊之凶, 與或承之羞相似. 又三變爲解, 解曰負且乘, 卽不恒其德也, 致寇至, 卽或承之羞也, 故貞吝同占. 羞, 從他至, 吝, 自己致者也. 承者, 以卦變言也.

삼효는 호괘인 건괘의 몸체여서 올바름을 얻었으니 항상될 수 있는 덕이 있지만, 손괘는 나아가고 물러남이 되며 바람이 재차 우레를 따르니, 항상되지 못하는 상이다. 익괘(益卦䷩)의 상괘는 건괘가 변화하여 손괘가 된 것이기 때문에 상구에서는 "항상 이익에 마음을 세워서는 안 된다"고 하였으니, "혹 칠 것이다"의 흉함[47]은 "혹 부끄러움이 이를 것이다"와 유사하다. 또 삼효가 변화하면 해괘(解卦䷧)가 되는데, 해괘에서 "짊어져야 하는데 또 올라탔다"고 한 말은 "그 덕을 항상되게 하지 않음이다"에 해당하며, "도적이 오는 것을 이룬다"고 한 말[48]은 "혹 부끄러움이 이를 것이다"에 해당하기 때문에, "곧으면 부끄러우리라"라는 점에서는 동일하다. '수(羞)'는 다른 곳으로부터 온 것이고, '인(吝)'은 자기로부터 온 것이다. '승(承)'이라는 말은 괘의 변화로 한 말이다.

김규오(金奎五) 「독역기의(讀易記疑)」

巽三有應, 未必皆吝, 如升之九三, 可見. 此爲恒體而失其恒德, 故至於无所容也. 馮氏進退躁卦之說, 覺尤明白.

손괘의 세 효에는 호응함이 있지만 반드시 모든 효가 부끄러운 것은 아니니 승괘(升卦䷭)의

47) 『周易·益卦』: 上九, 莫益之, 或擊之, 立心勿恒, 凶.
48) 『周易·解卦』: 六三, 負且乘, 致寇至, 貞吝.

구삼과 같은 경우에서 확인할 수 있다.49) 삼효는 항상됨의 몸체가 되지만 항상된 덕을 잃었기 때문에 "용납할 바가 없다"는 지경에 이르렀다. 풍씨가 나아가고 물러남에 조급한 괘라고 한 말은 깨우침이 더욱 명백하다.

서유신(徐有臣) 『역의의언(易義擬言)』

居二體變易之際, 而有進退之象, 是其德不能恒也. 不恒也, 故其所相與之際, 或以羞吝相承之也. 是雖正應, 亦可吝也. 詩云, 士也罔極, 二三其德, 此爻似之.
두 몸체가 변역하는 때에 있어서 나아가고 물러나는 상이 있으니, 덕을 항상되게 할 수 없는 이유이다. 항상되게 할 수 없기 때문에 서로 함께 할 때 간혹 부끄러움으로 서로 잇게 되니, 정응이 되더라도 또한 부끄럽게 되는 이유이다. 『시경』에서 "남자가 끝이 없으니 그 덕이 이랬다 저랬다한다"50)고 한 말은 이 효의 뜻과 유사하다.

박제가(朴齊家) 『주역(周易)』

九三, 或承之羞.
구삼은 혹 부끄러움이 이를 것이다.

傳, 或承之, 謂有時而至也, 自穩. 本義, 或者, 不知其何人之辭. 承, 奉也, 言人皆奉而進之, 不知其所自來也. 恐太費力亦還他傳意.
『정전』에서는 "'혹 부끄러움이 이를 것이다'란 때로 이름을 말한다"라고 했으니, 그 자체로 평이한 풀이이다. 『본의』에서는 "'혹(或)'이란 어떤 사람인지 알지 못한다는 말이다. '받듦'이란 이어받음이니, 사람들이 모두 이어받아 나아가면서도 받들어 올릴 수 있으면서도 어디로부터 온지를 알지 못하는 것이다"라고 했다. 애를 써서 해석을 했겠지만 또한 『정전』의 뜻과 같다.

박문건(朴文健) 『주역연의(周易衍義)』

志在害與, 故有不恒之象. 或承之羞, 言羞辱之事, 自外而至也.
뜻이 함께 함을 해치는 데 있기 때문에 항상되지 못하는 상이 있다. "혹 부끄러움이 이를

49) 『周易·升卦』: 九三, 升虛邑.

50) 『詩經·氓』: 桑之落矣, 其黃而隕. 自我徂爾, 三歲食貧. 淇水湯湯, 漸車帷裳. 女也不爽, 士貳其行. 士也罔極, 二三其德.

것이다"는 부끄러움을 당하는 일이 외부로부터 도달한다는 뜻이다.
〈問, 不恒其德以下. 曰, 九三恃剛害與, 故不恒其德而致羞辱也. 言或者, 自外而承進其羞辱之事也. 若必固貞而進, 則見害而致吝也.
물었다: "그 덕을 항상되게 하지 않는다" 이하는 무슨 뜻입니까?
답하였다: 구삼은 굳셈에 의지하여 함께 함을 해치기 때문에 그 덕을 항상되게 하지 않아서 치욕을 당한 경우입니다. '혹(或)'이라고 말한 것은 외부로부터 치욕을 당하는 일에 나아간다는 뜻입니다. 만약 기어코 곧게만 고수하여 나아간다면 해로움을 당하여 부끄럽게 됩니다.〉

이지연(李止淵) 『주역차의(周易箚疑)』

勿以善小而不爲, 勿以惡小而爲之, 則可免不恒其德之羞矣.
선함이 작다고 하더라도 시행하지 않음이 없고 악함이 작더라도 시행하지 않는다면, 그 덕을 항상되게 하지 못하여 받게 되는 부끄러움을 면할 수 있다.

김기례(金箕澧) 『역요선의강목(易要選義綱目)』

過剛而居巽體, 則不果, 故志應上六, 進退无恒, 不能久於常處, 則羞或至矣. 進退故曰或, 固守不恒之德吝, 雖剛, 有進退之陰性, 故曰吝.
굳셈이 지나쳐서 손괘의 몸체에 있다면 과감하지 않기 때문에 뜻은 상육과 호응하길 원하면서도 나아가고 물러남에 항상됨이 없어서 항상된 곳에서 오래 있을 수 없으니, 부끄러움이 간혹 이르게 된다. 나아가고 물러나기 때문에 '혹(或)'이라고 말하였다. 항상되지 못한 덕을 고수한다면 부끄럽게 되니, 비록 굳센 양이라 하더라도 나아가고 물러나는 음의 성질이 있기 때문에 "부끄럽다"고 했다.

이항로(李恒老) 「주역전의동이석의(周易傳義同異釋義)」

傳, 貞吝, 固守不恒以爲恒, 豈不羞吝乎.
『정전』에서 말하였다: '정린(貞吝)'이란 "항상되지 않음을 굳게 지켜 항상됨으로 여긴다면, 어찌 부끄럽지 않을 수 있겠는가?"라는 뜻이다.

本義, 貞吝者, 正而不恒, 則爲可羞吝.
『본의』에서 말하였다: '정린(貞吝)'이란 바르지만 항상되게 하지 못함은 부끄러울 만하게 된다는 뜻이다.

按, 不恒其德, 爲羞吝之實, 何待固守然後爲吝乎. 雖正而不恒, 則爲可羞吝, 故本義改之.
내가 살펴보았다: 그 덕을 항상되게 하지 못함은 부끄러움의 실질이 되는데, 어찌 고수한 뒤에야 부끄럽게 되겠는가? 비록 올바르더라도 항상되지 않는다면 부끄러울 수 있기 때문에, 『본의』에서 그 의미를 고쳐서 설명하였다.

심대윤(沈大允) 『주역상의점법(周易象義占法)』

恒之解䷧, 解釋也. 九三以剛居剛而不中, 專守正而不知時變, 其所恒者小, 而不恒者大, 故曰不恒其德. 對益有艮爲德, 巽爲承爲羞, 九三介於二剛之間, 偏執而無變通, 故曰或承之羞.
항괘가 해괘(解卦䷧)로 바뀌었으니, 풀린다는 뜻이다. 구삼은 굳센 양으로 양의 자리에 있지만 가운데가 아니며, 오로지 올바름만 지키고 때에 따른 변화를 알지 못하니, 항상된 것은 작고 항상되지 않은 것은 크기 때문에 "그 덕을 항상되게 하지 않음이다"라고 했다. 음양이 바뀐 익괘(益卦䷩)에는 간괘가 덕이 되고 손괘는 받듦과 부끄러움이 됨이 있는데, 구삼은 두 굳센 양 사이에 끼어 있어서 치우치게 잡고서 변통함이 없기 때문에 "혹 부끄러움이 이를 것이다"라고 했다.
〈解, 嚴於其屬而寬於天下, 所嚴在於近者小者, 而所寬在於遠者衆者, 九三之恒, 亦滿是也.
해괘는 배속된 것에 엄하고 천하에 대해 관대한데, 엄한 것은 가깝고 작은 것에 있으며 관대한 것은 멀고 많은 것에 있으니, 구삼의 항상됨 또한 충만하게 된다.〉

오치기(吳致箕) 「주역경전증해(周易經傳增解)」

九三, 過剛不中, 而居巽之終, 交震之初, 躁動无常, 進退其德, 不能恒久, 持守, 故或有時而承受羞辱, 无以見容於人, 其所進退不恒者, 設或得正而亦爲羞吝, 況其不正乎, 切戒之辭也.
구삼은 지나치게 굳세고 알맞지 않은데, 손괘의 끝에 있어 진괘의 초효와 사귐에 조급하게 움직이고 항상됨이 없어서 그 덕을 나아가게 하고 물림에 항구할 수 없다. 지키기를 유지하기 때문에 간혹 때에 따라 치욕을 당하게 되며, 남에게 포용됨이 없다. 나아가고 물러남에 항상되지 않은 자는 간혹 바르더라도 또한 부끄럽게 되는데, 하물며 바르지 않은 자에 있어서는 어떻겠는가? 그러므로 간절히 경계한 말에 해당한다.

○ 德, 取爻變之坎, 或者, 未定之辭也, 承, 受也, 取於對體互艮也. 巽爲進退, 其究爲躁卦, 而震爲動, 又爲決躁, 故以過剛之三居上下之交, 而有不恒其德之象也.
덕(德)은 효가 변화된 감괘에서 취했다. '혹(或)'이라는 말은 아직 확정되지 않았다는 말이며, '승(承)'자는 받는다는 뜻으로, 음양이 반대로 된 몸체의 호괘인 간괘에서 취했다. 손괘는 나아가고 물러남이 되는데 그 끝에 있어서는 조급한 괘가 되고, 진괘는 움직임이 되니 또한 빠르고 조급한 뜻이 되기 때문에, 지나치게 굳센 양인 삼효가 위아래가 사귀는 곳에 있어, 그 덕을 항상되게 하지 못하는 상이 있다.

이진상(李震相) 『역학관규(易學管窺)』

以過中之剛, 當雷風之交, 不能自守, 躁疾之氣勝故也.
알맞음을 지나친 굳센 양으로 우레와 바람이 사귀는 때에 스스로를 지키지 못하니, 급박한 기운이 이기기 때문이다.

象曰, 不恒其德, 无所容也.

「상전」에서 말하였다: "그 덕을 항상되게 하지 않음"은 용납할 바가 없다.

中國大全

傳

人旣无恒, 何所容處. 當處之地, 旣不能恒, 處非其據, 豈能恒哉. 是不恒之人, 无所容處其身也.

사람이 항상됨이 없다면 어느 곳인들 용납되어 처하겠는가? 마땅히 있어야 할 곳에서 이미 항상될 수 없어서 마땅히 의지하여야 할 곳이 아닌 곳에 있으니, 어찌 항상될 수 있겠는가? 이것이 항상되지 못하는 사람이 그 자신을 용납하여 처할 곳이 없는 것이다.

小註

東谷鄭氏曰, 三過剛而純乎剛, 旣不常其德, 又以其剛介於二剛之間, 進退无所容於人也.
동곡정씨가 말하였다: 삼효는 지나치게 굳세어 굳셈에 순수하니 이미 그 덕을 항상되게 하지 못하고, 또 굳센 양으로 두 굳센 양의 사이에 끼어 있어서 나아가고 물러나는 데에 다른 사람에게 용납될 바가 없다.

○ 中溪張氏曰, 无常之人, 孔子謂不可爲巫醫, 況其他乎. 宜其无所容身於天地間也.
중계장씨가 말하였다: 항상됨이 없는 사람을 두고 공자는 무당이나 의원도 될 수 없다[51]고 하였으니, 하물며 그 외에 있어서랴! 하늘과 땅 사이에 자신을 용납할 곳이 없는 것이 마땅하다.

---

51)『論語 · 子路』: 子曰 南人, 有言曰 人而無恒, 不可以作巫醫, 善夫.

韓國大全

김상악(金相岳) 『산천역설(山天易說)』

既不安其常處, 而又爲同類所羞, 何所容處乎.
이미 항상된 거처에서 편안하지 못하고 또 동류로부터 부끄럽게 여겨지니, 어디엔들 용납할 곳이 있겠는가?

서유신(徐有臣) 『역의의언(易義擬言)』

應與之際, 不能有恒, 誰肯容受哉.
호응하여 함께 할 때 항상됨을 갖출 수 없는데, 누가 기꺼이 받아들이겠는가?

강엄(康儼) 『주역(周易)』

按, 不恒其德, 或承之羞, 則其凶咎大矣, 而占只曰吝, 蓋謂其正而不恒爲可羞吝, 其戒之也, 亦深矣. 夫子又恐人輕看貞吝之戒, 反以爲不恒其德, 只是可吝底事, 雖或不恒而亦不大害云爾, 則其弊將至於猖狂自恣, 而无所忌憚矣, 故斷之曰不恒其德, 无所容也, 言无所容於天地之間也. 蓋不恒其德, 无所往而不取羞吝, 則亦無所往而容其身矣. 雖不言凶咎, 而其爲凶咎, 孰有大於此者乎.
내가 살펴보았다: 그 덕을 항상되게 하지 않아서 혹 부끄러움이 이르게 된다면 흉함과 허물됨이 큰데도, 점사에서는 단지 "부끄럽다"고만 말했으니, 올바르지만 항상되지 못함이 부끄럽게 됨을 뜻하며, 경계함이 또한 심하다. 공자는 또한 사람들이 "곧으면 부끄러우리라"라는 경계의 말을 경시하여, 도리어 그 덕을 항상되게 하지 않음이 단지 부끄러울만한 일이라 여길 것을 염려했다. 비록 항상되지 않게 되더라도 또한 큰 해가 되지 않는다고 말한다면, 그 폐단이 장차 날뛰며 제멋대로 하여 거리낌에 없는 지경에 이르게 되기 때문에 단정을 하여 "'그 덕을 항상되게 하지 않음'은 용납할 바가 없다"고 했으니, 천지간에 용납될 곳이 없다는 의미이다. 그 덕을 항상되게 하지 못하여 가는 곳마다 부끄러움을 당하지 않는 경우가 없다면, 또한 가는 곳마다 자신을 용납할 곳이 없게 된다. 비록 흉함과 허물을 언급하지 않았지만 그 어느 것이 흉함과 허물됨이 이보다 크겠는가?

박문건(朴文健)『주역연의(周易衍義)』

无所容, 言內外俱困也.
“용납할 바가 없다”는 내외가 모두 곤궁하게 된다는 뜻이다.

심대윤(沈大允)『주역상의점법(周易象義占法)』

束縛而不得動, 無所容身也.
속박되어 움직일 수 없어서 자신을 용납할 곳이 없다.

오치기(吳致箕)「주역경전증해(周易經傳增解)」

執德不能恒久, 則无所容於人也.
덕을 지님에 항구하게 할 수 없다면 남에게 받아들여짐이 없다.

九四, 田无禽.

구사는 사냥을 하지만 잡은 짐승이 없다.

中國大全

傳

以陽居陰, 處非其位, 處非其所, 雖常, 何益. 人之所爲, 得其道則久而成功, 不得其道則雖久何益. 故以田爲喩. 言九之居四, 雖使恒久, 如田獵而无禽獸之獲, 謂徒用力而无功也.

양으로서 음의 자리에 있어서 처함이 마땅한 자리가 아니니, 처함이 마땅한 곳이 아니라면 비록 항상 되더라도 무슨 유익함이 있겠는가? 사람의 하는 바가 도를 얻으면 오래하여 성공할 수 있어도, 도를 얻지 못하면 비록 오래하더라도 무슨 유익함이 있겠는가? 그러므로 사냥으로 비유하였다. 양[九]이 사효에 있음은 비록 항구하게 하더라도 사냥을 하여도 잡은 짐승이 없다는 것과 같다는 말이니, 단지 힘만 쓰고 공이 없음을 이른 것이다.

本義

以陽居陰, 久非其位, 故爲此象, 占者田无所獲, 而凡事亦不得其所求也.

양으로 음의 자리에 있어서 마땅한 자리가 아닌 데에 오래하기 때문에 이러한 상이 되었으니, 점을 치는 사람은 사냥을 하면 잡은 바가 없을 것이며, 모든 일도 또한 구하는 바를 얻지 못할 것이다.

小註

節齋蔡氏曰, 四爲震體, 而處位不中, 好變者也. 以好變之心, 應浚恒之初, 必不能相有也, 故曰无禽.

절재채씨가 말하였다: 사효는 진괘의 몸체가 되고, 처한 자리가 가운데가 아니어서 변하기를 좋아하는 자이다. 변하기를 좋아하는 마음으로 '깊게 항상된' 초효와 호응하니, 반드시 서로 의지할 수가 없기 때문에 "잡은 짐승이 없다"고 하였다.

○ 雲峯胡氏曰, 本義謂九四以陽居陰, 久非其位, 然九二亦陽居陰而曰悔亡者, 唯中則可常, 九二中, 九四不中故也. 師之六五曰, 田有禽, 五柔中而所應者剛, 剛實, 故曰有禽. 恒之四, 以剛居不中而所應者柔, 柔虛, 故曰无禽.
운봉호씨가 말하였다: 『본의』에서 "구사는 양으로 음의 자리에 있어서 마땅한 자리가 아닌 데에 오래한다"고 하였다. 그런데 구이 또한 양으로 음의 자리에 있는데도 "후회가 없다"고 한 것은 오직 알맞으면 항상될 수 있는데, 구이는 알맞고 구사는 알맞지 않기 때문이다. 사괘(師卦䷆)의 육오에서는 "밭에 짐승이 있다"고 하였는데, 오효는 부드럽고 알맞으며 호응하는 바가 굳센 양이니, 굳세어 실제가 있기 때문에 "짐승이 있다"고 하였다. 항괘의 사효는 굳센 양으로 알맞지 않고 호응하는 바가 유순한 음이니, 유순하여 비어 있기 때문에 "잡은 짐승이 없다"고 하였다.

韓國大全

조호익(曺好益) 『역상설(易象說)』

巽四, 互體離, 離爲戈兵, 又以陰居陰, 巽而能正, 故下二陽從之, 初亦以位相應, 故有三品之獲. 恒四, 巽之伏體, 互不成離, 無藏器於身之象. 又以陽居陰, 不正而好動, 下二陽不從, 初雖應而虛, 故有无禽之象. 又禽, 鳥獸摠名, 卦中巽鷄, 乾馬, 兌羊, 震龍, 非田獲之物也.
손괘(巽卦䷸)의 사효는 호괘의 몸체가 리괘가 되고 리괘는 병장기가 되며, 또 음으로써 음의 자리에 있어서 공손하여 올바를 수 있기 때문에, 아래의 두 양이 따르고 초효 또한 그 자리로 서로 호응하기 때문에, 삼품(三品)의 짐승을 얻음이 있다.[52] 항괘(恒卦䷟)의 사효는 손괘(巽卦☴)의 음양이 바뀐 몸체이지만 호괘가 리괘를 이루지 못하여, 몸에 기물을 보관하는 상이 없다. 또 양으로 음의 자리에 있어서 바르지 못한데도 움직이길 좋아하여 아래 두

52) 『周易 · 巽卦』: 六四, 悔亡, 田獲三品.

양이 따르지 않고, 초효가 비록 호응하지만 비어 있기 때문에 짐승이 없는 상이 있다. 또 '짐승[禽]'은 조수를 총칭하는 말이다. 괘 중에 손괘는 닭이 되고 건괘는 말이 되며 태괘는 양이 되고 진괘는 용이 되는데, 사냥을 통해 포획할 수 있는 짐승이 아니다.

송시열(宋時烈) 『역설(易說)』

師六五曰田有禽, 此曰无禽, 蓋田指遠外之地也. 師五曰有禽, 比五曰失前禽. 以此推之, 坎之爲禽可見, 坎錯則爲離, 離爲飛鳥故也. 此卦亦有坎象, 而初爻陰虛, 故曰无禽, 謂應無陽實之爻也. 小象, 久非其位者, 四旣陰位, 而陽爻以恒之時久處之, 此非其位也, 故不能得禽也. 竝見比之九五註.

사괘(師卦䷆)의 육오에서는 "밭에 새가 있다"[53]고 했고 이곳에서는 "잡은 짐승이 없다"고 했으니, 밭은 멀리 떨어진 바깥의 땅을 뜻한다. 사괘의 육오에서는 "새가 있다"고 했고 비괘(比卦䷇)의 오효에서는 "앞의 새를 잃다"[54]고 했다. 이를 통해 추론해보면 감괘는 새가 됨을 알 수 있으니, 감괘가 음양이 바뀌면 리괘가 되고 리괘는 날아가는 새가 되기 때문이다. 항괘에도 또한 감괘의 상이 있지만 초효가 음으로 비어 있기 때문에 "잡은 짐승이 없다"고 했으니, 호응함에 있어 차있는 양효가 없다는 의미이다. 「소상전」에서 "그 마땅한 자리가 아닌 데에 오래한다"는 말은 사효가 이미 음의 자리인데 양효가 항괘의 때로써 오래도록 머물지만, 이것은 자신의 자리가 아니기 때문에 새를 잡을 수 없다는 것이다. 비괘 구오에 대한 주를 함께 보라.

홍여하(洪汝河) 「책제(策題): 문역(問易)·독서차기(讀書箚記)-주역(周易)」

震動而上, 巽隱而伏, 上下相違, 射隼无獲.

진괘가 움직여서 위로 올라가고 손괘가 숨어서 엎드리니, 상하가 서로 위배되어 활을 쏘아도 포획함이 없다.

이익(李瀷) 『역경질서(易經疾書)』

遊佃, 非可恒者也, 猶且不已, 凶咎不須言也.

사냥을 지나치게 좋아함은 항상될 수 없는 자인데, 또한 그것을 그치지 않으므로 흉함과 허물은 언급할 필요도 없다.

---

53) 『周易·師卦』: 六五, 田有禽, 利執言, 无咎, 長子帥師, 弟子輿尸, 貞凶.

54) 『周易·比卦』: 九五, 顯比, 王用三驅, 失前禽, 邑人不誡, 吉.

유정원(柳正源)『역해참고(易解參攷)』

正義, 田者, 田獵也, 以譬有事也. 无禽者, 田獵不獲, 以喩有事无功也. 恒於非位, 故勞而无功.

『주역정의』에서 말하였다: '사냥[田]'이라는 말은 산이나 들에서 짐승을 잡는다는 뜻으로, 이를 통해 어떤 일을 시행한다는 뜻을 비유했다. "잡은 짐승이 없다"는 사냥을 통해 짐승을 잡지 못했다는 뜻으로, 이를 통해 어떤 일을 시행했지만 공이 없음을 비유했다. 자신의 자리가 아닌 곳에서 오래되었기 때문에 수고롭더라도 공이 없다.

○ 節齋蔡氏曰, 田者, 犇馳, 无常所, 故取而爲象.

절재채씨가 말하였다: '전(田)'은 쫓는다는 뜻으로, 항상된 장소가 없기 때문에 이를 취하여 상으로 삼았다.

○ 雙湖胡氏曰, 師六五田有禽, 以其有坎爲害田之豕也. 恒九四田无禽, 以其有陰深入於下, 旣不可得, 又於坎體无取, 故曰无禽.

쌍호호씨가 말하였다: 사괘(師卦䷆)의 육오에서는 "밭에 짐승이 있다"[55]고 했으니, 감괘가 있는 것을 밭에 피해를 주는 돼지로 보았기 때문이다. 항괘의 구사에서 "사냥을 하지만 잡은 짐승이 없다"라고 했는데, 음이 아래로 깊이 들어가서 이미 얻을 수 없음이 있고, 또 감괘의 몸체에서 취함이 없기 때문에 "잡은 짐승이 없다"고 했다.

○ 案, 此爻疑古田獵之占.

내가 살펴보았다: 이 효는 아마도 고대에 사냥을 했을 때 쳤던 점인 것 같다.

김상악(金相岳)『산천역설(山天易說)』

九四居震巽之交, 比五應初而從應于下, 然以陽居陰, 非其位也. 初又无位, 失其勢也, 故田无所獲, 雖久何益.

구사는 진괘와 손괘가 사귀는 사이에 있고, 오효와 가깝고 초효와 호응해서 뒤따라 아래에 호응을 하지만, 양으로 음의 자리에 있으니 자신의 자리가 아니다. 초효는 또한 자리가 없어 그 세력을 잃었기 때문에 사냥을 해도 포획한 짐승이 없으니, 비록 오래한들 어떤 보탬이 되겠는가?

---

55)『周易·師卦』: 六五, 田有禽, 利執言, 无咎, 長子帥師, 弟子輿尸, 貞凶.

○ 田, 田獵也. 禽本離象, 而下卦離變爲巽風以散之, 故曰无禽. 井初六曰舊井无禽, 亦以是也. 蓋田无所獲, 所應者柔虛, 與師六五曰田有禽相反. 又震木生離火, 變而爲鼎, 鼎之交爲家人, 鼎之對爲屯, 屯之三曰卽鹿无虞, 无虞則田无所獲, 无禽則家人无中饋之具, 故鼎之三曰雉膏不食, 參互諸卦, 其象可見.
'사냥[田]'은 산이나 들에서 짐승을 잡음을 뜻한다. 짐승은 본래 리괘의 상인데, 하괘인 리괘가 변화하여 손괘인 바람이 되어 흩어지게 하기 때문에 "잡은 짐승이 없다"고 했다. 정괘(井卦䷯)의 초육에서 "옛 우물에 짐승이 없다"[56]라고 한 말 또한 이러한 이유 때문이다. 사냥에서 포획한 짐승이 없는 이유는 호응하는 것이 유약한 음으로 비어 있기 때문이니 사괘(師卦䷆)의 육오에서 "사냥에 잡은 짐승이 있다"[57]라고 한 말과 상반된다. 또 진괘의 나무는 리괘의 불을 낳으니 변화하여 정괘(鼎卦䷱)가 되는데, 정괘가 위아래가 바뀌면 가인괘(家人卦䷤)가 되고, 정괘의 음양이 바뀌면 준괘(屯卦䷂)가 된다. 준괘의 삼효에서 "사슴을 추적하는데 길잡이가 없다"[58]고 했는데, 길잡이가 없다면 사냥에서 포획한 짐승이 없게 되며, 포획한 짐승이 없다면 가인괘에서 집안에서 먹일 수 있는 재료가 없게 되기 때문에,[59] 정괘의 삼효에서는 "꿩고기를 먹지 못한다"[60]고 했다. 여러 괘들을 통해 서로 참고해보면 그 상을 볼 수 있다.

김규오(金奎五) 「독역기의(讀易記疑)」

九四象禽韻, 上容下終, 疑禽有東冬等叶韻. 比象禽韻, 亦居二中字之間, 初六深韻, 六二中韻, 亦相次.
구사의 「상전」에서 '금(禽)'이라고 한 운은 위는 포용하고 아래는 마치니, 아마도 동(東)이나 동(冬) 등의 협운인 것 같다. 비괘(比卦䷇)의 「상전」에서도 '금(禽)'이라는 운이 나오는데,[61] 이 또한 두 중(中)자의 사이에 있으니, 초육의 '심(深)'자 운, 구이의 '중(中)'자 운 또한 서로 이어진다.

서유신(徐有臣) 『역의의언(易義擬言)』

56) 『周易 · 井卦』: 初六, 井泥不食, 舊井无禽.
57) 『周易 · 師卦』: 六五, 田有禽, 利執言, 无咎, 長子帥師, 弟子輿尸, 貞凶.
58) 『周易 · 屯卦』: 六三, 卽鹿无虞, 惟入于林中, 君子幾, 不如舍, 往吝.
59) 『周易 · 家人卦』: 六二, 无攸遂, 在中饋, 貞吉.
60) 『周易 · 鼎卦』: 九三, 鼎耳革, 其行塞, 雉膏不食, 方雨虧悔, 終吉.
61) 『周易 · 比卦』: 九五, …. 象曰, 顯比之吉, 位正中也, 舍逆取順, 失前禽也,邑人不誡, 上使中也.

九四居不當位, 以初六之應爲恒, 而不知變者也. 震巽有林木象, 四猶人也. 震動於林外, 初猶禽也. 巽入於林內, 田非其地, 不獲其禽, 恒田而恒无禽也.
구사는 마땅한 자리가 아닌 곳에 있고 초육의 호응을 항상됨으로 여기지만 변화를 알지 못하는 자이다. 진괘와 손괘는 수풀의 상이 있고 사효는 사람이 된다. 진괘가 숲 밖에서 움직이고 초효는 짐승이 된다. 손괘가 숲 안으로 들어옴에 장소가 아닌 곳에서 사냥해서 짐승을 포획하지 못하니, 항상 사냥을 하더라도 항상 포획한 짐승이 없게 된다.

박문건(朴文健) 『주역연의(周易衍義)』

用剛求獲, 故有无禽之象. 无禽者, 言禽不被驅而至也.
굳센 양을 사용하여 포획하기를 원하기 때문에 잡은 짐승이 없는 상이 있다. 잡은 짐승이 없음은 짐승을 몰아서 오도록 할 수 없음을 뜻한다.

이지연(李止淵) 『주역차의(周易箚疑)』

九四, 恒无所得.
구사는 항상 얻는 것이 없다.

김기례(金箕澧) 『역요선의강목(易要選義綱目)』

陽居陰位, 不得中正, 如丈夫而柔才者, 佃何得禽乎. 位陰而應陰, 陰虛故曰无禽.
양이 음의 자리에 있어서 중정하지 못한 것은 장부이지만 유약한 재질을 갖춘 자와 같은데, 사냥을 통해 어떻게 짐승을 잡겠는가? 자리가 음인데 음과 호응한다. 음은 비어있기 때문에 "잡은 짐승이 없다"고 했다.

○ 非其位, 則雖剛才, 常處何益.
자신의 자리가 아니라면 비록 굳센 양의 재질이라 하더라도 그 자리에 계속 있는 것이 어떻게 이롭겠는가?

윤종섭(尹種燮) 『경(經)-역(易)』

四田无禽, 爻變坤有田象而無坎, 故曰无禽. 四非中正之位, 不可久於其道, 所以不得禽, 如五之恒其德, 然後有所得. 然五以順下從於二, 在婦人則貞而吉, 在夫子則凶.
사효에 "사냥을 하지만 잡은 짐승이 없다"는 말은 효가 변화하여, 곤괘에는 사냥의 상이 있지만 감괘가 없기 때문에 "잡은 짐승이 없다"고 했다. 사효는 중정한 자리가 아니어서 그 도에 대해서 오래할 수 없다. 짐승을 잡을 수 없음은 오효가 그 덕을 항상되게 한 뒤에야 얻음이 있는 경우와 같다.62) 그러나 오효는 순종함으로써 아래로 이효를 따르니, 부인에게는 바르고 길하지만 남자에게는 흉함이 된다.

禽之取象, 皆坎也. 如師之有禽, 比之失禽, 皆坎體. 坎爲飛鳥, 明夷小過之飛, 是也.
짐승을 상으로 삼는 것은 모두 감괘 때문이다. 예를 들어 사괘(師卦䷆)가 짐승을 얻고 비괘(比卦䷇)가 짐승을 잃는 것은 모두 감괘의 몸체 때문이다. 감괘는 날아가는 새가 되니, 명이괘(明夷卦䷣)와 소과괘(小過卦䷽)의 날아감이 바로 이러한 경우를 나타낸다.

심대윤(沈大允) 『주역상의점법(周易象義占法)』

恒之升䷭, 名聲之上也. 九四剛而應初, 爲能居正, 而居柔能權, 而不中因循以隨時, 小而鄕原, 大而老氏是也. 雖不爲邪, 而亦不能立正, 終不可入於堯舜之道, 雖爲二三之所推上, 而非其位, 得虛名, 故曰田無禽. 有坎坤而無艮, 爲田無禽之象.
항괘가 승괘(升卦䷭)로 바뀌었으니, 명성이 올라가는 것이다. 구사는 굳센 양으로 초효와 호응하여 올바름에 머물 수 있고, 부드러운 음에 머물러 권도를 발휘할 수 있지만 알맞지 못하여 그대로 따라 때를 따르기만 하니, 작게는 향원이고 크게는 노자가 이것이다. 비록 사벽함은 되지 않더라도 또한 올바름을 세울 수 없으니, 끝내 요순의 도리로 들어갈 수 없고, 비록 이효와 삼효가 추대를 하지만 그 자리가 아니므로 허명만 얻기 때문에 "사냥을 하지만 잡은 짐승이 없다"고 했다. 감괘와 곤괘가 있지만 간괘가 없으니, 사냥을 하지만 잡은 짐승이 없는 상이 된다.

오치기(吳致箕) 「주역경전증해(周易經傳增解)」

九四, 陽剛而失其位, 性動而不得中, 雖有初六之應而居下柔微, 在恒之時, 雖久而不得其功者也. 田之有禽, 乃爲常道, 而其德如此, 故徒用力而无益, 終不能有獲也, 卽象而占可知矣.
구사는 굳센 양이지만 자신의 자리를 잃었고, 성질은 움직이지만 알맞음을 얻지 못하고, 비록 초육의 호응이 있지만 아래에 있어 유약하고 은미하며, 항괘의 때에 비록 오래하더라도 공을 얻지 못하는 자이다. 사냥에서 짐승을 잡는 것은 항상된 도가 되지만, 그 덕이 이와

62) 『周易 · 恒卦』: 六五, 恒其德, 貞, 婦人吉, 夫子凶.

같기 때문에 헛되이 힘만 쓰고 이로움이 없어서 끝내 포획을 할 수 없다. 상을 보면 점에 대해서 알 수 있다.

○ 田, 謂田獵, 而對體似離, 爲戈兵, 爲網罟, 卽田獵之象也. 禽取似坎爲飛鳥之象, 已見諸卦. 易中言禽者, 皆取坎象, 而言有禽者, 以位之得中也, 言无禽者, 以位之不中正也.
'전(田)'자는 사냥을 뜻하니, 음양이 바뀐 몸체는 리괘와 유사하여 병장기와 그물이 되니, 사냥의 상이 된다. 짐승은 감괘가 날아가는 새의 상과 흡사한 것에서 취했으니, 이미 여러 괘에서 확인했다. 『주역』에서 짐승을 언급한 경우는 모두 감괘의 상에서 취했는데, 짐승을 얻었다고 말하는 경우는 그 자리가 알맞기 때문이며, 짐승을 얻음이 없다고 말하는 경우는 그 자리가 중정하지 못하기 때문이다.

이진상(李震相) 『역학관규(易學管窺)』

四乃外卦之地位, 故言田. 卦有厚坎象, 故言禽, 而雷風相薄, 禽獸駭散, 所以无禽, 且田獵, 非可恒之事, 恒則无禽矣.
사효는 곧 외괘의 자리에 해당하기 때문에 '사냥[田]'이라고 말했다. 괘에는 두터운 감괘의 상이 있기 때문에 '금(禽)'이라고 말했는데, 우레와 바람이 서로 따라서 짐승이 흩어지기 때문에 잡은 짐승이 없게 되고, 또 사냥은 항상될 수 있는 일이 아니니, 항상되게 한다면 잡은 짐승이 없게 된다.

이병헌(李炳憲) 『역경금문고통론(易經今文考通論)』

王曰, 恒於非位, 雖勞无獲.
왕필이 말하였다: 제자리가 아닌 곳에서 항상되게 한다면, 비록 수고롭더라도 포획하는 것이 없다.

象曰, 久非其位, 安得禽也.

「상전」에서 말하였다: 그 마땅한 자리가 아닌 데에 오래하니, 어찌 짐승을 잡을 수 있겠는가?

中國大全

傳

處非其位, 雖久, 何所得乎. 以田爲喩, 故云安得禽也.

그 마땅한 자리가 아닌 데에 있으니, 비록 오래하더라도 어찌 얻는바가 있겠는가? 사냥으로 비유하였기 때문에 "어찌 짐승을 잡을 수 있겠는가?"라고 하였다.

小註

臨川吳氏曰, 非其位, 謂居柔. 丈夫以剛爲有才, 居柔則是无才也. 安能得禽哉.
임천오씨가 말하였다: "그 마땅한 자리가 아니다"라고 한 것은 유순한 음의 자리에 있음을 말한다. 장부는 굳셈으로써 재주가 있다고 여긴다. 유순한 음의 자리에 있으면 재주가 없는 것이니, 어찌 짐승을 잡을 수 있겠는가?

○ 厚齋馮氏曰, 久非其位, 處不當位也. 位不當與九二爻同, 而休咎異者, 中不中之辨也.
후재풍씨가 말하였다: "그 마땅한 자리가 아닌 데에 오래한다"란 마땅하지 않은 자리에 있다는 것이다. 자리가 마땅하지 않은 것은 구이의 효와 같지만, 아름다움과 허물이 서로 다른 것은 알맞고 알맞지 않은 구별에서 비롯된다.

韓國大全

김상악(金相岳)『산천역설(山天易說)』

九能久, 而四非其位也.
구(九)는 오래할 수 있지만, 사효의 자리는 제자리가 아니다.

서유신(徐有臣)『역의의언(易義擬言)』

非其位者, 剛居柔也. 安得禽者, 不獲應與之益也. 非可恒而爲恒, 豈有功也. 非可田而爲田, 愈久而愈无獲也.
"그 마땅한 자리가 아니다"는 말은 굳센 양이 부드러운 음의 자리에 있다는 뜻이다. "어찌 짐승을 잡을 수 있겠는가?"라는 말은 호응하여 함께 보탬이 됨을 얻지 못한다는 뜻이다. 항상되게 할 수 있지 않은데도 항상되게 한다면 어떻게 공이 있겠는가? 사냥을 할 수 있지 않은데도 사냥을 한다면 오래할수록 포획하는 것이 더욱 없게 된다.

박문건(朴文健)『주역연의(周易衍義)』

安得禽, 言不能得禽也.
"어찌 짐승을 잡을 수 있겠는가"라는 말은 짐승을 잡을 수 없다는 뜻이다.
〈問, 久非其位, 安得禽也. 曰, 九四所久之位不當也, 何所得乎此. 安字, 與同人三象安行之安, 義同也.
물었다: "그 마땅한 자리가 아닌 데에 오래하니, 어찌 짐승을 잡을 수 있겠는가"는 무슨 뜻입니까?
답하였다: 구사의 오래할 수 있는 자리는 합당하지 않으니, 어떻게 이곳에서 얻음이 있겠습니까? '어찌[安]'는 동인괘(同人卦䷌) 삼효의 「상전」에서 "어떻게 행하겠는가"[63]라고 했을 때의 '어떻게[安]'와 의미가 같습니다.〉

오치기(吳致箕)「주역경전증해(周易經傳增解)」

程傳曰, 處非其位, 雖久, 何所得乎. 以田爲喩, 故云安得禽也.
『정전』에서 말하였다: 그 마땅한 자리가 아닌 데에 있으니, 비록 오래하더라도 어찌 얻는바가 있겠는가? 사냥으로 비유하였기 때문에 "어찌 짐승을 잡을 수 있겠는가?"라고 하였다.

---

63)『周易 · 同人卦』: 象曰, 伏戎于莽. 敵剛也, 三歲不興, 安行也.

六五, 恒其德, 貞, 婦人, 吉, 夫子, 凶.

정전 육오는 그 덕을 항상되게 하면 바르니 부인은 길하고 남자[夫子]는 흉하다.
본의 육오는 그 덕을 항상되게 함이니 바르지만 부인은 길하고 남자는 흉하다.

中國大全

傳

五應於二, 以陰柔而應陽剛, 居中而所應, 又中, 陰柔之正也. 故恒久其德則爲貞也. 夫以順從爲恒者, 婦人之道, 在婦人則爲貞, 故吉, 若丈夫而以順從於人爲恒, 則失其剛陽之正, 乃凶也. 五君位而不以君道言者, 如六五之義在丈夫, 猶凶, 況人君之道乎. 在它卦, 六居君位而應剛, 未爲失也, 在恒, 故不可耳, 君道豈可以柔順爲恒也.

오효는 이효와 호응하니 음의 부드러움으로 양의 굳셈과 호응하고, 가운데 자리에 있으면서 호응하는 바가 또한 가운데 자리에 있으니, 부드러운 음의 올바름이다. 그러므로 그 덕을 항구하게 하면 바르게 된다. 대개 순하게 따르는 것을 가지고서 항상됨으로 여기는 것은 부인(婦人)의 도이니, 부인에 있어서는 바름이 되기 때문에 길하다. 장부인데 다른 사람에게 순하게 따르는 것을 가지고서 항상됨으로 여긴다면 굳센 양의 바름을 잃으니 흉하다. 오효는 임금의 자리인데도 임금의 도를 가지고서 말하지 않은 것은 이를테면 육오의 뜻이 장부에게 있을지라도 오히려 흉하기 때문이다. 하물며 임금의 도에 있어서야 말해 무엇 하겠는가? 다른 괘에서는 음[六]이 임금의 자리에 있으면서 굳센 양과 호응함은 잘못되지 않지만, 항괘에 있기 때문에 안 된다. 임금의 도가 어찌 유순함으로 항상됨을 삼겠는가?

本義

以柔中而應剛中, 常久不易, 正而固矣. 然乃婦人之道, 非夫子之宜也, 故其象占, 如此.

부드럽고 알맞음으로써 굳세고 알맞음에 호응하여 항구하고 바꾸지 않으니 바르고 굳건하다. 그러나 부인의 도이지 남자의 마땅함은 아니기 때문에 그 상과 점이 이와 같다.

小註

或問, 恒其德貞, 婦人吉, 夫子凶. 德, 指六, 謂常其柔順之德, 固貞矣. 然此婦人之道, 非夫子之義. 蓋婦人從一而終, 以順爲正, 夫子則制義者也. 若從婦道, 則凶. 朱子曰, 固是如此. 然須看得象占分明. 六五有恒其德貞之象, 占者若婦人則吉, 夫子則凶. 大抵看易, 須是曉得象占分明. 所謂吉凶者, 非爻之能吉凶, 爻有此象, 而占者視其德而有吉凶耳. 且如此爻, 不是旣爲婦人, 又爲夫子, 只是有恒其德貞之象, 而以占者之德爲吉凶耳. 又如恒卦固能亨而无咎, 然必占者能久於其道, 方亨而无咎. 又如九三不恒其德, 非是九三能不恒其德, 乃九三有此象耳. 占者遇此, 雖正亦吝, 若占者能恒其德, 則无羞吝.
어떤 이가 물었다: "육오는 그 덕을 항상되게 함이니 바르지만 부인은 길하고 남자는 흉하다"에서 '덕(德)'은 음[六]을 가리키니, 부드러운 덕을 항상되게 하면 견고하게 바르게 됨을 말합니다. 그러나 이것은 부인(婦人)의 도이지 남자의 의(義)는 아닙니다. 부인은 한 사람의 남편만을 따르다가 생을 마쳐 부드러움으로 바름을 삼습니다. 남자는 의(義)를 제재하는 자여서 부인의 도를 따른다면 흉하니, 무엇 때문입니까?
주자가 말하였다: 진실로 이와 같습니다. 하지만 반드시 상과 점을 분명하게 봐야 합니다. 육오에는 "그 덕을 항상되게 하니 바르다"는 상이 있어서 점을 치는 사람이 만약 부인이라면 길하지만, 남자라면 흉합니다. 대체로 『주역(周易)』을 볼 때에는 상과 점을 분명히 깨달아야 합니다. 이른바 길흉이란 효가 길하거나 흉할 수 있는 것이 아니고, 효에 이러한 상이 있어서, 점을 치는 사람이 그 덕을 보고 길흉을 가질 뿐입니다. 또 이를테면 여기의 효가 이미 부인이 되고 또 남자가 된 것이 아니라 단지 "그 덕을 항상되게 함이니 바르다"는 상만 있어 점을 치는 사람의 덕을 가지고서 길하거나 흉하다고 삼을 뿐입니다. 또 이를테면 괘사에서 항(恒)은 진실로 형통하여 허물이 없을 수 있지만 반드시 점을 치는 사람이 그 도에 오래할 수 있어야 형통하여 허물이 없습니다. 또 이를테면 구삼의 효사에서 "그 덕을 항상되게 하지 않음"이라고 한 것은 구삼이 "그 덕을 항상되게 하지 않을" 수 있는 것이 아니라, 구삼에 이러한 상이 있는 것일 뿐입니다. 점을 치는 사람이 이러한 효를 만나면 비록 바르더라도 또한 부끄럽게 됩니다. 만약 점을 치는 사람이 그 덕을 항상되게 할 수 있다면, 부끄러움이 없을 것입니다.

○ 童溪王氏曰, 恒其德, 與不恒其德反. 九三之剛太過, 而六五以柔居中故也.
동계왕씨가 말하였다: 그 덕을 항상되게 하는 것과 그 덕을 항상되게 하지 못함은 반대이다.

구삼은 굳셈이 크게 지나치지만 육오는 부드러운 음으로 가운데에 있기 때문이다.

○ 雙湖胡氏曰, 六五不正, 故戒之曰, 若以柔爲貞, 則婦人吉而夫子凶矣. 蓋柔非夫子所宜也, 必陽剛之貞, 乃可以反於吉耳.
쌍호호씨가 말하였다: 육오는 바르지 못하기 때문에 경계하여 만약 부드러움으로써 바름으로 삼는다면 부인은 길하고 남자는 흉하다고 말했던 것이다. 부드러움은 남자의 마땅함은 아니니, 반드시 굳센 양의 바름이어야 길함으로 돌아갈 수 있을 뿐이다.

○ 建安丘氏曰, 二以陽居陰, 五以陰居陽, 皆位不當而得中者也. 在二則悔亡, 而五有夫子凶之戒者, 蓋二以剛中爲常, 而五以柔中爲常也. 以剛處常, 能常者也, 其悔可亡, 以柔爲常, 則是婦人之道, 非夫子所尙. 此六五所以有從婦之凶. 恒九四之才與二同而位異, 故四之久不如二之久, 六五之位與二同而才異, 故五之柔中, 又不如二之剛中也. 是以爻辭於四言无禽, 於五言夫子凶, 而於二獨稱悔亡歟.
건안구씨가 말하였다: 이효는 양으로 음의 자리에 있고, 오효는 음으로 양의 자리에 있으니, 모두 자리가 부당하지만 알맞음을 얻은 것이다. 이효에서는 후회가 없어지고 오효에는 남자는 흉하다는 경계가 있는 것은 이효는 굳센 양이면서 알맞음으로 항상되고 오효는 부드러운 음이면서 알맞음으로 항상되기 때문이다. 굳센 양으로 항상된 데에 있으면 항상될 수 있는 자이니 후회가 없어질 수 있고, 부드러운 음으로 항상된 데에 있으면 부인의 도이지 남자가 숭상하는 바가 아니다. 이것이 육오에 부인을 따르는 흉함이 있는 까닭이다. 항괘에서 구사의 재질은 이효와 같지만 자리가 다르기 때문에 사효의 오래함은 이효의 오래함만 못하고, 육오의 자리는 이효와 같지만 재질이 다르기 때문에 오효의 부드럽고 알맞음은 이효의 굳세고 알맞음만 못하다. 이 때문에 효사는 사효에서는 "잡은 짐승이 없다"고 말하고 오효에서는 "남자는 흉하다"고 말하였으나, 이효에서는 "후회가 없어지리라"고 말하였구나!

○ 雲峯胡氏曰, 六五中矣, 然剛而中, 可恒也, 柔而中, 婦人之常, 非夫子之所當常也. 又曰, 咸其腓, 戒二之動也. 五咸其脢不動矣, 而又不能感. 或承之羞, 戒三之不恒也. 五恒其德貞矣, 而又執一不通, 故二爻皆无取焉. 易貴於知時識變, 固如此哉.
운봉호씨가 말하였다: 육오는 알맞다. 그런데 굳세면서 알맞으면 항상될 수 있지만 부드러우면서 알맞으면 부인의 항상됨이지 남자가 마땅히 항상되게 해야 할 바는 아니다.
또 말하였다: 함괘(咸卦) 육이의 "장딴지에서 느낀다"[64]는 이효의 움직임을 경계한 것이고, 오효의 "등살에서 느끼니"[65]는 움직이지 않아 또한 느낄 수가 없는 것이다. 항괘 구삼의

64) 『周易 · 咸卦』: 六二, 咸其腓, 凶, 居, 吉.

“혹자가 부끄러움을 받듦”은 삼효의 항상되지 못함을 경계한 것이고, 오효의 “그 덕을 항상되게 함”은 바르지만 또한 하나만을 잡고서 통하지 않는 것이기 때문에 두 효는 모두 취할 바가 없다. 역이 때를 알고 변화를 인식하는 것을 귀하게 여기는 것이 진실로 이와 같구나!

韓國大全

조호익(曺好益) 『역상설(易象說)』

六五, 婦人吉, 夫子凶.
육오는 부인은 길하고 남자는 흉하다.

婦人, 六柔象, 夫子, 五剛象.
‘부인(婦人)’은 육(六)의 부드러운 음의 상이고, ‘남자’는 오효의 굳센 양의 상이다.

○ 婦人, 六象. 夫子, 反爻取象.
‘부인(婦人)’은 육(六)의 상이다. ‘남자[夫子]’는 반체의 효에서 취한 상이다.

송시열(宋時烈) 『역설(易說)』

以柔順之德處中正之位, 又得剛陽之應, 用恒久之時爲恒之主, 故曰恒其德. 婦人者, 陰爻也. 以柔爲常, 婦人之道, 非夫子之所尙也. 丘氏曰, 二以陽居陰, 五以陰居陽, 皆位不當而得中也. 二則悔亡, 而五有夫子之戒者, 蓋二以剛中爲常, 五以柔中爲常也. 以剛處常, 能常者也. 以柔爲常, 婦人之道也云. 小象添合一貞字, 以明恒德之爲婦人之貞, 必之道從一夫而終身也. 夫子則以義制之, 從婦則凶也.
유순한 덕으로 중정한 자리에 있고 또 굳센 양의 호응을 얻었으며 항구한 시기를 사용하여 항괘의 주인이 되기 때문에, “그 덕을 항상되게 한다”고 했다. ‘부인(婦人)’은 음효를 뜻한다. 부드러운 음을 항상됨으로 삼는 것은 부인의 도이며 남자가 숭상하는 도가 아니다. 구씨는 “이효는 양으로 음의 자리에 있고 오효는 음으로 양의 자리에 있어 모두 자리가 합당하지

---

65) 『周易 · 咸卦』: 九五, 咸其脢, 无悔.

않지만 가운데 자리를 얻었다. 이효에서 '후회가 없어지리라'[66]라고 했고 오효에서 남자에 대해 경계를 한 이유는 이효는 굳센 양이 알맞음을 항상됨으로 삼고 오효는 부드러운 음이 알맞음을 항상됨으로 삼기 때문이다. 굳센 양으로 항상됨에 처하면 항상될 수 있는 자이다. 부드러운 음으로 항상됨을 삼는 것은 부인의 도이다"라고 했다. 「소상전」에서는 '바르게 하여'라는 말을 첨가하여, 덕을 항상되게 함이 부인의 바름이 되니 반드시 그 도로써 한 명의 남편을 따라 종신토록 하는 것임을 밝혔다. 남자는 의(義)로써 제재를 하니 부인을 따른다면 흉하다.

석지형(石之珩) 『오위귀감(五位龜鑑)』

臣謹按, 恒之六五, 以恒其德, 爲婦人吉, 夫子凶, 何也. 陰道主靜, 故婦人有從一之道, 陽德必動, 故夫子有制義之權. 恒於柔順无所變易者, 在匹夫, 猶未免凶, 況君人乎. 故恒之義, 以能變爲經, 不以不變爲正. 蓋變恒與无恒, 其義自別, 无恒者, 心无定向之謂也. 變恒者, 於變易之中, 有不易者存, 猶雷風萬變, 而其理不變. 故能成久大之業, 此大象所以發立不易方之訓, 以示不變之變也. 伏願殿下, 深味其義焉.
신이 삼가 살펴보았습니다: 항괘의 육오는 그 덕을 항상되게 함을 부인의 길함이라고 여겼는데, 남자가 흉한 것은 무엇 때문입니까? 음의 도는 고요함을 위주로 하기 때문에 부인에게는 하나를 따르는 도가 있고, 양의 덕은 반드시 움직이기 때문에 남자에게는 의에 따라 제재하는 권도가 있습니다. 항괘에 있어서 유순하기만 하며 변역함이 없는 경우는 필부에게 있어서도 오히려 흉함을 면하지 못하는데, 하물며 임금에게 있어서는 어떠하겠습니까? 그렇기 때문에 항괘의 뜻은 변화할 수 있음을 법도로 삼고 변화하지 않음을 올바름으로 삼지 않습니다. 항상됨을 변화함과 항상됨이 없음은 그 의미가 저절로 구별되니, 항상됨이 없는 경우는 마음에 고정된 지향이 없음을 뜻합니다. 항상됨을 변화하는 것은 변화하는 가운데에서 바꿀 수 없음이 존재하는 것으로, 마치 우레와 바람이 온갖 변화를 일으키지만 그 이치는 변하지 않는 경우와 같습니다. 그렇기 때문에 오래되고 성대한 과업을 이룰 수 있으니, 이것이 「대상전」에서 "서서 방소를 바꾸지 않는다"[67]는 가르침으로 변화하지 않는 가운데 변함을 보인 것입니다. 원컨대 전하께서는 이 뜻을 깊이 음미하시기 바랍니다.

심조(沈潮) 「역상차론(易象箚論)」

六五, 恒其德.

---

66) 『周易 · 恒卦』: 九二, 悔亡.
67) 『周易 · 恒卦』: 象曰, 雷風, 恒, 君子以立不易方.

육오는 그 덕을 항상되게 한다.

荀九家有以兌爲常之說. 恒其德, 無乃根於是耶.
『순구가역』에는 태괘를 항상됨으로 삼는 주장이 있으니, 그 덕을 항상되게 함은 바로 이 태괘에 뿌리를 둔 말이 아니겠는가!

유정원(柳正源) 『역해참고(易解參攷)』

誠齋楊氏曰, 五長男之正體也, 爲君則柔弱而下從九二之强臣, 爲夫則柔弱而下從九二之强婦, 以此爲恒, 宜其凶也.
성재양씨가 말하였다: 오효는 맏아들인 진괘의 바른 몸체에 있으니, 임금에게는 유약하여 아래로 구이의 강한 신하를 따르는 것이고, 남편에게는 유약하여 아래로 구이의 강한 부인을 따름이 되니, 이것을 항상됨으로 삼으면 당연히 흉하게 된다.

○ 厚齋馮氏曰, 以言其爻之德, 則柔順爲正, 在婦人則吉也, 非夫子之義也. 以言其卦之體, 則以弱男從强女, 在夫子則凶也. 德則爲婦之柔, 位則爲夫之尊.
후재풍씨가 말하였다: 효의 덕으로 말을 한다면 유순함이 올바름이 되어, 부인에게는 길하니 남자의 의로움이 아니다. 괘의 몸체로 말을 한다면 약한 남자가 강한 여자를 따름이 되어, 남자에게는 흉함이 된다. 덕은 부인의 유순함이 되고 자리는 남편의 존귀함이 된다.

○ 案, 六五位剛居中, 柔而能剛, 得非丈夫之吉乎. 所處者雖剛, 而下從乎剛, 恒久貞固, 動作不由己, 政所謂以順爲正, 妾婦之道也, 是豈丈夫之事乎. 其凶可知.
내가 살펴보았다: 육오는 굳센 자리가 가운데 있어 부드러우면서도 굳셀 수 있으니, 장부가 아닌데도 길함을 얻겠는가? 머문 곳은 비록 굳센 양의 자리이지만 아래로 굳센 양을 따라 항구하고 곧으며 움직이는 것이 자신으로부터 비롯되지 않아서, 바로 이른바 "순종함을 올바름으로 삼는 것은 아녀자의 도이다"[68]라는 것이니, 이것이 어찌 장부의 일이겠는가? 흉하게 됨을 알 수 있다.

傳六居.
『정전』의 '음[六]이 임금의 자리에 있으면서'에 대하여.
案, 六下有五字.
내가 살펴보았다: '음[六])'자 뒤에 오(五)자가 있다.

---

68) 『孟子 · 滕文公下』: 以順爲正者, 妾婦之道也.

김상악(金相岳) 『산천역설(山天易說)』

五有乘應之交, 而柔中之德, 能舍四而從二, 常久不易, 故爲婦人之吉也. 夫子, 謂二也. 二則巽體居柔, 以順從爲恒, 乃其凶也.
오효에는 타고 호응하는 사귐이 있지만 유순하고 알맞은 덕이 사효를 버리고 이효를 따를 수 있어서, 항구하게 되어 바뀌지 않기 때문에 부인의 길함이 된다. '남자[夫子]'는 이효를 뜻한다. 이효는 손괘의 몸체로 부드러운 음의 자리에 있어서, 순종함을 항구함으로 삼으니 흉하게 된다.

○ 恒其德, 與三相反. 五互坎體, 能常其德, 行不從比, 而從應, 乃其貞也. 以卦則震巽相配, 以爻則陰陽相交, 故二爲夫而五爲婦. 咸恒漸歸妹, 其義可見. 婦人吉, 以其從一而終也. 夫子則始悔亡於久中, 終有凶於處巽也. 恒與大過, 爭五一爻, 大過九五, 言老婦士夫, 故无咎无譽, 在吉凶之間也. 五居尊位, 而不以君道言者, 何也. 曰, 六五震體, 得中能恒其德, 豈非人君之道乎. 婦人吉, 夫子凶, 與屯五曰, 小貞吉, 大貞凶, 相似.
"그 덕을 항상되게 한다"는 말은 삼효와 상반된다. 오효는 호괘인 감괘의 몸체로 그 덕을 항상되게 할 수 있는데, 행동함에 가까운 것을 따르지 않고 호응함을 따르니 그 바름에 해당한다. 괘로써 말을 하면 진괘와 손괘가 서로 짝이 되고, 효로써 말을 하면 음양이 서로 사귀기 때문에, 이효는 남편이 되고 오효는 부인이 된다. 함괘(咸卦䷞)·항괘·점괘(漸卦䷴)·귀매괘(歸妹卦䷵)에서 그 뜻을 확인할 수 있다. "부인은 길하다"는 하나를 따라 마치기 때문이다. 남자는 처음에는 항구함 속에서 후회가 없어지게 되는데, 끝내 손괘에 머무는 데에서 흉함이 생긴다. 항괘와 대과괘(大過卦䷛)는 하나의 오효를 두고 다투게 되는데, 대과괘의 구오에서는 "늙은 부인이 젊은 남자를 얻는 것이니, 허물이 없으나 명예도 없을 것이다"[69]고 했으니, 길흉의 사이에 있기 때문이다. 오효는 존귀한 자리에 있는데도 임금의 도로 말하지 않은 이유는 어째서인가? 육오는 진괘의 몸체로 알맞음을 얻어 그 덕을 항상되게 할 수 있으니, 어찌 임금의 도가 아니겠는가? "부인은 길하고 남자는 흉하다"는 준괘(屯卦䷂) 오효에서 "은택을 베풀기 어려우니, 작은 일에는 곧으면 길하고 큰일에는 곧아도 흉하다"[70]고 한 말과 유사하다.

서유신(徐有臣) 『역의의언(易義擬言)』

六五, 以九二之應爲恒, 故曰恒其德也. 正應, 故曰貞也. 在婦人, 妻柔而夫剛, 貞吉之

69) 『周易·大過卦』: 九五, 枯楊生華, 老婦得其士夫, 无咎无譽.
70) 『周易·屯卦』: 九五, 屯其膏. 小貞, 吉, 大貞, 凶.

道也, 可恒而恒也. 在男子, 夫柔而妻剛, 致凶之道也, 不當恒而恒也. 巽之卦, 有夫婦之象焉. 五以陰則陽之婦也, 以震則巽之夫也. 先言婦人, 後言夫子者, 卒歸重於夫也.
육오는 구이의 호응을 항상됨으로 삼기 때문에 "그 덕을 항상되게 한다"고 했고, 정응이 되기 때문에 "바르다"고 했다. 부인에게는 아내가 유순하고 남편이 강함은 바르고 길한 도이니, 항상되게 할 수 있어서 항상되게 함이다. 남자에게는 남편이 유순하고 부인이 강함은 흉하게 되는 도이니, 항상되게 해서는 안 되는데도 항상되게 함이다. 손괘에는 부부의 상이 있으니, 오효가 음으로 이효인 양의 부인이고, 진괘가 손괘의 남편의 되기 때문이다. 진괘이므로 손괘의 남편이 된다. 먼저 '부인(婦人)'을 말하고 이후에 '남자[夫子]'를 말한 이유는 끝내 남편에게로 중요성이 귀결되기 때문이다.

박제가(朴齊家) 『주역(周易)』

六五, 婦人吉, 夫子凶.
육오는 부인은 길하고 남자[夫子]는 흉하다.

韓子諍臣論引此, 譏陽城者正得其義.
한유의 『쟁신론』에서는 이 내용을 인용하여, 양성이 바로 그 뜻을 얻었다고 하여 기롱했다.

백경해(白慶楷) 『독역(讀易)』

恒六五, 恒其德之釋, 似與程傳異.
항괘의 "육오는 그 덕을 항상되게 한다"고 한 해석은 아마도 『정전』과는 다른 것 같다.

강엄(康儼) 『주역(周易)』

按, 九三過於變通, 而不能恒者也. 六五, 一於恒久, 而不知變通者也. 夫恒有二義, 久於其道, 恒之體也, 利有攸往, 恒之用也. 九三但知有用, 而不知有體, 故其弊也肆. 六五但知有體, 而不知有用, 故其弊也拘. 肆與拘, 皆非君子之恒也. 君子之恒, 卦辭所謂利貞與利有攸往, 是也.
내가 살펴보았다: 구삼은 변통에 지나쳐서 항상될 수 없는 자이다. 육오는 항상됨에 한결같이 해서 변통을 모르는 자이다. 항상됨에는 두 가지 뜻이 있으니, 그 도에 대해서 오래할 수 있는 것은 항상됨의 본체가 되고, 가는 것이 이로움은 항상됨의 작용이다. 구삼은 단지 작용이 있음만 알고 본체가 있는 줄 모르기 때문에 그 폐단은 방자함이 된다. 육오는 단지 본체가 있음만 알고 작용이 있는 줄 모르기 때문에 그 폐단은 한정됨이 된다. 방자함과 한정

됨은 모두 군자의 항상됨이 아니다. 군자의 항상됨은 괘사에서 "곧음이 이롭다"와 "가는 것이 이롭다"고 한 말에 해당한다.

○ 卦辭言恒之爲道, 利於守貞, 而初六雖貞而凶, 九二雖貞而吝, 六五雖貞而夫子凶, 蓋卦辭貞字, 以義理言也. 諸爻貞字, 或以應言, 或以位言, 而義理爲之主, 故背於義理, 則雖貞而皆未免於凶咎, 天下之貞, 孰有大於義理也哉.
괘사에서 항괘의 도는 곧음을 지키는데 이롭다고 했는데, 초육은 비록 곧지만 흉하고, 구이는 비록 곧지만 후회하며, 육오는 비록 곧지만 남자가 흉하게 되니, 괘사에서 말한 '곧음[貞]' 자는 의리를 기준으로 한 말이다. 여러 효에 나온 '정(貞)'자는 호응함으로 말한 경우도 있고 자리로 말한 경우도 있는데, 의리가 주인이 되기 때문에 의리에 어긋나면 비록 곧더라도 모두 흉함과 허물에서 벗어날 수 없으니, 천하의 곧음 중에 그 어떤 것이 의리보다 큰 것이 있겠는가?

박문건(朴文健) 『주역연의(周易衍義)』

志係正應, 故有恒德之象. 二五勢敵, 故兼取婦人夫子之象也.
뜻이 정응에 연계되기 때문에 덕을 항상되게 하는 상이 있다. 이효와 오효는 기세가 대등하기 때문에 부인과 남자의 상을 함께 취했다.
〈問, 恒其德以下. 曰, 六五志應, 故有恒德之象. 若用貞, 則婦人吉而夫子凶也. 蓋用柔而從剛夫, 婦人之吉道也, 用柔而從剛婦, 夫子之凶道也.
물었다: "그 덕을 항상되게 한다" 이하는 무슨 뜻입니까?
답하였다: 육오는 호응함을 지향하기 때문에 덕을 항상되게 하는 상이 있습니다. 만약 바름을 사용한다면 부인은 길하지만 남자는 흉하게 됩니다. 부드러움을 사용하여 굳센 남편을 따르면 부인의 길한 도가 되지만, 부드러움을 사용하여 굳센 부인을 따르면 남자의 흉한 도가 됩니다.〉

이지연(李止淵) 『주역차의(周易箚疑)』

必敬必戒, 无違夫子者, 婦人也. 言不必信, 行不必果, 惟意所在者, 大人也. 无攸遂, 在中主饋者, 婦人也. 乘弧蓬矢, 以射天地四方者, 男子也.
반드시 공경하고 반드시 경계하여 남자를 어기지 않는 것이 부인이다.[71] 말을 믿도록 함을

---

71) 『孟子 · 滕文公下』: 戒之曰, 往之女家, 必敬必戒, 無違夫子.

기필하지 않고, 행동은 과감히 하기를 기필하지 않으며, 오직 뜻함이 있는 데로 하는 것이 대인이다.[72] 이루는 바가 없고 집안에 있으며 먹이는 일을 주관하는 것이 부인이다.[73] 뽕나무로 만든 활과 쑥대로 만든 화살을 이용해서, 천지와 사방에 쏘는 것이 남자이다.[74]

김기례(金箕澧) 『역요선의강목(易要選義綱目)』

柔應剛而中應正, 故久其德則貞. 然剛而中, 則可恒, 柔而中, 若婦人之從一守貞, 故夫子凶. 五以陽君之位, 失剛, 但順, 故凶.

부드러운 음은 굳센 양과 호응하고 알맞음은 올바름과 호응하기 때문에 그 덕을 오래하게 된다면 바르게 된다. 그러나 굳센 양이면서 알맞으면 항상될 수 있지만, 부드러운 음이면서 알맞음은 부인이 하나를 따라서 바름을 지킴과 같기 때문에 남자는 흉하다. 오효는 양인 임금의 자리인데 굳셈을 잃어 따르기만 하기 때문에 흉하다.

심대윤(沈大允) 『주역상의점법(周易象義占法)』

恒之大過䷛. 六五以柔居剛而應二, 固守正而得中, 婦人之宜也. 夫子, 丈夫也, 對益有离, 坤爲婦人, 坎爲夫, 艮爲子. 固守正於此, 而時變於彼, 故取對也.

항괘가 대과괘(大過卦䷛)로 바뀌었다. 육오의 부드러운 음이 굳센 양의 자리에 있어서 이효와 호응하고, 올바름을 고수하여 알맞음을 얻었으니, 부인의 마땅함이 된다. '남자[夫子]'는 장부를 뜻한다. 음양이 바뀐 익괘(益卦䷩)에 리괘와 곤괘가 있어 부인이 되고 감괘가 있어 남편이 되며 간괘가 있어 자식이 된다. 여기에서 올바름을 고수하고, 저기에서 때에 따라 변하기 때문에 음양이 바뀐 괘에서 취했다.

오치기(吳致箕) 「주역경전증해(周易經傳增解)」

六五, 柔得其中, 而中以行正, 下應九二之剛中, 常久其德, 能正而固. 然剛而得中, 則夫子之所宜, 而五乃柔而得中, 故雖爲婦人之貞德, 而亦非夫子之常道, 所以占言吉凶之辨如此也.

육오는 부드러운 음이 가운데 자리를 얻어서 알맞음으로 바름을 시행하고, 아래로 구이의 굳센 양이 가운데 자리를 얻음과 호응하여, 그 덕을 항상되고 오래하여 바르게 하며 굳게

---

72) 『孟子 · 離婁下』: 孟子曰, 大人者, 言不必信, 行不必果, 惟義所在.

73) 『周易 · 家人卦』: 六二, 无攸遂, 在中饋, 貞吉.

74) 『禮記 · 內則』: 射人以桑弧蓬矢六, 射天地四方, 保受, 乃負之.

할 수 있다. 그러나 굳센 양이면서 가운데 자리를 얻는다면 남편의 마땅함이 되지만, 오효는 부드러운 음으로 가운데 자리를 얻었기 때문에, 비록 부인에게는 바른 덕이 되지만 또한 남편의 항상된 도가 아니니, 점에서 길함과 흉함을 이처럼 구분하여 말한 것이다.

○ 德取於似坎也, 陰柔, 故言婦人, 而亦以變兌爲少女也. 震爲長男, 故言夫子也. 五不言君道者, 如六五之義, 在丈夫猶凶, 況人君乎. 君道不可以柔爲恒也.
덕은 감괘와 유사한 것에서 취했는데, 부드러운 음이기 때문에 '부인(婦人)'이라고 말했고, 또 변화된 태괘를 막내딸로 여겼다. 진괘는 맏아들이 되기 때문에 '남재夫子]'라고 말했다. 오효에서 임금의 도를 언급하지 않은 이유는 육오의 뜻이 장부에게도 오히려 흉한데 하물며 임금에게 있어서는 어떻겠는가? 임금의 도는 부드러움을 항상됨으로 삼을 수 없다.

이진상(李震相) 『역학관규(易學管窺)』

九五註, 兼山說.
구오의 소주에서 겸산곽씨의 주장에 대하여.

此以伯夷之爲商守節, 比夫子之從婦, 然未襯.
이 주석에서는 백이가 상나라를 위해 절개를 지킨 것을 남편이 부인을 따른다는 것에 비유를 했는데, 적합하지 않다.

이병헌(李炳憲) 『역경금문고통론(易經今文考通論)』

貞, 禮緇衣引作偵, 注, 偵, 問也, 婦人以問正爲常德, 則吉, 當是今文.
'정(貞)'자에 대해, 『예기 · 치의』에서는 이곳 문장을 인용하며 '정(偵)'자로 기록했고,[75] 정현의 주에서는 "'정(偵)'자는 묻는다는 뜻이다"고 했다. 부인은 올바름에 대해 묻는 것을 항상된 덕으로 삼으면 길하게 된다는 뜻이니, 금문(今文)에 따라야 한다.

75) 『禮記 · 緇衣』: 易曰, "不恒其德, 或承之羞. 恒其德偵, 婦人吉, 夫子凶."

象曰, 婦人貞吉, 從一而終也, 夫子制義, 從婦凶也.

「상전」에서 말하였다: 부인은 바르게 하여 길하니, 하나를 따라 마치기 때문이고, 남자는 의(義)로 제재하는데도 부인의 도를 따르면 흉하다.

中國大全

傳

如五之從二, 在婦人則爲正而吉. 婦人, 以從爲正, 以順爲德, 當終守於從一, 夫子則以義制者也, 從婦人之道, 則爲凶也.

오효가 이효를 따르는 경우는 부인에게서는 바르게 되어 길하다. 부인은 따름으로써 바름으로 삼고 유순함으로써 덕으로 삼으니, 마땅히 끝내 하나만 따름을 지켜야 하지만, 남자는 의로써 제재하니 부인의 도를 따르면 흉하게 된다.

小註

兼山郭氏曰, 柔而在中, 位有餘而才不足稱也. 婦人吉, 夫子凶, 何也. 婦人從一而終可也, 夫子制義, 從婦之義可乎. 是以伯夷聖之淸, 孟子謂之隘, 伯姬守禮而不去, 孔子取其恭, 於此可見也.

겸산곽씨가 말하였다: 유순한 음이면서 가운데에 있어 자리는 충분하지만 재주는 그다지 말할 것이 없다. 부인은 길하고 남자는 흉한 것은 어째서인가? 부인이 하나를 따라 마침은 괜찮지만, 남자는 의로 제재하니, 부인의 의를 따라서야 되겠는가? 이 때문에 백이는 성인(聖人) 중에 맑은 자인데[76] 맹자는 도량이 좁다고 하였고,[77] 백희가 예(禮)를 지켜 떠나지 않았던 것에서 공자는 그 공손함을 취하였으니,[78] 이런 것들에서 알 수 있다.

---

76) 『孟子・萬章』: 孟子曰, 伯夷, 聖之淸者也, 伊尹, 聖之任者也, 柳下惠, 聖之和者也, 孔子, 聖之時者也.
77) 『孟子・公孫丑』: 孟子曰, 伯夷隘, 柳下惠不恭, 隘與不恭, 君子不由也.
78) 『春秋左氏傳・襄公』 30년: 或叫于宋大廟曰, 譆譆出出, 鳥鳴于亳社, 如曰譆譆. 甲午, 宋大災, 宋伯姬

韓國大全

이익(李瀷) 『역경질서(易經疾書)』

一者, 與下從婦字對勘則夫也. 又與制義相勘, 則不能制義, 而一從於夫, 非謂不改適也.

'하나[一]'는 아래의 '부인의 도를 따르면[從婦]'이라는 말과 비교를 해보면 남편을 뜻한다. 또 "의(義)로 제재한다"는 말과 함께 비교를 해보면 의로 제제를 하지 못해 한결같이 남편을 따르니, 다른 집으로 시집을 가지 않음을 뜻하는 말이 아니다.

유정원(柳正源) 『역해참고(易解參攷)』

正義, 五與二相應, 五居尊位, 在震爲夫, 二處下體, 在巽爲婦. 五係於二, 故曰從婦凶也.

『주역정의』에서 말하였다: 오효와 이효는 서로 호응하는데, 오효는 존귀한 자리에 머무르니 진괘에서 남편이 되고, 이효는 하체에 머무르니 손괘에서 부인이 된다. 오효는 이효와 관계되기 때문에 "부인의 도를 따르면 흉하다"고 했다.

小註, 兼山說, 伯夷隘.

소주에서 겸산곽씨가 말한 "백이의 도량이 좁다"에 대하여.

案, 伯夷, 聖之淸, 恐不可謂從婦凶.

내가 살펴보았다: 백이는 성인(聖人) 중에 맑은 자[79]이므로, "부인의 도를 따르면 흉하다"고 말해서는 안 될 것 같다.

伯姬守禮.

소주에서 겸산곽씨가 말한 "백희가 예를 지켰다"에 대하여.

穀梁傳, 伯姬之舍失火, 左右曰, 夫人小辟火乎. 伯姬曰, 婦人之義, 傅母不在, 保母不在, 宵不下堂, 遂建乎火而死.

『곡량전』에서는 "백희의 거처에 불이 나자 좌우에서 '부인께서는 빨리 불을 피하시지요'라고 했다. 백희는 '부인의 도의는 부모(傅母)[80]가 없고 보모(保母)[81]가 없으면 잠시도 당(堂)아

卒, 待姆也. 君子謂宋共姬, 女而不婦. 女待人, 婦義事也.

79) 『孟子·萬章』: 孟子曰, 伯夷, 聖之淸者也, 伊尹, 聖之任者也, 柳下惠, 聖之和者也, 孔子, 聖之時者也.

80) 부모(傅母): 아이의 양육과 교육을 담당했던 나이 많은 여자를 뜻한다.

래로 내려가지 않는다고 했습니다'라고 말하고 결국 불속에 서서 죽었다"[82]라고 했다.

김상악(金相岳) 『산천역설(山天易說)』

婦人以柔順爲貞, 故從一而終也. 夫子, 則制義者也, 從婦, 凶也.
부인은 유순함을 바름으로 삼기 때문에 하나를 따라 마친다. 남자는 의(義)로 제재하는 자이니 부인을 따른다면 흉하다.

○ 恒以一德, 故曰從一, 巽德之制也, 故曰制義. 姤則女壯而遇五陽, 故曰勿用取女, 恒則婦貞而從一而終, 故曰婦人吉. 德惟一, 動罔不吉, 德二三, 動罔不凶, 此之謂也. 震木生離火, 與巽易位, 則變爲家人. 家人上九, 以剛居上, 无比應之私, 能反身, 自飭義以制之, 故有威如之吉, 无從婦之凶也.
항괘는 덕을 한결같이 하기 때문에 "하나를 따른다"고 했고, 겸손한 덕의 제재함이 되기 때문에 "의(義)로 제재한다"고 했다. 구괘(姤卦䷫)는 여자가 건장하여 다섯 양을 만나기 때문에 "여자를 취하지 말아야 한다"[83]고 했고, 항괘(恒卦䷟)는 부인이 바르고 하나를 따라서 마치기 때문에 "부인은 길하다"고 했다. "덕이 한결같으면 움직임에 길하지 않음이 없고, 덕이 한결같지 않으면 움직임에 흉하지 않음이 없다"[84]고 한 말도 바로 이러한 뜻이다. 진괘의 나무는 리괘의 불을 낳으니, 손괘와 자리를 바꾸면 변화하여 가인괘(家人卦䷤)가 된다. 가인괘의 상구는 굳센 양으로 상효에 있고 가까이하고 호응하는 삿됨이 없어서, 스스로 자신에게 돌이켜보고 의(義)에 조심하여 제재를 할 수 있기 때문에, 위엄있는 길함이 있고,[85] 부인을 따르는 흉함이 없다.

서유신(徐有臣) 『역의의언(易義擬言)』

從一, 從於夫也. 從一而終者, 以一爲恒也. 制義者, 隨宜變通, 不以執一爲恒也. 男子不能隨時制義, 爲婦之倡而惟其言是聽, 以此爲恒, 必凶之道也.

---

81) 보모(保母): 부모(傅母)를 보좌하여 아이의 양육과 교육을 도왔던 여자를 뜻한다.

82) 『春秋穀梁傳 · 襄公』: 五月, 甲午, 宋災, 伯姬卒, 取卒之日加之災上者, 見以災卒也, 其見以災卒奈何, 伯姬之舍失火, 左右曰, 夫人少辟火乎, 伯姬曰, 婦人之義, 傅母不在, 宵不下堂, 左右又曰, 夫人少辟火乎, 伯姬曰, 婦人之義, 保母不在, 宵不下堂, 遂逮乎火而死, 婦人以貞爲行者也, 伯姬之婦道盡矣, 詳其事賢伯姬也.

83) 『周易 · 姤卦』: 姤, 女壯, 勿用取女.

84) 『書經 · 咸有一德』: 德惟一, 動罔不吉, 德二三, 動罔不凶. 惟吉凶不僭在人, 惟天降災祥在德.

85) 『周易 · 家人卦』: 上九, 有孚, 威如, 終吉.

'하나를 따라[從一]'는 남편을 따른다는 뜻이다. "하나를 따라 마치기 때문이다"는 하나를 항상됨으로 여긴다는 뜻이다. "의(義)로 제재한다"는 마땅함에 따라 변통하여 하나를 고집하는 것을 항상됨으로 여기지 않는다는 뜻이다. 남자가 때에 따라 의로 제재하지 못해 부인이 선도하고 그 말을 듣기만 하고 이것을 항상됨으로 삼는 것은 반드시 흉하게 되는 도이다.

박문건(朴文健) 『주역연의(周易衍義)』

制義, 言制作柔順之義也.
"의(義)로 제재한다"는 유순하게 만든다는 의미이다.

〈問, 從一而終, 制義, 從婦. 曰, 婦人則從一人而以終其事, 故用貞爲吉也. 若夫子爲婦所制, 而制義從之, 則凶之道也.
물었다: "하나를 따라 마치기 때문이고, 의(義)로 제재하는데도 부인의 도를 따른다"는 무슨 뜻입니까?
답하였다: 부인은 한 사람을 따라서 그 일을 마치기 때문에 바름을 사용함이 길합니다. 만약 남편이 부인에게 제재를 당해 의로 제재하는 것을 따른다면 흉한 도가 됩니다.〉

오치기(吳致箕) 「주역경전증해(周易經傳增解)」

柔中而應剛, 雖爲恒德, 在婦人則爲正而吉, 以其終守於從一也, 夫子則以義制行, 故從婦人之道, 則爲凶也.
부드러운 음으로 가운데 자리에 있고 굳센 양과 호응하여 비록 항상된 덕이 되지만, 부인에게서는 바름이 되어 길한 것은 하나를 따름을 끝까지 지키기 때문이다. 남편은 의(義)로써 행동을 제재하기 때문에 부인의 도를 따른다면 흉함이 된다.

이병헌(李炳憲) 『역경금문고통론(易經今文考通論)』

王曰, 居得尊位, 爲恒之主, 不能制義, 係應在二, 用心專貞, 從唱而已, 婦人之吉, 夫子之凶也.
왕필이 말하였다: 머문 곳이 존귀한 자리를 얻어 항괘의 주인이 되는데, 의(義)로써 제재할 수 없고 호응에 연계됨도 이효에 달려있으니, 마음을 씀에 곧음을 오로지 하고 주창하는 것을 따를 뿐이므로, 부인에게는 길함이 되지만 남편에게는 흉함이 된다

上六, 振恒, 凶.

상육은 진동하는 항(恒)이니, 흉하다.

中國大全

傳

六, 居恒之極, 在震之終, 恒極則不常, 震終則動極. 以陰居上, 非其安處, 又陰柔不能堅固其守, 皆不常之義也. 故爲振恒, 以振爲恒也. 振者, 動之速也, 如振衣如振書, 抖擻運動之意. 在上而其動无節, 以此爲恒, 其凶宜矣.

육(六)이 항괘의 끝에 있고 상괘인 진괘(震卦)의 마지막에 있으니, 항괘의 끝이라서 항상되지 못하고 진괘의 마지막이라서 움직임이 지극하다. 음으로서 맨 위에 있으므로 편안한 거처가 아니며 또 유순한 음은 그 지킴을 견고하게 할 수 없으니, 모두 항상되게 하지 못하는 뜻이다. 그러므로 '진동하는 항상됨'이니, 진동함으로써 항상됨을 삼는 것이다. '진(振)'이란 움직임이 빠른 것이므로, "옷의 먼지를 털어낸다"와 "책의 먼지를 털어낸다"에서의 '진(振)'과 같으니, 털어내고 운동한다는 뜻이다. 맨 위에 있으면서 절제가 없으니, 이것으로써 항상됨으로 삼는다면 그 흉함이 마땅하다.

本義

振者, 動之速也. 上六, 居恒之極, 處震之終, 恒極則不常, 震終則過動, 又陰柔不能固守. 居上, 非其所安, 故有振恒之象而其占則凶也.

'진(振)'이란 움직임이 빠른 것이다. 상육은 항괘의 끝에 있고 상괘인 진괘(震卦)의 마지막에 있다. 항괘의 끝이라서 항상되지 못하고 진괘의 마지막이라서 지나치게 움직이며, 또 유순한 음은 그 지킴을 견고하게 할 수 없다. 맨 위에 있음은 그 편안한 곳이 아니기 때문에 '진동하는 항상됨'의 상이 있고 그 점이 흉하다.

小註

雲峯胡氏曰, 本義謂恒極則不常, 以一卦之極言, 震終則過動, 以上卦之極言, 陰柔不能固守, 居上, 非其所安, 以上六一爻言, 必合此四者, 而後振恒之象備矣. 咸不宜動, 恒亦以動之速爲凶, 咸卦六爻, 吉凶悔吝之辭皆備, 反對爲恒亦如之. 吉凶悔吝, 生乎動者也, 動其可不愼乎.

운봉호씨가 말하였다: 『본의』에서 "항괘의 끝이라서 항상되지 못하다"라고 한 것은 한 괘의 끝을 가지고서 말하였고, "진괘의 마지막이라서 지나치게 움직인다"라고 한 것은 상괘의 끝을 가지고서 말하였으며, "맨 위에 있음은 그 편안한 곳이 아니다"라고 한 것은 상육이라는 한 효를 가지고서 말하였다. 반드시 이러한 네 가지를 합한 후에 '진동하는 항상됨'의 상이 갖추어진다. 함괘(咸卦)는 마땅히 움직이지 말아야 하고 항괘 또한 움직임의 빠름을 흉하다고 여겼다. 함괘의 여섯 효에는 길(吉)함과 흉(凶)함과 후회와 부끄러움의 말이 모두 갖추어져 있고, 함괘의 상하가 거꾸로 된 괘인 항괘 또한 이와 같다. 길함과 흉함과 후회와 부끄러움은 움직임에서 생겨나니, 움직임을 삼가지 않을 수 있겠는가?

韓國大全

송시열(宋時烈) 『역설(易說)』

振者, 震動之極也. 振其恒久之道, 不當振而振也, 如初之不當浚而浚, 俱爲凶也. 小象无功, 言无所成也. 三之不恒, 亦失其中, 而不能常, 意亦略似折中易已言之.

'진(振)'자는 진괘의 움직임이 지극함을 뜻한다. 항구한 도를 진동시킴은 진동시켜서는 안 되는데도 진동시킨 것으로, 초효가 깊게 해서는 안 되는데도 깊게 함과 같으니,[86] 모두 흉함이 된다. 「소상전」에서 "공이 없다[无功]"라고 한 말은 이루는 것이 없다는 뜻이다. 삼효가 항상되지 못함[87] 또한 가운데 자리를 잃어서 항상되게 할 수 없으니, 그 뜻이 또한 대체로 『주역절중』에서 이미 말한 것과 같다.

---

86) 『周易·恒卦』: 初六, 浚恒, 貞凶, 无攸利.

87) 『周易·恒卦』: 九三, 不恒其德, 或承之羞, 貞吝.

이익(李瀷)『역경질서(易經疾書)』

振, 動也, 震之極, 有恒動之象. 蠱之象曰振民, 振動其民, 風也. 此云振恒, 自振動而不已者也. 如雷之動物, 其可恒乎, 所以凶. 凡有振者, 始心亦存乎有功, 故傳又明其不然. 添一大字, 其反害可知. 漢許愼說文, 振作榰, 卽撑拄苟度之義, 如是看亦有理.
'진(振)'자는 움직인다는 뜻으로, 진괘의 끝에는 항상 움직이는 상이 있다. 고괘(蠱卦䷑)의 「상전」에서 "백성들을 진작시킨다"[88]고 했는데, 백성들을 진작시키는 것은 바람에 해당한다. 이곳에서 "진동하는 항상됨이다"라고 했는데, 스스로 진동하여 그치지 않는 것을 뜻한다. 예를 들어 우레가 만물을 움직이게 함이 항상된다고 할 수 있겠는가? 그래서 흉함이 된다. 진동함이 있는 경우 처음의 마음에는 또한 공이 있게 됨을 생각하기 때문에 「상전」에서는 또한 그렇지 않음을 밝혔다. '크게[大]'라는 말을 첨가하였으니 반대로 해가 됨을 알 수 있다. 한나라 허신의 『설문해자』에서는 '진(振)'자를 지(榰)자로 기록했으니, 곧 버티고 감싼다는 뜻이다. 이처럼 보아도 일리가 있다.

유정원(柳正源)『역해참고(易解參攷)』

上六, 振恒.
상육은 진동하는 항(恒)이다.

王氏曰, 靜爲躁君, 安爲動主, 故安者, 上之所處也, 靜者, 可久之道也. 處卦之上, 居動之極, 以此爲恒, 无施而得也.
왕필이 말하였다: 고요함이 조급함의 임금이 되고 편안함이 움직임의 주인이 되기 때문에, 편안함은 상효가 머무는 곳이고 고요함은 오래할 수 있는 도가 된다. 괘의 위에 있고 움직임의 끝에 있어서, 이것을 항상됨으로 삼는다면 베풀지 않더라도 얻는다.

○ 涑水司馬氏曰, 振者, 木之搖落也. 上以柔弱之質, 當恒久之終, 體動而應風, 搖落之象也. 恒久之道, 由玆而墜, 故凶.
속수사마씨가 말하였다: '진(振)'자는 나무가 흔들려서 잎이 떨어진다는 뜻이다. 상효는 유약한 재질로 항구함의 끝에 있으니, 몸체가 움직이며 바람에 호응하여 흔들려서 떨어지는 상이 된다. 항구한 도는 이로부터 떨어지기 때문에 흉하다.

○ 厚齋馮氏曰, 初上, 本末也. 巽木在下, 而爻以柔弱在上, 九三應之, 有風以動之, 其

88)『周易·蠱卦』: 象曰, 山下有風, 蠱, 君子以振民育德.

末振而搖落之象. 浚其本而振其末, 失其道矣.
후재풍씨가 말하였다: 초효와 상효는 근본과 말단이 된다. 손괘의 나무가 아래에 있고 효는 유약함으로 위에 있는데, 구삼이 호응하여 바람이 불어 움직이게 하니, 그 말단이 진동하며 흔들려 떨어지는 상이 된다. 근본을 깊게 파고 말단을 흔들어서 그 도를 잃는다.

○ 梁山來氏曰, 振動者, 振動其恒也. 如宋時, 祖宗本有恒久法度, 王安石紛更舊制, 所謂振恒也, 不唯不能成事, 而反僨事也. 在下入乃巽之性, 浚恒也. 在上動乃震之象, 振恒也. 方恒之始, 不可浚而乃浚, 旣恒之終, 不可振而乃振, 故兩爻皆凶.
양산래씨가 말하였다: 진동시킨다는 말은 항상됨을 진동시킨다는 뜻이다. 마치 송나라 때 조종(祖宗)에는 본래 항구한 법도가 있는데 왕안석이 옛 제도를 뒤섞어 고쳤던 것과 같으니, 이것이 바로 "항상됨을 진동시킨다"는 뜻으로, 단지 일을 이루지 못할 뿐만 아니라 도리어 일을 그르치게 한다. 아래에 있어서 들어가게 되면 손괘의 성질이 되니 깊게 항상되게 함이다. 위에 있어서 움직이게 되면 진괘의 상이 되니 진동하는 항상됨이다. 항상됨의 초기에 있어서는 깊게 할 수 없는데 깊게 하고, 항상됨의 끝에 있어서는 진동시켜서는 안 되는데 진동시키기 때문에, 두 효가 모두 흉하다.

傳, 振衣.
『정전』에서 말하였다: 옷의 먼지를 털어낸다.
楚辭, 新沐者, 必振衣.
『초사』에서 말하였다: 새로이 목욕을 한 자는 반드시 옷의 먼지를 털어내고 입는다.

振書.
『정전』에서 말하였다: 책의 먼지를 털어낸다.
曲禮, 振書君前, 註文書簿領, 振拂其塵埃.
『예기 · 곡례』에서는 "군주 앞에서 책의 먼지를 털어낸다"[89]고 했고, 주에서는 "문서나 장부에 대해서 쌓여있는 먼지를 털어낸다"고 했다.

抖擻.
『정전』에서 말하였다: 털어낸다.
龍龕手鑑, 擧振之貌.
『용감수감』에서 말하였다: 들고 터는 모양을 뜻한다.

89) 『禮記 · 曲禮下』: 振書端書於君前有誅, 倒筴側龜於君前有誅.

无功也.
「상전」에서 말하였다: 공이 없다.
梁山來氏曰, 不唯无功, 而大无功也, 曰大者, 上而无益于國, 下而不利于生民.
양산래씨가 말하였다: 단지 공이 없는 것이 아니라 크게 공이 없다는 것인데, "크다"고 한 말은 위로는 국가에도 무익하고 아래로는 백성들에게도 이롭지 않다는 뜻이다.

○ 案, 居恒之終, 功已成, 德已立, 守成不變, 則庶无災也, 而上以柔弱之才, 變易其常度, 則不唯无功, 凶害立至, 故曰大无功也.
내가 살펴보았다: 항괘의 끝에 있어서 공이 이미 이루어지고 덕이 이미 확립되어서, 이룸을 지키고 바꾸지 않는다면 재앙이 거의 없게 되지만, 상효는 유약한 재질로 항상된 법칙을 바꾸었으니, 공이 없을 뿐만 아니라 흉함과 피해도 도달하기 때문에 "크게 공이 없다"고 했다.

김상악(金相岳) 『산천역설(山天易說)』

上六, 處震之極, 應巽之三, 而不能固守, 故有振恒之象. 振動无常, 其凶宜矣.
상육은 진괘의 끝에 있으며 손괘의 세 번째 효와 호응하여 고수할 수 없기 때문에, 진동하는 항(恒)의 상이 있다. 진동함에 항상됨이 없으면 흉하게 됨이 마땅하다.

○ 振者, 動之速, 風以撓之, 雷以動之, 皆振之象也. 初方恒之始, 而以浚爲恒, 上旣恒之終, 而以振爲恒, 故皆凶. 變爻爲鼎, 鼎之義, 正位凝命, 而振動无常, 則必覆公餗, 所以大无功也.
'진(振)'은 움직임이 빠른 것으로 바람이 흔들고 우레가 진동하는 것이 모두 진(振)의 상이 된다. 초효는 항괘의 처음에 있어 깊게 함을 항상됨으로 삼고, 상효는 이미 항괘의 끝에 있어 진동함을 항상됨으로 삼기 때문에 모두 흉하다. 효가 변하면 정괘(鼎卦䷱)가 되는데, 정괘의 뜻은 자리를 바르게 하여 중후하게 천명을 모으는 것인데도,[90] 진동하여 항상됨이 없다면 반드시 공(公)에게 바칠 음식을 엎게 되니,[91] 크게 공이 없는 이유이다.

서유신(徐有臣) 『역의의언(易義擬言)』

振恒者, 以振爲恒也. 震性喜動而應於[92]巽, 故曰振恒也. 居恒之終, 以振爲恒, 而不知

90) 『周易·鼎卦』: 象曰, 木上有火, 鼎, 君子以正位凝命.
91) 『周易·鼎卦』: 九四, 鼎折足, 覆公餗, 其形渥, 凶.
92) 於: 경학자료집성DB와 영인본에는 모두 '於於'로 되어 있으나, 문맥을 살펴 '於'로 바로 잡았다.

變, 是爲凶也.
'진동하는 항[振恒]'은 진동함을 항상됨으로 삼는다는 뜻이다. 진괘의 성질은 움직이길 좋아하는데 손괘에 호응을 하기 때문에 "진동하는 항상됨이다"고 했다. 항괘의 끝에 있는데 진동함을 항상됨으로 삼았지만 변화를 알지 못하니 흉하게 된다.

박제가(朴齊家) 『주역(周易)』

上六, 振恒.
상육은 진동하는 항(恒)이다.

傳, 以振爲恒.
『정전』에서 말하였다: 진동함으로써 항상됨을 삼는다.

案, 此恐是振其恒之義. 蓋恒之將終, 而忽自振落之, 所謂不保其終者, 正如褚彦回門戶不幸有期頤之壽之云者. 此卦上爲震體, 振比震差輕, 程子以振衣振書喩之是也. 本義從震爲說, 如曰以震爲恒, 則當爲雷頓之象, 然六非剛, 故雖震體而才柔, 故從振, 亦有微義. 如初之浚恒乃浚求□恒, 非以浚爲恒, 上下文法不異.
내가 살펴보았다: 이 말은 아마도 항상됨을 진동시킨다는 뜻인 것 같다. 항상됨이 끝나려고 하는데 갑작스럽게 스스로 진동하여 떨어지니, "그 끝을 보존하지 못한다"는 뜻으로, 바로 저언회(褚彦回)처럼 가문이 불행해졌는데 백세가 되도록 장수를 한다고 말하는 경우와 같다. 항괘의 상효는 진괘의 몸체이지만 진(振)자는 진(震)자보다 정도가 가벼우니, 정자가 옷의 먼지를 털고 책의 먼지를 턴다는 뜻으로 비유한 말은 옳다. 『본의』에서는 진괘에 따라 설명을 하였는데, 만약 "진괘로 항상됨을 삼는다"라고 말한다면 마땅히 우레가 갑자기 치는 상이 되지만 육(六)은 굳센 양이 아니기 때문에, 비록 진괘의 몸체더라도 재질이 유약하기 때문에 진동함을 따르니, 여기에는 또한 은미한 뜻이 있다. 마치 초효의 '깊게 항상되게 함[浚恒]'[93]은 곧 항상됨을 깊게 구한다는 뜻이지, 깊음을 항상됨으로 삼는 것이 아니니, 위아래의 문법에 차이가 없다.

박문건(朴文健) 『주역연의(周易衍義)』

有疑不往, 故有振恒之象. 振恒, 拂其恒也.
의심이 있어 가지 않기 때문에 '진동하는 항상됨[振恒]'의 상이 있다. '진동하는 항상됨'은

93) 『周易 · 恒卦』: 初六, 浚恒, 貞凶, 无攸利.

항상됨을 거스른다는 뜻이다.

이지연(李止淵) 『주역차의(周易箚疑)』

在上之人恒振, 而在下之人, 何以堪乎.
위에 있는 사람이 항상 진동을 하는데, 아래에 있는 사람에 어떻게 감당하겠는가?

김기례(金箕澧) 『역요선의강목(易要選義綱目)』

震極則過動, 而陰柔非可振之時.
진괘의 끝이라면 움직임이 지나치지만 부드러운 음이니, 진동할 수 있는 때가 아니다.

○ 恒極而又居動極, 陰何固守. 況欲速而振拂, 故凶.
항괘의 끝에 있고 또 움직이는 괘의 끝에 있는데, 음이 어떻게 고수할 수 있겠는가? 하물며 빨리 하고자 하여 진동을 하기 때문에 흉하다.

贊曰, 始終之道, 久當如常. 人道自此, 內柔外剛. 宣爾家室, 立不易方. 不恒其德, 何用久長.
찬미하여 말한다: 시종의 도리는 오래도록 마땅히 항상됨과 같아야 하네. 사람의 도리가 이로부터 시행되어 안은 부드럽고 밖은 강하네. 가정의 도리를 밝혀 서서 방소를 바꾸지 않네. 그 덕을 항상되게 하지 않는다면 어떻게 장구하게 되겠는가?

심대윤(沈大允) 『주역상의점법(周易象義占法)』

恒之鼎䷱, 變惡爲善也. 上六, 居恒之極, 而應於三, 守正甚固, 以柔才居柔而好權, 以固正之志而顧專行權, 隨勢變通, 如鼎之以變惡爲善之志, 而沸騰遷徙也, 故曰振恒凶. 巽互震爲振, 振者, 執之固而拂之疾也, 言守正之固, 而用權之專也. 師傅之道, 正而用權也, 遯之守正, 君子用權以鄕小人, 亦有正而用權之義.
항괘가 정괘(鼎卦䷱)로 바뀌었으니, 악이 변화하여 선함이 된다. 상육은 항괘의 끝에 있고 삼효에 호응하여 올바름을 지킴이 매우 단단하지만 유약한 재질로 유약한 음의 자리에 있어서 권도를 좋아하고, 바름을 굳건히 지키는 뜻으로 오로지 권도만을 시행하길 생각하여 형세에 따라 변통하니, 정괘가 악함을 바꿔서 선한 뜻을 행하여 들썩이며 옮겨감과 같기 때문에 "진동하는 항상됨이니, 흉하다"고 했다. 손괘와 진괘가 번갈아들어 진동함이 되는데, 진동함이라는 것은 잡은 것을 단단히 지키면서도 움직이길 빠르게 함이니, 곧 올바름을 단단히 지키면서도 권도를 사용함을 오로지 한다는 뜻이다. 사부의 도리는 정도를 지키면서도 권도를 사용하는 것인데, 돈괘(遯卦䷠)의 올바름을 지킴은 군자가 권도를 사용하여 소인들을 대하는 것이니, 또한 정도를 지키면서도 권도를 사용하는 뜻이 있다.
〈夫子之問答也, 隨人而進辭, 循循善誘, 所以知師道, 多權而正在其中矣.
공자의 문답은 사람에 따라 말을 해주어 차근차근 좋게 이끌어 깨우쳐주었으니,[94] 스승의 도리는 대체로 권도를 쓰는 것 같지만 정도가 그 안에 포함된 것을 안다.〉

오치기(吳致箕) 「주역경전증해(周易經傳增解)」

上六, 以陰柔而處恒之極震之終, 恒極則不久, 震終則過動, 故不能固守其常, 反爲躁動无節, 有振恒之象, 是以言凶.
상육은 부드러운 음으로 항괘의 끝과 진괘의 끝에 있다. 항괘의 끝이 된다면 항구하게 될 수 없고, 진괘의 끝이 된다면 지나치게 움직이기 때문에 항상됨을 고수할 수 없어서 도리어 조급히 움직이고 절제가 없으며 진동하는 항상됨의 상이 있다. 이러한 까닭으로 "흉하다"고 했다.

○ 振者, 動之速而取於震也. 恒之道, 最利中正, 而初六則柔不得正, 九三則剛不得中, 九四則剛失中正, 上六則以柔居極, 故皆不利, 惟九二剛而得中, 能中以行正, 故其悔乃亡, 六五以柔得中, 故雖爲婦人之吉, 然柔而不剛, 故亦爲夫子之凶, 此乃恒道之俱得中正者爲最難, 而諸爻之辭, 所以皆戒也.
'진(振)'은 움직임이 빨라서 진괘에서 취한 것이다. 항괘의 도는 중정함을 가장 이롭게 여기는데, 초육은 부드러운 음으로 올바르지 못하고, 구삼은 굳센 양으로 가운데 자리를 얻지 못했으며, 구사는 굳센 양으로 중정함을 잃었고, 상육은 부드러운 음으로 끝의 자리에 있기 때문에 모두 이롭지 않다. 오직 구이만이 굳센 양이고 알맞음을 얻어서, 알맞게 하여 올바름을 시행할 수 있기 때문에 후회가 없게 된다. 육오는 부드러운 음으로 알맞음을 얻었기 때문에 비록 부인의 길함이 되지만 부드러운 음이고 굳센 양이 아니기 때문에 또한 남자의 흉함이 되니, 이것은 곧 항괘의 도에서는 가운데 자리와 올바름을 모두 얻는 것이 가장 어려움을 나타내고, 여러 효사에서 모두 경계를 한 이유이다.

이진상(李震相) 『역학관규(易學管窺)』

振恒.

94) 『論語 · 子罕』: 顔淵喟然歎曰, 仰之彌高, 鑽之彌堅. 瞻之在前, 忽焉在後. 夫子循循然善誘人, 博我以文, 約我以禮, 欲罷不能. 旣竭吾才, 如有所立卓爾. 雖欲從之, 末由也已.

진동하는 항(恒)이다.

震木爲巽風所撓, 故有振象.
진괘인 나무가 손괘인 바람에 의해 흔들리기 때문에 진동하는 상이 있다.

이병헌(李炳憲) 『역경금문고통론(易經今文考通論)』

孟曰, 楮, 柱砥, 古用木, 今用石.
맹희가 말하였다: '지(楮)'는 기둥의 주춧돌인데, 고대에는 나무를 이용해서 만들었고 오늘날에는 돌을 이용해서 만든다.

象曰, 振恒在上, 大无功也.

「상전」에서 말하였다: "진동하는 항"으로 맨 위에 있으니, 크게 공이 없다.

中國大全

傳

居上之道, 必有恒德, 乃能有功, 若躁動不常, 豈能有所成乎. 居上而不恒, 其凶, 甚矣. 象又言其不能有所成立, 故曰大无功也.

맨 위에 있는 도는 반드시 항상되게 하는 덕이 있어야 공(功)이 있을 수 있으니, 만약 조급하게 움직여서 항상되지 못한다면 어찌 이루는 바가 있을 수 있겠는가? 맨 위에 있으면서 항상되지 못한다면 흉함이 심하다. 「상전」에서 또 이루어 서는 바가 있을 수 없기 때문에 "크게 공이 없다"고 말하였다.

小註

楊氏曰, 在下以入爲常, 浚恒也, 在上以動爲常, 振恒也. 在下而求浚, 非也, 在上而求振, 亦非也. 上六之振恒, 宜乎其无功也.
양씨가 말하였다: 맨 아래 있어서 들어감으로써 항상됨으로 삼으니, '깊게 항상되게 함'이며, 맨 위에 있어서 움직임으로써 항상됨으로 삼으니, '진동하는 항상됨'이다. 맨 아래에 있으면서 깊게 하려고 하는 것은 잘못이고, 맨 위에 있으면서 진동하려고 하는 것도 또한 잘못이다. 상육의 '진동하는 항상됨'은 공이 없음이 마땅하다.

○ 中溪張氏曰, 上六居恒終震極之位, 而以震動爲恒, 豈特凶而已矣. 而且大无功也. 天下本无事, 庸人自擾之, 是之謂矣.
중계장씨가 말하였다: 상육은 항괘의 끝과 상괘인 진괘(震卦)의 마지막인 자리에 있어서 진동으로써 항상됨으로 여기니, 어찌 다만 흉할 뿐이겠는가? 또한 크게 공(功)이 없다. "천하에 본래 일이 없는데도 어리석은 사람들은 스스로 문제를 일으켜 어지럽힌다"[95]고 한 것

이 이를 일컫는다.

○ 節齋蔡氏曰, 恒, 常也. 一體而含二義, 蓋將自其不易者而觀之, 則窮天地亘古今而不可變也, 自其不已者而觀之, 則寒暑晝夜而其變未嘗已也. 故知不易者則拘常, 知不已者則厭常, 皆不得恒之正也. 初柔拘常而過求乎常, 故凶, 上柔居終, 三四位不正, 皆偏乎不已者也, 或厭常, 或亂常, 故凶且吝, 唯二五居中, 幾於得恒之正者. 然五位雖剛而爻柔, 故不能制義而凶, 二爻雖剛而位柔, 僅能久中无悔, 而皆非有得乎恒之正也. 語恒之正, 其唯彖乎.

절재채씨가 말하였다: '항상됨[恒]'은 변하지 않음[常]이다. 하나의 몸체로 두 가지 뜻을 함의하고 있으니, 대체로 그 바뀌지 않는 것으로부터 살펴본다면 천지를 다하고 고금을 관통하여 변할 수 없는 것이며, 그치지 않는 것으로부터 살펴본다면 추위와 더위, 그리고 낮과 밤으로 그 변화가 일찍이 그치지 않는 것이다. 그러므로 바뀌지 않는 것만을 안다면 항상됨을 잡아 붙들게 되고, 그치지 않는 것만을 안다면 항상됨을 싫어하게 되니, 모두 항상됨의 바름을 얻지 못하였다. 초효는 부드러운 음으로 항상됨을 잡아 붙들어 지나치게 항상됨을 구하기 때문에 흉하고, 상효는 부드러운 음으로 항괘의 끝에 있으며, 삼효와 사효는 자리가 바르지 않으니, 모두 그치지 않는 것에 치우쳐 있으므로 혹 항상됨을 싫어하고 혹 항상됨을 어지럽히기 때문에 흉하고 또 부끄럽다. 오직 이효와 오효만이 가운데 자리에 있어서 거의 항상된 바름을 얻었다. 하지만 오효는 자리가 비록 굳센 양의 자리이지만 효는 유순한 음이기 때문에 의(義)로써 제재할 수 없어서 흉하고, 이효는 비록 굳센 양이지만 자리가 유순한 음의 자리라서 겨우 알맞음에 오래할 수 있어 후회가 없게 되니, 모두 항상된 바름을 얻은 것이 아니다. 항상됨의 바름을 말한 것은 오직 「단전」이구나!

○ 建安丘氏曰, 恒, 中道也, 中則能恒, 不中則不恒矣. 恒卦六爻, 无上下相應之義, 唯以二體而取中焉, 則恒之義見矣. 初在下體之下, 四在上體之下, 皆未及乎恒者, 故泥常而不知變, 是以初浚恒, 四田无禽也. 三在下體之上, 上在上體之上, 皆已過乎恒者, 故好變而不知常, 是以三不恒, 而上振恒也. 唯二五得上下體之中, 似知恒之義者, 而五位剛爻柔, 以柔中爲恒, 故不能制義, 而但爲婦人之吉. 二位柔爻剛, 以剛中爲恒, 而居位不當, 亦不能盡守常之義, 故特言悔亡而已. 恒之道, 豈易言哉.

건안구씨가 말하였다: '항(恒)'은 중도(中道)이니, 알맞으면[中] 항상될 수 있고 알맞지 않으면 항상되지 못한다. 항괘의 여섯 효에는 상하가 서로 호응하는 뜻이 없어 오직 두 몸체로써 알맞음을 취한다면 항괘의 뜻을 볼 수 있다. 초효는 하체의 맨 아래에 있고 사효는 상체의 맨 아래에 있으므로, 모두 항상됨에 미치지 못하는 것이기 때문에 항상됨에 빠져 변화를

95) 이 구절은 『신당서(新唐書)』에 보인다.

모른다. 이 때문에 초효는 "깊게 항상되고", 사효는 "사냥을 하지만 잡은 짐승이 없다." 삼효는 하체의 맨 위에 있고 상효는 상체의 맨 위에 있으므로, 모두 이미 항상됨에 지나친 것이기 때문에 변화를 좋아하고 항상됨을 알지 못한다. 이 때문에 삼효는 항상되지 않고 상효는 진동하는 항상됨이다. 오직 이효와 오효만이 상체와 하체의 가운데 자리를 얻어 항상됨의 의(義)를 아는 듯하지만, 오효는 자리가 굳센 양의 자리이고 효는 유순한 음이어서 유순하고 알맞음으로써 항상됨으로 여기기 때문에 의(義)로써 제재할 수 없고 다만 부인의 길함이 된다. 이효는 자리가 유순한 음의 자리이고 효는 굳센 양이어서 굳세고 알맞음을 항상됨으로 여기지만 있는 자리가 부당하니, 또한 항상됨을 지키는 뜻을 다할 수가 없기 때문에 다만 "후회가 없게 된다"고 말했을 뿐이다. 항상된 도를 어찌 쉽게 말할 수 있겠는가?

○ 隆山李氏曰, 咸恒二卦, 其象甚善, 而六爻之義鮮有全吉者. 蓋以爻而配六位, 則陰陽得失, 承乘逆順之理, 又各不同故也.
융산이씨가 말하였다: 함괘와 항괘, 두 괘는 그 「단전」의 말이 매우 좋지만, 여섯 효의 뜻에서는 온전하게 길하다고 한 것이 드물다. 효로써 여섯 자리에 배분한다면, 음양의 득실과 승승(承乘)[96]과 역순(逆順)의 이치가 각각 같지 않기 때문이다.

韓國大全

김상악(金相岳) 『산천역설(山天易說)』

居上而以振爲恒, 故不惟无功而大无功也.
상효에 있으면서 진동함을 항상됨으로 삼기 때문에, 단지 공이 없을 뿐만이 아니라 크게 공이 없게 된다.

서유신(徐有臣) 『역의의언(易義擬言)』

在上者, 當以安靜爲務, 上六振動不已, 宜其无功也.

96) 승승(承乘): 승(承)은 양효가 음의 효자리에 있는 비(比)를 말하며, 승(乘)은 음효가 양의 효자리에 있는 비(比)를 말한다.

위에 있는 자는 마땅히 안정됨을 힘써야 할 것으로 삼아야 하는데, 상육은 진동함을 그치지 않으니 공이 없게 됨이 마땅하다.

박문건(朴文健) 『주역연의(周易衍義)』

大无功, 言有害而无益也.
"크게 공이 없다"는 말은 해로움이 있고 이로움이 없다는 뜻이다.

심대윤(沈大允) 『주역상의점법(周易象義占法)』

居上而好權, 何以有功乎.
위에 있으면서 권도를 쓰기 좋아하는데, 어떻게 공이 있겠는가?

오치기(吳致箕) 「주역경전증해(周易經傳增解)」

居上而失常道, 豈能有成立乎. 故曰大无功也.
상효에 있으며 항상된 도리를 잃었는데, 어떻게 완성하여 세움이 있을 수 있겠는가? 그렇기 때문에 "크게 공이 없다"고 했다.

이병헌(李炳憲) 『역경금문고통론(易經今文考通論)』

按, 馬融本, 楮作振, 訓動, 王弼又以躁動訓振. 然雷風爲恒, 恒之爲卦, 以動而恒久爲主. 上六若柱砥之冥頑不動, 則恒爲死物, 無感應之道, 故云凶, 而大無功也. 右二卦爲下篇之綱領.
내가 살펴보았다: 마융의 판본에는 '지(楮)'자를 진(振)자로 기록했고 움직인다는 뜻으로 풀이했으며, 왕필은 또한 조급히 움직인다는 뜻으로 진(振)자를 풀이했다. 그런데 우레와 바람이 항괘가 된다면 항괘는 움직여서 항구하게 됨을 위주로 한다. 상육이 기둥의 주춧돌처럼 완고하여 움직이지 않는다면, 항상됨은 죽은 사물이 되어 감응의 도가 없게 되기 때문에 "흉하고 크게 공이 없다"고 했다. 이상의 두 괘는 하편의 강령이 된다.

33

돈괘

遯卦䷠

中國大全

傳

遯, 序卦, 恒者, 久也. 物不可以久居其所, 故受之以遯, 遯者, 退也. 夫久則有去, 相須之理也, 遯所以繼恒也. 遯, 退也, 避也, 去之之謂也. 爲卦天下有山, 天, 在上之物, 陽性, 上進, 山, 高起之物, 形雖高起, 體乃止物, 有上陵之象而止不進, 天乃上進而去之, 下陵而上去, 是相違遯, 故爲遯去之義. 二陰, 生於下, 陰長將盛, 陽消而退, 小人漸盛, 君子退而避之, 故爲遯也.

돈괘는 「서괘전」에서 "항괘(恒卦)는 오래함이다. 물건은 그 한 자리에 오래있을 수가 없으므로 돈괘로써 그 다음을 받았으니, 돈(遯)이란 물러남이다"라고 하였다. 오래되면 떠나감이 있음은 서로가 필요로 하는 이치이니, 돈괘가 항괘를 잇는 까닭이다. 돈(遯)은 물러남이며 피함이니, 떠나감을 말한다. 괘의 형상은 하늘 아래에 산이 있는데, 하늘은 위에 있는 물건이고 양의 성질이 위로 올라가며, 산은 높게 솟은 물건이니 형체가 비록 높게 솟았다고 하지만 본체는 그치는 물건으로 위로 능멸하는 상이 있지만 그치고 나아가지 않고, 하늘은 이내 위로 올라가 떠나버리니, 아래에서는 능멸하고 위에서는 떠나가므로 이는 서로 어긋나 도피하는 것이기 때문에 도피해 떠나려는 뜻이 있다. 두 음이 아래에서 생겨 음이 자라나 장차 성대해지고 양은 사그러져 물러나니, 소인이 점차 성하게 되고 군자는 물러나 도피하기 때문에 돈괘가 되었다.

遯, 亨, 小利貞.

정전 돈(遯)은 형통하니, 조금 바르게 함이 이롭다.
본의 돈(遯)은 형통하니, 소인은 바르게 함이 이롭다.

中國大全

傳

遯者, 陰長陽消, 君子遯藏之時也. 君子退藏, 以伸其道, 道不屈則爲亨. 故遯所以有亨也. 在事, 亦有由遯避而亨者, 雖小人道長之時, 君子知幾退避, 固善也. 然事有不齊, 與時消息, 无必同也. 陰柔方長而未至於甚盛, 君子尙有遲遲致力之道, 不可大貞而尙利小貞也.

돈(遯)은 음이 자라나고 양이 사그러지니, 군자가 도피하여 숨는 때이다. 군자가 물러나 숨어서 그 도를 펴니, 도가 굽혀지지 않으면 형통하게 된다. 그러므로 돈괘가 형통함이 있는 까닭이다. 일에 있어서도 또한 도피하여 형통하게 됨이 있으니, 비록 소인의 도가 자라날 때일지라도 군자가 기미를 알아 물러나 피하는 것이 진실로 좋지만, 일에 똑같지 않음이 있으니 때에 따라 변천하니 반드시 같게 할 필요는 없다. 부드러운 음이 막 자라지만 아직 성대한 데까지는 이르지 않아서 군자가 오히려 느리게 힘을 다해야 하는 도가 있으니, 크게 바르게 할 수는 없으나 오히려 조금 바르게 함은 이롭다.

小註

白雲郭氏曰, 二陰浸長, 不利君子, 進則否而遯則亨也.
백운곽씨가 말하였다: 두 음이 점점 자라나 군자에게 이롭지 않으니, 나아가면 비색하고 도피하면 형통하다.

○ 李氏曰, 遯亨, 雖遯也, 乃所以亨也.
이씨가 말하였다: 돈은 형통하니, 비록 도피하더라도 이로써 형통하다.

○ 單氏曰, 三陰進而爲否然後, 不利君子貞. 二陰方進而未至於否, 猶可小利貞也.
단씨가 말하였다: 세 음이 나아가 비색하게 된 후에는 군자가 바르게 함이 이롭지 못하다. 두 음이 막 나아가지만 아직 비색한 데까지는 이르지 못하였으니, 오히려 조금 바르게 함이 이로울 수 있다.

○ 中溪張氏曰, 遯字從豚從走. 埤雅曰, 豚微物而遁逸, 蓋遯取豚之遁逸也. 遯退也, 陰進陽退, 此君子見幾而作之時也. 然身之窮, 乃道之亨也. 自遯二而上, 更進一陰, 則不利君子貞, 无復小利貞之望矣.
중계장씨가 말하였다: 돈(遯)자는 '주(走)' 부수에 '돈(豚)'자를 합친 것이다. 『비아(埤雅)』에서 말하기를 "돼지[豚]는 미물이며 숨어 산다"고 하였으니, '돈(遯)'은 돼지가 숨어 산다는 데에서 취한 듯하다. 돈은 물러남으로 음이 나아가고 양이 물러나니, 이것은 군자가 기미를 보고서 일어난 때이다. 그러나 몸의 궁함이 곧 도의 형통함이다. 돈괘의 이효로부터 올라가는데 하나의 음을 더 올라가 하괘가 곤괘(坤卦☷)가 된다면, 군자의 바름이 이롭지 않아 다시 "조금 바르게 함의 이로움"에 대한 바람이 없다.

本義

遯, 退避也. 爲卦二陰, 浸長, 陽當退避, 故爲遯, 六月之卦也. 陽雖當遯, 然九五當位而下有六二之應, 若猶可以有爲, 但二陰, 浸長於下, 則其勢不可以不遯. 故其占爲君子能遯則身雖退而道亨, 小人則利於守正, 不可以浸長之故而遂侵迫於陽也. 小, 謂陰柔小人也. 此卦之占, 與否之初二兩爻, 相類.

돈(遯)은 물러나 도피함이다. 괘는 두 음이 점점 자라나니 양이 마땅히 물러나 도피하기 때문에 돈괘가 되었으니, 유월의 괘이다. 양이 비록 마땅히 도피하여야 하지만 구오가 마땅한 자리에 있고 아래로 육이의 호응이 있어서 만약 오히려 일을 할 수 있을 듯하지만 단지 두 음이 아래에서 점점 자라나면 그 형세가 도피하지 않을 수 없다. 그러므로 그 점(占)이 군자는 도피할 수 있다면 자신은 비록 물러나더라도 도는 형통하지만 소인은 바름을 지키는 데에서 이로우니, 점점 자란다는 이유로 마침내 양에 대하여 침해하고 핍박해서는 안 된다. '소(小)'는 음의 유순한 소인을 말한다. 이 괘의 점은 비괘(否卦䷋)의 초효와 이효인 두 효와 서로 비슷하다.

小註

或問, 遯小利貞, 本義謂小人也. 按易中小字未有以爲小人者. 如小利有攸往與小貞吉之類, 皆大小之小耳. 未知此義如何. 朱子曰, 經文固无此例, 然以彖傳推之, 則是指小人而言. 今當且依經而存傳耳.
어떤 이가 물었다: 돈괘의 괘사에서 말한 '소리정(小利貞)'의 '소(小)'에 대하여 『본의』에서는 소인이라고 하였습니다. 제가 살펴보기에 『주역』 중에서 소(小)자는 소인으로 여긴 경우가 있지 않습니다. "가는 바를 둠이 조금 이롭다"[1]나 "조금 바르게 하면 길하다"[2]와 같은 경우는 모두 크고 작음[大小]에서의 소(小)일 뿐입니다. 이러한 뜻이 어떤지 알지 못하겠습니다.
주자가 말하였다: 경문에는 진실로 이러한 예가 없지만, 「단전」을 미루어 본다면 이것은 소인을 가리켜 말한 것입니다. 이제 마땅히 우선 경(經)에 의거하여 전(傳)을 보존할 뿐입니다.

○ 建安丘氏曰, 遯亨, 爲君子言也. 告君子使去, 不去則見害於小人矣, 安得亨, 小利貞, 爲小人言也. 勉小人以正, 小人而不守正, 則凌迫乎君子, 雖已, 亦有所不利也. 卦辭止五字, 聖人雖爲君子謀, 亦未嘗不爲小人謀也.
건안구씨가 말하였다: "돈(遯)은 형통하다"란 군자를 위하여 말하였다. 군자에게 말하여 떠나가도록 하였으나, 떠나가지 않는다면 소인에게 해로움을 당하게 되니, 어찌 형통할 수 있겠는가? "조금 바르게 하면 이롭다"란 소인을 위하여 말하였다. 소인에게 바름으로써 권면하였으나 소인이면서 바름을 지키지 않는다면 군자에게 모욕을 당하고 핍박을 받게 되니, 비록 멈추더라도 또한 이롭지 않은 바가 있다. 괘사는 다섯 글자에 그치고 성인이 비록 군자를 위하여 도모하였더라도 또한 일찍이 소인을 위하여 도모하지 않은 것은 아니다.

○ 雲峯胡氏曰, 復臨泰壯夬卦名, 皆主陽而言. 姤遯否觀剝, 主陰而言, 可也. 然謂之姤者, 陽之勢上盛而陰得遇之也. 謂之遯者, 陰之勢浸長而陽當避之也. 聖人於陰卦, 主陽而言, 其愛君子之意可見矣. 復臨泰皆曰亨, 陽之亨也, 遯亨疑若主陰之亨而言. 然其下曰小利貞, 爲小人計也, 則遯亨爲君子言也. 君子以遯爲亨, 小人以靜正爲利. 本義於臨卦, 謂二陽浸長, 以逼於陰, 於遯曰小人不可以浸長之故, 而遂侵逼於陽. 然則陽浸長而逼陰, 可也, 陰浸長而逼陽不可也, 陰陽之大 分, 明矣. 本義又曰, 此卦之占, 與否初二兩爻, 相類, 蓋否初惡未形, 故戒以貞, 遯二陰猶未成, 否也, 故戒以利貞. 誠恐小者於此不知利貞, 遂至於否, 則不利君子貞也. 臨遯之對, 曰利貞, 大壯遯之反, 曰利貞, 皆爲君子謀也. 遯亦曰利貞者, 其猶冀小人可化而爲君子乎.

---

1) 『周易 · 賁卦』: 賁, 亨, 小利有攸往.
2) 『周易 · 屯卦』: 九五, 屯其膏, 小貞, 吉, 大貞, 凶.

운봉호씨가 말하였다: 복괘(復卦)와 림괘(臨卦)와 태괘(泰卦)와 대장괘(大壯卦)와 쾌괘(夬卦)의 이름은 모두 양을 위주로 하여 말한 것이다. 구괘(姤卦)와 돈괘(遯卦)와 비괘(否卦)와 관괘(觀卦)와 박괘(剝卦)는 음을 위주로 하여 말하였다고 해도 된다. 그러나 구(姤)라고 말한 것은 양의 세력이 올라가 성대해지고 음이 이러한 양의 세력과 만날 수 있기 때문이다. 돈(遯)이라고 한 것은 음의 세력이 점점 자라나고 양은 마땅히 도피하여야 하기 때문이다. 성인은 음괘에서 양을 위주로 하여 말하였으니, 군자를 사랑하는 뜻을 볼 수가 있다. 복괘와 림괘와 태괘에서 모두 "형통하다"[3]고 말하였으니 양의 형통함이지만, "돈(遯)은 형통하다"란 아마도 음의 형통함을 위주로 하여 말한 듯하다. 그러나 그 아래에서 "소인은 바르게 함이 이롭다"고 하였으니 소인을 위하여 계획한 것이고, "돈(遯)은 형통하다"란 군자를 위해서 말하였다. 군자는 도피함으로써 형통함으로 삼고, 소인은 조용하게 바르게 함으로써 이로움으로 삼는다. 『본의』에서는 림괘에 대하여 "두 양이 점점 자라나 음을 핍박한다"[4]고 하였고, 돈괘에서는 "소인이 점점 자란다는 이유로 마침내 양에 대하여 침해하고 핍박해서는 안 된다"고 하였다. 그렇다면 양은 점점 자라나 음을 핍박하는 것은 괜찮고, 음이 점점 자라나 양을 핍박하는 것은 안 되니, 음양이 크게 나누어지는 것이 분명하다. 『본의』에서는 또 "이 괘의 점은 비괘(否卦䷋)의 초효와 이효인 두 효와 서로 비슷하다"라고 하였으니, 아마도 비괘의 초효에서는 악이 아직 형성되지 않았기 때문에 바름으로써 경계하였고, 돈괘의 두 음은 오히려 아직 비색함을 이루지 않았기 때문에 "바르게 함이 이롭다"는 것으로 경계한 것이다. 소인이 여기서 바르게 함이 이로움을 알지 못하여 마침내 비색한 데에 이르면 군자의 바름에 이롭지 않은 것을 진실로 걱정하였다. 림괘(臨卦䷒)는 돈괘와 음양이 서로 반대인 괘인데도 "바르게 함이 이롭다"[5]고 하였고, 대장괘(大壯卦䷡)는 돈괘와 상하가 거꾸로 된 괘인데도 "바르게 함이 이롭다"[6]고 하였으니, 모두 군자를 위하여 도모하였다. 돈괘에서도 또한 "바르게 함이 이롭다"고 한 것은 오히려 소인이 감화하여 군자가 될 수 있기를 바랐구나!

---

3) 『周易 · 復卦』: 復, 亨, 出入, 无疾, 朋來, 无咎. / 『周易 · 臨卦』: 臨, 元亨, 利貞, 至于八月, 有凶. / 『周易 · 泰卦』: 泰, 小往, 大來, 吉, 亨.

4) 『周易傳義大全 · 臨卦』: 二陽浸長, 以逼於陰, 故爲臨, 十二月之卦也.

5) 『周易 · 臨卦』: 臨, 元亨, 利貞, 至于八月, 有凶.

6) 『周易 · 大壯卦』: 大壯, 利貞.

韓國大全

김장생(金長生) 『주역(周易)』

小字之義, 程朱不同, 傳似好.
'소(小)'자의 뜻에 대해서 정자와 주자의 주장이 다른데, 『정전』의 주장이 더 나은 것 같다.

송시열(宋時烈) 『역설(易說)』

遯之作字, 從豚從逃. 天常運動不息, 艮爲尾, 豚之爲物, 動尾而不息也. 艮又爲黔喙之屬, 故有豚象. 初言尾, 上言肥, 而以遯名卦者, 陰之小人浸長於下, 陽之君子漸避於上之義也. 亨字之義, 象剛當以下至行也, 已釋之. 小利貞者, 言略有利貞, 而象以小人之利明之. 折中易云, 傳義說各不同云, 而皆以陰柔小人釋之, 未見其不同也.
'돈(遯)'자는 돈(豚)자와 도(逃)자로 구성되어 있다. 하늘은 항상 움직이며 그치지 않는데, 간괘는 꼬리가 되며 돼지라는 동물은 꼬리를 움직이길 그치지 않는다. 간괘는 또한 주둥이가 검은 짐승이 되기 때문에 돼지의 상이 있다. 초효에서는 꼬리를 말했고 상효에서는 여유를 말했는데, '돈(遯)'으로 괘의 이름을 정한 것은 음의 소인이 아래에서 자라나고 양의 군자가 위에서 피하는 뜻이 있다. '형(亨)'자의 뜻에 대해서는 「단전」에서 '강당(剛當)'이라고 한 말부터 '지행(至行)'이라는 말까지에서 이미 풀이를 했다. "조금 바르게 함이 이롭다"는 간략히 바름이 이롭다고 말한 것인데, 「단전」에서는 소인의 이로움으로 드러냈다. 『절중역』에서는 "『정전』과 『본의』의 설명은 각각 다르다"라고 했는데, 모두 부드러운 음의 소인으로 풀이를 했으니, 다른 점을 찾아볼 수 없다.

이익(李瀷) 『역경질서(易經疾書)』

遯之從豚, 如逸之從兔, 豚之善遯, 如兔之善逸也, 故言遯則豚在其中, 其善遯者, 非豚乎. 不言豚者, 卦以善遯爲義, 非有豚象. 不然初何以言尾, 二何以言執, 三何以言係, 上何以言肥, 皆託物興事. 縱曰非豚, 必有其物矣. 遯亨, 遯而亨也. 乾文言云, 亨者, 嘉之會也. 卦內剛當位而應者, 惟九五, 則嘉遯, 卽象辭之遯亨也.
'돈(遯)'자에 돼지[豚]가 포함된 것은 일(逸)자에 토끼[兔]가 포함된 것과 같으니, 돼지가 잘 도망가는 것은 토기가 잘 도망가는 것과 같기 때문에, 돈(遯)이라고 한다면 돼지가 그 안에 포함된 것으로 잘 도망가는 것은 돼지가 아니겠는가? 그런데도 돼지를 언급하지 않은 이유는 괘는 잘 도망가는 것을 뜻으로 삼았고, 돼지의 상이 있는 것이 아니기 때문이다. 초효에서 왜 꼬리를 언급하고 이효에서 왜 잡는다고 하였으며, 삼효에서 왜 매어 있다고 말하고 상효에서 왜 살쪘다고 하였는가? 이 모두는 물건에 의탁하여 일을 일으킨 것이다. 비록 돼지가 아니라고 말하더라도 반드시 그에 해당하는 사물이 있다. '돈형(遯亨)'은 도피하여 형통하다는 뜻이다. 건괘 「문언전」에서는 "형(亨)은 아름다움의 모임이다"[7]라고 했다. 괘 안에 굳센 양이 그 자리에 마땅하여 호응하는 것은 오직 구오이니, '아름다운 도피'[8]는 곧 「단전」에서 말한 돈형(遯亨)에 해당한다.

天高而山止, 無企及之意, 不與相干, 遯之象也. 郭雍曰, 當遯之時, 畏小人之害, 志在遠之而已. 不惡其人, 而嚴其分. 子曰疾之已甚則亂, 此意甚好. 君子之於小人, 哀其陷溺而惡惡反輕也. 嚴其等威, 不使奸萌, 可以遠害也. 天之覆燾, 不惡之象也. 山之遠天, 嚴分之象也.
하늘은 높고 산은 그치니, 기획해서 이르는 뜻이 없고 서로 간여하지 않으니, 도망가는 상이다. 곽옹은 "달아나야 할 때 소인이 해로움을 입는 것을 두려워하여 멀리 하는데 뜻을 둘 따름이니, 그 사람을 미워하지 않고 분수를 엄격하게 한다"고 하였다. 공자도 "몹시 미워하면 난리를 일으킨다"[9]고 했으니, 이 뜻이 매우 좋다. 군자는 소인에 대해서 함정에 빠지는 것을 애석하게 여기면서도 악함을 싫어함은 도리어 가볍다. 그 등급에 대해서 엄하게 하여 간사함이 싹트지 못하도록 하면 해로움을 멀리할 수 있다. 하늘이 덮어줌은 싫어하지 않는 상이다. 산이 하늘을 멀리 하는 것은 사람을 엄격하게 나누는 상이다.

유정원(柳正源) 『역해참고(易解參攷)』

傳, 上陵.
『정전』에서 말한 상릉(上陵)에 대하여.

案, 陵, 言山體高而止, 有上陵下之象.
내가 살펴보았다: '능(陵)'자는 산의 몸체가 높지만 그치니, 위에서 아래를 능멸하는 상이 있음을 뜻한다.

潼川毛氏曰, 遯亨, 爲君子言也, 君子以遯爲亨. 小人利貞, 爲小人計也, 小人以貞爲利.
동천모씨가 말하였다: "돈(遯)이 형통하다"는 군자를 위해서 한 말로, 군자는 달아남을 형통

7) 『周易 · 乾卦』: 文言曰, 元者, 善之長也, 亨者, 嘉之會也, 利者, 義之和也, 貞者, 事之幹也.
8) 『周易 · 遯卦』: 九五, 嘉遯, 貞吉.
9) 『論語 · 泰伯』: 子曰, "好勇疾貧, 亂也. 人而不仁, 疾之已甚, 亂也."

함으로 여긴다는 뜻이다. "소인은 곧음이 이롭다"는 소인을 위해 계획한 말로, 소인은 곧음을 이로움으로 여긴다는 뜻이다.

김상악(金相岳) 『산천역설(山天易說)』

遯者, 陽退於外也. 九五, 當位而有應, 尙可以有爲, 但二陰浸長於下, 則當與時行, 故遯而能亨. 陰之小, 則宜守正而不可以侵迫於陽也. 所以初曰, 勿用有攸往, 五曰, 嘉遯, 貞吉.
'돈(遯)'은 양이 밖으로 물러남을 뜻한다. 구오는 그 자리에 마땅하며 호응함이 있으니 오히려 시행할 수 있지만, 두 음이 밑으로 점점 자라난다면, 마땅히 때에 따라 시행해야 하기 때문에 달아나서 형통할 수 있다. 음의 소인은 마땅히 올바름을 지켜서 양을 침범해서는 안 된다. 이것이 초효에서 "가는 바를 두지 말아야 한다"[10]라고 말하고, 오효에서 "아름다운 도피이니 곧아서 길하다"[11]고 말한 이유이다.

○ 遯之卦辭, 與否六二爻辭相似. 遯亨, 對大人之亨, 小利貞, 對小人之吉也.
돈괘의 괘사는 비괘(否卦䷋) 육이의 효사와 유사하다. "돈(遯)은 형통하다"는 말은 대인의 형통함과 대비되며, "소인은 바르게 함이 이롭다"는 소인의 길함과 대비된다.[12]

조유선(趙有善) 『경의(經義)-주역본의(周易本義)』

小利貞, 程傳以小爲大小之小, 本義以爲陰柔小人, 而以彖傳證之. 然彖傳曰, 小利貞, 浸而長也. 陰浸而長, 故君子不可大貞, 而小利貞, 其義未知, 其不通, 更當詳之.
'소리정(小利貞)'에 대해서 『정전』에서는 소(小)자를 크고 작다고 할 때의 소(小)자로 여겼고, 『본의』에서는 부드러운 음의 소인이라고 여겼으며 「단전」을 통해 증명했다. 그런데 「단전」에서는 "소리정(小利貞)은 점점 자라나기 때문이다"고 했다. 음이 점점 자라나기 때문에 군자는 크게 곧을 수 없고, '소리정(小利貞)'이라고 했는데 그 의미는 확실히 모르겠으므로, 통하지 않는 부분에 대해서는 다시금 상세히 따져야 한다.

서유신(徐有臣) 『역의의언(易義擬言)』

遯亨者, 四剛也, 遯而遠害爲亨也. 小利貞者, 二柔也, 從其正應爲貞也.

---

10) 『周易 · 遯卦』: 初六, 遯尾, 厲, 勿用有攸往.
11) 『周易 · 遯卦』: 九五, 嘉遯, 貞吉.
12) 『周易 · 否卦』: 六二, 包承, 小人吉, 大人否, 亨.

"돈(遯)은 형통하다"는 말은 네 개의 굳센 양을 뜻하니, 도피하여 해로움을 멀리함이 형통하다는 의미이다. "조금 바르게 함이 이롭다"는 부드러운 두 음을 뜻하니, 정응을 따름이 바르다는 의미이다.

박문건(朴文健) 『주역연의(周易衍義)』

陽有升進之勢, 故亨. 然陰進陽退, 故貞爲小利也.
양에는 올라가고 나아가는 기세가 있기 때문에 형통하다. 그러나 음이 나아가고 양이 물러나기 때문에 바름은 작은 이로움이 된다.
〈問, 小利貞. 曰, 九三處下用貞, 故陰雖不驟, 然單竟未免遯退, 故謂之小利也.
물었다: '소리정(小利貞)'은 무슨 뜻입니까?
답하였다: 구삼은 하괘에 있으며 바름을 사용하기 때문에 음이 비록 달아나지 않지만, 결국 도피하고 물러남을 벗어날 수 없기 때문에 작은 이로움이라고 했습니다.〉

이지연(李止淵) 『주역차의(周易箚疑)』

臨卦, 則衆君子進用, 而使小人退去者, 乃大亨, 至正之道, 而此卦, 則小人之長, 非必小人之罪, 乃天運之所使, 有非人力之所可如何者也. 君子旣以獨善爲正, 則其所謂正者與兼善之時, 有大小之別焉. 本義以爲小指二陰, 而爲戒語, 意則好, 而似與程傳大相反焉.
림괘(臨卦䷒)는 여러 군자가 나아가고 쓰여서 소인들을 물러나고 떠나게 하니, 크게 형통하여 지극히 바른 도가 되는데, 돈괘의 경우 소인의 자라남은 반드시 소인의 죄가 아니므로, 천도가 운행하며 그렇게 만든 것으로 사람의 힘으로 어찌할 수 없는 경우이다. 군자가 홀로 선함을 바름으로 삼았다면, 이른바 바르다는 것과 함께 선하게 하는 때에는 크고 작은 구별이 있다.[13] 『본의』에서 소(小)자가 두 음을 가리킨다고 여기고 경계하는 말로 여긴 것은 뜻은 좋지만, 『정전』의 주장과는 크게 반대되는 것 같다.

김기례(金箕澧) 『역요선의강목(易要選義綱目)』

六月卦, 物久居則退避.
유월의 괘이니, 사물이 오래도록 머문다면 물러나서 피하게 된다.

---

13) 『孟子 · 盡心上』: 古之人, 得志, 澤加於民, 不得志, 修身見於世. 窮則獨善其身, 達則兼善天下.

○ 山高在下, 有凌上之象. 天乃上, 進而去.
산은 높은데 아래에 있으니 위를 침범하는 상이 있다. 하늘은 곧 위가 되니 나아가 떠나게 된다.

○ 二陰浸長, 下凌而上避, 故曰遯亨. 陰漸長, 則陽將消, 君子幾而退遯跡, 修道則身雖退, 道則亨, 自此更進一陰則否之匪人. 小利貞, 陰爲小, 故曰小, 言小人當守正而不可浸迫君子之遯者.
두 음이 점점 자라나니 아래는 능멸하고 위는 피하기 때문에 "돈(遯)은 형통하다"고 했다. 음이 점점 자라난다면 양은 소멸하게 되는데 군자는 기미를 알아서 도피를 하니, 도를 닦는다면 몸은 비록 물러나지만 도는 형통하게 된다. 이로부터 다시금 한 음이 나아간다면 비괘(否卦䷋)의 "바른 사람이 아니다"[14]가 된다. "소인은 바르게 함이 이롭다"고 했는데, 음은 작음이 되기 때문에 '소(小)'라고 했으니, 소인은 마땅히 올바름을 지키고 군자가 도피함을 침범해서는 안 된다는 뜻이다.

○ 四陽居上, 尙未衰, 則使小人无犯極惡之罪, 以冀小人之化爲君子, 聖人亦爲小人謀.
네 양이 위에 있고 여전히 쇠약해지지 않았으니, 소인으로 하여금 극악한 죄를 범하지 않도록 하여 소인이 군자로 바뀌기를 바라며, 성인 또한 소인을 위해서 도모를 한다.

이항로(李恒老) 「주역전의동이석의(周易傳義同異釋義)」

傳, 陰柔方長, 未至於甚盛, 君子尙有遲遲致力之道, 不可大貞而尙利小貞也.
『정전』에서 말하였다: 부드러운 음이 막 자라지만 아직 성대한 데까지는 이르지 않아서 군자가 오히려 느리게 힘을 다해야 하는 도가 있으니, 크게 바르게 할 수는 없으나 오히려 조금 바르게 함은 이롭다.

本義, 其占爲君子能遯則身雖退而道亨, 小人則利於守正, 不可以浸長之故, 而遂浸迫於陽也. 小, 謂陰柔小人也.
『본의』에서 말하였다: 그 점(占)이 군자는 도피할 수 있다면 자신은 비록 물러나더라도 도는 형통하고 소인은 바름을 지키는 데에서 이로우니, 점점 자란다는 이유로 마침내 양에 대하여 침해하고 핍박해서는 안 된다. '소(小)'는 음의 유순한 소인을 말한다.

---

14) 『周易 · 否卦』: 否之匪人, 不利, 君子貞, 大往小來.

按, 朱子曰, 以象傳推之, 則是指小人而言. 今當且依經而存傳耳.
내가 살펴보았다: 주자는 "「단전」을 미루어 본다면 이것은 소인을 가리켜 한 말이다. 이제 마땅히 우선 경(經)에 의거하여 전(傳)을 보존할 뿐이다"라고 했다.

심대윤(沈大允) 『주역상의점법(周易象義占法)』

遁, 退也. 天下有山, 山高起而凌薄于天, 天遠大而違避乎山, 下凌而止之, 上敬而遠之. 遠之, 所以止之也. 少男行乎天下, 恭敬而從事, 二陰生于下, 陽從而避之而陰反承陽, 遯之象也. 天與山同有高大上進之體, 君子之於小人, 斂避其凌薄之勢而與之周全同事不爲悻悻, 然果於棄世以自分別也. 韓琦曰, 去就之際, 不可猛而有迹, 合是道也. 雖止而能健, 遯之道也. 互卦爲姤, 遇而不進也. 遯以不進爲退, 非脫然退藏也. 陽舊而去, 陰新而來, 舍陽之所守而從陰之所爲, 故遯有舍舊從新之義也. 斂避不爲舍舊也. 周全同事從新也.
돈괘는 달아나고 물러남이다. 하늘 아래에 산이 있는데, 산이 높아져서 하늘을 침범하고, 하늘은 원대하여 산을 피하니, 아래로는 업신여겨 그치게 하고 위로는 공경하여 멀리 대한다. 멀리 대하는 것은 그치게 하는 방법이다. 막내아들이 하늘 아래에서 행동할 때에는 공경스럽게 일에 종사하며, 두 음이 아래에서 생겨나서 양은 따라 피하고 음은 반대로 양을 받드니, 돈괘의 상이다. 하늘과 산은 모두 높고 크며 위로 나아가는 몸체가 있고, 군자는 소인에 대해서 업신여기는 세력을 피하여 그와 함께 온전히 하며 같은 일을 함에 원한을 품어서는 안 되므로, 과감히 세상을 등지고 스스로 분별을 지켜야 한다. 한기(韓琦)는 "거취를 정할 때 사납게 시행하여 자취를 남기지 않아야 한다"고 하였으니 이 도와 합한다. 비록 그치더라도 강건할 수 있는 것이 돈괘의 도이다. 호괘는 구괘(姤卦䷫)가 되어 조우하여 나아가지 못한다. 돈괘는 나아가지 않음을 물러남으로 삼으니, 홀가분하게 물러나 숨는 것이 아니다. 양은 오래되어 떠나고 음은 새로워 도래하는데, 양이 지키는 것을 버리고서 음의 행위를 따르기 때문에 돈괘에는 오래된 것을 버리고 새로운 것을 따르는 뜻이 있다. 거둬들이고 피하는 것은 오래된 것을 버림이 아니다. 온전히 하고 일을 함께 하는 것은 새로움을 따르는 것이다.

當二陰浸長之時, 君子知其不可直加逆折, 亦不可棄去而與鳥獸爲群, 故斂藏退避而保其身, 周全彌縫而保天下, 故亨也. 君子視天下猶一身, 未嘗一日忘于心, 可以有爲而不爲, 不爲, 不知也. 不可以有爲而爲之, 不仁也. 不知則亡天下, 亡天下則害其身, 不仁則喪其身, 喪其身則不能以利天下, 害其身, 非知也, 不能利天下, 非仁也. 夫欲利己而先利天下者, 知也, 欲利天下而先利己者, 仁也. 小利貞, 時未可大有爲, 而可以小正也.

두 음이 점점 자라나게 될 때에 해당하면, 군자는 곧바로 꺾을 수 없고, 또한 버리고 떠나서 짐승들과 무리를 이룰 수 없음을 알기 때문에, 수렴하고 보관하여 물러나 피해서 자신을 보존하고, 온전히 하고 두루하여 천하를 보존하기 때문에 형통하다. 군자는 천하를 한 몸처럼 여겨서 하루라도 마음에서 잊은 적이 없는데, 시행할 수 있는데도 시행하지 않는다면 시행하지 않음은 지혜롭지 못한 것이며, 시행할 수 없는데도 시행하는 것은 인자하지 않은 것이다. 지혜롭지 못하다면 천하에 대한 마음을 잊게 되고 천하에 대한 마음을 잊는다면 자신을 해치게 되며, 인자하지 않다면 자신을 잃게 되고 자신을 잃는다면 천하를 이롭게 할 수 없으니, 자신을 해치는 것은 지혜로움이 아니며 천하를 이롭게 하지 못함은 인자함이 아니다. 자신을 이롭게 하고자 해서 먼저 천하를 이롭게 하는 자는 지혜로운 자이고, 천하를 이롭게 하고자 해서 먼저 자신을 이롭게 하는 자는 인자한 자이다. '소리정(小利貞)'은 때가 아직 크게 할 수 없고 작은 올바름으로 할 수 있다는 뜻이다.

오치기(吳致箕) 「주역경전증해(周易經傳增解)」

遯者, 退避也. 天高於上, 而與山隔遠, 山止於下, 而去天不及, 爲遯避之象. 二陰浸長於下, 而四陽漸消於上, 爲小人得時君子遯去之象也. 卦體則剛柔俱得中正而應, 卦義則君子雖遯而道則不屈, 故言亨. 二陰雖盛而卦位則皆得其正, 故戒小人以能守正而不害君子則爲利, 而若反是則小人亦爲不利, 故曰小利貞.

'돈(遯)'은 물러나 피한다는 뜻이다. 하늘은 위에서 높은데 산과는 막혀서 멀리 떨어져 있고, 산은 아래에서 그치고 하늘과 떨어져 미치지 못하니 도피하는 상이 된다. 두 음은 아래에서 점점 자라나고 네 양은 위에서 점차 사그라지니, 소인이 때를 얻고 군자가 도피하는 상이 된다. 괘의 몸체는 굳센 양과 부드러운 음이 모두 중정함을 얻어 호응하고, 괘의 뜻은 군자가 비록 도피하지만 도는 굽히지 않기 때문에 형통하다고 했다. 두 음은 비록 융성하지만 괘의 위치는 모두 바름을 얻었기 때문에 소인이 올바름을 지켜서 군자를 해롭게 하지 않으면 이로움이 되며, 만약 이와 반대로 한다면 소인 또한 이롭지 않게 된다고 경계를 했기 때문에 "소인은 바르게 함이 이롭다"고 했다.

○ 小, 指陰也.

'소(小)'는 음을 가리킨다.

이진상(李震相) 『역학관규(易學管窺)』

卦體.

괘의 몸체에 대하여.

男女旣遇陰陽迭相消長, 而易爲君子謀, 故先示陰長之機, 此遯所以次恒也. 自此至解八卦, 皆四陰四陽, 坎離之用也.
남녀가 이미 음양이 서로 번갈아가며 소멸되고 자라나는 때를 당하였는데, 『주역』은 군자를 위해 도모한 것이기 때문에 먼저 음이 자라나는 기미를 보여주었으니, 이것이 돈괘가 항괘(恒卦䷟) 다음에 오는 이유이다. 돈괘로부터 해괘(解卦䷧)에 이르는 여덟 괘에서는 모두 네 개의 음이나 네 개의 양이 있게 되니, 감괘와 리괘의 쓰임에 해당한다.

박문호(朴文鎬) 『경설(經說)-주역(周易)』

小利貞, 程子釋作利小貞, 本義釋作小人利於貞者, 蓋欲便於文勢也, 但小字語頗短矣.
'소리정(小利貞)'에 대하여 정자는 "조금 바르게 함이 이롭다"고 풀이했고, 『본의』에서는 "소인이 바르게 하는 데에서 이롭다"고 풀이했으니, 문맥에 따라 해석을 하려고 한 것이지만, '소(小)'자에 대한 풀이는 부족한 것 같다.

彖曰, 遯亨, 遯而亨也,

「단전」에서 말하였다: "돈(遯)은 형통함"이란 도피하여 형통한 것이다.

中國大全

傳

小人道長之時, 君子遯退, 乃其道之亨也, 君子遯藏, 所以伸道也. 此言處遯之道, 自剛當位而應以下, 則論時與卦才, 尙有可爲之理也.

소인의 도가 자라날 때에 군자가 도피하여 물러남은 도의 형통함이니, 군자가 도피하여 숨음은 도를 펴는 바이다. 이것은 돈(遯)의 때에 거처하는 도를 말한 것이며, "굳센 양이 제자리에 당하여 호응한다"로부터는 때와 괘의 재질을 논하였으니, 오히려 할 만한 이치가 있다.

小註

中溪張氏曰, 遯本无亨義, 蓋以小人道長之時, 君子身雖退遯, 而道未嘗不亨也. 故卦止曰遯亨, 彖則曰遯而亨也. 加一而字, 其義明矣.

중계장씨가 말하였다: 돈(遯)에는 본래 형통하다는 뜻이 없지만, 소인의 도가 자라나는 때로써 군자 자신이 비록 물러나 도피하지만 도가 일찍이 형통하지 않은 적은 없다. 그러므로 괘사에서 단지 "돈은 형통하다"라고 말하였지만, 「단전」에서는 "도피하여 형통하다"라고 하여 '이(而)'라는 한 글자를 덧보탰으니 그 뜻이 분명하다.

剛當位而應, 與時行也.

굳센 양이 제자리를 당하여 호응하니, 때에 따라 행한다.

中國大全

傳

雖遯之時, 君子處之, 未有必遯之義. 五以剛陽之德, 處中正之位, 又下與六二, 以中正相應, 雖陰長之時, 如卦之才, 尙當隨時消息, 苟可以致其力, 无不至誠自盡, 以扶持其道, 未必於遯藏而不爲, 故曰與時行也.

비록 돈(遯)의 때라도 군자가 거처할 때에 반드시 도피하는 뜻이 있던 것은 아니다. 오효가 굳센 양의 덕을 가지고서 가운데 자리와 제자리에 있고 또 아래로 가운데 자리와 제자리에 있는 육이와 서로 호응하니, 비록 음이 자라나는 때일지라도 괘의 재질대로라면 오히려 때에 따라 변해야 하므로, 만약 그 힘을 다할 수 있다면 지극히 성실하게 하여 스스로 다하지 않음이 없게 하여 그 도를 붙들어 잡아야 하며 반드시 도피하여 숨어서 하지 않는 것은 아니기 때문에 "때에 따라 행한다"고 하였다.

小註

中溪張氏曰, 剛當位而應者, 以九居五而應乎二也. 二陰在下, 長而未驟, 四陽居上, 盛而未衰, 尙可與時消息以行其道, 未可專諉於遯藏而退避不爲也.

중계장씨가 말하였다: '굳센 양이 제자리를 당하여 호응함'이란 구(九)로서 오효의 자리에 있고 이효와 호응한다는 것이다. 이효는 음으로 아래에 있으면서 자라나지만 아직 신속하지는 않고 사효는 양으로 위에 있으면서 성대하여 아직 쇠하지 않으니, 오히려 때에 따라 변하여 도를 행할 수가 있으므로, 아직 도피하여 숨어서 물러나 피해 일을 하지 않는 데에 오로지 의지해서는 안 된다.

本義

以九五一爻, 釋亨義.

구오라는 한 효로 “형통하다”는 뜻을 풀었다.

小註

或問, 遯亨, 遯而亨也, 分明是說能遯便亨. 下面更說剛當位而應, 與時行也, 是如何. 朱子曰, 此所以遯而亨也. 陰方微, 爲他剛當位而應, 所以能知時而遯, 是能與時行. 不然便是與時背也.
어떤 이가 물었다: “‘돈(遯)은 형통하다’란 도피하여 형통함이다”란 분명히 도피하면 곧 형통할 수 있다는 것을 말합니다. 그렇다면 아래에서 곧 바로 “굳센 양이 제자리를 당하여 호응하니, 때에 따라 행한다”는 어떻습니까?
주자가 말하였다: 이것은 도피하여 형통한 까닭입니다. 음이 막 미세해지고 다른 굳센 양이 제자리에 당하면서 호응하게 되므로 때를 알아서 도피할 수 있는 바이니, 이것이 “때에 따라 행할 수 있다”는 것입니다. 그렇지 않다면 곧 때에 어긋납니다.

○ 蘭氏廷瑞曰, 九五陽剛當位, 下應六二, 與時之義也.
난정서가 말하였다: 구오는 굳센 양으로 제자리에 있으며 아래로 이효와 호응하니, “때에 따른다”는 뜻이다.

○ 臨川吳氏曰, 彖辭遯亨爲四陽言也. 彖傳專言九五者, 九五四陽之統, 得處遯之宜, 有致亨之道也.
임천오씨가 말하였다: 괘사의 “돈(遯)은 형통하다”란 괘가 네 양이 됨을 말한 것이다. 「단전」에서 오직 구오만을 말한 것은 구오가 네 양을 통솔하면서 돈(遯)에 처하는 마땅함을 얻어 형통함을 지극히 하는 도를 가지고 있기 때문이다.

○ 隆山李氏曰, 陰陽寒暑之運各有時, 方陰道長盛, 乃小人得勢之時, 君子要須隱忍遜避以待天定, 終以必勝. 不然不勝其忿盡力以抗之, 是不知天時, 必取凶敗. 猶漢元成之時, 弘恭石顯得勢於內, 而蕭望之劉向朱雲之徒不遜其迹以避, 終以及禍, 桓靈之際曹節王甫得志於內, 而李膺陳蕃竇武之徒不遜其迹以避, 終被誅戮, 此遯之時剛當位而應者, 蓋所以隨時用權也.
융산이씨가 말하였다: 음양 및 추위와 더위의 운행은 각기 때가 있는데, 막 음의 도가 장성

하게 되어서는 소인이 득세하는 때이지만, 군자는 숨어서 참고 사양하면서 도피하여 하늘이 정한 바를 기다려 끝내 반드시 이길 수 있다. 그렇지 않다면 그 분을 이기지 못해 힘을 다하여 저항하게 되니, 이것은 하늘의 때를 알지 못하는 것으로 반드시 흉하고 실패를 겪게 된다. 마치 한(漢)나라 원제(元帝)와 성제(成帝) 시기에 환관인 홍공(弘恭)과 석현(石顯)이 조정안에서 득세할 때에 소망지(蕭望之)와 유향(劉向)과 주운(朱雲)의 무리들이 그 공적을 사양해서 도피하지 않다가 끝내 화(禍)에 미쳤고,[15] 환제(桓帝)와 영제(靈帝) 시기에 환관인 조절(曹節)과 왕보(王甫)가 조정안에서 득세할 때에 이응(李膺)과 진번(陳蕃)과 두무(竇武)의 무리들은 그 공적을 사양해서 도피하지 않다가 끝내 살해를 당하였던[16] 일과 같으니, 이것이 돈의 시대에 굳센 양이 제자리에 당하여 호응하는 자가 때에 따라 권도를 사용하는 까닭이다.

韓國大全

유정원(柳正源)『역해참고(易解參攷)』

剛當 [至] 行也.
굳센 양이 제자리를 당하여 … 행한다.

案, 遯之時, 上有九五剛明之君, 下有六二中正之臣, 時可以有爲, 則同心戮力可也, 時不可有爲, 則明哲高蹈可也. 與時行三字, 其意深矣.
내가 살펴보았다: 달아나야 할 때에 위로는 구오의 굳세고 밝은 임금이 있고, 아래로는 육이의 중정한 신하가 있으니, 시행할 수 있는 때라면 마음을 합쳐 힘을 모으는 것은 괜찮지만, 시행할 수 없는 때라면 명철하게 살펴서 높이 도약하는 것이 괜찮다. "때에 따라 행한다[與時行]"는 세 글자는 그 의미가 매우 깊다.

---

15)『자치통감 · 한기』.
16)『후한서 · 당고열전』.

서유신(徐有臣) 『역의의언(易義擬言)』

遯亨, 遯而亨也. 剛當位而應, 與時行也.
돈(遯)은 형통함이란 도피하여 형통한 것이다. 굳센 양이 제자리를 당하여 호응하니, 때에 따라 행한다.

遯而亨者, 雖遯而亨也, 當遯之時, 以遯爲亨也. 剛當位者, 九三也. 三非剛, 則爲否, 故與九三之當位也. 應者, 上體之三剛相應也. 與時行者, 遯之時, 故四剛相應而俱遯也, 九三所謂係遯, 是也.
"도피하여 형통한 것이다"는 비록 도피를 하지만 형통하다는 뜻으로, 도피를 해야 할 때에는 도피함을 형통함으로 삼는다는 의미이다. "굳센 양이 제자리를 당하다"는 구삼을 가리킨다. 삼효가 굳센 양이 아니라면 비괘(否卦䷋)가 되기 때문에 구삼의 제자리에 당함과 같다. 호응함은 상체의 세 굳센 양이 서로 호응함이다. "때에 따라 행한다"는 도피해야 할 때이기 때문에 네 굳센 양이 서로 호응하지만 모두 도피를 하니, 구삼에서 "매어 있으면서 도피해 있다"[17]라고 한 말이 바로 그 뜻이다.

박문건(朴文健) 『주역연의(周易衍義)』

彖曰, 遯亨, 遯而亨也. 剛當位而應, 與時行也.
「단전」에서 말하였다: 돈(遯)은 형통함이란 도피하여 형통한 것이다. 굳센 양이 제자리를 당하여 호응하니, 때에 따라 행한다.

隨時行遯而致亨也. 此以九五釋遯亨之義.
때에 따라 도피하더라도 형통함을 이룬다. 이 내용은 구오로 "돈(遯)은 형통함이다"는 뜻을 풀이하였다.
〈問, 剛當位而應, 與時行也. 曰, 九五當位而應二, 二進則五退也, 故謂之與時行也.
물었다: "굳센 양이 제자리를 당하여 호응하니, 때에 따라 행한다"는 무슨 뜻입니까?
답하였다: 구오는 그 자리에 합당하지만 이효에 호응하니, 이효가 나아가면 오효는 물러나기 때문에 "때에 따라 행한다"고 했습니다.〉

---

17) 『周易 · 遯卦』: 九三, 係遯, 有疾厲, 畜臣妾, 吉.

김기례(金箕澧) 『역요선의강목(易要選義綱目)』

剛當位而應, 與時行也.
굳센 양이 제자리를 당하여 호응하니, 때에 따라 행한다.

易義, 貴於識時變, 當陰浸長之時, 君子不能盡斥小人. 九五以剛正之位, 應柔中小人, 與時消息也.
역의 뜻은 때의 변화를 아는 것이 존귀하니, 음이 점점 자라나는 때에 해당한다면 군자는 소인을 모두 배척할 수 없다. 구오는 굳센 양으로 바른 자리를 가지고 부드러운 음이자 가운데 있는 소인에게 호응하니, 때와 함께 사라지고 불어난다.

○ 孟子之與王驩行, 卽時行也, 指九五.
맹자가 왕환과 함께 행차를 함은 때에 따라 행함이니, 구오를 가리킨다.

이항로(李恒老) 「주역전의동이석의(周易傳義同異釋義)」

剛當位而應, 與時行也.
굳센 양이 제자리를 당하여 호응하니, 때에 따라 행한다.

傳, 雖遯之時, 君子處之, 未有必遯之義. 如卦之才, 尙當隨時消息, 苟可以致其力, 无不至誠自盡, 以扶持其道, 未必於遯藏而不爲, 故與時行也.
『정전』에서 말하였다: 비록 돈(遯)의 때라도 군자가 거처할 때에 반드시 도피하는 뜻이 있던 것은 아니다. 괘의 재질대로라면 오히려 때에 따라 변해야 하므로, 만약 그 힘을 다할 수 있다면 지극히 성실하게 하여 스스로 다하지 않음이 없게 하여 그 도를 붙들어 잡아야 하며 반드시 도피하여 숨어서 하지 않는 것은 아니기 때문에 "때에 따라 행한다"고 하였다.

本義, 以九五一爻, 釋亨義.
『본의』에서 말하였다: 구오라는 한 효로 '형통하다'는 뜻을 풀었다.

按, 傳以遯而亨一句, 作遯避說, 自剛當位以下, 作不遯說, 本義以剛當位而應, 與時行也, 釋遯亨之義, 二釋不同. 以經文與彖傳推之, 則經曰遯亨, 不曰不遯亨, 彖傳釋遯亨之義, 而忽然插入不遯之說, 已非釋經之例. 且以理勢推之, 則當遯之時, 卦有識時知幾之明, 勇決剛健之德, 故无顧戀苟且之態, 而安於定志嘉遯, 是所謂與時行也. 時卽當遯之時也, 時則當遯而卻未能遯, 是乃與時背也, 烏可曰與時行乎. 九五之剛, 得中正之位, 而應乎六二中正之德, 故五有嘉遯之吉, 而二有固遯之志, 於此可見與時行之徵矣. 本義之釋, 當與小註叅觀.
내가 살펴보았다: 『정전』에서는 "도피하여 형통한 것이다"라는 한 구문에 대해 도피한다고 설명했고, "굳센 양이 제자리를 당하다"로부터 그 이하의 구문에 대해서는 도피하지 않는다고 설명했는데, 『본의』에서는 "굳센 양이 제자리를 당하여 호응하니, 때에 따라 행한다"라는 구문으로 "도피하여 형통하다"는 뜻을 풀이하여 두 해석이 다르다. 경문과 「단전」의 내용으로 추론해보면, 경문에서는 "도피하여 형통하다"라고 했지, "도피하지 않아서 형통하다"고는 말하지 않았으며, 「단전」에서는 '돈형(遯亨)'의 뜻을 풀이하며, 갑작스럽게 도피하지 않는다는 말을 끼워 넣었으니, 이미 경문을 해석하는 용례가 아니다. 또 이치로 추론해보면, 도피해야 할 때 괘에는 때를 알고 기미를 아는 명철함이 있고, 과감히 결단하는 용맹과 굳건한 덕이 있기 때문에, 마음에 맺힌 것을 돌아보고 구차하게 행동하는 태도가 없고, 뜻을 확정하여 아름답게 도피함을 편안하게 여기니, 이것이 "때에 따라 행한다"는 의미이다. 때는 곧 도피해야 할 때를 뜻하니, 그 때가 되어서 도피를 해야 하는데도 도피를 할 수 없다면 이것은 때와 위배되는 행동이니, 어떻게 "때에 따라 행한다"고 할 수 있는가? 구오의 굳센 양은 중정한 자리를 얻었고 육이의 중정한 덕과 호응하기 때문에, 오효에는 아름다운 도피의 길함이 있고 이효에는 진실로 도피하려는 뜻이 있으니, 이를 통해서 "때에 따라 행한다"는 조짐을 확인할 수 있다. 『본의』의 해석은 마땅히 소주와 함께 참고해 보아야 한다.

최세학(崔世鶴) 「주역단전괘변설(周易彖傳卦變說)」

遯彖曰, 遯亨. 遯而亨. 剛當位而應. 與時行也.
돈괘 「단전」에서 말하였다: "돈(遯)은 형통함"이란 도피하여 형통한 것이다. 굳센 양이 제자리를 당하여 호응하니, 때에 따라 행한다.

遯, 否之一體變也. 三一爻爲主, 故彖以遯而亨, 與時行, 言之. 泰三逼處於下體二陰浸長之上, 不可不遯也. 況五當位而反應二, 知時而避, 故曰與時行也.
돈괘는 비괘(否卦䷋)의 한 효가 변화한 괘이다. 삼효 한 효가 위주가 되기 때문에 「단전」에서는 "도피하여 형통하다"와 "때에 따라 행한다"는 말로 설명하였다. 태괘(泰卦䷊)의 삼효가 하괘의 두 음이 점점 자라나는 위에 접하여 도피하지 않을 수가 없다. 하물며 오효는 자신의 자리에 해당하는데도 도리어 이효에 호응하고 때를 알아서 도피를 하기 때문에, "때에 따라 행한다"고 했다.

小利貞, 浸而長也,

정전 "조금 바르게 함이 이로움"은 점점 자라나기 때문이다.
본의 "소인은 바르게 함이 이로움"은 점점 자라나기 때문이다.

中國大全

本義

以下二陰, 釋小利貞.

아래에 있는 두 음으로써 '소리정(小利貞)'을 풀이하였다.

小註

或問, 小利貞, 浸而長也, 是見其浸長, 故設戒令其貞正, 且以寬君子之患, 然亦是他之福. 朱子曰, 是如此. 此與否初二爻相似.
어떤 이가 물었다: "'소인은 바르게 함이 이롭다'란 점점 자라나기 때문이다"란 점점 자라남을 보이기 때문에 경계하여 곧고 바르게 하고 또한 군자의 걱정을 느슨하게 하지만 이 또한 그의 복이 아닙니까?
주자가 말하였다: 그렇습니다. 이것은 비괘(否卦)의 초효[18]와 이효[19]와 서로 유사합니다.

○ 問, 小利貞, 以彖辭小利貞, 浸而長也之語觀之, 則小當爲陰柔之小人. 如小往大來小過小畜之小, 言君子能遯則亨, 小人則利於守正, 不可以浸長之故, 而侵迫於陽也. 此與程傳遯者, 陰之始長, 君子知微, 故當深戒. 而聖人之意未便遽已, 故有與時行, 小利貞之敎之意不同. 曰, 若如程傳所言, 則於剛當位而應, 與時行也之下, 當云止而健, 陰進而長, 故小利貞. 今但言小利貞, 浸而長也, 而不言陰進而長, 則小指陰小之小, 可

---

18) 『周易 · 否卦』: 初六, 拔茅茹, 以其彙, 貞, 吉, 亨.
19) 『周易 · 否卦』: 六二, 包承, 小人, 吉, 大人, 否, 亨.

知. 況當遯去之時, 事勢已有不容正之者. 程說雖善, 而有不通矣.
물었다: "소인은 바르게 함이 이롭다[小利貞]"란 「단전」에서 말한 "'소인은 바르게 함이 이롭다'란 점점 자라나기 때문이다"라는 말을 가지고서 살펴본다면, 소(小)는 마땅히 부드러운 음의 성질을 지닌 소인이 됩니다. 마치 "소(小)가 가고 대(大)가 온다"[20]나 소과(小過)나 소축(小畜)에서의 '소(小)'와 같으니, 군자는 피할 수 있으면 형통하고 소인은 바름을 지키는 데에서 이로우므로 "점점 자라난다"고 해서 양을 침해하고 핍박해서는 안 됨[21]을 말합니다. 이것은 「정전」에서 "돈(遯)이란 음이 처음 자라나는 것이니 군자는 기미를 알기 때문에 마땅히 깊이 경계하지만, 성인의 뜻은 단번에 그만두지 않는다. 그러므로 '때에 따라 행하고', '조금 바르게 함이 이롭다'는 가르침이 있다"고 한 뜻과는 같지 않으니, 어째서입니까?
답하였다: 만약 「정전」에서 말한 바대로 한다면, "굳센 양이 제자리를 당하여 호응하니, 때에 따라 행함이다"라고 한 부분 아래에서는 마땅히 "그쳐서 강건한데, 음은 올라가면서 자라나기 때문에 조금 바르게 함이 이롭다"고 하여야 합니다. 이제 단지 "'소리정(小利貞)'은 점점 자라나기 때문이다"라고 말하고 "음이 올라가면서 자란다"라고 말하지 않았으니, '소(小)'란 "음은 작다[陰小]"에서의 '소'를 가리킴을 알 수가 있습니다. 하물며 도피하여 떠나가는 시기를 맞아서 일의 형세가 바르게 함을 받아들이지 못하는 경우는 어떻겠습니까? 정자의 설이 비록 좋기는 하지만, 통하지 않는 곳이 있습니다.

○ 臨川吳氏曰, 小者利於貞, 以其浸而長, 以消陽也. 於斯時也, 君子其可以不遯乎.
임천오씨가 말하였다: '작은 것'은 바르게 하는 데에서 이로우니, 그것이 점점 자라남으로써 양을 없애기 때문이다. 이러한 때에 군자는 도피하지 않을 수 있겠는가?

○ 中溪張氏曰, 陰柔之道, 利於守貞, 不可以浸長之勢而侵迫乎陽剛. 浸長者, 如水之浸物以漸而長也, 況二陽爲臨, 二陰爲遯. 遯者, 臨之反對也. 臨之彖曰, 剛浸而長, 遯之彖不曰柔浸而長, 而止曰浸而長者, 蓋剛之長可言也, 柔之長不可言也.
중계장씨가 말하였다: 부드러운 음의 도는 바름을 지키는 데에서 이로우니, 점점 자라나는 세를 가지고서 굳센 양을 침해하고 핍박해서는 안 된다. '점점 자라남'이란 마치 물이 사물에 스며들어 점점 커지는 것과 같으니, 두 양이 림괘(臨卦)가 되고 두 음이 돈괘(遯卦)가 되는 데에 있어서랴! 돈괘는 림괘의 음양이 바뀐 괘이다. 림괘의 「단전」에서 "굳센 양이 점점 자란다"[22]고 하였으나 돈괘의 「단전」에서는 "부드러운 음이 점점 자란다"고 말하지 않고

---

20) 『周易·泰卦』: 泰, 小往, 大來, 吉, 亨.
21) 『周易傳義大全·遯卦』: 但二陰, 浸長於下, 則其勢不可以不遯, 故其占爲君子能遯則身雖退而道亨, 小人則利於守正, 不可以浸長之故而遂侵迫於陽也.

다만 "점점 자란다"라고만 한 것은 굳센 양의 자람은 말할만한 것이지만, 부드러운 음의 자람은 말할만한 것이 못되기 때문이다.

韓國大全

서유신(徐有臣) 『역의의언(易義擬言)』

小利貞, 浸而長也.
'조금 바르게 함이 이로움'은 점점 자라나기 때문이다.

浸而長, 蒙小字也. 浸長之柔, 而可使之貞也.
"점점 자라나기 때문이다"는 소(小)자에 따른다. 점점 자라나는 부드러운 음은 바르게 할 수 있다.

김기례(金箕澧) 『역요선의강목(易要選義綱目)』

小利貞, 浸而長.
"소인은 바르게 함이 이로움"은 점점 자라나기 때문이다.

臨彖曰, 剛浸長, 此曰浸長, 而不書陰字, 蓋聖人不忍言也.
림괘(臨卦䷒)의 「단전」에서는 "굳센 양이 점점 자란다"[23]고 했고, 이곳에서는 "점점 자란다"라고만 말하고 음(陰)자는 기록하지 않았으니, 성인이 차마 말할 수 없었기 때문이다.

○ 未盛之陰, 不可遽迫陽, 則言小人, 亦利爲正, 指二陰.
아직 성대하지 않은 음은 양을 급작스럽게 핍박할 수 없으니, 소인이라고 말한 것이 또한 바르게 함이 이로워, 두 음을 가리킨다.

---

22) 『周易 · 臨卦』: 彖曰, 臨, 剛浸而長, 說而順, 剛中而應, 大亨以正, 天之道也.
23) 『周易 · 臨卦』: 彖曰, 臨, 剛浸而長, 說而順, 剛中而應. 大亨以正, 天之道也. 至于八月有凶, 消不久也.

심대윤(沈大允) 『주역상의점법(周易象義占法)』

彖曰, 遯亨, 遯而亨也. 剛當位而應, 與時行也. 小利貞, 浸而長也.
「단전」에서 말하였다: 돈(遯)은 형통함이란 도피하여 형통한 것이다. 굳센 양이 제자리를 당하여 호응하니, 때에 따라 행한다. "조금 바르게 함이 이로움"은 점점 자라나기 때문이다.

剛當位而應, 故可亨也. 浸而長, 故小利貞也. 不言柔浸而長, 諱之也, 又陰非能自長也, 必因陽之退伏而乃長也. 小人必托君子而後成也. 遯之浸長, 不至於剝之剝變時, 尙可以有爲也. 君子之於天下, 苟有一分可爲, 則爲之, 若遽棄之而隱於山藪, 則無所爲難也. 自古天下未有無小人之時, 君子御之得其道, 則小人反爲君子用矣. 其道在於斂藏以遠其鋒, 嚴敬而止其勢而已. 不爲逆折之分別之, 以激其氣而禍其身, 以及天下也.
굳센 양이 제자리를 당하여 호응하기 때문에 형통할 수 있다. 점점 자라나기 때문에 조금 바르게 함이 이롭다. 부드러운 음이 점점 자라난다고 말하지 않은 이유는 피휘를 했기 때문이며, 또 음은 스스로 자라날 수 없으니 반드시 양이 물러나 숨는 것에 따라서 자라나기 때문이다. 소인은 반드시 군자에 의탁한 이후에야 완성된다. 돈괘가 점점 자라나더라도 박괘(剝卦䷖)가 깎아내어 때를 변화시키는 지경에 이르지 않았으니, 오히려 무언가를 해볼만 하다. 군자가 천하에 대해서 만약 일정 부분 할 수 있는 일이 있다면 시행하니, 만약 갑자기 버리고 산중으로 숨어버린다면 어려울 것이 없다. 옛날로부터 천하에는 소인이 활개치는 때가 없지 않았지만 군자가 그들을 부려서 도를 얻게 한다면 소인은 반대로 군자의 쓰임이 된다. 그 도는 거둬서 보관하고 이를 통해 기세가 오르는 것을 멀리 하며 엄격히 공경하여 그 기세를 그치게 하는데 있을 따름이다. 엄격한 구분으로 차별을 두어 그 기운을 격변하게 해서 자신에게 화를 끼치게 하여 결국 천하에 미치도록 하지 않는다.

遯之時義，大矣哉.

돈(遯)의 때와 뜻이 크도다.

中國大全

傳

當陰長之時，不可大貞而尚小利貞者，蓋陰長必以浸漸，未能遽盛，君子尚可小貞其道，所謂小利貞，扶持使未遂亡也．遯者，陰之始長，君子知微，故當深戒，而聖人之意未便遽已也．故有與時行小利貞之敎．聖賢之於天下，雖知道之將廢，豈肯坐視其亂而不救．必區區致力於未極之間，强此之衰，艱彼之進，圖其暫安，苟得爲之，孔孟之所屑爲也，王允謝安之於漢晉，是也．若有可變之道可亨之理，更不假言也，此處遯時之道也．故聖人贊其時義大矣哉，或久或速，其義皆大也．

음이 자라는 때를 당하여 크게 바르게 할 수는 없지만 오히려 조금 바르게 함이 이로운 것은, 음이 반드시 점진적으로 자라고 갑작스럽게 성대해질 수 없어서 군자가 오히려 그 도를 조금 바르게 할 수 있기 때문이니, 이른바 "조금 바르게 함이 이롭다"란 도를 붙들어 잡아 마침내 망하지 않게 하는 것이다. 돈(遯)이란 음이 처음 자라나는 것이니, 군자는 기미를 알기 때문에 마땅히 깊이 경계하지만, 성인의 뜻은 단번에 그만두지 않는다. 그러므로 "때에 따라 행하고", "조금 바르게 함이 이롭다"는 가르침이 있다. 성현들은 천하에 대하여 비록 도가 장차 폐해질 것을 알지만 어찌 기꺼이 그 어지러움을 앉아서 볼 뿐, 구제하지 않겠는가? 아직 극성하게 되지 않은 사이에 반드시 세세하게 힘을 다하여 이것의 쇠함을 강하게 하고 저것의 나아감을 곤란하게 하여 잠시의 편안함을 도모할지라도 만약 이를 얻을 수만 있다면 공자와 맹자도 기꺼이 하였던 바이니, 왕윤(王允)과 사안(謝安)이 한(漢)나라와 동진(東晉)에서 했던 일[24]이 이것이다. 만약 변할 수 있는 도와 형통할 수 있는 이치가 있다면 다시 말할 필요가 없으니, 이는 돈(遯)의 시기에 처하는 도이다. 그러므로 성인이 "때와 의(義)가 크도다"라고 찬미하였으니, 혹 오래 머무르고 혹 빨리 떠나감은 그 뜻이 모두 크다.

---

24) 후한 말의 사도(司徒)였던 왕윤이 여포와 결탁하여 그 당시 정권을 장악하였던 포악한 동탁을 죽인 일(『후한서 · 헌제기』)과 동진(東晉) 때에 이부상서(吏部尙書)였던 사안(謝安)이 제위를 찬탈하려는 대사마(大司馬) 환온(桓溫)을 저지하였던 일(『진서 · 열전』)을 말한다.

小註

朱子曰, 伊川說小利貞云, 尙可以有爲, 陰已浸長, 如何可以有爲. 所說王允謝安之於漢晉, 恐也不然. 允是算殺了董卓, 謝安是乘王敦之老病, 皆是他衰微時節, 不是浸長之時也. 兼他是大臣, 亦如何去. 此爲在下位有爲之兆者, 則可以去. 大臣任國安危, 君在與在, 君亡與亡, 如何去.
주자가 말하였다: 이천이 '소리정(小利貞)'을 설명하면서 오히려 할 일이 있을 수 있다고 하였으나, 음이 이미 점점 자라날 때에 어찌 할 일이 있을 수 있겠는가? 왕윤과 사안이 한나라와 진(晉)나라에서 한 일을 설명한 바는 아마도 그렇지 않은 듯하다. 왕윤은 동탁을 죽일 것을 계획하였고, 사안은 왕돈(王敦)이 늙어서 병든 것에 편승하였으니, 모두 동탁과 왕돈이 쇠미하게 된 시절이었지 점점 자라나던 시절이 아니다. 또 그들은 대신이었으니 어찌 떠나갈 수 있었겠는가? 이것이 아래 지위에 있으면서 일의 조짐을 살펴야 하는 것이라면 떠날 수가 있다. 하지만 대신은 나라의 안위를 맡아 임금이 존재하게 되면 함께 존재하고 임금이 망하면 함께 망하는 것이니, 어찌 떠날 수 있겠는가?

本義

陰方浸長, 處之爲難, 故其時義爲尤大也.
음이 막 점점 자라남에 처신하기가 어렵기 때문에 그 때와 뜻이 더욱 크게 된다.

小註

雙湖胡氏曰, 遯以二陰之長成卦, 以四陽之遯得名. 易爲君子謀, 名卦必以陽爲主, 如是則時義之大, 亦以陽之能遯爲大也.
쌍호호씨가 말하였다: 돈괘(遯卦)는 두 음이 자라는 것으로써 괘를 이루고, 네 양이 도피함으로써 괘의 이름을 얻었다. 『주역』은 군자를 위하여 도모를 하므로 괘의 이름은 반드시 양을 위주로 하니, 이와 같다면 '때와 의(義)의 큼'도 또한 양이 도피할 수 있음을 가지고서 크다고 여긴 것이다.

○ 雲峯胡氏曰, 遯與旅之時, 皆非順境也. 故本義皆曰, 處之爲難, 時在天, 義在我, 觀君子所處, 可以知其義之大也.
운봉호씨가 말하였다: 돈괘와 려괘(旅卦)의 때에는 모두 일이 순조롭게 되는 경우가 아니

다. 그러므로 『본의』에서 모두 "처신하기가 어렵게 된다"[25]고 하였으니, 때는 하늘에 달려 있고 의(義)는 나에게 달려 있으므로 군자가 처신한 바를 살펴보면 그 의(義)의 큼을 알 수가 있다.

韓國大全

송시열(宋時烈) 『역설(易說)』

蓋此卦陽之退遯之時也. 乾之陽既遯, 則坤之陰必至. 上卦皆以錯坤看, 然後辭多不泥着, 且觀下面爻辭. 然獨來氏多言錯卦, 餘無師說, 言之甚悚.
이 괘는 양이 물러나고 숨는 시기이다. 건괘의 양이 이미 숨었다면 곤괘의 음이 반드시 이르게 된다. 상괘는 모두 음양이 바뀐 곤괘로 보아야 하니, 그런 뒤에 효사에 대해서 천착하지 말고 아래의 효사를 보아야 한다. 그러나 유독 래씨는 대부분 거꾸로 된 괘로 말했고 여타의 사설(師說)이 없으니, 말하기가 매우 황송하다.

김상악(金相岳) 『산천역설(山天易說)』

此以卦體言, 遯之亨, 能遯而亨也, 與噬嗑小過同例. 與時行者, 五雖當位而有應時, 不可以不遯也. 浸而長者, 二陰之進, 尙未至盛也, 在遯之時, 陽之能亨, 陰之利貞, 乃其時義之大也.
이 말은 괘의 몸체로 한 말이니, 돈(遯)의 형통함은 도피할 수 있어서 형통하다는 뜻으로, 서합괘(噬嗑卦䷔)와 소과괘(小過卦䷽)와 같은 경우이다. "때에 따라 행한다"는 오효가 비록 제자리에 당하여 호응함이 있을 때라도 도피하지 않을 수가 없다는 뜻이다. "점점 자라나기 때문이다"는 두 음이 나아가지만 여전히 융성함에는 이르지 못하였으니, 돈괘의 때에 양은 형통할 수 있고 음은 바르게 함이 이로우니, 그 때와 뜻이 크다.

○ 遯而亨者, 身雖遯而道自亨也. 時者, 當遯之時也. 君子尙消息盈虛, 天行也, 所以剝則觀象而止, 遯則與時而行也. 艮象所謂時止則止, 時行則行, 動靜不失其時, 蓋以

25) 『周易傳義大全 · 旅卦』: 旅之時爲難處.

是也. 長, 巽象, 一陰始生, 乾變爲巽, 故姤曰不可與長也. 遯則二陰已進, 爲重畫之巽, 故曰浸而長也. 臨遯之浸長同, 而剛柔相反, 故臨曰大亨, 遯曰小利貞.

"도피하여 형통한 것이다"는 몸은 비록 도피하지만 도가 저절로 형통하게 된다는 뜻이다. 때는 도피해야 할 때를 뜻한다. 군자가 사라지고 자라남 및 차고 이지러짐을 숭상하는 것은 하늘의 운행이기 때문이니,[26] 박괘(剝卦䷖)에서 상을 보고서 그치지만 돈괘에서 때에 따라 행한다. 간괘(艮卦䷳)의 「단전」에서 "때가 그칠만하면 그치고 때가 다닐만하면 다녀 움직임과 고요함이 때를 잃지 않았다"[27]고 한 말도 아마도 이러한 이유 때문이다. 자라남은 손괘의 상이니, 한 음이 처음 생겨남은 건괘가 변화하여 손괘가 되므로 구괘(姤卦䷫)에서는 "더불어 오래할 수 없기 때문이다"[28]라고 말했다. 돈괘는 두 음이 이미 나아가서 중획의 손괘가 되기 때문에 "점점 자라나기 때문이다"라고 했다. 림괘(臨卦䷒)와 돈괘는 점점 자라남이 같지만, 굳센 양과 부드러운 음이 상반되기 때문에, 림괘에서는 "크게 형통하다"[29]고 했고 돈괘에서는 "조금 바르게 함이 이롭다"고 했다.

김규오(金奎五) 「독역기의(讀易記疑)」

釋彖與時行, 傳至誠扶持, 未必於遯, 朱子不取, 以爲剛當位而應, 所以能知時而遯. 然卦下義若猶可以有爲云云, 還有微帶傳說之意, 不作所以能遯之義, 下文處之爲難, 亦似非一直退避之意也. 若使一主於退, 則不幾於末之難乎. 時義尤大之尤, 亦十二卦所不言. 蓋以二陰已長, 陽必終於消剝, 故君子以遯爲亨. 然外面四陽猶盛, 二五相應, 目下姑无形見之敗, 故將遯之中, 亦不无隨方調護之道. 其遯也亦不可猛而有跡, 此則傳義不同之中, 亦有些可同之道矣.

「단전」의 "때에 따라 행한다"를 풀이함에 『정전』에서는 지극한 정성으로 붙들어야 하지 반드시 도피하는 것은 아니라고 했는데, 주자는 그 주장을 취하지 않고 굳센 양이 제자리를 당하여 호응하기 때문에 때를 알아서 도피할 수 있다고 여겼다. 그러나 괘의 「단전」 아래 『본의』에서 "오히려 일을 할 수 있을 듯 하다"고 말했으니, 다시금 『정전』의 주장과 연계되는 점이 있어서 도피할 수 있는 뜻으로 될 수 없고, 아래문장에서 "처신하기가 어렵다"고 한 말은 또한 직접적으로 도피한다는 뜻은 아닌 것 같다. 만약 한결같이 도피한다는 뜻을

---

26) 『周易 · 剝卦』: 彖曰, 剝, 剝也, 柔變剛也. 不利有攸往, 小人長也. 順而止之, 觀象也, 君子尙消息盈虛, 天行也.

27) 『周易 · 艮卦』: 彖曰, 艮, 止也. 時止則止, 時行則行, 動靜不失其時, 其道光明. "艮其止", 止其所也. 上下敵應, 不相與也, 是以"不獲其身, 行其庭, 不見其人, 无咎"也.

28) 『周易 · 姤卦』: 彖曰, 姤, 遇也, 柔遇剛也. "勿用取女", 不可與長也. 天地相遇, 品物咸章也, 剛遇中正, 天下大行也. 姤之時義大矣哉!

29) 『周易 · 臨卦』: 彖曰, "臨", 剛浸而長, 說而順, 剛中而應. 大亨以正, 天之道也. "至于八月有凶", 消不久也.

위주로 한다면 공자가 "어려울 것이 없겠다"[30]라고 한데 가깝지 않겠는가? "때와 뜻이 더욱[尤] 크게 된다"고 할 때의 우(尤)자는 또한 열두 괘에서 언급하지 않았다. 두 음이 이미 자라나고 양은 반드시 끝내 사라지게 되기 때문에 군자는 도피함을 형통함으로 여긴다. 그러나 외면적으로 네 양은 여전히 왕성하고 이효와 오효가 서로 호응하며, 현재 잠시 드러나는 어그러짐이 보였기 때문에, 도피하려고 할 때에도 형세에 따라 보호하는 도가 없지 않다. 도피함 또한 맹렬할 수 없어 자취가 있으니, 이것은 『정전』과 『본의』의 주장이 다른 가운데에도 또한 동일하게 여길 수 있는 도가 있는 것이다.

○ 中溪說柔長不可言, 亦以小利貞之小, 已是陰, 柔字无待於更言耳.
중계장씨가 "부드러운 음의 자람은 말할만한 것이 못되기 때문이다"라고 했는데, 이 또한 "조금 바르게 함이 이롭다"의 '소(小)'자를 이미 음(陰)으로 본 것이니, 유(柔)자에 대해서는 다른 말을 할 필요가 없다.

○ 傳可亨之理, 更不假言, 語意未詳, 似謂雖不能大貞而行之以小貞, 至於世道可變之境, 則這便是亨, 无待於復言小利貞之亨, 而亨自在其中云也. 大抵傳說, 或非文孔本意, 而憂世惓惓之意, 藹然流動, 一經皆然.
『정전』에서 "형통할 수 있는 이치가 있다면 다시 말할 필요가 없다"고 했는데, 말의 의미가 명확하지 않으니, 아마도 비록 크고 곧을 수 없지만 작은 곧음으로 시행하여, 세상의 도리에 대해 변통할 수 있는 경지에 도달하게 된다면 다시금 형통하게 되니, 재차 조금 바르게 함이 이로운 형통함을 기다리지 않아도 형통함 자체가 그 안에 있다고 말한 것 같다. 대체로 『정전』의 주장 중에는 간혹 문왕과 공자의 본래 뜻이 아닌 것이 있지만, 세상을 걱정하여 노심초사하는 뜻은 융성하게 흘러넘치니, 『주역』 전체에 대한 설명이 모두 그러하다.

○ 朱子曰, 大臣如何去, 遯時亂兆已見, 而未至爲危邦, 大臣亦似有可去之道, 此蓋指當國任用之人耳.
주자가 "대신들이 어찌 떠나갈 수 있었겠는가"라고 했는데, 도피해야 할 때 혼란의 조짐이 이미 드러났지만, 아직은 나라가 위급해지는 지경에는 이르지 않았고, 대신 또한 떠날 수 있는 도가 있는 듯하니, 이것은 국사를 담당하여 등용된 자를 가리킬 따름이다.

---

30) 『論語 · 憲問』: 子擊磬於衛, 有荷蕢而過孔氏之門者, 曰, 有心哉, 擊磬乎! 旣而曰, 鄙哉, 硜硜乎! 莫己知也, 斯己而已矣. 深則厲, 淺則揭. 子曰, 果哉! 末之難矣.

서유신(徐有臣) 『역의의언(易義擬言)』

遯之時義, 大矣哉.
돈(遯)의 때와 뜻이 크도다.

姤之時早矣, 否之時晚矣. 惟遯之時, 有亨貞之義也.
구괘(姤卦䷫)의 때는 이르고 비괘(否卦䷋)의 때는 늦는다. 돈괘의 때만이 형통하고 바른 뜻이 있다.

강엄(康儼) 『주역(周易)』

彖曰, 遯之時義, 大矣哉.
「단전」에서 말하였다: 돈(遯)의 때와 뜻이 크도다.

傳, 聖賢之於天下 [止] 所屑爲也.
『정전』에서 말하였다: 성현들은 천하에 대하여 … 기꺼이 하였던 바이다.

或曰, 程傳此段, 眞可謂道得聖賢心出來者, 而朱子乃謂遯去之時, 事勢已有不容正之者, 程說雖善而有不通矣. 夫以否卦自遯而變一陽, 則其外君子內小人之勢, 尤有甚於二陰四陽之遯, 而否卦自四爻以上, 皆言治否之道, 至於遯則一向遯去, 而不復有爲者, 何也. 妄謂否之三陰, 雖不盛於遯之二陰, 而凡物之理, 否極則必泰, 故否卦內三爻皆不好, 外三爻皆好. 蓋物不可以終否, 而否塞之中, 自有通泰之理故也. 至於遯則下之二陰有方長之勢, 上之四陽有見逐之象, 未及乎否, 而勢之可畏, 反有甚於否, 故君子於此, 只管退去以俟何爲之時而已, 不當遽有所爲, 以犯方長之鋒也. 今程傳所論, 雖說盡聖賢之心, 然在於遯去之時, 雖欲如此, 不可得矣, 此朱子所以謂不通者也歟. 是故朱子嘗欲上封事, 遇遯而焚稿, 朱子之心, 亦何嘗忘天下哉. 然筮得遯卦, 可知其不可有爲, 故遂焚稿, 而因號遯翁, 所謂剛當位而應, 與時行者, 其朱子之謂乎.
어떤 이가 "『정전』의 이 단락은 진실로 성현의 마음이 나타나는 것을 말했다고 할 수 있는데 주자는 도피해야 할 때 일의 형세가 바르게 함을 받아들이지 못하는 경우가 있다고 하였으니, 정자의 설이 비록 좋기는 하지만, 통하지 않는 곳이 있다"고 했다. 비괘(否卦䷋)는 돈괘로부터 하나의 양이 변했으니, 군자를 밖으로 하고 소인을 안으로 하는 형세에 두 음과 네 양인 돈괘보다 더욱 심한 점이 있지만, 비괘는 사효로부터 그 이상에 대해서 모두 비괘를 다스리는 도리를 언급하고, 돈괘에 있어서는 도피함만을 언급하고 재차 어떤 일을 시행하지 않는다고 한 것은 어째서인가? 내 생각으로는 비괘의 세 음이 비록 돈괘의 두 음보다 융성하지 못하지만, 모든 사물의 이치는 불행이 지극해지면 반드시 행운이 오게 되기 때문에 비괘의 내괘에 있는 세 효는 모두 좋지 않지만 외괘에 있는 세 효는 모두 좋다. 사물은 비운을 끝낼 수 없지만 막힌 가운데에는 그 자체에 통하여 행운이 찾아오는 이치가 있기 때문이다. 돈괘에 있어서는 아래 두 음에 이제 막 자라나려는 공로가 있고 위의 네 양에는 쫓김을 당하는 상이 있으니, 비괘에는 미치지 못하지만 그 형세는 두려워할만 하므로, 오히려 비괘보다 심한 점이 있기 때문에 군자는 이에 대해서 단지 물러나서 어떤 일을 할 수 있을 때를 기다릴 따름이며, 갑작스럽게 어떤 일을 시행하여 이제 막 자라나려고 하는 두 음의 기세를 범해서는 안 된다. 현재 『정전』에서 논의한 내용은 비록 성현의 마음에 대해서 모두 다한 것이라 하지만, 도피해야 할 때에 있으므로 비록 이처럼 하고자 하더라도 할 수 없으니, 이것이 주자가 통하지 않는다고 평가한 이유일 것이다. 이러한 까닭으로 주자는 일찍이 상소를 올리려고 했지만 돈괘를 뽑아서 글을 태워버렸는데, 주자의 마음이 또한 어찌 천하에 대한 것을 잊었겠는가? 그러나 시초점을 쳐서 돈괘를 얻었다면 시행하지 말아야 함을 알 수 있기 때문에, 결국 글을 태워버려 그로 인해 '돈옹(遯翁)'이라고 불리었으니, 이른바 "굳센 양이 제자리를 당하여 호응하니, 때에 따라 행한다"고 한 경우는 바로 주자를 뜻할 것이다.

박문건(朴文健) 『주역연의(周易衍義)』

小利貞, 浸而長也. 遯之時義, 大矣哉.
「단전」에서 말하였다: "조금 바르게 함이 이로움"은 점점 자라나기 때문이다. 돈(遯)의 때와 뜻이 크도다.

陰不驟進, 故貞道小利也. 此以卦體釋卦辭, 而贊其義之大也.
음이 급작스럽게 나아가지 않기 때문에 바름의 도가 조금 이롭다. 이 말은 괘의 몸체로 괘사를 풀이하고 그 뜻이 큼을 찬미하였다.
〈問, 何以贊遯之時義. 曰, 陰雖進而陽退, 然陰微而陽盛, 故貞正之道, 猶爲不泯, 所以贊之也.
물었다: 어찌하여 돈(遯)의 때와 뜻을 찬미하였습니까?
답하였다: 음이 비록 나아가고 양이 물러나지만 음은 미약하고 양은 왕성하기 때문에, 바름의 도가 여전히 없어지지 않아서 찬미를 했습니다.〉

김기례(金箕澧) 『역요선의강목(易要選義綱目)』

遯之時義, 大矣哉.
돈(遯)의 때와 뜻이 크도다.

易卦名, 皆爲君子謀而取義, 則陽雖未衰, 見幾而遯, 爲君子處時之大義.
『주역』의 괘 이름은 모두 군자를 위해 도모하여 그 뜻을 취했으니, 양이 비록 쇠약해지지는 않았지만 기미를 보고 도피함은 군자가 때에 대처하는 큰 뜻이 된다.

심대윤(沈大允) 『주역상의점법(周易象義占法)』

遯之時義, 大矣哉.
돈(遯)의 때와 뜻이 크도다.

遯, 君子御小人之道也. 其義大矣, 而非常道也, 故贊其時. 上經屯蒙之後有需, 下經咸恒之後有遯, 皆從事於天下之道也.
돈괘는 군자가 소인을 다스리는 도이다. 그 뜻이 크지만 항상된 도리는 아니기 때문에 때에 대해서 찬미를 하였다. 상경에 준괘(屯卦䷂)와 몽괘(蒙卦䷃) 뒤에 수괘(需卦䷄)가 있고, 하경에 함괘(咸卦䷞)와 항괘(恒卦䷟) 뒤에 돈괘가 있는 것은 모두 천하에 종사하는 도에 해당한다.

오치기(吳致箕) 「주역경전증해(周易經傳增解)」

此以卦位卦體釋卦辭, 而二陰浸長, 爲君子遯藏之時. 然剛當位而未衰, 尙有可爲之理, 故亦云遯而亨, 且以小利貞之辭戒小人也. 終又極言時義之大, 以示陰方浸長, 處之爲難也. 餘見彖解.
이 말은 괘의 자리와 몸체로 괘사를 풀이하였으니, 두 음이 점점 자라나서 군자가 도피하여 숨어야 할 시기가 된다. 그러나 굳센 양은 제자리에 해당하고 아직 쇠약해지지 않았으니, 여전히 어떤 일을 할 수 있는 이치가 있기 때문에, 또한 "도피하여 형통하다"고 했고, 또 "조금 바르게 함이 이롭다"는 말로 소인에 대해 경계하였다. 끝에서 또한 때와 뜻이 크다고 지극히 언급하여, 음이 이제 막 점점 자라나게 됨은 처하기가 어려운 때임을 나타냈다. 나머지 설명은 「단전」의 해석에 나온다.

이진상(李震相) 『역학관규(易學管窺)』

小, 陰也. 小者, 亦利於貞, 戒其不利於消陽也. 陰而消陽, 陰必先害, 亦理之實也. 九五, 猶爲得位, 故亨.
'소(小)'자는 음을 뜻한다. 음 또한 바르게 함이 이로우니, 양을 사그라지게 함이 이롭지 않다고 경계를 하였다. 음이면서 양을 사그라지게 하면 음은 반드시 그보다 앞서 해를 입게 됨이 또한 진실된 이치이다. 구오는 여전히 자신의 자리를 얻고 있기 때문에 형통하다.

박문호(朴文鎬) 『경설(經說)-주역(周易)』

彖傳分節, 本義甚好. 讀者察之可也.
「단전」의 구문을 끊은 것은 『본의』의 끊음이 매우 좋다. 독자들은 자세히 살펴야만 한다.

以處遯時之道推之, 遯之時義, 似當作時之義, 而諺解作時與義, 未詳. 可變之道可亨之理, 謂勝於暫安苟爲者也. 暫安苟爲尙言之, 況勝於此者, 何待言乎. 言若有此道, 則必行之也.
피해야 할 때에 처한 도리로써 추론해보면, 돈괘의 '시의(時義)'는 아마도 때의 뜻으로 기록한 것 같은데, 『언해』에서는 때와 뜻으로 풀이를 했으니, 어느 것이 옳은지 잘 모르겠다. 변통할 수 있는 도와 형통할 수 있는 이치는 잠시 편안하고 구차하게 행함보다는 나은데, 잠시 편안하고 구차하게 행한다고 말했으니, 하물며 이보다 나은데 무슨 말이 필요하겠는가? 만약 이러한 도가 있다면 반드시 시행해야 한다는 뜻이다.

이병헌(李炳憲) 『역경금문고통론(易經今文考通論)』

虞曰, 以陰消陽, 避之乃通, 故遯而通. 剛, 謂五而應二.
우번이 말하였다: 음이 양을 사그라지게 하니 도피하면 형통하게 되기 때문에, 도피하여 형통한 것이다. '강(剛)'은 오효가 이효와 호응함을 뜻한다.

荀曰, 陰稱小, 浸而長, 則將消陽, 故利正.
순상이 말하였다: 음은 소(小)를 가리키며 점점 자라나게 되면, 양을 사그라지게 하기 때문에 바름이 이롭다.

本義曰, 陰方浸長, 處之尤難, 故其時義爲尤大也.
『본의』에서 말하였다: 음이 막 점점 자라남에 처신하기가 어렵기 때문에 그 때와 뜻이 더욱 크게 된다.

按, 遯, 就有德而隱者而言, 此以辟卦入于綱領卦下.
내가 살펴보았다: 도피함은 덕을 가지고 있지만 은둔한 자를 말한 것이니, 이것은 벽괘(辟卦)인 돈괘(遯卦)가 강령괘(綱領卦)인 항괘(恒卦)의 다음에 들어간 것이다.

象曰, 天下有山, 遯, 君子以, 遠小人, 不惡而嚴.

「상전」에서 말하였다: 하늘 아래에 산이 있는 것이 돈(遯)이니, 군자가 이를 본받아서 소인을 멀리하되 나쁜 소리로 하지 않고 위엄 있게 한다.

中國大全

傳

天下有山, 山下起而乃止, 天上進而相違, 是遯避之象也. 君子觀其象, 以避遠乎小人, 遠小人之道, 若以惡聲厲色, 適足以致其怨忿, 唯在乎矜莊威嚴, 使知敬畏, 則自然遠矣.

하늘 아래에 산이 있음은 산이 아래에서 일어나 이내 멈추고 하늘은 위로 올라가 서로 어긋나니, 도피하는 상이다. 군자가 그 상을 살펴보아서 소인을 도피하여 멀리하니, 소인을 멀리하는 도를 만약 나쁜 소리와 화가 난 얼굴로 한다면 다만 원망과 분노를 일으키기에 충분할 뿐이므로, 오직 조심하며 장엄하고 위엄스러움이 있어서 소인들이 공경하고 두려워할 줄 알게 하면 자연스럽게 멀어진다.

本義

天體无窮, 山高有限, 遯之象也. 嚴者, 君子自守之常, 而小人自不能近.

하늘의 몸체는 다함이 없고 산의 높음은 한계가 있으니, 돈괘의 상이다. '엄(嚴)'이란 군자가 스스로를 지키는 항상 된 도리이니, 소인이 스스로 가까이 할 수가 없다.

小註

或問, 遯字, 雖是逃隐, 大抵亦取遠去之意. 天上山下, 相去勢甚遼絶, 象之以君子遠小人, 則君子如天, 小人如山. 相絶之義, 須是如此方得. 所以六爻在上, 而漸遠者愈善也. 朱子曰, 恁地推亦好.

어떤 이가 물었다: '돈(遯)'자의 뜻이 비록 도피하여 숨는다는 것이지만, 대체로 또한 멀리 떠나가는 뜻을 취합니다. 하늘이 위에 있고 산이 아래에 있어서 서로 떠나가는 형세가 더욱 현격하니, 군자가 소인을 멀리하는 것으로써 형상한다면, 군자는 하늘과 같고 소인은 산과 같습니다. 서로 끊는 의(義)는 반드시 이와 같아야만 얻을 수 있습니다. 여섯 효 중에서 위에 있어서 점점 멀어지는 것이 더욱 좋습니다. 어떻습니까?
주자가 답하였다: 이와 같이 미루어 나가는 것도 또한 좋습니다.

○ 童溪王氏曰, 遯之象有取於天下有山云者, 天非有心而與山較高下也, 而山之於天, 自有不可侵不可及之勢焉. 故爲遯之象, 君子之於小人也亦然.
동계왕씨가 말하였다: 돈괘의 「상전」에서 "하늘 아래에 산이 있다"는 말을 취한 것은 하늘은 사사로운 마음이 있어서 산과 높고 낮음을 견주려는 것이 아니며, 산은 하늘에 대하여 스스로 침해할 수 없고 미칠 수 없는 형세를 가지고 있기 때문이다. 그러므로 돈괘의 상이 되었으니, 군자가 소인에 대해서도 또한 그러하다.

○ 中溪張氏曰, 天之與山, 勢本遼絶, 自下觀之, 山之巓卽天也, 乃登山之巓以觀天, 而天愈高愈遠, 愈不可及矣, 此遯之象也. 君子善於退遯, 故以遠小人爲事, 使之自不可近, 不待惡聲之至而凜乎有不可犯之嚴, 則小人自遠矣. 不惡而嚴, 卽不怒而威也. 遠小人, 亦敬小人而遠之之意, 遠小人, 艮止之象, 不惡而嚴, 乾剛之象.
중계장씨가 말하였다: 하늘은 산과 형세가 본래 현격하게 끊어져 있으니, 아래로부터 살펴본다면 산의 정상이 곧 하늘이지만, 이에 산의 정상에 올라 하늘을 살펴보자 하늘은 더욱 높고 더욱 멀어 더욱 미칠 수가 없으니, 이것이 돈괘의 상이다. 군자는 물러나 도피하기를 잘하기 때문에 소인을 멀리하기를 일삼아 그들이 스스로 가까이 할 수 없게 만들지만, 나쁜 소리가 이를 때까지 기다리지 않고 범접할 수 없는 위엄으로 늠름하게 한다면 소인은 스스로 멀어질 것이다. "나쁜 소리로 하지 않고 위엄 있게 한다[不惡而嚴]"란 곧 화내지 않고 위엄이 있게 한다는 것이다. 소인을 멀리함은 또한 소인을 조심하면서 그들을 멀리한다는 뜻이니, "소인을 멀리한다"는 것은 간괘(艮卦)가 의미하는 그친다는 상이며 "나쁜 소리로 하지 않고 위엄 있게 한다"란 건괘(乾卦)가 의미하는 굳세다는 상이다.

○ 雲峯胡氏曰, 天之窮也, 非以遠山, 山自絶於天, 君子之嚴也, 非以絶小人, 小人自絶於君子.
운봉호씨가 말하였다: 하늘이 다함은 산을 멀리해서가 아니라 산이 스스로 하늘과 끊어져 있기 때문이며, 군자가 위엄이 있음은 소인과 단절하기 때문이 아니라 소인이 스스로 군자와 단절하기 때문이다.

韓國大全

조호익(曺好益)『역상설(易象說)』

不惡, 內止象. 嚴, 外剛象. 遠小人, 體天下有山之象.

“나쁜 소리로 하지 않는다”는 말은 내괘인 간괘의 그치는 상이다. “위엄 있게 한다”는 말은 외괘인 건괘의 굳센 상이다. “소인을 멀리한다”는 말은 하늘 아래에 산이 있는 상을 체득한 것이다.

송시열(宋時烈)『역설(易說)』

遠小人者, 自上視下, 陰爻在遠也. 不惡者, 不以惡聲厲色疾之已甚. 此乾之剛健而有嘉好之象. 嚴者, 使小人畏憚自不能踰其分限, 此艮止之象也.

“소인을 멀리한다”는 말은 위로부터 아래를 보면 음효가 멀리 떨어져 있다는 뜻이다. “나쁜 소리로 하지 않는다”는 말은 나쁜 소리와 험한 얼굴로 심하게 미워하지 않는다는 뜻이다. 이것은 건괘의 강건함으로 아름답고 좋은 상이 있다. “위엄 있게 한다”는 소인들로 하여금 두려워하게 해서 스스로 본분을 벗어나지 못하게 하는 것이니, 간괘의 그치는 상이다.

김도(金濤)「주역천설(周易淺說)」

愚按, 本義下所釋, 朱子惟一條, 王氏張氏胡氏凡三條, 而皆得於大象之義矣. 蓋君子與小人, 其分如天淵, 而君子則常退, 小人則常進, 何哉. 君子則以義制心, 而見幾者也. 小人則徇於利欲, 而害物者也. 遯之爲卦, 天在上而上進, 山在下而高起, 二陰生於下而將有剝陽之漸, 則君子當遯避而免乎小人之害可也. 然而遠小人之道, 不在乎惡聲厲色, 而惟在乎矜莊, 則小人自不能近之矣. 大槪君子進則天下治, 小人進則天下亂, 而天下之治亂, 皆係於君子之進退, 則爲人君者, 豈可使君子長往不返而獨善其身乎.

내가 살펴보았다: 『본의』 밑의 주석에는 주자의 해석이 한 조목이 있고, 왕씨 · 장씨 · 호씨의 세 조목이 있는데, 모두 「대상전」의 뜻에 맞는다. 군자는 소인에 대해서 그 차이가 매우 분명한데, 군자는 항상 물러나려고 하고 소인은 항상 나아가려고 함은 어째서인가? 군자는 의(義)로써 마음을 제재하여 기미를 살피는 자이다. 소인은 이로움을 좇는 욕구에 따라서 남을 해치는 자이다. 돈괘는 하늘이 위에 있어서 위로 나아가고 산이 아래에 있어서 높게 일어나는데, 두 음이 아래에서 생겨나 양을 점차 깎아내리려고 하니, 군자는 마땅히 도피하

여 소인이 끼치는 해로움에서 벗어남이 옳다. 그러나 소인을 멀리하는 도는 나쁜 소리로 꾸짖고 표정을 무섭게 짓는데 있지 않으며, 오직 조심하고 장엄한 몸가짐을 갖는데 있으니, 소인 스스로 가까이 대하지 못하게 된다. 대체로 군자가 나아가면 천하가 다스려지고 소인이 나아가면 천하가 혼란스럽게 되니, 천하가 다스려지고 혼란스럽게 됨은 모두 군자의 나아감이나 물러남에 연계되어 있으니, 임금이 된 자가 어떻게 군자들로 하여금 멀리 떠나 돌아오지 않게 하고 제 자신만 선하게 할 수 있겠는가?

이만부(李萬敷) 「역통(易統) · 역대상편람(易大象便覽) · 잡서변(雜書辨)」

傳曰, 天下有山, 山下起而乃止, 天上進而相違, 是遯避之象也. 君子觀其象, 以避遠乎小人, 遠小人之道, 若以惡聲厲色, 適足以致其怨忿, 唯在乎矜莊威嚴, 使知敬畏, 則自然遠矣.
『정전』에서 말하였다: 하늘 아래에 산이 있음은 산이 아래에서 일어나 이내 멈추고 하늘은 위로 올라가 서로 어긋나니, 도피하는 상이다. 군자가 그 상을 살펴보아서 소인을 도피하여 멀리하니, 소인을 멀리하는 도를 만약 나쁜 소리와 화가 난 얼굴로 한다면 다만 원망과 분노를 일으키기에 충분할 뿐이므로, 오직 조심하며 장엄하고 위엄스러움이 있어서 소인들이 공경하고 두려워할 줄 알게 하면 자연스럽게 멀어진다.

本義曰, 天體无窮, 山高有限, 遯之象也. 嚴者, 君子自守之常, 而小人自不能近.
『본의』에서 말하였다: 하늘의 몸체는 다함이 없고 산의 높음은 한계가 있으니, 돈괘의 상이다. '엄(嚴)'이란 군자가 스스로를 지키는 항상 된 도리이니, 소인이 스스로 가까이 할 수가 없다.

臣謹按, 傳本義解義, 以在下之君子言之, 而臣竊謂君上之遠小人, 亦當不惡而嚴也.
신이 삼가 살펴보았습니다: 『정전』과 『본의』의 해석은 낮은 지위에 있는 군자를 기준으로 한 말이지만, 제가 조심스레 살펴보니, 임금이 소인을 멀리함에도 또한 마땅히 나쁜 소리로 하지 않고 위엄 있게 해야 합니다.

유정원(柳正源) 『역해참고(易解參攷)』

天下 [至] 而嚴.
하늘 아래에 … 위엄 있게 한다.

東谷鄭氏曰, 天山不可以爲遯, 得意而忘象, 可也.
동곡정씨가 말하였다: 하늘과 산은 달아날 수 없으니, 뜻을 얻으면 상을 잊음이 옳다.

○ 朱子曰, 孟子不與王驩言, 是不惡而嚴
주자가 말하였다: 맹자가 왕환과 말하지 않은 것[31]은 미워하지 않지만 엄격하게 대한 경우이다.

김상악(金相岳) 『산천역설(山天易說)』

遠小人, 艮之止也. 不惡而嚴, 乾之剛也. 君子无心于遠小人, 而小人自不敢近也.
"소인을 멀리한다"는 간괘의 그침을 뜻한다. "나쁜 소리로 하지 않고 위엄 있게 한다"는 건괘의 굳셈을 뜻한다. 군자는 소인을 멀리하는데 무심하지만, 소인 스스로 감히 범접하지 못한다.

서유신(徐有臣) 『역의의언(易義擬言)』

天之窿然違遠於山, 有遯避之象. 遯遠, 害也. 天之於山, 高下截然, 而山自遠矣. 君子之於小人, 自嚴其辨, 而小人自遠矣. 小人遠, 則患害不相及, 是爲君子之遯也. 不惡而嚴, 遠小人之道也. 疾之甚之謂惡, 辨之正之謂嚴. 不惡之過, 則流於不嚴, 不嚴則狎, 嚴之過則失於惡, 惡則怨, 狎與怨, 皆取患之階也.
하늘은 산에 대해서 매우 멀리 떨어져 있으니, 도피하는 상이 있다. 도피함을 멀리 하는 것은 해로움이 된다. 하늘은 산에 대해서 높낮이가 확연한 차이가 나니, 산 스스로 멀어진다. 군자는 소인에 대해서 스스로 그 구분을 엄격히 하니, 소인 스스로 멀리 대한다. 소인이 멀리 대한다면 우환과 피해가 서로에게 미치지 않으니, 이것이 군자의 도피가 된다. "나쁜 소리로 하지 않고 위엄 있게 한다"는 말은 소인을 멀리 대하는 도이다. 미워함이 심한 것이 나쁜 소리이고, 구별함을 올바르게 하는 것이 위엄이다. 나쁜 소리로 하지 않음이 지나치다면 위엄이 없는 데로 흐르고, 위엄이 없다면 친압하게 되며, 위엄이 지나치다면 나쁜 소리를 하는 실수를 범하고, 나쁜 소리를 하면 원망하게 되니, 친압과 원망은 모두 우환을 불러들이는 초석이 된다.

---

31) 『孟子 · 離婁下』: 孟子不與右師言, 右師不悅曰, 諸君子皆與驩言, 孟子獨不與驩言, 是簡驩也.

박제가(朴齊家) 『주역(周易)』

此天下, 從四海之內爲言也. 此山, 從可遯之地爲言者也. 固不可以山上有天, 迫切立象, 而牽合遯義也. 謂溥天之下無處無山, 可以遠去所以名卦曰遯, 乃所謂意象也. 如指望天畔之山而起遐尙, 則亦不害爲二體之象, 非說二體之德, 而曰健曰止而爲遯也. 夫無方可指無名可隱之謂遯, 如有隱之名與去之方, 則爲遠小人而惡矣. 傳云, 山下起而乃止, 天上進而相違, 作天水訟例, 本義曰, 天體无窮, 山高有限, 或問, 又有君子如天, 小人如山之喩, 皆失經旨矣. 又不惡而嚴者, 不露圭角而界限截然之謂, 則此嚴字不過和而不流之例, 不必以不流分屬自守而和爲接人, 又如寬而栗之例, 則不必分上下語脈而各之. 蓋雖在衆小人之中, 而不亂群之志, 則有介于石者存耳, 所以爲遯也.

이곳에 나온 '천하(天下)'는 사해 이내를 가리키는 말이다. 이곳에 나온 '산(山)'은 도피할 수 있는 땅을 가리키는 말이다. 진실로 산 위에 하늘이 있음을 두고 다급하게 상을 세워서 돈괘의 뜻에 견강부회해서는 안 된다. 즉 하늘 아래의 땅 중에는 산이 없는 곳이 없으니, 멀리 떠날 수 있다는 뜻에서 괘의 이름을 정해 '돈괘(遯卦)'라고 한 것으로, 이른바 의상(意象)에 해당한다. 만약 하늘가의 산을 바라보고 멀다는 생각을 일으킨다면, 두 몸체의 상이 됨에 해로울 것이 없으니, 두 몸체의 덕이 굳세고 멈추는 것이어서 돈괘가 된다고 말한 것이 아니다. 뭐라 가리킬 수 있는 방향이 없고 뭐라 숨길 수 있는 명칭이 없음을 돈(遯)이라고 하는데, 만약 숨길 수 있는 명칭과 떠날 수 있는 방향이 있다면, 소인을 멀리하며 나쁜 소리를 하게 된다. 『정전』에서는 "산이 아래에서 일어나 이내 멈추고 하늘은 위로 올라가 서로 어긋난다"고 하여 하늘과 물인 송괘(訟卦☰☵)처럼 풀이했고, 『본의』에서는 "하늘의 몸체는 다함이 없고 산의 높음은 한계가 있다"고 했고, 어떤 이의 물음에 대해서는 또한 군자는 하늘과 같고 소인은 산과 같다는 비유가 있으니, 이 모두는 경문의 뜻을 놓친 것이다. 또 "나쁜 소리로 하지 않고 위엄 있게 한다"는 말은 날카로움을 드러내지 않으면서도 확연한 경계를 짓는다는 뜻이니, 이곳의 '엄(嚴)'자는 "조화롭지만 휩쓸리지 않는다"[32]는 용례에 지나지 않으므로, 방탕한 데로 흐르는 것을 스스로 지켜야 할 것으로 구분하고 조화로움을 남을 대하는 것으로 삼을 필요는 없으며, 또 "관대하지만 두려워하게 한다"[33]는 용례와 같아서, 앞뒤의 말을 나누어서 각각 배속시킬 필요가 없다. 비록 뭇 소인들 속에 있지만 무리의 뜻에 어지럽혀지지 않는다면 돌과 같은 절개가 있으니,[34] 돈괘가 되는 이유이다.

---

32) 『中庸』: 故君子和而不流, 强哉矯! 中立而不倚, 强哉矯!

33) 『書經 · 舜典』: 帝曰, 夔, 命汝典樂, 敎冑子, 直而溫, 寬而栗, 剛而無虐, 簡而無傲, 詩言志, 歌永言, 聲依永, 律和聲, 八音克諧, 無相奪倫, 神人以和.

34) 『周易 · 繫辭下』: 易曰, 介于石, 不終日, 貞吉.

박문건(朴文健) 『주역연의(周易衍義)』

遠, 言遠而不近也.
'원(遠)'자는 멀리 대하여 가까이 하지 않는다는 뜻이다.
〈問, 天下有山, 遯, 曰, 天下有山, 則是天山俱遯也, 故君子以之, 而不近小人, 則雖不相惡, 而其分自嚴矣.
물었다: "하늘 아래에 산이 있는 것이 돈(遯)이다"는 무슨 뜻입니까?
답하였다: 하늘 아래에 산이 있다면 하늘과 산이 모두 도피하는 것이기 때문에, 군자가 그것을 본받아 소인을 가까이 대하지 않으니, 비록 서로 미워하지 않더라도 구분이 저절로 엄격해집니다.〉

이지연(李止淵) 『주역차의(周易箚疑)』

君子者, 小人之天, 天之於山, 有何惡之之事乎, 勢自尊嚴耳.
군자는 소인에게 있어서는 하늘인데, 하늘이 산에 대해서 어떻게 미워하는 일이 있겠는가? 그 형세상 저절로 존엄하게 될 따름이다.

김기례(金箕澧) 『역요선의강목(易要選義綱目)』

君子以, 遠小人, 不惡而嚴.
군자가 그것을 본받아서 소인을 멀리하되 나쁜 소리로 하지 않고 위엄 있게 한다.

山雖高, 不及天者, 遠矣. 然天且遯, 則小人雖不迫君子, 君子見幾而退, 勿以惡聲責而致怨於小人, 當自持矜莊, 則小人自絶矣.
산은 비록 높지만 하늘에는 미치지 못하니, 이것이 멀리 대함이다. 그러나 하늘 또한 피한다면 소인이 비록 군자를 핍박하지 않지만 군자는 기미를 보고 물러나며, 나쁜 소리로 문책하여 소인에게 원망을 사지 않고, 마땅히 스스로 조심함과 장엄함을 갖춘다면 소인은 스스로 떨어질 것이다.

이항로(李恒老) 「주역전의동이석의(周易傳義同異釋義)」

傳, 天下有山, 山下起而乃止, 天上進而相違, 是遯避之象也. 君子觀其象, 而避遠乎小人, 遠小人之道, 以惡聲厲色, 適足以致其怨忿, 唯在乎矜式嚴敬, 使之敬畏, 則自然遠矣.
『정전』에서 말하였다: 하늘 아래에 산이 있음은 산이 아래에서 일어나 이내 멈추고 하늘은 위로 올라가 서로 어긋나니, 도피하는 상이다. 군자가 그 상을 살펴보아서 소인을 도피하여 멀리하니, 소인을 멀리하는 도를 만약 나쁜 소리와 화가 난 얼굴로 한다면 다만 원망과 분노를 일으키기에 충분할 뿐이므로, 오직 조심하며 장엄하고 위엄스러움이 있어서 소인들이 공경하고 두려워할 줄 알게 하면 자연스럽게 멀어진다.

本義, 天體无窮, 山高有限, 遯之象也. 嚴者, 自守之常, 而小人自不能近.
『본의』에서 말하였다: 하늘의 몸체는 다함이 없고 산의 높음은 한계가 있으니, 돈괘의 상이다. '엄(嚴)'이란 스스로를 지키는 항상 된 도리이니, 소인이 스스로 가까이 할 수가 없다.

按, 天非避山, 山非絶天, 但此大彼小, 自然有遯象. 君子之於小人, 其勢相遠, 自然如此. 夫君子嚴敬自守, 乃君子之常道, 非爲使小人畏憚而爲之也. 不以惡言惡色相加, 亦君子接物之當德, 非爲畏小人之怨怒而如是也. 若留心於小人之喜怒而爲之, 則在我者固已不嚴矣. 小人亦豈不知而不怨怒也耶. 本義二自字之義, 當潛玩.
내가 살펴보았다: 하늘은 산을 피하지 않고 산도 하늘과 관계를 끊지 않지만, 이것은 크고 저것은 작으니, 자연적으로 도피하는 상이 있다. 군자는 소인에 대해서 그 형세가 서로 먼 것이 자연히 이와 같다. 군자가 위엄있고 공경되게 스스로를 지키는 것은 군자의 항상된 도이지, 소인으로 하여금 두려워하도록 만들기 위해서 이처럼 하는 행동이 아니다. 나쁜 말과 나쁜 표정을 짓지 않는 것 또한 군자가 대상을 대할 때의 마땅한 덕이지, 소인이 원망하거나 노여워할 것을 염려했기 때문에 이처럼 하는 것이 아니다. 만약 마음속에 소인이 기뻐하거나 노여워할 것에 대한 생각을 하고 이처럼 행동한다면, 스스로에게 있어서도 이미 위엄을 갖출 수 없다. 소인 또한 어떻게 그것을 알지 못하고 원망하거나 노여워하지 않을 수 있겠는가? 『본의』에서 두 개의 '자(自)'자를 쓴 뜻은 마땅히 깊이 생각해봐야 한다.

박종영(朴宗永) 「경지몽해(經旨蒙解) · 주역(周易)」

程傳曰, 遠小人之道, 若以惡聲厲色, 適足以致怨忿, 唯在乎矜莊威嚴, 使知敬畏, 則自然遠矣.
『정전』에서 말하였다: 소인을 멀리하는 도를 만약 나쁜 소리와 화가 난 얼굴로 한다면 다만 원망과 분노를 일으키기에 충분할 뿐이므로, 오직 조심하며 장엄하고 위엄스러움이 있어서 소인들이 공경하고 두려워할 줄 알게 하면 자연스럽게 멀어진다.

심대윤(沈大允) 『주역상의점법(周易象義占法)』

遠, 不狎也. 不惡, 不加逆折也. 嚴, 莊敬而自治也. 止而健之義也. 巽爲遠, 對兌爲惡,乾爲嚴.
'원(遠)'은 너무 가까이 대하지 않는다는 뜻이다. "나쁜 소리로 하지 않는다"는 심한 말을 하지 않는다는 뜻이다. '엄(嚴)'은 장엄함과 공경함으로 스스로 다스린다는 뜻이다. 이것들은 그치고 강건한 뜻이 된다. 손괘는 멀리 대함이 되고, 음양이 바뀐 태괘는 미워함이 되며, 건괘는 위엄이 된다.

오치기(吳致箕) 「주역경전증해(周易經傳增解)」

山體在下, 自不得接于天, 有不惡之象. 天體至高, 亦能迥絶于山, 有尊嚴之象. 故君子觀其象避, 遠小人, 不以惡聲厲色, 唯在乎矜莊嚴威, 使知敬畏則自然遠矣. 亦以遠小人則止惡, 卽艮止之象也. 不惡而嚴則愈高, 卽乾尊之象也.
산의 몸체는 아래에 있어서 스스로 하늘에 접근할 수 없으니, 나쁜 소리를 하지 않는 상이 있다. 하늘의 몸체는 지극히 높고 또 산과 멀리 떨어져 있으므로 존엄한 상이 있다. 그렇기 때문에 군자는 그 상을 관찰하여 도피하고 소인을 멀리 대하며 나쁜 소리와 사나운 표정을 짓지 않고, 오직 조심하며 위엄을 갖춰서 하여 그들로 하여금 외경해야 할 줄 알게 한다면 자연이 멀어지게 된다. 또 이를 통해 소인을 멀리한다면 나쁜 소리가 그치게 되니, 간괘인 그치는 상이다. 나쁜 소리로 하지 않고 위엄 있게 한다면 더욱 높게 되니, 건괘인 존귀한 상이다.

이진상(李震相) 『역학관규(易學管窺)』

君子, 以四陽言, 小人, 以二陰言. 山雖高, 而去天則遠, 小人雖進, 較君子則遠. 不惡而嚴, 彼將自遠, 非故遠之也. 乾道大生而遍覆, 故不惡, 乾德剛健而有威, 故曰嚴.
'군자(君子)'는 네 양을 가리켜서 한 말이며 '소인(小人)'은 두 음을 가리켜서 한 말이다. 산은 비록 높지만 하늘과의 거리는 멀리 떨어져 있고, 소인은 비록 나아가지만 군자와 비교해보면 멀리 떨어져 있다. "나쁜 소리로 하지 않고 위엄 있게 한다"고 했는데, 상대방이 스스로 멀리하는 것이지 일부러 멀리함이 아니다. 하늘의 도는 크게 생겨나게 해서 두루 덮어주기 때문에 나쁜 소리를 하지 않고, 하늘의 덕은 강건하고 위엄이 있기 때문에 "위엄이 있게 한다"고 했다.

박문호(朴文鎬) 『경설(經說)-주역(周易)』

天下有山, 遯.

하늘 아래에 산이 있는 것이 돈(遯)이다.

程傳作天遯說, 本義作山遯說. 蓋上遯下遯, 均之爲遯, 二說相須, 其義始備. 若以初六遯尾之文觀之, 上遯之說似長

『정전』에서는 하늘이 피한다고 풀이했고, 『본의』에서는 산이 피한다고 풀이했다. 상체가 피하고 하체가 피함은 모두 피함이 되는데, 두 주장을 합쳐서 보아야만 그 의미가 비로소 명확해진다. 만약 초육에서 '도피함[遯]의 꼬리'라고 한 문장에 따라 살펴본다면, 상체가 피한다는 주장이 더 나은 것 같다.

이병헌(李炳憲) 『역경금문고통론(易經今文考通論)』

王曰, 天下有山, 陰長之象.
왕필이 말하였다: "하늘 아래에 산이 있다"는 음이 자라나는 상이다.

初六, 遯尾, 厲, 勿用有攸往.

초육은 도피함[遯]의 꼬리라서 위태로우니, 가는 바를 두지 말아야 한다.

中國大全

傳

他卦, 以下爲初, 遯者, 往遯也, 在前者先進, 故初乃爲尾, 尾, 在後之物也. 遯而在後, 不及者也, 是以危也. 初以柔處微, 旣已後矣, 不可往也, 往則危矣. 微者, 易於晦藏, 往旣有危, 不若不往之无災也.

다른 괘는 아래를 처음으로 삼지만 돈은 도피해 가는 것이므로, 앞에 있는 것이 먼저 나아가기 때문에 초효가 꼬리가 되니, 꼬리는 뒤에 있는 물건이다. 도피하면서 뒤에 있다면 미치지 못한 것이니, 이 때문에 위태롭다. 초효는 부드러운 음으로 미약한 곳에 있으니, 이미 뒤에 쳐져 있어서 갈 수가 없으므로 간다면 위태롭다. 미약한 자는 감추고 숨기기에 쉬우니, 가서 이미 위태로움이 있다면 가지 않아서 재앙이 없는 것만 못하다.

本義

遯而在後, 尾之象, 危之道也, 占者, 不可以有所往, 但晦處靜俟, 可免災耳.

도피하는 데에서 뒤에 있는 것이 꼬리의 상이며 위태로운 도(道)이니, 점을 치는 자는 가는 바를 두어서는 안 되며, 다만 숨어 있고 조용하게 기다려 재앙을 면할 수 있을 뿐이다.

小註

或問, 遯尾厲, 勿用有攸往者, 言不可有所往, 但當晦處靜俟耳. 此意如何. 朱子曰, 程傳作不可往, 謂不可去也. 言遯已後矣, 不可往, 往則危, 往旣危. 不若不往之爲无災.

某竊以爲不然, 遯而在後, 尾也, 旣已危矣, 豈可更不往乎. 若作占辭看, 尤分明. 又曰, 遯尾厲, 到這時節去不迭了, 所以危厲, 不可有所往, 只得看他如何. 賢人君子有這般底多.
어떤 이가 물었다: "돈(遯)의 꼬리라서 위태로우니, 가는 바를 두지 말라"고 한 것은 가는 바를 둘 수가 없어서 숨어 있고 조용하게 기다릴 뿐임을 말하였습니다. 이러한 뜻은 어떻습니까?
주자가 말하였다: 『정전』에서 "갈 수가 없다"라고 한 것은 떠나서는 안 됨을 말합니다. "도피할 때에 이미 뒤에 쳐져 있어서 갈 수가 없으므로 간다면 위태롭고, 가서 이미 위태롭다면 가지 않아서 재앙이 없는 것만 못하다"고 말하였습니다. 내가 생각하기에는 그렇지 않아서 도피하면서 뒤에 있는 것이 꼬리라서 이미 위태운데, 어찌 다시 가지 않을 수가 있겠습니까? 만약 점의 말로 본다면 더욱 분명합니다.
또 말하였다: "돈(遯)의 꼬리라서 위태롭다"란 이러한 시절에 이르렀어도 달아나지 않았으므로 위태롭게 되지만, 가는 바를 둘 수가 없어서 다만 다른 사람들은 어떠한지를 볼 수 있습니다. 현인과 군자들에게는 이와 같은 경우가 많습니다.

○ 節齋蔡氏曰, 遯剛退也. 以柔居下, 見剛者遯, 亦從而遯. 凡從物者, 必居後, 故曰尾, 不當遯而遯, 故厲勿用有攸往, 以其質居其時, 不可遯也.
절재채씨가 말하였다: 돈괘는 굳센 양이 물러나는 것이다. 부드러운 음이 아래에 있으면서 굳센 양이 도피하는 것을 보고 또한 따라서 도피하는 것이다. 다른 물(物)을 따르는 것은 반드시 뒤에 있기 때문에 '꼬리'라고 하였고, 도피해서는 안 되는데도 도피하기 때문에 "위태로우니, 가는 바를 두지 말라"고 하였으니, 그 자질을 가지고서 그러한 때에 있으면 도피해서는 안 된다.

韓國大全

조호익(曺好益) 『역상설(易象說)』

初六, 勿用有攸往.
초육은 가는 바를 두지 말아야 한다.

勿用有攸往, 艮止象.
“가는 바를 두지 말아야 한다”는 간괘의 그치는 상이다.

송시열(宋時烈) 『역설(易說)』

尾者, 艮也, 凡物有危厲, 則必遯隱其尾. 勿往者, 上卦錯坤, 則中爲坎象故耶. 戒占者, 亦如是, 言知其遯尾之厲, 而艮止不往, 則何災之有乎. 小象, 明言之.
‘꼬리’는 간괘에 해당하니, 모든 동물은 위태로움이 있으면 반드시 그 꼬리를 숨긴다. “가지 말라”는 말은 상괘가 음양이 바뀌면 곤괘가 되니, 가운데에는 감괘의 상이 있기 때문일 것이다. 점치는 자를 경계한 말 또한 이와 같으니, 도피함의 꼬리에 해당하는 위험을 알아서 간괘의 그침에 따르고 가지 않는다면 어떤 재앙이 있겠느냐는 뜻이다. 「소상전」에서 자세히 언급했다.

이현익(李顯益) 『주역설(周易說)』

勿用有攸往, 朱子曰, 程傳作不可往, 謂不可去也. 某竊以爲不然, 遯而在後尾也. 旣已危矣, 豈可更不往乎. 蓋程傳則以往爲去遯之意, 而當晦藏而不當去遯, 朱子則謂言遯尾厲, 則是有去遯之意, 而勿用有攸往, 只言占者之當晦處靜俟云耳. 然則傳與本義, 爲不同.
“가는 바를 두지 말아야 한다”에 대하여 주자는 “『정전』에서는 ‘불가왕(不可往)’으로 풀이했으니, 갈 수 없다는 뜻이다”라고 했다. 내가 생각하기에는 그렇지 않은 것 같으니, 도피를 했는데 후미에 있다는 뜻이다. 이미 위급한데 어떻게 재차 가지 않을 수 있겠는가? 『정전』은 ‘왕(往)’자를 가서 도피한다는 뜻으로 여겼으니, 숨어야 할 때에 해당하며 가서 도피하는 때에는 해당하지 않는다는 의미이고, 주자는 “돈(遯)의 꼬리라서 위태롭다”고 했으니, 가서 도피해야 한다는 뜻이 있어서 가는 곳을 두지 말아야 한다는 의미인데, 단지 점치는 자는 마땅히 숨어서 조용히 기다려야 한다고 말했을 따름이다. 그렇다면 『정전』과 『본의』의 주장은 서로 다르다.

이익(李瀷) 『역경질서(易經疾書)』

善遯者, 惟豚, 遯, 放也. 此但言遯, 而包豚在中也. 凡獸之走, 尾不與焉, 只隨之而已. 然豚尾無時不搖, 躁動之意未嘗息. 初六, 隨二而躁動者也. 六二獨不言遯, 則遯之身也, 乃二遯而初爲其尾也. 在卦之初, 其意躁動能無危厲乎.
잘 도피하는 것은 오직 돼지뿐이니, ‘돈(遯)’는 도망간다는 뜻이다. 이곳에서는 단지 ‘돈(遯)’

이라고만 말했지만 그 안에 돼지를 포함하고 있다. 짐승이 달릴 때에는 꼬리는 관여하지 않고 단지 그에 따르기만 할 따름이다. 그러나 돼지의 꼬리는 요동치지 않은 때가 없어서 조급히 움직이는 뜻이 일찍이 그친 적이 없다. 초육은 이효를 따라서 조급히 움직이는 자이다. 육이에 대해서 유독 도피함을 언급하지 않았으니 도피함의 몸체가 되므로, 이효가 도피하고 초효는 그 꼬리가 된다. 괘의 처음에 있으니 그 뜻은 조급히 움직이면 위태로움이 없을 수 있다는 의미일 것이다.

유정원(柳正源) 『역해참고(易解參攷)』

朱子爲煥章閣待制時, 憤群少誤國賢良斥逐, 欲上章極論. 門人更諫不聽, 蔡元定請以蓍決之, 得遯之家人, 初四二爻變, 遂焚藁, 號遯翁.
주자가 환장각(煥章閣)의 대제(待制)로 있을 때, 나라를 어지럽히는 몇몇의 무리들이 어진 이들을 쫓아내는 것에 분개하여 상소를 올려서 극명히 논의하려고 했다. 문인들이 재차 간언을 했지만 듣지 않아서 채원정이 시초점을 쳐서 결정하기를 청했는데, 주자가 돈괘가 가인괘(家人卦䷤)로 변하여 초효와 사효 두 효가 변하는 점괘를 얻었고, 결국 문서를 태우고 스스로 '돈옹(遯翁)'이라고 불렀다.[35]

○ 林氏栗曰, 體艮居下, 故戒以勿用有攸往.
임률이 말하였다: 몸체는 간괘가 하체에 있기 때문에 "가는 바를 두지 말아야 한다"고 경계하였다.

○ 童溪王氏曰, 陰之始交, 聖人防之遏之, 而微其辭曰, 遯尾厲, 又昌言以戒之曰, 勿用有攸往, 此非爲小人謀, 爲君子謀也.
동계왕씨가 말하였다: 음이 처음으로 사귐에 성인이 방지하고 막되 그 말을 은미하게 표현하여 "도피함[遯]의 꼬리라서 위태롭다"고 했고, 또 솔직하게 말하여 "가는 바를 두지 말아야 한다"고 경계를 했으니, 이것은 소인들을 위해 도모한 것이 아니며, 군자를 위해 도모한 것이다.

○ 雙湖胡氏曰, 以六居初, 遯之尾也. 陰長而不正, 故有厲. 勿用有攸往, 戒其勿進而迫於陽也. 又遯之初, 卽姤之初也. 姤初先戒以往凶之占, 後申以羸豕之象, 遯則先象而後占, 尾是象, 厲是占, 而又戒以勿用有攸往, 其抑遏小人之意則一也. 然則尾其羸

35) 『자치통감』.

豕之尾乎. 兩爻可以互看.
쌍호호씨가 말하였다: 육(六)이 초효에 있으니, 도피함의 꼬리가 된다. 음이 자라나지만 바르지 못하기 때문에 위태로움이 있다. "가는 바를 두지 말아야 한다"는 나아가서 양을 핍박해서는 안 된다고 경계한 말이다. 또 돈괘의 초효는 구괘(姤卦䷫)의 초효에 해당한다. 구괘의 초효에서는 먼저 가면 흉하다는 점으로 경계를 하였고 이후에 여윈 돼지의 상으로 거듭 밝혔으며,[36] 돈괘에서는 먼저 상을 말하고 이후에 점을 말했으니, 꼬리는 상에 해당하고 위태로움은 점에 해당하며, 또 "가는 바를 두지 말아야 한다"고 경계를 했고 소인을 막는다는 뜻에서는 일치한다. 그렇다면 꼬리는 여윈 돼지의 꼬리일 것이다. 두 효를 상호 살펴보아야 한다.

小註, 朱子說迭了.
소주에서 주자가 "달아난다"고 한 말에 대하여.

案, 迭, 未詳, 疑疾字之誤. 此段又曰及節齋說, 皆程傳意.
내가 살펴보았다: '질(迭)'자는 그 뜻이 명확하지 않으니, 아마도 질(疾)자의 오자인 것 같다. 이 단락에서 '우왈(又曰)'이라고 한 부분과 절재채씨의 주장은 모두 『정전』의 뜻에 따른다.

김상악(金相岳) 『산천역설(山天易說)』

二陰居下而成遯者也. 四陽居上而處遯者也. 初之居下, 爲遯尾之象, 以柔變剛, 以小人而害君子, 豈非危道乎. 艮體居初, 比二浸長, 故戒以勿用有攸往, 所以爲小人地也.
두 음은 밑에 있어서 도피함을 이루려는 자이다. 네 양은 위에 있어서 도피함에 처한 자이다. 초효는 아래에 있어서 도피함의 꼬리 상이 되는데, 부드러운 음으로 굳센 양을 변화시키니 소인이면서 군자에게 해를 끼치는데 어떻게 위태로운 도가 아니겠는가? 간괘의 몸체는 초효에 있으면서 이효와 가까워 점점 자라나기 때문에 "가는 바를 두지 말아야 한다"고 경계를 하였으니, 소인의 영역이 되기 때문이다.

○ 遯字, 從豚從走, 埤雅, 微物而遯逸者, 豚也. 豚逸, 則尾在後也. 二濟之初, 取狐象, 故皆曰濡其尾, 旣濟上六, 則處卦之終, 故曰濡其首厲. 參互三卦, 可見其首尾之象. 勿往, 艮之止也. 姤者, 陰之始生, 故初曰有攸往, 見凶. 初之爻辭與象辭與大畜曰有厲利已, 不犯災也, 相似, 然初之與二, 皆止而不進, 得利貞之義, 故不至於凶也.

---

36) 『周易·姤卦』: 初六, 繫于金柅, 貞吉, 有攸往, 見凶, 羸豕孚蹢躅.

'돈(遯)'자는 돈(豚)자와 주(走)자로 구성되어 있는데, 『비아』에서는 "미물이면서 도피해 달아나는 것은 돼지이다."라고 했다. 돼지가 도피한다면 꼬리는 후미에 있게 된다. 기제괘(旣濟卦䷾)와 미제괘(未濟卦䷿)의 초효에서는 여우의 상을 취했기 때문에 모두 "꼬리를 적신다"고 했고,[37] 기제괘의 상육은 괘의 끝에 있기 때문에 "그 머리를 적시니 위태롭다"[38]고 했다. 세 괘를 상호 살펴보면 머리와 꼬리의 상을 확인할 수 있다. "가지 말라"는 간괘의 그침에 해당한다. 구괘(姤卦䷫)의 경우는 음이 비로소 생겨나기 때문에 초효에서는 "갈 곳이 있으면 흉함을 당한다"[39]고 했다. 초효의 효사와 「상전」은 대축괘(大畜卦䷙)에서 "'어려움이 있으니, 그만 두는 것이 이로움'은 재앙을 범하지 않는 것이다"[40]라고 한 말과 비슷하지만, 초효와 이효는 모두 그쳐서 나아가지 않아, 곧음이 이롭다는 뜻을 얻었기 때문에 흉함에는 이르지 않았다.

김규오(金奎五) 「독역기의(讀易記疑)」

初六, 勿用有攸往.
초육은 가는 바를 두지 말아야 한다.

攸往似依上下諸卦, 解作動用之意, 而傳解爲往遯, 以爲不可去之意. 朱子不以爲然, 節齋不當遯而遯, 丘氏不遯无災之說, 復取傳意何也. 大抵卦爲遯體, 初亦當遯, 而柔不能早決, 所以爲遯之尾也. 當遯而不能遯, 所以危厲而不安也. 陰長之時, 不能遯而體柔位卑, 若不度時宜而有所作爲, 則其災也必矣, 所以戒以勿用有攸往也. 若占者小人, 則尤不可作爲以取蔑貞之災也.
'가는 바'는 앞뒤의 여러 괘에 따르면 움직이고 쓰인다는 뜻으로 풀이되는데, 『정전』에서는 가서 도피한다고 풀이를 하여, 떠날 수 없다는 뜻으로 여겼다. 주자는 그렇지 않다고 여겼는데, 절재채씨는 도피해서는 안 되는데도 도피한다고 여겼으며, 구씨는 도피하지 않으면 재앙이 없다고 주장하며, 재차 『정전』의 뜻을 따르고 있는 것은 어째서인가? 대체로 돈괘는 도피함의 몸체가 되면, 초효 또한 도피할 때에 해당하지만 부드러운 음이 조급히 결정을 할 수 없으니, 도피함의 꼬리가 된다. 도피해야 하지만 도피할 수 없는 것은 위태로워서 편안하지 못한 이유이다. 음이 자라날 때 도피할 수 없는데도 몸체가 부드러운 음이고 지위가 낮으니, 만약 때의 합당함을 헤아리지 못하여 시행하는 일이 있다면 반드시 재앙이 이를

---

37) 『周易 · 旣濟卦』: 初九, 曳其輪, 濡其尾, 无咎. 『周易 · 未濟卦』: 初六, 濡其尾, 吝.
38) 『周易 · 旣濟卦』: 上六, 濡其首, 厲.
39) 『周易 · 姤卦』: 初六, 繫于金柅, 貞吉, 有攸往, 見凶, 羸豕孚蹢躅.
40) 『周易 · 大畜卦』: 象曰, 有厲利已, 不犯災也.

것이니, 이것이 "가는 바를 두지 말아야 한다"고 경계한 이유이다. 만약 점치는 자가 소인이라면 어떤 일을 해서 곧음을 없애는 재앙을 불러들여서는 안 된다.

서유신(徐有臣) 『역의의언(易義擬言)』

卦爲疊畫之巽, 巽有豚象, 豚項直, 不能屈, 其走也, 前不顧後, 以一豚則尾乃後也, 以衆豚則後乃尾也. 四陽遯去而不顧初六, 故爲遯尾之象也. 當遯不遯, 爲可懼厲也. 然卑下無位, 不須遯矣. 但不向前干進, 亦可以遠害也. 初以不應於四爲義, 故勿用有攸往也, 亦爲不進往之象也.

돈괘(䷠)는 두 획씩 겹쳐서 보면 손괘(☴)가 되는데 손괘에는 돼지의 상이 있고, 돼지의 목은 곧아서 굽힐 수 없으니, 돼지가 달릴 때에는 앞에서는 뒤를 돌아보지 못하므로, 돼지 한 마리의 경우에 꼬리는 곧 뒤가 되고 여러 돼지들에 있어서 후미는 곧 꼬리 쪽이 된다. 네 양이 도피함에 초육을 돌아보지 않기 때문에 도피함의 꼬리 상이 된다. 도피를 해야 하지만 도피를 할 수 없으니 위태롭게 된다. 그러나 지위가 낮아 자신의 자리가 없어서 도피할 필요는 없다. 다만 앞을 향해 나아감에 간여를 하지 않으면 또한 피해를 멀리할 수 있다. 초육은 사효와 호응하지 않음을 뜻으로 삼아서 "가는 바를 두지 말아야 한다"고 했으니, 이 또한 나아가지 않는 상이 된다.

윤행임(尹行恁) 『신호수필(薪湖隨筆)·역(易)』

朱子草封事, 筮易而得遯之家人, 爲遯尾好遯之占, 遂焚其藁. 朱子豈不知其時之可遯, 又豈不知肥遯之可貴, 而以孔孟濟世之心, 亟欲一訴穹蒼. 翫占觀象, 竟不得如意, 則小浸而長也. 遯之一卦, 朱子有焉, 而上九可以當之.

주자가 상소를 올리려고 할 때 시초점을 쳤는데, 돈괘가 가인괘(家人卦䷤)로 변하여 도피함의 꼬리가 되어, 도피함이 좋은 점괘를 얻어 결국 상소문을 태웠다. 주자가 어찌 그 때가 도피해야 할 때임을 몰랐겠으며, 또 어찌 여유 있게 도피함이 귀함이 되는지 몰랐겠는가? 공자와 맹자처럼 세상을 구제하려는 마음으로 급급하게 하늘에 대해 호소를 하고자 했을 따름이다. 점괘와 상을 살펴보고 끝내 뜻한 바대로 얻지 못한다면 조금씩 점점 자라나게 된다. 돈이라는 한 괘도 주자에게도 그러한 일이 있었으니, 상구가 그에 해당할 것이다.

강엄(康儼) 『주역(周易)』

按, 朱子以程傳不可往之說爲不然, 而乃謂作占辭看, 則尤分明. 蓋作占辭看, 則凡占得此爻者, 不可以有所往, 如求仕進者得之, 則不當求仕, 如欲作事者得之, 則不可有爲, 只當晦處靜俟而已. 所以然者, 以遯尾之象, 有厄之道也. 若以當遯者言之, 則遯而在後, 旣已危矣. 尤當汲汲退去, 以避其禍, 豈可以不及之故, 而冒處於危地乎. 朱子之意, 似如此, 而亦未曉, 然姑記之, 以俟後考.

내가 살펴보았다: 주자는 『정전』의 "갈 수 없다"는 해설에 대해서 그렇지 않다고 여겼고, "점의 말로 본다면 더욱 분명하다"고 했다. 점의 말로 본다면 점을 쳐서 이러한 효를 얻은 자는 갈 곳이 있을 수 없으니, 만약 벼슬길에 나아가고자 하는 자가 이러한 점괘를 얻었다면 등용되기를 원해서는 안 되고, 어떤 일을 시행하려고 하는 자가 이러한 점괘를 얻었다면 시행해서는 안 되고, 단지 숨어서 조용히 기다려야 할 따름이다. 이러한 이유는 도피함의 꼬리 상에는 위태로운 도가 있기 때문이다. 만약 도피해야만다고 언급한다면 도피를 해서 뒤에 있으니, 이미 위급한 경우가 된다. 더욱 다급하게 물러나고 떠나서 재앙을 피해야 하는데, 어떻게 미치지 못하는 이유 때문에 위태로운 곳에서 위험을 무릅쓰고 있겠는가? 주자의 뜻은 아마도 이와 같을 것이지만 또한 분명하지 않으니, 이곳에 기록을 해두고 후대 학자들의 고찰을 기다린다.

박문건(朴文健) 『주역연의(周易衍義)』

以陰處下, 故有遯尾之象. 遯尾, 遯於尾也.

음으로 아래에 있기 때문에 도피함의 꼬리 상이 있다. '돈미(遯尾)'는 후미에서 도피한다는 뜻이다.

〈問, 遯尾厲以下. 曰, 初六處下, 是遯於尾者也. 下弱上彊, 故有厲道, 當勿用所往也. 蓋尾者, 在後而柔也. 角者, 在前而剛也. 尾取柔弱之義, 角取剛觸之義也.

물었다: "도피함[遯]의 꼬리라서 위태롭다" 이하는 무슨 뜻입니까?

답하였다: 초육은 아래에 있으니 꼬리로 도피한 자입니다. 아래가 약하고 위가 강하기 때문에 위태로운 도가 있어서 마땅히 가는 바를 두지 말아야 합니다. 꼬리는 후미에 있어서 유약한 것입니다. 반대로 뿔은 앞에 있어서 강한 것입니다. 꼬리는 유약한 뜻에서 취했고 뿔은 굳세고 범하는 뜻에서 취했습니다.〉

이지연(李止淵) 『주역차의(周易箚疑)』

遯尾之勿用有攸往, 言勿以遯尾之道以往之謂也, 乃戒其速遯也.

도피함의 꼬리에서 "가는 바를 두지 말아야 한다"는 도피함의 꼬리에 해당하는 도로 가서는 안 된다는 뜻이니, 빨리 도피함을 경계한 말이다.

김기례(金箕澧) 『역요선의강목(易要選義綱目)』

遯, 當先往, 而居人後, 則危.
도피할 때에는 마땅히 앞서 가야 하는데 남의 뒤에 있게 되면 위태롭다.

○ 以柔居下, 後剛而後遯, 不如不往.
부드러운 음이 아래에 있으므로 굳센 양보다 뒤에 하여 이후에 도피하니 가지 않음만 못하다.

○ 遯以陽爲主, 初在陽之最下, 故曰尾.
도피함은 양을 위주로 하는데, 초효는 양의 가장 밑에 있기 때문에 꼬리라고 했다.

○ 浸長之陰不當遯, 而在下小人跡未著於事爲, 則自不知邪正之分, 見君子遯而欲從, 可見六二順中不固結於朋類之意. 不當遯而欲遯, 故曰厲.
점점 자라나는 음은 도피해서는 안 되고, 아래에 있는 소인의 자취가 아직 일을 통해 드러나지 않았으니, 스스로 삿됨과 바름의 구별을 알지 못하여, 군자가 도피하는 것을 보고 따르고자 하니, 육이가 유순하고 알맞지만 벗들의 뜻에 단단히 맺지 못함을 통해서 확인할 수 있다. 도피해서는 안 되는데도 도피를 하고자 하기 때문에 위태롭다고 했다.

이항로(李恒老) 「주역전의동이석의(周易傳義同異釋義)」

傳, 初以柔處微, 旣已後矣, 不可往也, 往則危矣.
『정전』에서 말하였다: 초효는 부드러운 음으로 미약한 곳에 있으니, 이미 뒤에 쳐져 있어서 갈 수가 없으므로 간다면 위태롭다.

本義, 遯而在後, 尾之象, 危之道也, 占者, 不可以有所往, 但晦處靜俟, 可免災耳.
『본의』에서 말하였다: 도피하는 데에서 뒤에 있는 것이 꼬리의 상이며 위태로운 도(道)이니, 점을 치는 자는 가는 바를 두어서는 안 되며 다만 숨어 있고 조용하게 기다려 재앙을 면할 수 있을 뿐이다.

按, 初六之厲, 在於遯之不先, 而傳以往爲危, 恐非本旨. 蓋遯尾厲, 以象言. 勿用有攸往, 以占言, 於攸字可見.
내가 살펴보았다: 초육의 위태로움은 도피함의 선두에 있지 않은데 있는데 『정전』에서는 간다는 것을 위태로움으로 삼았으니, 아마도 본래의 뜻은 아닌 것 같다. "도피함[遯]의 꼬리라서 위태롭다"는 말은 상으로 한 말이다. "가는 바를 두지 말아야 한다"는 말은 점으로 한

말이니, '유(攸)'자를 통해서 이러한 사실을 확인할 수 있다.

심대윤(沈大允) 『주역상의점법(周易象義占法)』

遯之爻位, 居剛斂藏而不爲也, 居柔周全而同事也.
돈괘의 효 위치가 굳센 양의 자리에 있으면 거둬들여 보관하여 시행하지 않고, 부드러운 음의 자리에 있으면 빈틈없이 온전히 하여 일을 함께 한다.

遯之同人䷌, 同類也. 初六居遯之初, 以柔道居剛, 斂避不爲, 有偏鄙之分, 而有應羈縻, 尙無顯然角立之跡. 尾者, 在後而無所用, 言退縮而無所爲也. 初在艮下, 有尾象. 勿用有攸往, 言不可分別角立以自危也.
돈괘가 동인괘(同人卦䷌)로 바뀌었으니, 같은 부류이다. 초육은 돈괘의 초효에 있어서, 부드러운 음의 도로 굳센 양의 자리에 있어 거둬들여 피하여 시행하지 않으니 편벽되고 무리를 짓는 구분이 있고, 속박됨에 호응하지만 여전히 현격하게 우뚝 서는 자취가 없다. 꼬리는 뒤에 있어서 쓸 바가 없으니, 움츠리고 물러나서 하는 것이 없다는 뜻이다. 초효는 간괘의 아래에 있어서 꼬리의 상이 있다. "가는 바를 두지 말아야 한다"는 구별하고 홀로 우뚝 서서 스스로 위태롭게 해서는 안 된다는 뜻이다.

오치기(吳致箕) 「주역경전증해(周易經傳增解)」

初六在遯之初, 陰柔居下, 爲尾之象. 與有位而在上者, 所處不同, 柔未得位而應亦不正, 只可靜處而俟時, 若或遽遯而有往, 則危厲, 故戒言勿用有所往也.
초육은 돈괘의 초효에 있어서 부드러운 음이 아래에 있으니 꼬리의 상이 된다. 지위가 있어 위에 있는 자와는 처한 것이 다르고 부드러운 음이 지위를 얻지 못했는데도 호응하고 또 바르지 못하니, 단지 고요하게 머물며 때를 기다려야 하는데, 만약 갑작스럽게 도피하여 가게 되면 위태롭기 때문에 "가는 바를 두지 말아야 한다"고 경계를 하였다.

○ 初在下, 故言尾, 而艮, 又爲尾之象也. 或云, 遯字從豚, 故以尾言也.
초효는 아래에 있기 때문에 꼬리라고 말했고 간괘 또한 꼬리의 상이 된다. 혹자는 "돈(遯)자는 돈(豚)자를 구성요소로 하기 때문에 꼬리로 말했다"고 한다.

이진상(李震相) 『역학관규(易學管窺)』

艮爲狐鼠, 小人之象, 而二陰在下, 二爲頭, 初爲尾, 雖尾而亦厲, 以其妖邪之難近也.

勿用攸往, 艮之止也. 以君子占之, 則小人浸盛, 其勢甚危, 道不可行, 往則必凶矣. 以小人言, 則四陽尙强, 不可往敵, 往雖得志, 未免於凶敗也.
간괘는 여우와 쥐가 되니 소인의 상이고, 두 음은 아래에 있는데 이효는 머리가 되고 초효는 꼬리가 되며, 비록 꼬리라 하더라도 또한 위태로우니, 요사함에 따른 어려움과 가깝기 때문이다. “가는 바를 두지 말아야 한다”는 간괘의 그침이다. 군자를 기준으로 점을 친다면 소인이 점점 융성하게 되어 그 기세가 매우 위태로워서 도를 시행할 수 없으니, 가면 반드시 흉하게 된다. 소인을 기준으로 말을 한다면 네 양은 여전히 강하므로 가서 대적할 수 없는데, 가서 비록 뜻을 얻더라도 흉하고 패하는 데에서 벗어날 수 없다.

이병헌(李炳憲) 『역경금문고통론(易經今文考通論)』

陸曰, 陰氣已至二, 初在其後, 故曰遯尾. 辟難, 當在前而在後, 故厲.
육적이 말하였다: 음기가 이미 이효에 도달했고 초효는 이효의 뒤에 있기 때문에 ‘도피함의 꼬리’라고 말했다. 난리를 피할 때에는 마땅히 앞에 있어야 하는데 뒤에 있기 때문에 위태롭다.

虞曰, 在艮宜靜, 則無災也.
우번이 말하였다: 간괘에 해당하여 마땅히 고요하다면 재앙이 없다.

象曰, 遯尾之厲, 不往, 何災也.

「상전」에서 말하였다: "도피함의 꼬리라서 생기는 위태로움"은 가지 않으면 무슨 재앙이 있겠는가?

中國大全

傳

見幾先遯, 固爲善也, 遯而爲尾, 危之道也. 往旣有危, 不若不往而晦藏, 可免於災, 處微故也. 古人, 處微下, 隱亂世而不去者, 多矣.

기미를 보고 먼저 도피함은 진실로 좋으나, 도피하여 꼬리가 됨은 위태로운 도이다. 가서 이미 위태로움이 있다면, 가지 않아 숨어서 감추어 재앙을 면할 수 있는 것만 못하니, 미약한 곳에 있기 때문이다. 옛 사람들은 미약한 아랫자리에 있어서 어지러운 세상에 숨어 살아 떠나지 않은 자가 많았다.

韓國大全

유정원(柳正源) 『역해참고(易解參攷)』

傳, 古人 [至] 亂世.

『정전』에서 말하였다: 옛 사람들은 … 어지러운 세상.

案, 如簡兮之隱於下流, 晨門之隱於抱關者之類.

내가 살펴보았다: 간혜(簡兮)가 하층민 속에 숨이있고 신문(晨門)이 관문지기로 숨어있던 부류와 같다.[41]

김상악(金相岳) 『산천역설(山天易說)』

初六之厲, 以其往也. 若不往, 有何災害也.
초육의 위태로움은 가기 때문이다. 만약 가지 않는다면 어떤 재해가 있겠는가?

○ 凡言災害者, 皆五行相克, 而遯則艮土生乾金, 故曰何災也. 所以六爻无凶, 三四五皆吉.
재앙을 말한 경우에는 모두 오행이 상극하기 때문인데 돈괘의 경우에는 간괘의 토가 건괘의 금을 낳기 때문에 "무슨 재앙이 있겠는가"라고 했다. 여섯 효에 흉함이 없고 삼효·사효·오효가 모두 길하다.

서유신(徐有臣) 『역의의언(易義擬言)』

不往, 無害也.
'가지 않음'은 해가 없다는 뜻이다.

오치기(吳致箕) 「주역경전증해(周易經傳增解)」

處乎微下而有所往, 則危矣. 不往而靜處, 則可免於災也.
은미하고 아래인 자리에 있으면서 가는 곳이 있다면 위태롭다. 가지 않고 고요하게 머물게 된다면 재앙을 면할 수 있다.

---

41) 『論語·泰伯』: 子路宿於石門. 晨門曰, 奚自? 子路曰, 自孔氏. 曰, 是知其不可而爲之者與?

六二, 執之用黃牛之革. 莫之勝說.

정전 육이는 황소의 가죽으로써 잡는다. 이루 다 말할 수가 없다.
본의 육이는 황소의 가죽으로써 잡는다. 이루 다 벗길 수가 없다.

中國大全

傳

二與五, 爲正應, 雖在相違遯之時, 二以中正, 順應於五, 五以中正, 親合於二, 其交自固. 黃, 中色, 牛, 順物, 革, 堅固之物, 二五, 以中正順道, 相與, 其固, 如執繫之以牛革也. 莫之勝說, 謂其交之固, 不可勝言也. 在遯之時, 故極言之.

이효와 오효는 정응이 되니 비록 서로 떠나 도피하는 시절에 있지만, 이효는 중정하여서 오효에 유순하게 호응하고, 오효는 중정하여서 이효와 친하게 합하여 그 사귐이 본래 견고하다. 황색은 중앙의 색이며 소는 유순한 동물이며 가죽은 견고한 사물이니, 이효와 오효가 중정하고 유순한 도를 가지고 서로 함께하여 그 견고함이 마치 소가죽으로 잡아 맨 것과 같다. '막지승설(莫之勝說)'은 그 사귐의 견고하기가 이루다 말할 수 없음을 말한다. 돈의 시절에 있기 때문에 지극히 말하였다.

本義

以中順自守, 人莫能解必遯之志也, 占者固守, 亦當如是.

알맞고 유순함으로서 스스로를 지켜 사람들이 반드시 도피하려는 뜻을 풀 수가 없으니, 점을 치는 자는 견고하게 지키기를 또한 마땅히 이와 같이 하여야 한다.

小註

朱子曰, 此言象而占在其中, 六二亦有此德也.

주자가 말하였다: 이것은 상을 말한 것이며 점은 그 안에 있으니, 육이도 또한 이러한 덕을 가지고 있다.

○ 三山吳氏曰, 六二居大臣之位, 任國家之責, 不當遯者也. 故六二不言遯.
삼산오씨가 말하였다: 육이는 대신의 자리에 있으면서 국가의 책무를 맡았으니, 마땅히 도피해서는 안 되는 자이다. 그러므로 육이에서는 도피한다고 말하지 않았다.

○ 雲峯胡氏曰, 五在上得中, 二以中順固結之, 有黃牛之革之象. 莫之勝說, 喜二之從五者固也.
운봉호씨가 말하였다: 오효는 상괘에서 가운데 자리를 얻었고 이효는 알맞고 유순함으로써 굳게 오효와 맺어 있으니, 황소 가죽의 상이 있다. "이루다 벗길 수 없다"란 이효가 오효를 따름이 견고함을 기뻐한 것이다.

○ 雙湖胡氏曰, 遯以二陰之長成卦, 而以四陽之遯得名, 故初遯則厲, 二不言遯, 三四五上, 皆言遯, 豈非以陰爻无取於遯之義歟.
쌍호호씨가 말하였다: 돈괘는 두 음이 자라나는 것으로써 괘를 이루고, 네 양이 도피하는 것으로써 이름을 얻었기 때문에 초효에서는 도피한다면 위태롭다고 하였지만 이효에서는 도피함을 말하지 않았고 삼효와 사효와 오효와 상효에서는 모두 도피함을 말하였으니, 어찌 음효로써는 도피한다는 뜻을 취함이 없었다는 것이 아니겠는가?

韓國大全

조호익(曺好益) 『역상설(易象說)』

執, 艮手象. 黃, 二中, 中之色. 牛, 艮象. 革, 艮剛象. 莫勝說, 艮剛止之象.
'잡음'은 간괘인 손의 상이다. '황색'은 이효가 가운데 자리에 있으므로, 중앙에 해당하는 색깔이다. '소'는 간괘의 상이다. '가죽'은 간괘의 굳센 상이다. "이루 다 벗길 수가 없다"는 간괘의 굳세고 그치는 상이다.

송시열(宋時烈) 『역설(易說)』

執者, 以艮爲手也. 黃牛之革, 與革初同辭. 二與五爲正應, 有固結不可解之象. 然上卦錯坤, 然後有黃牛象. 說, 與說輻之說同, 言解脫也. 竝見革初.
'잡음'은 간괘를 손으로 여겼기 때문이다. '황소의 가죽'이라는 말은 혁괘(革卦䷰) 초효의 말과 같다.[42] 이효는 오효와 정응이 되니, 견고하게 묶여서 풀 수 없는 상이 있다. 그러나 상괘가 음양이 바뀐 곤괘가 된 뒤에야 황소의 상이 있다. '탈(說)'자는 "바큇살이 벗겨진다[說]"[43]고 할 때의 탈(說)자와 같으니 벗긴다는 의미이다. 이 모두는 혁괘 초효에 대한 설명에 나온다.

권거(權渠) 「독역쇄의(讀易瑣義)·역중기의(易中記疑)·역괘취상(易卦取象)」

姤之初六, 又爲遯之六二. 卦之所以爲遯, 以二之進也. 雖其方進之勢難遏, 居中得正, 又艮體猶有可止之理, 故姤之初六, 則繫于金柅, 而遯之六二, 則執用牛革. 蓋姤之初六, 則居剛不正, 故有蹢躅之戒, 然遯之六二, 則居柔中正, 故旣不進而害於陽, 則反有相應之理. 當小人方長之時, 果能以順道止其進, 而以中正相應, 則其說尤不可勝言矣. 金柅, 剛物, 牛革, 順物, 故姤初居剛, 則以金柅, 遯二居柔, 則以牛革.
구괘(姤卦䷫)의 초육[44]은 또한 돈괘의 육이가 된다. 괘가 돈괘가 된 이유는 이효가 나아가기 때문이다. 비록 이제 막 나아가려고 하는 기세를 막기 어렵다고 하더라도 가운데 자리에 있어서 알맞음을 얻었고, 또 간괘의 몸체에는 여전히 그칠 수 있는 이치가 있기 때문에, 구괘의 초육은 쇠말뚝에 매이게 되지만 돈괘의 육이는 소의 가죽으로 잡는다. 구괘의 초육은 굳센 양의 자리에 있어서 바르지 못하기 때문에 뛰고 뛴다는 경계가 있지만, 돈괘의 육이는 부드러운 음의 자리에 있고 중정하기 때문에 이미 나아가서 양에 해를 끼칠 수 없으니, 반대로 서로 호응하는 이치를 가지고 있다. 소인이 이제 막 자라나려고 할 때에 과감히 순종함의 도리로써 나아감을 그치게 하고 중정함으로 서로 호응할 수 있다면, 그 기쁨이 이루 다 말할 수 없게 된다. 쇠말뚝은 강한 물건이고 소의 가죽은 부드러운 물건이기 때문에, 구괘의 초효는 굳센 양의 자리에 있으므로 쇠말뚝으로 말했고, 돈괘의 이효는 부드러운 음의 자리에 있으므로 소의 가죽으로 말했다.

---

42) 『周易·革卦』: 初九, 鞏用黃牛之革.
43) 『周易·小畜卦』: 九三, 輿說輻, 夫妻反目.
44) 『周易·姤卦』: 初六, 繫于金柅, 貞吉, 有攸往, 見凶, 羸豕孚蹢躅.

이익(李瀷) 『역경질서(易經疾書)』

陰長於下, 與姤相似, 姤一陰生, 則有羸豕之象, 遯二陰長, 則有豚遯之象. 豚之遯放, 不必皆遠走, 必有衝突之害, 六二是也. 執之者, 縶之也, 孟子所謂如追放豚, 是也. 縶用黃牛之革, 則遯者, 莫之脫矣. 下體艮止, 故有縶係之象. 凡畜數遯數縶, 則意未嘗不在遯也. 黃牛之革, 革之韌者也. 若縶以黃牛之革, 則其志亦將安固, 而不敢心生也, 故曰固志, 謂使之固其志也. 一或遯放, 則斷索越柵, 防之益難. 縶以牛革, 亦牛牿豕牙之義.
음이 아래에서 자라남은 구괘(姤卦䷫)와 유사한데, 구괘는 한 음이 생겨나니 여윈 돼지의 상이 있고, 돈괘는 두 음이 자라나니 돼지가 달아나는 상이 있다. 돼지가 뛰쳐나가 도망갈 때에는 반드시 모든 경우 멀리 달려가는 것은 아니지만, 반드시 충돌하는 해로움이 있으니, 육이가 여기에 해당한다. '잡음'은 맨다는 뜻이니, 『맹자』에서 "뛰쳐나간 돼지를 쫓는 것과 같다"[45]는 말이 여기에 해당한다. 맬 때 황소의 가죽을 사용한다면 도망가는 자는 풀어낼 수 없다. 하체는 간괘의 그침이기 때문에 매이는 상이 있다. 가축은 수차례 도망가고 수차례 매이게 되니, 그 뜻이 도피함에 있지 않은 적이 없다. 황소의 가죽은 가죽 중에서도 질긴 것이다. 만약 황소의 가죽으로 매어둔다면 그 뜻은 또한 안정되어 삿된 마음이 감히 생겨나지 않기 때문에, "뜻을 견고하게 하는 것이다"고 했으니, 그들로 하여금 그 뜻을 견고하게 한다는 의미이다. 한번이라도 도망하면 끈을 끊고 울타리를 넘게 되어 막기가 더욱 어렵다. 소의 가죽으로 매어둠에는 또한 소의 뿔에 댄 나무와 돼지의 이빨에 댄 나무의 뜻이 있다고 했다.

유정원(柳正源) 『역해참고(易解參攷)』

正義, 遯之世, 避內出外, 二處中居內, 非遯之人也. 爲所遯之主, 物皆棄而已, 遯何以固執留之. 唯有中順之道可以安之也. 能用此道, 則无能勝己解脫而去也.
『주역정의』에서 말하였다: 도피해야 할 때 안에서 도피하여 밖으로 나오는데, 이효는 가운데 자리에 있어서 안에 있으니 도피하는 사람이 아니다. 또 이효는 도피하는 주인이 되어 사물들이 모두 그를 버릴 따름인데, 도피함에 어떻게 고집하여 머물게 할 수 있겠는가? 오직 알맞고 유순한 도리로만 편안하게 할 수 있을 뿐이다. 이러한 도를 사용할 수 있다면 자신을 이겨 벗어나 떠날 수 있는 것이 없게 된다.

○ 雙湖胡氏曰. 遯六二爻辭, 與革初九, 同有用黃牛革之象. 蓋革下體, 本離, 革初上

45) 『孟子 · 盡心下』: 孟子曰, 逃墨必歸於楊, 逃楊必歸於儒. 歸, 斯受之而已矣. 今之與楊 · 墨辯者, 如追放豚, 旣入其笠, 又從而招之.

相易, 則成遯. 離稱黃, 離亦稱黃牛, 故取黃牛革象同. 特革初用以自鞏, 遯二用以執三爲不同.
쌍호호씨가 말하였다: 돈괘의 육이 효사는 혁괘(革卦䷰) 초구와 동일하게 황소의 가죽을 쓰는 상이 있다.[46] 혁괘의 하체는 본래 리괘이고, 혁괘의 초효와 상효가 서로 바뀌면 돈괘(䷠)가 된다. 리괘는 황색이라 지칭하고 리괘 또한 황소라고 지칭하기 때문에, 황소의 가죽상을 취함이 동일하다. 다만 혁괘의 초효는 그것을 사용하여 스스로를 묶지만 돈괘의 이효는 그것을 사용하여 삼효를 잡는다는 측면이 동일하지 않다.

本義, 必遯之志.
『본의』에서 말하였다: 반드시 도피하려는 뜻이다.
案, 六二以中順自守, 富貴不能淫, 威武不能屈, 是之謂莫之勝說也. 大凡處遯之世, 徒順而不中, 則爲胡廣之中庸, 過剛而不順, 則爲李膺之激揚, 是无必遯之志也. 苟能中正以自守, 濟之以柔順, 有明哲保身之知, 介石見幾之勇, 必將鴻冥鳳擧超然遠遯, 而亦不能奪其所守, 是所謂必遯之志也.
내가 살펴보았다: 육이는 알맞고 유순함으로 스스로를 지키니, 부귀함이 마음을 음란하게 할 수 없고, 위엄과 무력이 뜻을 굽힐 수 없으니,[47] 이것이 "이루 다 벗길 수가 없다"는 뜻이다. 대체로 도피해야 할 세상에 있는데, 단순히 유순하기만 하고 알맞지 않다면 호광(胡廣)의 중용처럼 되고, 굳셈이 지나쳐서 유순하지 않다면 이응(李膺)의 격양처럼 되니, 기어코 도피하려는 뜻이 없게 된다. 만약 중정하여 스스로를 지키고 유순함으로써 구제를 할 수 있다면, 명철하고 자신을 보존시키는 지혜를 갖춘 것이며, 지조가 있으면서도 기미를 아는 용맹을 갖춘 것이니, 반드시 기러기와 봉황이 날아올라 멀리 떠나가게 되더라도 또한 지키고 있던 것을 빼앗을 수 없으니, 이것이 반드시 도피하려는 뜻이다.

小註, 雲峯說.
소주의 운봉호씨 주장에 대하여.
案, 此程傳意.
내가 살펴보았다: 이것은 『정전』의 뜻이다.

---

46) 『周易·革卦』: 初九, 鞏用黃牛之革.
47) 『孟子·滕文公下』: 居天下之廣居, 立天下之正位, 行天下之大道, 得志, 與民由之, 不得志, 獨行其道. 富貴不能淫, 貧賤不能移, 威武不能屈, 此之謂大丈夫.

김상악(金相岳) 『산천역설(山天易說)』

當遯之時, 二以陰居艮之中, 執其成遯之志, 如固以黃牛之革, 雖有剛應於五, 其浸長之勢, 亦莫能解之. 然比三而止, 故不言其悔吝.
도피해야 할 때 이효는 음으로 간괘의 가운데 자리에 있어서 도피를 이루는 뜻을 잡고 있으니, 마치 황소의 가죽으로 고정시킴과 같아서 비록 굳센 양인 오효에 호응하여 그 기세가 점점 자라나지만 또한 풀어낼 수 없음과 같다. 그러나 삼효와 비(比)의 관계이어서 그치기 때문에 후회를 언급하지 않았다.

○ 黃, 土色. 牛, 土畜. 遯爲六月之卦, 金火交而未土用事, 故取象黃牛. 革者, 象內柔而外剛也. 革則離火爲己土而上承兌金, 故取象相似. 大畜則陽居初, 故言童牛之牿, 遯則陰得中, 故言黃牛之執. 勝者, 任也. 以乾之不惡而嚴, 可以止成遯之勢, 而其志之固, 亦難遽說, 所以羸豕孚蹢躅也.
황색은 토의 색깔이다. 소는 토에 해당하는 가축이다. 돈괘는 유월의 괘로 금과 화가 사귀지만 아직 토가 일을 주도하지 않기 때문에 황소에서 상을 취했다. 가죽은 안이 부드럽고 밖이 굳셈을 형상한다. 혁괘(革卦䷰)는 리괘인 화가 기(己)에 해당하는 토가 되고 위로 태괘인 금을 받들고 있기 때문에 상을 취함이 유사하다. 대축괘(大畜卦䷙)는 양이 초효에 있기 때문에 "어린 소의 뿔에 가로 나무를 더한다"[48]고 했고, 돈괘는 음이 가운데 자리에 있기 때문에 "황소의 가죽으로 잡는다"고 했다. '승(勝)'자는 맡는다는 뜻이다. 건괘의 "나쁜 소리로 하지 않고 위엄 있게 한다"는 것으로써 도피함을 이루는 기세를 멈출 수 있으니, 그 뜻은 확고하여 또한 갑작스럽게 벗겨내기 어려우니, "여윈 돼지가 뛰고 뛰는데 믿음을 둔다"는 이유이다.[49]

김규오(金奎五) 「독역기의(讀易記疑)」

六二上下五爻皆言遯, 而此獨不言者, 姤之初六上爲遯二, 而爲一卦之主, 駸駸有成否之勢, 使四陽而皆遯者, 二之爲也, 所以不復言二之遯也. 爻本非吉祥之兆, 幸其柔順中正而應亦中正, 復有常久不移之象, 卦辭所謂小所謂利貞, 實指此而言也. 蓋戒以順守柔中以聽九五, 如是之固, 勿遽爲上迫剛陽而使之速退云也. 然則本義作必遯之志何也. 曰, 爲君子謀也. 小人遇此, 則當固執中順之道, 以體利貞之戒矣. 君子遇此, 則不可以小人之中順而受其濡滯. 小註亦有德云云, 可見.
육이의 위아래 다섯 효에서는 모두 도피함을 언급했는데, 이효에서 유독 언급하지 않은 이

48) 『周易 · 大畜卦』: 六四, 童牛之牿, 元吉.
49) 『周易 · 姤卦』: 初六, 繫于金柅, 貞吉, 有攸往, 見凶, 羸豕孚蹢躅.

유는 구괘(姤卦䷫)의 초육이 위로 올라가 돈괘의 이효가 되어 한 괘의 주인이 되었으니, 점점 비괘(否卦䷋)를 이루는 기세가 있어, 네 양으로 하여금 모두 도피하게 하는 것을 이효가 만들기 때문에, 재차 이효에 대해서 도피함을 언급하지 않았다. 효는 본래 길함과 상서로운 조짐이 아닌데, 다행히 유순하고 중정하며 호응함 또한 중정하며, 재차 오랫동안 옮겨가지 않는 상이 있으니, 괘사에서 소(小)라고 말하고 "바르게 함이 이롭다"고 한 말은 실질적으로 이효를 가리켜서 한 말이다. 유순함으로 부드러움을 지키고 알맞음으로 구오를 따르니, 이처럼 굳건하게 하고 갑작스럽게 위로 올라가 굳센 양을 핍박하여 그들로 하여금 신속히 물러나도록 하지 않는다고 하여 경계한 것이다. 그런데 『본의』에서 '반드시 도피하려는 뜻'이라고 설명한 이유는 어째서인가? 군자를 위해서 도모했기 때문이다. 소인이 이러한 때를 만나면 마땅히 알맞고 유순한 도를 굳게 지켜서 바름이 이롭다는 경계를 체득해야 한다. 그러나 군자가 이러한 때를 만난다면 소인의 알맞고 유순함으로써 머물러 있어서는 안 된다. 소주에서 "이러한 덕이 있다"고 한 말을 통해서 확인할 수 있다.

서유신(徐有臣) 『역의의언(易義擬言)』

執, 縶也, 艮止象也. 黃牛, 坤象. 艮之上畫, 牛皮之變革也. 用牛革縶豚, 不能行動之象也. 此爻有陰止於二, 而不復浸長之象, 如姤之繫于金柅也. 又有應於九五, 莫能遯去之象, 如蹇之王臣蹇蹇也. 故曰執之用黃牛之革, 莫之勝脫, 兼言其兩般象也. 夫遯去, 所以見否之幾也. 陰既不長, 雖不遯, 亦可遠害, 故不言危厲也. 遯者, 遠害也. 若初二者, 以不遯而遠害, 是亦爲遯也.

'잡음'은 맨다는 뜻이니, 간괘의 그치는 상이다. 황소는 곤괘의 상이다. 간괘의 맨 위의 획은 소의 껍질이 가죽으로 변한 것이다. 소가죽을 사용하여 돼지를 매는 것은 행동할 수 없는 상이다. 이효에는 음이 이효에서 그쳐서 다시 점점 자라나지 못하는 상이 있으니, 구괘(姤卦䷫)의 쇠말뚝에 매이는 경우와 같다.[50] 또 구오와 호응함이 있지만 도피할 수 없는 상이니, 건괘(蹇卦䷦)의 왕의 신하가 어렵고 어렵다는 경우와 같다.[51] 그렇기 때문에 "황소의 가죽으로써 잡는다. 이루 다 벗길 수가 없다"고 하여, 두 상을 함께 말했다. 도피하여 떠남은 비괘(否卦䷋)의 기미를 보았기 때문이다. 음이 이미 자라나지 않아서 비록 도피하지 않더라도 또한 해로움을 멀리할 수 있기 때문에 위태로움을 언급하지 않았다. 도피함은 해로움을 멀리하는 것이다. 초효와 이효의 경우라면 도피를 하지 않음이 해로움을 멀리하는 것이니, 이 또한 도피함이 된다.

---

50) 『周易 · 姤卦』: 初六, 繫于金柅, 貞吉, 有攸往, 見凶, 羸豕孚蹢躅.

51) 『周易 · 蹇卦』: 六二, 王臣蹇蹇, 匪躬之故.

서유신(徐有臣)『역의의언(易義擬言)』

應五之志也.
오효의 뜻에 호응함이다.

박제가(朴齊家)『주역(周易)』

二本在山中者也, 不待去而自遯者也, 故不言遯. 其才中而不動, 不爲他撓, 故以黃牛之革喩之. 如傳義則與五爲應而交固, 則將爲欲遯而不得耶, 與五同遯之志, 固結如此耶, 此爲未分曉, 故本義斷之以必遯之志. 然艮爲止體, 故初之尾在不足遯之列, 三之剛, 猶有係厲, 此二非能遯者也, 尙何有牛革莫說之遯志云耶. 三山吳氏曰, 六二, 大臣之位, 不當遯者也, 故不言遯, 則又失本義之旨矣.
이효는 본래 산 가운데 있는 자여서, 떠나길 기다리지 않아도 스스로 도피하는 자이기 때문에 도피함을 언급하지 않았다. 이효의 재질은 알맞아서 움직이지 않으니, 다른 것에 어지럽혀지지 않기 때문에 황소의 가죽으로 비유를 했다.『정전』의 뜻은 오효와 호응하여 사귐이 굳건하니, 장차 도피하려고 하지만 할 수 없다는 것인지, 오효와 함께 도피하려는 뜻이 이처럼 단단하다고 한 것인지 분명히 이해할 수 없기 때문에『본의』에서는 반드시 도피하려는 뜻으로 단정을 했다. 그러나 간괘는 그치는 몸체가 되기 때문에 초효의 꼬리는 도피하는 반열에 있을 수 없고, 삼효의 굳센 양은 여전히 매어 있고 위태로우니, 이효는 도피할 수 있는 자가 아닌데, 어떻게 소의 가죽을 벗어날 수 없는 확고한 도피의 뜻이 있을 수 있겠는가? 삼산오씨는 "육이는 대신의 지위이니 도피해서는 안 되는 자이기 때문에 도피를 언급하지 않았다"고 했으니, 이 또한『본의』의 요지를 놓친 해석이다.

강엄(康儼)『주역(周易)』

按, 此爻之解, 程傳取二五相應固結之義, 而於遯去之義, 似不襯切. 本義則不取相應之義, 而只言必遯之志, 恐當爲正義, 而卦末小註丘建安曰, 六二乃遯之所以爲遯者, 故此爻不言遯, 而曰執之用黃牛之革, 莫之勝說, 蓋恐其逼陽之遯也. 此說似好. 蓋剝之六五, 貫魚以宮人寵, 欲其統率群陰, 无至剝陽也. 姤之初六, 繫于金柅, 欲其固繫初陰, 不得長進也. 今此遯卦二陰方長, 以逐四陽, 而六二正當其管轄, 故聖人設[52]爲執用黃牛之義, 欲其執之固而不得逼陽, 如剝姤之戒者, 實出於扶陽抑陰之義, 此爻之義, 安知其不如此耶. 愚故曰, 此爻之義, 固當以本義爲主, 而丘說, 亦不可廢也.

52) 設: 경학자료집성DB와 영인본에는 모두 '誤'로 되어 있으나, 문맥을 살펴 '設'로 바로잡았다.

내가 살펴보았다: 이효의 해석에서 『정전』은 이효와 오효가 서로 호응하여 굳게 묶인다는 뜻을 취하였으나, 도피한다는 뜻에 대해서는 합당하지 않은 것 같다. 『본의』에서는 서로 호응한다는 뜻을 취하지 않고 단지 '반드시 도피하려는 뜻'이라고 말했으니, 아마도 『본의』의 뜻을 올바르게 여겨야 할 것 같고, 괘의 설명 끝에 있는 소주 중 건안구씨는 "육이는 돈괘에서 도피하게 만드는 바가 되기 때문에 이 효에서는 도피함을 말하지 않고 '황소의 가죽으로써 잡음이다. 이루다 말할 수가 없다'라고 하였으니, 아마도 양의 도피를 핍박하기 때문인 듯하다"고 했는데, 이 주장이 좋은 것 같다. 박괘(剝卦䷖)의 육오에서 "물고기를 꿰어 궁인이 총애 받듯이 한다"[53]는 말은 여러 음들을 통솔하여 양을 깎아내리는데 이르지 못하도록 함이다. 구괘(姤卦䷫)의 초육에서 "쇠말뚝에 매인다"[54]는 말은 초효의 음을 단단하게 매어두어 자라나서 나아가지 못하도록 함이다. 현재 돈괘에서 두 음이 이제 막 자라나서 네 양을 쫓으려고 하는데, 육이는 관할 할 수 있는 범위를 올바르게 하기 때문에, 성인은 황소를 이용하여 잡는 뜻을 설명하여 잡음을 단단하게 해서 양을 핍박하지 못하도록 한 것이니, 박괘와 구괘의 경계한 말과 같은 경우도 실제로는 양을 높이고 음을 억누르는 뜻에서 도출된 것인데, 이효의 뜻이 어떻게 이와 같지 않다는 것을 알겠는가? 내가 생각하기에 이효의 뜻은 진실로 『본의』를 위주로 삼아야 하고, 구씨의 설명 또한 폐지할 수 없다.

○ 敏淳云, 程傳此爻之解, 與丘說合. 蓋陰長陽遯之時, 豈有陰陽固結之理哉. 特其陰雖浸長, 然不可以浸長之故, 而遂侵迫於陽也, 故聖人於此設爲此象, 欲使陰之於陽, 中順相與, 而无敢侵迫, 此乃聖人之微意, 而程傳所釋, 正得此意, 丘說其亦有見於此耶. 然則彖辭小利貞之義, 當以程傳爲主, 而與此爻之義正相合.
민순이 말하였다: 이효에 대한 『정전』의 해석은 구씨의 해석과 부합한다. 음이 자라나고 양이 도피하려는 때에 어떻게 음과 양이 단단하게 묶이는 이치가 있겠는가? 다만 음이 비록 점점 자라나더라도 점점 자라나는 것으로 마침내 양을 침범하여 핍박할 수 없기 때문에, 성인은 이효에서 이러한 상을 설명하여 음이 양을 대할 때 알맞고 유순함으로써 서로 함께 하도록 하여, 감히 침범하여 핍박하지 못하도록 한 것이니, 이것이 성인의 은미한 뜻이며 『정전』의 풀이는 바로 이러한 뜻을 제대로 해석한 것이고, 구씨의 해석 또한 이러한 점이 나타난다. 그러므로 「단전」에서 "조금 바르게 함이 이롭다"고 한 뜻은 마땅히 『정전』의 해석을 위주로 삼아야 하며, 이효의 뜻과도 서로 부합된다.

---

53) 『周易 · 剝卦』: 六五, 貫魚以宮人寵, 无不利.
54) 『周易 · 姤卦』: 初六, 繫于金柅, 貞吉, 有攸往, 見凶, 羸豕孚蹢躅.

박문건(朴文健)『주역연의(周易衍義)』

志在必退, 故有用革之象. 黃牛之革, 堅韌之物也.
뜻은 반드시 물러나려고 하는데 있기 때문에 가죽을 쓰는 상이 있다. 황소의 가죽은 단단한 사물이다.
〈問, 執之用黃牛之革以下. 曰, 六二有恐懼之情, 故堅守其必退之志, 其固譬如抱執之以牛革也, 所以人莫之堪說也.
물었다: "황소의 가죽으로써 잡는다" 이하는 무슨 뜻입니까?
답하였다: 육이에는 두려워하는 감정이 있기 때문에 반드시 물러나려고 하는 뜻을 단단히 지키게 되니, 고집함이 마치 소의 가죽으로 단단히 잡아맨 것과 같으므로, 사람들이 감히 벗겨낼 수 없다는 뜻입니다.〉

이지연(李止淵)『주역차의(周易箚疑)』

牛革, 似當以本義爲正, 而但不如豫六二之介于石者也.
소가죽에 대해서는 아마도『본의』의 해석을 올바름으로 삼아야 할 것 같지만, 예괘(豫卦䷏) 육이에서 "절개가 돌이다"[55]라고 한 것만은 못하다.

김기례(金箕澧)『역요선의강목(易要選義綱目)』

六二, 執之用黃牛之革.
육이는 황소의 가죽으로써 잡는다.

二居下之中而順, 故取坤牛與黃.
이효는 하괘의 가운데 있어서 순종하기 때문에 곤괘의 소와 황색을 취했다.

○ 非坤而行坤道, 故曰用.
곤괘가 아닌데도 곤괘의 도를 시행하기 때문에 '쓴다'고 했다.

○ 艮爲堅, 故曰革.
간괘는 단단함이 되기 때문에 '가죽'이라고 했다.

○ 言二之順五, 如小人之中順者, 從剛明君子, 固守中順之德, 而行道, 則其賢不可勝說.

---

55)『周易 · 豫卦』: 六二, 介于石, 不終日, 貞吉.

이효가 오효에게 순종함은 소인들 중 알맞고 유순한 자가 굳세고 밝은 군자를 따라서 알맞고 유순한 덕을 고수하여 도를 시행한다고 했다면, 현명함을 이루 다 말할 수 없다.

윤종섭(尹種燮) 『경(經)-역(易)』

遯二執用黃牛之革, 全體肖巽, 爲繫執之象. 上卦, 變坤之體, 取於黃牛, 言固守其志, 故曰革. 三之係遯, 亦巽而畜其下二陰, 有畜臣妾之象.
돈괘 이효에서 황소의 가죽을 이용해서 잡음은 전체 모양이 손괘를 닮았으므로 매어 잡는 상이 된다. 상괘는 곤괘가 변화된 몸체로 황소에서 취했으니, 그 뜻을 견고하게 지킨다는 뜻이기 때문에 '가죽'이라고 했다. 삼효의 "매어 있으면서 도피해 있다"[56]는 말 또한 공손하게 아래 두 음을 기르니 신첩을 기르는 상이 있다.

이항로(李恒老) 「주역전의동이석의(周易傳義同異釋義)」

傳, 莫之勝說, 謂其交之固, 不可勝言也.
『정전』에서 말하였다: '막지승설(莫之勝說)'은 그 사귐의 견고하기가 이루다 말할 수 없음을 말한다.

本義, 以中順自守, 人莫能解必遯之志也.
『본의』에서 말하였다: 알맞고 유순함으로써 스스로를 지켜 사람들이 반드시 도피하려는 뜻을 풀 수가 없다.

按, 小畜大畜輿說輹, 程傳亦以脫言, 恐於此偶失, 照檢.
내가 살펴보았다: 소축괘(小畜卦☴☰)[57]와 대축괘(大畜卦☶☰)의 "수레의 바퀴통이 빠졌다"[58]는 말에 대해서는 『정전』에서도 탈(脫)자로 풀이를 했으니, 아마도 이곳 해석에서는 우연히 잘못을 범한 것 같으므로 자세히 따져보아야 한다.

심대윤(沈大允) 『주역상의점법(周易象義占法)』

遯之姤☰☴. 六二以柔道居柔而得中, 以中順周全同事, 苟有可爲, 則操之勿失, 有遇而

56) 『周易·遯卦』: 九三, 係遯, 有疾厲, 畜臣妾, 吉.
57) 『周易·小畜卦』: 九三, 輿說輻, 夫妻反目.
58) 『周易·大畜卦』: 九二, 輿說輹.

不進之義, 故曰執之用黃牛之革. 下艮變兌, 而上卦不變, 則爲离. 牛黃, 中色, 巽爲革, 艮爲執, 言從三也. 二之心有彼此, 故只取內卦之對也. 巽伏艮得爲勝, 兌爲莫爲說, 二應五而比三有其象.
돈괘가 구괘(姤卦䷫)로 바뀌었다. 육이는 유순한 도로 유순한 음의 자리에 있어 알맞음을 얻었고, 알맞음과 순종함으로 온전하고 일을 같이 하며, 만약 시행할 수 있는 일이 있다면 잡아서 놓치지 않으니, 때를 만나더라도 나아가지 않는 뜻이 있기 때문에 "육이는 황소의 가죽으로써 잡는다"고 했다. 하괘인 간괘가 변하여 태괘가 되고 상괘가 변화하지 않으면 리괘가 된다. 소의 황색은 중앙의 색이며 손괘는 가죽이 되고 간괘는 잡음이 되니, 삼효를 따른다는 뜻이다. 이효의 마음에는 상대방에 대한 것이 있기 때문에 단지 내괘가 뒤집어진 것에서 상을 취했다. 손괘가 간괘 속에 숨어있는 것은 승(勝)이 되고 태괘는 막(莫)이 되며 설(說)이 되니 이효가 오효에 호응하지만 삼효와 비(比)의 관계이므로 이러한 상이 있다.

오치기(吳致箕) 「주역경전증해(周易經傳增解)」

六二, 柔得中正, 上應九五之剛中, 以中德相交, 心志固結, 有執用牛革之象. 當遯之時, 君子則當志在濟遯, 深結中正之賢人, 其堅莫能解脫. 小人則當固守其志, 无陵逼君子之患, 卽所謂小利貞者也, 亦有戒意, 故不言占矣.
육이는 부드러운 음으로 중정함을 얻었고, 위로는 구오의 가운데 있는 굳센 양과 호응하며 알맞은 덕으로 서로 사귀니, 심지가 단단하여 소의 가죽을 이용해서 잡는 상이 있다. 도피해야 할 때 군자라면 마땅히 그 뜻이 도피함을 구제하는데 있어서 중정한 현인들과 깊이 결속하여 단단함을 벗겨낼 수가 없다. 소인의 경우라면 마땅히 그 뜻을 견고하게 지켜서 군자를 침범하는 우환이 없다면, 이른바 소인 중에서도 바르게 함을 이롭게 여기는 자가 되니, 여기에도 경계의 뜻이 있기 때문에 점에 대해서 언급하지 않았다.

○ 執者, 執持也, 取於艮. 黃與牛, 取於對體互坤. 革者, 皮也, 堅靭之物也, 勝, 克也, 說, 脫也, 取於對體之兌.
'집(執)'자는 잡는다는 뜻으로 간괘에서 취했다. 황색과 소는 음양이 바뀐 몸체인 호괘 곤괘에서 취했다. '혁(革)'은 가죽으로 단단한 사물이고, '승(勝)'은 이긴다는 뜻이며, '탈(說)'자는 벗긴다는 뜻이니, 음양이 바뀐 태괘에서 취했다.

이진상(李震相) 『역학관규(易學管窺)』

艮本從坤, 坤爲黃牛, 而上爻變剛, 是爲黃牛之革. 九三與艮體之上, 而二與之切近, 以剛陽乘弱陰, 其勢不得以解說, 故有此象. 執之, 艮手象. 黃牛之革, 指三. 言莫之勝說, 艮止象也.
간괘는 본래 곤괘로부터 왔고 곤괘는 황소가 되는데, 상효가 변화하여 굳센 양이 되면 이것은 황소의 가죽이 된다. 구삼은 간괘 몸체의 위에 있고, 이효는 그것과 매우 가까우니, 굳센 양이 유약한 음을 타서 그 기세는 벗어나게 할 수 없기 때문에 이러한 상이 있다. 잡음은 간괘인 손의 상이다. 황소의 가죽은 삼효를 가리킨다. "이루 다 말할 수가 없다"는 말은 간괘의 그치는 상이다.

채종식(蔡鍾植) 『주역전의동귀해(周易傳義同歸解)』

傳云, 二五以中順相與, 其固如執係之以牛革也, 其固不可勝言也. 本義云, 六[59]二以中順自守, 人莫能解必遯之志也. 蓋六二居大臣之位, 任國家之責, 不當遯者也, 故程易解作二五固結之象. 然二爻乃遯之所以爲遯者也. 雖在難遯之位, 而其必遯之志, 則人莫能解, 故朱易解作中順自守之固如此也. 然則二五相與, 其固雖如此, 五亦嘉遯者也. 時旣可遯, 則二安得獨不遯乎. 故傳義互相發明, 而无相妨害耳.
『정전』에서는 이효와 오효는 알맞고 유순함으로 서로 함께 하여, 견고함이 소의 가죽으로 맨 것과 같아서, 견고함을 이루 다 말할 수 없다고 했다. 『본의』에서는 육이는 알맞고 유순함으로 스스로를 지키니 사람들이 반드시 도피하려는 뜻을 풀 수가 없다고 했다. 육이는 대신의 지위에 있어서 국가를 통치하는 중책을 맡으므로 도피해서는 안 되는 자이기 때문에, 『정전』에서는 이효와 오효가 굳게 맺어지는 상으로 풀이를 했다. 그러나 이효는 돈괘가 도피함이 되는 이유가 된다. 비록 도피하기 어려운 자리에 있지만 반드시 도피하려는 뜻에 대해서는 사람들이 풀 수가 없기 때문에, 『본의』에서는 알맞고 유순함으로 스스로를 지키는 견고함이 이와 같다고 설명했다. 그런데 이효와 오효가 서로 함께 하여 그 단단함이 비록 이와 같지만 오효는 또한 아름답게 도피하는 자이다. 그 때가 이미 도피할 수 있는 시기라면 이효가 어떻게 홀로 도피하지 않을 수 있겠는가? 그러므로 『정전』과 『본의』의 뜻은 서로 나타내지 않은 뜻을 밝히고 있으니, 서로 방해됨이 없을 따름이다.

박문호(朴文鎬) 『경설(經說)-주역(周易)』

莫之勝言, 易中無此等語例, 當從本義, 讀作脫字. 且與五交結之固, 不若其自守堅固之爲善也.

---

59) 六: 경학자료집성DB와 영인본에는 모두 '九'로 되어 있으나, 문맥을 살펴 '六'으로 바로잡았다.

"이루 다 말할 수 없다"는 『주역』에 이러한 용례가 없으니, 마땅히 『본의』에 따라서 '탈(脫)' 자로 해석해야 한다. 또 오효와 사귐이 단단한 것은 스스로 지킴이 견고한 것이 선함이 됨만 못하다.

이병헌(李炳憲) 『역경금문고통론(易經今文考通論)』

虞曰, 艮爲手, 稱執. 勝, 能說解也.
우번이 말하였다: 간괘는 손이 되므로 '잡음'이라고 말했다. '승(勝)'자는 벗겨낼 수 있음을 뜻한다.

程傳曰, 黃, 中色, 牛, 順物, 革, 堅固之物, 二五, 以中正順道, 固結其心志, 如執牛革也.
『정전』에서 말하였다: 황색은 중앙의 색이며 소는 유순한 동물이고 가죽은 견고한 사물이니, 이효와 오효가 중정하고 유순한 도를 가지고 서로 마음과 뜻을 굳게 하였으니 마치 소가죽으로 잡아 맨 것과 같다.

姚曰, 六爻惟二不言遯, 則二乃不遯, 固守其志, 不使陰消陽, 所謂陰利貞者也.
요신이 말하였다: 여섯 효 중 오직 이효에서만 도피함을 언급하지 않았으니, 이효는 도피하지 않고 그 뜻을 견고하게 지켜 음이 양을 사그라지게 하지 않는 것이니, 이른바 음 중에서도 곧게 함을 이롭게 여기는 자이다.

〈按, 小卽陰.
내가 살펴보았다: 소(小)는 곧 음이다.〉

象曰, 執用黃牛, 固志也.

「상전」에서 말하였다: "황소 가죽으로써 잡음"은 뜻을 견고하게 하는 것이다.

中國大全

傳

上下, 以中順之道, 相固結, 其心志甚堅, 如執之以牛革也.

위와 아래가 알맞고 유순한 도로써 서로 견고하게 맺어 있어서, 그 마음과 뜻이 매우 견고하기가 마치 소가죽으로써 잡아 맨 것과 같다.

韓國大全

김상악(金相岳) 『산천역설(山天易說)』

言固其成遯之志也.

도피함을 이루는 뜻을 고집한다는 뜻이다.

오치기(吳致箕) 「주역경전증해(周易經傳增解)」

二五以中正之道, 固結心志, 其堅如執用黃牛之革也.

이효와 오효는 중정한 도로써 심지를 단단하게 결속하니, 그 단단함은 마치 잡을 때 황소의 가죽을 이용함과 같다.

九三, 係遯. 有疾, 厲, 畜臣妾, 吉.

구삼은 매어 있으면서 도피해 있다. 병이 있어서 위태로우니, 신첩을 기름에는 길하다.

中國大全

傳

陽志說陰, 三與二切比, 係乎二者也. 遯貴速而遠, 有所係累, 則安能速且遠也. 害於遯矣, 故爲有疾也, 遯而不速, 是以危也. 臣妾, 小人女子, 懷恩而不知義, 親愛之則忠其上, 係戀之私恩, 懷小人女子之道也. 故以畜養臣妾, 則得其心, 爲吉也. 然君子之待小人, 亦不如是也. 三與二非正應, 以暱比相親, 非待君子之道. 若以正則雖係, 不得爲有疾, 蜀先主之不忍棄士民, 是也, 雖危, 爲无咎矣.

양의 뜻은 음을 즐거워하니, 삼효는 이효와 매우 가까워서 육이에 매어있는 자이다. 도피함[遯]은 빠르고 멀리함을 귀하게 여기니, 얽매이는 바가 있다면 어찌 빠르고 멀리할 수 있겠는가? 도피하는 데에서 해롭기 때문에 병이 있고, 도피하여도 멀리 가지 못하니 이 때문에 위태롭다. 신첩은 소인과 여자이니, 은혜를 마음에 품고서도 의(義)를 알지 못하여 그들을 친히 사랑하면 윗사람에게 충성을 하므로, 얽매인 사랑인 사사로운 은혜는 소인과 여자를 품는 도이다. 그러므로 이러한 도로써 신첩을 기르면 그 마음을 얻으니, 길하게 된다. 그러나 군자가 소인을 대함은 또한 이와 같지 않다. 삼효는 이효와 정응이 아니며 사사로이 가깝게 있음으로써 서로 친하니, 군자를 대하는 도가 아니다. 만약 바름으로써 한다면 비록 얽매여 있지만 병이 있게 되지는 않을 것이니, 촉나라의 선주(先主)인 유비가 차마 선비와 백성들을 버리지 못한 것이 이것이므로, 비록 위태로울지라도 허물이 없게 된다.

小註

或問, 伊川曰, 係戀之私恩, 懷小人女子之道也. 故以畜養臣妾, 則得其心, 爲吉也. 小人女子近之則不遜, 遠之則怨, 若專以私恩懷之, 未必不有悔吝, 而此爻以爲吉何耶. 朱子曰, 此爻不可大事, 但可畜臣妾耳. 御下而有以懷之, 未爲失正, 但恐所以懷之者, 失其正耳.

어떤 이가 물었다: 이천이 말하기를 "얽매인 사랑인 사사로운 은혜는 소인과 여자를 품는 도이다. 그러므로 이러한 도로써 신첩을 기르면 그 마음을 얻으니, 길하게 된다"고 하였습니다. "소인과 여자는 가까이 하면 공손하지 못하고 멀리하면 원망을 한다"[60]고 하니, 만약 오로지 사사로운 은혜로 그들을 품는다면 반드시 후회하고 부끄러움이 있지 않는 것은 아니지만, 여기의 효에서 길하게 된다고 여긴 것은 어째서입니까?
주자가 답하였다: 여기의 효는 큰일을 할 수는 없고, 다만 신첩을 기를 수 있을 뿐입니다. 아랫사람을 다루면서 그들을 품는 것은 바름을 잃는 것이 되지는 않지만, 단지 그들을 품는 바가 그 바름을 잃을까 두려울 뿐입니다.

○ 問, 傳言待臣妾之道, 君子之待小人, 亦不如是, 如何. 曰, 君子小人, 便不可相對, 更不可與相接. 若臣妾, 是終日在自家腳手頭, 若无以係之, 則望望然去矣.
물었다: 『정전』에서 신첩을 대하는 도만을 말하고 "군자가 소인을 대함은 또한 이와 같지 않다"고 한 것은 어째서입니까?
답하였다: 군자와 소인은 곧바로 상대할 수가 없고 더불어 서로 교제할 수가 없습니다. 만약 신첩이라면 하루 내내 집안에서 무릎과 손에서 떼어놓지 못하지만, 만약 얽매임이 없다면 망망연하게 떠나갑니다.

本義

下比二陰, 當遯而有所係之象, 有疾而危之道也. 然以畜臣妾則吉, 蓋君子之於小人, 唯臣妾則不必其賢而可畜耳. 故其占如此.

아래로 두 음과 가까워서 마땅히 도피해야 하는데도 얽매이는 바가 있는 상이니, 병이 있어서 위태로운 도이다. 그러나 신첩을 기른다면 길하니, 군자가 소인에 대해 오직 신첩의 경우는 반드시 어진 사람이어야만 기를 수 있는 것은 아니다. 그러므로 그 점이 이와 같다.

小註

進齋徐氏曰, 係, 戀也. 比乎二陰, 宜遯而係, 故曰係遯. 遯之爲義, 宜遠小人, 以陽附陰, 有所係戀, 不能遠害, 故有疾, 柔將剝剛, 故有危. 臣妾, 謂二陰, 三之係遯, 以畜臣妾則吉, 施於大事則不可也.

---

60) 『論語 · 陽貨』: 子曰, 唯女子與小人, 爲難養也, 近之則不孫, 遠之則怨.

진재서씨가 말하였다: '계(係)'는 사모하는 것이다. 두 음과 가까워서 마땅히 도피하여야 하는데도 얽매이기 때문에 "매어 있으면서 도피해 있다"고 하였다. 돈(遯)의 뜻은 마땅히 소인을 멀리하여야 하지만 양으로써 음에 친하여 사모하는 데에 매이는 바가 있어서 해로움을 멀리할 수가 없기 때문에 병이 있고, 부드러운 음이 장차 굳센 양을 상하게 하기 때문에 위태로움이 있다. 신첩은 두 음을 일컬으니, 삼효가 매어 있으면서도 도피하므로 신첩을 기르면 길하지만 큰일에 시행하면 안 된다.

○ 中溪張氏曰, 艮爲閽寺臣妾之象.
중계장씨가 말하였다: 간괘는 내시와 신첩의 상이 된다.

○ 厚齋馮氏曰, 乾三陽所以得遯而避二陰之長者, 以有九三以止之也. 今九三爲二陰所拘係而不得脫, 將爲陰柔所薄而元氣危矣. 能如人主之畜臣妾柔而服之, 使二陰止於內而不往, 乃吉道也. 作易者, 以陰陽消長之會, 寄之九三憂之治之, 其所以爲君子慮者, 不其周乎.
후재풍씨가 말하였다: 건괘의 세 양은 도피하여서 두 음의 자람을 피할 수 있는 것은 구삼이 있어서 두 음을 저지하기 때문이다. 이제 구삼은 두 음에게 얽매여 잡히게 되어서 벗어날 수 없게 되고, 장차 부드러운 음에 의하여 엷어지게 되어 원기가 위태롭게 된다. 임금이 신첩을 유순하게 복종할 수 있도록 기르는 것과 같이 두 음을 안에서 멈추고 가지 않게 할 수 있다면 길한 도이다. 『주역』을 지은 자는 음양이 사라지고 자라나는 때를 구삼에 붙여 걱정하고 다스렸으니, 군자를 위하여 염려하는 바가 넓지 않은가?

○ 節初齊氏曰, 剝五, 天子也, 故稱宮人寵, 遯三, 諸侯也, 故稱畜臣妾. 大概待小人之道, 當如此耳, 故彼无咎而此吉.
절초제씨가 말하였다: 박괘(剝卦)의 오효[61]는 천자이기 때문에 '궁인이 총애를 받음'을 말하였고, 돈괘의 삼효는 제후이기 때문에 '신첩을 기름'을 말하였다. 대체로 소인을 대하는 도는 마땅히 이와 같이 하여야 할 뿐이기 때문에, 저기 박괘에서는 허물이 없고 여기 돈괘에서는 길하다.

61) 『周易・剝卦』: 六五, 貫魚, 以宮人寵, 无不利.

▌韓國大全▐

조호익(曺好益) 『역상설(易象說)』

係, 艮止象. 疾, 柔剝剛象, 有疾, 故厲. 畜, 以陽庇陰象. 臣, 艮閽寺象. 妾, 兌象, 巽, 兌之反. 或曰, 坎爲心, 艮爲身, 心者體虛, 而坎中實爲病之象. 氣血停匀, 身得和平, 艮上盛而下虛, 爲疾之象, 故遯之三損之四, 皆以艮體言疾. 鼎九二變, 則亦艮體.
'매임'은 간괘의 그치는 상이다. '질병'은 부드러운 음이 굳센 양을 깎는 상이므로, 질병이 있기 때문에 위태롭다. '기름'은 양으로 음을 감싸는 상이다. '신(臣)'은 간괘의 내관 상이다. '첩(妾)'은 태괘의 상으로, 손괘는 태괘가 거꾸로 된 괘이다. 혹자는 "감괘는 마음이 되고 간괘는 몸이 되는데, 마음은 본체가 비어있고 감괘는 가운데가 차서 병의 상이 된다. 기혈이 고르게 분포되어야 몸도 화평하게 되는데, 간괘는 위에서 왕성하고 아래는 비어 있으니 병의 상이 된다. 그렇기 때문에 돈괘의 삼효와 손괘(損卦䷨)의 사효[62]는 모두 간괘의 몸체를 기준으로 질병을 언급했다. 정괘(鼎卦䷱)의 구이가 변하면 또한 간괘의 몸체가 된다"고 했다.

○ 傳, 臣妾, 小人. 近思末篇, 待小人之小人, 葉氏以爲臣妾之小人言之.
『정전』에서는 "신첩(臣妾)은 소인이다"라고 했다. 『근사록』 끝편에서 "소인을 대한다"고 했을 때의 '소인(小人)'에 대해서, 섭씨는 '신첩인 소인'으로 말했다고 여겼다.

송시열(宋時烈) 『역설(易說)』

係者, 係着也, 互巽爲繩象也. 有疾者, 上錯爲坤, 然後有坎象, 坎爲疾也. 二爲臣, 互巽, 綜兌爲妾, 故三旣繫於遯, 而不能大有所爲, 但以畜臣妾之小事爲吉也.
'계(係)'자는 얽매인다는 뜻이니, 호괘인 손괘는 노끈의 상이 된다. 질병이 있음은 상괘가 음양이 바뀌어 곤괘가 된 뒤에야 감괘의 상이 있고 감괘는 질병이 된다. 이효는 신하가 되니 호괘인 손괘에 해당하고, 종괘인 태괘는 첩이 되기 때문에 삼효는 이미 도피함에 얽매여서 크게 할 수 있는 일이 없고, 단지 신첩을 기르는 소소한 일을 길함으로 삼는다.

○ 孔穎達曰, 三无應於上, 反與二爻相比, 意有所係, 故曰係遯, 信矣.

---

62) 『周易 · 損卦』: 六四, 損其疾, 使遄有喜, 无咎.

공영달은 “삼효는 위로 호응함이 없고 반대로 이효와 서로 비(比)가 되니, 그 뜻에 얽매이는 것이 있기 때문에 ‘도피함에 얽매인다’고 했다”고 했으니, 신빙성이 있는 주장이다.

이익(李瀷) 『역경질서(易經疾書)』

凡善遯者, 係而畜之, 則終不免疾. 憊羸瘠, 不若放逸而恣食肥腯, 此與旣濟九三之憊不同. 彼云憊, 故至三季而始克也. 然與其放而肥, 不若係而憊, 以人事言之, 則其畜臣妾, 宜常加鉗, 制不使肆行, 不然爲害甚矣. 不可大事, 與小利貞相照, 如君之使臣, 何可拘係而不容其作爲耶.
잘 도피하는 자를 매어서 기른다면 끝내 병이 들지 않을 수 없다. 수척해짐을 고달파하는 것은 제멋대로 놔두어서 제멋대로 먹어 살이 찜만 못하니, 돈괘의 ‘비(憊)’는 기제괘(旣濟卦䷾)의 구삼[63]에서 피곤하다고 한 말과는 다르다. 기제괘에서는 피곤하다고 했기 때문에 삼년 째에 이르러 비로소 이기게 된다. 그러나 놔두어서 살찌는 것은 매어서 고달픈 것만 못한데, 사람의 일을 기준으로 말한다면, 신첩을 기르는 일에는 마땅히 항상 구속을 해서 제멋대로 행동하지 못하도록 해야 하니, 그렇지 않다면 해가 됨이 몹시 심하다. 큰일을 할 수 없음은 “조금 바르게 함이 이롭다”는 말과 서로 그 뜻을 나타내니, 임금이 신하를 부림에 있어서 어떻게 얽매어서 일을 시행함을 용납하지 않을 수 있겠는가?

유정원(柳正源) 『역해참고(易解參攷)』

白雲蘭氏曰, 九三爲艮之主, 二陰浸長而止之於內, 是畜二小人於內, 曰若畜之以臣妾之禮則吉, 不可使與於政事也.
백운란씨가 말하였다: 구삼은 간괘의 주인이 되고, 두 음은 점점 자라나서 내괘에서 멈추니, 두 소인을 안에서 기르는 것인데, 신첩에 대한 예로써 길러야 길하다고 한다면, 정치에 참여하도록 할 수 없다.

○ 沙隨程氏曰, 遯而有所係, 此以巽取象, 又爲不果之意.
사수정씨가 말하였다: 도피함에 얽매이는 것이 있으니, 이것은 손괘로 상을 취했기 때문이며, 또 과감하지 못한 뜻이 된다.

○ 梁山來氏曰, 繫者, 心維繫而眷戀也. 係遯者, 懷祿循私隱, 忍而不去也. 疾者, 爲纏魔困苦之疾也. 厲者, 禍伏于此而危厲也. 臣妾, 指下二陰也, 乃三所係戀也. 畜者,

---

63) 『周易·旣濟卦』: 象曰, 三年克之, 憊也.

止也, 與剝卦順而止之同. 止之, 使制乎陽而不陵上也.
양산래씨가 말하였다: 얽매임은 마음이 얽매어 간절하게 생각한다는 뜻이다. "매어 있으면서 도피해 있다"는 작위와 녹봉을 생각하고 사적인 은정에 따라 차마 떠나지 못한다는 뜻이다. '질병'은 사악한 기운에 얽매여 고달프게 되는 질병이다. '위태로움'은 재앙이 이곳에 숨어 있어 위태롭게 된다는 뜻이다. '신첩(臣妾)'은 아래의 두 음을 가리키니, 삼효가 얽매이는 대상이다. '축(畜)'자는 그치게 함이니, 박괘(剝卦☶☷)에서 "따라서 멈춘다"[64]고 했을 때의 '지(止)'자와 같은 뜻이다. 그치게 함은 양에게 제재를 받아서 위를 업신여기지 않도록 함이다.

○ 案, 畜臣妾之道, 近之則不遜, 遠之則怨, 唯莊以臨之則可, 三之過剛, 庶能此矣. 待小人之道, 固異於是, 然自處不失其正, 待之不失其正, 則必无係戀之失, 而小人亦於我何哉.
내가 살펴보았다: 신첩을 기르는 도에 있어서 너무 가까이 하면 공손하지 못하고 너무 멀리 대하면 원망하니, 오직 장엄함으로 대해야만 하니, 삼효의 지나친 굳셈이라야 거의 이처럼 할 수 있을 것이다. 소인을 대하는 도는 진실로 이와는 다르지만 스스로 대처함에 올바름을 잃지 않고 대함에 올바름을 잃지 않는다면 반드시 얽매이는 실수가 없게 되니, 소인 또한 나에 대해 어떤 해가 되겠는가?

김상악(金相岳) 『산천역설(山天易說)』

九三, 居艮之終, 比下二陰, 互巽以入, 故有當遯而係之象, 有疾而危之道也. 惟止之於上, 以剛畜柔如臣妾然, 使制於陽, 斯爲吉也, 與姤二, 包有魚之義同.
구삼은 간괘의 끝에 있고 아래 두 음과 가까우며, 호괘인 손괘는 들어가기 때문에 마땅히 도피해야 하지만 얽매이는 상이 있고, 질병이 있어 위태로운 도가 있다. 오직 위에서 그치고 굳센 양으로 부드러운 음을 신첩처럼 기른다면 양에게 제재를 받게 되어 이에 길하게 되니, 구괘(姤卦☰☴)의 이효에서 "꾸러미에 물고기가 있다"[65]고 한 뜻과 동일하다.

○ 係遯者, 係於私也. 疾, 陰之侵陽也. 初以往爲厲, 三以係爲厲也. 畜, 卽大畜之畜也. 艮, 爲閽寺, 臣妾之象也. 以爻言, 二爲臣, 初爲妾也. 畜臣妾吉, 與剝五曰以宮人寵相似, 蓋姤之女壯, 至遯而長, 故取象如此.
"매어 있으면서 도피해 있다"는 사사로움에 얽매인다는 뜻이다. '질병'은 음이 양을 침범했다

64) 『周易 · 剝卦』: 彖曰, 剝, 剝也, 柔變剛也. 不利有攸往, 小人長也. 順而止之, 觀象也, 君子尙消息盈虛, 天行也.
65) 『周易 · 姤卦』: 九二, 包有魚, 无咎, 不利賓.

는 뜻이다. 초효는 가는 것을 위태로움으로 삼고,[66] 삼효는 얽매임을 위태로움으로 삼는다. '기름'은 대축괘(大畜卦䷙)의 기름과 같다. 간괘는 내관이 되니 신첩의 상이 된다. 효로써 말을 하면 이효는 신하가 되고 초효는 첩이 된다. 신첩을 기름이 길하다는 말은 박괘(剝卦䷖)의 오효에서 "궁인이 총애 받듯이 한다"[67]와 그 뜻이 서로 유사하니, 구괘(姤卦䷫)는 여자가 건장한데,[68] 돈괘에 이르게 되면 자라나기 때문에 이처럼 상을 취했다.

김규오(金奎五) 「독역기의(讀易記疑)」

九三上无應而下密比, 所以係而有疾. 然其爲體止而位得正, 止則不妄動, 正則其身修, 故畜臣妾吉. 不然而惟以得其心爲事, 則何足以爲吉也.
구삼은 위로 호응함이 없고 아래와 밀접히 가까우니 얽매여서 질병이 생긴다. 그러나 몸체는 그치고 지위도 올바름을 얻었으니, 그치면 망령되게 행동하지 않고 올바르다면 자신을 수양하기 때문에 신첩을 기름이 길하다. 그렇지 않고 오직 마음을 얻는 것을 일삼는다면 어떻게 길함이 되겠는가?

○ 傳, 待君子之道, 亦不如是也. 以上文小人女子見之, 此小人似指臣僕也. 以下文待君子之道見之, 又似指宵小之人, 未知所定. 然以朱子說考之, 當爲宵小矣.
『정전』에서 "군자를 대하는 도는 또한 이와 같지 않다"고 했다. 앞 문장에서 소인과 여자라고 한 말로 살펴보면, 여기에서 말한 소인은 신복을 뜻하는 것 같다. 아래문장에서 "군자를 대하는 도이다"라고 한 말로 살펴보면 또한 소소한 자를 가리키는 것 같지만 확정할 수 없다. 그러나 주자의 설명으로 고찰해보면 마땅히 소소한 자가 된다.

○ 中溪說如人主之畜臣妾, 此非但違於傳義也. 陰方進, 而在上者擾而畜之, 只如臣妾之爲, 則彼以方長之勢, 豈肯如臣妾之馴伏於我也. 此恐做不得.
중계장씨가 "임금이 신첩을 기름과 같다"고 한 말은 단지 『정전』과 『본의』의 뜻에만 어긋나는 것이 아니다. 음이 이제 막 나아가려고 하는데, 위에 있는 자가 흔들어 막는 것을 단지 신첩에 대한 행위처럼 한다면, 상대는 이제 막 자라나려는 기세를 가지고 있는데, 어떻게 신첩처럼 나에게 순종하겠는가? 이 말은 아마도 옳지 않은 것 같다.

---

66) 『周易 · 遯卦』: 初六, 遯尾, 厲, 勿用有攸往.
67) 『周易 · 剝卦』: 六五, 貫魚以宮人寵, 无不利.
68) 『周易 · 姤卦』: 姤, 女壯, 勿用取女.

서유신(徐有臣) 『역의의언(易義擬言)』

天下有山, 遯, 遯者, 乾三陽之遯也. 九三, 亦以其陽物, 共爲四陽, 故係於乾, 而俱遯也. 然艮體二陰, 爲其疾害, 而妨於遯也. 係遯, 而有疾, 此可懼厲也. 然能畜止二陰, 俾不肆行, 是爲臣妾而已, 故吉也. 蓋四陽相隨, 爲係遯象, 二陰同體, 爲有疾象. 陽剛得正, 居艮之上, 爲畜止之象. 畜陰於艮門闕之內, 爲寺臣宮妾之象也. 遯自大畜變來, 故曰畜也.
하늘 아래 산이 있는 것이 돈괘인데, 도피함이란 건괘의 세 양이 도피함이다. 구삼은 또한 양에 해당하는 사물로 모두 네 양에 해당하기 때문에, 건괘와 연결되어 모두 도피한다. 그러나 간괘의 몸체에 있는 두 음은 질병과 해로움이 되고 도피함을 방해한다. 매어 있으면서 도피하고 질병이 생기니, 이것은 두려워하고 위태롭게 여길만하다. 그러나 두 음을 그치게 해서 제멋대로 행동하지 못하게 하면 신첩이 될 따름이기 때문에 길하다. 네 양이 서로 따르면 매어 있으면서도 도피하는 상이 되고, 두 음은 몸체를 함께 하니 질병이 생기는 상이 된다. 굳센 양이 바름을 얻었고 간괘의 위에 있으니, 그치게 하는 상이 된다. 간괘의 문 안쪽에서 음을 그치게 하니, 내관과 첩의 상이 된다. 돈괘는 대축괘(大畜卦䷙)로부터 변해 왔기 때문에 "그친다"고 했다.

강엄(康儼) 『주역(周易)』

傳, 蜀先主 [止] 士民.
『정전』에서 말하였다: 촉나라의 선주 … 선비와 백성들이다.

按, 漢獻帝十二年, 劉備北到當陽, 衆十餘萬, 輜重數千輛, 日行十餘里, 別遣關羽乘船數百艘, 使會江陵. 或謂備曰, 宜速行保江陵, 備曰, 夫濟大事者, 必以人爲本, 今人歸吾, 吾何忍棄云.
내가 살펴보았다: 한나라 헌제 12년에 유비는 북쪽으로 가서 당양에 이르렀는데, 무리가 십여만 명이나 되었고 기물을 실은 수레가 수천대여서, 하루에 십여 리를 이동했는데, 별도로 관우를 보내어 수백 척의 배로 이동하도록 하여 강릉에 모이도록 했다. 어떤 자가 유비에게 "마땅히 신속히 이동하여 강릉을 보호해야 합니다"라고 했는데, 유비는 "큰일을 이룰 때에는 반드시 사람을 근본으로 삼아야 하는데, 현재 사람들이 나에게 귀의했는데 내가 어떻게 백성들을 버릴 수 있겠는가?"라고 했다.

○ 或曰, 臣妾, 指二陰而言, 謂畜養二陰, 使不得逼陽則吉. 此說, 於扶陽之義, 可謂得矣, 而先儒之說, 亦多如此者矣. 然妄謂此爻下比二陰, 方有係戀之疾, 而又欲其畜養二陰, 則是欲止沸而不去薪者也. 其必以小人女子釋之, 然後方與係字相應, 蓋係戀之恩, 以之懷小人女子, 則可以得其心而爲吉, 若以之而欲處大事, 則不可也. 蓋此小人, 非謂妨賢病國之小人, 只是微賤之謂, 如家主之奴隷官長之胥吏, 皆是也. 若夫二陰, 乃妨賢病國之小人, 君子於此, 當去之速, 而絕之遠, 又豈有畜養之理哉. 故畜臣妾, 恐不可以畜養二陰爲言.
어떤 이는 "신첩은 두 음을 가리켜서 한 말이다"라고 했으니, 두 음을 달래고 길러서 양을 핍박하지 못하도록 하면 길하다는 뜻이다. 이러한 해설은 양을 북돋는다는 뜻에서는 옳다고 할 수 있고, 선대 학자들의 주장 또한 대부분 이와 같다. 그러나 내가 생각하기에, 삼효가 아래로 두 음효를 가까이 함은 막 얽매어 사모하는 병이 생겼는데도 또한 두 음효를 기르고자 함이니, 이것은 그만 끓게 하려고 하는데도 땔감을 빼놓지 않는 경우와 같다. 반드시 소인과 여자로 해석을 한 뒤에야 계(係)자의 뜻과 서로 호응하니, 이끌려 잊지 못하는 은정으로 소인과 여자를 품어준다면, 그 마음을 얻어서 길하게 될 수 있지만 이것으로 큰일에 대처하고자 한다면 불가하다. 여기에 나온 소인은 현명한 자를 방해하고 나라를 피폐하게 만드는 소인이 아니며, 단지 신분이 미천한 자를 뜻하니, 집안의 노비나 관부의 실무자들이 모두 이러한 자들에 해당한다. 두 음의 경우라면 현명한 자를 방해하고 나라를 피폐하게 만드는 소인이 되니, 군자는 이들에 대해서 마땅히 빨리 떠나가서 관계를 확실히 끊어야 하며는데 어떻게 기르는 이치가 있겠는가? 그렇기 때문에 '축신첩(畜臣妾)'은 아마도 두 음을 기른다는 뜻으로 말해서는 안 될 것 같다.

박문건(朴文健) 『주역연의(周易衍義)』

捨上從下, 故有係遯之象. 係遯, 係戀之遯也. 臣妾, 謂二陰也.
위를 버리고 아래를 따르기 때문에 매어 있으면서 도피하는 상이 있다. '계돈(係遯)'은 상대에게 얽매여 있으면서도 도피함을 뜻한다. '신첩(臣妾)'은 두 음을 뜻한다.
〈問, 係遯以下. 曰, 九三切近二陰, 故有係遯之象. 爲陰所傷, 而有疾病, 未免危厲. 然捨剛用柔, 而養下二陰, 則吉也. 蓋九三不知有上, 而徒知有下, 故取此義也.
물었다: "매어 있으면서 도피해 있다" 이하는 무슨 뜻입니까?
답하였다: 구삼은 두 음과 매우 가깝기 때문에 매어 있으면서 도피하는 상이 있습니다. 음에 의해 상처를 받아서 질병이 있으니, 위태로움에서 벗어나지 못합니다. 그러나 굳센 양을 버리고 부드러운 음을 사용하며 아래의 두 음을 기른다면 길합니다. 구삼은 위가 있음을 알지 못하고 단지 아래만 있음을 알기 때문에 이러한 뜻에서 취한 것입니다.〉

이지연(李止淵) 『주역차의(周易箚疑)』

君子畜臣妾之道, 亦是心之遯也. 明知其不可近之, 而包容寬恕, 使不失其所, 其所繫者, 非心合而繫也, 中心則已遯者也, 此所謂羈縻而已, 以此道何以爲大事乎.
군자가 신첩을 기르는 도는 또한 마음의 도피함에 해당한다. 가까이 할 수 없음을 분명히 알지만 포용하고 너그럽게 대하여 제자리를 잃지 않도록 하니, 연계됨은 마음이 합치되어 연계됨이 아니며 마음속으로는 이미 도피하는 것이니, 이것이 바로 굴레와 고삐를 맨다는 것일 뿐인데, 이러한 도로써 어떻게 큰일을 하겠는가?

김기례(金箕澧) 『역요선의강목(易要選義綱目)』

三欲從外乾而遯, 然比二暱陰, 不能遠遯, 可謂上下係者. 拘係而不安, 故曰有疾.
삼효는 외괘인 건괘를 따라서 도피하고자 하지만 친한 두 음과 가까우므로 멀리 도피할 수 없으니, 위아래로 얽매인 자라고 할 수 있다. 얽매여서 불안하기 때문에 "병이 있다"고 했다.

○ 三爲諸侯位, 故指二曰臣妾. 臣妾, 必從人主, 使二陰服從而止之, 自不至溺陰, 則何傷於遯義, 然則何不吉乎. 溺陰則危, 故先言厲. 不可大事, 遯, 貴遠避, 三猶在下體而比陰, 則當危矣. 但以臣妾待陰, 故雖得我吉彼无咎, 不能剛斷, 故不可大事.
삼효는 제후의 자리가 되기 때문에 이효를 가리켜서 '신첩(臣妾)'이라고 했다. 신첩은 반드시 주인을 따르니, 두 음으로 하여금 복종하여 그치게 해서 스스로 음에 빠지는 지경에 이르지 않게 한다면 어떻게 도피함의 뜻에 피해를 주겠으며, 또 어찌 길하지 않겠는가? 음에 빠지면 위태롭기 때문에 먼저 위태롭다고 말했다. "큰일을 할 수 없다"는 도피함에서는 멀리 떠나는 것을 존귀하게 여기는데, 삼효는 여전히 하체에 머물러 있으며 음과 비(比)가 되므로 마땅히 위태롭게 된다. 다만 신첩으로 음을 대하기 때문에 비록 내가 길함을 얻고 상대방은 허물이 없게 되더라도 굳센 양으로 재단할 수 없기 때문에 큰일을 할 수 없다.

이항로(李恒老) 「주역전의동이석의(周易傳義同異釋義)」

傳, 君子之待小人, 亦不如是也.
『정전』에서 말하였다: 군자가 소인을 대함은 또한 이와 같지 않다.

本義, 蓋君子之於小人, 惟其臣妾則不必其賢而可畜耳.
『본의』에서 말하였다: 군자가 소인에 대해 오직 신첩의 경우는 반드시 어진 사람이어야만 기를 수 있는 것은 아니다.

按, 象傳曰, 君子以, 遠小人, 不惡而嚴. 遠與嚴, 是待小人之道也. 然小人之中, 惟其臣妾則當以恩懷而係其遯爲吉. 然若恃此而與小人同事, 則必致凶吝, 故傳又釋之曰, 不可大事也. 傳與本義大意同, 蓋小人與臣妾, 當分看.
내가 살펴보았다: 「상전」에서는 "군자가 그것을 본받아서 소인을 멀리하되 나쁜 소리로 하지 않고 위엄 있게 한다"고 했다. 멀리하고 위엄 있게 함은 소인을 대하는 도이다. 그러나 소인 중에 오직 신첩에게만은 은정으로 감싸서 도피함을 얽매여야만 길하다. 그렇지만 이것을 믿고 소인과 일을 함께 한다면 반드시 흉함과 부끄러움을 일으키게 되기 때문에 『정전』에서는 또한 "큰일을 할 수 없다"고 했다. 『정전』과 『본의』는 큰 뜻에서는 같지만, 소인과 신첩은 구분해서 보아야만 한다.

심대윤(沈大允) 『주역상의점법(周易象義占法)』

遯之否䷋, 不交也. 九三以剛居剛, 過於退避而不肯交通, 上無應與下有二陰附之, 爲偏係於其私鄙之象, 故曰係遯. 有疾, 言滯而不通也. 巽爲係, 坎爲疾, 坤之變, 自艮爲坎, 不外交而求私鄙, 故取變也. 兌爲妾, 巽爲臣, 乾爲畜, 能自治其私屬而不可用事於天下也. 〈九三, 當不可大有爲之時而不爲也. 其可爲者則□□之矣.〉
돈괘가 비괘(否卦䷋)로 바뀌었으니, 사귀지 않는다는 것이다. 구삼은 굳센 양으로 굳센 양의 자리에 있어서, 물러나고 도피함에 지나쳐서 기꺼이 사귀지 않는데, 위로 호응함이 없고 아래로 두 음이 붙어서 삿된 무리에게 편벽되어 얽매이는 상이 되기 때문에 "매어 있으면서 도피해 있다"고 했다. "병이 있다"는 지체되어 소통하지 않는다는 뜻이다. 손괘는 얽매임이 되고 감괘는 질병이 되며, 곤괘의 변화는 간괘로부터 감괘가 되니, 외괘와는 사귀지 않고 삿된 무리를 구하기 때문에 변화된 괘에서 취했다. 태괘는 첩이 되고 손괘는 신하가 되며 건괘는 기름이 되니, 스스로 삿된 무리를 다스리지만 천하에 대해 어떤 일을 꾸미지 못하게 한다. 〈구삼은 크게 일을 할 수 없는 때에 해당하여 시행하지 않는다. 시행할 수 있는 경우는 □□ 한다.〉

오치기(吳致箕) 「주역경전증해(周易經傳增解)」

九三, 過剛不中, 而居止體, 上无正應, 而切比六二之柔, 故在遯之時, 有所係累而不能遯, 其所係戀, 乃臣妾之私利欲所纏, 故爲有疾之象, 而亦可危厲. 然陽剛得正, 可以畜止在下之陰, 使之見制于陽, 而不陵于上, 此乃御臣妾之道也. 旣不能得中, 不可爲大事, 故言惟其畜臣妾則吉也.
구삼은 굳센 양이 지나쳐서 알맞지 않고 간괘의 멈추는 몸체에 있으며, 위로는 정응함이 없고 육이의 부드러운 음과 지나치게 가깝기 때문에, 도피해야 할 때 얽매여서 도피할 수 없으니, 얽매이는 것은 신첩의 사리사욕으로 인해 얽히게 된 것이므로, 질병이 생기는 상이 되고 또 위태로울 수 있다. 그러나 굳센 양이 바름을 얻어서 아래에 있는 음을 그치게 하여, 그들로 하여금 양에게 제재를 받도록 하여 위를 침범하지 않도록 하니, 이것은 신첩을 다스리는 도이다. 이미 알맞음을 얻지 못하여 큰일을 시행할 수 없기 때문에, 단지 신첩을 기르는 것만이 길하다고 했다.

○ 係, 取於互巽, 畜, 止也, 取於艮. 臣妾, 取於艮爲閽寺之臣, 對兌爲妾也.
얽매임은 호괘인 손괘에서 취했고, '축(畜)'자는 그치게 한다는 뜻으로 간괘에서 취했다. '신첩(臣妾)'은 간괘가 내관인 신하가 됨에서 취했고, 음양이 바뀐 태괘가 첩이 됨에서 취했다.

이진상(李震相) 『역학관규(易學管窺)』

互巽爲繫, □坎爲疾, 爻變坤有臣妾之道, 而而二以陰在下, 臣位也, 初以陰居卑, 妾象也.
호괘인 손괘는 얽매임이 되고 □감괘는 질병이 되며 효가 변한 곤괘에는 신첩의 도가 있고, 이효는 음으로 아래에 있으니 신하의 자리가 되고, 초효는 음으로 낮은 곳에 있으니 첩의 상이 된다.

박문호(朴文鎬) 『경설(經說)-주역(周易)』

臣妾, 傳上二小人謂細人, 下一小人謂憸人也. 蓋言三之係二, 若以家長而御臣妾, 則宜矣. 君子之待小人, 則不當爾也. 然則下文所云非待君子之道, 其義有未詳.
'신첩(臣妾)'에 대해 『정전』에 나온 앞의 두 소인은 미천한 자를 뜻하며, 뒤에 나온 하나의 소인은 간사한 자를 뜻한다. 삼효가 이효에 얽매임을 만약 가장이 신첩을 부리는 것처럼 한다면 마땅하다. 그러나 군자가 소인을 대하는 경우라면 이처럼 해서는 안 된다. 그러므로 아래문장에서 말한 "군자를 대하는 도가 아니다"고 한 말은 그 의미가 확실하지 않다.

이정규(李正奎) 「독역기(讀易記)」

遯之九三, 何以係遯取象. 當遯之時, 此爲艮之主則有止, 而又比六二, 有係戀於陰之象故也. 畜臣妾吉, 何也. 君子之於陰小, 小人則不可懷以私恩, 故有係戀則疾癘矣, 臣妾則可以懷私恩, 故係戀則吉也. 占者, 觀其事之不可係而係, 則凶矣, 可係而係, 則吉也. 且爲艮主而能止其陰邪之長則吉, 不能止則終見其剝矣. 然有可止之能力, 雖敵我之小人無異我畜之臣妾, 无可止之能力, 雖我畜之臣妾, 實爲敵我之小人矣.
돈괘의 구삼은 어찌하여 "매어 있으면서 도피해 있다"로 상을 취했는가? 도피해야 할 때 삼효는 간괘의 주인이 되니 그침이 있지만, 또한 육이와 비(比)의 관계가 되어 음에 얽매이는 상이 있기 때문이다. "신첩을 기름에는 길하다"는 어째서인가? 군자는 음과 소에 대해서 소인의 경우라면 사적인 은정으로 품어줄 수 없기 때문에 얽매인다면 질병이 생기고, 신첩의 경우라면 사적인 은정으로 품어줄 수 있기 때문에 얽매인다면 길하다. 점치는 자는 그 사안이 얽매여서는 안 되는 데도 얽매이면 흉하고, 얽매일 수 있어서 얽매인다면 길하다는 것을 볼 수 있다. 또 간괘의 주인이 되어 간사한 음이 자라나는 것을 그치게 할 수 있다면 길하지만, 그치게 할 수 없다면 끝내 깎임을 당하게 된다. 그런데 그치게 할 수 있는 능력이 있다는 측면에서는 비록 나와 대등한 소인은 내가 길러주는 신첩과 차이가 없지만, 그칠 수 있는 능력이 없다는 측면에서는 비록 내가 길러주는 신첩이라 하더라도 실제로는 나와 대등한 소인이 된다.

이병헌(李炳憲) 『역경금문고통론(易經今文考通論)』

王曰, 在內近二, 以陽附陰, 宜遯而繫, 故曰係遯.
왕필이 말하였다: 내괘에 있고 이효에 가까워서 양으로 음에 붙으니, 마땅히 도피해야 하지만 얽매이기 때문에 "매어 있으면서 도피해 있다"고 했다.

鄭曰, 憊, 困也.
정현이 말하였다: '비(憊)'자는 괴롭다는 뜻이다.

荀曰, 大事, 謂與五同任天下之政. 潛遯之世, 但可家居畜養臣妾.
순상이 말하였다: '대사(大事)'는 오효와 함께 천하의 정사에 임한다는 뜻이다. 숨고 도피해야 할 시기에는 단지 집에 머물며 신첩을 기를 수만 있다.

按, 九三上之隨三陽, 下可畜六二也.
내가 살펴보았다: 구삼은 위로 세 양을 따르며, 아래로 육이를 기를 수 있다.

象曰, 係遯之厲, 有疾, 憊也, 畜臣妾吉, 不可大事也.

「상전」에서 말하였다: "매어 있으면서 도피해 있어서 위태로움"은 병이 있어서 고달픈 것이고, "신첩을 길러서 길함"은 큰일을 할 수 없다는 것이다.

中國大全

傳

遯而有係累, 必以困憊致危, 其有疾, 乃憊也, 蓋力亦不足矣. 以此暱愛之心, 畜養臣妾則吉, 豈可以當大事乎.

도피하면서도 얽매임이 있으면 반드시 고달픔으로써 위태롭게 될 것이니, 그 병이 있음이 곧 고달픔으로 힘 또한 부족하다. 이러한 가까이 하고 사랑하는 마음으로 신첩을 기른다면 길하겠지만, 어찌 큰일을 감당할 수 있겠는가?

小註

厚齋馮氏曰, 憊, 困也, 解厲字.
후재풍씨가 말하였다: '비(憊)'는 고달픔이니, '려(厲)'자를 풀이하였다.

○ 中溪張氏曰, 二陰浸長於下, 以勢觀之, 九三不可以不遯, 當遯而係, 故有疾而厲, 至於憊乏也. 爲九三者, 唯當以剛自守, 止在下之二陰, 而畜之以臣妾之道, 然後獲吉, 又豈可當大事乎. 況遯爲二陰之卦, 浸長不已. 九三一變而爲六三, 則遯其否矣, 可不謹哉.
중계장씨가 말하였다: 두 음이 점점 아래에서 자라나니, 그 형세로써 살펴본다면 구삼은 도피하지 않을 수 없어서 마땅히 도피하여야 하는데도 얽매어 있기 때문에 병이 있어서 위태로우므로 피곤함에 이른다. 구삼은 오직 마땅히 굳센 양으로서 스스로를 지켜야 하는데도 아래에 있는 두 음에게서 멈추어 신첩의 도로써 그들을 기른 후에야 길함을 얻을 수 있으니, 또한 어찌 큰일을 감당할 수 있겠는가? 하물며 돈괘는 두 음의 괘가 되어 점점 자라 그치지

않는 데에 있어서랴! 구삼이 한 번 변하여 육삼이 되면 돈괘는 비괘(否卦)가 되니, 삼가지 않을 수 있겠는가?

韓國大全

유정원(柳正源) 『역해참고(易解參攷)』

有疾, 憊也.
병이 있어서 고달픈 것이다.

梁山來氏曰, 痩憊于利欲, 困而危矣.
양산래씨가 말하였다: 이로움을 좇는 욕심에 고달프게 되어, 곤궁하고 위태롭다.

김상악(金相岳) 『산천역설(山天易說)』

憊者, 見侵於陰柔之疾也. 不可大事, 與小過彖辭同, 皆在艮體.
'고달픔'은 부드러운 음의 질병에 침입을 당했기 때문이다. "큰일을 할 수 없다는 것이다"는 소과괘(小過卦䷽) 단사의 말과 같으니,[69] 모두 간괘의 몸체에 있기 때문이다.

김규오(金奎五) 「독역기의(讀易記疑)」

象, 憊也. 一心遯一心係, 兩用其力, 而俱不如意, 所以憊而有疾也.
「상전」에서 "고달프다"고 했는데, 한쪽 마음은 도피하고 다른 한쪽 마음은 얽매여 있어서, 양쪽으로 힘을 써서 모두 뜻대로 할 수 없으니, 고달프고 질병이 생긴다.

서유신(徐有臣) 『역의의언(易義擬言)』

憊, 不健也. 有疾而憊, 不能如乾體之健也. 其爲畜止臣妾則有餘, 而其爲進退賢邪之

69) 『周易 · 小過卦』: 小過, 亨, 利貞, 可小事, 不可大事, 飛鳥遺之音, 不宜上, 宜下, 大吉.

大事則不足也.
'고달픔'은 강건하지 못함이다. 질병이 있어서 고달프면 건괘의 몸체처럼 강건할 수 없다. 신첩을 그치게 하는 측면에서는 여유가 있지만, 현명한 자와 그렇지 못한 자를 나아가게 하거나 물러나게 하는 중대한 일의 경우에는 부족하다.

박문건(朴文健) 『주역연의(周易衍義)』

問, 有疾, 憊, 不可大事. 曰, 係陰, 故有疾而致疾憊, 養下, 故當大事爲不可也.
물었다: "병이 있어서 고달프고, 큰일을 할 수 없다"는 무슨 뜻입니까?
답하였다: 음에 얽매이기 때문에 질병이 있고, 질병으로 인해 고달프게 되는데, 아래를 기르기 때문에 큰일에 해당한다면 불가하다는 뜻입니다.

오치기(吳致箕) 「주역경전증해(周易經傳增解)」

係於私累, 則有疾而致憊, 危之道也. 畜止臣妾, 不使陵逼, 則雖得其吉, 而不可爲濟遯之大事也.
사적인 얽매임에 끌리게 되면 질병이 생기고 고달프게 되니, 위태로움을 일으키는 도이다. 신첩을 그치게 하여 핍박을 하지 못하도록 한다면 비록 길함을 얻더라도, 도피하는 큰 일을 이룰 수 없다.

박문호(朴文鎬) 『경설(經說)-주역(周易)』

有疾憊, 恐是一事, 而傳與諺解, 皆作二事, 於文勢不甚順便.
"병이 있어서 위태롭다"는 아마도 한 가지 사안인 것 같은데, 『정전』과 『언해』에서는 모두 두 가지 사안으로 여겼으니, 문맥에 있어서도 순탄하지 않다.

九四, 好遯, 君子, 吉, 小人, 否.

정전 구사는 좋아하면서도 도피하는 것이니, 군자는 길하고 소인은 비색하다.
본의 구사는 좋아하면서도 도피하는 것이니, 군자는 길하고 소인은 그렇지 못하다.

中國大全

傳

四與初, 爲正應, 是所好愛者也. 君子雖有所好愛, 義苟當遯則去而不疑, 所謂克己復禮, 以道制欲, 是以吉也. 小人則不能以義處, 暱於所好, 牽於所私, 至於陷辱其身而不能已, 故在小人則否也, 否, 不善也. 四乾體, 能剛斷者, 聖人以其處陰而有係, 故設小人之戒, 恐其失於正也.

사효는 초효와 정응이 되니, 이는 좋아하고 사랑하는 바이다. 군자는 비록 좋아하고 사랑하는 바를 가지고 있으나 의리상 진실로 떠나가야 한다면 떠나가 의심하지 않으니, 이른바 "자신을 이겨 예(禮)로 돌아가서"[70], "도로써 욕심을 제어한다"[71]는 것이므로 이 때문에 길하다. 소인은 의(義)로써 처신할 수가 없어서 좋아하는 바에 친하고 사사로운 바에 이끌려서 자신을 욕보이는 데에 이르러도 그만 둘 수가 없기 때문에 소인은 비색하니, 비색함이란 좋지 않다는 것이다. 사효는 건괘(乾卦)의 몸체로서 굳세게 결단할 수 있는 자이지만 성인이 음의 자리에 있고 얽매임이 있기 때문에 소인의 경계를 두었으니, 아마도 바름을 잃을까 두려워해서이다.

本義

下應初六而乾體剛健, 有所好而能絶之以遯之象也, 惟自克之君子, 能之, 而小

70) 『論語 · 顔淵』: 顔淵問仁, 子曰, 克己復禮爲仁, 一日克己復禮, 天下歸仁焉, 爲仁由己而由人乎哉.
71) 『禮記 · 樂記』: 故曰, 樂者, 樂也. 君子樂得其道, 小人樂得其欲, 以道制欲, 則樂而不亂, 以欲忘道, 則惑而不樂.

人, 不能, 故占者君子則吉而小人, 否也.

아래로 초육과 호응하지만 건괘(乾卦)의 몸체로 강건하여 좋아하는 바가 있어도 끊어내어 도피할 수 있는 상이니, 오직 스스로를 이기는 군자이어야지만 할 수가 있고 소인은 할 수가 없기 때문에 점을 치는 사람은 군자라면 길하고 소인이라면 그렇지 않다.

小註

厚齋馮氏曰, 有情好而遯, 以義制欲, 而必去之象.
후재풍씨가 말하였다: 친해져 정이 깊은 사이이면서도 도피하니, 의(義)로써 욕심을 제재하여 반드시 떠나가는 상이 있다.

○ 中溪張氏曰, 九四與初六爲正應, 是四與初有交好也, 故曰好遯. 君子雖其心有所好, 義之當遯, 則必剛絶其私愛, 勇退而不顧, 所以吉也. 小人溺於私好, 則不能遯, 故否也.
중계장씨가 말하였다: 구사는 초효와 정응이 되니, 사효와 초효는 좋은 사귐이 있기 때문에 "좋아하면서도 도피한다"고 하였다. 군자가 비록 그 마음에는 좋아하는 바가 있다고 할지라도 의리상 마땅히 도피해야 한다면, 반드시 그 사사로운 사랑을 굳세게 끊어내어 용감하게 물러나 돌아보지 않으니, 길한 까닭이다. 소인은 사사로운 좋아함에 빠지므로 도피할 수가 없기 때문에 그렇지 못하다.

○ 雲峯胡氏曰, 三比陰, 四應陰. 本義於三則曰, 遯而有所係, 於四曰, 有所好而絶之以遯, 何也. 皆因下文而言也. 係遯之下曰, 有疾厲, 爲其有所係, 故陽將爲陰所係而元氣危也. 好遯之下曰, 君子吉, 有所好而能絶之以遯, 惟剛健自克之, 君子能之, 小人不能也. 然九剛可爲君子, 四柔亦能爲小人, 在其所處何如耳. 故設小人之戒.
운봉호씨가 말하였다: 삼효는 음과 가깝고 사효는 음과 호응한다. 『본의』에서는 삼효에 대하여 "마땅히 도피해야 하는데도 얽매이는 바가 있다"고 하였고, 사효에 대하여 "좋아하는 바가 있어도 끊어내어 도피한다"고 하였으니, 어째서인가? 모두 아래 문장을 인하여 말한 것이다. "매어 있으면서 도피해 있다"고 한 다음에는 "병이 있어서 위태롭다"고 하였으니, 그 매어 있는 바가 되기 때문에 양이 장차 음에 의하여 얽매이게 되어 원기가 위태롭게 되기 때문이다. "좋아하면서도 도피한다"고 한 다음에는 "군자는 길하다"고 하였으니, 좋아하는 바가 있어도 끊어내어 도피할 수 있어야 하므로 오직 강건하여 스스로를 이겨내야 하니, 군자는 할 수 있고 소인은 할 수가 없다. 그러나 구(九)의 굳셈은 군자가 될 만하지만 사효는 음의 자리라서 또한 소인이 될 수 있으니, 그 거처한 장소가 어떠한가에 달려 있을 뿐이다. 그러므로 소인의 경계를 두었다.

韓國大全

송시열(宋時烈) 『역설(易說)』

虞氏翻云, 乾爲好, 君子則以遯爲吉, 小人則不然也. 否者, 不然之意, 好者, 惡之之反也. 言遇此占者, 有君子之德則好矣, 不然則不好矣, 戒之之辭.

우번이 말하였다: 건괘는 좋아함이 되니 군자의 경우라면 도피함을 길함으로 삼지만, 소인의 경우라면 그렇지 않다. '부(否)'자는 그렇지 않다는 뜻이며 '호(好)'자는 싫어함의 반대 뜻이 된다. 즉 이러한 점괘를 만난 자가 군자의 덕을 갖추고 있다면 좋지만 그렇지 않다면 좋지 않다는 뜻이니, 경계로 한 말이다.

이익(李瀷) 『역경질서(易經疾書)』

好遯, 隨其好而便行, 如所謂意行也. 君子處義故吉, 小人任情故不吉. 傳文不添一字, 其意若曰惟君子好遯而無不合理, 小人豈可使如此, 言必有害.

"좋아하면서도 도피한다"는 좋아함에 따라서 곧 시행한다는 뜻으로 마치 "뜻한대로 시행한다"는 말과 같다. 군자는 의로움에 처하기 때문에 길하지만 소인은 정에 내맡겨버리기 때문에 불길하다. 「상전」에서 하나의 글자도 첨가하지 않았으니, 그 뜻은 마치 오직 군자만이 좋아하면서도 도피하여 이치에 합당하지 않음이 없지만, 소인이 어떻게 이처럼 할 수 있겠느냐는 의미로, 반드시 해로움이 생긴다는 뜻이다.

유정원(柳正源) 『역해참고(易解參攷)』

王氏曰, 處於外而有應於內, 君子好遯, 故能舍之, 小人繫戀, 是以否也.

왕필이 말하였다: 밖에 있으면서도 안과 호응함이 있으니, 군자는 좋아하면서도 도피하기 때문에 버릴 수 있지만, 소인은 얽매이기 때문에 그렇지 않다.

○ 臨川王氏曰, 有應於內, 所謂好也. 有好而遯, 何也. 己在外而遠於初也.

임천왕씨가 말하였다: 안과 호응함이 있으니 이른바 좋아함에 해당한다. 좋아함이 있는데도 도피하는 것은 왜인가? 본인은 밖에 있어서 초효와 멀리 떨어져 있기 때문이다.

○ 白雲郭氏曰, 九四以上, 其遯皆美, 乾德剛健中正, 何適而非善乎.

백운곽씨가 말하였다: 구사로부터 그 이상의 효에 있어서는 도피함이 모두 아름다우니, 건괘의 덕이 강건하고 중정한데, 어디를 간들 선하지 않겠는가?

○ 案, 小人否者, 凡於六爻皆然, 而獨於九四言之, 蓋爻剛位柔, 可以爲君子, 可以爲小人, 故因以戒之.
내가 살펴보았다: '소인부(小人否)'라는 말은 여섯 효에 대해서 모두 그러한데도 유독 구사에서 언급한 이유는 효가 굳센 양이고 자리가 부드러운 음의 자리라서 군자도 될 수 있고 소인도 될 수 있기 때문에, 그에 따라 경계를 한 것이다.

傳.
『정전』에 대하여.
案, 傳末本有否俯九反四字, 大全作傳音鄙者誤.
내가 살펴보았다: 『정전』의 끝에는 본래 "부(否)자는 부(俯)자와 구(九)자의 반절이다[否俯九反]"는 네 글자가 있으니, 『대전』에서 『정전』을 기록하며 "'비(否)자의 음은 비(鄙)이다"고 한 말은 잘못되었다.

김상악(金相岳) 『산천역설(山天易說)』

九四, 居乾之下, 應初而不交, 有所好而能絶之以遯之象. 惟君子剛健自克, 故能之而吉, 小人則止知其好而不能也.
구사는 건괘의 아래에 있으며 초효와 호응하지만 사귀지 않으니, 좋아함이 있지만 끊어내어 도피할 수 있는 상이 된다. 오직 군자만이 강건함으로 스스로 극복하기 때문에 이처럼 할 수 있어서 길하고, 소인의 경우라면 단지 좋아함만 알고 시행할 수 없다.

○ 或曰, 否者卦名, 小人, 指下二陰也. 二陰進則爲否, 君子吉, 小人否, 與否六二曰, 小人吉大人否亨爲對. 蓋淑慝之辨, 陽爲君子, 陰爲小人, 而泰大壯遯否剝觀, 皆陰陽消長之卦, 故皆言君子小人, 而遯則君子在上, 故爲好遯之吉, 大壯則小人在上, 故有貞厲之戒. 蓋易以道陰陽, 故或於一爻以君子小人婦人夫子相對而言也.
어떤 이가 말하길 "비(否)자는 괘의 이름이며, 소인은 아래의 두 음을 가리킨다"고 했다. 두 음이 나아가면 비괘(否卦䷋)가 되어, 군자는 길하고 소인은 비색하니, 비괘 육이에서 "소인은 길하고 대인은 비색하니 형통하다"[72]고 한 말과 대비가 된다. 선악의 구별에 있어서 양은 군자가 되고 음은 소인이 되는데, 태괘(泰卦䷊)·대장괘(大壯卦䷡)·돈괘·비괘·박

72) 『周易·否卦』: 六二, 包承, 小人吉, 大人否, 亨.

괘(剝卦䷖)·관괘(觀卦䷓)는 모두 음과 양이 사라지거나 자라나는 괘이기 때문에 모두 군자와 소인을 언급했지만, 돈괘의 경우에는 군자가 위에 있기 때문에 좋아하여 도피함이 길하고, 대장괘는 소인이 위에 있기 때문에 "곧으면 위태롭다"[73]는 경계의 말이 있다. 『주역』에서는 음양을 언급하기 때문에 어떤 경우에는 한 효에 대해서 군자와 소인 및 부인과 남편을 상대적으로 언급했다.

서유신(徐有臣)『역의의언(易義擬言)』

乾體行健, 皆能遯者也. 見幾而作, 遯之好者也, 好善也. 九四, 不以初六係應之累, 而浩然善遯, 故吉矣. 當遯之時, 以遯爲吉也. 四旣遯去, 初六無所依庇, 故否矣. 否者, 不吉也. 小人之吉凶, 係於君子之去住也.

건괘의 몸체는 굳건함을 시행하니, 모든 효가 도피할 수 있는 자이다. 기미를 보고 일을 시행하는 자는 도피하기를 좋아하는 자이니, 선을 좋아한다는 뜻이다. 구사는 얽매여 호응하는 초육의 굴레에 매이지 않고 분명하게 잘 도피하기 때문에 길하다. 도피해야 할 때에는 도피함이 길함이 된다. 사효는 이미 도피해서 떠났으나, 초육은 의지하여 가릴 것이 없기 때문에 그렇지 않다. '부(否)'라는 말은 불길하다는 뜻이다. 소인의 길함과 흉함은 군자의 떠남과 머묾에 연계된다.

박문건(朴文健)『주역연의(周易衍義)』

志係正應, 故有好遯之象, 好遯, 好愛之遯也.

뜻이 정응에 얽매여 있기 때문에 좋아하면서도 도피하는 상이 있으니, 좋아하면서도 도피함은 좋아하고 아끼면서 도피함이다.

〈問, 好遯以下. 曰, 九四從初, 故有好遯之象. 君子之好也, 用敬, 小人之好也, 用狎, 故君子則吉, 而小人則不吉也.

물었다: "좋아하면서도 도피한다" 이하는 무슨 뜻입니까?

답하였다: 구사는 초효를 따르기 때문에 좋아하면서도 도피하는 상이 있습니다. 군자의 좋아함은 공경함을 사용하는 것이며, 소인의 좋아함은 지나친 친함을 사용하는 것이기 때문에, 군자의 경우에는 길하지만 소인의 경우에는 불길합니다.〉

---

73)『周易·大壯卦』: 九三, 小人用壯, 君子用罔, 貞厲, 羝羊觸藩, 羸其角.

이지연(李止淵) 『주역차의(周易箚疑)』

舍其所好而遯, 君子之自爲計則可, 其於蒼生何.
좋아하는 것을 버리고 도피를 하는 것은 군자가 스스로 계책으로 삼는다면 괜찮지만, 백성들에 대해서는 어떻게 하겠는가?

김기례(金箕澧) 『역요선의강목(易要選義綱目)』

易義隨時而變, 否六二曰小人吉大人否, 遯曰君子吉小人否, 其義但反而遠.
역의 뜻은 때에 따라 변하니, 비괘(否卦䷋) 육이에서 "소인은 길하고 대인은 비색하다"[74]고 말하고 돈괘에서 "군자는 길하고 소인은 비색하다"고 한 말은 그 의미가 반대가 되어 차이가 많이 난다.
○ 四應初陰, 有交好之意. 然體乾而處遯, 不顧好義而勇退者, 君子之吉也.
사효는 초효의 음과 호응하니 사귀고 좋아하는 뜻이 있다. 그러나 건괘의 덕을 체득하여 도피함에 처하여 좋아하는 뜻을 돌아보지 않고 과감히 물러나는 자는 군자의 길함이 된다.

○ 四柔位, 故言小人, 則至溺陰不遯.
사효는 부드러운 음의 자리이기 때문에 소인을 말했으니, 음에 빠져서 도피할 수 없다.

이항로(李恒老) 「주역전의동이석의(周易傳義同異釋義)」

傳, 否, 不善也.
『정전』에서 말하였다: '비(否)'자는 불선함을 뜻한다.

本義, 占者, 君子則吉, 而小人否.
『본의』에서 말하였다: 점을 치는 사람이 군자라면 길하고 소인이라면 그렇지 않다.

按, 君子吉小人否, 占也, 且以象傳推之, 則否是不然之辭, 非不善之謂也.
내가 살펴보았다: "군자는 길하고 소인은 그렇지 않다"는 말은 점사인데, 또한 「상전」의 말로 추론을 해보면, '부(否)'자는 그렇지 않다는 뜻의 말이지 불선함을 가리키는 말이 아니다.

---

74) 『周易·否卦』: 六二, 包承, 小人吉, 大人否, 亨.

박종영(朴宗永) 「경지몽해(經旨蒙解) · 주역(周易)」

傳曰, 君子雖有所愛好, 義苟當遯則去而不疑, 所謂克己復禮, 以道制欲, 是以吉也. 小人暱於所好, 牽於所私, 至於陷辱其身而不能已, 故在小人則否也.

『정전』에서 말하였다: 군자는 비록 좋아하고 사랑하는 바를 가지고 있으나 의리상 진실로 떠나가야 한다면 떠나가 의심하지 않으니, 이른바 "자신을 이겨 예(禮)로 돌아가서",[75] "도로써 욕심을 제어한다"[76]는 것이므로 이 때문에 길하다. 소인은 좋아하는 바에 친하고 사사로운 바에 이끌려서 자신을 욕보이는 데에 이르러도 그만 둘 수가 없기 때문에 소인에게 있어서는 비색하다.

심대윤(沈大允) 『주역상의점법(周易象義占法)』

遯之漸䷴, 漸進也. 九四以剛才居柔而有應, 從事於群小之間, 而得其悅好, 以其尙有所斂退, 而不盡爲, 故爲遯也. 兌巽爲好, 對臨全爲兌, 艮爲君子, 离坤爲小人, 君子則非苟同也, 小人則與之爲類矣.

돈괘가 점괘(漸卦䷴)로 바뀌었으니, 점진적으로 나아가는 것이다. 구사는 굳센 양의 재질로 부드러운 음의 자리에 있어서 호응함이 있고, 뭇 소인들 사이에서 일을 따라 시행하여 좋아함을 얻는데, 거둬서 물러남을 숭상하지만 모두 시행할 수 없기 때문에 도파함이 된다. 태괘와 손괘는 좋아함이 되는데, 음양이 바뀐 림괘(臨卦䷒)는 전체 괘로 태괘가 되고, 간괘는 군자가 되며 리괘와 곤괘는 소인이 되니, 군자의 경우에는 구차히 동일하게 하지 않고 소인은 그들과 부류를 이룬다.

오치기(吳致箕) 「주역경전증해(周易經傳增解)」

九四陽剛而應初六之陰, 當遯之時, 有愛戀私好之心. 然君子則以其剛健, 故能絶其所好, 避身而遯, 以道制欲, 是以吉也. 若小人則不能以義處之, 暱於所私, 牽於所好, 故言君子小人之辨, 以戒之也.

구사는 굳센 양이고 초육의 음과 호응하니, 도피해야 할 때에 연모하고 사적으로 좋아하는 마음이 있다. 그러나 군자의 경우에는 강건함을 사용하기 때문에 좋아함을 끊어내어 자신을 피신시켜 도피할 수 있어, 도로써 욕심을 제어하기 때문에 길하다.[77] 소인의 경우라면 의로

---

75) 『論語 · 顔淵』: 顔淵問仁, 子曰, 克己復禮爲仁, 一日克己復禮, 天下歸仁焉, 爲仁由己而由人乎哉.

76) 『禮記 · 樂記』: 故曰, 樂者, 樂也. 君子樂得其道, 小人樂得其欲, 以道制欲, 則樂而不亂, 以欲忘道, 則惑而不樂.

77) 『禮記 · 樂記』: 故曰, 樂者, 樂也. 君子樂得其道, 小人樂得其欲. 以道制欲, 則樂而不亂. 以欲忘道, 則惑而不樂.

써 대처하지 못하여, 사사롭게 여기는 것에 빠지고 좋아하는 것에 끌리기 때문에, 군자와 소인의 구별을 언급하여 경계를 했다.

○ 好者, 愛戀之謂也. 否者, 不然之謂也.
좋아함은 연모한다는 뜻이다. '부(否)'자는 그렇지 않다는 뜻이다.

이진상(李震相) 『역학관규(易學管窺)』

其德九則君子也, 其位四則疑於小人矣. 舍艮而入乾, 故有好遯之象.
그 덕은 구(九)이니 군자가 되고, 그 자리는 사효이니 소인으로 의심을 받는다. 간괘를 버리고 건괘로 들어갔기 때문에, 좋아하면서도 도피하는 상이 있다.

채종식(蔡鍾植) 『주역전의동귀해(周易傳義同歸解)』

九四小人否, 傳作不善, 本義作不吉. 蓋傳以義理言, 故謂君子以道制欲而吉, 小人不能以義處之而爲不善. 朱子以卜筮言, 故謂占者君子則吉, 而小人則不吉也. 然卜筮之道, 亦只是義理而已, 則惟其不善, 是以不吉.
구사의 '소인비(小人否)'를 『정전』에서는 비(否)로 읽어서 불선하다고 해석했고, 『본의』에서는 부(否)로 읽어서 불길하다고 해석했다. 『정전』은 의리를 기준으로 말했기 때문에, 군자는 도로써 욕심을 제어하여 길하고 소인은 의로써 대처할 수 없기 때문에 불선이 된다고 했다. 주자는 복서를 기준으로 말했기 때문에 점치는 자가 군자라면 길하고 소인이라면 불길하다고 했다. 그러나 복서의 도 또한 의리일 따름이니, 불선하기 때문에 불길하게 된다.

박문호(朴文鎬) 『경설(經說)-주역(周易)』

否字之音, 本義作方有反.
'부(否)'자의 음에 대해서 『본의』에서는 방(方)자와 유(有)자의 반절이라고 했다.

按, 本義未見有此意, 且作鄙音, 然後於上下韻爲叶. 雖作鄙音, 亦未必爲否塞之義也.
내가 살펴보았다: 『본의』에는 이러한 뜻이 나타나지 않고, 또 비(鄙)자의 음으로 읽은 뒤에야 앞뒤의 운과 맞아떨어진다. 비록 비(鄙)자의 음으로 읽는다고 해서 또한 반드시 비색하다는 뜻이 되는 것은 아니다.

이정규(李正奎) 「독역기(讀易記)」

九四好遯, 所好者, 正應之初六, 陽之說陰, 性也, 何以知不溺愛而能絶之遠遯乎. 蓋四已爲乾體, 則乾性剛健, 能斷故也. 故君子有陽剛之德, 能行乾道故吉, 小人柔不能斷故否. 然則君子不以克己復禮以道制欲爲大命脈乎.

구사는 좋아하면서도 도피하는데, 좋아하는 자는 정응인 초육이며, 양이 음을 좋아함은 본성인데도 어떻게 좋아하는데 빠지지 않고서 끊어내어 멀리 도피할 수 있음을 알 수 있는가? 사효는 이미 건괘의 몸체에 해당하니, 건괘의 성질은 강건하여 잘라낼 수 있기 때문이다. 그래서 군자는 양의 강건한 덕이 있어서 건괘의 도를 시행할 수 있기 때문에 길하고, 소인은 연약하여 잘라낼 수 없기 때문에 그렇지 않다. 그렇다면 군자는 자신을 이겨서 예로 돌아감[78]과 도로써 욕심을 제어하는 것[79]을 큰 명맥으로 삼지 않겠는가?

이병헌(李炳憲) 『역경금문고통론(易經今文考通論)』

程傳曰, 君子能遯, 而王曰, 小人係戀, 是以否也.

『정전』에서는 "군자는 도피할 수 있다"고 했고 왕필은 "소인은 얽매이기 때문에 그렇지 않다"고 했다.

78) 『論語 · 顔淵』: 顔淵問仁. 子曰, 克己復禮爲仁. 一日克己復禮, 天下歸仁焉. 爲仁由己, 而由人乎哉?

79) 『禮記 · 樂記』: 故曰, 樂者, 樂也. 君子樂得其道, 小人樂得其欲. 以道制欲, 則樂而不亂. 以欲忘道, 則惑而不樂.

象曰, 君子, 好遯, 小人, 否也.

정전 「상전」에서 말하였다: 군자는 좋아하면서도 도피하고 소인은 비색하다
본의 「상전」에서 말하였다: 군자는 좋아하면서도 도피하고 소인은 그렇지 않다.

中國大全

傳

君子, 雖有好而能遯, 不失於義, 小人則不能勝其私意而至於不善也.

군자는 비록 좋아함이 있어도 도피할 수 있어서 의(義)를 잃지 않고, 소인은 사사로운 뜻을 이길 수가 없어서 선하지 못한 데에 이른다.

小註

侯氏曰, 君子剛斷, 故能捨之, 小人係戀, 必不能也.
후씨가 말하였다: 군자는 굳세게 결단하기 때문에 버릴 수가 있고, 소인은 얽매어 사모하므로 반드시 할 수가 없다.

韓國大全

김상악(金相岳) 『산천역설(山天易說)』

好遯者, 九也, 不能者, 四也.
좋아하면서 도피하는 자는 구(九)이고, 하지 못하는 자는 사효이다.

서유신(徐有臣) 『역의의언(易義擬言)』

君子旣遯, 所不遯者, 小人也.
군자는 이미 도피를 했으니, 도피를 할 수 없는 자는 소인이다.

오치기(吳致箕) 「주역경전증해(周易經傳增解)」

君子雖有好, 而能遯, 不失於義, 小人則係於私愛, 而不能也.
군자는 비록 좋아함이 있더라도 피신할 수 있어 의를 잃지 않고, 소인의 경우라면 사사로운 애정에 얽매여서 그렇게 할 수 없다.

九五, 嘉遯, 貞, 吉.

정전 구오는 아름다운 도피이니, 곧아서 길하다.
본의 구오는 아름다운 도피이니, 곧게 하면 길하다.

中國大全

傳

九五, 中正, 遯之嘉美者也. 處得中正之道, 時止時行, 乃所謂嘉美也. 故爲貞正而吉. 九五非无係應, 然與二皆以中正自處, 是其心志, 及乎動止, 莫非中正而无私係之失, 所以爲嘉也. 在彖則槪言遯時, 故云與時行小利貞, 尙有濟遯之意, 於爻, 至五, 遯將極矣. 故唯以中正處遯, 言之. 遯非人君之事, 故不主君位言, 然人君之所避遠, 乃遯也, 亦在中正而已.

구오는 중정하니 도피하기를 아름답게 한 자이다. 처함에 중정의 도를 얻어 때에 따라 그치고 행함을 아름답다고 한다. 그러므로 곧고 바르게 하여 길함이 된다. 구오는 매이고 호응함이 없는 것은 아니지만 이효와 함께 모두 중정함으로써 스스로 처신하니, 이는 그 마음과 뜻으로 움직이고 멈추는 데에 이름에 중정하지 않음이 없고 사사롭게 얽매이는 잘못이 없으니, 아름답게 되는 까닭이다. 「단전」에서는 돈(遯)의 시기를 개략적으로 말하였기 때문에 "때에 따라 행하고, 작아서 바르게 함이 이롭다"고 하였으니 오히려 도피함을 구제할 뜻이 있고, 효에서는 오효에 이르면 도피함이 장차 지극해지기 때문에 오직 중정하여 도피해 있음으로써 말하였다. 돈(遯)은 임금의 일이 아니기 때문에 임금의 자리를 위주로 하여 말하지 않았지만, 임금이 도피하여 멀리하는 바는 돈(遯)이니, 또한 중정한 데에 있을 뿐이다.

本義

剛陽中正, 下應六二, 亦柔順而中正, 遯之嘉美者也. 占者如是而正則吉矣.

굳센 양의 중정으로 아래로 육이와 호응하여 또한 유순하면서도 중정하니, 도피하기를 아름답게 하는 자이다. 점을 치는 사람이 이와 같이 하여 바르면 길하게 된다.

小註

或問, 九五嘉遯, 以陽剛中正, 漸向遯極, 故爲嘉美. 未是極處, 故戒以貞正則吉. 朱子曰, 是如此. 便是剛當位而應處, 是去得恰好時節, 小人亦未嫌自家, 只是自家合去, 莫見小人不嫌, 卻與相接而不去, 便是不好, 所以戒約他貞正, 始得.
어떤 이가 물었다: 구오에서 "아름다운 도피이다"라고 하였으니, 굳센 양으로서 중정하여 점차 돈의 끝으로 향하기 때문에 아름답게 됩니다. 그러나 아직은 끝은 아니기 때문에 곧고 바르게 한다면 길하다고 경계하였습니까?
주자가 답하였다: 그렇습니다. 곧 '굳센 양이 제자리를 얻어 호응하는' 곳이므로 마침 좋은 시절이라서, 소인 또한 구오 자신이 떠나갈 것을 의심하지 않는다면 단지 스스로 마땅히 떠나가면 되지만, 소인이 의심하지 않음을 볼 수가 없어 도리어 서로 교제하여 떠나지 않아 좋지 않게 되니, 그들을 곧고 바르게 하도록 경계하고 단속하는 까닭임을 비로소 알 수 있습니다.

○ 漢上朱氏曰, 剛中處外, 可行則行, 不復而往, 不柔而應, 不安於疾憊, 不係於情好, 遯之至美也.
한상주씨가 말하였다: 굳센 양이 알맞으면서 외괘에 있어서 갈만하면 가므로, 돌아서 가지도 않고 부드럽게 호응하지도 않으며 질병의 고달픔에 불안해하며 친해져 정이 깊은 사이에 얽매이지 않으니 돈(遯)의 지극히 아름다운 것이다.

○ 趙氏善譽曰, 九五當位, 雖與二應而與時偕行, 當遯則遯, 不必專於應也. 豈非遯之嘉美者與.
조선예가 말하였다: 구오는 제자리에 있어서 비록 이효와 호응하며 때에 따라 함께 행하지만, 마땅히 도피해야 할 때면 도피하여 반드시 오로지 호응만 하는 것은 아니다. 어찌 돈(遯)의 아름다운 것이 아니겠는가?

○ 雲峯胡氏曰, 非正應而相昵曰係, 以中正而相應曰嘉. 隨九五孚于嘉, 蓋因六三之係而見也. 然則此之嘉遯, 亦因三之係而見歟.
운봉호씨가 말하였다: 정응은 아니지만 서로 친한 것을 '얽매임[係]'이라고 하고, 중정으로써 서로 호응하는 것을 '아름다움[嘉]'이라고 한다. 수괘(隨卦䷐) 구오에서 "선(善)에 정성스럽다"[80]고 한 것은 육삼의 얽매임[81]에 인하여 보인다. 그렇다면 여기서의 '아름다운 도피'도 또한 삼효의 얽매임에 인하여 보이겠구나!

韓國大全

송시열(宋時烈) 『역설(易說)』

虞云, 乾爲嘉, 蓋好與嘉, 皆乾陽之美善故也. 二之志, 固結于五, 而五之志亦正, 言嘉則比於好爲優矣, 言貞正而固守其志則吉也, 占亦如之.
우번이 말하였다: 건괘는 아름다움이 되니, 좋아함과 아름다움은 모두 건괘인 양이 아름답고 선하기 때문이다. 이효의 뜻은 오효에 단단히 결속되어 있고 오효의 뜻 또한 바르니, 아름답다고 했다면 좋아함에 비해서 더 나으니, 올바르고 그 뜻을 단단히 지킨다면 길하다는 뜻으로 점 또한 이와 같다.

석지형(石之珩) 『오위귀감(五位龜鑑)』

臣謹按, 遯之九五, 程傳謂遯非人君之事, 不主君位言, 然人君之所遠避, 乃遯也. 由此論之, 如大王之去邠, 宋朝之南遷, 无非遯也. 或得其嘉美, 或失其貞正, 吉凶, 於是乎分矣. 且夫遯非特身遯之謂也, 心亦有之, 小人之入腹者, 人君當以心避之, 女戎之禍邦者, 人君當以心遠之, 珍寶玩好之足以喪志者, 人君當以心去之, 若是者, 皆人君之嘉遯也. 雖然, 不中不正, 无以辨此, 故小象曰, 以正志也. 我國之遇遯久矣, 旣失貞吉于前, 宜思嘉美於後, 而身遯之嘉, 未若心遯之美, 伏願殿下, 處厥中以正心焉.
신이 삼가 살펴보았습니다: 돈괘의 구오에 대해서 『정전』에서는 "돈(遯)은 임금의 일이 아니기 때문에 임금의 자리를 위주로 하여 말하지 않았지만 임금이 도피하여 멀리하는 바는 돈(遯)이다"라고 했습니다. 이를 통해 논의해보면 예를 들어 태왕이 빈(邠) 땅을 떠나고 송나라가 남쪽으로 천도한 일은 도피함이 아닌 경우가 없습니다. 그러나 어떤 경우에는 아름다움을 얻고 또 어떤 경우에는 바름을 잃으니, 길함과 흉함은 여기에서 구별됩니다. 또 도피함은 단지 몸만 도피한다는 뜻이 아니니, 마음 또한 그것을 가지고 있고, 소인이 안으로 들어오는 경우에 임금은 마땅히 마음으로 도피해야 하며, 여융이 나라에 재앙을 끼친 경우에 임금은 마땅히 마음으로 멀리해야 하며, 값진 보물과 좋은 것이 뜻을 잃게 하기에 충분한 경우에 임금은 마땅히 마음으로 피해야 하니, 이처럼 하는 경우는 모두 임금의 아름다운 도피가 됩니다. 그러나 알맞지 않고 바르지 않아서 이러한 도리에 대해서 분별하지 않기 때문에, 「소상전」에서는 "뜻을 바르게 하기 때문이다"라고 했습니다. 우리나라가 도피하는 지경에 처한

---

80) 『周易·隨卦』: 九五, 孚于嘉, 吉.
81) 『周易·隨卦』: 六三, 係丈夫, 失小子, 隨, 有求, 得, 利居貞.

것은 오래된 일이며, 이미 그 이전에 곧아서 길함을 잃었으니, 마땅히 그 이후에 대해서는 아름답게 됨을 생각해야 하지만, 몸이 도피하는 아름다움은 마음이 도피하는 아름다움만 못하므로, 엎드려 바라건대, 전하께서는 그 가운데 처하여 마음을 바르게 하시기 바랍니다.

이현석(李玄錫) 「역의규반(易義窺斑)」

程傳曰, 遯非人君之事, 故不主君位言, 然人君之所避遠, 乃遯也. 據此說, 則如放鄭聲遠佞人, 亦可謂人君之遯也. 竊嘗妄謂, 遯者, 非必逃身遁跡之謂也, 卽避遠之謂. 故象曰, 遠小人, 不惡而嚴, 斯可見其爲避遠之義, 而彖亦曰, 遯亨者, 遯而亨也, 其曰遯而亨者, 謂避遠小人而君子之道亨也. 其曰小利貞者, 本義謂, 小人利於守貞, 不可以浸長之故而遂侵迫於陽也. 蓋遯雖陰長之時, 二陰在下而尙微, 四陽居上而得位, 何遽至於靡然退藏, 以避未壯之微陰哉.

『정전』에서는 "돈(遯)은 임금의 일이 아니기 때문에 임금의 자리를 위주로 하여 말하지 않았지만 임금이 도피하여 멀리하는 바는 돈(遯)이다"고 했다. 이러한 주장에 근거한다면 정나라 소리를 내치고 아첨하는 사람을 멀리 대하는 경우 또한 임금의 도피에 해당한다고 말할 수 있다. 내가 생각하기에, 도피함은 반드시 자신을 피신시켜 자취를 감춘다는 뜻이 아니니, 피해서 멀리 대한다는 의미이다. 그렇기 때문에 「상전」에서는 "소인을 멀리하되 나쁜 소리로 하지 않고 위엄 있게 한다"[82]고 했으니, 여기에서 피해서 멀리 대한다는 뜻임을 확인할 수 있고, 「단전」에서는 또한 "돈(遯)은 형통함이란 도피하여 형통한 것이다"[83]고 했으니, "도피하여 형통한 것이다"는 말은 소인을 피하여 멀리 대해서 군자의 도가 형통하다는 뜻이다. 그리고 "소인은 바르게 함이 이롭다"는 말에 대해 『본의』에서는 "소인은 바름을 지키는 데에서 이로우니, 점점 자란다는 이유로 마침내 양에 대하여 침해하고 핍박해서는 안 된다"고 했다. 돈괘가 비록 음이 자라나는 때에 해당하더라도 두 음은 아래에 있으며 여전히 미약하고, 네 양은 위에 있고 제자리를 얻었으니, 어찌 갑자기 휩쓸리듯 물러나 숨는데 이르러 아직 건장하지 않은 미약한 음을 피하겠는가?

易爲君子謀, 不爲小人謀, 若見小人之乍進而急令君子退藏, 則豈扶陽抑陰之意哉. 故曰遯卦之義, 專在於避遠小人, 而非君子身退之謂也. 小人在上而熾, 君子力不可制, 則奉身而退以避小人者, 固君子之遯也, 而此則不然. 小人只有方長之形, 猶未能握柄而擅權也. 君子則九三以上, 莫非履盛位而制一時者, 操縱與奪之權, 尙在君子之手, 退而遠之, 不令犯我, 斯可矣, 曷爲乎徑先走避倒授人以太阿哉.

---

82) 『周易·遯卦』: 象曰, 天下有山, 遯, 君子以遠小人, 不惡而嚴.

83) 『周易·遯卦』: 彖曰, 遯, 亨, 遯而亨也, 剛當位而應, 與時行也. 小利貞, 浸而長也. 遯之時義大矣哉!

『주역』은 군자를 위해 도모한 글이지 소인을 위해 도모한 글이 아니니, 만약 소인이 일어나 나아감을 보고 급작스럽게 군자로 하여금 물러나 숨도록 한다면, 어찌 양을 돕고 음을 억누르는 뜻이 되겠는가? 그렇기 때문에 돈괘의 뜻은 오로지 소인을 피하고 멀리 대하는데 있지, 군자 본인이 물러남을 뜻하는 것이 아니라고 했다. 소인이 위에 있어 왕성해져서 군자의 힘으로 제어할 수 없다면, 자신을 도피시켜서 소인을 피하는 경우 진실로 군자의 도피함이 되지만 이러한 경우에는 그렇지 않다. 소인은 단지 이제 막 자라나려는 형체를 가지고 있으며 아직은 권력을 쥐어 제멋대로 휘두를 수 없다. 군자는 구삼 이상의 경우 융성한 자리를 밟고 한 시기를 제어하지 못하는 자가 없으니, 조종하고 빼앗는 권력이 여전히 군자의 수중에 있는데, 물러나 멀리 대하여 나를 범하지 못하도록 하면 이것은 괜찮지만, 무엇 때문에 먼저 도피하여 반대로 남에게 권력을 줄 수 있겠는가?

以此而觀乎六爻, 則意象所取俱極分明, 如初之勿用攸往, 戒小人之進也. 六二之執用牛革, 勉之以中順自守也, 卽所謂小利貞也. 至於九三, 則上與諸陽同德, 而下乃昵比二陰, 故戒之以係遯, 而敎之以畜臣妾焉. 初二兩陰, 乃九三之所當退而遠之者, 若以昵近之, 故反有係着之心, 則必至乎疾而厲也. 故爲係遯, 此只宜畜之以臣妾之道耳. 象所謂剛當位而應, 與時行也者, 似亦指九三而言. 蓋九三居陰陽之界限, 所關甚重, 以陽居三[84]剛當位也. 又與上九爲應, 故可以時行. 四爻五爻, 雖亦陽剛, 而第與陰爻爲應, 獨九三以陽應陽, 志同道合, 故能不係於昵近之二陰, 而助成上九肥遯之功, 所以吉也. 若夫九四之好遯, 以能絶初六也. 九五之嘉遯, 亦以能絶六二也.
이를 통해 여섯 효를 살펴보면, 뜻과 상을 취한 것이 모두 분명해지니, 예를 들어 초효에서 "가는 바를 두지 말아야 한다"[85]는 말은 소인의 나아감을 경계한 말이다. 육이의 "황소의 가죽으로써 잡는다"[86]는 알맞고 순종함으로써 스스로 지키도록 권면한 말이니 "소인은 바르게 함이 이롭다"는 뜻이다. 구삼의 경우에는 위로 여러 양들과 덕을 함께 하지만 아래로 두 음과 친하고 가깝기 때문에 "매어 있으면서 도피해 있다"[87]고 경계를 하고, 신첩을 기르도록 가르쳤다. 초효와 이효의 두 음은 곧 구삼이 마땅히 물러나 멀리 대해야 하는 대상인데, 만약 친하고 가깝게 지내기 때문에 반대로 얽매이는 마음이 있다면, 반드시 질병이 생겨 위태롭게 되는 지경에 이른다. 그러므로 "매어 있으면서 도피해 있다"가 되니, 이러한 경우에는 마땅히 신첩의 도로써 길러야 할 따름이다. 「단전」에서 "굳센 양이 제자리를 당하여

84) 三: 경학자료집성DB에는 '王'으로 되어 있으나, 영인본에 따라 '三'으로 바로잡았다.
85) 『周易·遯卦』: 初六, 遯尾, 厲, 勿用有攸往.
86) 『周易·遯卦』: 六二, 執之用黃牛之革, 莫之勝說.
87) 『周易·遯卦』: 九三, 係遯, 有疾厲, 畜臣妾, 吉.

호응하니, 때에 따라 행한다"[88]고 한 말은 아마도 구삼을 가리켜서 한 말 같다. 구삼은 음과 양의 경계점이 있고 관련된 점이 매우 깊으니, 양으로 삼효의 자리에 있고 굳센 양이 자리에 마땅하기 때문이다. 또 상구와 호응을 하기 때문에 때에 따라 행할 수 있다. 사효와 오효는 비록 또한 굳센 양이지만, 그 차례는 음효와 호응이 되고 유독 구삼만이 양으로 양에 호응하며 뜻이 같고 도가 합치되기 때문에, 두 음을 친근하게 대하는 일에 얽매이지 않아서, 상구가 여유 있게 도피하는 공을 도와 이룰 수 있으니, 길함이 되는 이유이다. 만약 구사의 좋아하면서도 도피함과 같은 경우라면[89] 초육을 끊어낼 수 있다. 구오의 아름다운 도피 또한 육이를 끊어낼 수 있다.

朱子釋好遯曰, 下應初六而乾體剛健, 有所好而能絶之之象也. 然則其於釋嘉遯也, 獨不可曰有所嘉而能絶之乎, 嘉者, 六二柔順而中, 在所宜嘉, 與隨五之孚于嘉, 其義一也. 可嘉而猶絶之, 其爲陰盛之慮也至矣. 居人君之位, 而絶在下之陰, 程子所云, 人君之所避遠者, 固眞是也, 而遯之時義, 亦在此矣, 何必但指自家退匿, 而方可謂好遯與嘉遯也. 上九, 旣不與陰爻爲應, 又不與二陰相近, 所應者, 九三之剛陽, 所隣者, 衆陽之同德, 故其於遯退小人也, 尤能寬大充裕, 而無不利矣.
주자는 '좋아하면서도 도피함'을 풀이하여, "아래로 초육과 호응하지만 건괘(乾卦)의 몸체로 강건하여 좋아하는 바가 있어도 끊어내어 도피할 수 있는 상이다"고 했다. 그런데 '아름다운 도피'의 풀이에 있어서는 유독 아름답게 여기는 것이 있지만 끊어낼 수 있다고 말할 수 없으니, 아름다움은 육이가 유순하고 알맞아서 마땅히 아름답게 여겨야 할 대상으로, 수괘(隨卦䷐) 오효에서 "아름다움에 대해 믿는다"[90]고 한 말과 같은 뜻이다. 아름답게 여기지만 오히려 끊어낼 수 있음은 음이 왕성해지는 것에 대한 염려가 지극하기 때문이다. 임금의 자리에 있으면서 아래의 음에 대해서 끊어내는 일은 정자가 "임금이 도피하여 멀리한다"고 한 말이 바로 이러한 뜻에 해당하고, 돈괘의 때와 뜻 또한 여기에 달려 있는데, 하필이면 스스로 물러나 숨는 것을 가리켜서 '좋아하면서도 도피함'이라고 말하고 '아름다운 도피'라고 말할 수 있겠는가? 상구는 이미 음효와 호응하지 않고 또 두 음과도 서로 가깝지 않으며, 호응하는 것은 구삼의 굳센 양이며, 이웃하는 것은 덕을 함께 하는 여러 양들이기 때문에, 소인을 피해 물러남에 있어서도 더욱 관대하고 포용하여 이롭지 않음이 없을 수 있다.

或曰, 以序卦觀之, 遯之爲卦, 明是陽遯之義, 今子以退遠小人爲說, 此果作易之旨乎. 曰, 序卦則言其消長之理, 卦爻之辭則敎以隨時處變之道, 序卦乃天道也, 否之序卦曰,

88) 『周易 · 遯卦』: 彖曰, 遯, 亨, 遯而亨也, 剛當位而應, 與時行也. 小利貞, 浸而長也. 遯之時義大矣哉!
89) 『周易 · 遯卦』: 九四, 好遯, 君子吉, 小人否.
90) 『周易 · 隨卦』: 九五, 孚于嘉, 吉.

泰者通也, 物不可以終通, 故受之以否. 聖人之心, 豈不欲常泰而無否哉. 良以天運之消息, 自然如此故也. 然而聖人未嘗諉之於天運, 其亡其亡, 係于苞桑, 以脩休否之道, 此卽遯卦意也. 陰長則陽必遯者, 天運之行也, 而陰未及壯, 陽尙得位, 則可以退而抑之, 此裁成輔相之道也. 程傳亦曰, 雖陰長之時, 如卦之才, 尙當隨時, 致力以扶持其道, 未必於遯藏而不爲, 故曰與時行也.
어떤 이가 물었다: 「서괘전」을 살펴보면, 돈괘는 바로 양이 물러나는 뜻인데[91] 현재 그대가 물러나 소인을 멀리 대한다는 뜻으로 풀이를 하고 있으니, 이 말이 과연 『주역』을 지은 뜻이겠습니까?
답하였다: 「서괘전」은 사라지고 장성하는 이치를 언급했고, 괘사와 효사는 때에 따르고 변화에 대처하는 도를 가르치고 있으니, 「서괘전」은 천도를 언급한 것으로, 비괘(否卦☷☰)에 대해 「서괘전」에서는 "태(泰)는 통함이니, 물건은 끝내 통할 수 없기 때문에 비괘로써 받았다"[92]고 했습니다. 성인의 마음에 어찌 항상 태평해서 비색함이 없는 것을 바라지 않겠습니까? 하늘의 운행에 나타나는 사라지고 자라남이 자연히 이와 같기 때문입니다. 그렇다면 성인은 일찍이 하늘의 운행에 대해서 내맡긴 적이 없으니, "망하게 되지나 않을까 망하게 되지나 않을까 해야 무더기로 난 뽕나무 뿌리에 맬 수 있다"[93]고 하여 비괘의 도를 다듬고 아름답게 하니 이는 돈괘의 뜻이 됩니다. 음이 자라나서 양이 반드시 도피함은 하늘의 운행에 따른 일이지만, 음이 아직 장성하지 않고 양이 여전히 제자리를 얻었다면 물러나서 억누를 수 있으니, 이것은 제재하여 완성하고 보필하여 돕는 도입니다. 『정전』에서도 또한 "비록 음이 자라나는 때일지라도 괘의 재질대로라면 오히려 때에 따라야 하므로, 힘을 다해 그 도를 붙들어 잡는다면 반드시 도피하여 숨어서 하지 않는 것은 아니기 때문에 '때에 따라 행한다'고 했다"고 했습니다.

蓋易以人事參天道者也. 先儒有言曰, 不能自强則聽天所命, 修德行仁, 則天命在我. 彼相幾明哲之士, 灼見天道, 知世必乱, 而自度己之才德, 有不足以裁成輔相, 則便潔身長往, 遯而猶亨, 此卽聽天所命之類也. 能識天運之向否, 而思患豫防, 消難於未萌, 乘機轉時, 斡旋於將亂, 以人事而濟天道, 此卽天命在我之類也. 聖人視天下, 無不可爲之時, 雖春秋戰國極乱之世, 猶且汲汲於行道, 而荷簣耦耕之徒, 逍遙物外, 邈然棄世, 知其不可而不爲, 自以爲高, 豈足以知聖人哉. 以此而觀于遯卦, 則微意見矣.
역은 사람에 대한 일로 하늘의 도에 참여하는 것이다. 선대 학자들은 "스스로 강성하게 할

91) 『周易·序卦傳』: 夫婦之道, 不可以不久也. 故受之以恒, 恒者, 久也, 物不可以久居其所. 故受之以遯, 遯者, 退也, 物不可以終遯.
92) 『周易·序卦傳』: 泰者, 通也, 物不可以終通. 故受之以否, 物不可以終否.
93) 『周易·否卦』: 九五, 休否, 大人吉, 其亡其亡, 繫于苞桑.

수 없으면 하늘이 명한 것에 따르고 덕을 닦고 인을 행하니, 천명이 나에게 있다"고 했다. 기미를 알고 명철한 선비는 천도를 명확하게 보고 세상이 반드시 혼란스럽게 될 것임을 알아서 스스로 자신의 재량과 덕을 헤아려, 제재하여 완성하고 보필하기에 부족하다면, 자신을 청결하게 하고 멀리 떠나는 것이 도피하더라도 여전히 영통한 일이니, 이것은 곧 하늘이 명한 것에 따르는 일들이다. 하늘의 운행이 향하는 것과 그렇지 않음을 알 수 있고, 우환을 생각하여 예방하고 아직 발아하기 이전에 어려움을 사라지게 하며 기회를 이용하고 때를 알며, 장차 어지럽게 되려는 때에 주관하여, 사람의 일로써 천도를 구제하니, 이것은 천명이 나에게 있는 일들이다. 성인이 천하를 봄에 어떻게 해볼 수 없는 때가 없으니, 비록 춘추시대나 전국시대처럼 지극히 혼란한 때라도 여전히 도를 시행하는 일에 급급하지만, 삼태기를 메거나 나란히 밭을 갈던 무리들처럼 속세를 떠나 유유자적하고 초연하게 세상을 버리며 할 수 없음을 알아서 하지 않고, 스스로 고상하다고 여기는 자들이 어떻게 성인을 알아볼 수 있겠는가? 이를 통해 돈괘를 살펴본다면, 은미한 뜻을 확인할 수 있다.

이익(李瀷) 『역경질서(易經疾書)』

嘉遯者, 彖所謂遯亨, 正指此也. 文言云, 亨者, 嘉之會也, 嘉會足以合禮者, 以禮退遜也. 吳晦叔云, 五不爲君位者, 四坤對乾, 以明君臣之分也. 明夷, 亡國紂也. 旅, 失國. 春秋書公遜天王出遊是也. 遯去而不居, 太伯伯夷之事也. 愚按, 此說似矣, 而亦有未然. 坤有后妃之象, 亡國出遊, 不離君象. 伯夷太伯, 亦宜有國, 而自遯者也. 又明夷之五, 旣以箕子爲言, 則不必獨以紂當之. 箕子亦受封明敎者也. 又若太王避狄居岐, 亦叶嘉遯之義耳.

'아름다운 도피'는 「단전」에서 말한 "돈(遯)은 형통함이다"는 뜻에 해당한다. 「문언전」에서 "형(亨)은 아름다움의 모임이다. 모임을 아름답게 함이 예에 합하기에 충분하다"라고 한 말은 예로써 물러나 피했기 때문이다. 오회숙은 "오효가 임금의 자리가 되지 않은 것이 곤괘·돈괘·명이괘·려괘이니, 곤괘가 음양이 바뀐 건괘가 되어, 이를 통해 임금과 신하의 구분을 밝혔다. 명이괘(明夷卦䷣)는 나라를 패망시킨 주임금에 해당한다. 려괘(旅卦䷷)는 나라를 잃는 뜻에 해당한다. 『춘추』에서 제후가 달아났다고 기록하고, 천왕이 밖으로 나갔다고 기록한 것이 이러한 경우에 해당한다. 도피하여 머물지 않음은 태백이나 백이의 일에 해당한다"고 했다. 내가 생각하기에, 이 주장은 맞는 것 같지만 또한 꼭 그렇지는 않다. 곤괘에는 후비의 상이 있고, 나라를 잃고 밖으로 나가도 임금의 상에서 벗어나지 않는다. 백이와 태백 또한 마땅히 나라를 가져야 하지만 스스로 물러난 자들이다. 또 명이괘의 오효에서는 이미 기자를 통해 말을 했으니,[94] 반드시 주임금에게만 해당하지는 않는다. 기자 또한 분봉을 받아 교화를 밝혔던 자이다. 또 태왕이 오랑캐를 피해 기(岐)에 머물렀던 일 또한 아름다운 도피의 뜻에 맞을 따름이다.

유정원(柳正源) 『역해참고(易解參攷)』

厚齋馮氏曰, 易中言嘉喜慶, 皆以君臣陰陽之情好爲義. 喜者, 初相得之辭也. 慶者, 交相得之辭也. 嘉者, 君嘉臣之辭也.
후재풍씨가 말하였다: 『주역』에서 아름다움[嘉] · 기쁨[喜] · 경사[慶]라고 한 말은 모두 임금과 신하 및 음양의 정감이 두터운 것을 뜻으로 삼는다. 기쁨은 최초 서로를 얻었다는 뜻이다. 경사는 사귀어 서로 얻었다는 뜻이다. 아름다움은 임금이 신하를 아름답게 여긴다는 뜻이다.

傳, 人君避遠.
『정전』에서 말하였다: 임금이 도피하여 멀리 한다.
案, 如伯夷泰伯之逃是也.
내가 살펴보았다: 백이와 태백의 도피가 이러한 경우에 해당한다.

小註, 漢上說, 不復 [至] 情好.
소주에서 한상주씨가 말하였다: 돌아오지 않으면서 … 정이 깊다.
案, 復而往, 初也. 柔而應, 二也. 安於憊疾, 三也. 繫於情好, 四也. 言五皆无此, 爲遯之嘉美也.
내가 살펴보았다: 돌아오고 감은 초효에 해당한다. 부드러운 음이고 호응함은 이효에 해당한다. 질병의 고달픔에 편안해함은 삼효에 해당한다. 정이 깊은 사이에 얽매이는 자는 사효에 해당한다. 즉 오효에는 이러한 일들이 모두 없으니, 도피함 중에서도 아름다움이 된다는 뜻이다.

김상악(金相岳) 『산천역설(山天易說)』

九五, 居乾中正, 剛當位而應, 與時行, 故有嘉遯之象, 得貞而吉也.
구오는 건괘의 중정한 자리에 있고 굳센 양이 자리에 마땅하여 호응하고 때와 함께 시행하기 때문에, 아름다운 도피의 상이 있으니, 곧음을 얻어서 길하다.

○ 嘉者, 美也. 三五皆與二爲比爲應, 而三曰係遯, 五曰嘉遯, 嘉係二字, 與隨三五相

---

94) 『周易 · 明夷卦』: 六五, 箕子之明夷, 利貞.

似. 五之嘉, 陽剛中正, 故皆吉, 三則陽之係陰者, 有疾而厲, 陰之係陽者, 有求得而利居貞. 或曰, 遯非人君之事, 故不主君位而言. 然彖言亨, 爻言嘉, 亨嘉之合, 君道成矣, 故隨之五曰孚于嘉, 上言王之用亨. 又旅遯同義, 五變則爲旅, 而皆互鼎體, 鼎之所在, 王亦在焉, 故鼎之大象曰, 正位凝命. 又卦雖名遯, 人君豈可逃避. 故雖當坎難之世, 而王公設險以守國, 渙離之時, 而渙王居, 其義可見.

'가(嘉)'자는 아름답다는 뜻이다. 삼효와 오효는 모두 이효와 비(比)의 관계가 되고 호응하는데, 삼효에서는 "매어 있으면서 도피해 있다"[95]라고 했고, 오효에서는 '아름다운 도피'라고 했으니, "아름답다[嘉]"와 "매어 있다[係]"는 두 글자는 수괘(隨卦䷐)의 삼효[96] 및 오효[97]와 서로 유사하다. 오효의 아름다움은 굳센 양이 중정하기 때문에 모두 길한데, 삼효의 경우에는 양이 음에 얽매이는 경우 질병이 있어서 위태롭고, 음이 양에 얽매이는 경우 구하여 얻어서 곧음에 머무는 것이 이롭다. 어떤 이는 "도피함은 임금의 일이 아니기 때문에 임금의 자리를 위주로 말하지 않았다"고 했다. 그러나 「단전」에서는 형통함[亨]을 말했고[98] 효사에서는 아름다움[嘉]을 말했으니, 형통함과 아름다움이 합하면 임금의 도가 완성되기 때문에, 수괘의 오효에서는 "아름다움에 대해서 믿는다"고 했고, 상효에서는 왕이 형통함을 사용한다고 했다.[99] 또한 려괘(旅卦䷷)와 돈괘는 뜻이 같은데, 오효가 변하면 려괘가 되고 둘 모두 호괘가 정괘(鼎卦䷱)의 몸체가 되고, 솥이 있는 곳에는 왕 또한 있기 때문에 정괘의 「대상전」에서는 "자리를 바르게 하여 중후하게 명한다"[100]라고 했다. 또 괘의 이름이 비록 돈괘라고 하지만, 임금이 어떻게 도피할 수 있는가? 그렇기 때문에 비록 감괘(坎卦䷜)의 어려운 때에 처하더라도 "왕공이 험함을 설치하여 나라를 지킨다"[101]고 했고, 환괘(渙卦䷺)의 떠나는 때에 처하더라도 "왕의 재화를 흩어준다"[102]고 했으니, 그 뜻을 확인할 수 있다.

김규오(金奎五) 「독역기의(讀易記疑)」

九五小註, 小人亦未嫌自家.

구오의 소주에서 말하였다: 소인 또한 구오 자신이 떠나갈 것을 의심하지 않는다.

---

95) 『周易・遯卦』: 九三, 係遯, 有疾厲, 畜臣妾, 吉.

96) 『周易・隨卦』: 六三, 係丈夫, 失小子, 隨有求得, 利居貞.

97) 『周易・隨卦』: 九五, 孚于嘉, 吉.

98) 『周易・遯卦』: 彖曰, 遯, 亨, 遯而亨也, 剛當位而應, 與時行也. 小利貞, 浸而長也. 遯之時義大矣哉!

99) 『周易・隨卦』: 上六, 拘係之, 乃從, 維之, 王用亨于西山.

100) 『周易・鼎卦』: 象曰, 木上有火, 鼎, 君子以, 正位凝命.

101) 『周易・坎卦』: 彖曰, 習坎, 重險也, 水流而不盈. 行險而不失其信, 維心亨, 乃以剛中也, 行有尙, 往有功也. 天險不可升也, 地險山川丘陵也, 王公設險以守其國, 險之時用大矣哉!

102) 『周易・渙卦』: 九五, 渙汗其大號, 渙王居, 无咎.

遯時駸駸有陽消之象, 而已未有剝床之形, 非知幾其神之人, 不能遯也, 政所謂明哲保身者也. 若剝床已形而始欲退避, 則便爲去危邦之人矣. 不退則又將爲胡廣之中庸矣.
도피하려고 할 때 빠르게 양이 사라지는 상이 있지만, 아직은 평상이 깎이는 형상은 없으니, 기미를 아는 신묘한 사람[103]이 아니라면 도피할 수 없으므로, 바로 명철하게 자신을 보호하는 자를 뜻한다. 만약 평상이 깎이는 것이 이미 드러났는데, 그제야 비로소 물러나 피하고자 한다면 떠나서 나라를 위태롭게 만드는 사람이 된다. 만약 물러나지 않는다면 또한 호광의 중용[104]처럼 될 것이다.

서유신(徐有臣) 『역의의언(易義擬言)』

剛健中正, 遯之有嘉者也. 嘉, 謂有功也. 與六二俱遯而遠害, 是有功也. 古公亶父之去邠, 近之矣. 程傳所引蜀先主不棄士民之象, 此爻有之.
강건하고 중정하여 도피함에도 아름다움이 있는 자이다. 아름다움은 공이 있음을 뜻한다. 육이와 함께 도피하여 피해를 멀리 하니 공이 있다. 고공단보가 빈(邠) 땅을 떠났던 일이 이러한 경우에 가깝다. 『정전』에서 촉나라 유비가 백성들을 버리지 못한 상을 인용한 것은 이 효에 그러한 뜻이 있기 때문이다.

박문건(朴文健) 『주역연의(周易衍義)』

處得中正, 故有嘉遯之象. 嘉遯, 嘉美之遯也.
처함에 중정함을 얻었기 때문에 아름다운 도피의 상이 있다. 아름다운 도피는 아름답게 도피함을 뜻한다.
〈問, 嘉遯貞吉. 曰, 九五處尊得中, 故有嘉遯之象. 若用剛貞之道, 而固守不往, 則致吉.
물었다: "구오는 아름다운 도피이니 곧아서 길하다"는 무슨 뜻입니까?
답하였다: 구오는 존귀한 자리에 있으면서도 가운데 자리를 얻었기 때문에 아름답게 도피하는 상이 있습니다. 만약 굳세고 바른 도를 사용하고 고수하여 가지 않는다면 길함을 이루게 됩니다.〉

이지연(李止淵) 『주역차의(周易箚疑)』

以九五之時與位論之, 堯老而禪于舜, 堯之遯也, 舜老而禪于禹, 舜之遯也. 在人君未

---

103) 『周易·繫辭下』: 子曰, 知幾其神乎. 君子上交不諂, 下交不瀆, 其知幾乎.
104) 호광(胡廣)은 후한(後漢) 때의 인물로, 처세에 밝았다. 당시에는 중용(中庸)을 지키는 인물로 호평을 받았지만, 후세에는 시세에만 따르는 인물로 비난을 받았다.

嘗无遯底時節.
구오의 때와 자리로 논의를 해보면, 요임금이 연로하여 순임금에게 지위를 선양한 일은 요임금의 도피에 해당하며, 순임금이 연로하여 우임금에게 지위를 선양한 일은 순임금의 도피에 해당한다. 임금에게 있어서 일찍이 도피해야 할 때가 없었던 적이 없다.

김기례(金箕澧) 『역요선의강목(易要選義綱目)』

剛中居尊, 雖有二應, 不必係好而時行, 豈有疾憊之可慮. 得正而美.
굳센 양이 알맞고 존귀한 자리에 있으니, 비록 이효의 호응이 있지만 반드시 좋아하는 것에 얽매이지 않고 때에 따라 시행하니, 어떻게 질병으로 근심스럽게 됨을 염려할 수 있겠는가? 올바름을 얻어서 아름답다.

이항로(李恒老) 「주역전의동이석의(周易傳義同異釋義)」

傳, 九五, 非無係應, 然云云.
『정전』에서 말하였다: 매이고 호응함이 없는 것은 아니지만.

本義, 剛陽中正, 下應六二, 亦柔順而中正, 遯之嘉美者也.
『본의』에서 말하였다: 굳센 양의 중정으로 아래로 육이와 호응하여 또한 유순하면서도 중정하니, 도피하기를 아름답게 하는 자이다.

按, 傳以彖傳剛當位而應與時行也之義, 與九五爻辭作兩義看, 本義作一義看, 說見上.
내가 살펴보았다: 『정전』은 「단전」에서 "굳센 양이 제자리를 당하여 호응하니, 때에 따라 행한다"[105]는 뜻을 구오의 효사와 두 가지 의미로 보았고, 『본의』는 한 가지 의미로 보았으니, 자세한 설명은 앞에 나온다.

심대윤(沈大允) 『주역상의점법(周易象義占法)』

遯之旅䷷, 無所住着也. 九五以剛居剛而得中, 有所斂藏不爲, 而有量也, 有應羈縻, 有容也, 惟所當行, 而無所偏着, 故曰嘉遯貞吉. 艮安巽美爲嘉.
돈괘가 려괘(旅卦䷷)로 바뀌었으니, 일정하게 머무는 곳이 없는 것이다. 구오는 굳센 양으로 양의 자리에 있고 가운데 자리를 얻었으니, 거둬들여 보관됨이 있어 시행하지 않지만

105) 『周易·遯卦』: 彖曰, 遯, 亨, 遯而亨也, 剛當位而應, 與時行也. 小利貞, 浸而長也. 遯之時義大矣哉!

헤아림이 있고 굴레에 호응함이 있으며 포용함이 있지만 오직 마땅히 시행해야 할 것이며 치우쳐 머무는 것이 없기 때문에 "아름다운 도피이니 곧아서 길하다"고 했다. 간괘의 안정됨과 손괘의 아름다움이 가(嘉)의 뜻이 된다.

오치기(吳致箕) 「주역경전증해(周易經傳增解)」

九五, 剛健中正, 而下應六二之柔中, 卽所謂剛當位而應者也. 與其正應, 同志濟遯, 能使小人歸正, 而不得犯君子, 斯乃有嘉美之德于遯之時, 故言正而吉.
구오는 강건하고 중정하여 아래로 부드러운 음으로 가운데 자리에 있는 육이와 호응하니, "굳센 양이 제자리를 당하여 호응한다"106)에 해당한다. 정응하는 자와 뜻을 함께 해서 도피함을 구제하여, 소인으로 하여금 올바름으로 되돌아와서 군자를 범하도록 하지 않을 수 있으니, 이것은 도피하는 때에 아름다운 덕을 갖춘 경우이기 때문에, 바르고 길하다고 했다.

○ 嘉取於爻變互兌, 已見隨五, 而二五同志濟遯, 故曰嘉也. 遯非人君之事, 故不主君位言. 然在濟遯之時, 則君臣上下, 亦惟中正之道而已也.
아름다움은 효가 변화한 호괘인 태괘에서 취한 것으로 이미 수괘(隨卦☱)의 오효에서 드러났는데, 이효와 오효는 뜻을 함께 해서 도피함을 구제하려고 하기 때문에 아름답다고 했다. 도피함은 임금의 일이 아니기 때문에 임금의 자리를 중심으로 말하지 않았다. 그러나 도피를 이루려고 할 때라면 임금과 신하 및 상하계층이 또한 중정한 도로써 시행할 따름이다.

이진상(李震相) 『역학관규(易學管窺)』

遯之所亨, 卽乾之嘉也. 正應於二, 恐其失貞, 故戒之.
돈괘가 형통하게 됨은 건괘의 아름다움에 해당한다. 이효에 정응하여 곧음을 잃을까 염려되기 때문에 경계하였다.

이병헌(李炳憲) 『역경금문고통론(易經今文考通論)』

嘉遯之嘉用意甚與. 嘉遯, 遯世, 元非長往不返之謂也.
아름다운 도피에서 '가(嘉)'자는 그 뜻이 매우 깊다. 아름다운 도피는 세상을 피해 숨는다는 뜻이지 본래부터 멀리 가서 돌아오지 않는다는 뜻이 아니다.

---

106) 『周易·遯卦』: 彖曰, 遯, 亨, 遯而亨也, 剛當位而應, 與時行也. 小利貞, 浸而長也. 遯之時義大矣哉!

象曰, 嘉遯貞吉, 以正志也.

정전 「상전」에서 말하였다: "아름다운 도피이니 곧아서 길함"은 뜻을 바르게 하기 때문이다.
본의 「상전」에서 말하였다: "아름다운 도피이니 곧게 하면 길함"은 뜻을 바르게 하기 때문이다.

中國大全

傳

志正則動必由正, 所以爲遯之嘉也. 居中得正而應中正, 是其志正也. 所以爲吉, 人之遯也止也, 唯在正其志而已矣.

뜻이 바르면 움직임도 반드시 바름을 따르니, 돈(遯)의 아름다움이 되는 까닭이다. 가운데 자리에 있고 제자리를 얻어 중정한 것과 호응하니, 이것이 그 뜻이 바른 것이며, 길하게 되는 까닭이다. 사람이 도피하고 그침은 오직 그 뜻을 바르게 하는 데에 달려 있을 뿐이다.

小註

白雲郭氏曰, 以正志者, 九五嘉遯. 隨而不流, 无係也, 无執也, 无好也. 不事於外, 正其在我之志而已. 此其所以爲嘉也.
백운곽씨가 말하였다: 뜻을 바르게 하는 것 때문에 구오는 "아름다운 도피이다." 따르면서도 휩쓸리지 않아 얽매임이 없고 붙잡음이 없으며 좋아함이 없다. 밖에서 일삼지 않으면서 나에게 있는 뜻을 바르게 할 뿐이다. 이것이 아름답게 되는 까닭이다.

○ 雲峯胡氏曰, 二以陰應陽, 其志當堅, 五以陽從陰, 其志當正.
운봉호씨가 말하였다: 이효는 음으로써 양과 호응하니 그 뜻을 마땅히 견고하게 해야 하며, 오효는 양으로써 음을 따르니 그 뜻을 마땅히 바르게 해야 한다.

‖韓國大全‖

김상악(金相岳)『산천역설(山天易說)』

无私係之失, 所以正其志也. 二之固志, 以固其成遯之志也. 五之正志, 以正其行遯之志也.

사적으로 얽매이는 실수가 없으니, 그 뜻을 올바르게 하는 것이다. 이효의 뜻을 견고하게 함[107]은 이를 통해 도피를 이루려는 뜻을 견고하게 함이다. 오효의 뜻을 바르게 함은 이를 통해 도피를 시행하려는 뜻을 바르게 함이다.

서유신(徐有臣)『역의의언(易義擬言)』

正應之志也.

정응하는 뜻이다.

오치기(吳致箕)「주역경전증해(周易經傳增解)」

上下以中正之道相應, 而有濟遯之志, 是以爲嘉而吉之道也. 二旣固其志, 五又正其志, 以其中正而應也.

상하가 중정한 도로 서로 호응하여 도피를 구제하려는 뜻이 있으니, 이로써 아름답고 길한 도가 된다. 이효는 이미 그 뜻을 견고하게 하고 오효 또한 그 뜻을 바르게 하니, 중정하게 호응하기 때문이다.

---

107)『周易·遯卦』: 象曰, 執用黃牛, 固志也.

上九, 肥遯, 无不利.

상구는 여유 있는 도피함이니, 이롭지 않음이 없다.

中國大全

傳

肥者, 充大寬裕之意, 遯者, 唯飄然遠逝, 无所係滯之爲善, 上九乾體剛斷, 在卦之外矣, 又下无所係, 是遯之遠而无累, 可謂寬綽有餘裕也. 遯者, 窮困之時也, 善處則爲肥矣. 其遯如此, 何所不利.

'비(肥)'란 가득 차 크고 너그럽고 여유롭다는 뜻이니, 도피하는 자는 오직 여유롭게 멀리 떠나가서 얽매이고 지체하는 바가 없는 선(善)이 되니, 상구는 건괘(乾卦)의 몸체에서 나오는 강단으로 괘의 밖에 있고 또 아래로 얽매인 바가 없으므로 이는 도피하기를 멀리하여 얽매임이 없는 것이니, 너그럽고 여유가 있다고 할만하다. 도피하는 것은 곤궁한 때이니, 잘 처신한다면 여유롭게 된다. 그 도피함이 이와 같다면 어느 것인들 이롭지 않겠는가?

本義

以剛陽居卦外, 下无係應, 遯之遠而處之裕者也. 故其象占, 如此. 肥者, 寬裕自得之意.

굳센 양으로서 괘의 밖에 있고 아래로 얽매이고 호응함이 없으니, 도피하기를 멀리하여 처신하기를 여유 있게 하는 자이다. 그러므로 그 점과 상이 이와 같다. '비(肥)'는 여유가 있어 자득한다는 뜻이다.

小註

節齋蔡氏曰, 遯者陽避陰, 君子所以遠小人. 貴速不貴遲, 貴遠不貴近. 上九去柔最遠, 高而无應, 剛而能決, 遯之速者也. 故无不利.

절재채씨가 말하였다: "도피한다[遯]"란 양이 음을 피하는 것이니, 군자가 소인을 멀리하는 바이다. 속히 하는 것을 귀하게 여기고 느리게 하는 것을 귀하게 여기지 않으며, 멀리하는 것을 귀하게 여기고 가까이 하는 것을 귀하게 여기지 않는다. 상구는 부드러운 음과의 거리가 가장 멀어 높은 곳에 있으면서 호응함 없고 굳세어 결단할 수 있으니, 돈(遯)의 빠른 자이다. 그러므로 이롭지 않음이 없다.

○ 開封耿氏曰, 陽道常饒, 其或損者, 陰剝之也. 本爻超然處外, 不累於陰, 无有疾厲, 故稱肥焉.
개봉경씨가 말하였다: 양의 도는 항상 여유로운데 그 혹 덜어내는 것은 음이 양을 깎아내는 것이다. 본 효는 초연하게 밖에 있어서 음에 얽매이지 않아 병과 고달픔이 없기 때문에 "여유 있다[肥]"고 하였다.

○ 王氏湘卿曰, 遯以最深爲美, 故四之好, 不如五之嘉, 五之嘉, 不如上之肥.
왕상경이 말하였다: 돈(遯)은 가장 깊은 것을 아름답게 여기기 때문에 사효의 '좋아함'은 오효의 '아름다움'보다 못하고, 오효의 '아름다움'은 상효의 '여유 있음'만 못하다.

○ 雲峯胡氏曰, 三且遯且係, 依違牽制, 非遯而亨者也. 遯而亨, 其唯乾之三爻乎. 乾爲天, 與山絶遠, 故皆得於遯. 非特剛健之力, 亦其界限素嚴, 故能飄然遠逝而无礙. 上以陽居卦外, 尤其寬裕自得者. 三與二非應而係, 故疾憊. 上與二陰无應无係, 故肥. 肥者, 疾憊之反也.
운봉호씨가 말하였다: 삼효는 도피하면서도, 또 얽매여 있어서 달아나는 것에 의지하면서도 이끌려 제지당하니, 도피하면서 형통한 자가 아니다. 도피하면서 형통한 자는 오직 건괘(乾卦)의 세 효뿐이구나! 건괘는 하늘이고 산과는 절대적으로 멀기 때문에 모두 도피할 수 있다. 단지 강건한 힘뿐만이 아니라 또한 한계도 엄격하기 때문에 여유롭게 멀리 가서 거리낌이 없을 수 있다. 상효는 양으로서 괘의 밖에 있으므로 더욱 여유 있고 자득한 자이다. 삼효는 이효와 호응함은 아니지만 얽매이기 때문에 병이 있고 고달프다. 상효는 두 음과 호응함도 없고 얽매임도 없기 때문에 여유가 있다. "여유 있다[肥]"란 병이 있고 고달픔의 반대이다.

韓國大全

송시열(宋時烈) 『역설(易說)』

肥者, 體胖也, 與三之疾憊, 反對說也. 无不利, 占辭. 然小象无所疑者, 三則坎爲疑, 而在下體, 九遯居胖體, 脫然无累, 故无所疑慮.

'여유[肥]'는 몸이 펴진 것으로 삼효의 '병이 있어서 고달픔'[108]과는 반대의 말이다. '이롭지 않음이 없음'은 점사이다. 그러나 「소상전」의 "의심할 바가 없는 것이다"라는 말은 삼효의 경우에는 감괘가 의심이 되고 하체에 있지만, 상구의 도피함은 몸체가 펴지는 곳에 있어서 초연히 얽매이는 것이 없기 때문에 의심할 바가 없다.

○ 蓋下三爻, 主艮止而言, 故曰勿往曰執革曰係遯. 上三爻, 主乾行而言, 故曰好遯曰嘉遯曰肥遯.

하괘의 세 효는 간괘의 그침을 위주로 말했기 때문에 "가지 말라"[109]라고 했고, "황소의 가죽으로써 잡는다"[110]라고 했으며, "매어 있으면서 도피해 있다"[111]라고 했다. 상괘의 세 효는 건괘의 시행함을 위주로 말했기 때문에 "좋아하면서도 도피하는 것이다"[112]라고 했고, "아름다운 도피이다"[113]라고 했으며, "여유있는 도피함이다"라고 했다.

이익(李瀷) 『역경질서(易經疾書)』

肥遯者, 任行而自肥也. 旣是事外之位, 誰得以縶之, 其肥宜矣. 在人則如義勝而肥也. 禮運亦云, 父子篤, 兄弟睦, 夫婦和, 家之肥也. 遯之旣遠, 從容舒泰, 若體之克滿而肥也. 獸遯而肥, 亦其類也. 李心傳曰, 無所疑, 此及升之九三言之, 此決於退, 彼決於進, 時之宜耳.

'여유 있는 도피함'은 시행할 때에 임하여 스스로 여유롭게 군다는 뜻이다. 이미 일 밖의 위치에 있는데 그 누가 붙잡을 수 있겠는가? 여유가 있는 것이 마땅하다. 사람에게 있어서는

108) 『周易 · 遯卦』: 象曰, 係遯之厲, 有疾憊也, 畜臣妾吉, 不可大事也.
109) 『周易 · 遯卦』: 初六, 遯尾, 厲, 勿用有攸往.
110) 『周易 · 遯卦』: 六二, 執之用黃牛之革, 莫之勝說.
111) 『周易 · 遯卦』: 九三, 係遯, 有疾厲, 畜臣妾, 吉.
112) 『周易 · 遯卦』: 九四, 好遯, 君子吉, 小人否.
113) 『周易 · 遯卦』: 九五, 嘉遯, 貞吉.

의로움이 이겨서 여유로움과 같다. 『예기 · 예운』에서는 또한 "부자관계가 독실하고 형제관계가 화목하며 부부관계가 조화로운 것이 가정의 여유로움이다"[114]고 했다. 도피하길 이미 멀리 하여 침착하고 여유로우니, 마치 몸이 충만해서 살찜과 같다. 짐승이 도피하여 여유롭게 행동함 또한 그 부류가 된다. 이심전은 "'의심할 바가 없는 것이다'는 말은 돈괘와 승괘(升卦䷭)의 구삼에서 언급을 했는데,[115] 돈괘는 물러남에 대해 결단함이고 승괘는 나아감에 대해 결단함이니, 때에 따른 마땅함일 뿐이다"고 했다.

유정원(柳正源) 『역해참고(易解参攷)』

王氏曰, 最處外極, 无應於內, 超然絶, 志心无疑, 顧憂患不能累, 矰繳不能及, 是以肥遯, 无不利也.

왕필이 말하였다: 외괘 가장 끝에 있고, 내괘와 호응함이 없어서 초연히 끊어서, 뜻과 마음에 의혹됨이 없으니, 우환이 얽어맬 수 없고 주살이 미칠 수 없음을 살펴보아서, 이러한 까닭으로 "여유 있는 도피함이니, 이롭지 않음이 없다"고 했다.

○ 張衡思玄賦, 文君爲我端蓍, 利肥遯而保名. 歷象山以周流, 〈初至三艮山.〉 翼迅風以揚聲. 〈二至四巽風.〉 二女感於崇嶽, 〈上九變爲澤山咸, 咸, 感也. 巽爲長女, 兌爲少女, 爲二女感高山之象.〉 或冰折而不營. 〈乾爲氷, 外乾變兌, 爲冰坼不營之象.〉 天蓋高而爲澤, 誰云路之不平 . 〈乾變兌, 兌爲澤, 天之高尙爲澤, 誰云路之不平, 蓋欲行也.〉 勔自强以不息, 蹈玉階之嶢崢. 〈乾爲玉, 故蹈玉階.〉

장형의 「사현부」에서 말하였다: 문왕이 나를 위해 시초를 내주었으니, 여유 있게 도피하여 명예를 보존하는 것이 이로움이라. 산의 상을 거쳐 두루 흐르니, 〈초효로부터 삼효에 이르기까지는 간괘인 산이다.〉 휘몰아치는 바람에 맡겨 명성을 떨치는구나. 〈이효로부터 사효에 이르기까지는 손괘인 바람이다.〉 두 여자가 높은 산에 느끼니, 〈상구가 변화하여 못과 산인 함괘(咸卦䷞)가 되는데, 함괘는 느낀다는 뜻이다. 손괘는 맏딸이 되고, 태괘는 막내딸이 되니, 두 여자가 높은 산에 느끼는 상이 된다.〉 혹 얼음이 갈라져 영화롭지 못하구나. 〈건괘는 얼음이 되고, 외괘인 건괘가 변화하여 태괘가 되면 얼음이 갈라져 영화롭지 못하는 상이 된다.〉 하늘의 덮개는 높아서 못이 되는데, 그 누가 길이 평탄치 않다고 하겠는가. 〈건괘가 변화하여 태괘가 되면, 태괘는 못이 되니, 하늘의 높음은 오히려 못이 되며, "그 누가 길이 평탄치 않다고 하겠는가"라는 말은 가고자 하기 때문이다.〉 스스로 힘써 그치지

114) 『禮記 · 禮運』: 四體旣正, 膚革充盈, 人之肥也, 父子篤, 兄弟睦, 夫婦和, 家之肥也.

115) 『周易 · 升卦』: 象曰, 升虛邑, 无所疑也.

않으니, 높고 높은 옥의 계단을 걷는구나. 〈건괘는 옥이 되기 때문에 옥의 계단을 걷는다고 했다.〉

○ 厚齋馮氏曰, 肥, 豊裕也, 遯而以道自裕之象. 自五以下, 不免應陰, 唯此一爻在外, 无所應也. 蓋陽爲陰所薄則瘠, 純陽无陰則相饒而肥, 故乾在秋爲瘠馬.
후재풍씨가 말하였다: '비(肥)'자는 풍요롭고 여유롭다는 뜻이니, 도피하되 도를 통해서 스스로 여유로운 상이다. 오효로부터 그 이하로는 음과 호응함을 면하지 못하는데, 오직 육효만이 밖에 있어서 호응함이 없다. 양이 음으로 인해 엷어지게 되면 수척하게 되는데, 순전히 양이고 음이 없다면 살찌게 되기 때문에 건괘는 가을에 있어서 수척한 말이 된다.[116]

○ 梁山來氏曰, 以陽剛之賢而居霄漢之上, 睟面盎背, 莫非道德之豊腴, 手舞足蹈, 一皆仁義之膏澤, 心廣體胖, 何肥如之. 无不利者, 天子不得臣, 諸侯不得友, 理亂不聞, 寵辱不驚, 何利如之.
양산래씨가 말하였다: 굳센 양의 현명함으로 하늘 위에 있고, 밝게 얼굴로 나타나고 등에 가득하니,[117] 도덕의 풍요로움과 살찜이 아닌 것이 없고, 손과 발이 저절로 춤추는 것은 모두 인의의 기름지고 윤택함이며, 몸과 마음이 크고 펴진 것인데, 어찌 이처럼 여유롭지 않겠는가? "이롭지 않음이 없다"는 천자가 신하를 얻지 못하고 제후가 벗을 얻지 못하더라도, 다스려짐과 혼란함을 듣지 않고, 총애와 욕됨에 놀라지 않는데, 어떤 이익이 이와 같겠는가?

○ 案, 二陰生而諸陽始消, 君子已知幾早退, 而上九去陰最遠, 四陽在外, 尙未盡消, 有陽饒陰乏之象. 此時能遯, 乃所以全其饒裕, 是所謂肥遯也. 若疑於陽多而不能決退, 則四陽敵二陰, 其瘠可立而待也. 此見肥遯由於无所疑也.
내가 살펴보았다: 두 음이 생겨나서 여러 양들이 비로소 없어지기 시작하는데, 군자는 이미 기미를 알아 일찍 물러나고, 상구는 음과 가장 멀리 떨어져 있으며, 네 양은 밖에 있지만 여전히 다 없어지지 않았으니, 양이 풍부하고 음이 결핍된 상이 있다. 이러한 시기에 도피할 수 있다면, 여유로움을 온전히 할 수 있으니, 이것이 바로 '여유 있는 도피함'에 해당한다. 만약 양이 많음에 의혹되어 물러나길 결단할 수 없다면, 네 양은 두 음을 대적하여 수척하게 됨은 시간문제이다. 여기에서 '여유 있는 도피함'이 "의심할 바가 없는 것이다"에서 연유됨을 볼 수 있다.

116) 『周易 · 說卦傳』: 乾爲天, 爲圜, 爲君, 爲父, 爲玉, 爲金, 爲寒, 爲冰, 爲大赤, 爲良馬, 爲老馬, 爲瘠馬, 爲駁馬, 爲木果.
117) 『孟子 · 盡心上』: 君子所性, 仁義禮智根於心, 其生色也睟然, 見於面, 盎於背, 施於四體, 四體不言而喩.

김상악(金相岳) 『산천역설(山天易說)』

上九以剛居外, 无係應之累, 遯之遠而處之裕者也, 故有肥遯之象. 肥者, 寬裕自得之意也. 處遯以肥, 何所不利.
상구는 굳센 양으로 밖에 있고, 연계되는 얽매임이 없으니, 도피하길 멀리 하며 처하길 여유롭게 하는 자이기 때문에, 여유롭게 도피하는 상이 있다. '비(肥)'자는 여유롭고 스스로 터득한다는 뜻이다. 도피함에 처하여 여유롭게 하니, 어찌 이롭지 않은 것이 있겠는가?

○ 肥者, 陽之饒也, 疾憊之反. 上九處卦之外, 不見剝於陰, 故曰肥遯, 與姤初六曰羸豕爲對. 張衡思玄賦, 曹植七啓, 皆作飛遯. 飛遯離俗, 則无陰邪之干而无所疑也.
'비(肥)'자는 양의 풍요로움을 뜻하니, 병이 있어서 고달픈 것과는 반대가 된다.[118] 상구는 괘 밖에 있어서 음으로부터 깎임을 당하기 않기 때문에, '여유 있는 도피함'이라고 한 것으로, 구괘(姤卦䷫)의 초육에서 '여윈 돼지'[119]라고 한 말과는 대비가 된다. 장형의 「사현부」와 조식의 「칠계」에서는 모두 '비돈(飛遯)'이라고 기록했는데, 날듯이 도피하여 속세와 떨어지니 사사로운 음이 간여함이 없고 의혹됨도 없게 된다.

서유신(徐有臣) 『역의의언(易義擬言)』

乾三陽而又係九三, 故曰肥遯也. 至上九, 益見其爲肥也. 四陽俱无不利也.
건괘의 세 양이고, 또 구삼과 연계되기 때문에 '여유 있는 도피함'이라고 했다. 상구에 있어서는 더욱이 여유로움이 됨을 볼 수 있다. 네 양은 모두 이롭지 않음이 없다.

윤행임(尹行恁) 『신호수필(新湖隨筆)·역(易)』

上九之肥遯, 固尙矣. 九四之好遯, 亦非知勇之君子, 不能焉. 遯於厭薄之時易, 遯於好愛之時難, 知之明勇於斷而後, 可以好遯, 自古不能遯於好而及於難者, 何限.
상구의 여유있게 도피함은 진실로 숭상할만하다. 구사의 좋아하면서도 도피함[120] 또한 지혜와 용맹함을 갖춘 군자가 아니라면 할 수 없다. 밉고 박하게 구는 때에 도피하는 것은 쉬운 일이지만, 좋아하고 아끼는 때에 도피함은 어려운 일이니, 지혜가 밝고 결단함을 과감히 할 수 있은 뒤에야 좋아하면서도 도피할 수 있으니, 자고로 좋아함에서 도피할 수 없으면서 어려움에 있는 자가 얼마나 많았던가.

---

118) 『周易·遯卦』: 象曰, 係遯之厲, 有疾, 憊也, 畜臣妾吉, 不可大事也.
119) 『周易·姤卦』: 初六, 繫于金柅, 貞吉, 有攸往, 見凶, 羸豕孚蹢躅.
120) 『周易·遯卦』: 九四, 好遯, 君子吉, 小人否.

박문건(朴文健) 『주역연의(周易衍義)』

下无所疑, 故有肥遯之象. 肥遯, 肥澤之遯也.
아래로 의심할 것이 없기 때문에 여유 있게 도피하는 상이 있다. '여유 있는 도피함'은 윤택하게 도피함이다.
〈問, 肥遯, 无不利. 曰, 上九不爲九三之所傷, 无疾而致肥澤者也, 故有肥遯之象. 惟其如此, 故无所不利.
물었다: "상구는 여유 있는 도피함이니, 이롭지 않음이 없다"는 무슨 뜻입니까?
답하였다: 상구는 구삼에게 상처를 받지 않고, 질병이 없어서 윤택하게 되는 자이기 때문에, 여유 있게 도피하는 상이 있습니다. 오직 이와 같기 때문에 이롭지 않은 것이 없습니다.〉

이지연(李止淵) 『주역차의(周易箚疑)』

義勝則肥.
의로움이 이기면 여유롭게 된다.

김기례(金箕澧) 『역요선의강목(易要選義綱目)』

遯當遠擧, 上遠於下陰, 不復有私累, 元无陰之可比可應處, 則不有疾厲. 自饒其道曰肥而无疑.
도피할 때에는 마땅히 멀리 가야 하는데, 상효는 아래의 음과 멀리 떨어져 있어서, 재차 사사롭게 얽매이는 일이 없으므로, 본래부터 음이 가까이 하고 호응할 수 있는 곳이 없으니, 병이 있어 위태로움이 없게 된다. 스스로 그 도를 풍요롭게 하는 것을 여유가 있어서 의심할 것이 없다고 한다.

○ 遯取速而遠, 故初曰尾, 言後也, 三曰係, 言牽攣不決也, 四曰好, 言其未快也, 五曰嘉, 言雖有下應, 時行而得正. 易中五應二, 多謂之嘉, 蓋指天位而下應坤位之貞者也, 今大婚謂之嘉禮, 卽此意. 上曰肥, 言無應, 无比无應而自饒.
도피함은 신속하고 멀리 가는 것에서 취했기 때문에 초효에서 '꼬리[尾]'라고 말했으니,[121] 후미에 있음을 뜻하고, 삼효에서는 "매어 있다"고 말했으니,[122] 얽매여서 결단하지 못함을 뜻하고, 사효에서 '좋아함'을 말했으니,[123] 아직 기뻐하지 못함을 뜻하고, 오효에서 '아름다

121)『周易 · 遯卦』: 初六, 遯尾, 厲, 勿用有攸往.
122)『周易 · 遯卦』: 九三, 係遯. 有疾厲, 畜臣妾, 吉.
123)『周易 · 遯卦』: 九四, 好遯, 君子吉, 小人否.

움'을 말했으니,[124] 비록 아래로 호응함이 있지만 때에 따라 시행하여 올바름을 얻었다는 뜻이다. 『주역』에서는 호요가 이효와 호응함을 대부분 아름답다고 말하니, 하늘의 자리이면서 아래로 곤괘의 자리의 곤음과 호응하는 것을 가리키는 것으로, 현재 혼례를 '가례(嘉禮)'라고 부르는 것도 바로 이러한 뜻이다. 상효에서 '여유 있음'이라고 말한 것은 호응함도 없고 가까이 함도 없어서 고달픔 없이 스스로 여유롭게 됨을 뜻한다.

贊曰, 天而遯山, 非山可衝. 君子避禍, 不待迫凶. 見幾而作, 不尾不從. 不惡而嚴, 謹當避兇.
찬미하여 말한다: 하늘이면서 산을 피하니, 산은 부딪힐 수 있는 것이 아니네. 군자가 화를 피하니, 재앙이 도달하길 기다리지 않네. 기미를 보고 행동하니, 후미에 서지 않고 남을 따르지 않네. 나쁜 소리를 하지 않고 엄하게 대하고, 조심하여 흉함을 피하게 되네.

박종영(朴宗永) 「경지몽해(經旨蒙解) · 주역(周易)」

傳曰, 遯者, 飄然遠逝, 無所係滯之爲善. 寬綽有餘裕, 則爲肥矣. 蓋君子審其取舍, 決其去就, 可以進則進, 可以退則退, 不以窮達累其心, 故終至於無悔吝而肥于遯也.
『정전』에서는 "도피하는 자는 오직 여유롭게 멀리 떠나가서 얽매이고 지체하는 바가 없는 선(善)이 된다. 너그럽고 여유가 있다면 비(肥)가 된다"고 했다. 군자가 취하고 버릴 것을 살피고 떠나고 나아감을 결단하여, 나아갈 수 있으며 나아가고 물러날 수 있으면 물러나서, 궁함과 영달로 그 마음을 얽매이도록 하지 않기 때문에 끝내 후회와 부끄러움이 없어서, 도피함에 여유롭게 된다.

심대윤(沈大允) 『주역상의점법(周易象義占法)』

遯之咸䷞, 感通也. 以剛居柔, 周全同事之久, 小人感通而爲用, 無所應係, 其尤甚不可化者, 可以漸去之也. 兌离爲服, 肉悅澤曰肥. 咸之對損, 全爲离, 上六能化小人, 故取變對也.
돈괘가 함괘(咸卦䷞)로 바뀌었으니, 느껴서 통하는 것이다. 굳센 양으로 부드러운 음의 자리에 있어서 빈틈없이 온전히 하고 일을 함께 함이 오래되어 소인이 느껴서 통하여 쓰임이 되는데, 호응하여 얽매임이 없어서 더욱이 변화될 수 없는 자이므로 점진적으로 떠날 수 있다. 태괘와 리괘는 배가 되고, 살에 화색과 윤기가 도는 것이 되어 '비(肥)'라고 했다. 함괘

124) 『周易 · 遯卦』: 九五, 嘉遯, 貞吉.

의 음양이 바뀐 손괘(損卦䷨)는 괘 전체가 리괘가 되고, 상육은 소인을 변화시킬 수 있기 때문에 변괘와 반대괘에서 취했다.

오치기(吳致箕) 「주역경전증해(周易經傳增解)」

上九以剛健之德, 无位而在外, 與陰柔最遠, 卽賢人抱道而隱遯者也. 无所係戀, 而超然遠避, 得志安泰而德潤其身, 有肥遯之象, 故言雖在遯之時, 而无攸不利也. 大義已備於程傳.

상구는 강건한 덕을 가지고 있지만 지위가 없이 밖에 있으며, 부드러운 음과 가장 멀리 떨어져 있으니, 현명한 자가 도를 가지고 있지만 은둔해 있는 경우에 해당한다. 얽매이는 것이 없고 초연하게 멀리 도피하여, 뜻을 얻고 편안하여 덕이 자신을 윤택하게 하므로, 여유 있게 도피하는 상이 있기 때문에 비록 도피하는 때에 있더라도 이롭지 않은 것이 없다고 했다. 대체적인 뜻은 이미 『정전』에 설명되어 있다.

○ 肥者, 以德潤身之謂, 而爻變之兌爲澤潤之象也. 此與九三之疾憊相反, 故言肥也.

'여유 있음[肥]'은 덕으로 자신을 윤택하게 한다는 뜻으로, 효가 변화된 태괘는 윤택한 상이 된다. 이것은 구삼의 '병이 있어서 고달픈 것'[125]과는 상반되기 때문에, '여유 있음'이라고 했다.

이진상(李震相) 『역학관규(易學管窺)』

肥, 乾位陽象. 遠於陰邪之累, 而全其淸明之天, 故其象如此.

'여유 있음[肥]'은 건괘의 자리가 양에 있는 상이다. 음의 사사로운 얽매임을 멀리하여 청명한 하늘을 온전히 하기 때문에 그 상이 이와 같다.

박문호(朴文鎬) 『경설(經說)-주역(周易)』

遯至於上九, 始超然無累於世, 蠱上九之不事王侯, 高尙其事, 有不足言矣.

돈괘에서 상구에 이르면 비로소 초연히 세속에 얽매임이 없게 되니, 고괘(蠱卦䷑)의 상구에서 "왕후를 섬기지 않고 그 일을 높이 숭상한다"[126]고 한 말에는 말하기 부족한 점이 있다.

---

125) 『周易·遯卦』: 象曰, 係遯之厲, 有疾, 憊也, 畜臣妾吉, 不可大事也.

126) 『周易·蠱卦』: 上九, 不事王侯, 高尙其事.

이정규(李正奎) 「독역기(讀易記)」

上九无不利, 當遯之時, 先遯者利, 后遯者不利也. 初六先出而反爲尾後, 上九後出而反爲首先, 如乘船者先登者後下, 後登者先下.
상구의 "이롭지 않음이 없다"는 도피해야 할 때 먼저 도피하는 자는 이롭고 뒤에 도피하는 자는 이롭지 않다는 뜻이다. 초육은 먼저 나오지만 반대로 후미에 있게 되고, 상구는 뒤에 나오지만 반대로 선두에 있게 되니, 배에 오를 때 먼저 올라탄 자가 뒤에 내리고 뒤에 올라탄 자가 먼저 내리는 경우와 같다.

이병헌(李炳憲) 『역경금문고통론(易經今文考通論)』

淮南九師道訓曰, 遯而能飛, 吉孰大焉, 蓋言其有超乎世之意也.
『회남구사도훈』에서는 "도피하여 날 수 있는데, 길함이 어느 것이 이보다 크겠는가?"라고 했으니, 세속에 초연한 뜻이 있음을 뜻한다.

按, 綱領卦之下, 必接以乾象, 乾坤則勿論, 如泰否咸恒損益之下皆然, 可知天於諸卦無不包括.
내가 살펴보았다: 강령괘 아래에서는 반드시 건괘의 상을 덧붙였으니, 건괘와 곤괘는 물론이며 태괘(泰卦䷊) · 비괘(否卦䷋) · 함괘(咸卦䷞) · 항괘(恒卦䷟) · 손괘(損卦䷨) · 익괘(益卦䷩) 아래에도 모두 이러하니, 하늘이 여러 괘들에 대해서 포괄하지 않음이 없는 것을 알 수 있다.

象曰, 肥遯无不利, 无所疑也.

「상전」에서 말하였다: "여유 있는 도피함이니, 이롭지 않음이 없음"은 의심할 바가 없는 것이다.

中國大全

傳

其遯之遠, 无所疑滯也, 蓋在外則已遠, 无應則无累, 故爲剛決无疑也.

도피하기를 멀리함은 의심하여 지체하는 바가 없는 것이니, 밖에 있으면 이미 멀고 호응함이 없으면 얽매임도 없기 때문에 굳세게 결단하여 의심할 바가 없게 된다.

小註

雲峯胡氏曰, 三有所係則疾, 上无所疑故肥.
쌍봉호씨가 말하였다: 삼효는 얽매이는 바가 있으니 병이 있고, 상효는 의심하는 바가 없기 때문에 여유가 있다.

○ 誠齋楊氏曰, 上九以剛健之極, 居遯世无位之地, 遯之首者也. 自非道德之豊腴, 仁義之膏澤, 安能去之无不利, 決之无所疑乎.
성재양씨가 말하였다: 상구는 강건함의 지극함으로써 돈(遯)의 시대에 지위가 없는 곳에 있으니, 돈의 으뜸인 자이다. 본래 도덕의 풍부하고 넉넉함과 인의(仁義)의 살찌고 윤택함이 아니라면, 어찌 떠나감에 이롭지 않음이 없을 수 있으며 결단함에 의심하는 바가 없을 수 있겠는가?

○ 中溪張氏曰, 非心廣體胖剛而善斷者, 不能決然遯去而无所疑也.
중계장씨가 말하였다: '마음이 넓고 몸이 펴져'[127] 결단하기를 잘 하는 자가 아니라면, 결연

127) 『大學』: 曾子曰, 十目所視, 十手所指, 其嚴乎. 富潤屋, 德潤身, 心廣體胖, 故君子必誠其意.

히 도피해 가서 의심하는 바가 없을 수 없다.

○ 平庵項氏曰, 下三爻, 艮也, 主於止, 故爲不往, 爲執革, 爲係遯. 上三爻, 乾也, 主於行, 故爲好遯, 爲嘉遯, 爲肥遯也.
평암항씨가 말하였다: 하괘의 세 효는 간괘(艮卦)이니, 그침을 위주로 하기 때문에 가지 않게 되고 가죽으로 잡게 되며 얽매이면서 도피하게 된다. 상괘의 세 효는 건괘(乾卦)이니, 감을 위주로 하기 때문에 '좋아하면서 도피함'이 되고 '아름다운 도피함'이며, '여유 있는 도피함'이 된다.

○ 建安丘氏曰, 遯, 剛退也. 二陰長而四陽退也. 而六二乃遯之所以爲遯者, 故此爻不言遯, 而曰執之用黃牛之革, 莫之勝說, 蓋恐其迫陽之遯也. 遯貴速而遠, 緩則不能去矣. 其上四剛爻, 三與二最近係而不能遯, 故曰係遯有疾厲. 四遠二而應初, 則爲好遯而有小人之戒. 五得中而應二, 則爲嘉遯而有貞吉之戒, 以皆有累於陰也. 至上則與二遠, 且无應於內, 遯之從容優裕者, 故曰肥遯无不利. 惟初與二同體, 位在衆陽之後, 則又以不遯爲无災也.
건안구씨가 말하였다: '도피함[遯]'은 굳센 양이 물러남이다. 두 음이 자라고 네 양이 물러난다. 그리고 육이는 돈괘에서 도피하게 만드는 바가 되기 때문에 이 효에서는 도피함을 말하지 않고 "황소의 가죽으로써 잡음이다. 이루다 말할 수가 없다"라고 하였으니, 아마도 양의 도피를 핍박하기 때문인 듯하다. 돈(遯)은 속히 하고 멀리하는 것을 귀하게 여기니, 느리게 한다면 떠날 수가 없다. 그 위에 있는 네 개의 굳센 양의 효 중에서 삼효는 이효와 가장 가깝게 얽매여 있어서 도피할 수가 없기 때문에 "매어 있으면서 도피함이다. 병이 있어서 위태롭다"고 하였다. 사효는 이효와 멀고 초효와 호응하니, '좋아하면서도 도피함'이 되지만 소인의 경계가 있다. 오효는 알맞음을 얻어 이효와 호응하니, '아름다운 도피'이지만 바르게 하여 길한 경계가 있으므로 모두 음에 얽매임이 있기 때문이다. 상효에 이르면 이효와 멀고 또 안으로 호응함이 없어서 도피하는 데에서 자연스럽고 여유 있는 자이기 때문에 "여유 있는 도피함이니, 이롭지 않음이 없다"고 하였다. 오직 초효와 이효는 같은 몸체로 자리가 여러 양의 뒤에 있으니, 또한 도피하지 않음을 재앙이 없는 것으로 여긴다.

韓國大全

김상악(金相岳) 『산천역설(山天易說)』

下无係應之累, 故无所疑於進退也.
아래에 연계되는 얽매임이 없기 때문에 나아가고 물러남에 의혹됨이 없다.

서유신(徐有臣) 『역의의언(易義擬言)』

陰長之時, 陽類相隨而遯, 故九三之敵應, 无所可疑也.
음이 자라나는 때에 양이 모여서 서로 따라 도피하기 때문에 구삼이 대등하게 호응함에는 의심할 것이 없다.

심대윤(沈大允) 『주역상의점법(周易象義占法)』

小人敵於君子, 故爲遯, 無所疑, 言不敵也. 遯之時, 小人之漸服也.
소인이 군자에게 대적하기 때문에 도피함이 되고, "의심할 바가 없는 것이다"는 대적하지 않음을 뜻한다. 도피해야 할 때 소인은 점진적으로 복종하게 된다.

오치기(吳致箕) 「주역경전증해(周易經傳增解)」

遯于遠而无係累, 有何疑滯乎.
멀리 도피하고 얽매임이 없는데, 어찌 의심하여 지체함이 있겠는가?

34

대장괘

大壯卦䷡

中國大全

傳

大壯, 序卦, 遯者退也. 物不可以終遯, 故受之以大壯. 遯爲違去之義, 壯爲進盛之義, 遯者, 陰長而陽遯也, 大壯, 陽之壯盛也. 衰則必盛, 消息相須, 故旣遯則必壯, 大壯所以次遯也. 爲卦震上乾下, 乾剛而震動, 以剛而動, 大壯之義也. 剛陽, 大也, 陽長已過中矣. 大者壯盛也, 又雷之威震而在天上, 亦大壯之義也.

대장괘는 「서괘전」에서 "돈(遯)은 물러남이다. 그런데 물건은 끝내 물러날 수 없기 때문에, 대장괘로써 받았다"고 하였다. 돈은 멀리 떠난다는 뜻이고, 장(壯)은 나아가서 장성하다는 뜻이니, 돈은 음이 자라서 양이 물러나는 것이며, 대장은 양이 장성한 것이다. 쇠하면 반드시 장성하면서 사라지고 생장함이 서로 의존하기 때문에, 물러났다면 반드시 장성하게 되므로, 대장괘가 돈괘(䷠) 다음이 되는 이유이다. 괘는 진괘(震卦☳)가 위이고, 건괘(乾卦☰)가 아래인데, 건괘는 굳세고 진괘는 움직여서, 굳셈으로써 움직이는 것이 대장의 뜻이다. 굳센 양은 크니, 양이 자라서 이미 중을 지났다. 큰 것은 장성함이며, 또 우레의 위엄과 진동이 하늘에 있는 것 또한 대장의 뜻이다.

小註

漢上朱氏曰, 陽動於復, 長於臨, 交於泰, 至四而後壯. 泰不言壯者, 陰陽敵也, 猶人之血氣方剛, 故曰大壯.

한상주씨가 말하였다: 양은 복괘(復卦䷗)에서 움직이고, 림괘(臨卦䷒)에서 자라며, 태괘(泰卦䷊)에서 교차하면서 양이 네 개의 효에 이른 이후에 장성해진다. 태괘에서 장성함을 언급하지 않은 이유는 음양이 대등하기 때문으로, 마치 사람의 혈기가 굳세게 되려는 경우와 같다. 그렇기 때문에 대장이라고 말하였다.

○ 雲峰胡氏曰: 三畫卦, 初爲少, 二爲壯, 三爲究. 六畫卦, 初二爲少, 三四爲壯. 泰不言者, 陰陽敵也. 以四陽上升而動於外, 乃謂之壯, 如大畜大過皆四陽, 故謂之大.

운봉호씨가 말하였다: 삼획괘에서 초효는 어린 것[少]이 되고, 이효는 장한 것[壯]이 되며, 삼효는 끝[究]이 된다. 육획괘에서 초효와 이효는 어린 것이 되고, 삼효와 사효는 장성한 것이 된다. 태괘(泰卦䷊)에서 언급하지 않은 이유는 음양이 대등하기 때문이다. 네 개의 양이 위로 올라가고 밖에서 움직이는 것을 장(壯)이라고 부르니, 마치 대축괘(大畜卦䷙)와 대과괘(大過卦䷛)가 모두 네 개의 양으로 된 경우와 같기 때문에, 대(大)라고 부른다.

○ 楊氏曰: 姤者, 女之壯也. 大壯者, 陽之壯也. 陰陽之理, 迭爲羸壯, 彼羸則此壯, 彼壯則此羸. 女而壯者, 非女之所宜, 陽而壯者, 則爲陽之常理. 大壯之時, 三陽過於泰矣. 二陰而當四陽之進, 則陽者壯而陰者羸矣.
양씨가 말하였다: 구괘(姤卦☴)는 여자가 장성한 것이다. 대장괘는 양이 장성한 것이다. 음양의 이치는 번갈아가며 시들고 장성해지니, 저것이 시들면 이것이 장성하고, 저것이 장성하면 이것이 시든다. 여자이면서 장성한 것은 여자의 합당함이 아니지만, 양이면서 장성하다면, 양의 일상적인 이치가 된다. 크게 장성하는 시기에는 세 개의 양이 태괘(泰卦☷)를 넘어선다. 두 음인데 네 음이 나아가니, 양은 장성해지고 음은 시든다.

○ 庸齋趙氏曰, 四陽在下而進至上卦矣. 乾健上升而震動于外, 其壯孰大於此.
용재조씨가 말하였다: 네 개의 양이 아래에 있으면서 나아가 상괘에 이른다. 건괘의 굳셈이 위로 올라가고 진괘가 밖에서 움직이니, 장성함에 있어서 어느 것이 이보다 크겠는가?

大壯, 利貞.

대장은 곧음이 이롭다.

中國大全

傳

大壯之道, 利於貞正也. 大壯而不得其正, 强猛之爲耳, 非君子之道壯盛也.

대장의 도는 곧고 바름이 이롭다. 크게 장성하지만 바름을 얻지 못하면, 사나운 짓을 할 따름이니, 군자의 도가 장성한 것이 아니다.

本義

大, 謂陽也, 四陽盛長, 故爲大壯, 二月之卦也. 陽壯則占者, 吉亨, 不假言, 但利在正固而已.

큼은 양을 뜻하니, 네 양이 장성하게 자라나기 때문에 대장이 되며, 2월의 괘에 해당한다. 양이 장성해지면 점치는 자가 길하고 형통함을 말할 필요가 없으나, 단지 이로움이 바르고 단단함에 있을 따름이다.

小註

建安丘氏曰, 遯小利貞, 小者, 利於貞也, 指二陰言, 大壯利貞, 大者, 利於貞也, 指四陽言. 陰之進不正, 則小人得以陵君子, 陽之進不正, 則君子不能勝小人, 皆扶陽抑陰之意也.

건안구씨가 말하였다: 돈괘(遯卦䷠)에서는 "소인은 바르게 함이 이롭다[小利貞]"라고 했는데, 작은 것은 곧음이 이롭다는 뜻으로, 두 개의 음을 가리켜서 한 말이고, 대장괘에서는 "곧음이 이롭다[利貞]"라고 했는데, 큰 것은 곧음이 이롭다는 뜻으로, 네 개의 양을 가리켜서

한 말이다. 음이 나아감에 바르지 못하면, 소인이 군자를 능멸할 수 있고, 양이 나아감에 바르지 못하면, 군자가 소인을 이길 수 없으니, 이 모두는 양을 돕고 음을 억누르는 뜻이다.

○ 中溪張氏曰, 大者陽也, 壯者强盛也. 六爻之卦, 三陰三陽, 則小大均等. 至於四陽浸長, 則大壯於小, 故名大壯. 然大壯之道, 利於貞正. 不得其正, 又奚利哉.
중계장씨가 말하였다: 큰 것은 양이며 장성함은 강성함이다. 육효의 괘가 음이 셋이고 양이 셋이라면 작고 큼이 균등해진다. 네 개의 양이 점차 자라남에 이르면 큰 것이 작은 것보다 장성해지기 때문에 대장이라고 부른다. 그러나 대장의 도는 곧고 바름이 이롭다. 바르지 못하다면 또한 어찌 이롭겠는가?

○ 雙湖胡氏曰, 四陽爻, 初三正, 二四不正, 而云利貞者, 戒之也. 而成卦之主又重在九四一爻, 然則戒四尤切也. 四雖不正, 聖人方喜其震動得時, 故但戒之.
쌍호호씨가 말하였다: 네 개의 양효에서, 초효와 삼효는 바르고, 이효와 사효는 바르지 못하니, "곧음이 이롭다"는 말은 경계를 한 것이다. 그리고 괘를 이루는 주인이자 중함이 구사한 효에 있으니, 그렇다면 사효를 경계함이 더욱 간절하다. 사효가 비록 바르지 않지만, 성인은 진괘가 움직여서 때를 얻음을 기뻐하였기 때문에, 경계만 하였다.

○ 雲峰胡氏曰, 復臨泰, 陽長於內, 皆言亨. 大壯, 陽自內而達於外, 亨不待言. 利貞, 自一陽至於四陽, 而動而進, 正也, 亦不可以剛動而進, 遂失其正也. 觀四陰不取少者之壯, 而以二陽在上爲觀. 大壯則以四陽爲大者之壯, 而猶恐大者或失其正, 小者得以乘之也. 戒以利貞, 其拳拳君子之意可知矣.
운봉호씨가 말하였다: 복괘(復卦☷)·림괘(臨卦☷)·태괘(泰卦☷)는 양이 안에서 길러지므로, 모두 형통하다고 말했다. 대장괘는 양이 안으로부터 밖으로 도달하였으니, 형통함은 말할 필요도 없다. "곧음이 이롭다"는 말은 한 개의 양에서 네 개의 양까지 움직여서 나아감이 곧았으니, 또한 굳셈으로 움직여 나아가 결국 그 곧음을 잃어서는 안 되기 때문이다. 관괘(觀卦☴)의 네 음은 적은 것의 장성함을 취하지 않고, 두 개의 양이 위에 있어서 보는 것이 되며, 대장괘는 네 개의 양을 큰 것이 장성해짐으로 삼았지만, 여전히 큰 것이 그 곧음을 잃어서, 작은 것이 올라타게 될 수도 있음을 염려하였다. 따라서 "곧음이 이롭다"고 경계를 하였으니, 정성스러운 군자의 뜻을 알 수 있다.

‖韓國大全‖

송시열(宋時烈) 『역설(易說)』

大者, 如大過之大, 皆謂陽也. 壯者, 盛壯也. 利貞者, 利於貞正也.
'대(大)'자는 대과괘(大過卦䷛)의 대(大)자와 같으니, 모두 양을 뜻한다. '장(壯)'자는 융성하고 장성하다는 뜻이다. "곧음이 이롭다"는 곧고 바르게 하는 데에서 이롭다는 뜻이다.

이현익(李顯益) 『주역설(周易說』

壯以進爲義, 則艱則吉. 以終可進, 故爲吉. 節齋蔡氏之以不進則吉爲言, 似未然. 語類曰, 艱則吉者, 畢竟有可進之理.
장성함은 나아감을 뜻으로 삼았으니, 어렵게 여기면 길하게 된다. 끝내 나아갈 수 있기 때문에 길하게 된다. 절재채씨는 나아가지 못하면 길하다고 했는데, 아마도 그렇지 않은 것 같다. 『주자어류』에서는 "어렵게 여기면 길하게 된다는 말은 끝내 나아갈 수 있는 이치가 있다는 것이다"라고 했다.

이익(李瀷) 『역경질서(易經疾書)』

卦無中正之位, 惟九二剛而得中貞吉, 而不言. 象辭彖之利貞乃主二而言. 故爻無其辭, 然傳又以大者正爲解. 意者, 卦以陽長爲義, 四陽均有正大之義, 而得中者尤吉也.
괘에는 중정한 자리가 없고, 구이만이 굳센 양으로 가운데 자리를 얻어서 곧아서 길한데도 언급하지 않았다, 「대상전」과 「단전」의 "곧음이 이롭다"는 말은 곧 이효를 위주로 한 말이다. 그러므로 효사에는 그 말이 없지만, 「단전」에서는 또한 큼을 올바른 것으로 풀이했던 것이다. 생각건대 괘에서는 양이 자란 것을 뜻으로 삼았으니, 네 양이 모두 올바르고 크다는 뜻이 있지만 알맞음을 얻은 것이 더욱 길하다.

유정원(柳正源) 『역해참고(易解參攷)』

案, 陽壯則過中, 過中則不正, 故戒在貞正. 乾健以正, 震動以正, 利貞之道也.
내가 살펴보았다: 양이 장성하면 알맞음을 지나치고, 알맞음을 지나치면 바르지 못하기 때문에, 경계함이 곧고 바름에 있다. 건괘는 바름으로써 굳건하고, 진괘는 바름으로써 움직이니, 곧음이 이로운 도이다.

김상악(金相岳) 『산천역설(山天易說)』

大, 謂陽也. 四陽盛長, 故爲大壯. 大者之壯, 不以過剛而以其正也, 故必利於貞, 所以二與四皆貞吉. 然二之得中, 不如四之動, 而爲成卦之主, 爻辭可見.

'대(大)'자는 양(陽)을 뜻한다. 네 개의 양이 융성하게 자라나기 때문에 대장(大壯)이 된다. 큰 것 중에서도 장성한 것은 지나치게 굳세 바르지 않기 때문에 반드시 곧음에 이로우니, 이효와 사효가 모두 곧아서 길한 까닭이다. 그러나 이효는 가운데 자리를 얻은 것은 사효가 움직여서 괘를 이루는 주인이 된 것만 못하니, 효사에서 확인할 수 있다.

○ 大壯利貞, 猶遯之小利貞. 无妄九五居乾中正, 故元亨利貞. 大壯九二, 亦乾體而雖中不正, 故只得其半. 或曰, 壯有兩義, 四陽之壯於下, 所以成卦也, 二陰之壯于上, 亦不可謂不壯也, 引史墨言雷乘乾, 曰大壯. 然恐不可以將消之二陰爲壯, 所以五曰喪羊于易, 上曰羝羊觸藩, 不能退, 不能遂. 又大壯與姤之女壯不同, 故象傳曰大者壯也, 不可以三有小人用壯君子用罔之戒爲兼取兩義也.

"대장은 곧음이 이롭다"는 말은 돈괘(遯卦䷠)에서 "조금 바르게 함이 이롭다"[1]고 한 뜻과 같다. 무망괘(无妄卦䷘)의 구오는 건괘의 중정한 자리에 있기 때문에 "크게 형통하고 곧게 함이 이롭다"[2]고 한 것이다. 대장괘(大壯卦䷡)의 구이 또한 건괘의 몸체이고 비록 가운데 있지만 제자리가 아니기 때문에 단지 그 반절만 얻었다. 어떤 이는 "장(壯)자에는 두 가지 뜻이 있으니, 첫 번째는 네 양이 밑에서 장성하게 되어 괘를 이룬다는 것이고, 두 번째는 두 음이 위에서 장성하니 이 또한 장성하지 않다고 할 수 없다"고 하면서 채사묵이 말한 우레가 건괘를 타고 있는 것을 '대장(大壯)'이라고 한다는 말을 인용했다. 그러나 아마도 소멸하게 될 두 음을 장성하다고 여길 수는 없으니, 오효에서 "양을 온화함과 평이함에 잃는다"라고 말하고, 상효에서 "숫양이 울타리를 들이받아서 물러가지도 못하고 나아가지도 못한다"라고 한 이유이다. 또 대장괘와 구괘(姤卦䷫)의 "여자가 건장하다"[3]는 말은 같지 않기 때문에 「단전」에서는 "큰 것이 장성하다"고 했으니, 삼효에서 "소인은 장성함을 사용하고, 군자는 멸시함을 사용한다"는 경계를 가지고 두 뜻을 모두 취하는 것으로 여겨서는 안 된다.

김규오(金奎五) 「독역기의(讀易記疑)」

卦辭不言亨, 疑壯字自有亨義也.

1) 『周易 · 遯卦』: 遯, 亨, 小利貞.
2) 『周易 · 无妄卦』: 无妄, 元亨利貞, 其匪正有眚, 不利有攸往.
3) 『周易 · 姤卦』: 姤, 女壯, 勿用取女.

괘사에서는 형통함을 언급하지 않았는데, 아마도 장(壯)자 자체에 형통하다는 뜻이 있기 때문일 것이다.

○ 卦辭利貞而已, 則似若以得位爲吉, 而初三凶屬, 二四吉者, 卦體之壯, 猶大過欲以柔濟剛故也. 但二四之中, 傳尙二而義尙四, 傳主於得中, 義主於可進也.
괘사에서는 "곧음이 이롭다"고 했을 뿐이니, 아마도 자리를 얻은 것이 길하다고 여겨 초효와 삼효는 흉함에 속하고, 이효와 사효는 길함에 속한 것이며, 괘의 몸체가 장성함은 곧 대과괘(大過卦䷛)가 부드러운 음으로 굳센 양을 구제하려고 함과 같기 때문이다. 다만 이효와 사효는 가운데 자리를 얻었는데, 『정전』에서는 이효를 높이고 『본의』에서는 사효를 높였으니, 『정전』에서는 가운데 자리를 얻은데 주안점을 두었고 『본의』에서는 나아갈 수 있음에 주안점을 두었기 때문이다.

○ 三上爲內外體之首, 故皆言角.
삼효와 상효는 내괘와 외괘의 머리에 해당하기 때문에 모두 뿔을 언급하였다.

○ 九三小人君子, 小人底意多則先小人, 君子底意多則先君子, 否二遯四可見.
구삼에서 소인과 군자를 언급했는데 소인에 대해 중점을 두면 소인을 앞세우고, 군자에 대해 중점을 두면 군자를 앞세우니, 비괘(否卦䷋)의 이효[4]와 돈괘(遯卦䷠)의 사효[5]에서 확인할 수 있다.

서유신(徐有臣) 『역의의언(易義擬言)』

大者, 陽之大也. 四陽剛長, 故曰大也. 壯者, 陰之壯也. 二陰動於上, 故曰壯也. 大爲體, 壯爲用, 故利貞也.
'대(大)'는 양의 큼을 뜻한다. 네 양은 굳세고 장성하기 때문에 큼이라고 말했다. '장(壯)'은 음의 장성함을 뜻한다. 두 음은 위에서 움직이기 때문에 장성하다고 말했다. 큼은 본체가 되고 장성함은 작용이 되기 때문에 곧음이 이롭다.

박문건(朴文健) 『주역연의(周易衍義)』

二陰處高, 用貞而後進也.

---

4) 『周易 · 否卦』: 六二, 包承, 小人吉, 大人否, 亨.
5) 『周易 · 遯卦』: 九四, 好遯, 君子吉, 小人否.

두 음은 높은 곳에 있어서 곧음을 사용한 이후에야 나아갈 수 있다.

이지연(李止淵) 『주역차의(周易箚疑)』

元亨則已說於臨卦, 自此往所當用力者利貞也.
크게 형통하다는 것에 대해서는 이미 림괘(臨卦䷒)에서 풀이했으니, 이로부터 그 이상에서는 힘을 써야 될 것은 곧게 함이 이롭다는 것이다.

김기례(金箕澧) 『역요선의강목(易要選義綱目)』

大壯.
대장(大壯)에 대하여.
二月卦, 衰則必盛, 遯則必壯.
이월의 괘는 쇠퇴하면 반드시 융성하게 되고 숨으면 반드시 장성하게 된다.
○ 剛健而動, 如人漸大而壯.
굳세고 강건하면서 움직이니, 마치 사람이 점점 커져서 장성하게 됨과 같다.

利貞.
곧음이 이롭다.
以陽爲大, 陽壯而自內達外, 不言亨而已亨.
양을 큼으로 여김에 양이 장성하여 안으로부터 밖으로 도달하니, 형통함을 언급하지 않더라도 이미 형통하다.
○ 壯而不正, 則强猛, 故戒利於正.
장성하지만 바르지 못하다면 굳세고 사납게 되기 때문에 바름이 이롭다고 경계를 하였다.

심대윤(沈大允) 『주역상의점법(周易象義占法)』

大壯, 雷在天上, 聲勢壯盛, 長男畜其高大, 事業旣成而壯盛. 四陽上進而二陰不敵, 大壯之象也. 陽剛在下, 陰柔在上, 有萃而不實之象. 理無直爲剛强而能大者也, 剛而能下於柔, 柔而能上於剛. 君子之正而能中也, 故無敵於天下, 太壯之義也. 上動下健, 健而動, 大壯之道也. 君子正其大要而天下咸服, 若下與奴隷爭能, 則取侮多矣, 故君子之所爲, 似若迂闊而終壯於天下矣. 互卦爲夬, 剛決也.
대장괘는 우레가 하늘 위에 있어서 소리와 기세가 장성하고 융성하니, 맏아들이 높고 큼을 비축하고 사업도 이미 이루어져 장성하게 된다. 네 양이 위로 나아가지만 두 음이 대적하지 않으니, 대장의 상이 된다. 양의 굳셈이 아래에 있고 음의 부드러움이 위에 있으니, 모으되 채워지지 않는 상이 있다. 이치상 단지 강건하기만 해서 클 수 있는 것은 없으니, 굳세되 부드러운 것에 낮출 수 있고 부드럽되 굳셈을 숭상할 수 있어야만 한다. 군자가 올바르면서도 중도에 맞게 할 수 있기 때문에 천하에 대적함이 없는 것이 대장의 뜻이다. 위에서 움직이고 아래에서 세워 세우고 움직이는 것은 대장의 도이다. 군자가 큰 요점을 바르게 하여 천하가 모두 감복하니, 만약 아래로 노비들과 다투게 된다면 업신여김을 받게 되므로 군자의 행동은 우활한 것 같지만 끝내 천하에서 장성하게 된다. 호괘는 쾌괘(夬卦䷪)가 되니, 굳세게 결단함이다.

오치기(吳致箕) 「주역경전증해(周易經傳增解)」

大壯, 大者壯也, 四陽居下而過盛, 二陰在上而浸消, 爲大者壯之象. 雷在天上, 乾健而震動, 亦爲聲勢大壯之象也. 卦體則四陽之壯太過, 其消不久, 卦義則壯而不得其正, 非君子之道, 故戒以利貞.

"대장은 큰 것이 장성하다"고 했는데, 네 양이 밑에 있지만 융성함이 지나치고, 두 음은 위에 있지만 점점 줄어드니, 큰 것이 장성하게 되는 상이 된다. 우레가 하늘 위에 있어 건괘가 굳건한데 진괘가 움직이니, 이 또한 소리의 형세가 크게 장성한 상이 된다. 괘의 몸체는 네 양의 장성함이 크게 지나쳐서 사그라짐이 오래가지 않고, 괘의 뜻은 장성하지만 바름을 얻지 못해 군자의 도가 아니기 때문에, 곧음이 이롭다고 경계를 하였다.

○ 復則一陽初生, 將以漸長, 故言亨. 臨則二陽方盛未極, 故言元亨. 泰則三陽將極, 有否來之戒, 故不言大亨. 大壯之四陽, 夬之五陽, 則已過極, 故不言亨, 所以戒陰之將來, 皆爲君子謀也.

복괘(復卦䷗)는 하나의 양이 처음 생겨나서 점점 자라나려고 하기 때문에 "형통하다"고 했다.[6] 림괘(臨卦䷒)는 두 양이 이제 막 융성해지려고 하지만 아직 지극하지 못하기 때문에 "크게 형통하다"[7]고 했다. 태괘(泰卦䷊)는 세 양이 장차 지극해지려고 하여 올지 안 올지에 대한 경계를 하였기 때문에 "크게 형통하다"고 하지 않았다.[8] 대장괘의 네 양과 쾌괘(夬卦䷪)의 다섯 양은 이미 지극해짐을 지나쳤기 때문에 "형통하다"고 하지 않았으니, 음이 장차 도래하게 됨을 경계한 것으로, 이 모두는 군자를 위해 도모한 것이다.

6) 『周易·復卦』: 復, 亨. 出入无疾, 朋來无咎, 反復其道, 七日來復. 利有攸往.
7) 『周易·臨卦』: 臨, 元亨, 利貞, 至于八月有凶.
8) 『周易·泰卦』: 泰, 小往大來, 吉, 亨.

이진상(李震相) 『역학관규(易學管窺)』

卦體
괘의 몸체에 대하여.

遯之反也. 遯則陰長, 六月之卦也, 大壯, 陰消, 二月之卦也. 咸恒之後, 遯以巽女艮男, 事乾父, 大壯以震男兌女, 承乾父.
돈괘(遯卦䷠)가 거꾸로 뒤집어진 괘이다. 돈괘는 음이 자라나니 유월의 괘이고, 대장괘는 음이 줄어드니, 이월의 괘이다. 함괘(咸卦䷞)와 항괘(恒卦䷟)의 뒤에 있는데, 돈괘(遯卦䷠)는 손괘의 여자와 간괘의 남자가 건괘인 부친을 섬기고, 대장괘(大壯卦䷡)는 진괘의 남자와 태괘의 여자가 건괘의 부친을 받든다.

이정규(李正奎) 「독역기(讀易記)」

大壯元亨之道, 似勝於他卦, 而反不言, 只曰利貞者, 何也. 或者, 陽止於壯, 則亨已著矣久矣, 不必更言. 惟諸陽盛進之時, 或慮過剛不正反害於壯, 故以利貞戒之耶.
대장괘의 크게 형통한 도는 다른 괘보다도 나은 것 같은데도 도리어 그것에 대해 언급하지 않고, 단지 "곧음이 이롭다"라고 말한 것은 어째서인가? 혹 양이 장성한데 그친다면, 형통함은 이미 드러나고 오래되었으므로, 재차 말할 필요가 없기 때문이다. 다만 여러 양들이 융성하게 나아갈 때에 혹 지나치게 굳셈으로 바르지 못해 장성함에 해를 끼칠 것이 염려되기 때문에 "곧음이 이롭다"는 말로 경계했을 것이다.

이병헌(李炳憲) 『역경금문고통론(易經今文考通論)』

鄭曰, 壯, 氣力浸强之名. 右一對, 往來策數準需訟.
정현은 "장성하다[壯]는 기력이 굳세진다는 것의 이름이다"라고 했다. 이상은 한 짝으로 왕래하는 책수는 수괘(需卦䷄)와 송괘(訟卦䷅)와 같다.

彖曰, 大壯, 大者壯也, 剛以動, 故壯.

「단전」에서 말하였다: 대장은 큰 것이 장성하니, 굳셈으로써 움직이기 때문에 장성하다.

中國大全

傳

所以名大壯者, 謂大者壯也. 陰爲小, 陽爲大, 陽長以盛, 是大者壯也. 下剛而上動, 以乾之至剛而動, 故爲大壯, 爲大者壯與壯之大也.

대장이라고 명명한 이유는 큰 것이 장성하기 때문이다. 음은 작은 것이 되고, 양은 큰 것이 되니, 양이 길러져서 장성함은 큰 것이 장성함이다. 아래는 굳세고 위는 움직여서 건괘의 지극히 굳셈으로 움직이기 때문에 대장이 되니, 큰 것이 장성해지고, 장성함이 크게 되는 것이다.

本義

釋卦名義, 以卦體言, 則陽長過中, 大者壯也. 以卦德言則乾剛震動, 所以壯也.

괘의 이름을 풀이한 것이니, 괘의 몸체로 말을 한다면, 양이 길러져서 중을 지난 것이니, 큰 것이 장성해짐이다. 괘의 덕으로 말을 한다면, 건괘는 굳세고 진괘는 움직이는 것이니, 장성한 까닭이다.

小註

中溪張氏曰, 大壯者, 陽壯也. 內卦乾不變, 外卦本坤. 乾一索於坤而得震, 乾剛而震動, 所以壯也.

중계장씨가 말하였다: 대장은 양이 장성함이다. 내괘인 건괘는 불변하고, 외괘는 본래 곤괘이다. 건괘는 곤괘에서 첫 번째로 구해 진괘를 얻어 건괘는 굳세고 진괘는 움직이니, 장성해지는 이유이다.

韓國大全

유정원(柳正源) 『역해참고(易解參攷)』

王氏曰, 大者, 謂陽爻, 小道將滅大者獲正, 故利貞.
왕필이 말하였다: 큼은 양효를 뜻하는데, 작은 도가 큰 것을 없애려고 함에 올바름을 얻어야 하기 때문에 곧음이 이롭다.

○ 開封耿氏曰, 小者壯則非其宜也, 姤女壯, 是也. 大者壯乃其宜也.
개봉경씨가 말하였다: 작은 것이 장성하게 되는 것은 마땅함이 아니니, 구괘(姤卦䷫)에서 “여자가 장성하다”[9]고 한 말이 여기에 해당한다. 큰 것이 장성해야 마땅함이 된다.

○ 梁山來氏曰, 乾剛震動. 剛則能勝其人欲之私, 動則能奮其必爲之志, 何事不可行哉. 此其所以壯也.
양산래씨가 말하였다: 건괘는 굳세고 진괘는 움직인다. 굳세다면 인욕의 사사로움을 이길 수 있고, 움직인다면 반드시 하려고 하는 뜻을 떨칠 수 있으니, 어떤 일인들 못하겠는가? 이것이 장성하게 되는 이유이다.

김상악(金相岳) 『산천역설(山天易說)』

以卦體卦德釋卦名義. 乾體諸卦, 皆以健爲德, 或竝稱剛健. 惟大壯言剛, 不言健者, 壯有健義也.
괘의 몸체 · 괘의 덕으로 괘의 이름을 풀이하였다. 건괘의 몸체가 들어가는 여러 괘에서는 모두 굳건함을 덕으로 삼고, 어떤 경우에는 굳셈과 굳건함을 함께 지칭한다. 대장괘에서는 굳셈만 말하고 굳건함을 말하지 않은 이유는 장(壯)자에는 굳건함의 뜻이 포함되어 있기 때문이다.

서유신(徐有臣) 『역의의언(易義擬言)』

大壯, 大者壯之謂也, 曷以爲大者壯. 大由於剛, 壯由於動也. 二柔居震, 能動爲壯也.

9) 『周易 · 姤卦』: 姤, 女壯, 勿用取女.

大且壯爲大者壯也, 故曰大壯也. 故壯之壯, 恐當作曰也. 夫夬之五陽, 豈不盛大哉. 然曰夬而不曰壯, 爲其兌柔說不壯也.
대장(大壯)은 큰 것이 장성함을 뜻하는데, 어떻게 큰 것이 장성하다고 여기는가? 큼은 굳셈으로부터 비롯되고, 장성함은 움직임으로부터 비롯된다. 두 음이 진괘에 있어 움직일 수 있음이 장성함이다. 크고 또 장성하여 큰일을 함이 장성함이기 때문에 대장(大壯)이라고 했다. "움직이기 때문에 장성하다"고 할 때의 "장성하다"는 장성하다고 할 때의 장(壯)자는 아마도 "~라고 하였다[曰]"로 해야 할 것 같다. 쾌괘(夬卦䷪)의 다섯 양은 어떻게 융성하고 크지 않겠는가? 그런데도 쾌(夬)라고만 말하고 장(壯)이라고 말하지 않았으니, 태괘의 부드러운 음이 기뻐하기 때문에 장성하지 못하다.

박문건(朴文健) 『주역연의(周易衍義)』

此以卦體卦德釋卦名.
이 말은 괘의 몸체와 괘의 덕으로 괘의 이름을 풀이하였다.
〈問, 大者壯, 剛以動.
曰, 大者壯, 言其勢之壯也. 剛以動, 言其進之壯也. 蓋卦體不足以盡義, 故又以卦德兼釋之也.
물었다: "큰 것이 장성하다"는 말과 "굳셈으로써 움직인다"는 말은 무슨 뜻입니까?
답하였다: "큰 것이 장성하다"는 말은 그 세력이 장성함을 뜻합니다. "굳셈으로써 움직인다"는 말은 나아감이 장성하다는 뜻입니다. 괘의 몸체로는 그 뜻을 다 나타내기에 부족하기 때문에 또한 괘의 덕으로 함께 풀이하였습니다.〉

김기례(金箕澧) 『역요선의강목(易要選義綱目)』

釋卦德.
괘의 덕을 풀이한 것이다.

大壯利貞, 大者正也. 正大而天地之情, 可見矣.

"대장은 곧음이 이로움"은 큰 것이 바른 것이다. 바르고 크면 천지의 정을 볼 수 있다.

中國大全

傳

大者旣壯, 則利於貞正, 正而大者, 道也. 極正大之理, 則天地之情, 可見矣. 天地之道常久而不已者, 至大至正也, 正大之理, 學者默識心通, 可也. 不云大正而云正大, 恐疑爲一事也.

큰 것이 장성해지면, 곧고 바름이 이로우니, 바르고 큰 것은 도이다. 바르고 큰 이치를 지극히 하면, 천지의 정을 볼 수 있다. 천지의 도가 항상되고 오래되어도 그치지 않음은 지극히 크고 바르기 때문이니, 바르고 큰 이치는 배우는 사람들이 묵묵히 알고 마음으로 깨달아야만 한다. '크고 바르면[大正]'이라고 말하지 않고, '바르고 크면[正大]'라고 말한 이유는 한 가지 사안이라고 의심할 것을 염려했기 때문이다.

本義

釋利貞之義而極言之.

"곧음이 이롭다[利貞]"는 뜻을 풀이하여, 곡진하게 설명하였다.

小註

朱子曰, 大壯利貞, 是利於正也. 所以大者, 以其正也. 旣正且大, 則天地之情, 不過於正大.

주자가 말하였다: "대장은 곧음이 이롭다"는 말은 바름이 이롭다는 뜻이다. 크게 되는 이유

는 바르기 때문이다. 이미 바르고 또 크다면, 천지의 정이 바르고 큼에서 불과한 것이다.

○ 問, 大者正與正大不同, 上大字, 是指陽, 下正大, 是說理. 曰, 然. 亦緣上面有大者正字, 方說此.
물었다: "큰 것이 바른 것이다[大者正]"와 "바르고 크다[正大]"는 다른데, 앞의 큰 것[大]은 양을 가리키고, 뒤의 정대(正大)는 이치를 설명한 말입니까?
답하였다: 그렇습니다. 또한 앞에 나오는 "큰 것이 바른 것이다[大者正]"는 말이 있어 바로 이것을 설명하였습니다.

○ 問, 如何見天地之情. 曰, 正大, 便見得天地之情. 天地只是正大, 未嘗有些子邪處.
물었다: 어떻게 하면 천지의 정을 볼 수 있습니까?
답하였다: 바르고 크다면 곧 천지의 정을 볼 수 있습니다. 천지는 바르고 큰 것일 뿐이니, 일찍이 한 점의 그릇됨도 없었습니다.

○ 節初齊氏曰: 大者壯, 以氣言也. 大者正, 以理言也.
절초제씨가 말하였다: "큰 것이 장성하다"는 말은 기로써 한 말이다. "큰 것이 바르다"는 말은 이치로써 한 말이다.

○ 進齋徐氏曰: 大者壯, 乃壯之本體也, 而大者正, 則所以用壯之道也. 正大而天地之情可見, 則又推極其理而言之也.
진재서씨가 말하였다: "큰 것이 장성하다"는 말은 장성함의 본체가 되고, "큰 것이 바르다"는 말은 장성함을 쓰는 도리이다. "바르고 크면 천지의 정을 볼 수 있다"는 말은 또한 그 이치를 지극히 미루어서 한 말이다.

○ 隆山李氏曰: 大而利貞, 乃天地之情也. 孔子贊彖, 非獨大壯, 如咸恒萃, 皆曰天地萬物之情可見, 豈非因諸卦利貞之象, 而論天地之至情者乎.
융산이씨가 말하였다: 크고 곧음이 이로움은 바로 천지의 정이다. 공자가 「단전」을 지음에 대장괘뿐만 아니라 함괘(咸卦䷞)·항괘(恒卦䷟)·췌괘(萃卦䷬)에서도 모두 천지만물의 정을 볼 수 있다고 했으니, 어찌 여러 괘에 나오는 곧음이 이롭다는 상에 따라 천지의 지극한 정을 논의한 것이 아니겠는가?

○ 建安丘氏曰, 心動物也. 情則心之動而見於外者也. 復震下坤上, 靜中有動. 故曰見天地之心. 大壯乾下震上, 動已發於外, 故曰見天地之情. 此以動有內外, 而爲心情之別也.
건안구씨가 말하였다: 마음은 움직이는 것이고, 정은 마음이 움직여서 밖으로 드러나는 것이다. 복괘(復卦䷗)는 진괘가 아래에 있고 곤괘가 위에 있으니, 고요한 가운데 움직이는 것이다. 그러므로 "천지의 마음을 본다"고 말했다. 대장괘는 건괘가 아래에 있고 진괘가 위에 있으니, 움직임이 이미 밖으로 나타났기 때문에, "천지의 정을 본다"고 말했다. 이 둘은 움직임에 내외를 두어서, 마음과 정의 구별로 삼았다.

○ 中溪張氏曰, 復雷在地中, 則天地生物之機, 伏而未露, 聖人有以見其心, 大壯雷在天上, 則天地生物之心, 已達於外, 聖人有以見其情也.
중계장씨가 말하였다: 복괘(復卦䷗)는 우레가 땅 속에 있으니, 천지가 만물을 낳는 기미가 숨어서 드러나지 않아 성인이 그 마음을 볼 수 있는 것이고, 대장괘는 우레가 하늘에 있으니, 천지가 만물을 낳는 마음이 이미 밖으로 통하여 성인이 그 정을 볼 수 있는 것이다.

○ 雲峰胡氏曰, 心未易見故疑, 其辭曰復其見天地之心乎. 情則可見矣, 故直書之. 人能情天地之情, 動孰非禮. 人能心天地之心, 動之端孰非仁. 愚嘗謂孟子養氣之論, 自此而出. 大者壯也, 剛以動, 卽是其爲氣也, 至大至剛, 大者正也, 卽是以直養而无害.
운봉호씨가 말하였다: 마음은 쉽게 볼 수 없기 때문에 의심이 되어서, 복괘(復卦䷗)의 「단전」에서는 "복괘에서 천지의 마음을 볼 수 있을 것이다"고 하였다. 정은 드러나기 때문에, 직접적으로 볼 수 있다고 기록하였다. 사람이 천지의 정을 자신의 정으로 삼으면, 움직임에 무엇인들 예(禮)가 아니겠는가? 사람이 천지의 마음을 자신의 마음으로 삼을 수 있으면, 움직임의 단서 중 무엇인들 인(仁)이 아니겠는가? 나는 일찍이 맹자가 말한 양기의 논의가 여기에서 도출되었다고 했다. "큰 것이 장성하니, 굳셈으로써 움직인다"는 말은 "그 기운이 지극히 크고 굳세다"는 뜻이고, "큰 것이 바른 것이다"는 말은 바로 "곧음으로 기르고 해됨이 없다"[10]는 뜻이다.

---

10) 『孟子 · 公孫丑上』: 難言也. 其爲氣也, 至大至剛, 以直養而無害, 則塞於天地之間.

韓國大全

권근(權近) 『주역천견록(周易淺見錄)』

大壯彖曰, 正大而天地之情可見矣.
대장괘의 「단전」에서 말하였다: 바르고 커서 천지의 정을 볼 수 있다.

愚按, 雷在地中爲復, 則曰其見天地之心乎. 雷行天上大壯, 則曰天地之情可見矣. 心言其方動之初, 微而難見, 故疑其辭. 其乎二字疑辭也. 情言其已發之後, 著而易見, 故決其辭, 可矣二字決辭也. 一陽方萌而動於地中, 故微而難見, 四陽已壯而動於天上, 故著而易見也. 咸恒萃竝言萬物之情, 此不言者, 萬物有大有小, 有正有不正, 極正大者唯天地也. 若夫咸之能通, 恒之能久, 萃之能聚, 天地萬物之情, 雖其高下散殊洪纖異類, 而其理之一者, 可得而見之也.
내가 살펴보았다: 우레가 땅속에 있는 것은 복괘(復卦䷗)가 되니, "천지의 마음을 볼 수 있을 것이다"[11]라고 했다. 우레가 하늘 위에서 움직이면 대장괘가 되니, "천지의 정을 볼 수 있다"고 했다. 마음은 이제 막 움직이기 시작한 초기를 말하니, 미세하여 보기 어렵기 때문에 의심하는 말투로 표현했다. "~할 수 있을 것이다[其乎]"라는 표현은 의심하는 말이다. 정은 이미 나타난 이후를 말하니, 드러나서 쉽게 볼 수 있기 때문에 확정적으로 그 말을 표현했다. "~할 수 있다[可矣]"라는 표현은 확정하는 말이다. 복괘는 하나의 양이 이제 막 발아하여 땅속에서 움직이기 때문에 미세하여 보기 어려운데, 대장괘는 네 개의 양이 이미 장성하여 하늘 위에서 움직이기 때문에 드러나서 쉽게 볼 수 있다. 함괘(咸卦䷞)[12] · 항괘(恒卦䷟)[13] · 취괘(萃卦䷬)[14]에서는 모두 만물의 정을 언급했는데, 이곳에서 언급하지 않은 이유는 만물 중에는 큰 것도 있고 작은 것도 있으며, 바른 것도 있고 바르지 않은 것도 있는데, 지극히 바르고 큰 것은 오직 천지일 뿐이기 때문이다. 함괘가 통할 수 있고 항괘가

---

11) 『周易 · 復卦』: 彖曰, 復, 亨, 剛反, 動而以順行, 是以出入无疾, 朋來无咎. 反復其道, 七日來復, 天行也. 利有攸往, 剛長也. 復, 其見天地之心乎.

12) 『周易 · 咸卦』: 彖曰, 咸, 感也, 柔上而剛下, 二氣感應以相與. 止而說, 男下女, 是以亨, 利貞, 取女吉也. 天地感而萬物化生, 聖人感人心而天下和平, 觀其所感, 而天地萬物之情可見矣.

13) 『周易 · 恒卦』: 彖曰, 恒, 久也. 剛上而柔下, 雷風相與, 巽而動, 剛柔皆應, 恒. 恒, 亨, 无咎, 利貞, 久於其道也. 天地之道, 恒久而不已也. 利有攸往, 終則有始也. 日月得天而能久照, 四時變化而能久成, 聖人久於其道而天下化成, 觀其所恒, 而天地萬物之情可見矣.

14) 『周易 · 萃卦』: 彖曰, 萃, 聚也, 順以說, 剛中而應, 故聚也. 王假有廟, 致孝享也, 利見大人亨, 聚以正也, 用大牲吉, 利有攸往, 順天命也. 觀其所聚, 而天地萬物之情可見矣.

오래할 수 있으며 취괘가 모을 수 있는 것은 천지와 만물의 실정이니, 비록 높고 낮음이 각기 구별되고 크고 작음이 각기 다르지만 ,그 이치가 한 가지라는 사실은 확인할 수 있기 때문이다.

김장생(金長生)『주역(周易)』

大正, 至大至正之謂也. 恐人誤以爲一事看, 故換之曰大正.
"바르고 크다"는 지극히 크고 지극히 바르다는 뜻이다. 사람들이 한 가지 사안으로 오해할 것을 염려했기 때문에 "큰 것은 바른 것이다"고 하였다.

송시열(宋時烈)『역설(易說)』

下有乾剛, 上有震動, 故曰剛以動也.
아래에 건괘의 굳셈이 있고 위에 진괘의 움직임이 있기 때문에 "굳셈으로써 움직인다"고 했다.

이익(李瀷)『역경질서(易經疾書)』

大者, 陽也. 陽無不正, 其有不正者, 非本情也. 天地之情, 於陽長可見, 此與復見天地之心相似. 天地生物之心, 未嘗須臾息, 如陽舒陰慘. 陽之不舒爲陰慘揜之也. 然一脉舒之之心, 則未息, 故陰纔消而陽便長, 與挽弓相似. 注矢引滿而其發之之意未息, 故引纔脫而矢便發也. 今有一盆樹霜凌葉脫, 置諸煖屋之中, 排去虐寒, 花葉便萌, 此卽大者之正而天地可見之情也. 復之心, 如方寸中兆眹, 大壯之情, 如發而爲喜怒哀樂之顯也. 其在人事, 雖不能無刑殺間之, 而仁愛之意貫過其中, 隨處觸發, 審量眚災, 必附諸生道, 於是聖人之情可見.
큰은 양이다. 양에는 바르지 않은 것이 없으니, 바르지 않음이 있는 것은 양의 본래 실정이 아니다. 천지의 정은 양이 자라나는 속에서 볼 수 있으니, 대장괘는 복괘(復卦䷗)에서 "천지의 마음을 볼 수 있다"[15]고 한 말과 유사하다. 천지가 만물을 태어나게 하는 마음은 일찍이 잠시라도 쉰 적이 없으니, 마치 양이 펴지고 음이 쇠해짐과 같다. 양이 펴지 못하는 것은 음에 의해 쇠해지고 가려졌기 때문이다. 그러나 일관되게 펴려고 하는 마음은 쉬지 않았기 때문에 음이 사그라지자마자 곧 양은 곧 자라나게 되니 활시위를 당기는 것과 유사하다.

15)『周易 · 復卦』: 彖曰, 復, 亨, 剛反, 動而以順行, 是以出入无疾, 朋來无咎. 反復其道, 七日來復, 天行也. 利有攸往, 剛長也. 復, 其見天地之心乎.

활을 매겨 시위를 한껏 당기면 그것을 쏘려는 마음은 일찍이 그친 적이 없기 때문에 당긴 것을 잠시 놔두면 화실이 바로 발사하게 된다. 현재 한 그루의 화분에 있는 나무가 서리가 내려 잎사귀가 떨어졌는데, 따뜻한 방안에 두어 혹독한 추위를 막으면 꽃과 잎사귀가 다시 발아하게 되니, 이것은 곧 큰 것의 바름이고 천지가 드러낼 수 있는 실정이다. 복괘의 마음은 마음속의 조짐과 같고, 대장괘의 정은 발현하여 희로애락의 감정이 드러난 것과 같다. 사람의 일에 있어서 비록 형벌로 간여하지 않을 수가 없지만, 인애의 뜻이 그 속을 꿰뚫고 있어, 처한 곳에 따라 촉발하여 잘못으로 인한 재해를 자세히 살피면, 반드시 태어나게 하는 도에 따르게 되니, 여기에서 성인의 정을 볼 수 있다.

권만(權萬) 『역설(易說)』

大壯, 乾父長男之卦, 陽剛之盛大者, 盛壯以盛而動, 戒在以正. 故曰利貞.
대장괘는 건괘의 부친과 큰아들에 해당하는 괘이니, 굳센 양의 성대한 것이 성대하게 장성함으로 성대해져서 움직이는 것이니 바름으로 경계를 하였다. 그러므로 "곧음이 이롭다"고 했다.

유정원(柳正源) 『역해참고(易解參攷)』

正義, 不言萬物者, 壯大之名義, 歸天地. 故不與咸恒同也.
『주역정의』에서 말하였다: '만물(萬物)'을 언급하지 않은 것은 장성하고 크다는 명칭과 그 뜻이 천지에 귀의하기 때문이다. 그러므로 함괘(咸卦䷞) · 항괘(恒卦䷟)와 같지 않다.

○ 雙湖胡氏曰, 震方復於坤下, 爲見天地之心. 心在內, 以靜爲主者也. 震旣動於天上, 爲見天地之情. 情在外, 則全以動爲言者矣.
쌍호호씨가 말하였다: 진괘가 곤괘 아래에서 양을 막 회복하는 것은 천지의 마음을 볼 수 있는 것이다. 마음은 내부에 있으니, 고요함을 위주로 한다. 진괘가 이미 하늘 위에서 움직이는 것은 천지의 실정을 볼 수 있는 것이다. 실정은 외부에 있으니, 전적으로 움직임으로써 말을 한 것이다.

김상악(金相岳) 『산천역설(山天易說)』

釋利貞之義而極言之. 大者壯, 壯之本體也. 大者正, 卽用壯之道也. 所以大者, 自无不正, 正則又无不大也.
"곧음이 이롭다"는 뜻을 풀이하여 지극히 말했다. "큰 것이 장성하다"는 말은 장성함의 본체에 해당한다. "큰 것은 바르다"는 말은 곧 장성함을 사용하는 도이다. 크게 된 것은 그 자체로 바르지 않은 것이 없고, 바르다면 또한 크지 않은 것이 없다.

○ 情者, 心之所發也. 復言心, 大壯言情, 動有內外之辨也.
정은 마음이 발현된 것이다. 복괘(復卦䷗)에서 마음을 말하고[16] 대장괘에서 정을 말했으니, 움직임에는 내외의 구별이 있기 때문이다.

서유신(徐有臣) 『역의의언(易義擬言)』

體大而用壯, 爲大者正也. 大者正, 爲正且大也. 天地之情, 可見於陰陽之正也.
몸체는 크고 쓰임은 장성하므로 큰 것이 바르게 된다. "큰 것이 바른 것이다"는 말은 바르고 또 크다는 뜻이다. 천지의 정은 음양의 바름에서 볼 수 있다.

박문건(朴文健) 『주역연의(周易衍義)』

於正大之道, 可見天地情也. 此釋彖辭而極言天地道亦不過此也.
바르고 큰 도에서 천지의 정을 볼 수 있다. 이 문장에서는 「단사」를 풀이하며 천지의 도 또한 이것에 불과함을 지극히 말하였다.
〈問, 大者正也.
曰, 陽盛則貞正之道極壯也, 所以大者正也. 故正大之道, 天地可當之也.
물었다: "큰 것은 바른 것이다"는 무슨 뜻입니까?
답하였다: 양이 융성하면 곧고 바른 도가 지극히 장성해지기 때문에 큰 것은 바른 것이 됩니다. 그러므로 바르고 큰 도는 천지가 그것에 해당할 수 있습니다.〉

심대윤(沈大允) 『주역상의점법(周易象義占法)』

天地運其氣數而萬物成, 聖人張其綱維而萬目[17]擧, 先王正其大統而萬民服. 若屑屑瑣瑣而齷齪米塩, 則已細矣, 何以成大業而臨天下乎? 曰大者壯, 大者正也, 天地之情, 正其大而已矣, 豈細瑣哉. 能爲其大而不委瑣, 故人服而上之, 能自反而縮, 故人莫敢侮.
천지가 기운을 운행하여 만물이 이루어지고, 성인은 기강과 규범을 세워서 모든 조목이 열거되며, 선왕은 큰 법통을 바르게 하여 모든 백성이 그에 따른다. 만약 자잘하고 도량이

---

16) 『周易 · 復卦』: 彖曰, 復, 亨, 剛反, 動而以順行, 是以出入无疾, 朋來无咎. 反復其道, 七日來復, 天行也. 利有攸往, 剛長也. 復, 其見天地之心乎.
17) 目: 경학자료집성DB에는 '日'로 되어 있으나, 영인본에 따라 '目'으로 바로 잡았다.

좁다면 이미 세세하게 되었으니, 어떻게 대업을 완성하여 천하에 임할 수 있겠는가? "큰 것은 장성하다"라고 했고, "큰 것이 바른 것이다"라고 했으니, 천지의 정은 큰 것을 바르게 하는 것일 뿐인데, 어떻게 자잘할 수 있는가? 크게 할 수 있지만 자질구레하게 할 수 없기 때문에 사람들이 복종하며 윗사람으로 떠받들고, 스스로 반성하여 곧게 할 수 있기 때문에,[18] 사람들 중 감히 업신여길 수 있는 자가 없다.

오치기(吳致箕) 「주역경전증해(周易經傳增解)」

此以卦體卦德釋卦名義及卦辭, 而終又極言利貞之義也. 傳義已備矣.

이것은 괘의 몸체 · 괘의 덕으로 괘의 이름 및 괘사를 풀이하였지만, 끝에서는 또한 곧음이 이롭다는 것을 지극히 말했다. 『정전』과 『본의』에 이미 설명이 되어 있다.

이진상(李震相) 『역학관규(易學管窺)』

五上皆陰, 故不言元亨. 二四不正, 故必利於貞. 大者壯, 陽盛之象.

오효와 상효는 모두 음이기 때문에 "크게 형통하다"라고 말하지 않았다. 이효와 사효는 바르지 않기 때문에 반드시 곧음에서 이롭게 된다. "큰 것이 장성하다"는 말은 양이 융성한 상이다.

최세학(崔世鶴) 「주역단전괘변설(周易彖傳卦變說)」

大壯, 泰之一體變也. 四一爻爲主, 故彖以大者壯言之. 否四往居於上體之下, 而陽長過中, 故曰大者壯也.

대장괘(大壯卦䷡)는 태괘(泰卦䷊)의 한 몸체가 변화한 것이다. 사효 하나가 위주가 되기 때문에 「단전」에서는 "큰 것이 장성하다"고 말했다. 비괘(否卦䷋)의 사효가 가서 상체의 아래에 있고 양이 자라나서 알맞음을 지나쳤기 때문에 "큰 것이 장성하다"고 했다.

박문호(朴文鎬) 『경설(經說)-주역(周易)』

以剛而動, 是壯之大也. 雷之在天上, 是大而壯也. 象傳只發大者壯一義, 而程子又就其言外竝發此兩義, 然後大壯之義乃備.

굳셈으로써 움직이는 것은 장성함 중에서도 큰 것이다. 우레가 하늘 위에 있는 것은 크고

18) 『孟子 · 公孫丑上』: 子好勇乎. 吾嘗聞大勇於夫子矣, 自反而不縮, 雖褐寬博, 吾不惴焉, 自反而縮, 雖千萬人, 吾往矣.

장성한 것이다. 「단전」에서는 단지 "큰 것이 장성하다"라는 한 가지 뜻만을 밝혔는데, 정자는 또한 그 이외의 의미에서 이러한 두 가지 뜻을 아울러 밝혔으니, 그렇게 한 뒤에 대장(大壯)의 의미가 분명해진다.

凡天地之情, 萬物之情, 註必以理釋之, 蓋非情則無由見理故也. 與孟子之因情論性同云.
천지의 정과 만물의 정에 대해서 주에서는 기어코 이치로써 풀이를 했으니, 정이 아니라면 이치를 볼 수 있는 까닭이 없기 때문이다. 맹자가 정에 따라서 성을 논할 때에도 이처럼 말했다.

이정규(李正奎) 「독역기(讀易記)」

彖辭有曰天地之情可見矣, 於此可見聖人於心性情之界分說盡无餘. 復之見心, 見於未發也, 未發則無暇言正不正, 故不言利貞. 此之見情, 見於已發也, 已發則有正不正, 故以利貞爲主.
「단전」에서는 "천지의 정을 볼 수 있다"고 했으니, 여기에서 성인이 심(心)·성(性)·정(情)의 경계에 대해 남김없이 설명한 것을 볼 수 있다. 복괘(復卦☷☳)의 마음을 본다는 것[19]은 아직 발동하지 않은 것에서 보는 것이며, 아직 발동하지 않았다면 바름이나 바르지 않음을 언급할 필요가 없기 때문에 곧음이 이롭다고 말하지 않았다. 반면 이곳에서 정을 볼 수 있다고 한 것은 이미 발동한 것에서 보는 것이며, 이미 발동했다면 바름이나 바르지 않음이 생겨나기 때문에, 곧음이 이롭다는 것을 위주로 했다.

觀大壯之象而別有可說者. 向當純坤之時, 天地閉塞, 八字无邦, 綱常滅盡, 人道掃如, 禽獸大食, 生靈魚肉, 殺氣騰騰, 物情慘慘, 循環生生之道, 亦幾乎熄矣. 當此之時, 雖曰一陽已復, 潛藏甚微, 外敵之勢, 愈酷愈暴, 寧有一分可期之望乎. 至於臨, 而縱有撲賊之象, 數寡勢弱, 未能交鋒於尙强之秦兵. 至於泰, 則軍聲稍振, 兩陣對圓, 略有長進之勢, 而數等勢敵, 勝負之機, 亦未大判. 纔至大壯, 乾陣一陽, 挺鎗出馬, 大呼一聲, 斬落當前一陰, 天地震動, 大小紛蕩, 星星諸陽, 齊發聲勢, 氣增百倍, 從後繼進, 迫之如涿鹿之蚩尤, 驅之如海隅之飛廉. 當此之時, 以陰爲類者, 勢窮力迫, 無暇住足, 雖有決勝之妙笑, 幻倒之神術, 將何所施乎. 零星餘醜, 不過是昧土頑民, 終歸於周, 垓下散卒盡服於漢, 眞大哉壯哉. 天下文明之象, 飛龍在天之慶, 將見於俄頃之間也. 數草昧

19) 『周易·復卦』: 彖曰, 復, 亨, 剛反, 動而以順行, 是以出入无疾, 朋來无咎. 反復其道, 七日來復, 天行也. 利有攸往, 剛長也. 復, 其見天地之心乎.

坐桑榆者, 亦得以見此光景乎.

대장괘의 상을 보면 별도로 말할 것이 있다. 아직 순전한 음인 곤괘의 때에는 천지가 막히고 팔방에 나라가 없어서 강상의 윤리가 없어지고 인도가 쓸려 나가서 짐승들이 마구 잡아먹고 백성들이 함부로 짓밟으니, 살기가 등등하고 인정이 참혹하여, 순환하며 살리고 살리는 도가 또한 거의 없어지게 되었다. 이러한 시기라면 비록 하나의 양이 이미 회복되었다고 하더라도 침잠하고 매우 미약하며 외적의 기세가 더욱 심하고 난폭하니, 어찌 조금이라도 기약할 수 있는 희망이 있었겠는가? 림괘(臨卦䷒)에 이르면 도적을 치는 상이 있더라도, 수가 적고 기세가 약하여, 강력한 군사와 싸울 수 없다. 태괘(泰卦䷊)에 이르면, 군대의 위세가 좀 더 떨쳐지게 되어, 양측의 진영이 대등하게 맞서니, 대체적으로 자라나고 나아가는 기세가 있지만, 수와 기세가 대등하여, 승패의 기미는 또한 크게 판가름 할 수 없다. 대장괘(䷡)에 이르면 건괘의 진영에 있는 하나의 양이 병장기를 빼어들고 말을 몰아서 큰 소리를 내어 앞에 있는 하나의 음을 베어내니, 천지가 진동하고 크고 작음이 어지럽게 뒤섞이며 빛나는 여러 양들이 일제히 기세를 떨쳐 기운이 증강하여 뒤로부터 계속 앞으로 나아가 압박하길 탁록의 치우와 같이 하고 몰아가길 해우의 비렴과 같이 한다. 이러한 시기에 음을 부류로 삼는 자는 기세가 다하고 힘이 다하여 머무르며 자족할 겨를이 없으니, 비록 승패를 결정한 자의 오묘한 미소와 패배를 뒤엎을 신묘한 기술이 있더라도 어디에 이것들을 쓸 수 있겠는가? 보잘것없는 잔여 세력은 우매한 땅의 완고한 백성에 지나지 않아 끝내 주나라에 귀의하고, 해하(垓下)의 흩어져 있는 병사들이 모두 한나라에 복종하니, 진실로 크고도 장성하구나. 천하의 문채가 나고 밝은 상과 나는 용이 하늘에 있는 경사가 조만간 나타나게 될 것이다. 난세를 탄식하며 늙어가는 자도 이러한 광경을 볼 수 있을 것이다.

象曰, 雷在天上, 大壯, 君子以, 非禮弗履.

「상전」에서 말하였다: 우레가 하늘에 있는 것이 대장(大壯)이니, 군자가 그것을 본받아 예가 아니면 실천하지 않는다.

中國大全

傳

雷震於天上, 大而壯也. 君子觀大壯之象, 以行其壯, 君子之大壯者, 莫若克己復禮. 古人云自勝之謂强, 中庸於和而不流, 中立而不倚, 皆曰强哉矯, 赴湯火, 蹈白刃, 武夫之勇可能也, 至於克己復禮, 則非君子之大壯, 不可能也, 故云君子以, 非禮弗履.

우레가 하늘에서 진동하여, 크고 장성하다. 군자는 크게 장성한 상을 보고, 그 장성함을 실천하니, 군자가 크게 장성함은 자신을 이겨서 예로 돌아감만 같음이 없다. 옛 사람은 "스스로를 이겨냄을 굳셈이라고 한다"[20]고 했고, 『중용』에서는 조화를 이루되 휩쓸리지 않고, 중심을 잡되 치우치지 않음에 대해 모두 "강하구나, 꿋꿋함이여!"[21]라고 했으니, 끓는 물과 불에 달려들고, 시퍼런 칼날을 밟는 것은 용맹한 자의 용기로도 가능하지만, 자신을 이겨서 예로 돌아감에 있어서는 군자의 크고 장성함이 아니라면, 불가능하다. 그렇기 때문에 "군자가 그것을 본받아 예가 아니면 실천하지 않는다"고 하였다.

本義

自勝者强.

---

20) 『韓非子 · 喩老』: 是以志之難也, 不在勝人, 在自勝也. 故曰自勝之謂强.

21) 『中庸』: 故君子和而不流, 强哉矯. 中立而不倚, 强哉矯. 國有道不變塞焉, 强哉矯. 國無道至死不變, 强哉矯.

스스로를 이겨내는 자가 강하다.

小註

或問, 伊川以爲自勝者强, 非君子之大壯不可能也, 又引中庸四說强哉矯, 以爲證其義, 是如此否. 朱子曰, 固是. 雷在天上, 是甚生威嚴, 人之克己能如雷在天上, 則威嚴果決以去其惡而必爲善. 若半上落下, 則不濟事, 何以爲君子. 須是如雷在天上, 方能克去非禮.
어떤 이가 물었다: 이천은 스스로 이기는 자는 강하니, 군자의 크고 장성함이 아니라면, 불가능하다고 여기면서 또한 『중용』에서 네 차례나 "강하구나, 꿋꿋함이여!"라고 한 말을 인용하여, 그 뜻에 대한 증거로 삼았습니다. 이러한 주장이 맞습니까?
주자가 답하였다: 진실로 옳습니다. 우레가 하늘에 있음은 대단한 위엄이니, 사람이 자신을 이기는 것을 우레가 하늘에 있는 것처럼 할 수 있다면, 위엄을 갖춰서 과감히 악함을 제거하여 반드시 선하게 됩니다. 만약 중도에 포기한다면, 그 일을 이룰 수가 없으니, 무엇을 가지고 군자가 되겠습니까? 우레가 하늘에 있는 것처럼 해야만 자신을 극복하여 예가 아닌 것을 제거할 수 있습니다.

○ 中溪張氏曰, 雷之威, 本震而在天上, 乃雷聲之壯盛者也. 君子有浩然之氣, 剛大以直, 其動以天, 然後能非禮弗履. 苟非禮而履, 則猶雷非時而震, 又何足以爲君子之大壯哉.
중계장씨가 말하였다: 우레의 위엄이 진괘에 근본하여 천상에 있으니, 매우 큰 우레의 소리가 된다. 군자가 호연지기를 갖추고, 곧음으로써 굳세고 크게 하며, 천도에 따라 행동한 연후에야 예가 아닌 것은 실천하지 않을 수 있다. 예가 아닌데도 실천을 한다면, 마치 우레가 제때가 아닌데도 진동함과 같으니, 또한 어찌 군자의 크고 장성함이 되겠는가?

○ 建安丘氏曰, 非禮勿履者, 復之事也. 至大壯, 則動皆天理, 无待於勿, 故君子以, 非禮弗履. 勿者, 禁止之辭, 弗者, 則自不爲矣.
건안구씨가 말하였다: "예가 아니면 실천하지 말라"는 말은 복괘(復卦䷗)의 일이다. 대장괘에 이르게 되면, 움직임이 모두 천리에 맞아 "하지 말라"는 말을 기다릴 필요가 없기 때문에, 군자는 그것을 본받아 예가 아니면 실천하지 않는다. "~하지 말라[勿]"는 금지하는 말이고, "~하지 않는다[弗]"는 스스로 하지 않는다는 뜻이다.

○ 臨川吳氏曰, 君子之非禮弗履, 唯剛健以動者能之. 禮者, 天之理, 而其用卑下, 乾在下之象也. 履者, 足之所踐, 如雷行所過, 震在上之象也.
임천오씨가 말하였다: 군자가 예 아닌 것을 실천하지 않음은 오직 강건함으로 행동해야만 가능한 것이다. 예는 하늘의 이치이지만, 그 쓰임은 낮으니, 건괘가 밑에 있는 상이다. '리(履)'는 발로 밟는다는 뜻으로, 마치 우레가 움직여서 지나간 것과 같으니, 진괘가 위에 있는 상이다.

○ 雲峰胡氏曰, 勝人者, 血氣之强, 自勝者, 義理之强也.
운봉호씨가 말하였다: 남을 이기는 것은 혈기의 굳셈이고, 자신을 이기는 것은 의리의 굳셈이다.

韓國大全

송시열(宋時烈)『역설(易說)』

非禮者, 非正也. 履者, 震足也. 言以震足履乾之正, 而此則反說也. 彖已言履正之道, 故象則反說而成之, 亦安不急危底意盛哉.
예가 아닌 것은 올바름이 아니라는 뜻이다. "실천한다"는 진괘의 다리에 해당한다. 진괘의 다리가 건괘의 올바름을 밟을 수 있다는 뜻인데, 이러한 경우에는 반대로 말한 것이다. 「단전」에서 이미 올바름을 받는 도를 언급했기 때문에 「상전」에서는 반대로 말을 해서 완성을 했으니, 또한 어찌 위급한 뜻의 융성함이 아니겠는가?

김도(金濤)「주역천설(周易淺說)」

愚按, 本義下所釋, 朱子惟一條, 張氏丘氏吳氏胡氏凡四條, 而皆得於大象之義矣. 蓋雷者, 震動之物, 而今在乎天上, 則其威極嚴, 其決極果, 此豈非大壯者乎. 君子所以體天上雷在之象, 而不履乎非禮者, 以其有至大至剛之氣耳. 君子之動, 以天不以人, 故能消融其查滓, 蕩滌其邪穢, 而自不踐於非禮之地耳. 顏子之克己復禮, 大禹之聲律身度, 莫非大壯之爲耳, 學者, 不可不察也.
내가 살펴보았다: 『본의』 밑의 소주에서 주자의 해석은 하나뿐이고 장씨 · 구씨 · 오씨 · 호씨의 해석은 모두 넷 인데, 모두 「대상전」의 뜻에 맞는다. 우레는 진동하는 사물인데 현재

하늘 위에 있어 위엄이 지극히 엄격하고 결단이 지극히 과감하니, 이것이 어찌 대장(大壯)의 뜻이 아니겠는가? 군자가 하늘 위에 우레가 있는 상을 체득하여 예가 아닌 것을 실천하지 않는 것은 지극히 크고 굳센 기운을 가지고 있기 때문이다. 군자의 움직임은 천도로써 하며 인도로써 하지 않기 때문에, 허물과 삿됨을 없애고 더러움을 씻어내서 스스로 예가 아닌 것을 실천하지 않을 수 있다. 안자가 자신을 이겨 예를 회복하고, 우임금이 소리를 통해 자신을 바로잡았던 것은 대장의 행위가 아님이 없으니, 배우는 자들은 살펴보지 않을 수가 없다.

이만부(李萬敷) 「역통(易統)·역대상편람(易大象便覽)·잡서변(雜書辨)」

傳曰, 雷震於天上, 大而壯也, 君子觀大壯之象, 以行其壯. 君子之大壯者, 莫若克己復禮. 古人云自勝之謂强, 中庸於和而不流, 中立而不倚, 皆曰强哉矯, 赴湯火, 蹈白刃, 武夫之勇可能也, 至於克己復禮, 則非君子之大壯, 不可能也. 故云君子以, 非禮不履.
『정전』에서 말하였다: 우레가 하늘에서 진동하여 크고 장성하니, 군자는 크게 장성한 상을 보고 그 장성함을 실천한다. 군자가 크게 장성함은 자신을 이겨서 예로 돌아감만 같음이 없다. 옛 사람은 "스스로를 이겨냄을 굳셈이라고 한다"[22]고 했고, 『중용』에서는 조화를 이루되 휩쓸리지 않고, 중심을 잡되 치우치지 않음에 대해 모두 "강하구나 꿋꿋함이여!"[23]라고 했으니, 끓는 물과 불에 달려들고, 시퍼런 칼날을 밟는 것은 용맹한 자의 용기로도 가능하지만, 자신을 이겨서 예로 돌아감은 군자의 크고 장성함이 아니라면, 불가능하다. 그렇기 때문에 "군자가 그것을 본받아 예가 아니면 실천하지 않는다"고 하였다.

本義曰, 自勝者强.
『본의』에서 말하였다: 스스로를 이겨내는 자가 강하다.

臣謹按, 此與克己復禮之訓相發. 履者, 卽動也. 履云, 則視聽言三者, 自包在其中矣. 蓋雷震於天上, 壯而大, 故君子取之以決其行, 君子之於行, 豈不壯而大乎. 然其行未必合於理, 而徒務自勝直行者, 非大壯之義, 故曰非禮弗履. 而傳曰, 君子之大壯, 莫若克己復禮, 朱子曰, 己謂身之私欲, 禮者天理之節文, 而又嘗謂訓禮以理字, 然後乃安, 然則君子之所以決其行者, 一循天理之正而無一毫人欲之私以間之, 乃可以大壯矣.

---

22) 『韓非子·喩老』: 是以志之難也, 不在勝人, 在自勝也. 故曰自勝之謂强.
23) 『中庸』: 故君子和而不流, 强哉矯. 中立而不倚, 强哉矯. 國有道不變塞焉, 强哉矯. 國無道至死不變, 强哉矯.

人有欲則屈於物之下, 無欲者方能自伸, 故夫子以申棖有欲而不許其强. 傳本義自勝之謂强者, 其旨尤切. 夫子敎顔子以克己復禮, 而繼之曰爲仁由己, 而由人乎哉, 朱子曰, 見其機之在我而無難也. 然則其行之, 決而壯, 餒而小, 只在吾反覆手間, 非他人所能與, 可不勉哉.

신이 삼가 살펴보았습니다: 이 내용은 "자신을 이겨 예로 돌아간다"[24]는 교훈과 서로 뜻을 밝혀주고 있습니다. "실천한다[履]"는 움직인다는 뜻입니다. "실천한다"고 하면 보고 · 듣고 · 말하는 세 가지가 저절로 그 안에 포함된 것입니다. 우레가 하늘에서 움직임은 장성하면서도 크기 때문에, 군자는 이것을 취하여 행동을 결단하니, 군자의 행동이 어찌 장성하면서 크지 못함이 있겠습니까? 그러나 그 행동이 반드시 이치에 합치되지 않고 단지 스스로 이겨서 곧바로 행동하는 데에만 힘쓰는 것은 크고 장성하다는 뜻이 아니기 때문에, "예가 아니면 실천하지 않는다"고 했습니다. 『정전』에서는 "군자가 크게 장성함은 자신을 이겨서 예로 돌아감만 같음이 없다"라고 했으며, 주자는 "기(己)는 자신의 사욕이며 예(禮)는 천리의 절문이다"고 했고, 또한 일찍이 '예(禮)'를 '이(理)'로 풀이를 한 뒤에야 뜻이 온전해진다고 했습니다. 그렇다면 군자가 자신의 행동을 결단함은 한결같이 천리의 올바름을 따르고 한 터럭의 인욕의 삿됨도 간여를 함이 없어야만 크고 장성하게 됩니다. 사람에게 욕심이 생기면 상대에게 굽히게 되고, 욕심이 없는 자는 스스로 펼 수 있기 때문에 공자는 신정에게 욕심이 있었으므로, 그의 강함을 인정하지 않았습니다.[25] 『정전』과 『본의』에서 스스로를 이기는 자를 강하다고 한 것은 그 뜻이 더욱 절실합니다. 공자는 안연에게 "자신을 이겨 예로 돌아간다"는 것을 가르치면서, 이어서 "인(仁)함은 자신에게서 비롯되는 것이지 남에게서 비롯되겠느냐"라고 했고, 주자는 "기미가 자신에게 있는 것을 보아 어려움이 없다"고 했습니다. 그렇다면 행동에 있어서 결단하여 장성하거나 줄어들어 작게 됨은 단지 내가 손바닥을 뒤집듯 결정하는 데 달려 있어 남이 간여할 수 있는 것이 아니니, 노력하지 않을 수 있겠습니까?

이익(李瀷) 『역경질서(易經疾書)』

雷在地中則爲復, 雷出地奮則爲豫, 至雷在天上, 陽不爲陰所揜蔽, 則爲大壯. 自地中之微陽, 看其不爲群陰消滅, 殆若難矣. 然天道不息, 以漸而進, 未有不遂之理. 至是則群陽彙進, 餘陰屛退, 天地正大之情顯矣. 非禮弗履者, 原其始微而言. 凡言行之不至

24) 『論語 · 顔淵』: 顔淵問仁. 子曰, 克己復禮爲仁. 一日克己復禮, 天下歸仁焉. 爲仁由己, 而由人乎哉. 顔淵曰, 請問其目. 子曰, 非禮勿視, 非禮勿聽, 非禮勿言, 非禮勿動. 顔淵曰, 回雖不敏, 請事斯語矣.
25) 『論語 · 公冶長』: 子曰, 吾未見剛者. 或對曰, 申棖. 子曰, 棖也慾, 焉得剛.

於正大光明者, 皆爲非禮所誘奪, 若辨之於早無所履焉, 則其德終必如雷在天上, 無往而不達, 其要又在乎愼獨.

우레가 땅속에 있다면 복괘(復卦䷗)가 되고, 우레가 땅에서 나와 떨쳐 일어나면 예괘(豫卦䷏)가 되며, 우레가 하늘에 있어서 양이 음에게 가려지지 않게 되면 대장괘가 된다. 땅속에 있는 은미한 양을 통해 뭇 음들에게 사라지게 되지 않음을 보는 것은 매우 어렵다. 그러나 하늘의 도는 그치지 않고 점진적으로 나아가 이루지 못하는 이치가 없다. 이러한 상황에 이르면 뭇 양들이 무리지어 나아가고 뭇 음들이 함께 물러나므로, 천지의 바르고 큰 정이 드러난다. "예가 아니면 실천하지 않는다"는 시작이 은미한 것에 기준으로 두어 한 말이다. 언행이 광명정대한 경지에 도달하지 못하는 것은 모두 예가 아닌 것들의 꾐에 넘어가서이니, 만약 조기에 실천함이 없는 것을 변별하면, 그 덕은 끝내 우레가 하늘에 있어 가서 두루 통하지 않음이 없음과 같게 되니, 그 요점은 또한 홀로 있음을 신중히 하는 데 달려있다.

심조(沈潮) 「역상차론(易象箚論)」

震爲足, 故曰履. 震在乾上, 乃所履者, 天理也.

진괘는 발이 되기 때문에 "실천한다[履]"라고 말했다. 진괘가 건괘 위에 있으니, 밟는 것은 천리이다.

윤동규(尹東奎) 『경설(經說)-역(易)』

大壯之象曰, 非禮不履. 動以天爲无妄, 天以動爲大壯. 天卽理也, 理卽禮也, 雷卽動也, 動卽履也. 君子動以禮爲大壯, 觀雷天之義, 以此看得雷天之動.

대장괘의 「상전」에서는 "예가 아니면 실천하지 않는다"라고 했다. 움직임은 하늘로 망령되지 않음을 삼고, 하늘은 움직임으로 크게 장성함을 삼는다. 하늘은 이치이고 이치는 예이며, 우레는 움직임이고 움직임은 실천함이다. 군자는 움직임에 예로 크게 장성함을 삼고 우레와 하늘의 뜻을 살피니, 이를 통해 우레와 하늘의 움직임을 본 것이다.

유정원(柳正源) 『역해참고(易解參攷)』

正義, 盛極之時, 好生驕溢, 故於大壯誠以非禮弗履也.

『주역정의』에서 말하였다: 융성함이 지극할 때에는 교만함이 생겨나기 쉽기 때문에, 대장괘에서 "예가 아니면 실천하지 않는다"로 경계를 하였다.

○ 馮氏〈去非〉曰, 天上而澤下, 所以爲禮, 天下而雷上, 宜其戒非禮也.

풍거비가 말하였다: 하늘이 위에 있고 못이 아래에 있기 때문에 예가 되는데, 하늘이 밑에 있고 우레가 위에 있으니 마땅히 예가 아님에 대해 경계해야 한다.

傳, 自勝之謂强.
『정전』에서 말하였다: 스스로를 이겨냄이 굳셈이다.
〈道德經, 自勝者强. 註自勝其私意者, 天下之至强者也.
『도덕경』에서는 "스스로를 이겨내는 자가 강하다"[26]고 했다. 주에서는 스스로 사사로운 뜻을 이겨낼 수 있는 자는 천하의 지극히 강한 자라고 했다.〉

강엄(康儼) 『주역(周易)』

按, 非禮弗履一句, 實兼四勿, 蓋視聽言動, 皆所謂履也. 弗與勿, 雖若有安勉之分, 然亦不過一間耳, 皆非大壯之力不能, 故四勿之工, 惟顔子得聞之.
내가 살펴보았다: "예가 아니면 실천하지 않는다"는 한 구절은 실제로는 네 가지를 하지 말라는 것을 겸하고 있으니,[27] 보고 · 듣고 · 말하고 · 행동하는 것들은 모두 "실천한다"는 뜻에 해당한다. "~하지 않는다[弗]"와 "~하지 말라[勿]"에는 비록 편안하게 여기는 것과 노력하는 것의 구분이 있지만, 이 또한 작은 차이에 불과할 따름이니, 모두 크게 장성한 힘이 아니라면 불가능하기 때문에, 네 가지를 하지 말라는 공부는 안자만이 들을 수 있었다.

김상악(金相岳) 『산천역설(山天易說)』

禮者, 天之理, 而其用卑下, 乾在下之象. 履者, 足之所踐, 如雷之行震在上之象.
'예(禮)'는 하늘의 이치인데 그 쓰임은 낮으니, 건괘가 아래에 있는 상이다. "실천한다[履]"는 발이 밟는 것으로, 우레의 움직임과 같으니, 진괘가 위에 있는 상이다.

○ 雷, 陽聲也, 在天上則大壯, 在山上則小過. 所以非禮不履, 與行過于恭, 大小不同.
우레는 양에 해당하는 소리이니, 하늘 위에 있다면 대장괘가 되고, 산 위에 있다면 소과괘(小過卦☳☶)가 되기 때문에 "예가 아니면 실천하지 않는다"는 것과 "행동에는 공손함을 지나치게 한다"[28]는 것과는 크기가 다르다.

---

26) 『道德經』: 知人者智, 自知者明. 勝人者有力, 自勝者强. 知足者富, 强行者有志, 不失其所者久, 死而不亡者壽.
27) 『論語 · 顔淵』: 顔淵曰, 請問其目. 子曰, 非禮勿視, 非禮勿聽, 非禮勿言, 非禮勿動. 顔淵曰, "回雖不敏, 請事斯語矣.
28) 『周易 · 小過卦』: 象曰, 山上有雷, 小過, 君子以行過乎恭, 喪過乎哀, 用過乎儉.

박제가(朴齊家) 『주역(周易)』

傳義固佳, 然此亦恐懼修省之云耳, 與大有之遏惡揚善, 順天休命, 同.
『정전』과 『본의』의 풀이가 정말 좋지만, 이것도 두려워하며 자신을 성찰한다는 말이니, 대유괘(大有卦☲)에서 "악을 막고 선을 드날려서 하늘의 아름다운 명을 따른다"[29]는 것과 같다.

윤행임(尹行恁) 『신호수필(薪湖隨筆) · 역(易)』

朱子曰, 克己復禮乾道也, 主敬行恕坤道也. 乾道奮發, 坤道靜重, 故有此論, 而大壯之非禮弗履, 坤之敬義直方, 可以分屬於顔冉, 故朱子以乾坤之道言, 俾後學自曉歟.
주자는 "자신을 이겨 예로 돌아가는 것은 건괘의 도이고, 경(敬)을 주로 하여 서(恕)를 행하는 것은 곤괘의 도이다"라고 했다. 건괘의 도는 떨쳐 일어나고 곤괘의 도는 고요하고 진중하기 때문에 이러한 논의가 있지만, 대장괘에서 "예가 아니면 실천하지 않는다"는 말과 곤괘에서 공경과 의로움 및 곧고 방정함이라고 한 말[30]은 안연과 염구로 구분할 수 있기 때문에, 주자는 건괘와 곤괘의 도로써 말했으니, 후대의 학자들로 하여금 스스로 깨우치게 한 말이다.

雷在地上, 則樂興焉, 雷在天上, 則禮作焉. 出地而奮, 所以和也, 在天而動, 所以嚴也. 和而爲樂, 嚴而爲禮, 禮樂之始, 豫大壯權輿焉.
우레가 땅 위에 있으면 음악이 흥성하게 되고, 우레가 하늘 위에 있으면 예가 일어난다. 땅을 뚫고 떨쳐 나오는 것은 조화롭게 하는 것이고, 하늘에 있으면서 움직이는 것은 엄격하게 하는 것이다. 조화롭게 음악을 시행하고 엄격하게 예를 시행하는 것은 예악의 시작이니, 예괘(豫卦☳)와 대장괘는 시작의 단초이다.

서유신(徐有臣) 『역의의언(易義擬言)』

火在天上大有, 天在山中大畜, 雷在地中復, 水在火上旣濟, 火在水上未濟, 大象稱在, 只此數卦而皆有止看之意也. 夫雷動者也, 而在地中, 則潛而止也, 在天上, 則壯而止也. 雜卦曰, 大壯則止也. 雷行天下有聲威, 至於太空高處, 則聲便止也. 至於太空則壯矣, 壯則止矣. 非禮弗履, 君子之大壯也. 不稱其履禮而稱其弗履何也. 弗履則止,

29) 『周易 · 大有卦』: 象曰, 火在天上, 大有, 君子以遏惡揚善, 順天休命.
30) 『周易 · 坤卦』: 直其正也, 方其義也. 君子敬以直內, 義以方外. 敬義立而德不孤. 直方大, 不習无不利, 則不疑其所行也.

故以弗履取象也. 四陽爲禮爲履, 二陰則爲非禮爲弗履也. 禮, 理也, 履, 行也, 皆乾象.
불이 하늘 위에 있는 것은 대유괘(大有卦☲)이고, 하늘이 산속에 있는 것은 대축괘(大畜卦☶)이며, 우레가 땅속에 있는 것은 복괘(復卦☷)이고, 물이 불 위에 있는 것은 기제괘(旣濟卦☵)이며, 불이 물속에 있는 것은 미제괘(未濟卦☲)이니, 「대상전」에서 "~에 있다[在]"라고 말한 것은 이러한 여러 괘들에 모두 그친다는 뜻이 있기 때문이다. 우레가 움직이는 것이지만 땅속에 있다면 침잠하여 그치게 되고, 하늘 위에 있다면 장성하여 그치게 된다. 「잡괘전」에서는 "대장(大壯)은 멈춤이다"[31]라고 했다. 우레가 천하에 울려 퍼져서 위엄이 있는 소리를 내니, 하늘의 높은 곳에 이르면 그 소리는 다시 그치게 된다. 하늘에 이르게 되면 장성해지고 장성해지면 그친다. "예가 아니면 실천하지 않는다"는 군자의 크게 장성함이다. "예를 실천한다"라고 말하지 않고 "실천하지 않는다"고 말한 이유는 어째서인가? 실천하지 않으면 그치게 되기 때문에 "실천하지 않는다"로 상을 취했다. 네 양은 예가 되고 실천함이 되며, 두 음은 예가 아닌 것이 되고 실천하지 않는 것이 된다. '예(禮)'는 이치이고 '실천함[履]'은 행함이니, 모두 건괘의 상이다.

박문건(朴文健) 『주역연의(周易衍義)』

所履高明, 故非禮弗踐也.
밟는 것이 높고 밝기 때문에 예가 아니면 실천하지 않는다.
〈問, 非禮弗履上, 无大壯之義歟. 曰, 雷在天上, 則其聲大壯, 非禮弗履, 則其譽大壯也.
물었다: "예가 아니면 실천하지 않는다"에는 크고 장성한 뜻이 없는 것입니까?
답하였다: 우레가 하늘에 있다면 그 소리가 크고 장성하며, 예가 아니면 실천하지 않는다면 그 명예가 크고 장성하게 됩니다.〉

이지연(李止淵) 『주역차의(周易箚疑)』

非禮弗履, 卽臨之以莊之象也. 此非但臨民之道而乃自臨之道也.
"예가 아니면 실천하지 않는다"는 곧 장성함으로 임하는 상이다. 이것은 단지 백성들에게 임하는 도일뿐만 아니라 곧 스스로 임하는 도가 된다.

---

31) 『周易 · 雜卦傳』: 渙, 離也, 節, 止也. 解, 緩也, 蹇, 難也. 睽, 外也, 家人, 內也. 否泰, 反其類也. 大壯則止, 遯則退也.

김기례(金箕澧) 『역요선의강목(易要選義綱目)』

君子以, 非禮弗履.
군자가 그것을 본받아 예가 아니면 실천하지 않는다.

履, 行也.
'실천한다[履]'는 행한다는 뜻이다.

○ 雷在天上, 威嚴震奮, 人能勇決, 克己復禮.
우레가 하늘에 있어서 위엄이 떨쳐지니, 사람은 용감하게 결단하여 자신을 이겨 예로 돌아갈 수 있다.

이항로(李恒老) 「주역전의동이석의(周易傳義同異釋義)」

傳, 君子之大壯者, 莫若克己復禮. 赴湯火, 蹈白刃, 武夫之勇可能也, 至於克己復禮, 則非君子之大壯, 不可能也.
『정전』에서 말하였다: 군자가 크게 장성함은 자신을 이겨서 예로 돌아감만 같음이 없다. 끓는 물과 불에 달려들고, 시퍼런 칼날을 밟는 것은 용맹한 자의 용기로도 가능하지만, 자신을 이겨서 예로 돌아감에 있어서는 군자의 크고 장성함이 아니라면, 불가능하다.

本義, 自勝者强.
『본의』에서 말하였다: 스스로를 이겨내는 자가 강하다.

按, 克己復禮, 己與禮相對而互勝, 卽人心道心小人大人之界頭也. 己譬則寇也, 人孰不知寇盜爲害也. 但無力量威嚴, 抵敵他不過, 故自甘聽役. 夫雷在天上, 凡在天下之物, 莫不震慴恐懼, 不敢不伏, 君子之於私欲, 無此氣力威嚴, 安能打疊得過. 當猛省也.
내가 살펴보았다: 자신을 이겨서 예로 돌아감은 이미 자신과 예가 서로 대비가 되어 상호 이기는 것으로, 인심과 도심, 소인과 대인의 경계이다. 이곳의 '자신'은 도적으로 비유되니, 사람들 중 그 누가 도적이 해로움이 된다는 사실을 모르겠는가? 다만 힘과 위엄이 없어서 대적만 하는데 불과하기 때문에 스스로 부림을 감내하게 된다. 우레가 하늘에 있어 천하의 모든 사물들 중에는 놀라 떨지 않음이 없고 감히 복종하지 않음이 없으니, 군자가 삿된 욕심에 대해서 이러한 기운과 위엄이 없다면, 어떻게 두려움을 떨쳐낼 수 있겠는가? 마땅히 깊이 반성해야 한다.

박종영(朴宗永) 「경지몽해(經旨蒙解) · 주역(周易)」

程傳曰, 君子之大壯者, 莫若克己復禮. 古人云自勝之謂强, 中庸於和而不流, 中立而不倚, 皆曰强哉矯, 赴湯火, 蹈白刃, 武夫之勇可能也, 至於克己復禮, 則非君子之大壯, 不可能也, 故云君子以, 非禮弗履. 朱子曰, 人之克己如雷在天上, 則威嚴果決以去其惡而必爲善. 蓋君子有浩然之氣, 剛大以直, 然後能非禮弗履. 不曰勿履而曰弗履, 君則君子之大壯, 無禁止非禮之人, 而自不爲矣.

『정전』에서는 "군자가 크게 장성함은 자신을 이겨서 예로 돌아감만 같음이 없다. 옛 사람은 '스스로를 이겨냄을 굳셈이라고 한다'고 했고, 『중용』에서는 조화를 이루되 휩쓸리지 않고, 중심을 잡되 치우치지 않음에 대해 모두 '강하구나, 꿋꿋함이여!'라고 했으니, 끓는 물과 불에 달려들고, 시퍼런 칼날을 밟는 것은 용맹한 자의 용기로도 가능하지만, 자신을 이겨서 예로 돌아감에 있어서는 군자의 크고 장성함이 아니라면 불가능하다. 그렇기 때문에 '군자가 그것을 본받아 예가 아니면 실천하지 않는다'고 하였다"고 했다. 주자는 "사람이 자신을 이기는 것을 우레가 하늘에 있는 것처럼 할 수 있다면, 위엄을 갖춰서 과감히 악함을 제거하여 반드시 선하게 된다"라고 했다. 군자는 호연지기를 갖추고 강대하게 하여 곧게 된 이후에야 예가 아닌 것을 실천하지 않을 수 있다. 그런데 "실천하지 말라[勿履]"라고 말하지 않고 "실천하지 않는다[弗履]"라고 말했으니, 임금은 군자 중에서도 크게 장성한 자로 예가 아닌 것을 저지르는 사람을 금지하는 것이 아니고, 스스로 시행하지 않는 것이다.

심대윤(沈大允) 『주역상의점법(周易象義占法)』

雷之動於天上而爲大壯, 君子動而履乎莊敬則道益大. 夫以勇悍爲壯者, 未有不終摧折者也. 惟以莊敬爲壯者, 內至剛而外至順, 故終能與天同大. 乾兌爲禮. 乾之變, 自兌爲離, 互震爲履, 兌爲不禮節文制中也. 德爲高, 禮爲卑, 德爲實, 禮爲華, 德爲正, 禮爲中, 非至剛, 不能執中也, 中庸曰, 强哉矯.

우레가 하늘에서 움직여 대장괘가 되고, 군자가 움직여 장엄함과 공경함을 실천한다면 도가 더욱 커진다. 용맹과 사나움을 장성함으로 삼는 자는 끝내 꺾이지 않을 수가 없다. 장엄함과 공경함을 장성함으로 삼는 자만이 안이 지극히 강하고 밖이 지극히 순하기 때문에 끝내 하늘과 큼을 같이 할 수 있다. 건괘와 태괘는 예가 된다. 건괘의 변화는 태괘로부터 리괘가 되어 진괘와 갈마들며 실천함이 되며, 태괘는 예가 아닌 것을 형식에 맞춰 알맞도록 한다. 덕은 높고 예는 낮으며 덕은 실질이고 예는 겉의 화려함이며 덕은 올바르고 예는 알맞아 지극히 강함이 아니라면 알맞음을 잡을 수 없으니, 『중용』에서는 "강하구나, 꿋꿋함이여!"[32] 라고 했다.

오치기(吳致箕) 「주역경전증해(周易經傳增解)」

雷震於天上, 大而壯, 故君子觀其象, 以之行其壯. 而君子之大壯, 莫若克己復禮, 是以非禮弗履也. 禮爲天理, 故取於乾. 履, 謂踐行, 故取於震也.

우레가 하늘에서 움직여 크고 장성하기 때문에 군자가 그 상을 관찰하여 이를 통해 장성함을 시행한다. 그런데 군자의 크고 장성함은 자신을 이겨 예로 돌아가는 것만한 것이 없으니, 이러한 까닭으로 예가 아닌 것은 실천하지 않는다. 예는 천리가 되기 때문에 건괘에서 취했다. "실천한다[履]"는 행한다는 뜻이기 때문에 진괘에서 취했다.

이진상(李震相) 『역학관규(易學管窺)』

禮乾象, 履震象.

예는 건괘의 상이고, 실천은 진괘의 상이다.

박문호(朴文鎬) 『경설(經說)-주역(周易)』

自勝者强, 言能自勝者, 以其强也.

"스스로를 이겨내는 자가 강하다"는 스스로 이길 수 있는 자는 강하기 때문이라는 말이다.

이병헌(李炳憲) 『역경금문고통론(易經今文考通論)』

程傳曰, 君子之大壯者, 莫若克己復禮.

『정전』에서 말하였다: 군자가 크게 장성함은 자신을 이겨서 예로 돌아감만 같음이 없다.

---

32) 『中庸』: 故君子和而不流, 强哉矯. 中立而不倚, 强哉矯. 國有道不變塞焉, 强哉矯. 國無道至死不變, 强哉矯.

初九, 壯于趾, 征, 凶有孚.

초구는 발에 장성하여, 가면 흉함이 틀림없이 있게 된다.

中國大全

傳

初, 陽剛乾體而處下, 壯于進者也. 在下而用壯, 壯于趾也. 趾, 在下而進動之物. 九在下用壯而不得其中, 夫以剛處壯, 雖居上, 猶不可行, 況在下乎, 故征則其凶有孚. 孚, 信也, 謂以壯往則得凶可必也.

초효는 양의 굳셈과 건의 몸체로 밑에 처하여, 나아감을 장성하게 하는 자이다. 밑에 있으면서 장성함을 사용함은 발에 장성함이다. 발은 밑에 있으면서 나아가고 움직이는 부위이다. 구(九)가 밑에 있으면서 장성함을 사용하지만, 알맞음을 얻지 못하였으니, 굳셈으로써 장성하게 처신한다면, 비록 위에 있더라도 오히려 시행할 수가 없는데, 하물며 밑에 있어서는 어떻겠는가? 그렇기 때문에 가게 되면 흉함이 틀림없이 생기게 된다. 틀림없이[孚]는 믿음을 의미하니, 곧 장성함으로 가게 되면, 반드시 흉함이 있게 된다는 뜻이다.

本義

趾, 在下而進動之物也. 剛陽處下而當壯時, 壯于進者也, 故有此象. 居下而壯于進, 其凶必矣, 故其占又如此.

발은 아래에 있으면서 나아가고 움직이는 부위이다. 굳센 양이 아래에 있는데 장성할 시기가 되어 나아감에 장성한 자이기 때문에 이러한 상이 있다. 아래에 있으면서 나아감에 장성하다면, 흉함이 반드시 있기 때문에 그 점이 또한 이와 같다.

小註

進齋徐氏曰, 趾在下, 初象. 三剛在前, 未可進也. 趾進, 則進犯于剛, 而其凶必矣.
진재서씨가 말하였다: 발은 밑에 있으며, 초효의 상이 된다. 세 개의 굳센 양이 앞에 있으니, 아직 나아갈 수 없다. 발이 나아간다면, 나아감에 굳센 양을 침범하여, 흉함이 반드시 뒤따른다.

○ 縉雲馮氏曰, 人行趾先動, 古人之始事, 必躊躇進, 退孫以出之, 期於成事. 今壯于趾, 是始事而用壯進銳, 如此何爲不凶.
진운풍씨가 말하였다: 사람이 이동할 때에는 발이 먼저 움직이니, 옛 사람이 일을 시작할 때에는 반드시 망설이며 나아갔고, 겸손하게 물러나며 나아가서, 일이 성사되기를 기약했다. 현재 발에 장성함은 일을 시작하면서 장성함을 사용하여 급박하게 나아가는 것이니, 이처럼 하게 되면 어찌 흉하지 않겠는가?

○ 蘭氏廷瑞曰, 壯之初九與夬之初九一也. 或爲趾或爲前趾何也. 曰, 夬五陽已盛, 將決一陰, 初九前往而不可遏, 故謂之前趾, 而戒之以往不勝爲咎. 大壯則四陽雖壯, 而二陰未全消, 未可卽往, 故謂之趾, 而直繼之以征凶有孚也.
난정서가 말하였다: 대장괘의 초구는 쾌괘(夬卦䷪)의 초구와 동일하다. 그런데 어떤 곳에서는 발[趾]이라고 말하고, 또 어떤 곳에서는 앞발[前趾]이라고 말한 이유는 무엇인가? 쾌괘는 다섯 양이 이미 장성하여, 하나의 음을 절단하려고 하니, 초구가 먼저 가더라도 막을 수 없기 때문에 앞발이라고 하고, 가되 이기지 못하면 허물이 된다고 경계를 하였다. 대장괘는 네 개의 양이 비록 장성하지만, 두 개의 음이 완전히 소멸되지 않아서, 아직은 곧바로 나아갈 수 없기 때문에 발이라고 하고, 바로 "가면 흉함이 틀림없이 있게 된다"로 말을 이어서 하였다.

○ 雲峰胡氏曰, 賁初亦以趾取象, 本義曰, 剛德明體, 自賁於下, 此不取其剛德健德, 何也, 亦唯其時而已. 賁, 飾也, 賁之時而在下, 自飾其所以行, 可也. 壯之時而在下, 欲進而必行, 不可也. 易有變例, 壯初與三以陽居陽, 正也, 而曰凶曰厲, 當剛壯之時不可過於剛. 況剛居下而欲壯于進, 不特曰凶而曰有孚, 言其凶之可必也.
운봉호씨가 말하였다: 비괘(賁卦䷕)의 초구 또한 발을 상으로 삼았고, 『본의』에서는 "굳센 덕과 밝은 몸체로 스스로 아래에서 꾸민다"고 하였는데, 이곳에서 굳센 덕이나 강건한 덕을 취하지 않은 이유는 무엇 때문인가? 또한 오직 그 때에 달려있을 따름이다. '비(賁)'는 꾸밈을 뜻하니, 꾸미는 시기에 아래에 있으면서 제 스스로 행동을 꾸미는 것은 괜찮다. 장성한 시기에 아래에 있으면서, 나가고자 해서 기어코 실천을 하는 것은 괜찮지 않다. 『주역』에는

변례가 있으니, 대장괘의 초효와 삼효는 양으로 양의 자리에 있어 바른데 흉하다고 말하고 위태롭다고 말한 이유는 굳센 양이 장성해지는 시기에는 지나치게 굳세어서는 안 되기 때문이다. 하물며 굳센 양이 아래에 있으면서 장성하게 나아가고자 함에 흉이 된다고 말했을 뿐만 아니라 틀림없이 있게 된다고도 말했으니, 흉함이 반드시 있게 된다는 말이다.

韓國大全

송시열(宋時烈) 『역설(易說)』

壯者, 取卦名也. 于趾者, 震足也. 言陽氣壯盛之時, 初爻之陽與震之初爲應, 此剛過而動進也. 征者, 往也, 如是而往則凶也. 然以剛遇剛, 有相孚之義, 故曰有孚. 小象其孚窮者, 其孚合之道, 必窮極而底凶也.

'장성함'은 괘의 이름에서 취했다. '발에'는 진괘가 다리이기 때문이다. 양의 기운이 장성할 때, 초효의 양이 진괘의 처음과 호응하니, 이것은 굳셈이 지나치고 움직임이 나아감이다. "간다[征]"는 행한다는 뜻이니, 이처럼 가게 되면 흉하다. 그러나 굳센 양이 굳센 양을 만나서 서로 의지하는 뜻이 있기 때문에 "틀림없이 있게 된다"고 했다. 「소상전」에서 "반드시 궁하게 된다"고 한 말은 부합하는 도가 반드시 다해서 흉하게 된다는 뜻이다.

이익(李瀷) 『역경질서(易經疾書)』

兌之爲羊, 象其角也. 互體上兌下乾, 上六增其角長, 下四陽助其健進, 全體象羊也. 然則初九亦羊趾妄動. 故凶有孚者, 謂其凶信然也.

태괘가 양(羊)이 됨은 뿔을 상징하기 때문이다. 호괘의 몸체는 상괘가 태괘이고 하괘가 건괘이니, 위의 육(六)은 그 뿔의 길이를 더하고 아래의 네 양은 굳세게 나아감을 도와서 전체의 모습이 양을 상징한다. 그렇다면 초구 또한 양의 발이 함부로 움직이는 것이다. 그러므로 흉함이 틀림없이 있게 된다는 흉함을 믿을 수 있다는 말이다.

유정원(柳正源) 『역해참고(易解參攷)』

沙隨程氏曰, 大壯則止, 欲養其壯以有待.

사수정씨가 말하였다: "대장(大壯)은 멈춤이다"[33]는 장성함을 길러서 기다리고자 함이다.

○ 梁山來氏曰, 孚者, 自信其陽剛之正德也. 自信其德, 以甘窮困, 不可有所往. 往則凶矣.
양산래씨가 말하였다: '틀림없이[孚]'는 굳센 양의 올바른 덕을 스스로 믿는다는 뜻이다. 그 덕을 스스로 믿어서 곤궁함을 감내하고 가서는 안 된다. 가면 흉하기 때문이다.

○ 案, 急走者, 顚躓, 進銳者, 退速, 其凶信然矣. 有孚者, 決辭, 亦有壯字意思, 傳陽剛.〈案, 剛一作爻.〉
내가 살펴보았다: 급히 달려가는 자는 넘어지고, 나아가기에 급급한 자는 물러감도 신속하니 흉하게 됨이 틀림없다. "틀림없이 있게 된다[有孚]"는 단정하는 말이며, 또한 "장성하다[壯]"는 의미가 있으니, 『정전』에서는 '양의 굳셈'이라고 했다. 〈내가 살펴보았다: '굳셈[剛]'이 어떤 판본에는 '효(爻)'자로 되어 있다.〉

本義, 其凶必, 雙湖胡氏曰, 必者, 釋有孚義.
『본의』에서는 "흉함이 반드시 있다"고 했는데, 쌍호호씨는 "'반드시[必]'는 '틀림없이 있다[有孚]'는 뜻을 풀이한 것이다"라고 했다.

김상악(金相岳) 『산천역설(山天易說)』

初以陽居乾之下, 應震而進, 爲壯趾之象. 居下而用壯, 其凶必矣.
초효는 양으로 건괘의 아래에 있으면서 진괘에 호응하여 나아가니 발에 장성한 상이 된다. 아래에 있으면서 장성함을 사용하니 반드시 흉하게 된다.

○ 趾在下而動之物, 震之象. 乾性健, 故壯于趾. 又三取羊象, 故初言趾. 姤則初取豕象, 故蹢躅之孚在於初也. 此爻之象與夬初九互見其象, 四陽用壯於下, 則曰征凶有孚, 一陰未決於上, 則曰往不勝爲咎. 然遇柔遇剛不同, 故此曰壯于輿輹, 彼曰其行次且, 震兌之異德也.
발은 아래에 있으면서 움직이는 부위이니 진괘의 상이다. 건괘의 성질은 굳세기 때문에 발에 장성하다. 또 삼효는 양(羊)의 상을 취했기 때문에 초효에서 발을 말했다. 구괘(姤卦䷫)

---

33) 『周易 · 雜卦傳』: 渙, 離也, 節, 止也. 解, 緩也, 蹇, 難也. 睽, 外也, 家人, 內也. 否泰, 反其類也. 大壯則止, 遯則退也.

의 초효는 돼지의 상을 취했기 때문에 뛰고 뛰는 믿음이 초효에 있다.[34] 이 효의 상은 쾌괘(夬卦䷪)의 초구[35]와 서로 그 상을 나타내니, 네 양이 아래에서 장성함을 사용하는 것에서는 "가면 흉함이 틀림없이 있게 된다"고 했고, 쾌괘에서는 한 음이 위에서 아직 처결되지 않은 것에서는 "가서 이기지 못하면 허물이 되리라"라고 했다. 그러나 부드러운 음을 만난 경우와 굳센 양을 만난 경우가 다르기 때문에 이곳에서는 "큰 수레의 바퀴살이 이 장성하다"[36]고 했고, 쾌괘에서는 "그 감을 머뭇거린다"[37]고 했으니, 진괘와 태괘의 덕이 다르기 때문이다.

서유신(徐有臣) 『역의의언(易義擬言)』

大壯而在下, 壯於趾也. 大壯而愈進, 必有凶也. 然其發足之初, 若是壯矣, 其必進, 乃己之心, 便己孚於九四也.
크게 장성하지만 아래에 있으니, 발에 장성하게 된다. 크게 장성한데 더욱 나아가므로 반드시 흉함이 있다. 그런데 발을 떼는 처음에 이처럼 장성하면 반드시 나아감은 바로 자신의 마음이니, 곧 자신이 구사를 믿는 것이다.

박문건(朴文健) 『주역연의(周易衍義)』

用剛升進, 故有壯趾之象. 趾取在下, 欲進之義也.
굳센 양을 사용하여 위로 나아가기 때문에 발에 장성한 상이 있다. 발은 아래에서 나아가고자 하는 뜻을 취했다.
〈問, 壯于趾, 征, 凶有孚. 曰, 初九欲進而犯上, 故雖壯其趾, 然若上行, 則必有凶, 自當退居而有孚信也.
물었다: "발에 장성하여, 가면 흉함이 틀림없이 있게 된다"는 무슨 뜻입니까?
답하였다: 초구는 나아가서 위를 범하고자 하기 때문에 발에 장성하지만 위로 나아간다면 반드시 흉함이 있게 되니, 스스로 물러나 있으면서 믿음을 가져야 합니다.〉

이지연(李止淵) 『주역차의(周易箚疑)』

初九在下, 无位之小人也. 以无位之小人在下, 而以剛壯爲心, 則其爲亂必矣, 其凶可知.

---

34) 『周易 · 姤卦』: 初六, 繫于金柅, 貞吉, 有攸往, 見凶, 羸豕孚蹢躅.
35) 『周易 · 夬卦』: 初九, 壯于前趾, 往不勝爲咎.
36) 『周易 · 大壯卦』: 九四, 貞吉, 悔亡, 藩決不羸, 壯于大輿之輹.
37) 『周易 · 夬卦』: 九四, 臀无膚, 其行次且, 牽羊悔亡, 聞言不信.

초구는 아래에 있으니 지위가 없는 소인이다. 지위가 없는 소인이 아래에 있으면서 굳세고 장성하게 마음먹으면 반드시 난리를 일으키게 되니 흉하게 됨을 알 수 있다.

이항로(李恒老) 「주역전의동이석의(周易傳義同異釋義)」

或問, 大壯正大剛壯之卦也. 四陽浸長, 二陰浸退, 吉孰大焉. 然攷於六爻, 初有壯趾之凶, 二有得貞之戒, 三有用罔之厲, 四无元吉之辭, 五有喪羊之失, 上有觸藩之象, 皆无純吉何也. 曰, 易之所明者道也. 以道之盛衰言之, 則陰小之卦, 不如陽大之卦也, 以得失言之, 則吉卦不如凶卦, 何也. 禍莫大於滿盈, 善莫善於嚴畏, 故非禮弗履. 以自勝爲剛者, 此卦之大象也. 六爻則皆有用壯之戒, 用壯必敗之術也. 故吉卦多凶占, 凶卦多吉占, 學易者不可不知也.

어떤 이가 물었다: 대장괘는 바르고 크며 굳세고 장성한 괘입니다. 네 양이 점점 자라나고 두 음이 점점 물러나니, 그 어느 것이 이보다 길하겠습니까? 그러나 여섯 효를 살펴보면, 초효에는 발에 장성한 흉함이 있고, 이효에는 곧음을 얻어야 한다는 경계가 있으며, 삼효에는 멸시함을 사용하는 위태로움이 있고, 사효에는 크게 길하다는 말이 없으며, 오효에는 양을 잃는 잘못이 있고, 상효에는 울타리를 들이받는 상이 있어, 모두 순전히 길함이 없는 것은 어째서입니까?

답하였다: 역에서 밝히는 것은 도이기 때문입니다.

물었다: 도의 융성함과 쇠함으로 말을 한다면 작은 음의 괘는 큰 양의 괘만 못하고, 득실로 말을 한다면 길한 괘는 흉한 괘만 못하니, 어째서입니까?

답하였다: 화는 가득 참보다 큰 것이 없고 선은 경외함보다 좋은 것이 없기 때문에, 예가 아니면 실천하지 않습니다. 스스로를 이기는 것을 굳셈으로 삼는 것이 이 괘의 큰 상입니다. 여섯 효의 경우 모두 장성함을 사용하는 것에 대한 경계가 있으니, 장성함을 사용하는 것은 반드시 패하게 되는 지름길이기 때문입니다. 그래서 길한 괘에는 흉한 점이 많고 흉한 괘에는 길한 점이 많으니, 역을 배우는 자는 몰라서는 안 됩니다.

김기례(金箕澧) 『역요선의강목(易要選義綱目)』

在下, 故曰趾.

아래에 있기 때문에 '발'이라고 했다.

○ 四陽雖壯, 二陰未全消, 則剛過失中. 在上猶不可自下, 上進□趾之不躊躇, 不料事妄動者, 行必孚凶.

네 양이 비록 장성하지만 두 음이 아직 완전히 소멸하지 않았으니, 굳셈이 지나쳐서 알맞음을 잃은 것이다. 위에 있는 것은 오히려 아래로 내려올 수 없는데, 위로 올라감에 □한 발이 주저하지 않고 일을 헤아리지 못해 함부로 움직이는 것은 시행함에 반드시 흉하게 된다.

심대윤(沈大允) 『주역상의점법(周易象義占法)』

大壯, 實已足而華又盛也. 大壯之爻位, 居剛, 用力以求壯者也, 居柔, 安於所得而不求者也. 大壯之義, 以柔順爲剛, 自勝爲强, 故以居剛反爲柔順而爲壯者也.
대장괘는 진실로 이미 자족하고 화려하며 또 융성하다. 대장의 효 자리에 있어서, 굳센 양의 자리에 있는 것은 힘을 써서 장성하기를 구하는 것이고, 부드러운 음의 자리에 있는 것은 얻은 것에 안주하여 구하지 않는 자이다. 대장의 뜻은 유순함을 굳셈으로 삼고 스스로 이기는 것을 강함으로 삼기 때문에, 굳센 양의 자리에 있는 것을 도리어 유순함으로 삼아 장성한 것이다.

大壯之恒䷟. 初九當大壯之初, 以剛居剛, 能以柔順, 恒久其剛而求進, 故曰壯于趾. 趾, 在下而行之象. 居初地卑, 驟求上人, 爲三陽所阻, 而不得進, 故曰征凶. 宜以誠實之道與三陽同進也. 坎爲孚, 全卦爲坎.
대장괘가 항괘(恒卦䷟)로 바뀌었다. 초구가 대장괘의 초효에 해당하니, 굳센 양으로 굳센 양의 자리에 있으면서 유순함으로 그 굳셈을 항구하게 하여 나아가길 구할 수 있기 때문에 "발에 장성하다"라고 했다. '발'은 아래에 있으면서 움직이는 상이다. 초효에 있어서 자리가 낮은데 갑작스럽게 위에 있는 자에게 구하나 세 양에게 막혀서 나아갈 수 없기 때문에 "가면 흉하다"고 했다. 마땅히 성실의 도로써 세 양과 함께 나아가야 한다. 감괘는 믿음이 되고, 전체 괘의 모습은 감괘가 된다.

오치기(吳致箕) 「주역경전증해(周易經傳增解)」

初九陽剛, 无位而處下, 志健而欲進, 當大壯之初, 有壯趾必往之象. 然居旣卑下, 而上无應援, 進必見凶, 故戒當自信其往則必凶, 固守而不動也.
초구의 굳센 양이 지위 없이 아래에 있으면서 뜻이 굳건하여 나아가려고 하니, 대장괘의 초효에 발이 장성해서 반드시 가려는 상이 있는 것이다. 그러나 이미 낮은 곳에 있고 위에서 호응하여 구원해줌이 없으니 나아가면 반드시 흉하게 되기 때문에, 나아감을 자신하면 반드시 흉하게 된다고 경계를 했으니, 굳게 지켜 움직이지 말아야 한다.

○ 在下, 故言趾, 而亦取應震爲足也. 有孚, 取於對坤之土屬信, 而言自信其必凶也.
아래에 있기 때문에 발이라고 했지만, 또한 호응하는 진괘가 발이 됨에서 취했다. "틀림없이 있게 된다[有孚]"는 음양이 바뀐 곤괘의 토가 믿음에 속하는 것에서 취했는데, 자신하면 반드시 흉하게 됨을 말한다.

이진상(李震相)『역학관규(易學管窺)』

趾, 取震.
발은 진괘에서 취했다.

박문호(朴文鎬)『경설(經說)-주역(周易)』

既云凶, 而又云有孚者, 始見於此, 蓋以示凶之必至而無疑也.
이미 흉하다고 했는데 또 "틀림없이 있게 된다[有孚]"라고 말한 것은 여기에서 처음 나타나니, 흉함이 반드시 이르러 의심할 수 없음을 나타낸 것이다.

象曰, 壯于趾, 其孚窮也.

「상전」에서 말하였다: "발에 장성하니" 반드시 궁하게 된다.

中國大全

傳

在最下而用壯以行, 可必信其窮困而凶也.

가장 밑에 있으면서 장성함을 사용하여 가게 되면, 반드시 곤궁하여 흉하게 된다.

本義

言必窮困.

반드시 곤궁하게 된다는 뜻이다.

小註

中溪張氏曰, 其孚窮者, 蓋征則有必然困窮之理也.

중계장씨가 말하였다: "반드시 궁하게 된다"는 말은 가게 되면, 반드시 곤궁하게 되는 이치가 있다는 의미이다.

韓國大全

김상악(金相岳) 『산천역설(山天易說)』

窮, 困窮也.

"궁하게 된다[窮]"는 곤궁하게 된다는 것이다.

서유신(徐有臣) 『역의의언(易義擬言)』

其孚, 謂九四也, 窮, 謂止於四也.
'그 믿음[其孚]'은 구사를 말하니, "궁하게 된다[窮]"는 사효에 그친다는 말이다.

박문건(朴文健) 『주역연의(周易衍義)』

若壯其趾, 則孚上之道窮也.
만약 발에 장성하게 된다면 위를 믿는 도가 곤궁하게 된다.

심대윤(沈大允) 『주역상의점법(周易象義占法)』

言驟進則三陽爲敵, 其孚窮也. 同進則三陽爲與, 能有孚也. 居卑位者, 惟盡知力以供職, 則自得聲勢也.
갑작스럽게 나아가면 세 양이 대적하여 반드시 궁하게 된다는 뜻이다. 함께 나아가면 세 양이 참여하여 믿음을 얻을 수 있다. 낮은 지위에 있는 자가 오직 지력을 다하여 책무에 이바지 한다면 스스로 명성과 기세를 얻게 된다.

오치기(吳致箕) 「주역경전증해(周易經傳增解)」

在卑下而壯進, 則見凶矣. 當自信其必窮而勿往也.
아래에 있는데 장성하게 나아간다면 흉함을 당한다. 자신하게 되면 반드시 곤궁하게 되니, 가지 말아야 한다.

박문호(朴文鎬) 『경설(經說)-주역(周易)』

其孚窮之其傳變作可字, 然雖依其字文勢讀之, 似亦通.
'기부궁(其孚窮)'에서의 '기(其)'자는 '가(可)'자로 바꿀 수 있지만, 비록 '기(其)'자의 문세로 읽을지라도 통할 것 같다.

이병헌(李炳憲) 『역경금문고통론(易經今文考通論)』

王曰, 在下而壯, 故曰壯于趾, 言其信窮.
왕필이 말하였다: 아래에 있으면서 장성하기 때문에 "발에 장성하다"고 했으니, 반드시 곤궁하게 됨을 말한다.

九二, 貞吉.

정전 구이는 곧아서 길하다.
본의 구이는 곧아야 길하다.

中國大全

傳

二雖以陽剛, 當大壯之時, 然居柔而處中, 是剛柔得中, 不過於壯, 得貞正而吉也. 或曰, 貞, 非以九居二爲戒乎. 曰, 易取所勝爲義, 以陽剛健體, 當大壯之時, 處得中道, 无不正也, 在四則有不正之戒, 人能識時義之輕重, 則可以學易矣.

이효는 비록 양의 굳셈으로 크게 장성한 시기에 처했지만, 부드러운 음의 자리에 있고 가운데 자리에 있으니, 굳셈과 부드러움이 알맞음을 얻어서, 장성함에 지나치지 않아, 곧고 바를 수 있어서 길하다.
어떤 이가 물었다: 곧음은 구(九)가 이효에 처하여 경계한 말이 아닙니까?
답하였다: 역에서는 이기는 것을 뜻으로 삼았으니, 굳센 양과 강건한 몸체로 크게 장성한 시기에 처하여, 대처함이 중도를 얻었으면, 바르지 않음이 없고, 사효에 있으면 바르지 못함에 대한 경계가 있게 되니, 사람이 그 때와 뜻의 경중을 알면, 역을 배울 수 있습니다.

本義

以陽居陰, 已不得其正矣. 然所處得中, 則猶可因以不失其正, 故戒占者使因中以求正, 然後可以得吉也.

양으로 음의 자리에 있으니, 이미 그 바름을 얻지 못하였다. 그러나 대처함이 알맞음을 얻는다면, 오히려 그에 따라서 바름을 잃지 않을 수가 있다. 그렇기 때문에 점치는 자가 알맞음에 따라서 바름을 구한 뒤에라야 길할 수 있다고 경계하였다.

小註

雙湖胡氏曰: 九二不正, 而云貞吉者, 戒之以正則吉也. 若匪正, 則有凶矣.
쌍호호씨가 말하였다: 구이는 바르지 않은데도 "곧아야 길하다"고 한 이유는 바름으로써 대처해야만 길하다는 뜻으로 경계를 한 것이다. 만약 올바르지 못하다면, 흉함이 있게 된다.

○ 劉氏曰, 二之應五, 以陽剛承柔, 用剛得中, 乃能貞吉. 四剛不中, 故必貞吉而後悔亡.
유씨가 말하였다: 이효는 오효와 호응하니, 굳센 양으로 부드러움을 이었고, 굳셈을 사용하여 알맞음을 얻었으니, 곧아서 길할 수 있다. 사효의 굳셈은 알맞지 않기 때문에, 반드시 곧아야만 길한 뒤에야 후회가 없게 된다.

○ 白雲郭氏曰: 卦辭言利貞, 指九二也. 然九二以剛而居下體之中, 未能究天德之用, 故但曰貞吉而已. 若九二者, 蓋非禮弗履之士也.
백운곽씨가 말하였다: 괘사에서는 "곧아야 이롭다"고 했는데, 구이를 가리킨다. 그러나 구이는 굳셈으로 하체의 가운데 있어 아직은 천덕의 쓰임을 다할 수 없기 때문에 단지 "곧아야만 길하다"고 말했을 뿐이다. 구이와 같은 자는 아마도 예가 아니면 실천하지 않는 선비일 것이다.

○ 雲峰胡氏曰, 易春秋美惡不嫌同辭. 九二因中得正, 曰貞吉, 許之也. 九四不中不正, 曰貞吉, 戒之也.
운봉호씨가 말하였다: 『주역』과 『춘추』에서는 아름다움과 추함에 대해서 같은 말을 쓰더라도 이상하게 여기지 않았다. 구이는 가운데 자리에서 바름을 얻었으니, "곧아야 길하다"는 말은 인정을 한 말이다. 구사는 가운데 자리를 얻지 못하고 바르지도 못하니, "곧으면 길하다"는 말은 경계를 한 말이다.

韓國大全

송시열(宋時烈) 『역설(易說)』

貞正而吉者, 以乾之體陽之德得中正之位也. 小象可見.

곧고 올바르고 길한 것은 건괘의 몸체와 양의 덕으로 중정한 자리를 얻었기 때문이다. 「소상전」에서 확인할 수 있다.

이익(李瀷) 『역경질서(易經疾書)』

九二不言象, 當以彖辭帖看, 卦例多如此.
구이에서 상을 언급하지 않았으니 마땅히 「단사」에 따라 보아야 하며, 괘를 해석하는 용례가 대체로 이와 같다.

유정원(柳正源) 『역해참고(易解參攷)』

王氏曰, 居得中位以陽居陰, 是以貞吉.
왕필이 말하였다: 거함에 가운데 자리를 얻었고 양으로 음의 자리에 있으니, 곧아야 길하다.

傳, 易取所勝.
『정전』에서 말하였다: 역에서는 이기는 것을 취했다.

案, 所勝者, 兩說中所勝之說也. 兩說皆通而取其勝者以爲勝也. 下倣此.
내가 살펴보았다: 이기는 것은 두 설 중에서 더 나은 설을 뜻한다. 두 설이 모두 통하더라도 더 나은 것을 취함을 이기는 것으로 삼는다. 뒤에도 이와 같다.

김상악(金相岳) 『산천역설(山天易說)』

以陽居陰, 以中而正, 故吉也. 或曰, 九之居二, 得爲貞乎? 曰, 陽居乾體, 若復處剛則爲過矣.
양이 음의 자리에 있지만, 가운데에 있고 올바르기 때문에 길하다.
어떤 이가 물었다: 구(九)가 이효에 있는데 어떻게 곧음이 될 수 있겠습니까?
답하였다: 양이 건괘의 몸체에 있으니, 만약 재차 굳센 양의 자리에 있게 된다면 지나침이 됩니다.

○ 大壯以剛柔相濟爲正, 故九二貞吉, 與卦辭相合, 而不言其爻象. 郭子和云, 不獨是天地雷風水火山澤謂之象, 只是卦畫, 便是象是也.
대장괘는 굳셈과 부드러움이 서로 가지런하게 되는 것을 올바름으로 삼기 때문에 구이가 곧아서 길한 것은 괘사와 부합되지만 효의 상을 말하지는 않았다. 그 이유에 대해 곽자옹은

"단지 천지 · 뇌풍 · 수산 · 산택을 상이라고 할 뿐만이 아니니, 괘의 획이 곧 상이다"라고 했다.

서유신(徐有臣) 『역의의언(易義擬言)』

剛健得中, 應於六五而不用壯, 故貞正而吉也.
굳세고 강한 양이 알맞음을 얻었고 육오와 호응하지만 장성함을 사용하지 않았기 때문에, 곧고 올바르게 되어 길하다.

박문건(朴文健) 『주역연의(周易衍義)』

用剛固守, 故有貞吉之象. 言用貞則遠害而吉.
굳셈으로 고수하기 때문에 곧아서 길한 상이 있다. 곧음을 사용한다면 해로움을 멀리하여 길하다는 말이다.

이지연(李止淵) 『주역차의(周易箚疑)』

九二不足於貞, 故戒之.
구이는 곧음에 부족하기 때문에 경계하였다.

김기례(金箕澧) 『역요선의강목(易要選義綱目)』

剛居陰位得中, 則雖不正, 不至過剛, 故吉.
굳센 양이 음의 자리에 있지만 가운데 자리를 얻었으니, 비록 바르지 않더라도 굳셈이 지나친 곳에는 이르지 않기 때문에 길하다.

심대윤(沈大允) 『주역상의점법(周易象義占法)』

大壯之豐䷶, 明盛也. 九二以剛明之才, 得中而有應, 是有得於壯者, 而以其居柔, 阻於二剛而不求進, 故不言壯也. 居卑位者, 惟盡知力以供職, 則自得聲勢也, 无所避權以求權也.
대장괘가 풍괘(豐卦䷶)로 바뀌었으니, 밝음이 융성한 것이다. 구이는 굳세고 밝은 재질로 가운데 자리를 얻었고 호응함도 있어 장성함을 얻은 자인데, 부드러운 음의 자리에 있고 두 굳센 양에게 막혀 나아가기를 구하지 않기 때문에, 장성함을 말하지 않았다. 낮은 지위에 있는 자는 오직 지력을 다해 책무에 이바지 한다면 스스로 명성과 세력을 얻게 되니, 권세를 피해 권세를 구하지 않는다.

오치기(吳致箕) 「주역경전증해(周易經傳增解)」

九二陽剛而居柔, 當大壯之時, 中以行正者也. 以其處柔, 故非如初九之居剛而壯趾, 以其得中, 故未至九三之恃强而用壯, 所以占言正且吉, 而象在占中.
구이는 굳센 양으로 부드러운 음의 자리에 있어 크게 장성해야 할 때 알맞음으로 바름을 시행하는 자이다. 부드러운 음의 자리에 있기 때문에 초구처럼 굳센 양의 자리에 있으면서 발에 장성함과는 다르며, 가운데 자리를 얻었기 때문에 구삼이 굳셈을 믿고서 장성함을 사용하는 것에는 이르지 않기 때문에 점에서 올바르고 길하다고 말하였으니, 상은 점사 안에 있다.

○ 凡卦, 九二六五雖得其中, 而未得其正, 宜與他爻同爲失正. 而中之德重於正, 得中則无不正, 故二五雖或失正, 而言貞吉者, 重其中之義也.
모든 괘에 있어서 구이와 육오가 비록 가운데 자리를 얻었더라도 모두 올바름을 얻은 것은 아니어서 마땅히 다른 효와 마찬가지로 올바름을 잃은 것이다. 그러나 알맞은 덕은 올바름보다 중하니, 알맞음을 얻었다면 올바르지 않은 것이 없기 때문에, 이효와 오효가 비록 올바름을 잃었더라도 "곧아서 길하다"고 한 이유는 알맞음의 의미를 중요하게 여겼기 때문이다.

이진상(李震相) 『역학관규(易學管窺)』

九二柔中, 但能貞則得吉. 九四之象設戒有加, 故言貞吉, 而係以悔亡, 其始之不免有悔可知. 傳之曰, 易取所勝爲義, 二之才勝於四, 故辭同而有一許一戒之異也, 非謂兩說中擇所勝也. 然貞吉字, 恐無異義.
구이는 부드러운 음의 자리이고 가운데에 있으니, 곧게 할 수 있으면 길함을 얻는다. 구사의 상에서 경계의 말을 첨가하였기 때문에 "곧으면 길하다"고 했고, 이어서 "후회가 없게 된다"라고 했으니,[38] 처음에는 후회가 생기는 것을 면하지 못한다는 사실을 알 수 있다. 『정전』에서 "역에서는 이기는 것을 뜻으로 삼았다"고 했는데, 이효의 재질이 사효보다 낫기 때문에 말은 같지만 하나는 허락하고 하나는 경계를 했던 차이점이 있다는 것이지, 두 설 중 이기는 것을 택한다는 뜻이 아니다. 그러나 "곧아서 길하다[貞吉]"는 말에 대해서는 아마도 다른

38) 『周易 · 大壯卦』: 九四, 貞吉, 悔亡, 藩決不羸, 壯于大輿之輹.

뜻은 없는 것 같다.

박문호(朴文鎬) 『경설(經說)-주역(周易)』

貞吉, 本義取或意爲正釋, 然以象傳以中之文觀之, 程釋似尤長

"곧아서 길하다[貞吉]"에 대해서 『본의』에서는 어떤 의미를 취하여 올바른 해석으로 여겼지만, 「상전」에 나오는 "중도로 했기 때문이다[以中]"는 말로 살펴보면, 『정전』의 해석이 더 나은 것 같다.

象曰, 九二貞吉, 以中也.

정전 「상전」에서 말하였다: "구이는 곧아서 길함"은 중도로 했기 때문이다.
본의 「상전」에서 말하였다: "구이는 곧아야 길함"은 중도로 했기 때문이다.

中國大全

傳

所以貞正而吉者, 以其得中道也. 中則不失正, 況陽剛而乾體乎.

곧고 바르게 되어 길한 이유는 중도를 얻었기 때문이다. 중도를 얻었다면 바름을 잃지 않은 것인데, 하물며 굳센 양이고 건괘의 몸체에 있어서는 어떻겠는가?

小註

臨川吳氏曰, 中則无過, 不恃其壯而猛進也.
임천오씨가 말하였다: 중도를 얻으면 과실이 없으니, 장성함에 의지하여 맹렬하게 나아가지 않는다.

○ 中溪張氏曰, 中立而不倚, 强哉矯, 九二有焉.
중계장씨가 말하였다: "중심을 잡고 서서 치우치지 않으니, 강하구나, 꿋꿋함이여!"[39]라는 말은 구이에 해당한다.

39) 『中庸』: 中立而不倚, 强哉矯.

韓國大全

김상악(金相岳) 『산천역설(山天易說)』

以中者, 以居中位而得正也, 與未濟曰, 中以行正也, 同意.

"중도로 했기 때문이다[以中]"는 가운데 자리에 있어서 올바름을 얻었기 때문이니, 미제괘(未濟卦䷿)에서 "알맞음으로써 바름을 행하기 때문이다"[40]라고 한 말과 같은 뜻이다.

서유신(徐有臣) 『역의의언(易義擬言)』

居中, 應中而用其中也.

가운데 자리에 있어, 알맞음과 호응하여 알맞음을 사용한다.

오치기(吳致箕) 「주역경전증해(周易經傳增解)」

居中而行正, 不過乎壯, 故吉也.

가운데 자리에 있고 올바름을 시행하여 장성함에 지나치지 않기 때문에 길하다.

이병헌(李炳憲) 『역경금문고통론(易經今文考通論)』

王曰, 居得中位, 以陽居陰, 履謙不亢, 是以貞吉.

왕필이 말하였다: 처함이 가운데 자리를 얻었고, 양으로 음의 자리에 있으며 겸손의 덕을 시행하여 높이려고 하지 않기 때문에 곧아서 길하다.

40) 『周易 · 未濟卦』: 象曰, 九二貞吉, 中以行正也.

九三, 小人用壯, 君子用罔, 貞厲, 羝羊觸藩, 羸其角.

구삼은 소인은 장성함을 사용하고, 군자는 멸시함을 사용하니, 곧으면 위태롭고, 숫양이 울타리를 받아서, 그 뿔이 위태롭다.

中國大全

傳

九三, 以剛居陽而處壯, 又當乾體之終, 壯之極者也. 極壯如此, 在小人則爲用壯, 在君子則爲用罔. 小人尙力, 故用其壯勇, 君子志剛, 故用罔. 罔, 无也, 猶云蔑也, 以其至剛, 蔑視於事而无所忌憚也. 君子小人, 以地言, 如君子有勇而无義爲亂. 剛柔得中, 則不折不屈, 施於天下而无不宜. 苟剛之太過, 則无和順之德, 多傷莫與, 貞固守此則危道也. 凡物, 莫不用其壯, 齒者齧, 角者觸, 蹄者踶. 羊壯於首, 羝爲喜觸, 故取爲象. 羊喜觸藩籬, 以藩籬當其前也. 蓋所當必觸, 喜用壯如此, 必羸困其角矣. 猶人尙剛壯, 所當必用, 必至摧困也. 三, 壯甚如此而不至凶, 何也. 曰, 如三之爲, 其往, 足以致凶, 而方言其危, 故未及於凶也. 凡可以致凶而未至者, 則曰厲也.

구삼은 굳셈으로 양의 자리에 있고 장성함에 처했으며, 또한 건괘의 몸체 끝에 해당하니, 장성함이 지극한 것이다. 지극히 장성함이 이와 같다면, 소인에게 있어서는 장성함을 씀이 되고, 군자에게 있어서는 멸시함을 씀이 된다. 소인은 힘을 숭상하기 때문에, 용맹함을 사용하며, 군자는 굳셈을 뜻으로 삼기 때문에, 멸시함을 사용한다. '멸시[罔]'는 무시함을 말하니, 모멸[蔑]이라고 하는 말과 같다. 지극히 굳세어, 그 사안에 대해 멸시를 해서, 거리낌이 없다. 군자와 소인은 그 지위에 따라 말한 것으로, "군자가 용맹만 있고 도의가 없으면 난리를 일으킨다"[41]는 말과 같다. 굳셈과 부드러움이 알맞음을 얻으면, 꺾이거나 굽히지 않고, 천하에 베풂에 합당하지 않음이 없다. 만약 굳셈이 너무 지나치다면, 조화롭고 유순한 덕이 없어서, 대부분 해를 입혀서 남들이 상대하지 않으니, 곧게 이것을 고수한다면, 위태로운 길이 된다. 모든 사물은 장성함을 사용하지 않음이 없으니, 이가 있는 것은

41) 『論語 · 陽貨』: 君子義以爲上, 君子有勇而無義爲亂, 小人有勇而無義爲盜.

물고, 뿔이 있는 것은 들이받으며, 발굽이 있는 것은 찬다. 양(羊)은 머리가 장성하고, 숫양은 들이받기를 좋아하기 때문에, 이것을 취하여 상으로 삼았다. 양이 울타리를 들이받길 좋아하는 이유는 울타리가 그 앞에 놓여있기 때문이다. 마주한 것은 반드시 들이받는데, 장성함을 사용함을 기뻐함이 이와 같다면, 반드시 그 뿔을 곤궁하게 만든다. 마치 사람이 굳셈과 장성함만을 숭상하여, 마주치는 일에 반드시 사용하면, 꺾이고 곤궁함이 이르는 경우와 같다. 삼효는 장성함이 이처럼 심한데도 흉함이 이르지 않는 이유는 어째서인가? 삼효처럼 시행하면, 그 나아감이 흉함을 이르게 하기에 충분하지만, 그 위태로움에 대해서 언급을 했기 때문에, 흉한 지경에는 아직 이르지 않았다. 흉함을 이르게 할 수 있지만, 아직 이르지 않은 경우라면, "위태롭다[厲]"라고 말한다.

本義

過剛不中, 當壯之時, 是小人用壯而君子則用罔也. 罔, 无也, 視有如无, 君子之過於勇者也. 如此則雖正亦危矣. 羝羊, 剛壯喜觸之物. 藩, 籬也, 羸, 困也, 貞厲之占, 其象如此.

굳셈이 지나쳐서 알맞음을 잃었는데, 장성할 때가 되었으니, 소인은 장성함을 사용하지만, 군자는 멸시를 사용한다. '멸시[罔]'는 무시함[无]을 뜻하니, 있는 것을 보기를 마치 없는 것처럼 보는 것으로, 군자 중에서도 용맹함이 지나친 자이다. 이처럼 하게 된다면, 비록 바르더라도 또한 위태롭다. 숫양은 굳세고 장성하여, 들이받기를 좋아하는 동물이다. '울타리[藩]'는 경계를 지어 막는 것이고, "위태롭다[羸]"는 곤궁하게 된다는 것이니, "곧으면 위태롭다"는 점에서 그 상이 이와 같다.

小註

節齋蔡氏曰, 用壯, 无禮之勇也. 用罔, 不慮之決也. 處位不中而好進前, 犯乎剛, 固守乎此以爲正, 則危矣. 大壯三四五爻有兌象, 兼二爻看亦有兌象. 兌爲羊, 羝羊喜用其角而觸者. 藩, 四也. 羸, 拘纍纏繞也. 進則爲四所困, 故以羝羊羸角爲象.

절재채씨가 말하였다: 장성함을 사용함은 예의 없이 용맹함이다. 멸시함을 사용함은 헤아리지 않는 결단이다. 알맞지 않은 자리에 있으면서도 앞으로 나아가기를 좋아하고, 굳센 양을 침범하며, 이것을 고수함을 올바름으로 여긴다면 위태롭다. 대장괘의 삼효 · 사효 · 오효에는 태괘(☱)의 상이 있고, 두 효씩 겹쳐서 살펴보더라도 또한 태괘의 상이 있다. 태괘는 양이 되고, 숫양은 양 중에서도 그 뿔을 사용하여 들이받기를 좋아하는 동물이다. 울타리는 사효를 뜻한다. "위태롭다[羸]"는 억누르고 둘러쌈이다. 나아가게 되면 사효로 인해 곤궁하게 되기 때문에 숫양의 뿔이 위태로움을 상으로 삼았다.

○ 劉氏曰, 三欲應上而四隔之, 以重剛不中而銳於進. 凡用壯如此者, 未有不羸角.
유씨가 말하였다: 삼효는 위와 호응하고자 하지만 사효가 막으니, 거급된 굳셈이 알맞지 못한데 나아감에 급급하기 때문이다. 장성함을 이처럼 사용하는 경우에는 그 뿔이 위태롭게 되지 않은 적이 없다.

○ 雲峰胡氏曰, 大壯九三, 卽遯九四. 兩爻皆分君子小人, 在遯者其辭平, 在大壯者其辭危. 危, 九三之過剛也. 剛壯之時, 又過於剛, 小人用之爲壯不足責, 君子用之蔑視天下之事, 雖正亦危矣. 三過剛而上遇四之剛, 故有羝羊觸藩, 羸其角之象. 爻皆用象以爲占, 此則因上文以貞厲爲占, 又因以取貞厲之象.
운봉호씨가 말하였다: 대장괘의 구삼은 돈괘(遯卦☰☶)의 구사에 해당한다. 두 효사에서는 모두 군자와 소인을 구분하였는데, 돈괘에 있어서는 그 말이 평이하지만, 대장괘에 있어서는 그 말이 위태롭다. 위태로움은 구삼의 지나친 굳셈을 뜻한다. 굳세고 장성한 시기인데다가 굳셈에 지나쳤으니, 소인이 이것을 사용하여 장성함으로 삼더라도 책망하기에 부족하고, 군자가 이것을 사용하여 천하의 일들을 멸시하면, 비록 바르더라도 또한 위태롭게 된다. 삼효는 굳셈이 지나쳐서 위로 사효의 굳셈과 만나기 때문에 숫양이 울타리를 들이받아 그 뿔이 곤궁해지는 상이 있다. 효는 모두 상을 사용하여 점으로 삼는데, 이곳에서는 앞 문장에서 "곧으면 위태롭다"고 한 말을 점으로 삼았고, 또 그에 따라서 곧으면 위태롭게 되는 상을 취했다.

○ 雙湖胡氏曰, 聖人於九三一爻, 設君子小人兩義, 亦如恒六五婦人吉, 夫子凶, 大有九三公用亨于天子, 小人弗克, 否六二小人吉, 大人否, 亨, 遯九四君子吉, 小人否之類, 非謂九三旣爲君子, 又爲小人也.
쌍호호씨가 말하였다: 성인은 구삼 한 효에 대해서, 군자와 소인이라는 두 의미를 설파했는데, 이것은 또한 항괘(恒卦☳☴) 육오에서 "부인은 길하고, 남자는 흉하다"고 말하고, 대유괘(大有卦☲☰) 구삼에서 "제후가 천자에게 조공을 드림이니, 소인은 감당하지 못한다"고 말하며, 비괘(否卦☰☷) 육이에서 "소인은 길하고 대인은 비색해야 형통할 것이다"고 말하고, 돈괘(遯卦☰☶) 구사에서 "군자는 길하고 소인은 비색하다"고 말한 부류와 같으니, 구삼이 이미 군자가 되었는데, 재차 소인도 된다는 뜻이 아니다.

❙韓國大全❙

조호익(曺好益) 『역상설(易象說)』

小人君子, 以地言. 三在下卦之上, 可爲君子, 在上卦之下, 亦可爲小人. 卦之取象无常, 此所以爲易也. 壯以力言, 罔以志言, 皆過剛象.

'소인(小人)'과 '군자(君子)'는 지위를 기준으로 한 말이다. 삼효는 하괘의 위에 있어서 군자가 될 수 있고, 상괘의 아래에 있어서 소인도 될 수 있다. 괘에서 상을 취함에는 고정됨이 없으니 이것이 역이 되는 이유이다. 장성함은 힘을 기준으로 한 말이고, 멸시함은 뜻을 기준으로 한 말이니, 이 모두는 지나치게 굳센 상이다.

송시열(宋時烈) 『역설(易說)』

傳以爲小人君子以地言, 未詳. 蓋小人雖用過剛之事, 而君子則无過剛之行也. 太剛故云罔, 罔者, 直之反, 過於剛直而及爲罔之意耶. 程朱皆以无字敍之, 胡氏以罔而不用其壯言之. 小象罔也者, 與遯小人否也, 意略似, 言其不用壯也. 依此看好矣. 自此爻以上爲互兌, 兌爲羊, 羊者, 外柔內狠之物也. 羝者, 雄也, 尤爲剛狠也. 四之陽爻在前, 隔藩籬之象. 震爲竹籬象. 羊之壯首喜觸, 傳已言之. 言上坼爲角掛, 冒於震升之中. 說羸困之義, 兼釋危厲之象. 君子恃其剛, 欲決難決之物, 則如羊之羸困而已.

『정전』에서는 '소인(小人)'과 '군자(君子)'는 지위를 기준으로 한 말이라고 여겼는데, 옳은 말인지 잘 모르겠다. 소인이 비록 지나치게 굳센 일을 하더라도, 군자의 경우라면 지나치게 굳센 행위가 없다. 너무 굳세기 때문에 멸시함[罔]이라고 했으니, '멸시함'은 곧음의 반대가 되어, 강직함에 지나쳐서 망하게 됨에 이른다는 뜻이다. 정자와 주자는 멸시함을 모두 무시함으로 풀이를 했고, 호씨는 없어서 그 장성함을 사용하지 않는다는 뜻으로 설명했다. 「소상전」에서 "멸시한다[罔]"라고 한 말은 돈괘(遯卦䷠)에서 "소인은 그렇지 못하다"[42]라고 한 말과 그 의미가 대략 비슷하니, 장성함을 사용하지 않는다는 뜻이다. 이처럼 해석하는 것이 좋다. 삼효로부터 그 이상은 호괘인 태괘가 되고 태괘는 양이 되는데, 양은 겉으로는 온순하지만 속은 사나운 동물이다. '숫양[羝]'은 수컷이니 더욱 굳세고 사나운 동물이다. 사효의 양효가 앞에 있어서 울타리로 막는 상이 된다. 진괘는 대울타리의 상이 된다. 양 중에서 머리가 장성한 것은 들이받기를 좋아하니, 『정전』에서 이미 설명하였다. 위로 갈라져 뿔이

---

42) 『周易 · 遯卦』: 九四, 好遯, 君子吉, 小人否.

걸리게 됨은 진괘가 올라가는 것에 걸렸다는 뜻이니, 곤궁하게 되는 뜻을 설명하며, 위태로운 상도 함께 설명하였다. 군자가 굳셈만 믿고서 결단하기 어려운 것을 결단하고자 한다면, 양의 뿔이 위태롭게 됨과 같을 따름이다.

이익(李瀷) 『역경질서(易經疾書)』

九三, 宜先觀傳文. 罔, 如罔之生之罔, 承直言, 則爲不直, 承壯言, 則爲不壯. 罔, 與六五之于易相照, 罔則不用壯而已, 易, 又慢易而忽之也. 二陰在上, 尙有小人用壯之象, 其故何也. 緣君子不用壯也, 苟使君子專心用壯, 彼四陽之健, 豈有危厲之患哉. 特以三之非迫近於陰, 故怠緩而不用力, 使餘陰躑躅, 如唐五王之討惡, 寬貸殘孽, 反致凶禍也. 此罪君子, 非罪小人也. 不然, 聖人作傳, 都無意義也. 然後方觀爻辭, 其所以爲貞厲者著矣. 羝羊觸藩, 羸其角, 與上六辭同, 九三安有此象. 彼不能退不能遂, 卽羸角之註脚, 此云者, 不過方來之戒, 如臨之至于八月有凶也. 初趾而上角, 九三又安有此象. 二陽臨四陰, 則於象戒之, 四陽決二陰, 則於爻戒之, 彼遠而此近也. 其意若曰小人之用壯, 尙如此, 因君子之怠緩不用力, 畢竟有此禍云爾. 非九三已有此象, 三與上正應, 故上之爲灾, 於三已見, 患難將至, 豫覩而戒之也.

구삼에 대해서는 마땅히 「상전」의 문장을 먼저 봐야 한다. '멸시함[罔]'은 "정직하지 않으면서 사는 것"[43]이라고 했을 때의 "정직하지 않다[罔]"와 같으니, 곧음과 연결해서 말을 하면 곧지 않음이 되고, 장성함과 연결해서 말을 한다면 장성하지 않음이 된다. '멸시함[罔]'을 육오에서 '쉽게[于易]'[44]라고 한 말과 서로 대비해보면, '멸시함[罔]'은 장성함을 사용하지 않는 것일 뿐이며, '쉽게[易]'는 또한 태만하면서도 소홀하다는 뜻이다. 두 음이 위에 있어서 여전히 소인이 장성함을 사용하는 상이 있는데, 무슨 까닭인가? 군자가 장성함을 사용하지 않기 때문이니, 군자가 마음을 다하여 장성함을 사용하면, 저 네 양이 굳건한데 어찌 위태로운 우환이 있겠는가? 다만 세 양이 음에 가까이 있지 않기 때문에 태만하게 그 힘을 사용하지 않아서, 나머지 음들로 하여금 머뭇거리게 하였으니, 당나라 때 다섯 왕이 흉포한 이를 토벌하며 잔여세력을 관대하게 대하여, 반대로 흉과 화를 입게 됨과 같다. 이것은 군자에 대해 죄를 물은 것이지 소인에 대해 죄를 물은 것이 아니다. 그렇지 않다면 성인이 「상전」을 지은 것에는 아무런 의미가 없다. 그런 뒤에 효사를 보게 되면 곧으면 위태롭게 되는 이유가 드러난다. "숫양이 울타리를 받아서, 그 뿔이 위태롭다"는 말은 상육의 효사와 동일한데,[45] 구삼에 어떻게 이러한 상이 있는가? 상육의 "물러가지도 못하고 나아가지도 못한다"고 한

43) 『論語 · 雍也』: 子曰, 人之生也直, 罔之生也幸而免.

44) 『周易 · 大壯卦』: 六五, 喪羊于易, 无悔.

45) 『周易 · 大壯卦』: 上六, 羝羊觸藩, 不能退, 不能遂, 无攸利, 艱則吉.

말은 구삼의 "뿔을 위태롭게 한다"는 각주에 해당하니, 여기에서 말한 것은 앞으로 이르게 될 경계에 불과한 것으로 이를테면 림괘(臨卦䷒)가 팔월에 이르면 흉함이 생기는 것이다. 초효에는 발이 있고 상효에는 뿔이 있는데, 구삼에는 또한 어찌 이러한 상이 있는가? 두 양이 네 음을 보면 「단전」에서 경계를 하였고, 네 양이 두 음을 결단하면 효사에서 경계를 하였으니, 저것은 멀고 이것은 가깝다. 그 의미는 마치 "소인이 장성함을 사용하여 오히려 이와 같게 됨은 군자가 태만하게 힘을 사용하지 않는데 연유하여, 필경 이러한 화가 생긴다"고 말하는 것과 같다. 구삼에 이미 이러한 상이 있는 것이 아니고, 삼효는 상효와 정응이 되기 때문에 상효의 재앙 됨이 삼효에 이미 나타나서 그 환란이 앞으로 이르게 될 것을 미리 보고서 경계한 것이다.

심조(沈潮) 「역상차론(易象箚論)」

藩以木爲者, 上體震木, 故言藩. 自三言羊者, 蓋自三爲兌體也. 陽剛有羊角之象, 而以陽居陽, 躁動故羸.
울타리는 나무로 만드니, 상체인 진괘가 나무가 되기 때문에 울타리라고 했다. 삼효로부터 양을 언급한 이유는 삼효로부터 태괘의 몸체가 되기 때문이다. 굳센 양에는 양(羊)의 뿔이 있는 상인데, 양이 양의 자리에 있어 조급히 움직이기 때문에 위태롭다.

유정원(柳正源) 『역해참고(易解參攷)』

縉雲馮氏曰, 易取象, 變通不一, 方言大壯, 則四陽爲一類, 以三言之, 則九四當前, 別爲震體, 三之壯, 則以四爲敵也.
진운풍씨가 말하였다: 『주역』에서 상을 취함은 변통하여 한 가지가 아니니, 크게 장성한 것을 말하면, 네 양은 하나의 부류가 되고, 삼효로 말을 하게 된다면, 구사가 앞에 해당하여 별도로 진괘의 몸체가 되니, 삼효의 장성함은 사효를 적으로 삼는다.

○ 潛齋胡氏曰, 藩取震爲竹爲萑葦之象. 四陽五上陰, 故有藩決之象.
잠재호씨가 말하였다: 울타리는 진괘가 대나무가 되고 갈대가 되는 상에서 취했다. 사효가 양이고 오효와 상효가 음이기 때문에 울타리가 터지는 상이 있다.[46]

○ 雙湖胡氏曰, 兌羊象. 九三以全體言則爲羊, 在乾體則象羝羊. 上六亦以全體象羊, 而以在震體稱羝羊也.

46) 『周易 · 大壯卦』: 九四, 貞吉, 悔亡, 藩決不羸, 壯于大輿之輹.

쌍호호씨가 말하였다: 태괘는 양(羊)의 상이 된다. 구삼을 괘 전체로 말을 하면 양이 되고, 건괘의 몸체에서는 숫양을 상징한다. 상육 또한 괘 전체로는 양을 상징하지만, 진괘의 몸체에서는 숫양이라고 했다.

○ 梁山來氏曰, 九三過剛不中, 又當乾體之終, 交震動之際, 乃純用血氣之剛, 過于壯者也. 然用壯爲小人之事. 君子以義理爲主, 豈其所用哉. 苟用其壯, 雖正亦厲, 亦如羝羊之觸藩羸角也. 壯其可恃哉.
양산래씨가 말하였다: 구삼은 굳셈이 지나치고 알맞지 않으며, 또 건괘의 몸체 끝에 있어서 진괘의 움직임과 교류하는 때에 순전히 혈기의 굳셈만 사용하니 장성함에 지나친 자이지만, 장성함을 사용하는 것은 소인의 일이 된다. 군자는 의리를 위주로 하니, 어찌 쓰는 것이 되겠는가? 진실로 장성함을 사용하면 비록 바르더라도 위태로워 또한 숫양이 울타리를 들이받아서 뿔이 위태롭게 됨과 같으니, 장성함을 믿어서야 되겠는가?

○ 案, 三, 居下卦之上, 君子也, 居上卦之下, 小人也. 好勇鬪狠, 專用血氣之强, 小人之用壯也. 學力未精, 慮事未熟, 而欲擔當天下之事, 則鮮有不敗者, 此君子之用罔也. 所用不同, 而同歸於厲, 可不危哉.
내가 살펴보았다: 삼효가 하괘의 위에 있는 것으로는 군자가 되고, 상괘의 아래에 있는 것으로는 소인이 된다. 용맹함을 좋아하고 다투고 사나워서 전적으로 혈기의 강성함만 사용하는 것은 소인이 장성함을 사용함이다. 배우고 힘씀이 정밀하지 못하고 일을 헤아림이 미숙한데도 천하의 일들을 담당하고자 한다면, 실패하지 않는 자가 드물 것이니, 이것은 군자가 멸시함을 사용함이다. 사용하는 것은 다르지만 모두 위태롭게 되니, 위험하지 않을 수 있겠는가?

本義, 雖正.
『본의』에서 말하였다: 비록 바르더라도.
案, 正一作貞.
내가 살펴보았다: '바르더라도[正]'를 어떤 판본에서는 '곧더라도[貞]'로 해놓았다.

小註節齋說
소주의 절재채씨의 주장에 대하여.
案, 此程傳意.
내가 살펴보았다: 이것은 『정전』의 뜻에 해당한다.

김상악(金相岳)『산천역설(山天易說)』

九三與上爲應, 過剛不中, 故小人則用壯而進, 君子則不用其壯, 必貞厲以處之. 羝羊, 壯羊, 三互兌體, 犯四而進, 必有所傷, 故又戒以觸藩羸角. 羸, 困也.
구삼은 상효와 호응이 되지만 굳셈이 지나치고 알맞지 않기 때문에, 소인의 경우에는 장성함을 사용하여 나아가고, 군자의 경우에는 장성함을 사용하지 않으니, 반드시 곧으면 위태롭게 됨으로 처신을 한다. 숫양은 장성한 양으로 삼효는 호괘인 태괘의 몸체가 되어, 사효를 범하며 나아가니, 반드시 상처를 받기 때문에 또한 울타리를 받아서 뿔이 위태롭게 됨으로 경계를 했다. "위태롭다[羸]"는 것은 곤궁하다는 뜻이다.

○ 三之過剛, 志在附決, 而小人則以血氣爲强, 故用壯, 君子則以義理爲勇, 故用罔. 凡言君子多在三爻, 三多凶, 惟君子爲能善處也. 遯之君子四, 多懼也. 厲者, 乾之惕厲也. 羝羊, 兌象, 羊屬土, 土生金, 故以角觸之也. 藩所以限隔者, 指四也. 乾爲圜震木, 圜于外藩之象. 觸藩者, 用其壯也. 羸角者, 反爲藩所困制也. 晉則陽已上, 故曰晉其角, 又震反艮爲大畜, 畜之四曰, 童牛之牿, 爲制其角觸之勢也. 壯羊之羸角, 亦見畜之意也. 此爻之象, 與未濟曰, 小狐汔濟, 濡其尾, 相似, 蓋羸與壯正相反. 陽之壯爲大壯, 女之壯爲姤, 故皆以羸壯言之. 大壯陽已盛, 故羝羊之羸角在三, 自壯而羸也. 姤則一陰始生, 故羸豕之蹢躅在初, 自羸而壯也.
삼효의 지나친 굳셈은 뜻이 붙었다가 떨어짐에 있는데, 소인의 경우에는 혈기를 강성함으로 여기기 때문에 장성함을 사용하고, 군자의 경우에는 의리를 용맹함으로 여기기 때문에 멸시함을 사용한다. 보통 군자라고 말한 것들은 대체로 삼효에 있는데, 삼효는 대부분 흉하니 군자만이 잘 처신할 수 있는 곳이다. 돈괘(遯卦䷠)의 군자는 사효인데[47] 대체로 두려워한다. 위태로움은 건괘의 두려움이다. 숫양은 태괘의 상이며 양은 토에 속하고 토는 금을 낳기 때문에 뿔로 받는 것이다. 울타리는 막는 것이며 사효를 가리킨다. 건괘가 진괘의 나무를 에워싸니 외부 울타리를 에워싸는 상이 된다. 울타리는 받는 것은 장성함을 사용함이다. 뿔이 위태로운 것은 도리어 울타리에 제재를 당하는 것이다. 진괘(晉卦䷢)는 양이 이미 올라갔기 때문에 "뿔에 나아감이다"[48]고 했고, 또 진괘(☳)가 음양이 바뀐 간괘(☶)가 되면 대축괘(大畜卦䷙)가 되니, 대축괘의 사효에서 "어린 소의 뿔에 가로 나무를 더한다"[49]고 한 말은 뿔로 받는 기세를 제재함이다. 장성한 양이 뿔이 위태롭게 되는 것은 또한 그치게 하는 뜻을 나타낸다. 삼효의 상은 미제괘(未濟卦䷿)에서 "어린 여우가 용감하게 건너서 그

---

47)『周易 · 遯卦』: 九四, 好遯, 君子吉, 小人否.
48)『周易 · 晉卦』: 上九, 晉其角, 維用伐邑, 厲吉无咎, 貞吝.
49)『周易 · 大畜卦』: 六四, 童牛之牿, 元吉.

꼬리를 적신다"[50]고 한 말과 유사하니, 위태로움과 장성함은 정반대가 된다. 양이 장성한 것은 대장괘가 되고 여자가 장성한 것은 구괘(姤卦䷫)가 되기 때문에, 모두 위태로움과 장성함으로 말을 했다. 그런데 대장괘는 양이 이미 융성하기 때문에 숫양의 뿔이 위태롭게 됨이 삼효에 있으니, 장성함으로부터 위태롭게 된다. 구괘의 경우에는 하나의 음이 처음 생겨나기 때문에 여윈 돼지가 뛰고 뛰는 것이 초효에 있으니,[51] 위태로움으로부터 장성하게 된다.

서유신(徐有臣)『역의의언(易義擬言)』

小人, 上六也. 君子, 九三也. 以其正應相與之, 故上六應九三之剛, 而爲用壯, 九三應上六之柔, 而爲用罔. 罔, 不壯也, 是雖正應, 可爲懼厲也. 九三之不壯, 如羝羊觸藩角羸, 不能決也. 卦爲疊畫之兌, 有羊象. 九三爲首, 上六爲角, 而陰柔竟是羸弱之角也. 九三宜謂之過剛, 而反有用罔之象, 又有羸角之象者, 都是應上六之累也.
소인은 상육이다. 군자는 구삼이다. 정응하여 서로 함께 하기 때문에 상육은 구삼의 굳셈에 호응해서 장성함을 사용하게 되고, 구삼은 상육의 부드러움에 호응하여 멸시함을 사용하게 된다. 멸시함은 장성하지 못함이니, 이것이 비록 정응이 되더라도 두렵고 위태로울 수 있는 이유이다. 구삼의 장성하지 못함은 숫양이 울타리를 받아서 뿔이 위태롭게 됨과 같으니, 결단하지 못하는 것이다. 괘의 획을 두 개씩 포개면 태괘가 되어 양의 상이 있다. 구삼은 머리가 되고 상육은 뿔이 되는데, 부드러운 음은 결국 여위고 약한 뿔이 된다. 구삼에 대해서는 굳셈이 지나치다고 해야 하는데, 반대로 장성하지 못함을 사용하는 상이 있고, 또 뿔이 위태롭게 되는 상이 있으니, 이것은 모두 상육에 호응해서 얽매이는 것이다.

박제가(朴齊家)『주역(周易)』

罔, 當爲網羅之罔, 故曰貞厲. 貞, 謂君子也, 又以羝羊觸藩象之, 亦麗也. 如學而不思曰罔, 服而不知其名曰罔, 皆爲昏而無別之意. 故爲欺罔之罔, 又與欺別, 如曰可欺不可罔是也. 此惟君子, 故因小人之用壯, 而誤羅. 故象曰小人用壯, 君子罔也. 傳曰, 罔, 无也, 轉之爲蔑, 又轉而蔑視於事, 無所忌憚, 尤過. 乃以君子小人爲以地言, 本義因之以爲視有如無, 君子之過於勇者. 然爻分君子小人, 皆以善惡言, 自泰否以來, 無以地言者.
'망(罔)'자는 당연히 그물질이라는 의미의 '속임[罔]'이 되기 때문에, "곧으면 위태롭다"고 했

---

50)『周易 · 未濟卦』: 未濟, 亨, 小狐汔濟, 濡其尾, 无攸利.
51)『周易 · 姤卦』: 初六, 繫于金柅, 貞吉, 有攸往, 見凶, 羸豕孚蹢躅.

다. '곧은 것[貞]'은 군자를 말하는데, 또 숫양이 울타리를 받는 것으로 형상을 했으니, 이 또한 걸려드는 것이다. 이를테면 "배우고도 생각하지 않으면 어둡다[罔]고 한다"[52]고 하고 "의복을 입고도 그 명칭을 알지 못하면 어둡다[罔]고 한다"[53]고 하는 것은 모두 혼미하여 분별할 줄 모른다는 의미이다. 그러므로 "속인다[欺罔]"는 속임[罔]이 되지만, 또 "이치 있는 말로 속인다[欺]"는 것과도 구별되니, "이치 있는 말로 속일 수 있지만 터무니없는 말로 속일 수 없다"[54]는 말이 바로 그 용례이다. 그런데 여기의 내용은 오직 군자이므로 소인이 장성함을 사용하기 때문에 잘못되어 속임을 당한다는 것이다. 그러므로 「상전」에서는 "소인이 장성함을 사용하니 군자가 속는다"고 했다. 『정전』에서는 "멸시함은 무시함을 말한다"라고 했고, 그 의미를 확장하여 멸시함으로 여기면서 재차 확장하여 사안에 대해 멸시를 해서 거리낌이 없다고 했으니 더욱 잘못되었다. 더 나아가 군자와 소인은 지위를 기준으로 한 말이라고 했고, 『본의』에서는 그에 따라서 있는 것을 보기를 마치 없는 것처럼 보는 것으로, 군자 중에서도 용맹함이 지나친 자라고 하였다. 그러나 효사에서 군자와 소인을 구분한 것은 모두 선과 악으로 말을 했으니, 태괘(泰卦䷊)와 비괘(否卦䷋)로부터 그 이후의 괘에서는 지위로 말한 경우가 없다.

박문건(朴文健) 『주역연의(周易衍義)』

用剛害上, 故有用壯之象. 有壯, 如无君子之能, 而非小人之可能也. 藩籬, 謂上六也.
굳셈을 사용하여 위를 해치기 때문에 장성함을 사용하는 상이 있다. 장성함이 있지만 군자의 능력이 없으니, 소인으로 할 수 있는 것이 아니다. 울타리는 상육을 뜻한다.

〈問, 小人用壯以下. 曰, 九[55]三雖壯而處下, 然上六亦彊而處高, 其勢相敵者也, 故小人恃己之剛而用壯, 君子知時之義而用罔也. 若用貞上往, 則有危厲之道, 如羝羊之觸藩而羸敗其角也. 三在下體之上, 故取角之象也.

물었다: "소인은 장성함을 사용한다" 이하는 무슨 뜻입니까?

답하였다: 구삼이 장성할지라도 아래에 있고, 그런데 상육도 강건할지라도 위에 있어, 그 기세가 서로 대적하기 때문에 소인은 자신의 굳셈을 믿고서 장성함을 사용하며, 군자는 때의 의미를 알아서 멸시함을 사용합니다. 만약 곧음을 사용하여 위로 나아간다면 위태롭게 되는 도가 있으니, 숫양이 울타리를 받아서 그 뿔을 위태롭게 만드는 것과 같습니다. 삼효는

---

52) 『論語·爲政』: 子曰, 學而不思則罔, 思而不學則殆.
53) 『禮記·少義』: 衣服在躬而不知其名爲罔.
54) 『論語·雍也』: 宰我問曰, 仁者, 雖告之曰, 井有仁焉. 其從之也. 子曰, 何爲其然也. 君子可逝也, 不可陷也, 可欺也, 不可罔也.
55) 九: 경학자료집성 DB에는 '七'으로 되어 있으나, 영인본에 따라 '九'로 바로잡았다.

하체의 위에 있기 때문에 뿔의 상을 취했습니다.〉

〈○ 問, 三上則取羝羊之象, 五則取羊之象何. 曰, 羊者, 性剛之物也. 羊與羝羊, 俱取剛義, 然特言羝羊者, 取其喜觸之義也.
물었다: 삼효와 상효는 숫양의 상을 취했고, 오효는 양의 상을 취한 것은 어째서입니까?
답하였다: 양은 성질이 굳센 동물입니다. 양과 숫양은 모두 굳센 뜻에서 취했지만, 특히 숫양이라고 말한 것은 들이받기를 좋아하는 뜻을 취한 것입니다.〉

〈○ 問, 大壯多取羊象何. 曰, 外柔內剛者羊也, 大壯有兌象, 故多取之也. 曰, 何謂外柔內剛. 曰, 角比於性, 則其用柔也. 性比於角, 則其用剛也. 問, 多取藩象何. 曰, 二陰蔽四陽之前, 故亦多取之也.
물었다: 대장괘는 대체로 양의 상을 취했는데 어째서입니까?
답하였다: 겉은 부드럽지만 안이 굳센 동물이 양이고, 대장괘에는 태괘의 상이 있기 때문에 대체로 거기에서 취했습니다.
물었다: 어째서 겉은 부드럽지만 안은 굳세다고 합니까?
답하였다: 뿔이 본성에서 비교되면 그 작용이 부드럽고, 본성이 뿔에서 비교되면 그 작용이 굳셉니다.
물었다: 대체로 울타리의 상을 취한 것은 어째서입니까?
답하였다: 두 음이 네 양 앞을 가리기 때문에, 또한 대체로 그것을 취했습니다.〉

김기례(金箕澧) 『역요선의강목(易要選義綱目)』

此小人君子, 以位言也.
이곳의 소인과 군자는 지위를 기준으로 한 말이다.

○ 以重剛爲乾體之極, 應上而壯進, 在下之人, 无禮之勇, 不足責, 有位君子如此, 則恃剛而蔑視天下, 故曰罔, 无也. 貞厲, 如此固守則危. 羝羊觸藩, 羸其角, 卦體似厚畫之兌, 故取羊.
거듭된 굳셈이 건괘라는 몸체의 끝에 되어 상효와 호응하여 장성하게 나아가니, 아래에 있는 자가 무례하게 용맹할지라도 그다지 책할 것이 못되지만, 지위를 가진 군자가 이처럼 한다면 굳셈만 믿고서 천하를 멸시하는 것이기 때문에 "멸시한다"고 했으니, 무시한다는 의미이다. "곧으면 위태롭다"는 이처럼 굳게 지키게 되면 위태롭다는 뜻이다. "숫양이 울타리를 받아서, 그 뿔이 위태롭다"는 괘의 몸체가 획을 겹친 태괘와 같기 때문에 양에서 취했다.

○ 藩, 指四, 重剛壯進, 欲應上而爲四所隔, 如羝觸藩困角. 下體之首, 故曰角.
울타리는 사효를 가리키는데, 거듭된 굳셈으로 장성하게 나아가 상효와 호응하려고 하지만 사효에게 막히니, 숫양이 울타리를 받지만 뿔이 곤궁하게 됨과 같다. 하체의 머리에 해당하기 때문에 뿔이라고 했다.

윤종섭(尹種燮) 『경(經)-역(易)』

大體似兌, 取象於羊. 三乃下卦之終, 故曰角. 四之藩決, 前路開豁, 有攸往也. 壯于大輿, 乾變爲坤, 與大有之大車同.
큰 몸체가 태괘와 같아 양에서 상을 취했다. 삼효는 하괘의 끝에 있기 때문에 뿔이라고 했다. 사효의 '울타리가 터짐'[56]은 앞의 길이 터져서 가는 곳이 있음이다. "수레의 바퀴살이 장성하다"는 건괘가 변하여 곤괘가 되어, 대유괘(大有卦䷍)의 '큰 수레'[57]와 같다.

심대윤(沈大允) 『주역상의점법(周易象義占法)』

大壯之歸妹䷵, 一有所歸也. 九三下有二陽歸服, 而上又有應, 所得大也. 以剛居剛, 用力驟求. 小人用壯, 以勇悍爲壯也. 君子用罔. 罔, 無也, 言不壯也, 以不壯爲壯者, 君子之壯也. 對觀有坤艮, 離坤爲小人, 艮爲君子, 艮震爲用, 兌爲罔. 大壯之道, 雖以柔順自勝爲壯, 而至於罔而無有, 則過矣, 何以爲壯乎. 故雖貞而厲也. 阻於四剛而不得進, 故曰觸藩羸角. 羸角, 言極而反失其壯也, 言君子之罔, 小人之壯, 俱不得進也. 乾爲雄, 兌爲羊, 曰羝羊. 離互兌爲觸, 藩角俱離象, 離枯爲羸.
대장괘가 귀매괘(歸妹卦䷵)로 바뀌었으니, 한결같이 돌아감이 있는 것이다. 구삼은 아래에 두 양이 귀속하여 복종함이 있고, 위로는 또한 호응함이 있으니 얻음이 크다. 굳센 양으로 굳센 양의 자리에 있어서, 힘을 써서 달려가 구한다. 소인이 장성함을 사용함에 용맹함과 사나움을 장성함으로 삼는다. 군자는 멸시함을 사용한다. 멸시함은 무시함으로 장성하지 않다는 말이니, 장성하지 않음을 장성함으로 삼는 것은 군자의 장성함이다. 음양이 바뀐 관괘(觀卦䷓)에는 곤괘와 간괘가 있고, 리괘와 곤괘는 소인이 되며, 간괘는 군자가 되고, 간괘와 진괘는 쓰임이 되며, 태괘는 멸시함이 된다. 대장괘의 도는 비록 유순하고 스스로 이기는 것을 장성함으로 삼지만, 멸시하고 무시하게 되면 지나친 것이니, 무엇으로 장성함을 삼겠는가? 그러므로 비록 곧더라도 위태롭게 된다. 네 굳센 양에게 막혀서 나아가지 못하

56) 『周易 · 大壯卦』: 九四, 貞吉, 悔亡, 藩決不羸, 壯于大輿之輹.
57) 『周易 · 大有卦』: 九二, 大車以載, 有攸往, 无咎.

기 때문에 "울타리를 받아서 뿔이 위태롭다"고 했다. 뿔이 위태롭다는 말은 지극해져서 반대로 장성함을 잃게 된다는 뜻이니, 군자의 멸시와 소인의 장성함은 모두 나아갈 수 없다는 의미이다. 건괘는 수컷이 되고 태괘는 양이 되므로, '숫양'이라고 했다. 리괘가 태괘와 번갈아드는 것은 들이받는 것이 되고, 울타리와 뿔은 모두 리괘의 상이며, 리괘의 마른 나무가 울타리가 된다.

오치기(吳致箕) 「주역경전증해(周易經傳增解)」

九三過剛不中, 居健體之極, 而上應陰柔, 故言乎小人則剛極失中, 而爲血氣之强. 是以有用壯之危. 言乎君子, 則當剛健而得正, 爲義理之勇, 故戒以不用小人之壯. 然若或用壯而冒進, 則其進雖或得正, 亦爲危厲, 如羝羊之觸藩羸角. 此所以切戒也.
구삼은 굳셈이 지나치고 알맞지 않으며, 굳센 몸체의 끝에 있으면서 위로 부드러운 음과 호응하기 때문에, 소인에 대해서 말을 하면 굳셈이 지극하고 알맞음을 잃어 혈기의 굳셈이 된다. 이러한 까닭으로 장성함을 사용하여 위태로움이 있다. 군자에 대해서 말을 하면 강건하고 올바름을 얻어 의리에 따른 용맹함이 되기 때문에 소인의 장성함을 사용하지 말라고 경계를 했다. 그러나 간혹 장성함을 사용하여 위험을 무릅쓰고 나아간다면 나아감이 비록 올바름을 얻게 될지라도 또한 위태롭게 되니, 숫양이 울타리를 받아서 뿔이 위태롭게 됨과 같다. 이것이 간절히 경계를 한 이유이다.

用罔, 謂不用小人之壯也. 羝羊, 謂牡羊而取於互兌也. 震爲竹爲萑葦, 藩之象. 羸, 言傷也.
'멸시함을 사용함[用罔]'은 소인의 장성함을 사용하지 않는다는 뜻이다. '숫양'은 수컷인 양으로 호괘인 태괘에서 취했다. 진괘는 대나무가 되고 갈대가 되니 울타리의 상이다. "위태롭다[羸]"는 상처를 입는다는 뜻이다.

이진상(李震相) 『역학관규(易學管窺)』

羊兌體, 藩震象. 四以陽剛在前, 故藩固而羸. 若在九四則五六皆陰, 故藩決不羸. 羸, 損敗也. 節齋從古註, 作拘累纏繞說, 與傳義不合, 且所說貞厲, 舍義而取傳, 亦未可曉.
양은 태괘의 몸체이고 울타리는 진괘의 상이다. 사효는 굳센 양으로 앞에 있기 때문에 울타리가 견고하여 위태로운 것이다. 만약 구사의 경우라면 오효와 육효가 모두 음이기 때문에 울타리가 터져서 위태롭지 않은 것이다. "위태롭다[羸]"는 줄어들어 패한다는 뜻이다. 절재채씨는 옛 주석에 따라서 억누르고 둘러쌈이라고 설명했는데, 『정전』·『본의』의 뜻과 합치되지 않고, 또 "곧으면 위태롭다[貞厲]"를 설명함에 『본의』를 따르지 않고 『정전』을 따랐으니, 또한 이해할 수 없다.

이병헌(李炳憲) 『역경금문고통론(易經今文考通論)』

京曰, 壯不可極, 極則敗. 物不可極, 極則反, 故曰羝羊觸藩, 羸其角. 壯, 一也, 小人用之, 君子有而不用, 故曰小人用壯, 君子用罔也. 說文曰, 羝, 牡羊也. 正義曰, 藩, 藩籬也. 羸, 拘累纒繞也.

경방이 말하였다: 장성함은 끝까지 해서는 안 되니 끝까지 하게 되면 패한다. 사물은 끝까지 해서는 안 되니 끝까지 하게 되면 되돌아오기 때문에, "숫양이 울타리를 받아서, 그 뿔이 위태롭다"고 했다. 장성함은 동일하지만, 소인은 사용하고 군자는 가지고 있으면서도 사용하지 않기 때문에 "소인은 장성함을 사용하고, 군자는 멸시함을 사용한다"고 했다. 『설문』에서는 "숫양(羝)는 숫컷 양이다"라고 했다. 『정의』에서는 "번(藩)은 울타리이다. '위태롭다[羸]'는 억누르고 둘러쌈이다"고 했다.

象曰, 小人用壯, 君子罔也.

「상전」에서 말하였다: 소인은 장성함을 사용하고, 군자는 멸시한다.

中國大全

傳

在小人則爲用其强壯之力, 在君子則爲用罔, 志氣剛强, 蔑視於事, 靡所顧憚也.

소인에게 있어서는 강성하고 장성한 힘을 사용함이 되고, 군자에게 있어서는 멸시함을 사용함이 되는데, 뜻과 기운이 굳세어서 일을 멸시하니, 되돌아보며 후회하는 일이 없다.

本義

小人以壯敗, 君子以罔困.

소인은 장성함으로 패하고, 군자는 멸시함으로 곤궁해진다.

小註

雲峰胡氏曰, 恒九二惟悔亡二字, 而象曰能久中, 大壯九二惟貞吉二字, 而象曰以中, 意正相似. 當剛壯之時, 以剛居柔, 則爲中, 初九以剛居剛, 非中也, 故可必其窮困, 九三以剛居剛, 非中也, 故小人以此敗, 君子以此困.

쌍봉호씨가 말하였다: 항괘(恒卦䷟)의 구이에는 오직 "후회가 없어지리라[悔亡]"는 말만 있는데, 「상전」에서는 "알맞음을 오래할 수 있기 때문이다"고 하였고, 대장괘의 구이에는 오직 "곧아야 길하다[貞吉]"는 말만 있는데, 「상전」에서는 "중도로 했기 때문이다"고 했으니, 그 의미가 서로 유사하다. 굳세고 장성한 시기가 되어 굳센 양으로 부드러운 음의 자리에 있다면 중도가 되는데, 초구는 굳셈으로 굳센 양의 자리에 있어 중도가 아니므로 반드시 곤궁해질 수밖에 없고, 구삼은 굳셈으로 굳센 양의 자리에 있어 중도가 아니므로 소인은 이로 인해 패하고, 군자는 이로 인해 곤궁해진다.

‖韓國大全‖

유정원(柳正源)『역해참고(易解參攷)』

梁山來氏曰, 用壯, 小人之事, 君子无此也.
양산래씨가 말하였다: 장성함을 사용하는 것은 소인의 일이며, 군자에게는 이러한 일이 없다.

김상악(金相岳)『산천역설(山天易說)』

與遯四象辭相似.
돈괘(遯卦䷠) 사효의 상사와 서로 유사하다.[58]

서유신(徐有臣)『역의의언(易義擬言)』

小人反用壯, 而君子不壯也.
소인은 반대로 장성함을 사용하지만, 군자는 장성하지 못하다.

박문건(朴文健)『주역연의(周易衍義)』

〈問, 小人用壯, 君子罔也. 曰, 小人雖用壯, 然君子有壯如无也.
물었다: "소인은 장성함을 사용하고, 군자는 멸시한다"는 무슨 뜻입니까?
답하였다: 소인이 비록 장성함을 사용하더라도, 군자는 장성함이 있음에도 없는 것처럼 한다는 뜻입니다.〉

심대윤(沈大允)『주역상의점법(周易象義占法)』

小人用權勢, 故无權勢. 君子不用權勢, 故有權勢. 君子之避權勢, 乃所以求權勢也. 然權勢不可不避, 而權勢之本不可以假人也. 避之至於失其本則罔矣. 凡利害之事, 權勢也. 利害之道, 權勢之本也. 自執其道而任大以事則可矣.
소인은 권세를 사용하기 때문에 권세가 없다. 군자는 권세를 사용하지 않기 때문에 권세가 있다. 군자가 권세를 피하는 것은 권세를 구하는 방법이다. 그러나 권세라는 것은 피할 수밖

---

58)『周易 · 遯卦』: 象曰, 君子好遯, 小人否也.

에 없고, 권세의 근본은 남에게 줄 수 없다. 피하여 근본을 잃게 됨에 이르면 멸시한다. 이롭게 하고 해롭게 하는 일은 권세이다. 이롭게 하고 해롭게 하는 도는 권세의 근본이다. 스스로 그 도를 잡고서 큼에 임해 일삼는다면 괜찮다.

오치기(吳致箕) 「주역경전증해(周易經傳增解)」

在小人則用其强壯之力, 在君子則不用小人之壯也.
소인에게서는 굳세고 장성한 힘을 사용하고, 군자에게서는 소인의 장성함을 사용하지 않는다.

박문호(朴文鎬) 『경설(經說)-주역(周易)』

大壯之以羊象陽, 與乾之以龍象陽同. 蓋此二卦, 各有其象云.
대장괘가 양(羊)을 통해 양을 상징함은 건괘가 용을 통해 양을 상징했던 것과 같다. 이 두 괘는 각각 그 상을 가지고 있다.

如君子有勇而無義爲亂之下, 又當有小人有勇而無義爲盜之文, 而今無者, 省文也. 文雖省而義已該矣. 其往謂將來也.
예를 들어 "군자가 용맹함이 있고 의로움이 없으면 난리를 일으킨다"는 말 뒤에는 마땅히 "소인이 용맹함이 있고 의로움이 없으면 도적이 된다"는 말이 있어야 하는데,[59] 현재 없는 것은 문장을 생략했기 때문이다. 문장을 비록 생략해서 기록했지만, 그 뜻은 이미 포함되어 있다. '나아감'은 장차 도래하게 됨을 뜻한다.

貞厲之占, 其象如此, 本文先言占, 後言象, 故註亦依此言之, 九四視此.
"곧으면 위태롭다"는 점사는 그 상이 이와 같은데, 본문에서는 먼저 점사를 말하고 이후에 상을 말했기 때문에 주에서도 그에 따라 설명을 했으니, 구사도 여기와 같다.

象傳直用經文, 而意在言表, 故本義添敗困二字, 以足其義.
「상전」에서는 단지 경문을 인용했지만 그 의미가 말에 나타나기 때문에, 『본의』에서는 "패하고", "곤궁해진다"라는 말을 보태 그 의미를 분명히 나타내었다.

---

59) 『論語 · 陽貨』: 子路曰, 君子尙勇乎. 子曰, 君子義以爲上, 君子有勇而無義爲亂, 小人有勇而無義爲盜.

九四, 貞吉, 悔亡, 藩決不羸, 壯于大輿之輹.

구사는 곧으면 길하여 후회가 없게 되니, 울타리가 터져서 곤궁하지 않게 되며, 큰 수레의 바퀴살이 장성하다.

中國大全

傳

四, 陽剛長盛, 壯已過中, 壯之盛也. 然居四, 爲不正, 方君子道長之時, 豈可有不正也. 故戒以貞則吉而悔亡. 蓋方道長之時, 小失則害亨進之勢, 是有悔也. 若在他卦, 重剛而居柔, 未必不爲善也, 大過是也. 藩, 所以限隔也, 藩籬決開, 不復羸困其壯也. 高大之車, 輪輹强壯, 其行之利, 可知, 故云壯于大輿之輹, 輹, 輪之要處也. 車之敗, 常在折輹, 輹壯則車强矣. 云壯于輹, 謂壯于進也. 輹, 與輻同.

사효는 굳센 양이 자라서 장성하여, 그 장성함이 이미 알맞음을 지나친 것이니, 매우 장성함이다. 그러나 사효의 자리에 있는 것은 바르지 못함이 되니, 군자의 도가 자라날 시기에 처하여, 어찌 바르지 않음이 있어서야 되겠는가? 그렇기 때문에 곧으면 길하여 후회가 없게 된다고 경계를 하였다. 도가 자라날 시기에 작은 실수를 한다면, 형통하여 나아가는 기세를 해치니, 이것은 후회가 있는 것이다. 만약 다른 괘에 있다면, 거듭된 굳셈으로 부드러운 음의 자리에 있음은 반드시 좋음이 되지 않는 것은 아니니, 대과괘(大過卦䷛)가 바로 여기에 해당한다. 울타리는 제한하고 막는 것인데, 울타리가 터져서 열리니, 그 장성함을 재차 곤궁하게 할 수 없다. 높고 큰 수레는 바퀴와 바퀴살이 강하고 장성하니, 가는 데에 이로움을 알 수 있다. 그렇기 때문에 "큰 수레의 바퀴살이 장성하다"고 하였으니, 바퀴살은 바퀴의 핵심 부위이다. 수레가 부서짐은 그 원인이 항상 바퀴살이 꺾이는데 있으니, 바퀴살이 장성하다면 수레가 튼튼하다. 바퀴살이 장성하다는 말은 나아감에 장성하다는 뜻이다. '복(輹)'자는 '복(輻)'자와 같다.

本義

貞吉悔亡, 與咸九四同占. 藩決不羸, 承上文而言也, 決, 開也. 三前有四, 猶有藩焉, 四前二陰, 則藩決矣. 壯于大輿之輹, 亦可進之象也, 以陽居陰, 不極其剛, 故其象占如此.

“곧으면 길하여 후회가 없게 된다”는 말은 함괘(咸卦䷞) 구사와 점사가 같다. “울타리가 터져서 곤궁하지 않게 된다”는 말은 앞 문장에 연이어 말한 것으로, “터진다[決]”는 열린다는 뜻이다. 구삼의 앞에는 구사가 있으니, 울타리가 있는 형상과 같고, 구사 앞에는 두 개의 음이 있으니, 울타리가 터진 형상이다. 큰 수레의 바퀴살이 장성함은 또한 나아갈 수 있다는 상이니, 양으로서 음의 자리에 있으면, 그 굳셈을 지극히 할 수 없기 때문에, 그 상과 점이 이와 같다.

小註

朱子曰, 此卦如九二貞吉, 只是自守而不進, 九四藩決不羸, 壯于大輿之輹, 卻是有可進之象, 此卦爻之好者. 蓋以陽居陰, 不極其剛, 而前遇二陰, 有藩決之象, 所以爲進, 非如九二前有三四二陽, 隔之不得進也.

주자가 말하였다: 이 괘에서 구이의 “곧아야 길하다[貞吉]”는 단지 제 스스로 지키며 나아가지 않음이며, 구사의 “울타리가 터져서 곤궁하지 않게 되며 큰 수레의 바퀴살이 장성하다”는 나아갈 수 있는 상이 있다는 것이니, 이 괘의 효 중에서도 좋은 것이다. 양으로 음에 있으면 그 굳셈을 지극히 하지 못하지만, 앞에 두 음을 만나서 울타리가 터지는 상이 있기 때문에 나아가게 되니, 구이 앞에 구삼과 구사의 두 양이 있어서, 구이를 막아서 나아가지 못하게 하는 형상과는 다르다.

○ 節齋蔡氏曰, 九四爲壯之主, 以剛決柔, 壯之正者也. 位不當, 故有悔, 得正而吉, 其悔可亡. 藩, 五也, 決, 開也. 以剛決柔, 易而无困也. 輹, 在車之下, 所用以行者, 下乘三剛, 壯輹之象.

절재채씨가 말하였다: 구사는 장성함의 주인이 되며, 굳셈으로 부드러움을 여니, 장성함 중에서도 올바른 자이다. 지위가 합당하지 않기 때문에 후회가 있지만, 올바름을 얻으면 길하니, 후회를 없앨 수 있다. 울타리는 오효를 뜻하며, “터진다[決]”는 연다는 뜻이다. 굳셈으로 부드러움을 여니, 바뀌어 곤궁함이 없게 된다. 바퀴살은 수레의 밑 부분에 있어 이것을 통해서 나아가는 것인데, 밑으로 세 개의 굳셈을 타고 있으니 바퀴살이 장성한 상이다.

○ 中溪張氏曰, 四以上則震爲大塗, 群羊竝驅, 而前无羸困之患, 輿之行正在輹, 輹壯則大輿由大塗而往, 四陽上進, 將爲夬之決, 乾之純矣.

중계장씨가 말하였다: 사효 이상은 진괘가 큰 길이 되어[60] 양떼가 몰려다녀도 앞에 곤궁해지는 근심이 없다. 수레가 이동함은 바퀴살에 달려 있어 바퀴살이 장성하다면 큰 수레는 큰 길에 따라서 가게 되니, 네 개의 양이 위로 나아감은 쾌괘(夬卦䷪)의 결단함과 건괘(乾卦䷀)의 순일함이 될 것이다.

○ 雲峰胡氏曰, 乾九二旣言見龍, 所以九四或躍在淵, 不必言龍, 則此上爻言羊, 故藩決不羸, 不復言羊. 貞吉悔亡, 與咸九四同占, 皆因占以設戒之辭. 但在咸之四, 以陽居陰, 不得其正, 故有憧憧往來之戒. 在壯之時, 以陽居陰, 又爲不極其剛, 故有藩決不羸之喜. 大畜九二, 在三陽之中, 爲六五所止, 故輿說輹. 壯九四在三陽之上, 六五不能止, 故壯于大輿之輹.
운봉호씨가 말하였다: 건괘의 구이에서는 이미 '나타난 용[見龍]'을 말했으니, 구사에서 혹 뛰어오르거나 연못에 있음에 용을 말할 필요가 없으니, 이곳 상효에서 양을 언급했기 때문에 울타리가 터져서 곤궁하지 않음에 다시 양을 언급하지 않았다. "곧으면 길하여, 후회가 없게 된다"는 말은 함괘(咸卦䷞) 구사와 점사가 같으니, 모두 점에 따라서 경계의 말을 하였다. 다만 함괘의 사효는 양으로 음의 자리에 있어 올바름을 얻지 못했기 때문에, 자주 왕래한다는 경계의 말이 포함된다. 장성한 시기에 있고 양으로 음의 자리에 있어 또한 그 굳셈을 지극히 하지 못하게 된다. 그렇기 때문에 울타리가 터져서 곤궁하게 되지 않는 기쁨이 있다. 대축괘(大畜卦䷙)의 구이는 세 양의 가운데 있어 육오에게 저지를 당하기 때문에 수레의 바퀴살이 빠지게 된다. 대장괘의 구사는 세 양의 위에 있고 육오는 저지를 할 수 없기 때문에 큰 수레의 바퀴살이 장성하게 된다.

韓國大全

송시열(宋時烈)『역설(易說)』

貞固則吉, 悔吝亦无, 此則先言占, 而後言象也. 藩決, 承上文言, 本義已言之. 兌爲毁拆爲附決, 且前無剛爻之阻隔, 故爲其藩已決, 其角不羸也. 卦皆自乾坤而變, 下體乾

60)『周易·說卦傳』: 震爲雷, 爲龍, 爲玄黃, 爲旉, 爲大塗, 爲長子, 爲決躁, 爲蒼筤竹, 爲萑葦, 其於馬也爲善鳴, 爲馵足, 爲作足, 爲的顙, 其於稼也爲反生, 其究爲健, 爲蕃鮮.

也, 上體本坤也. 四爻又是陰位, 故以坤象言之曰大輿云. 輹者, 在下剛固而行者也, 言本以大輿之坤而壯固, 其在下則爲陽而爲震卦也. 震爲行, 此小象所謂尙往也.
곧으면 길하고 후회 또한 없으니, 여기에서는 먼저 점을 말하고 이후에 상을 말했다. '울타리가 터짐'은 앞 문장을 이어서 한 말이니, 『본의』에서 이미 언급하였다. 태괘는 해지고 끊어짐이 되고, 붙었다가 떨어짐이 되며, 또 앞에 굳센 양효의 가로막음이 없기 때문에 울타리가 이미 터져서 그 뿔이 곤궁하지 않게 되는 것이다. 괘는 모두 건괘와 곤괘로부터 변화되었는데, 하체는 건괘이고 상체는 본래 곤괘이다. 사효는 또한 음의 자리이기 때문에 곤괘의 상으로 말을 하여, '큰 수레'라고 하였다. '바퀴살'이라고 한 말은 아래에서 굳세고 견고하게 나아가는 것이니, 본래 큰 수레의 곤괘로 장성하고 견고함을 말한다. 아래에 있다면 양이 되고 진괘가 된다는 뜻이다. 진괘는 시행함이 되니, 「소상전」에서 말한 '여전히 나아감'이다.

홍여하(洪汝河) 「책제(策題): 문역(問易) · 독서차기(讀書箚記)-주역(周易)」

以剛居柔藩決, 羊角化爲善鳴, 壯于輿輹.
굳센 양이 부드러운 음의 자리에 있어서 울타리가 터지니, 양의 뿔이 울기를 잘하는 것으로 변해[61] 수레의 바퀴살에 장성하게 된다.

이익(李瀷) 『역경질서(易經疾書)』

九四藩決者, 已迫近於陰, 方是君子用壯之時. 震有車象, 如貞屯悔豫, 車班內外可證, 又左傳僖公十五秊筮遇歸妹之睽, 占曰車說其輹, 是也. 說卦震爲旉, 來知德曰, 旉, 恐車字之誤. 輹, 車軸縛也. 先儒云, 輻無說理, 輹所以利軸之轉, 不行則說之, 恐是軸外加楔, 使輪不說於軸者, 與小畜之輻不同也. 此云者, 謂將行而加輹也. 或曰坤爲大輿, 凡四變則爲坤.
구사의 '울타리가 터짐'은 이미 음에 급박하게 된 것으로, 군자가 장성함을 사용하려는 때에 해당한다. 진괘는 수레의 상이 있는 것은 준괘(屯卦䷂)의 내괘와 예괘(豫卦䷏)의 외괘와 같으니, 수레가 내외로 나뉘는 것으로 증명할 수 있고, 또 『좌전』 희공 15년에는 시초점을 쳤는데 귀매괘(歸妹卦䷵)가 규괘(睽卦䷥)로 변하는 점을 얻음에 점사에서 "수레의 바퀴살이 빠지다"고 했다. 「설괘전」에서 진괘는 부(旉)가 된다고 했는데, 래지덕은 "부(旉)는 아마도 수레 거(車)자의 오자 같다"고 했다. 고정목[輹]은 수레의 굴대[軸]에 감싸는 것이다. 선

61) 『周易 · 說卦傳』: 震爲雷, 爲龍, 爲玄黃, 爲旉, 爲大塗, 爲長子, 爲決躁, 爲蒼筤竹, 爲萑葦, 其於馬也爲善鳴, 爲馵足, 爲作足, 爲的顙, 其於稼也爲反生, 其究爲健, 爲蕃鮮.

대 학자들은 "바퀴살[輻]은 빠질 일이 없으니, 고정목[輹]이 굴대[軸]의 회전을 이롭게 하는 것으로 수레가 움직이지 않으면 벗겨둔다"고 했으니, 아마도 굴대[軸] 바깥에 쐐기[楔]를 박아서 바퀴가 굴대[軸]에서 빠지지 않도록 했을 것으로 소축괘(小畜卦☴)에서 말한 바퀴살(輻)[62]과는 다르다. 이곳에서 말한 내용은 수레를 움직이려고 고정목[輹]를 끼우는 것을 뜻한다. 어떤 자는 "곤괘는 큰 수레가 되니, 사효가 변하면 곤괘가 된다"라고 했다.

六五藩旣決矣, 慢易之心果生, 不獨用罔而已, 至於失羊. 則更不念決開, 而無後慮, 如兵勝必驕. 然處中, 故無悔. 易攣正, 羊作牛.
육오는 울타리가 이미 터짐에 태만한 마음이 참으로 생겨나 멸시를 사용할 뿐만이 아니라 양을 잃게까지 되었다. 그것은 다시금 터져 열릴 것을 생각하지 못하고 이후의 일들을 생각함이 없었던 것이니, 전쟁에서 이겨 반드시 교만하게 됨과 같다. 그러나 가운데 자리에 있기 때문에 후회가 없다. 『주역거정』에서는 '양(羊)'이 '우(牛)'로 되어 있다.

심조(沈潮) 「역상차론(易象箚論)」

九四, 大輿之腹.
구사는 큰 수레의 배[腹]이다.

動木之下, 乾圓承之, 非輿而何. 腹者, 在卦之中也.
움직이는 나무 아래에 건괘의 원형이 받치고 있으니, 수레가 아니면 무엇이겠는가? '배[腹]'는 괘의 가운데에 있다.

유정원(柳正源) 『역해참고(易解參攷)』

王氏曰, 以陽處陰, 行不違謙, 不失其壯, 故得貞吉而悔亡也. 已得其壯, 而上陰不罔己路, 故藩決不羸也.
왕필이 말하였다: 양으로 음의 자리에 있어서 행실에 겸손함을 어기지 않고 장성함을 잃지 않기 때문에, 곧아서 길함을 얻고 후회가 없게 된다. 이미 장성함을 얻었고 위에 있는 음이 자신의 길을 멸시하지 않기 때문에 울타리가 터져서 곤궁하지 않다.

○ 雙湖胡氏曰, 九四亦不正, 而云貞吉者, 亦戒之也, 與九二義同. 以此觀之, 卦辭利貞, 爲二四兩爻明矣.

---

62) 『周易·小畜卦』: 九三, 輿說輻, 夫妻反目.

쌍호호씨가 말하였다: 구사 또한 바르지 않은데도 "곧으면 길하다"고 했으니, 이 또한 경계의 말로 구이[63]의 의미와 동일하다. 이를 통해 살펴보면 괘사에서 "곧으면 길하다"고 한 말은 이효와 사효 두 효에 의해 분명하다.

○ 案, 九居四, 爲不正有悔, 然陽壯之世, 所貴在剛柔相濟, 故以四爲正, 而不當位之悔, 亦亡矣.
내가 살펴보았다: 구(九)가 사효에 있으니 바르지 않아서 후회가 있게 되지만, 양이 장성할 때에는 존귀하게 여김이 굳셈과 부드러움이 서로 구제하는 데 있기 때문에 사효를 올바르다고 여겼고, 자리에 마땅하지 않은 것에 대한 후회는 또한 없다.

김상악(金相岳) 『산천역설(山天易說)』

剛而能柔, 二四之貞吉同, 而亡其不中之悔. 決, 開也. 以震乘乾, 比五互兌, 藩決不羸, 前遇二陰也. 壯于輿輹, 下乘三陽也. 以中之德, 雖不如二, 決陰之才有過於三, 所以有上進之功也.
굳세지만 부드러울 수 있으니, 이효와 사효는 곧으면 길함이 같고 알맞지 않아서 생기는 후회가 없게 된다. "터진다[決]"는 열린다는 뜻이다. 진괘가 건괘를 타고 오효와 가까우며 호괘가 태괘이다. 울타리가 터져 곤궁하지 않음은 앞에서 두 음을 만났기 때문이다. 수레의 바큇살에 장성한 것은 아래로 세 양을 타고 있기 때문이다. 알맞은 덕을 가지고 있는 것이 비록 이효와 같지 않지만, 음을 열어놓는 재주는 삼효를 지나치니, 위로 올라가는 공이 있다.

○ 四曰, 貞吉悔亡, 五曰, 无悔, 本義與咸九四[64]同占, 所以自悔亡而進於无悔也. 蓋九四以陽居陰, 不極其剛, 故悔亡. 五則雖自失其剛, 以柔居中, 故无悔. 藩決不羸, 承上爻而言. 四進則將爲夬之決也. 九三用壯而遇剛, 則曰觸藩羸角. 九四上進而遇柔, 則曰藩決不羸. 藩決, 故五喪其羊也. 大輿, 乾也. 凡於乾體之卦, 多言輿, 見小畜九三, 輹, 見大畜九二. 蓋輿之行在輹, 輹壯則大輿由震之大塗而往矣.
사효에서는 곧으면 길하여 후회가 없다고 했고, 오효에서는 "후회가 없게 된다"[65]고 했고, 『본의』에서는 함괘(咸卦䷞)의 구사와 점이 같다고 했으니, 저절로 후회가 없어져서 후회가 없음에 나아가는 이유이다. 구사는 양으로 음의 자리에 있어서 굳셈을 지극히 하지 않았기

63) 『周易 · 大壯卦』: 九二, 貞吉.
64) 九四: 경학자료집성DB와 경학자료집성 영인본에는 '四五'으로 되어 있으나, 『본의』에 따라 '九四'로 바로잡았다.
65) 『周易 · 大壯卦』: 六五, 喪羊于易, 无悔.

때문에 후회가 없어진다. 오효는 비록 스스로 굳셈을 잃었지만 부드러운 음으로 가운데 자리에 있기 때문에 후회가 없다. 울타리가 터져서 곤궁하지 않은 것은 상효를 이어서 한 말이다. 사효가 나아가면 쾌괘(夬卦䷪)의 결단함이 될 것이다. 구삼은 장성함을 사용하지만 굳센 양을 만나니, "울타리를 받아서 그 뿔이 위태롭다"[66]고 했다. 구사는 위로 올라가서 부드러운 음을 만나니, "울타리가 터져서 곤궁하지 않게 된다"고 했다. 울타리가 터지기 때문에 오효는 양을 잃는다.[67] 큰 수레는 건괘에 해당한다. 건괘 몸체의 괘에 대해서는 대부분 수레를 말했으니, 소축괘(小畜卦䷈)의 구삼에 나타나며,[68] 바퀴살은 대축괘(大畜卦䷙)의 구이에 나타난다.[69] 수레가 움직이는 것은 바퀴살에 달려 있으니, 바퀴살이 장성하다면 큰 수레가 진괘의 큰 길을 통해 가게 된다.

김규오(金奎五) 「독역기의(讀易記疑)」

九四, 藩決, 以五陰之坼也. 大輿, 以四之自坤而變也.
구사의 '울타리가 터짐'은 오효의 터진 음이다. '큰 수레'는 사효가 곤괘에서 변한 것이다.

서유신(徐有臣) 『역의의언(易義擬言)』

居不得正, 宜有用壯之悔. 而比於六五, 而不用壯, 故貞而吉, 又悔亡也. 二與四居柔, 故有不用壯之象, 以五之比應, 不用壯而進, 得臣道也. 六五決其藩, 而納之九四, 壯其輹而行之, 相與無間之象也. 在九三上六以四爲藩, 到四卻爲藩決, 易之取象無常如此也. 震爲車, 乾爲大車, 二陰其輹也.
있는 곳이 바름을 얻지 못하니, 장성함을 사용한 후회가 있어야 한다. 그런데 육오와 가까운데도 장성함을 사용하지 않기 때문에 곧아서 길하고 또 후회가 없다. 이효와 사효는 부드러운 음의 자리에 있기 때문에 장성함을 사용하지 않는 상이 있으니, 오효의 가까움과 호응으로 장성함을 사용하지 않고 나아가 신하의 도를 얻은 것이다. 육오는 울타리를 열어서 구사를 들이니, 바퀴살을 장성하게 해서 이동하여 서로 함께 함에 틈이 없는 상이다. 구삼과 상육에게서는 사효를 울타리로 보면서 사효에 와서는 갑작스럽게 울타리가 터진다고 했으니, 역에서 상을 취함은 이처럼 고정되어 있지 않다. 진괘는 수레가 되고 건괘는 큰 수레가 되니, 두 음은 바퀴살이다.

---

66) 『周易 · 大壯卦』: 九三, 小人用壯, 君子用罔, 貞厲, 羝羊觸藩, 羸其角.
67) 『周易 · 大壯卦』: 六五, 喪羊于易, 无悔.
68) 『周易 · 小畜卦』: 九三, 輿說輻, 夫妻反目.
69) 『周易 · 大畜卦』: 九二, 輿說輹.

강엄(康儼) 『주역(周易)』

按, 九四先言貞吉悔亡, 而後言藩決二句, 何也. 蓋九四前遇二陰, 有藩決之象, 下乘[70] 三陽, 有壯輹之象, 然九四處位不當, 不能无悔. 若在我者或有匪止可悔之事, 則將見沮於陰柔之小人, 而不能行矣. 其必得正而吉, 自反無悔, 然後前路坦然可以上進, 故先言貞吉悔亡, 而後言藩決不羸二句.

내가 살펴보았다: 구사에서는 "곧으면 길하여 후회가 없다"고 먼저 말했고, 이후에 "울타리가 터졌다"고 한 두 구절은 무슨 의미인가? 구사는 앞으로 두 음을 만나 울타리가 터지는 상이 있고, 아래로 세 양을 타니 바퀴살이 장성한 상이 있지만 구사는 처한 자리가 마땅하지 않아서 후회가 없을 수 없으니, 만약 나에게서 혹 멈추지 못해 후회할 일이 있으면 유약한 음의 소인에게 저지되어 행할 수 없다. 반드시 바름을 얻어 길하고 스스로 반성하여 후회가 없게 된 뒤에 앞의 길이 평탄하여 위로 나아갈 수 있으므로, 먼저 "곧으면 길하여 후회가 없다"고 했고, 이후에 "울타리가 터져 곤궁하지 않게 된다"는 두 구절이 있다.

박문건(朴文健) 『주역연의(周易衍義)』

用剛突進, 故有藩決之象. 藩, 謂六五也.

굳셈을 사용하여 돌진하기 때문에 울타리가 터지는 상이 있다. 울타리는 육오를 가리킨다.

〈問, 貞吉悔亡以下. 曰, 九四處六五之下, 有疑而未免悔存, 然彼弱我彊, 用貞而進, 則吉而悔亡也. 藩決而不羸, 其車輿輹之壯, 可見也.

물었다: "곧으면 길하여 후회가 없다" 이하는 무슨 뜻입니까?

답하였다: 구사는 육오의 아래에 있어서 의심하여 후회가 있는 것을 벗어나지 못하지만, 상대는 약하고 나는 강하니, 곧음을 사용해서 나아간다면 길하고 후회가 없습니다. 울타리가 터져서 곤궁하지 않으니, 그 수레의 바퀴살이 장성함을 알 수 있습니다.〉

김기례(金箕澧) 『역요선의강목(易要選義綱目)』

剛過而位不正, 戒君子得正而悔亡.

굳셈이 지나치고 자리가 바르지 않으니, 군자가 바름을 얻어서 후회가 없도록 해야 함을 경계하였다.

○ 震爲決躁, 而陽進決陰, 故曰藩決.

---

70) 乘: 경학자료집성DB에는 '棄'로 되어 있으나, 영인본에 따라 '乘'으로 바로잡았다.

진괘는 터지고 조급함이 되고, 양이 나아가 음을 제거하기 때문에 "울타리가 터진다"고 했다.

○ 震爲大塗, 故言壯驅大輿之輹而往, 不困也.
진괘는 큰 길이 되기 때문에 큰 수레의 바퀴살을 장성하게 몰아서 가더라도 곤궁하지 않음을 말하였다.

○ 前二陰順而不抗, 故取坤輿. 蓋言羊藩決, 而不言羊, 如乾四不言龍.
앞의 두 음은 순종하여 대항하지 않기 때문에 곤괘의 수레를 취했다. 양이 울타리를 트이게 하는데도 양을 언급하지 않은 것은 건괘의 사효[71]에서 용을 말하지 않음과 같다.

심대윤(沈大允)『주역상의점법(周易象義占法)』

大壯之泰䷊, 交通也. 九四以剛才居柔, 而不求進, 位在三陽之上, 而前無阻礙. 大壯之道, 始以柔順而今乃無敵, 故曰貞吉悔亡. 藩決不羸, 言無阻也. 兌爲決. 壯于大輿之輹, 言上二陰順之, 下三陽從之也. 坤爲大輿, 乾爲輪輹.
대장괘가 태괘(泰卦䷊)로 바뀌었으니, 사귀어 통하는 것이다. 구사는 굳센 양의 재질로 부드러운 음의 자리에 있어 나아가기를 구하지 않고, 그 지위는 세 양의 위에 있고 앞에 막는 것이 없다. 대장괘의 도는 처음에 유순함으로 하여 현재 대적하는 자가 없기 때문에 "곧으면 길하여, 후회가 없게 된다"고 했다. "울타리가 터져서 곤궁하지 않게 된다"는 방해함이 없다는 뜻이다. 태괘는 터짐이 된다. "큰 수레의 바퀴살이 장성하다"는 위의 두 음에 대해 순종하고 아래 세 양을 따른다는 뜻이다. 곤괘는 큰 수레가 되고 건괘는 바퀴살이 된다.

오치기(吳致箕)「주역경전증해(周易經傳增解)」

九四居不得正, 而下无應援, 故先戒守正則可以得吉而所悔者亡矣. 當大壯之時, 居動之初, 處柔而剛不至極, 比陰而前无所阻, 故有藩決不羸之象. 陽剛之勢, 可以上往, 故言壯于大輿之輹, 而其進不已也.
구사의 처함은 바름을 얻지 못하고 아래에 호응하여 구원하는 자가 없기 때문에 먼저 바름을 지킨다면 길함을 얻어서 후회가 없을 수 있다고 경계를 하였다. 크게 장성할 때에 움직이는 괘의 처음에 있고, 부드러운 음의 자리에 있어서 굳셈이 지극함에 이르지 않았으며, 음과 가까우나 앞에 막는 것이 없기 때문에 울타리가 터져서 곤궁하지 않는 상이 있다. 양의 굳센 기세는 위로 나아갈 수 있기 때문에 "큰 수레의 바퀴살이 장성하다"고 했는데, 그 나아감이

---

71)『周易 · 乾卦』: 九四, 或躍在淵, 无咎.

그치지 않기 때문이다.

○ 三則前有四剛阻隔, 故爲觸藩之象, 四則前无剛陽之阻, 故爲藩決之象. 而決取互兌爲附決也. 大輿, 取於變坤, 輹, 取互乾, 而下乘三剛, 壯輹之象也.
삼효는 앞에 사효의 굳센 양이 저지하기 때문에 울타리를 받는 상이 되고, 사효는 앞에 굳센 양의 저지가 없기 때문에 울타리가 터지는 상이 된다. '터짐'은 호괘인 태괘가 붙었다 떨어짐이 됨에서 취했고, 큰 수레는 변화된 곤괘에서 취했으며, 바퀴살은 호괘인 건괘에서 취했는데, 아래로 세 굳셈을 타고 있는 것이 장성한 바퀴살의 상이다.

이진상(李震相) 『역학관규(易學管窺)』

震體而外虛, 又處互兌之中, 故決而不羸. 震爲決躁, 兌爲附決. 大輿乾象, 而輹又一陽之在下者也. 震體下剛而動壯, 故如此. 左傳震爲輹.
진괘의 몸체이면서 밖이 비어 있고 또 호괘인 태괘 가운데 있기 때문에 터지지만 곤궁하지 않다. 진괘는 터지고 조급함이 되며 태괘는 붙었다가 떨어짐이 된다. 큰 수레는 건괘의 상이고 바퀴살은 또한 하나의 양이 아래에 있음을 뜻한다. 진괘의 몸체는 아래가 굳세어 움직임이 장성하기 때문에 이처럼 된다. 『좌전』에서 진괘는 바퀴살이다.

박문호(朴文鎬) 『경설(經說)-주역(周易)』

旣云居柔, 則非重剛而云然, 未詳其說.
이미 "부드러운 음의 자리에 있다"고 했다면 거듭된 굳셈이어서 그렇게 말한 것이 아니니, 그 주장은 상세하지 못하다.

不極其剛, 言不極其力也, 蓋云不下一手, 而籬自決, 輹自轉也.
"굳셈을 지극히 수 없다"는 그 힘을 지극히 하지 않는다는 뜻으로 손을 대지 않아도 울타리가 저절로 터지고 바퀴살이 저절로 굴러간다고 말하는 것이다.

象曰, 藩決不羸, 尙往也.

「상전」에서 말하였다: "울타리가 터져서 곤궁하지 않음"은 여전히 나아가기 때문이다.

中國大全

傳

剛陽之長, 必至於極, 四雖已盛, 然其往未止也. 以至盛之陽用壯而進, 故莫有當之, 藩決開而不羸困其力也. 尙往, 其進不已也.

굳센 양이 자라나 반드시 지극함에 이르렀으니, 사효가 비록 이미 장성했지만 나아감이 아직 그치지 않다. 지극히 성대한 양이 장성함을 사용하여 나아갔기 때문에 대적함이 없고, 울타리가 열려서 그 힘을 곤궁하게 만들지 않는다. '여전히 나아감[尙往]'은 나아감이 그치지 않는다는 뜻이다.

小註

節齋蔡氏曰, 尙往者, 前无困沮, 可以上進也.

절재채씨가 말하였다: '여전히 나아감[尙往]'은 앞에 곤궁함과 막힘이 없어서, 위로 나아갈 수 있다는 뜻이다.

韓國大全

김상악(金相岳) 『산천역설(山天易說)』

尙往, 謂上進也.

'여전히 나아감[尙往]'은 위로 나아감이다.

김규오(金奎五) 「독역기의(讀易記疑)」

依節齋說, 以尙爲上, 恐好.

절재채씨의 주장에 따라 '여전히[尙]'를 '위로[上]'로 여기는 것이 아마도 좋을 것 같다.

서유신(徐有臣) 『역의의언(易義擬言)』

六五開納之, 故曰尙往也.

육오가 열어서 받아들이기 때문에 "여전히 나아가기 때문이다"고 했다.

박문건(朴文健) 『주역연의(周易衍義)』

尙往, 進於上也.

'여전히 나아감[尙往]'은 위로 나아감이다.

심대윤(沈大允) 『주역상의점법(周易象義占法)』

不求壯而益壯, 故曰尙往也, 尙, 崇尙也.

장성하길 구하지 않지만 더욱 장성하기 때문에 '상왕(尙往』'이라고 했으니, '상(尙)'자는 숭상한다는 뜻이다.

오치기(吳致箕) 「주역경전증해(周易經傳增解)」

前无所阻, 而上進不已也.

앞에 막는 것이 없어 위로 나아가길 그치지 않는다.

박문호(朴文鎬) 『경설(經說)-주역(周易)』

尙往, 諺釋恐不然, 當以小註蔡氏說爲定論.

'여전히 나아감[尙往]'이라는 언해의 해석은 아마도 잘못된 것 같으니, 마땅히 소주에 나온 절재채씨의 주장을 정론으로 삼아야 한다.

이병헌(李炳憲) 『역경금문고통론(易經今文考通論)』

虞曰, 謂上之五.

우번이 말하였다: 위의 오효를 뜻한다.

按, 四之尙往者, 喪則剛之過者止而爲泰.

내가 살펴보았다: 사효의 여전히 나아감을 잃으면 굳센 양의 지나침이 멈추어 태괘가 된다.

六五, 喪羊于易, 无悔.

정전 육오는 양의 장성함을 상냥함으로 잃게 하면, 후회가 없게 된다.
본의 육오는 양을 쉽게 잃지만, 후회가 없게 된다.

中國大全

傳

羊, 群行而喜觸, 以象諸陽竝進. 四陽方長而竝進, 五以柔居上, 若以力制, 則難勝而有悔. 唯和易以待之, 則群陽无所用其剛, 是喪其壯于和易也, 如此則可以无悔. 五以位言則正, 以德言則中, 故能用和易之道, 使群陽雖壯, 无所用也.

양(羊)은 무리를 지어 다니면서 들이받기를 좋아하니, 여러 양(陽)이 함께 나아감을 상징한다. 네 개의 양(陽)이 자라나서 함께 나아가는데, 오효가 부드러움으로 위에 있어 만약 힘으로 제어를 한다면, 이기기 어려워서 후회가 있게 된다. 오직 온화함과 상냥함으로 대하면, 여러 양(陽)들이 굳셈을 쓸 곳이 없어 온화함과 상냥함에 장성함을 잃는 것이니, 이처럼 하게 되면 후회가 없을 수 있다. 오효는 지위로 말을 하면 바르고, 덕으로 말을 하면 알맞음이 되기 때문에 온화함과 상냥함의 도를 사용하여 여러 양(陽)들이 비록 장성하지만 쓸 곳이 없도록 할 수 있다.

小註

程子曰, 喪羊于易, 羊群行而觸物, 大壯衆陽竝進, 六五以陰居位, 惟和易然後可以喪羊. 易非難易之易, 乃和易樂易之易.

정자가 말하였다: "양(羊)의 장성함을 상냥함으로 잃게 한다"는, 양(羊)이 무리를 지어 다니면서 사물을 들이받음은 대장괘의 여러 양(陽)들이 함께 나아가는 것이니, 육오가 음으로 지위에 있음에 오직 온화하고 상냥하게 한 다음에야 양(羊)의 장성함을 잃게 할 수 있는 것이다. '이(易)'자는 어렵고 쉽다고 할 때의 이(易)자가 아니라, 온화하고 상냥하며, 화락하고 순하다고 할 때의 이(易)자이다.

○ 中溪張氏曰, 五以柔處剛, 其位不當, 又值乾陽下進之衝, 勢不容遏, 故有喪羊之象. 然柔而得中, 不與剛抗, 能以和易處之, 則衆陽无所用其壯, 而强暴之氣屈矣. 然則喪羊, 雖五之不幸, 而于易亦五之善處也, 處以和易, 則不至有悔. 漢光武曰, 吾治天下以柔道, 六五之謂矣.
중계장씨가 말하였다: 육오는 부드러움으로 굳센 양의 자리에 있으니 그 자리가 마땅하지 않고, 또 건괘의 양이 아래로 내려와 충돌하여 기세를 막을 수 없다. 그렇기 때문에 양(羊)의 장성함을 잃는 상이 있다. 그러나 부드러우면서도 알맞음을 얻어 굳셈과 맞서지 않고 온화함과 상냥함으로 대처를 할 수 있으니, 여러 양(陽)들이 그 장성함을 사용할 곳이 없어 강하고 난폭한 기운을 굽힌다. 그렇다면 양(羊)의 장성함을 잃는 것이 비록 오효의 불행이라 하더라도, 상냥함으로 또한 오효가 잘 대처한 것이니, 온화함과 상냥함으로 대처를 한다면, 후회가 있는 지경에 이르지 않는다. 한나라 광무제가 "나는 천하를 부드러운 도로 다스린다"고 했는데, 육오를 뜻한다.

本義

卦體似兌, 有羊象焉, 外柔而內剛者也. 獨六五以柔居中, 不能抵觸, 雖失其壯, 然亦无所悔矣, 故其象如此而占亦與咸九五同. 易, 容易之易, 言忽然不覺其亡也. 或作疆埸之埸, 亦通. 漢食貨志埸作易.

괘의 몸체가 태괘와 유사하여, 양(羊)의 상이 있으니, 밖으로는 부드럽지만 안으로는 굳센 자이다. 육오만이 부드러운 음으로 가운데 자리에 있어서 들이받을 수가 없으니, 비록 장성함을 잃었지만 또한 후회가 없게 된다. 그렇기 때문에 그 상이 이와 같고 점 또한 함괘(咸卦䷞)의 구오와 같다. '쉽게[易]'는 용이하다고 할 때의 경시함이니, 그것이 없어짐을 홀연히 깨닫지 못함을 뜻한다. 간혹 '강역(疆埸)'이라고 할 때의 역(埸)자로도 기록하니, 그 뜻이 또한 통한다. 『한서 · 식화지』에는 역(埸)자를 이(易)자로 기록했다.

小註

朱子曰, 喪羊于易, 不若作疆埸之易. 漢食貨志疆埸之埸正作易, 蓋後面有喪牛于易, 亦同此義.
주자가 말하였다: "양을 쉽게 잃다"고 할 때의 이(易)자는 '강역(疆埸)'이라고 할 때의 이(易)자로 기록하는 것만 못하다. 『한서 · 식화지』에서는 강역의 '역(埸)'자를 바로 이(易)자로 해놨는데, 아마도 뒤에 "소를 쉽게 잃다"[72]고 할 때의 이(易)자 또한 이와 같은 뜻이다.

○ 雲峰胡氏曰, 諸家多以喪羊爲下四陽, 本義獨爲五. 五互兌自有羊象. 觀四陰有剝陽之勢, 至四則曰觀國之光, 觀五也. 壯四陽有決陰之勢, 至四則曰大輿之輹, 載五也, 凡若是者, 尊君也. 喪羊于易, 又若人君自亡其剛, 而不與衆陽較, 然亦尊君也. 旅上九喪牛于易, 牛性順, 上九以剛居極, 不覺失其所謂順. 此曰喪羊于易, 羊性剛, 六五以柔居中, 不覺失其所謂剛. 自失其壯, 故爻不言壯. 无悔與咸六五同, 亦非深許之辭.
운봉호씨가 말하였다: 여러 학자들은 대부분 양(羊)을 잃는다는 뜻을 그 밑에 있는 네 개의 양으로 여겼는데, 『본의』에서만 오효로 여겼다. 오효는 호괘가 태괘가 되어 그 자체로 양(羊)의 상이 있다. 관괘(觀卦䷓)의 네 음은 양을 깎는 기세를 가지고 있는데, 사효에 이르러서는 "나라의 빛남을 본다"고 한 것은 구오를 봄이다. 대장괘의 네 양은 음을 트는 기세를 가지고 있는데, 사효에 이르러서는 "큰 수레의 바퀴살이다"고 한 것은 오효를 실어줌이니, 이런 경우는 임금을 존귀하게 여긴다. '양(羊)을 쉽게 잃음'은 또 임금이 제 스스로 그 굳셈을 잊어 여러 양과 견주지 않는 것 같을지라도 존경스러운 임금이다. 려괘(旅卦䷷)의 상구에서 "소를 쉽게 잃다"고 한 것은 소의 성질이 유순하고 상구가 굳셈으로 끝에 있으니, 유순함을 잃었음을 깨닫지 못하는 것이다. 이곳에서는 "양을 쉽게 잃다"고 한 것은 양의 성질이 굳세고 육오가 부드러운 음으로 가운데 자리에 있으니, 이른바 굳셈을 잃었음을 깨닫지 못하는 것이다. 제 스스로 장성함을 잃었기 때문에 효사에서는 장성함을 언급하지 않았다. "후회가 없다"는 말은 함괘(咸卦䷞) 육오와 동일하니, 이 또한 깊이 허락하는 말은 아니다.

韓國大全

조호익(曺好益)『역상설(易象說)』

羊, 五互兌象.
양은 육오의 호괘인 태괘의 상이다.

송시열(宋時烈)『역설(易說)』

喪者, 失也. 羊見上. 易者, 坦易之地, 謂震之大塗也, 言在此爻則失兌羊於震之大塗之

72)『周易 · 旅卦』: 上九, 鳥焚其巢, 旅人先笑後號咷. 喪牛于易, 凶.

象也. 本義易作場, 雖不言震塗之象, 而其義則已見矣. 无悔, 占辭, 小象, 如旅之上九喪牛于易同意. 旅則失離之牛於艮之綜震之謂也. 卦凡窮於上, 則反於下, 自上九綜看, 則艮之爲震可見也. 併見旅註. 五爻以柔居上位, 居君位, 不用壯進之道, 故無兌羊前觸之道, 其位不可以有進也. 小象位不當者, 以此也. 且以震之中爻, 非兌之位也.
'상(喪)'은 잃는다는 뜻이다. 양은 상효에 나온다. '이(易)'는 평탄한 곳으로, 진괘의 큰 길을 의미하니, 이 효에서는 태괘의 양을 진괘의 큰 길에서 잃는 상이 된다. 『본의』에서는 '이(易)'자를 '역(場)'자라고 했으니, 비록 진괘의 길에 대한 상을 언급하지 않았지만, 그 의미는 이미 드러났다. "후회가 없게 된다"는 점사이다. 「소상전」은 려괘(旅卦䷷) 상구의 "소를 쉽게 하는 데서 잃는다"와 같은 의미이다. 려괘(旅卦䷷)의 경우 간괘의 거꾸로 된 진괘에서 소를 쉽게 하는 데서 잃는다고 한 뜻에 해당한다. 괘는 보통 위에서 다하게 된다면 아래로 되돌아오니, 상구로부터 거꾸로 보면, 간괘가 움직임이 됨을 알 수 있으니, 려괘의 주석을 함께 참고하라. 오효는 부드러운 음으로 위의 지위에 있고 군주의 지위에 있으면서 장성하게 나아가는 도를 사용하지 않았기 때문에, 태괘인 양이 앞을 받는 도가 없으니, 그 지위가 나아갈 수 없다. 「소상전」에서 "자리가 마땅하지 않다"고 한 이유도 이 때문이다. 또 진괘의 가운데 효여서 태괘의 지위가 아니다.

석지형(石之珩) 『오위귀감(五位龜鑑)』

臣謹按, 大壯之六五, 以陰柔乘四陽, 是弱主而位强臣之上也. 將以力制之, 則反有傷害, 不若待以和易, 潛消其强圉之氣, 故取喪羊于易爲義, 蓋卦爲厚畫底兌羊之象也. 羊性剛躁以首用壯, 人方設藩以禦之, 猶未免其抵觸, 我獨无所備禦, 而使自失其剛暴, 斯非制强之善者乎. 雖然, 純於和易而不知禮, 則可以殺其勢, 不足以伏其心, 故大象亦曰非禮弗履. 禮之用, 非但可施於强暴而已. 伏願殿下, 以禮使臣, 以和爲用焉.
신이 삼가 살펴보았습니다: 대장괘의 육오는 부드러운 음으로 네 양을 타고 있으니, 유약한 군주가 강한 신하 위에 있는 것입니다. 힘으로 제어를 하고자 한다면 반대로 피해를 받게 되니, 온화함과 상냥함으로 때를 기다려서 굳게 둘러싼 기운을 점차 사라지게 하는 것만 못하기 때문에, 온화함과 상냥함으로 양의 장성함을 잃게 하는 것을 취해 뜻으로 삼았으니, 괘가 중첩된 획으로는 태괘인 양의 상이 되기 때문입니다. 양의 성질은 굳세고 조급하여 머리로 장성함을 사용하니, 사람이 울타리를 쳐서 막을지라도 뿔로 떠받음을 여전히 면하지 못합니다. 내 홀로 대비해서 막지 못해 스스로 굳셈과 난폭함을 잃어버리게 하면, 이것이 강함을 막는 최선책이 아니겠습니까? 비록 그렇다고 하지만 순전히 온화함과 상냥함으로만 하고 예를 알지 못한다면, 그 기세는 꺾을 수 있더라도, 마음을 복종시키기에는 부족하므로, 「대상전」에서 또한 "예가 아니면 실천하지 않는다"[73]고 했습니다. 예의 쓰임은 단지 강하고 난폭한 자에게만 시행할 수 있을 뿐만이 아닙니다. 전하께 엎드려 바라옵건대 예로 신하를 부리고 온화함으로 쓰임을 삼으십시오.

이익(李瀷) 『역경질서(易經疾書)』

五旣慢易, 故上六之象, 果有如九三之所戒也. 以四陽之長決其餘陰, 猶不戒, 則失利. 雖至於如此, 艱則反吉, 以其有九三之正應也. 其進退存亡之機如此, 此皆聖人憂患之意也. 彼但言羸其角, 此但言不能退不能遂, 合之, 其義方明, 九三之辭, 非本爻之象, 信矣.
오효는 이미 태만하기 때문에 상육의 상에는 결국 구삼[74]에서 경계함과 같은 말이 있게 된다.[75] 네 양의 자라남으로 나머지 음들을 갈라놓는데도 경계하지 않는다면 이로움을 잃게 된다. 비록 이런 지경이 될지라도 어렵게 여기면 도리어 길하게 되니, 구삼의 정응이 있기 때문이다. 나아가고 물러나며 보존하고 망하게 되는 기틀이 이와 같으니, 이것은 모두 성인이 재난을 근심했던 뜻이다. 구삼에서는 단지 "그 뿔이 위태롭다"고 했고, 상육에서는 단지 "물러가지도 못하고 나아가지도 못한다"고 했는데, 두 말을 합쳐서 보면 그 의미가 드러나게 되니, 구삼의 효사는 본효의 상이 아님이 분명하다.

乾之文言, 九三上不在天, 下不在田, 則初二爲田, 五六爲天, 是各兩爻同義, 故易有互體. 臨有震象, 故初二同辭. 大壯有兌象, 故五六同辭.
건괘 「문언전」에서는 구삼이 "위로는 하늘에 있지 않고 아래로는 밭에 있지 않다"[76]고 했으니, 초효와 이효는 밭이 되고 오효와 육효는 하늘이 되는 것은 각각 두 효씩 뜻을 같이 하기 때문에 역에는 호괘인 몸체가 있다. 림괘(臨卦䷒)에는 진괘의 상이 있기 때문에, 초효와 이효의 말이 같다. 대장괘에는 태괘의 상이 있기 때문에, 오효와 육효의 말이 같다.

유정원(柳正源) 『역해참고(易解參攷)』

進齋徐氏曰, 六五爲剛所決, 故曰喪羊. 然以柔居中, 易而无拒, 故无悔.
진재서씨가 말하였다: 육오는 굳센 양에게 결단을 받기 때문에 "양을 잃는다"고 했다. 그러나 부드러운 음으로 가운데 자리에 있어 쉽고 저항함이 없기 때문에 후회가 없다.

---

73) 『周易 · 大壯卦』: 象曰, 雷在天上, 大壯, 君子以, 非禮弗履.
74) 『周易 · 大壯卦』: 九三, 小人用壯, 君子用罔, 貞厲, 羝羊觸藩, 羸其角.
75) 『周易 · 大壯卦』: 上六, 羝羊觸藩, 不能退, 不能遂, 无攸利, 艱則吉.
76) 『周易 · 乾卦』: 九三, 重剛而不中, 上不在天, 下不在田. 故乾乾, 因其時而惕, 雖危, 无咎矣.

○ 厚齋馮氏曰, 喪羊, 以平易而失剛强之象.
후재풍씨가 말하였다: 양을 잃는 것은 쉽게 해서 굳셈을 잃은 상이기 때문이다.

○ 梁山來氏曰, 易卽埸, 田畔地也. 震爲大塗, 埸之象也.
양산래씨가 말하였다: '역(易)'자는 '역(埸)'자의 뜻이니, 경작지를 뜻한다. 진괘는 큰 길이 되니 경작지의 상이 된다.

本義, 埸作易.
『본의』에서 말하였다: 역(埸)자를 이(易)자로 기록했다.
〈前漢食貨志, 殖於疆易. ○ 案, 左傳疆易之易, 通作易, 又陸績及晁氏旣作疆埸之埸, 則本義下段, 亦有所據矣.
『한서 · 식화지』에는 "강이(疆易)에서 불린다"고 했다.
○ 내가 살펴보았다: 『좌전』에서 '강이(疆易)'라고 할 때의 '이(易)'자는 통괄적으로 '이(易)'자로 기록하고, 육적과 조씨는 이미 '강역(疆埸)'이라고 할 때의 '역(埸)'자로 기록했으니, 『본의』의 아래 단락에는 또한 근거함이 있다.〉

김상악(金相岳) 『산천역설(山天易說)』

易, 容易也. 大壯, 陽之壯而至五, 无陽震體, 互兌, 故有喪羊于易之象. 然乘應皆剛, 雖失其壯, 終能從陽而進, 故无悔, 所以夬之四曰牽羊悔亡.
'이(易)'자는 쉽다는 뜻이다. 대장괘는 양이 장성하지만 오효에 이르면 양인 진괘의 몸체가 없고, 호괘가 태괘이기 때문에 쉽게 양을 잃는 상이 있다. 그러나 타는 것과 호응하는 것이 모두 굳센 양이어서 비록 장성함을 잃더라도 끝내 양을 따라서 나아갈 수 잇기 때문에 후회가 없으니, 쾌괘(夬卦䷪)의 사효에서 "양을 끌듯 하면 후회가 없겠다"[77]고 한 것이다.

○ 動萬物者, 莫疾於雷, 而六五比四乘剛, 震來厲, 故喪羊于易. 然陰陽相交, 必无終喪之悔, 見震六二. 又大壯遯反對, 羊若遯逸, 則喪之易矣. 大壯五之喪羊, 與旅上之喪牛相似, 而羊性狠, 喪之則順於陽, 故无悔, 牛性順, 喪之則失於陰, 故凶. 蓋陰陽之變, 自陽而趨陰者凶, 自陰而趨陽者吉也. 五上二爻, 雖陰柔居於震體, 得正與中, 皆與陽爻爲交應, 將變爲陽, 故五无悔而上吉也.
만물을 움직이는 것으로는 우레보다 빠른 것이 없는데, 육오는 사효와 가깝고 굳센 양을

77) 『周易 · 夬卦』: 九四, 臀无膚, 其行次且, 牽羊, 悔亡, 聞言, 不信.

타고 있어 우레가 옴이 사납기 때문에[78] 쉽게 양(羊)을 잃는다. 그러나 음양이 서로 사귀어 반드시 끝내 잃게 되는 후회가 없다는 것은 진괘의 육이에 있다. 또 대장괘와 돈괘(遯卦䷠)는 음양이 반대가 되어, 양(羊)이 만약 달아난다면 평이함에 잃게 된다. 대장괘 오효에서 양(羊)을 잃는다고 한 말은 려괘(旅卦䷷)의 상효에서 "소를 잃는다"[79]고 한 말과 서로 유사하지만, 양(羊)의 성질은 사나우니 잃게 되면 양(陽)에 순종하기 때문에 후회가 없고, 소의 성질은 순종하니 잃게 되면 음에게 잃기 때문에 흉하다. 음양의 변화가 양으로부터 음으로 옮겨가는 것은 흉하고 음으로부터 양으로 옮겨가는 것은 길하다. 오효와 상효 두 효는 비록 부드러운 음이 진괘의 몸체에 있지만, 올바름과 알맞음을 얻어 모두 양효와 함께 사귀고 호응하여 장차 양으로 변하기 때문에, 오효는 후회가 없고 상효는 길하다.

서유신(徐有臣)『역의의언(易義擬言)』

大象曰, 雷在天上, 雷出地, 而奮於天上, 則壯矣, 九四在乾之上, 其象也. 雜卦曰, 大壯則止, 雷不竟日, 旣壯則輒止矣, 六五在四之上, 其象也. 故曰喪羊于易, 无悔. 喪羊者, 不用壯也. 易者, 以柔易剛也. 六五不獨自不用壯而已, 乃有止一卦之壯之象也. 曷不曰喪壯, 而曰喪羊歟. 羊用壯取敗之道也. 苟是熊虎也, 則義當別矣.

「대상전」에서는 "우레가 하늘에 있다"고 했는데, 우레가 땅에서 나와 하늘 위에서 떨친다면 장성하니, 구사가 건괘의 위에 있는 것이 그 상이다. 「잡괘전」에서는 "대장(大壯)은 멈춤이다"[80]라고 했는데, 우레는 하루 종일 치지 않고, 이미 장성하다면 쉽게 그치니, 육오가 사효 위에 있는 것이 그 상이다. 그러므로 "양을 쉽게 잃지만 후회가 없게 된다"고 했다. 양을 잃는 것은 장성함을 사용하지 않기 때문이다. '쉽게[易]'는 부드러운 음으로 굳센 양을 바꾸는 것이다. 육오는 스스로 장성함을 사용하지 않을 뿐만이 아니라, 한 괘의 장성함을 그치게 하는 상이 있다. 그런데 어떻게 "장성함을 잃었다"고 말하지 않고 "양을 잃었다"고 말하는가? 양이 장성함을 사용하면 패하게 되는 도를 취하기 때문이다. 만약 곰이나 호랑이였다면 그 의미를 구별해야 한다.

박문건(朴文健)『주역연의(周易衍義)』

用剛見失, 故有喪羊之象. 易, 放牧之地也.

---

78)『周易·晉卦』: 六二, 震來厲, 億喪貝, 躋于九陵, 勿逐, 七日得.

79)『周易·旅卦』: 上九, 鳥焚其巢, 旅人先笑後號咷. 喪牛于易, 凶.

80)『周易·雜卦傳』: 渙, 離也, 節, 止也. 解, 緩也, 蹇, 難也. 睽, 外也, 家人, 內也. 否泰, 反其類也. 大壯則止, 遯則退也.

굳셈을 사용하여 잃기 때문에 양을 잃는 상이 있다. '역(易)'은 방목지를 뜻한다.
〈問, 喪羊于易, 无悔. 曰, 六五處高, 故用剛而制四陽, 反爲陽之所喪, 故有喪羊于易之象. 雖然居尊用中, 故陽不能終逼也, 所以无悔.
물었다: "육오가 양(羊)을 방목지에서 잃으면, 후회가 없게 된다"는 무슨 뜻입니까?
답하였다: 육오는 높은 곳에 있기 때문에 굳셈을 사용하여 네 양(陽)을 제어하지만, 도리어 양에 의해 잃기 때문에, 양을 방목지에서 잃는 상이 있습니다. 비록 그렇다고 하더라도 존귀한 자리에 있으면서 알맞음을 사용하므로 양은 끝내 핍박을 하지 못하니, 후회가 없게 되는 까닭입니다.〉

이지연(李止淵) 『주역차의(周易箚疑)』

陽之載陰者, 多以車輿稱之, 大有之二曰大車以載. 牧羊之道, 去其害群者, 而存其能攣群而和易者. 初與三害群者也, 九二則隨其群者也, 上六不能遂其剛, 而亦隨群者也. 六五則乃能攣其群而和易, 如鳧藻者也, 乃羊之君也. 微物, 亦有君臣之分, 如蜂蟻之類是也. 小象之位不當云者, 若以人君之道言之, 則可謂不當也.
양이 음을 싣고 있는 것들에는 대부분 수레로 지칭을 했으니, 대유괘(大有卦䷍)의 이효에서 "구이는 큰 수레로 싣는다"[81]고 했다. 양(羊)을 방목하는 방법은 무리를 해치는 것을 제거하고 무리를 거느리면서 조화를 이룰 수 있는 것을 보존하는 것이다. 초효와 삼효는 무리를 해치는 것이고, 구이는 무리를 따르는 것이며, 상육은 굳셈을 따를 수 없지만 또한 무리를 따르는 것이다. 육오는 무리를 거느리면서도 조화를 이루어 마치 오리 중의 우두머리와 같으니, 바로 양(羊)들 중에서 우두머리이다. 미물들도 임금과 신하의 구분이 있으니, 벌이나 개미와 같은 부류가 여기에 해당한다. 「소상전」에서 "지위가 합당하지 않기 때문이다"라고 한 말을 임금의 도리로 말한다면, 합당하지 않다고 말할 수 있다.

김기례(金箕澧) 『역요선의강목(易要選義綱目)』

四[82]陽竝進, 如羊群進, 而五以柔易之道居尊, 而和易之羊, 失其剛, 无相較之悔. 此一羊爻善形容群字之象也.
네 양이 모두 나아가는 것은 양(羊)이 무리지어 나아감과 같은데, 오효가 부드럽고 평이한 도로 존귀한 자리에 있고, 온화하고 평이한 양(羊)이 굳셈을 잃어 서로 견주는 후회가 없다.

---

81) 『周易 · 大有卦』: 九二, 大車以載, 有攸往, 无咎.
82) 四: 경학자료집성DB에는 '曰'로 되어 있으나, 영인본에 따라 '四'로 바로잡았다.

여기에서의 하나의 양의 효가 군(群)자의 형상을 잘 드러낸다.

이항로(李恒老) 「주역전의동이석의(周易傳義同異釋義)」

傳, 群陽无所用其剛, 是喪其壯于和易也.
『정전』에서 말하였다: 여러 양(陽)들이 굳셈을 쓸 곳이 없게 되니, 이것이 온화함과 상냥함에 장성함을 잃는 것이다.

本義, 雖失其壯, 然亦无所悔也.
『본의』에서 말하였다: 비록 장성함을 잃었지만 또한 후회가 없게 된다.

按, 傳義理恰好, 但與象傳牴牾. 又於旅上九喪牛于易推說不去, 故本義以自失其壯爲釋, 又竝存或說疆埸之疑.
내가 살펴보았다: 『정전』과 『본의』는 이치상으로는 합당한데 단지 「상전」과는 어긋난다. 또 려괘(旅卦䷷) 상구에서 "소를 쉽게 하는 데서 잃는다"[83]라고 한 말과 연계시켜 설명하지 않았기 때문에, 『본의』에서는 스스로 장성함을 잃는 것으로 해석을 했고, 간혹 '강역(疆埸)'으로 설명하는 의혹도 함께 수록하였다.

심대윤(沈大允) 『주역상의점법(周易象義占法)』

大壯之夬䷪, 明決也. 六五以柔居剛而得中, 是以柔順求進而得其宜者也. 居尊位而從於四, 故曰喪羊于易, 言喪其剛也. 易, 彊易也. 兌爲喪, 震爲場, 指九四也. 六五雖喪其剛, 而位於四陽之上, 以得其力, 蓋以不勝爲勝也, 故曰無悔. 君子正而得中, 自然强大矣, 旣不專爲剛而摧折, 亦不過自貶而取侮. 故大壯之求進者, 皆不言吉, 而不求者, 皆言吉也.
대장괘가 쾌괘(夬卦䷪)로 바뀌었으니, 명쾌하게 결단하는 것이다. 육오는 부드러운 음으로 굳센 양의 자리에 있지만 가운데 자리를 얻었으니, 유순함으로 나아가길 구하여 합당함을 얻은 것이다. 존귀한 지위에 있지만 사효를 따르기 때문에 "양을 역(易)에서 잃는다"고 했으니, 굳셈을 잃었다는 뜻이다. '역(易)'자는 강역을 뜻한다. 태괘는 잃음이 되고 진괘는 장소가 되니 구사를 가리킨다. 육오가 비록 굳셈을 잃었지만 네 양의 위에 자리 잡아 힘을 얻었으니, 이기지 않음으로 이김을 삼은 것이다. 그러므로 "후회가 없다"고 했다. 군자는 올바르

---

83) 『周易・旅卦』: 上九, 鳥焚其巢, 旅人先笑後號咷. 喪牛于易, 凶.

고 알맞음을 얻으면 자연히 강대하게 되니, 이미 오로지 굳세게만 해서 꺾이는 것이 아니라, 또한 스스로 낮춰 수모를 받은 것에 불과하다. 그러므로 대장괘에서 나아감을 구하는 것들에 대해서는 모두 길함을 언급하지 않았고, 구하지 않는 것들에 대해서는 모두 길함을 언급했다.

오치기(吳致箕) 「주역경전증해(周易經傳增解)」

六五雖得其中, 而以柔居剛, 失其正, 位宜若有悔. 然當大壯將極之時, 柔中居尊, 而不過剛, 群陽在下, 而不加進, 有喪羊于易之象, 而以德言, 則柔不過剛, 以位言, 則尊而得中. 故言无悔也.
육오는 비록 가운데 자리를 얻었지만, 부드러운 음으로 굳센 양의 자리에 있어 올바름을 잃었으니, 그 지위에는 마땅히 후회가 있어야 할 것 같다. 그러나 크게 장성하여 지극해지려는 때에 부드럽고 알맞음으로 존귀한 자리에 있어 굳셈을 지나치게 하지 않고, 여러 양들이 아래에 있어 더 나아갈 수 없으니, 양을 바꿈[易]에서 잃는 상이 있는데, 덕으로 말을 한다면, 부드러운 음이 굳센 양을 지나치지 않은 것이고, 지위로 말을 한다면 존귀하면서도 알맞음을 얻었다. 그러므로 "후회가 없다"고 했다.

○ 喪, 失也. 羊取於互兌, 而喪羊, 言失其剛壯也. 易, 謂交易也. 陽易而爲陰, 以柔而居剛, 爲易之象也.
'상(喪)'는 상실한다는 뜻이다. '양(羊)'은 호괘인 태괘에서 취했는데, 양(羊)을 잃게 한다는 것은 굳셈과 장성함을 잃었다는 뜻이다. '역(易)'자는 교역을 뜻한다. 양이 바뀌어 음이 되고, 부드러운 음으로 굳센 양의 자리에 있으니, 바뀌는 상이 된다.

이진상(李震相) 『역학관규(易學管窺)』

兌體窮而震象成, 故喪羊于坦易之地, 卽大塗之象也.
태괘의 몸체가 다하고 진괘의 상을 이루기 때문에 양을 평탄한 땅 곧 큰 길의 상에서 잃는다.

채종식(蔡鍾植) 『주역전의동귀해(周易傳義同歸解)』

傳云, 喪其壯于和易, 蓋以羊指下四陽也. 本義云, 自失其壯, 蓋以羊指五, 有兌象也. 然六五以柔居中, 故不能抵觸而自失其壯也. 自失其壯, 故能用和易之道, 使下群陽无所用其壯也. 兩說相須.

『정전』에서는 "온화함과 상냥함에 장성함을 잃는다"고 했으니, 아마도 양(羊)은 아래의 네 양을 가리키는 것 같다. 『본의』에서는 "스스로 장성함을 잃는다"고 했으니, 아마도 양(羊)은 오효를 가리키니, 태괘의 상이 있기 때문이다. 그러나 육오는 부드러운 음으로 가운데 자리에 있기 때문에, 들이받지 못하고 스스로 장성함을 잃는다. 스스로 장성함을 잃었기 때문에 온화하고 상냥한 도를 사용할 수 있어서 아래에 있는 여러 양들이 장성함을 사용하지 못하게 한다. 따라서 두 주장은 함께 살펴야 한다.

박문호(朴文鎬) 『경설(經說)-주역(周易)』

一音亦上, 當有本義二字, 此闕文也. 雖然本義疆埸之說, 義不甚通. 豈以陰陽交際之時, 而取疆埸之象耶.

"어떤 본에는 음이 역이다[一音亦]" 앞에 '본의(本義)'라는 두 글자가 있어야 하는데, 여기에서는 제쳐놨다. 비록 그렇다고 하지만 『본의』에서 '강역(疆埸)'에 대한 설명은 그 의미가 매우 잘못되었다. 어떻게 음양이 교제하는 시기인데 강역의 상을 취하겠는가?

이용구(李容九) 「역주해선(易註解選)」

大壯六五. 漢光武曰, 吾治天下以柔道, 六五之謂也.

대장괘 육오. 한나라 광무제는 "나는 천하를 부드러운 도로써 다스린다"고 했는데, 육오를 뜻한다.

象曰, 喪羊于易, 位不當也.

정전 「상전」에서 말하였다: "양의 장성함을 상냥함으로 잃게 함"은 지위가 합당하지 않기 때문이다.
본의 「상전」에서 말하였다: "양을 쉽게 잃음"은 지위가 합당하지 않기 때문이다.

中國大全

傳

所以必用柔和者, 以陰柔居尊位故也. 若以陽剛中正, 得尊位則下无壯矣, 以六五位不當也, 故設喪羊于易之義. 然大率治壯, 不可用剛. 夫君臣上下之勢, 不相侔也, 苟君之權, 足以制乎下, 則雖有强壯跋扈之人, 不足謂之壯也, 必人君之勢有所不足, 然後謂之治壯, 故治壯之道, 不可以剛也.

반드시 부드러움과 온화함을 사용해야 하는 이유는 부드러운 음이 존귀한 지위에 있기 때문이다. 만약 양의 굳셈과 중정함으로 존귀한 지위를 얻었다면 아래에 장성함이 없었을 것이나, 육오의 지위가 합당하지 않기 때문에, 양(羊)의 장성함을 상냥함으로 잃게 하는 뜻을 설명하였다. 그러나 대체로 장성함을 다스림에는 굳셈을 사용할 수 없다. 군신 및 상하의 기세가 서로 대등하지 못하여 임금의 권세가 아랫사람을 제어하기에 충분하다면, 비록 강성하여 제멋대로 행동하는 자가 있더라도 장성하다고 부르기에는 부족하니, 반드시 임금의 권세에 부족한 뒤에라야 장성함을 다스린다고 할 수 있다. 그렇기 때문에 장성함을 다스리는 도는 굳셈으로 할 수 없다.

韓國大全

유정원(柳正源) 『역해참고(易解參攷)』

案, 位不當, 與六五傳所謂五以位言則正之意, 似相反. 然位之正者, 指五之君位也, 位不當者, 指陰居尊位也.
내가 살펴보았다: "지위가 합당하지 않기 때문이다"는 말은 육오의 『정전』에서 "오효는 지위로 말을 하면 바르다"라고 한 말과는 서로 상반되는 것 같다. 그러므로 지위가 바른 것은 오효인 군주의 자리를 가리키고, 지위가 합당하지 않은 것은 음이 존귀한 지위에 있음을 가리킨다.

김상악(金相岳) 『산천역설(山天易說)』

位不當, 多在三四, 大壯, 獨在六五, 與噬嗑彖傳同. 彼以卦變言, 此以乘剛言.
지위가 합당하지 않다는 말은 삼효와 사효에 많은데, 대장괘에서는 유독 육오에 그러한 말이 있으니, 서합괘(噬嗑卦䷔) 「단전」에서 한 말과 같다.[84] 서합괘는 괘의 변화로 말을 했고, 대장괘는 굳센 양을 타고 있는 것으로 말했다.

김규오(金奎五) 「독역기의(讀易記疑)」

象傳, 大率治壯, 不可用剛.
「상전」의 『정전』에서 말하였다: 대체로 장성함을 다스림에는 굳셈을 사용할 수 없다.

洪範, 彊弗友剛克, 亦難以一槪言.
『서경·홍범』에서는 "강하여 불순한 자는 강함으로 이긴다"[85]라고 했으니, 일괄적으로 말하기는 어렵다.

서유신(徐有臣) 『역의의언(易義擬言)』

易未嘗以六五之位稱不當也. 當下疑有壯字, 其位不當用壯也.
『주역』에서는 일찍이 육오의 지위에 대해서 "합당하지 않다[不當]"고 한 적이 없다. '당(當)'자 뒤에는 '장(壯)'자가 있었을 것으로 생각되니, 그 지위에서는 장성함을 사용하지 말아야 한다는 뜻이다.

---

84) 『周易·噬嗑卦』: 柔得中而上行, 雖不當位, 利用獄也.
85) 『書經·洪範』: 六, 三德, 一曰正直, 二曰剛克, 三曰柔克, 平康正直, 彊弗友剛克, 燮友柔克, 沈潛剛克, 高明柔克.

박문건(朴文健) 『주역연의(周易衍義)』

位不當, 言所處之時不當也.
"지위가 합당하지 않기 때문이다"는 처한 때가 마땅하지 않음을 뜻한다.

김기례(金箕澧) 『역요선의강목(易要選義綱目)』

五若陽剛, 則下不敢用壯. 以柔居尊, 當柔以和之.
오효가 만약 굳센 양이라면, 아래에서 감히 장성함을 사용할 수 없다. 부드러운 음으로 존귀한 자리에 있으니 부드러움에 합당하게 온화해야 한다.

심대윤(沈大允) 『주역상의점법(周易象義占法)』

從於四, 故曰位不當也.
사효를 따르기 때문에 "지위가 합당하지 않기 때문이다"고 했다.

오치기(吳致箕) 「주역경전증해(周易經傳增解)」

若以剛居剛, 則位當而不易, 有羝羊上道之象. 而五以柔居剛, 位易而不當, 故有喪羊之象也.
만약 굳센 양으로 굳센 양의 자리에 있다면, 지위가 합당하며 바뀌지 않으니 숫양이 위로 나아가는 상이 있다. 그런데 오효는 부드러운 음으로 굳센 양의 자리에 있고 지위가 바뀌어 합당하지 않기 때문에, 양(羊)을 잃는 상이 있다.

이병헌(李炳憲) 『역경금문고통론(易經今文考通論)』

易, 當作埸, 以其在內陽二陰之際, 故曰埸. 以陰居五, 故曰位不當也. 用諸家說, 易恐指四, 謂當上下之際.
'역(易)'자는 '역(埸)'자가 되어야 하니, 안의 양과 두 음의 사이에 있기 때문에 '역(埸)'이라고 했다. 음으로 오효의 자리에 있기 때문에 "지위가 합당하지 않기 때문이다"라고 했다. 여러 학자들의 주장에 따르면 '역(易)'은 사효를 가리키는 것 같으니, 상하의 사이에 있음을 뜻한다.

上六, 羝羊觸藩, 不能退, 不能遂, 无攸利, 艱則吉.

정전 상육은 숫양이 울타리를 들이받아서 물러가지도 못하고 나아가지도 못하여, 이로운 바가 없으니, 어려우면 길하게 된다.

본의 상육은 숫양이 울타리를 들이받아서 물러가지도 못하고 나아가지도 못하여, 이로운 바가 없으니, 어렵게 여기면 길하게 된다.

中國大全

傳

羝羊, 但取其用壯, 故陰爻亦稱之. 六, 以陰處震終而當壯極, 其過可知, 如羝羊之觸藩籬, 進則礙身, 退則妨角, 進退皆不可也. 才本陰柔, 故不能勝己以就義, 是不能退也. 陰柔之人, 雖極用壯之心, 然必不能終其壯, 有摧必縮, 是不能遂也. 其所爲如此, 无所往而利也. 陰柔處壯, 不能固其守, 若遇艱困, 必失其壯. 失其壯則反得柔弱之分矣, 是艱則得吉也. 用壯則不利, 知艱而處柔則吉也, 居壯之終, 有變之義也.

숫양은 그 장성함을 쓰는 것을 취했을 뿐이기 때문에 음효에서도 칭하였다. 육(六)은 음으로 진괘의 끝에 처하고 장성함이 지극한 곳에 해당하여 지나침을 알 수 있으니, 마치 숫양이 울타리를 들이받아서 나아가면 몸이 막히고 물러가면 뿔이 방해가 되어, 나아가고 물러남을 모두 어떻게 할 수 없는 경우와 같다. 재질은 본래 유약한 음이기 때문에 자신을 이겨서 의로 나아갈 수 없으니, 이것이 물러가지도 못하는 것이다. 부드러운 음에 해당하는 사람은 비록 장성함을 쓰려는 마음을 지극하게 하지만, 반드시 그 장성함을 끝까지 할 수 없고 꺾이면 반드시 위축이 되니, 이것이 나아가지도 못하는 것이다. 행동함이 이와 같으니, 가서 이로운 바가 없게 된다. 부드러운 음이 장성함에 있으면서 그 지킴을 단단히 할 수 없음에 만약 어려움과 곤란함을 만나게 되면 반드시 그 장성함을 잃게 된다. 장성함을 잃게 된다면 반대로 유약한 본분을 얻게 되니, 이것이 어려우면 길함을 얻는 것이다. 장성함을 사용하면 이롭지 않고, 어려움을 알아서 유약함에 처하면 길하니, 장성함의 끝에 있어서 변하는 뜻이 있다.

小註

或問, 傳以艱字爲遇艱困. 則失其壯而得柔弱之分, 故吉. 竊意不能退遂而無所利, 則是已艱困矣. 而又曰遇艱, 何也. 恐此艱字, 只作艱難其事, 而不敢求進, 不已則吉, 如大畜九三利艱貞之艱說, 如何. 朱子曰: 當如大畜之例.

어떤 이가 물었다: 『정전』에서 어려움[艱]을 어려움과 곤란함을 당한다는 뜻으로 여겼습니다. 그렇다면 그 장성함을 잃고서 유약함의 본분을 얻기 때문에 길하다는 것입니다. 내가 생각하기에 물러나거나 나아갈 수 없어서 이로운 바가 없다면, 이것은 이미 곤란한 것입니다. 그런데 또 곤란을 당하다고 말한 이유는 어째서입니까? 아마도 이곳의 '어렵게 여김[艱]'은 단지 그 사안을 어렵게 여겨 감히 나아가려고도 하지 않지만 그만두지도 않는다면 길하다는 것이니, 대축괘(大畜卦䷙) 구삼에서 "어렵게 여기고 곧게 함이 이롭다"[86]고 했을 때의 '어렵게 여김'처럼 설명하는 것이 어떻겠습니까?

주자가 답하였다: 대축괘의 용례와 같이 해야 합니다.

本義

壯終動極, 故觸藩而不能退. 然其質本柔, 故又不能遂其進也. 其象如此, 其占可知. 然猶幸其不剛, 故能艱以處則尙可以得吉也.

장성함의 끝이고 움직임의 지극함이기 때문에 울타리를 들이받아도 물러나지 못한다. 그러나 그 재질은 본래 부드럽기 때문에 또한 나아감을 이루지도 못한다. 그 상이 이와 같으니 그 점을 알 수 있다. 그러나 오히려 다행히 굳세지 않기 때문에 어렵게 여겨서 대처를 할 수 있다면 오히려 길함을 얻을 수 있다.

小註

朱子曰, 上六取喩甚巧. 蓋壯終動極, 无可去處, 如羝羊之角掛于藩上, 不能退遂. 然艱則吉者, 畢竟有可進之理, 但必艱始吉耳.

주자가 말하였다: 상육이 비유를 듦은 매우 교묘하다. 장성함의 끝이고 움직임의 지극한데도 떠날 수 있는 곳이 없으니, 마치 숫양의 뿔이 울타리에 걸려 있어서 물러나거나 나아가지도 못하는 경우와 같다. 그러나 "어렵게 여기면 길하게 된다"는 것은 끝내 나아갈 수 있는 이치가 있지만 반드시 그 시작을 어렵에 여겨야만 길할 뿐이라는 것이다.

---

86) 『周易 · 大畜卦』: 九三, 良馬逐, 利艱貞, 日閑輿衛, 利有攸往..

○ 問, 大壯本好, 爻中所取卻不好, 睽本不好, 爻中所取卻好. 如六五對九二, 處非其位, 九四對初九, 本非相應, 都成好爻, 不知何故. 曰, 大壯便是過了, 纔過便不好. 如睽卦之類卻是. 易之取爻, 多爲占者而言, 占法取變爻, 便是到此處變了, 所以困卦雖是不好, 然其間利用祭祀之屬卻都好. 問, 此正與見群龍无首吉利永貞一般. 曰, 然. 卻是變了, 故如此.
물었다: 대장괘는 본래 좋은 괘인데, 효 중에서 취한 것은 도리어 좋지 않으며, 규괘(睽卦䷥)는 본래 좋지 않은 괘인데, 효 중에서 취한 것은 도리어 좋습니다. 예를 들어 육오가 구이와 짝이 되지만 그 처함이 제자리가 아니고, 구사가 초구와 짝이 되지만 본래 서로 호응함이 아닌데, 모두 좋은 효가 되는 것은 무슨 이유인지 알 수 없습니다.
답하였다: 대장괘는 지나친 것이니, 지나치자마자 좋지 않게 됩니다. 예를 들어 규괘 등의 부류가 바로 이러한 경우입니다. 『주역』에서 효를 취할 때에는 대부분 점치는 자를 위해서 말을 했고, 점치는 법은 변효를 취해 여기에서 변하기 때문에 곤괘(困卦䷮)가 비록 좋지 않지만, 그 사이에 "제사에 씀이 이롭다"는 등속은 도리어 모두 좋은 것입니다.
물었다: 이것은 바로 "여러 용이 머리가 없음을 봄이니 길할 것이다"는 말이나 "길이 곧음이 이롭다"는 말과 같습니까?
대답하였다: 그렇습니다. 바로 변한 것이기 때문에, 이와 같습니다.

○ 節齋蔡氏曰, 大壯之時, 剛者壯也, 柔居動體之極, 見剛者壯, 亦從之而用壯, 不知其不可也, 故其進退皆无所利. 艱則吉者, 苟知其難, 能安乎柔而不進, 則吉也.
절재채씨가 말하였다: 크게 장성한 때에는 굳센 자가 장성하니, 부드러운 음이 움직임의 몸체 끝에 있으면서 굳센 자가 장성함을 보고 또한 그것을 따라서 장성함을 쓰면서 불가함을 알지 못하기 때문에 나아가고 물러남에 모두 이로운 바가 없다. "어렵게 여기면 길하게 된다"고 한 것은 그 어려움을 알아서 부드러움을 편안하게 여기고 나아가지 않을 수 있다면 길하다는 것이다.

○ 雙湖胡氏曰, 九三居乾體之極, 在下卦之上, 剛動而欲進. 上六居震體之極, 在上卦之上, 動極而在上. 又卦有互兌, 全體有夾畫兌, 故皆取羝羊用角之義. 又三與上爲正應, 本當有合者也. 然三欲進而爲四所隔, 故羸其角而不能應乎上. 上雖與三爲應, 而窮於上, 故旣不能退而得乎三, 又不能遂而成其進, 故无攸利, 必艱難自守以待之, 庶成其吉耳.
쌍호호씨가 말하였다: 구삼은 건괘 몸체의 끝에 있고 하괘의 맨 위에 있으니, 굳셈이 움직여 나아가고자 한다. 상육은 진괘 몸체의 끝에 있고 상괘의 맨 위에 있으니, 움직임이 다하여

위에 있다. 또한 괘에는 호괘인 태괘가 있고 전체에는 큰 태괘가 있기 때문에, 모두 숫양이 뿔을 사용한다는 뜻을 취하였다. 또한 구삼과 상육은 정응이 되어 본래 합해야 되는 것이다. 그런데 구삼은 나아가고자 하지만, 구사에게 막히기 때문에 그 뿔이 곤궁해져 상육과 호응할 수 없다. 상육은 비록 구삼과 호응이 되지만 위에서 다했기 때문에 이미 물러나서 구삼을 얻을 수 없고, 또 나아가서 나아감을 완성시킬 수 없기 때문에 이로운 바가 없으니, 반드시 어렵게 느껴서 제 스스로 지키며 기다리면, 길함을 이룰 수 있을 것이다.

○ 雲峰胡氏曰, 五上皆陰, 五已喪羊, 上又取羝羊觸藩者, 五喪羊, 專以一爻言也, 上羝羊, 合一卦而言也. 蓋至於上, 則壯終動極, 故與下卦之終同象. 上之壯已極不能退, 六之質本柔不能遂. 然三羸角, 上艱則吉者, 三過剛, 必至於自困, 上不剛, 故可勉之以艱也, 兼壯終有變之義.
운봉호씨가 말하였다: 오효와 상효는 모두 음이어서 오효에서 이미 양(羊)을 잃었는데, 상효에서는 또 숫양이 울타리를 들이받는다는 상을 취한 것은, 오효에서 양(羊)을 잃음은 전적으로 한 효를 기준으로 말한 것이며, 상효에서 숫양은 한 괘를 통틀어서 말을 한 것이다. 상효에 이르게 되면 장성함의 끝이고 움직임의 궁극이기 때문에 하괘의 끝과 상이 같다. 상효의 장성함은 이미 다해서 물러날 수 없고, 육(六)의 재질은 본래 부드러워서 나아갈 수가 없다. 그런데 삼효에서 "뿔이 위태롭고" 상효에서 "어렵게 여기면 길하다"는 것은 삼효가 굳셈을 지나쳐서 반드시 제 스스로 곤궁해지는 지경에 이른 것이며, 상효가 굳세지 않기 때문에 어렵게 여기면서 힘쓴다는 것이니, 장성함이 끝나면 변화가 있다는 뜻을 겸한다.

韓國大全

조호익(曺好益) 『역상설(易象說)』

藩, 震象.
울타리는 진괘의 상이다.

송시열(宋時烈) 『역설(易說)』

此之羝羊, 卦本大兌象, 故承上文以言之. 觸藩者, 與九三略同意, 亦以兌之羊觸於震之藩籬. 不能退遂者, 以上九之極處過高也. 艱則吉者, 雖處艱危而終亦有吉也. 小象咎不長者, 言其咎不必長久也. 蓋上六坼而爲角, 故亦云觸也.
상육의 숫양은 괘가 본래 큰 태괘의 상이기 때문에 앞 문장을 이어서 말한 것이다. "울타리를 들이받는다"는 구삼과 대략적으로 뜻이 같으니, 이 또한 태괘의 양이 진괘의 울타리를 들이받는 것이다. "물러가지도 못하고 나아가지도 못한다"는 상구의 지극한 곳이 지나치게 높기 때문이다. "어렵게 여기면 길하게 된다"는 비록 위태로운 곳에 있지만 끝내 또한 길함이 있다는 것이다. 「소상전」에서 "허물이 크지 않기 때문이다"는 허물이 반드시 오래도록 지속되지 않음을 뜻한다. 상육이 갈라져서 뿔이 되기 때문에 "들이받는다"고 했다.

유정원(柳正源) 『역해참고(易解參攷)』

建安丘氏曰, 嘗以壯上遯初二爻觀之, 遯, 剛遯也. 初六以柔處遯之下, 見剛者遯, 亦從以遯焉. 聖人謂柔者不當遯也, 故有勿用攸往之戒. 壯, 剛壯也. 上六以柔處壯之終, 見剛者壯, 亦從以用壯焉. 聖人謂柔者之不能壯也, 故有无攸利艱則吉之戒. 凡人有是才而後, 可以爲是事, 无其才而冒爲其事, 其不敗者鮮矣.
건안구씨가 말하였다: 대장괘의 상효와 돈괘(遯卦䷠)의 초효, 이 두 효를 통해 살펴보면, 돈괘는 굳센 양이 도피함이다. 초육은 부드러운 음으로 돈괘의 아래에 있어서, 굳센 양이 도피하는 것을 보고 또한 그에 따라 도피한다. 그런데 성인은 부드러운 음은 도피를 해서는 안 된다고 여겼기 때문에 "가는 바를 두지 말아야 한다"는 경계를 하였다.[87] 장성함은 굳센 양이 장성함이다. 상육은 부드러운 음으로 장성함의 끝에 있어 굳센 양이 장성하는 것을 보고 또한 그것을 따라 장성함을 사용한다. 성인은 부드러운 음은 장성할 수 없다고 여겼기 때문에 "이로운 바가 없으니, 어렵게 여기면 길하게 된다"는 경계를 하였다. 사람은 이러한 재능이 있은 뒤에야 이러한 일을 할 수 있으니, 그런 재능이 없는데도 위험을 무릅쓰고 그 일을 행한다면 실패하지 않는 자가 드물게 된다.

김상악(金相岳) 『산천역설(山天易說)』

凡易之道, 窮於上則反於下, 故羝羊觸藩, 與三同象. 不能退者, 從應而動也, 不能遂者, 以其柔也. 進退不得, 无所利也. 能艱而處之, 則得遂其進而吉矣.
『주역』의 도는 위에서 다하면 아래로 되돌아오기 때문에 숫양이 울타리를 들이받는 것은 삼효와 상이 같다.[88] 물러나지도 못하는 것은 호응함에 따라 움직이기 때문이고, 나아가지

87) 『周易 · 遯卦』: 初六, 遯尾, 厲, 勿用有攸往.
88) 『周易 · 大壯卦』: 九三, 小人用壯, 君子用罔, 貞厲, 羝羊觸藩, 羸其角.

도 못하는 것은 부드러운 음이기 때문이다. 나아가거나 물러나지 못하니 이로운 것이 없다. 어렵게 여기면서 대처를 할 수 있다면 나아감을 이루어서 길할 수 있다.

○ 三居健終, 上居動極, 故羝羊觸藩同象. 如漸之三上曰鴻漸于陸, 漸則巽爲進退, 大壯則震爲反生也. 然以陰居上, 動无所之, 故不能退, 不能遂, 程傳進則礙身, 退則妨角. 朱子曰, 羝羊之角掛于藩上, 故不能退遂也. 晉則以剛居上, 故曰晉其角. 大壯與觀爲對, 觀六三則處下而觀我生, 故可進而可退. 大壯則居上而失其壯, 故不能退不能遂. 无攸利, 與臨六三同, 然皆剛長之卦. 故彼旣憂而无咎, 此亦艱則得吉, 所以皆曰咎不長也. 蓋五與上皆陰, 而五喪羊而无悔, 上觸藩而艱吉者, 五以一爻言, 上以全體言. 艱則吉, 與大畜利艱貞同, 皆居上下之極也. 程傳居壯之終, 有變之義, 變則爲大有, 見大有上九.

삼효는 굳건한 괘의 끝에 있고 상효는 움직이는 괘의 끝에 있기 때문에 "숫양이 울타리를 들이받는다"는 상이 같다. 예를 들어 점괘(漸卦䷴)의 삼효[89]와 상효[90]에서 "기러기가 평원으로 점진적으로 나아간다"고 했는데, 점괘는 손괘가 나아감과 물러남이 되고, 대장괘는 진괘가 되돌아와 생겨남이 된다. 그러나 음으로 상효에 있고, 움직임에 갈 곳이 없기 때문에 물러나지도 못하고 나아가지도 못하니, 『정전』에서는 "나아가면 몸이 막히고 물러가면 뿔이 방해가 된다"고 했고, 주자는 "숫양의 뿔이 울타리에 걸려 있어서 물러나거나 나아가지도 못하는 경우와 같다"고 했다. 진괘(晉卦䷢)는 굳센 양이 상효에 있기 때문에 "뿔에 나아감이다"[91]고 했다. 대장괘와 관괘(觀卦䷓)는 음양이 바뀐 괘로, 관괘의 육삼은 하괘에 있으면서 내가 내는 행동을 보기 때문에 나아갈 수도 있고 물러날 수도 있다.[92] 대장괘는 위에 있으면서 장성함을 잃었기 때문에 물러날 수도 없고 나아갈 수도 없다. "이로운 바가 없다"는 림괘(臨卦䷒) 육삼과 동일하지만[93] 모두 굳센 양이 자라나는 괘이다. 그러므로 림괘는 이미 근심해서 허물이 없고, 대장괘 또한 어렵게 여기면 길하기 때문에 모두 "허물이 크지 않기 때문이다"[94]고 했다.

蓋五與上皆陰, 而五喪羊而无悔, 上觸藩而艱吉者, 五以一爻言, 上以全體言. 艱則吉, 與大畜利艱貞同, 皆居上下之極也. 程傳居壯之終, 有變之義. 變則爲大有, 見大有上九.

---

89) 『周易 · 漸卦』: 九三, 鴻漸于陸, 夫征不復, 婦孕不育, 凶, 利禦寇.
90) 『周易 · 漸卦』: 上九, 鴻漸于陸, 其羽可用爲儀, 吉.
91) 『周易 · 晉卦』: 上九, 晉其角, 維用伐邑, 厲吉无咎, 貞吝.
92) 『周易 · 觀卦』: 六三, 觀我生, 進退.
93) 『周易 · 臨卦』: 六三, 甘臨. 无攸利, 旣憂之, 无咎.
94) 『周易 · 臨卦』: 象曰, 甘臨, 位不當也, 旣憂之, 咎不長也.

오효와 상효는 모두 음인데, 오효는 양(羊)을 잃더라도 후회가 없고, 상효는 울타리를 들이받지만 어려우면 길하게 되는 것은 오효는 한 효를 기준으로 말한 것이고 상효는 전체를 기준으로 말했기 때문이다. "어렵게 여기면 길하게 된다"는 말은 대축괘(大畜卦☶)에서 "어렵게 여기고 곧게 함이 이롭다"[95]고 한 말과 같으니, 모두 상괘와 하괘의 끝에 있기 때문이다. 『정전』에서는 "장성함의 끝에 있어서 변하는 뜻이 있다"고 했다. 변하면 대유괘(大有卦☲)가 되니 대유괘 상구에 나타난다.[96]

서유신(徐有臣) 『역의의언(易義擬言)』

大壯之卦, 有羊觸藩掛角之象也. 二陰而存, 是不畢退也, 四陽而止, 是不遂進也, 上六之卒成, 乃有弗能退弗能遂之象也. 承誨於仲父如此云. 无攸利者, 陰陽俱无所利也. 艱則吉者, 經歷一場艱苦, 則陰終退陽終進也.

대장괘에는 양이 울타리를 들이받고 뿔이 걸리는 상이 있다. 두 음이 남아 있어 끝내 물러나지 못하고, 네 양이 머물러서 나아갈 수 없으니, 상육이 마침내 이루어짐에 물러나지도 못하고 나아가지도 못하는 상이 있다.

숙부께 가르침을 받음에도 이처럼 말씀했다: "이로운 바가 없다"는 음양이 모두 이로울 것이 없다는 뜻이고, "어렵게 여기면 길하게 된다"는 한 때의 고난을 겪으면, 음은 끝내 물러나고 양은 끝내 나아간다는 뜻이다.

강엄(康儼) 『주역(周易)』

或曰, 九三之觸藩羸角, 以九四之在前也. 九四之藩夬不羸, 以六五之在前也. 至於上六, 則前無所遇, 又何取象於觸藩也. 妄謂, 上六爲壯終動極, 陰柔居此, 躁動必矣, 而亦不能遂, 故取象如此. 是言其躁動不安, 進退俱困之意, 非必前有所遇, 然後可以言觸藩也.

어떤 이가 물었다: 구삼이 울타리를 받아서 그 뿔이 위태롭게 되는 것[97]은 구사가 앞에 있기 때문입니다. 구사의 울타리가 터져서 곤궁하지 않게 되는 것[98]은 육오가 앞에 있기 때문입니다. 그런데 상육에 있어서는 앞에 만나는 것이 없는데, 또 어찌하여 울타리를 들이받는 것에서 상을 취한 것입니까?

---

95) 『周易·大畜卦』: 九三, 良馬逐, 利艱貞, 日閑輿衛, 利有攸往.

96) 『周易·大有卦』: 上九, 自天祐之, 吉无不利.

97) 『周易·大壯卦』: 九三, 小人用壯, 君子用罔, 貞厲, 羝羊觸藩, 羸其角.

98) 『周易·大壯卦』: 九四, 貞吉, 悔亡, 藩決不羸, 壯于大輿之輹.

내가 답하였다: 상육은 대장괘의 끝이고 움직임의 끝이 되니, 부드러운 음이 여기에 머물게 되면 반드시 조급하게 움직이지만 또한 나아갈 수 없게 되기 때문에 이처럼 상을 취한 것입니다. 이것은 조급하게 움직이고 불안하여 나아가거나 물러남이 모두 곤궁하게 된다는 뜻이지, 반드시 앞에 만나는 것이 있은 뒤에야 울타리를 들이받는다고 말할 수 있는 것이 아니라는 말입니다.

박문건(朴文健) 『주역연의(周易衍義)』

用剛傷下, 故有觸藩之象. 藩, 謂九三也. 遂, 進也.
굳셈을 사용하여 아래를 상처 입히기 때문에 울타리를 들이받는 상이 있다. '울타리[藩]'는 구삼을 뜻한다. '나아간다[遂]'는 전진한다는 뜻이다.
〈問, 羝羊觸藩以下. 曰, 羝羊觸藩, 而角掛于藩, 故不能退遂也, 所以无攸利. 但艱其進而不往則吉.
물었다: "숫양이 울타리를 들이받는다" 이하는 무슨 뜻입니까?
답하였다: 숫양이 울타리를 들이받아서 뿔이 울타리에 걸리므로 물러가거나 나아가지 못하여 이로울 것이 없게 됩니다. 다만 나아감을 어렵게 여겨서 가지 않는다면 길합니다.〉

이지연(李止淵) 『주역차의(周易箚疑)』

在上也, 不能退, 在終也, 更无去處, 故不能遂.
위에 있어서 물러날 수 없고 끝에 있어서 다시금 갈 곳이 없기 때문에 나아갈 수 없다.

김기례(金箕澧) 『역요선의강목(易要選義綱目)』

六五以一爻言, 上六統一卦言.
육오는 한 효를 기준으로 말하였고, 상육은 한 괘를 통틀어서 말하였다.

○ 壯已終, 動已極, 无復可進, 如羝角掛藩, 不能進退, 故无所利.
장성함이 이미 끝에 달했고 움직임도 이미 지극하여 다시 나아갈 수 없으니, 마치 숫양의 뿔이 울타리에 걸려서 나아가거나 물러나지 못함과 같기 때문에 이로울 것이 없다.

○ 極則必變, 守柔艱貞, 以待將變善矣. 上六才位俱陰, 而曰羝羊者, 取一卦大壯之意而言也.
지극하면 반드시 변하게 되는데, 부드러움을 지키고 어렵게 여기며 곧게 하여 장차 선하게 변하게 됨을 기다린다. 상육은 재질과 자리가 모두 음인데도 '숫양'이라고 말한 것은 대장괘 전체의 뜻을 취하여 말한 것이다.

贊曰, 與遯反對, 陽壯陰消. 雷在天上, 嚴威廓寥. 非禮弗行, 勇決不搖. 用易用艱, 德有餘饒.
찬미하여 말한다: 돈괘(遯卦䷠)와 음양이 반대가 되어 양이 장성하고 음이 사라지네. 우레가 하늘에 있어서 위엄이 크고 광활하네. 예가 아닌 것은 시행하지 않으니 용맹하고 결단력이 있어 흔들리지 않네. 평이함을 쓰고 어려움을 쓰니 덕이 풍부하네.

심대윤(沈大允)『주역상의점법(周易象義占法)』

大壯之大有䷍. 上六居大壯之極, 所得旣大旣壯, 一陰四陽俱出其下, 勢不可退, 而才柔不足進. 居柔不求進, 如器之滿而不可益也. 全卦爲兌爲羊, 本卦之對觀爲巽退, 變卦之對比全爲坎, 互離爲遂, 坎爲艱.
대장괘가 대유괘(大有卦䷍)로 바뀌었다. 상육은 대장괘의 끝에 있어서 얻은 것이 이미 크고 장성한데 하나의 음과 네 개의 양이 모두 아래에서 나오니, 기세로는 물러날 수 없지만 재질로는 부드러워서 나아가기에 부족하다. 부드러운 음의 자리에 있으면서 나아가기를 구하지 않는 것은 그릇이 가득 차서 더할 수 없는 것과 같다. 전체 괘는 태괘가 되어 양이 되며, 본괘의 음양이 바뀐 관괘(觀卦䷓)는 손괘의 물러남이 되고, 변화된 괘의 음양이 바뀐 비괘(比卦䷇)는 전체가 감괘이며, 호괘인 리괘가 나아감이 되고, 감괘가 어려움이 된다.

오치기(吳致箕)「주역경전증해(周易經傳增解)」

上六, 陰柔居壯之終動之極, 有羝羊觸藩之象, 而以其動極, 故欲退而不能退, 以其質柔, 故欲進而不能遂, 所以進退无攸利. 然非如九三之剛過, 故无羸角之危, 而但戒以艱, 其思慮詳審以處, 則可得其吉也.
상육은 부드러운 음이 대장괘의 끝과 움직임의 끝에 있어서 숫양이 울타리를 들이받는 상이 있고, 움직임의 끝이기 때문에 물러나고자 하더라도 물러날 수 없으며, 바탕이 부드럽기 때문에 나아가고자 하더라도 나아갈 수 없으니, 나아감과 물러남에 이로움이 없는 까닭이다. 그러나 구삼의 굳셈이 지나침과는 다르기 때문에 뿔이 위태로운 위험이 없어서,[99] 단지 어렵게 여기라는 경계만 있으니, 깊이 생각하고 상세히 살펴서 대처를 한다면 길함을 얻을 수 있다.

---

99)『周易 · 大壯卦』: 九三, 小人用壯, 君子用罔, 貞厲, 羝羊觸藩, 羸其角.

○ 全卦之形似兌, 故言羊, 而上居大壯之極, 故復言觸藩之象也.
전체 괘의 형태가 태괘와 유사하기 때문에 양(羊)을 말했고, 상효가 대장괘의 끝에 있기 때문에 다시 울타리를 들이받는 상을 언급했다.

이진상(李震相) 『역학관규(易學管窺)』

六五柔而不能觸, 故言喪羊, 而羊非眞亡也. 上六動而之陽, 則藩之決者, 繼其角, 反使之進退不得. 然尙以本質之柔艱毖而得吉也. 〈更按, 上之正應在三, 而三乃爲四所隔, 故曰羝羊觸藩.〉
육오는 부드러운 음이어서 들이받을 수 없기 때문에 "양을 잃는다"[100]고 했지만 양(羊)이 정말로 없어진 것은 아니다. 상육은 움직여서 양으로 바뀌면 울타리가 터진 것이 그 뿔에 걸려 도리어 나아가지도 물러나지도 못하게 한다. 그러나 오히려 본래의 재질에 따른 부드러워 어렵게 여기고 조심하여 길함을 얻는다. 〈재차 살펴보았다: 상효의 정응은 삼효에 있는데, 삼효는 사효에게 막혔기 때문에 "숫양이 울타리를 받는다"고 했다.〉

채종식(蔡鍾植) 『주역전의동귀해(周易傳義同歸解)』

上六羝羊, 傳云, 但取其用壯, 故陰爻亦稱之, 本義仍用卦互之兌象. 蓋程易不必取象, 而專用義理, 故但取其用壯之義, 而陰爻亦可稱羊, 朱易本於卦象而明其義, 故特用兌之羊象也. 然有理而後有卦象, 有卦象則理又在其中, 原象而言, 卽推理而言也.
상육의 숫양에 대해서, 『정전』에서는 "단지 그 장성함을 쓰는 것만 취했기 때문에 음효에서도 그것을 칭하였다"고 했고, 『본의』에서는 여전히 괘의 호괘인 태괘의 상을 사용했다. 『정전』에서는 반드시 상을 취한 것은 아니지만, 전적으로 의리를 사용했기 때문에, 단지 장성함을 사용한다는 뜻을 취하여 음효에서도 또한 양(羊)을 칭할 수 있었고, 『본의』에서는 괘의 상에 근본을 두어 그 뜻을 밝혔기 때문에 특별히 태괘가 양(羊)인 상을 이용했다. 그러나 의리가 있은 뒤에야 괘의 상이 있으니, 괘의 상이 있다면 의리가 또한 그 속에 포함되고, 상에 근원하여 말하는 것은 곧 의리를 미루어서 말하는 것이다.

---

100) 『周易 · 大壯卦』: 六五, 喪羊于易, 无悔.

象曰, 不能退, 不能遂, 不詳也, 艱則吉, 咎不長也.

정전 「상전」에서 말하였다: "물러가지도 못하고, 나아가지도 못함"은 살피지 않았기 때문이며, "어려우면 길하게 됨"은 허물이 크지 않기 때문이다.

본의 「상전」에서 말하였다: "물러가지 못하고, 나아가지도 못함"은 살피지 않았기 때문이며, "어렵게 여기면 길하게 됨"은 허물이 크지 않기 때문이다.

中國大全

傳

非其處而處, 故進退不能, 是其自處之不詳愼也. 艱則吉, 柔遇艱難, 又居壯終, 自當變矣. 變則得其分, 過咎不長, 乃吉也.

있을 곳이 아닌데도 있기 때문에, 나아가고 물러날 수 없으니, 스스로 있을 곳을 자세히 살피고 삼가지 못한 것이다. 어려우면 길하다는 것은 부드러움이 어려움을 만나고 또 장성함의 끝에 있어서, 스스로 변해야 한다는 것이다. 변하면 본분을 얻어서 허물이 크지 않으니 곧 길하게 된다.

小註

進齋徐氏曰, 上六進退皆无所利, 由自處之不詳審故也. 苟知其艱難, 順守以待終, 亦獲吉, 雖有殃咎, 亦不長久也.

진재서씨가 말하였다: 상육은 나아가고 물러남에 모두 이로운 바가 없으니, 스스로 있을 곳을 자세히 살피지 못했기 때문이다. 진실로 어려움을 알아서 유순하게 지키며 마침을 기다린다면, 또한 길함을 얻게 되니 비록 허물이 있더라도 길게 이어지지 않을 것이다.

○ 雲峰胡氏曰, 臨六三壯上六, 皆无攸利, 皆曰咎不長, 蓋六三之憂, 上六之艱, 不貴无過而貴改過也.

운봉호씨가 말하였다: 림괘의 육삼과 대장괘의 상육은 모두 이로운 바가 없는데, 모두 "허물이 크지 않다"고 했으니, 육삼의 걱정과 상육의 어려움은 허물이 없음을 귀하게 여기지 않고 허물을 고침을 귀하게 여기기 때문이다.

○ 建安丘氏曰, 大壯, 剛進也, 二陰退而四陽進也. 而九四乃壯之, 所以爲壯者, 其曰藩決不羸, 壯于大輿之輹, 蓋許陽之壯也. 壯貴進不暴, 過剛則失其所以爲壯矣. 其下三剛爻, 當隨四而壯, 不利自往. 初三皆以剛居剛, 好進者也, 故初征凶而三羸其角. 二以剛履柔, 居中能守, 不進者也, 故貞吉. 若上之二陰, 五柔居中而能受陽之壯, 故雖喪羊而无悔. 上柔居壯之終不能壯者, 而亦終用壯焉, 故有不能退不能遂之戒. 王輔嗣云, 未有違謙越禮能全其壯者也, 故陽爻皆以處陰位爲美. 用壯處壯, 則觸藩矣.
건안구씨가 말하였다: 크게 장성함은 굳셈으로 나아감이니 두 음은 물러나고 네 음은 나아간다. 그런데 구사가 이에 장성하니, 그렇게 된 이유는 "울타리가 터져서 곤궁하지 않게 되고, 큰 수레의 바퀴살이 장성하다"라고 하는 것이니, 양의 장성함을 허용한 것이다. 장성함은 나아감이 난폭하지 않음을 귀하게 여기니, 지나치게 굳세다면 장성하게 되는 이유를 잃게 된다. 하괘의 세 효는 굳센 양효로 사효를 따라서 장성하게 되므로 제 스스로 가는 것은 이롭지 않다. 초효와 삼효는 모두 굳센 양으로 굳센 양의 자리에 있으니, 나아가길 좋아하는 자이다. 그렇기 때문에 초효는 감에 흉하고, 삼효는 그 뿔이 곤궁하게 된다. 이효는 굳셈으로 유약함을 밟고 가운데에 있어서 지킬 수 있으니, 나아가지 않는 자이다. 그렇기 때문에 곧아서 길하다. 위의 두 음이라면, 오효는 부드러운 음으로 가운데 있어서 양의 장성함을 받을 수 있기 때문에 비록 양(羊)의 장성함을 잃을지라도 후회가 없다. 상효는 부드러운 음으로 장성함의 끝에 있어서 장성할 수 없는 자인데도 끝내 장성함을 사용하기 때문에 물러날 수도 없고 나아갈 수도 없다고 경계하였다. 왕필은 "겸손을 어기고 예법을 뛰어넘고서도 그 장성함을 보존할 수 있는 자는 없기 때문에 양효는 모두 음의 자리에 있음을 아름다움으로 삼는다. 장성함을 사용하여 장성함에 처한다면, 울타리를 들이받게 된다"고 했다.

韓國大全

유정원(柳正源) 『역해참고(易解參攷)』

不詳.
불상(不詳)에 대하여.

正義, 詳, 善也. 進退不定, 非爲善也, 故云不詳也.
『주역정의』에서 말하였다: '상(詳)'자는 살피다는 뜻이 아니라 잘한다는 뜻이다. 나아가고 물러남이 안정되지 못한 것은 잘하는 것이 아니기 때문에 "잘하지 않았기 때문이다"고 했다.

김상악(金相岳) 『산천역설(山天易說)』

不詳, 謂自處之不詳愼也.
"살피지 않았기 때문이다[不詳]"는 스스로 대처함이 상세하고 신중하지 못하다는 뜻이다.

서유신(徐有臣) 『역의의언(易義擬言)』

不詳者, 不審於初也. 咎不長者, 能遂於終也.
"살피지 않았기 때문이다"는 초효를 살피지 않았기 때문이라는 뜻이다. "허물이 크지 않기 때문이다"는 끝에 이를 수 있기 때문이라는 뜻이다.

박문건(朴文健) 『주역연의(周易衍義)』

不詳, 言不審其進退之利害也.
"살피지 않았기 때문이다[不詳]"는 나아가거나 물러날 때의 이로움과 해로움을 살피지 않는다는 뜻이다.
〈問, 咎不長. 曰, 咎, 指无攸利而言, 艱則不長也.
물었다: "허물이 크지 않기 때문이다"는 무슨 뜻입니까?
답하였다: 허물은 이로울 것이 없음을 가리켜서 한 말이니, 어렵게 여긴다면 커지지 않습니다.〉

심대윤(沈大允) 『주역상의점법(周易象義占法)』

以才柔居大壯之極, 爲自量之不詳也. 以其居柔不求進, 故咎不長也. 上六蓋不退不進, 持滿而不覆也. 雲峰胡氏曰, 三畫卦, 初爲少, 二爲壯, 三爲究, 六畫卦, 三四爲壯.
재질의 부드러움으로 대장괘의 끝에 있으니, 스스로의 헤아림을 상세히 살피지 않은 것이다. 부드러운 음의 자리에 있으면서 나아가기를 구하지 않기 때문에 허물이 크지 않다. 상육은 물러나지도 못하고 나아가지도 못하니, 차 있는 것만 믿고 덮어주지 않기 때문이다. 운봉호씨는 "삼획괘에서 초효는 어린 것이 되고, 이효는 장성한 것이 되며, 삼효는 다함이 되니, 육획괘에서 삼효와 사효는 장성한 것이 된다"고 했다.

오치기(吳致箕) 「주역경전증해(周易經傳增解)」

不能審, 故有觸藩之咎, 而艱其思, 則咎可改而不長也.
상세히 살피지 못하여 울타리를 들이받는 허물이 있지만, 그 생각을 어렵게 여긴다면 허물을 고쳐서 크게 하지 않을 수 있다.

이병헌(李炳憲) 『역경금문고통론(易經今文考通論)』

虞曰, 應在三, 故羝羊觸藩. 遂, 進也.
우번이 말하였다: 호응함은 삼효에 있기 때문에 숫양이 울타리를 들이받는다. "나아간다[遂]"는 전진한다는 뜻이다.

正義曰, 詳[101]者, 善也. 〈不從王弼.〉
『주역정의』에서 말하였다: '상(詳)'은 다스린다는 뜻이다. 〈왕필의 주장을 따르지 않았다.〉

---

101) 詳: 경학자료집성DB와 영인본에는 모두 '祥'으로 되어 있으나, 문맥을 살펴 '詳'으로 바로잡았다.

35

진괘

晉卦䷢

中國大全

傳

晉, 序卦, 物不可以終壯, 故受之以晉, 晉者, 進也. 物无壯而終止之理, 旣盛壯則必進, 晉所以繼大壯也. 爲卦離在坤上, 明出地上也. 日出於地, 升而益明, 故爲晉, 晉, 進而光明盛大之意也. 凡物漸盛爲進, 故彖云, 晉, 進也. 卦有有德者, 有无德者, 隨其宜也. 乾坤之外, 云元亨者, 固有也, 云利貞者, 所不足而可以有功也. 有不同者, 革漸, 是也, 隨卦可見, 晉之盛而无德者, 无用有也. 晉之明盛, 故更不言亨, 順乎大明, 无用戒正也.

진괘는 「서괘전」에서 "사물은 끝까지 장성할 수 없기 때문에 진괘로 받았으니, '진(晉)'은 나아간다는 뜻이다"라고 하였다. 사물은 장성해서 끝내 그치는 이치가 없어서 융성해지면 반드시 나아가니, 대장괘(大壯卦䷡) 다음에 진괘가 있는 이유이다. 괘는 리괘가 곤괘 위에 있으니 밝음이 땅 위로 나온다. 해는 땅에서 솟아나서 하늘로 올라가 더욱 밝아지기 때문에 진(晉)이 되니, '진(晉)'은 나아가서 광명하고 성대하다는 뜻이다. 모든 사물은 점차 융성하게 됨을 나아감으로 여기기 때문에 「단전」에서는 "진(晉)은 나아감이다"라고 하였다. 괘에는 덕을 갖춘 괘도 있고 덕이 없는 괘도 있는데 그 마땅함에 따른다. 건괘(乾卦䷀)와 곤괘(坤卦䷁) 이외의 괘에서 '원형(元亨)'이라고 말한 괘는 진실로 갖추고 있기 때문이며, '리정(利貞)'이라고 말한 괘는 부족하지만 공을 이룰 수 있기 때문이다. 같지 않은 경우는 혁괘(革卦䷰)와 점괘(漸卦䷴)가 이것이니 괘에 따라서 확인할 수 있고, 나아감이 융성하지만 덕이 없는 이유는 갖출 필요가 없어서이다. 나아감이 밝고 융성하기 때문에 다시금 형통하다고 말하지 않았고, 큰 밝음에 순종하니 바르게 하라고 경계할 필요가 없다.

小註

或問, 傳曰物无壯而終止之理, 旣壯盛則必進, 竊意物進而後至於壯盛, 旣壯盛, 則衰退繼之矣. 今曰壯盛則必進, 此義如何. 朱子曰, 物固有壯而後進者, 亦有進而後壯者, 其義自有不同. 此各隨其事而言, 難以一說拘也. 且以十二月卦論, 大壯之爲夬, 夬之爲乾, 豈非壯而後進乎, 至乾乃極而衰耳. 又問, 晉之盛而无德者, 无用有也. 然大有可謂盛矣而有卦德, 不知如何. 曰, 元亨利貞, 本非四德, 但爲大亨而利於正之占耳. 乾卦之彖傳文言乃借爲四德, 在他卦尤不當以德論也.

어떤 이가 물었다: 『정전』에서는 "사물은 장성해서 끝내 그치는 이치가 없으니, 융성해지면 반드시 나아가게 된다"고 했는데, 제가 생각해보니 사물은 나아간 이후에 장성함에 이르게

되니, 이미 장성했다면 쇠퇴함이 이어지게 됩니다. 이제 “장성하면 반드시 나아간다”고 했는데 이것은 어떠한 뜻입니까?
주자가 답하였다: 사물 중에는 진실로 장성한 이후에 나아가는 것도 있고, 또 나아간 이후에 장성해지는 것도 있는데, 그 의미는 제각각 다릅니다. 이것은 각각 그 사안에 따라서 말한 것이니, 한 가지 주장으로만 설명하기 어렵습니다. 또한 십이개월의 괘로 논의를 하면 대장괘는 쾌괘(夬卦䷪)가 되고 쾌괘는 건괘(乾卦䷀)가 되는데, 어찌 장성한 이후에 나아간 경우가 아니겠습니까? 건괘에 도달하면 지극해져서 쇠퇴할 따름입니다.
또 물었다: 『정전』에서는 “나아감이 융성하지만 덕이 없는 이유는 갖출 필요가 없어서이다”라고 했습니다. 그러나 대유괘(大有卦䷍)는 융성하면서 괘의 덕이 있다고 말할 수 있는데, 어떤지 모르겠습니까?
답하였다: ‘원형리정(元亨利貞)’이라는 말은 본래 사덕(四德)이 아니며, 단지 크게 형통하여 바름이 이롭다는 점사일 따름입니다. 건괘의 「단전」과 「문언전」에서는 곧 이것을 사덕으로 여겼는데, 다른 괘에서는 결코 덕으로써 논의할 수 없습니다.

晉, 康侯, 用錫馬蕃庶, 晝日三接.

진(晉)은 편안하게 다스리는 제후이니, 여러 차례 말을 하사하고, 낮에 세 차례 접견을 한다.

中國大全

傳

晉, 爲進盛之時, 大明在上而下體順附, 諸侯承王之象也. 故爲康侯, 康侯者, 治安之侯也. 上之大明而能同德以順附, 治安之侯也, 故受其寵數, 錫之馬衆多也. 車馬, 重賜也, 蕃庶, 衆多也. 不唯錫與之厚, 又見親禮, 晝日之中, 至於三接, 言寵遇之至也. 晉, 進盛之時, 上明下順, 君臣相得, 在上而言則進於明盛, 在臣而言則進升高顯, 受其光寵也.

'진(晉)'은 나아가서 융성한 시기가 되며, 큰 밝음이 위에 있고 하체가 순종하니, 제후가 천자를 받드는 상이다, 그러므로 강후(康侯)가 되니, 강후는 국가를 편안하게 다스리는 제후이다. 상괘가 크게 밝고 덕을 함께 하여 순종할 수 있으니, 국가를 편안히 다스리는 제후가 되기 때문에, 하사품을 받게 되어 말을 하사해줌이 많다. 수레와 말은 귀중한 하사품이며 '번서(蕃庶)'는 많다는 뜻이다. 하사만 많이 해주는 것이 아니며, 또한 친애함과 예우를 받아 낮 동안 세 차례 접견을 하는데 이르렀으니, 총애와 예우를 해줌이 지극하다. 진(晉)은 나아가서 융성한 시기이고 상괘가 밝고 하괘가 순종하니, 임금과 신하가 서로 제자리를 얻은 것으로, 임금의 입장에서 말을 한다면 밝음이 융성한 곳으로 나아감이며, 신하의 입장에서 말을 한다면 높은 지위에 올라서 영광과 총애를 받는다.

本義

晉, 進也. 康侯, 安國之侯也. 錫馬蕃庶, 晝日三接, 言多受大賜而顯被親禮也. 蓋其爲卦, 上離下坤, 有日出地上之象, 順而麗乎大明之德, 又其變, 自觀而來, 爲六四之柔進而上行, 以至于五, 占者有是三者, 則亦當有是寵也.

'진(晉)'은 나아간다는 뜻이다. '강후(康侯)'는 나라를 편안히 다스리는 제후이다. "여러 차례 말을 하사하고, 낮에 세 차례 접견을 한다"는 말은 큰 하사품을 여러 차례 받고 친애와 예우를 명백하게 받음을 뜻한다. 괘가 상괘는 리괘이고 하괘는 곤괘이니, 해가 땅 위로 솟아나는 상이 있고 순종하여 큰 밝음에 붙는 덕이 있으며, 그 변화는 관괘(觀卦䷓)로부터 와서 육사의 부드러움이 나아가서 위로 올라가 오효에 이름이 되니, 점치는 자가 이 세 가지를 갖춘다면 또한 이러한 총애를 받게 된다.

小註

朱子曰, 康侯似說寧侯相似. 用錫馬之用, 只是箇虛字, 說他得這箇物事.
주자가 말하였다: '강후(康侯)'라는 말은 '천자의 명령에 순종하는 제후[寧侯]'[1]라는 말과 유사하다. '용석마(用錫馬)'에서의 '용(用)'자는 단지 허사(虛辭)일 뿐이니 이러한 물건들을 얻었다는 뜻이다.

○ 晝日, 是那上卦離也. 晝日爲之, 是此意.
'주일(晝日)'은 상괘인 리괘를 뜻한다. 낮에 이러한 일을 시행한다는 것이 바로 그 의미이다.

○ 誠齋楊氏曰, 康侯者, 治安之侯也. 錫馬蕃庶, 而恩之者豊, 晝日三接, 而禮之者頻也.
성재양씨가 말하였다: '강후(康侯)'는 나라를 편안하게 다스리는 제후를 뜻한다. 여러 차례 말을 하사하여 은혜를 베풂이 많고, 낮 동안 세 차례 접견을 하니 예우를 해줌이 많다.

○ 進齋徐氏曰, 康侯用錫馬蕃庶, 晝日三接, 言諸侯有安民之功, 故用此以受君之錫予而被其親禮也. 左傳僖公二十八年, 晉文公朝王, 王賜之車輅弓矢, 命之曰敬服王命, 以綏四國, 受策而出, 出入三覲, 是也.
진재서씨가 말하였다: "나라를 편안하게 다스리는 제후에게 여러 차례 말을 하사하고, 낮에 세 차례 접견을 한다"는 말은 제후에게 백성들을 편안하게 만든 공이 있기 때문에 임금의 하사품을 받고 친애와 예우를 입는다는 뜻이다. 『좌전』 희공 28년에, "진(晉)나라 문공이 천자를 조회함에, 천자가 수레 및 활과 화살을 하사하고, 그에게 명령하여 '천자의 명령을 공경스럽게 복종하여 사방의 나라를 편안히 다스리시오'라 하고, 책문을 받아서 물러갔고, 천자의 수도를 출입하며 세 차례 근례(覲禮)를 시행했다"[2]고 한 말이 바로 이러한 경우이다.

---

1) 『周禮 · 梓人』: 祭侯之禮, 以酒脯醢, 其辭曰, 惟若寧侯, 毋或若女不寧侯, 不屬於王所, 故抗而射女.

2) 『春秋左傳 · 僖公』: 王命尹氏及王子虎 · 內史叔興父策命晉侯爲侯伯, 賜之大輅之服 · 戎輅之服, 彤弓一 · 彤矢百, 玈弓矢千, 秬鬯一卣, 虎賁三百人, 曰, 王謂叔父, 敬服王命, 以綏四國, 糾逖王慝. 晉侯三辭, 從命, 曰, 重耳敢再拜稽首, 奉揚天子之丕顯休命. 受策以出. 出入三覲.

○ 中溪張氏曰, 當晉進之時, 大明在上, 而下體皆同德順附, 有君明臣順諸侯承王之象. 治進而盛, 躋一世於康寧之域, 侯之力也. 不惟錫馬蕃庶, 可見錫予之厚, 而正晝盛明之際乃三接, 其臣尤見親禮之至也.
중계장씨가 말하였다: 나아가 융성해지는 시기에 처하여, 큰 밝음이 위에 있고 하체는 모두 덕을 함께 하여 순종하니, 임금이 밝고 신하가 순종하여 제후가 천자를 받드는 상이 있다. 다스림이 나아가 융성해져서 한 세대를 편안해지는 영역으로 오르게 함은 제후의 공력이다. 말을 여러 차례 하사해주고, 하사를 해줌이 매우 후했음을 알 수 있을 뿐만 아니라, 낮처럼 밝음이 융성한 시기에 세 차례 접견을 하니, 신하가 친애와 예우의 지극함을 받았다.

○ 漢上朱氏曰, 周官校人, 天子十有二閑, 馬六種, 邦國六閑, 馬四種. 凡朝覲會同, 毛馬而頒之, 錫馬蕃庶也. 大行人, 公之禮三享三問三勞, 晝日三接也.
한상주씨가 말하였다: 『주례 · 교인』편에서는 "천자는 열두 개의 마구간이 있고 여섯 종류의 말을 기르며, 제후는 여섯 개의 마구간이 있고 네 종류의 말을 기른다. 무릇 조근회동(朝覲會同)[3]에 있어서, 털의 색깔이 순색인 말을 나눠준다"고 했으니, 말을 여러 차례 하사한다는 뜻이다. 『주례 · 대행인』편에서는 "상공(上公)의 예법에 있어서, 세 차례 예물을 바치고 세 차례 우환에 대해서 물으며 세 차례 노고를 치하한다"고 했으니, 낮 동안 세 차례 접견한다는 뜻이다.

○ 姚氏小彭曰, 晝日三接, 王接侯之禮也. 覲禮延升一也, 覲畢致享升致命二也, 享畢王勞之升成拜三也.
요소팽이 말하였다: "낮에 세 차례 접견을 한다"는 말은 천자가 제후를 접견하는 예법이다. 제후가 천자를 뵙는 예[覲禮]에서는 제후를 인도하여 나아가게 하니, 이것이 첫 번째 접견이다. 만나 뵙는 정식 절차가 끝나면 향연을 베풀어 나아가게 하여 명령을 전달하니, 이것이 두 번째 접견이다. 연회가 끝나면 천자가 노고를 치하하여 나아가게 해서 절을 하니, 이것이 세 번째 접견이다.

○ 雲峰胡氏曰, 象言侯者三, 屯豫建侯, 震也. 晉康侯, 坤也. 坤有土有民, 有安之象. 錫馬蕃庶, 坤爲牝馬爲衆之象. 晝日三接, 離爲日爲中虛之象. 或曰, 馬與晝日, 離午象, 蕃庶三接, 坤爲衆爲文之象. 離配卦十有六, 象最美者, 莫如晉大有. 大有明在天

3) 조근회동(朝覲會同): 제후가 천자를 찾아뵐 때, 각 계절별로 그 명칭을 다르게 불렀다. 봄에 찾아뵙는 것을 조(朝)라고 부르며, 가을에 찾아뵙는 것을 근(覲)이라고 부른다. 또한 각 계절마다 정기적으로 찾아뵙는 것을 회(會)라고 부르고, 제후들이 대규모로 찾아뵙는 것을 동(同)이라고 부른다.

上, 其明最盛, 晉明出地上, 其明方新, 有進義. 明君在上, 下以柔順進而承之, 所謂康侯也. 康侯者, 治安之侯, 非以功侯也. 下之務進者, 易生事以徼寵, 今多受大賜而顯被親禮者, 惟治安之侯, 其所以爲大明之時乎.
운봉호씨가 말하였다: 「단전」에서 '후(侯)'를 말한 기록은 세 가지인데, 준괘(屯卦䷂)와 예괘(豫卦䷏)에 나오는 '건후(建侯)'는 진괘(震卦☳)가 된다. 진괘의 '강후(康侯)'는 곤괘(坤卦☷)가 된다. 곤괘에는 토(土)와 백성이 있어서 편안해지는 상이 있다. 여러 차례 말을 하사함은 곤괘가 암말과 많음이 되는 상이기 때문이다. 낮 동안 세 차례 접견을 함은 리괘가 해와 가운데가 빈 상이 되기 때문이다. 어떤 자들은 말과 한낮은 리오(離午)의 상이며, 여러 차례 하사하고 세 차례 접견을 함은 곤괘가 많음과 문채가 되는 상이라고 한다. 리괘(離卦☲)가 들어 있는 괘는 열여섯 개인데, 가장 아름다운 상은 진괘와 대유괘(大有卦䷍)만 한 것이 없다. 대유괘는 밝음이 천상에 있으니 지극히 밝고, 진괘는 밝음이 땅 위로 솟아나니 새롭게 밝아지려 함으로 나아가는 뜻이 있다. 밝은 임금이 위에 있고 하체가 유순함으로 나아감에 순종하여 따르니, '강후'를 뜻한다. '강후'는 나라를 편안히 다스리는 제후이니, '공이 있는 제후[功侯]'로서 따름이 아니다. 나아가길 힘쓰는 아랫사람은 일을 만들어서 총애를 바라기 쉬운데, 지금 큰 하사품을 여러 차례 받았고 친애와 예우를 현저하게 입었으니, 오직 나라를 편안히 다스리는 제후만이 큰 밝음의 때를 이룰 수 있다.

韓國大全

조호익(曺好益) 『역상설(易象說)』

晉, 晝日三接.
진(晉)은 … 낮에 세 차례 접견을 한다.

晉, 晝也. 離爲日, 離日照臨坤土, 晝象.
진(晉)은 낮이다. 리괘(離卦)는 해가 되니, 리괘인 해가 곤괘(坤卦)인 땅을 비추어 임하니 낮의 상이다.

雙湖曰, 三接, 象下體三晝.
쌍호호씨가 말하였다: '세 차례 접견함'은 하체의 세 획에서 상징되었다.

송시열(宋時烈) 『역설(易說)』

坤之柔順進而附麗於離, 故以晉名卦. 康者治平□王國也. 坤爲國象, 候者, 下於天子一等位者也. 離爲侯王, 以爻象觀之, 六五以柔中之天子, 任諸四爻之陽剛, 治坤之國, 所以謂康侯也. 坤卦註, 胡氏曰, 錫馬, 取坤之牝馬象, 理亦然也. 蕃庶者, 萬物皆食於坤, 亦坤象也. 自四爻以下綜爲震, 震爲蕃鮮, 故亦云蕃庶也. 離爲晝, 爲日, 其數爲三, 故曰晝日三接也. 接者, 引接連接之象, 謂近於五也. 四能治坤國, 故自天子有錫馬, 寵眷之象.

곤괘의 유순함이 나아가 리괘에 붙어있기 때문에 진(晉)이라고 괘를 이름지었다. 강(康)은 나라를 편안하게 다스리는 것이다. 곤괘는 나라의 상이다. 후(侯)는 천자보다 한 등급 아래인 자이다. 리괘는 후왕이 되는데, 효의 상으로 보면 육오의 부드럽고 알맞은 천자로서 굳센 양인 사효에게 맡겨 곤괘의 나라를 다스리니, '편안하게 다스리는 제후[康侯]'라 하는 것이다. 곤괘의 주석에 쌍호호씨가 "말을 하사하였다는 것은 곤괘 암말의 상을 취한 것이다"[4]라 하였으니, 이치가 역시 그러하다. '여러 차례[蕃庶]'라는 것은 만물이 모두 곤(坤)에서 먹으니 역시 곤괘의 상이다. 사효 이하를 거꾸로 하면 진괘가 되는데, 진괘는 번성하고 고움이 되므로 또한 '여러 차례'라고 하였다. 리괘는 낮이 되고 해가 되며, 그 숫자는 3이기 때문에 "낮에 세 번 접견한다"고 하였다. '접(接)'이란 인접하고 연접한 상이니, 오효에 가까움을 말한다. 사효는 곤괘인 나라를 다스릴 수 있으므로 천자로부터 말을 하사받으니, 총애하고 아끼는 상이다.

홍여하(洪汝河) 「책제(策題): 문역(問易) · 독서차기(讀書箚記)-주역(周易)」[5]

晉卦下, 程傳, 有不同者, 革漸, 是也.

진괘(晉卦) 아래에 있는 『정전』에서 말하였다: 같지 않은 경우는 혁괘(革卦䷰)와 점괘(漸卦䷴)가 이것이다.

革漸, 與他卦不同者, 元亨利貞, 乃其固有, 而非所以設戒也.

혁괘(革卦)와 점괘(漸卦)가 다른 괘와 같지 않은 것은 '원형리정(元亨利貞)'을 진실로 가지고 있기 때문이지 경계를 세우려고 해서가 아니다.

---

4) 『周易傳義大全 · 坤卦』: 雙湖胡氏曰, 文王卦辭取象始此, 坤自取牝馬象, 晉錫馬蕃庶亦坤象.

5) 경학자료집성DB에서는 진괘(晉卦) 「단전」에 해당하는 것으로 분류했으나, 내용에 따라 이 자리로 옮겨왔다.

이현익(李顯益) 『주역설(周易說)』

雲峯胡氏, 於二曰, 象蕃馬三接, 卽爻所謂介福, 於三曰, 爲衆陰之長, 正康侯之謂, 二義皆通. 蓋以其中而言, 則二爲康侯, 以其長而言, 則三爲康侯.
운봉호씨는 이효에서 "괘사에서 말한 말을 하사받고 세 차례 접견한다는 것이 곧 효사에서 말한 큰 복이다"라고 하였고, 삼효에서 "여러 음들의 우두머리가 되니 바로 괘사에서 말한 편안하게 다스리는 제후[康侯]를 말한다"고 하였으니, 두 가지 뜻이 모두 통한다. 그 알맞음[中]으로 말한다면 이효가 '편안하게 다스리는 제후'가 되고, 우두머리로 말한다면 삼효가 '편안하게 다스리는 제후'가 된다.

이익(李瀷) 『역경질서(易經疾書)』

按, 離之九三爲日昃, 則初爲日出, 二爲日午, 可知. 從此推之, 四爲日入, 五爲夜半, 六爲將曙也. 離者象日, 故通言一日之周也. 明出爲晉, 明入爲明夷, 兩卦各占其半天一弧也. 郭雍謂取名之義, 與大有相類. 大有君道, 晉臣道者, 是也.
내가 살펴보았다: 리괘(離卦)의 구삼은 기운 해가 되므로,[6] 초효는 해가 뜰 때이고 이효는 해가 정오일 때가 됨을 알 수가 있다. 이에 의하여 미루어 가면, 사효는 해가 질 때가 되고 오효는 밤의 한 가운데가 되며 육효는 곧 다가올 새벽이 된다. 리괘는 해를 상징하기 때문에 하루에 해가 한 바퀴를 도는 것을 통틀어 말하였다. 밝음이 나오는 것이 진괘(晉卦)가 되고, 밝음이 들어가는 것이 명이괘(明夷卦)가 되니, 두 괘가 각각 둥근 하늘을 반으로 나눈 반원[弧]을 점유한다. 곽옹(郭雍)이 "이름을 취한 뜻은 대유괘(大有卦)와 서로 비슷한데, 대유괘는 임금의 도이고 진괘는 신하의 도이다"[7]라고 한 것이 이것이다.

易言建侯康侯, 建謂始封, 康謂已治也. 臣道, 故稱侯. 蕃庶, 字[8]育也. 坤言牝馬, 離言牝牛, 錫馬字育, 非牝馬乎. 日臨四位爲朝夕晝夜 子午爲陰陽之判, 卯酉爲際接之次. 自卯歷午至酉, 有三接之象, 晝日三接, 際遇之盛也. 言晝而又言日, 則非止一日也. 如此吉, 不須言六五之吉無不利, 可以互叅也.
『주역』에서 말하는 '건후(建侯)'와 '강후(康侯)'에서 '건(建)'은 봉하는 처음을 말하고, '강(康)'은 이미 다스리고 있는 경우를 말한다. 신하의 도이기 때문에 '제후[侯]'라고 칭하였다. '번서(蕃庶)'란 사랑해 기른다는 뜻이다. 곤괘(坤卦)에서는 '암말[牝馬]'을 말하고 리괘(離

---

6) 『周易·離卦』: 九三, 日昃之離, 不鼓缶而歌, 則大耋之嗟, 凶.
7) 『郭氏傳家易說』: 晉卦, 取名之義, 與大有略相類. 大有火在天上, 君道也, 故爲大有, 晉明出地上, 臣道也.
8) 字: 경학자료집성DB와 영인본에는 모두 '子'로 되어 있으나, 문맥을 살펴 '字'로 바로잡았다.

卦)에서는 '암소[牝牛]'를 말하였으니, "하사한 말을 사랑해 기른다"고 할 때에도 암말이 아니겠는가? 해가 네 방위에 임하여 아침과 저녁과 낮과 밤이 되는데, '자(子)'와 '오(午)'는 음과 양을 판별하는 기준이 되고 '묘(卯)'와 '유(酉)'는 만나고 접하는 차례가 된다. '묘'로부터 '오'를 지나 '유'에 이르므로 세 번 접하는 상이 있으니, "낮에 세 차례 접견을 한다"란 접하고 만남이 왕성한 것이다. 낮[晝]을 말하고 또 해[日]를 말하였으니, 단지 하루만이 아니다. 이와 같은 '길함'이란 반드시 육오에서 말한 "길하여 이롭지 않음이 없다"를 반드시 말하는 것은 아니니, 서로 참고할 수 있다.

諸侯之富盛, 古人多以馬數言. 記曰, 問國君之富, 數馬而對, 是也. 魯僖駉牡, 齊景千駟, 衛文騋牝, 皆其驗也. 若但錫之之多, 則不應曰蕃庶, 是寵錫之馬字育. 如此, 因其蕃庶, 推原其所錫者, 所以顯其寵也.
제후의 부유하고 성대함에 대하여 옛 사람들은 말의 숫자로 말하였으니, 『예기』에서 "임금의 부유함에 대하여 묻을 때에는 말의 수를 헤아려서 대답한다"[9]라고 한 것이 이것이다. 노(魯)나라 희공(僖公)의 '경모(駉牡)'와 제(齊)나라 경공(景公)의 '천사(千駟)'와 위(衛)나라 문공(文公)의 '래빈(騋牝)'이 모두 이에 대한 증거이다. 만약 다만 하사하는 것의 많음이라면 '번서(蕃庶)'라고 한 말과 호응하지 않으니, 이것은 총애하여 하사한 말을 사랑하면서 기른다는 것이다. 이와 같다면, 그 '번서(蕃庶)'로 인하여 하사한 까닭을 미루어 찾을 수 있으니, 그 총애함을 드러내기 위해서이다.

유정원(柳正源) 『역해참고(易解參攷)』

洪氏夷堅志, 葉少蘊登第, 嘗命一黃山人筮, 遇晉曰, 三年後孿生二女, 晉卦坤離二陰也. 晉字兩口, 晝日三接, 三年之象也.
홍매가 지은 『이견지(夷堅志)』에는 다음과 같은 기록이 있다. 섭소온(葉少蘊)이 과거에 급제하여 일찍이 황산사람에게 점을 치게 하였더니, 진괘(晉卦)를 얻어 점을 친 사람이 삼 년 후에 쌍둥이인 두 딸이 태어날 것이라고 하였으니, 진괘는 곤괘(坤卦)와 리괘(離卦)가 두 음이며 '진(晉)'자는 두 입이고, 낮에 세 차례 접견함은 삼 년의 상이 있기 때문이다.[10]

○ 姚氏〈小彭〉曰, 康侯, 用錫馬蕃庶, 侯享王之禮也. 錫猶納錫錫貢之錫. 享禮馬四卓立, 九馬隨之, 故曰蕃庶. 晝日三接, 王接侯之禮也.

9) 『禮記 · 檀弓』: 問國君之富, 數地以對山澤之所出.
10) 『이견지(夷堅志)』에는 이러한 이야기가 보이지 않는다.

요소팽이 말하였다: "강후용석마번서(康侯用錫馬蕃庶)"[11]란 제후가 왕에게 바치는 예(禮)이다. '석(錫)'은 "아래 사람이 위 사람에게 바친다[納錫]"[12]와 "반드시 명령을 기다린 후에 바친다[錫貢]"[13]의 '석'과 같다. 향례(享禮)에서는 말 네 마리가 우뚝하게 서있고 아홉 마리의 말이 그것을 따르기 때문에 '번서(蕃庶)'라고 하였다. "낮에 세 차례 접견을 한다"란 왕이 제후를 만나는 예(禮)이다.

○ 雙湖胡氏曰, 馬坤坎象. 晝日離象, 三接, 坤三爻象.
쌍호호씨가 말하였다: 말은 곤괘(坤卦)와 감괘(坎卦)의 상이고, 낮[晝日]은 리괘(離卦)의 상이며, "세 차례 접견한다"란 곤괘 세 효의 상이다.

○ 案, 明出地上, 其德之光明, 而其國之治安也. 錫馬蕃庶, 不唯馬之衆多也, 如車輅弓矢之類皆備, 是之謂蕃庶也.
내가 살펴보았다: "밝음이 땅 위로 솟아난다"란 그 덕이 빛나고 밝음이며 그 나라가 다스려져 편안해짐이다. "여러 차례 말을 하사한다"란 오직 말이 많음뿐만이 아니라 수레와 활과 화살 등의 부류가 모두 갖추어져 있는 경우이니, 이를 '번서(蕃庶)'라고 한다.

小註, 漢上說, 大行, [至] 三勞.
소주에서 한상주씨가 말하였다: 『주례 · 대행인』편에서 … 세 번 노고를 치하한다고 하였다.
周禮以九儀諸侯之命. 上公之禮, 中將幣三享, 出入五積, 三問三勞. 註廟中將幣, 行朝禮, 訖乃享在受命祖之廟, 三享, 三獻也. 積子錫[14]反. 在路供賓, 來去皆五積, 每積有牢禮, 薪芻米禾, 勞問不差也.
『주례』에서는 아홉 가지 의례로써 제후의 등급에 따른 명(命)을 변별한다. 상공(上公)의 예(禮)는 사당 안에서는 폐백을 가지고 세 번 드리며 출입을 할 때에는 다섯 노[五積]를 내리고 세 번 안부를 물으며 세 번 노고를 위로한다[15]고 하였다. 이에 대해 주(註)에서는 사당 안에서 폐백을 가지고 세 번 드린다란 조례를 행하다가 끝날 때에 천자로부터 명(命)

---

11) "康侯用錫馬蕃庶"는 요소팽의 주석에 따르면 "편안하게 다스리는 제후가 여러 마리 말을 왕에게 바친다"가 된다.
12) 『書經集傳 · 禹貢』: 謂之納錫者, 下與上之辭, 重其事也.
13) 『書經集傳 · 禹貢』: 錫者, 必待錫命而後貢, 非歲貢之常也. 張氏曰, 必錫命乃貢者, 供祭祀, 燕賓客則詔之, 口腹之欲則難於出令也.
14) 錫: 경학자료집성DB와 영인본에는 모두 '賜'로 되어 있으나, 문맥을 살펴 '錫'으로 바로잡았다.
15) 『周禮 · 大行人』: 以九儀辨諸侯之命, 等諸臣之爵, 以同邦國之禮, 而待其賓客. 上公之禮, 執桓圭九寸, 繅藉九寸, 冕服九章, 建常九斿, 樊纓九就, 貳車九乘, 介九人, 禮九牢, 其朝位, 賓主之間九十步, 立當車軹, 擯者五人, 廟中將幣三享, 王禮再祼而酢, 饗禮九獻, 食禮九擧, 出入五積, 三問三勞.

을 받은 시조의 사당에서 드린다[享]는 것이며, 세 번 '향(享)'한다란 세 번 바친다는 것이라고 하였다. 또 '적(積)'은 자(子)와 석(錫)의 반절음이다. 여행에 필요한 것들을 손님에게 제공하여, 오거나 가는 사람에게 모두 '오적'을 내렸고 매 '적'마다 향연을 열어 손님을 접대하는 예[牢禮]가 있었는데, 땔나무와 꼴과 쌀과 벼를 내리는 데에서는 노고를 위문함[勞]과 안부를 물음[問]과 차이가 없었다고 하였다.

김상악(金相岳) 『산천역설(山天易說)』

康侯, 安國之侯, 猶云康周公也. 卦德順而麗明, 卦變柔進上行, 上下同進, 以成治安之功, 故受大賜而顯被親禮也. 或曰, 康侯謂三也, 三爲公侯之位, 與五同功, 故爻曰, 衆允, 象曰, 志上行也.
'강후(康侯)'는 나라를 편안하게 하는 제후이니, '강주공(康周公)'[16] 라고 한 것과 같다. 괘의 덕은 순종하면서 밝음에 붙고, 괘의 변화는 유순하게 나아가서 위로 올라가니, 위와 아래가 함께 나아가 편안하게 다스려지는 공을 이루기 때문에 크게 하사품을 받아 친애함과 예우를 받음을 드러내었다. 어떤 이는 "'강후'는 삼효를 말하니, 삼효는 공후의 자리로 오효와 공(功)이 같기 때문에 효사에서는 '무리가 믿어준다'고 하였고, 「상전」에서는 '뜻은 위로 올라감이다'라고 하였다"고 말하였다.

○ 程傳, 晉之盛而无德者, 无用有也. 晉之明盛, 故更不言亨, 順乎大明, 无用戒貞也. 坤有土有民有安之象, 故曰康侯. 錫者, 賜與也. 坤爲牝馬爲衆馬, 蕃庶之象, 離居午, 晝日之象. 晉爲晝, 則明夷爲夜. 人因地而有晝夜者, 此也. 接者, 離之麗也, 日三接者, 離居三也. 或曰, 在下三陰, 皆順麗而進, 爲三接也. 左傳, 晉文公朝王, 王賜之車輅弓矢, 而出入三覲, 卽此義也. 卦變自觀而來, 在觀之時, 六四承比于五, 則曰觀國之光, 利用賓于王, 而變而爲晉, 柔進居五, 得順麗之應, 故取象如此, 所以豊卦曰, 王假之, 勿憂, 宜日中. 又下卦伏乾爲大有, 上卦伏坎爲比, 比之大象曰, 親諸侯 大有九三曰, 公用亨于天子, 互見其象.
『정전』에서 "나아감이 융성하지만 덕이 없는 이유는 갖출 필요가 없어서이니, 나아감이 밝고 융성하기 때문에 다시금 형통하다고 말하지 않았고, 큰 밝음에 순종하니 바르게 하라고 경계할 필요가 없다"라고 하였다. 곤괘(坤卦)는 땅이 있고 백성이 있고 편안함이 있는 상이기 때문에 '편안하게 다스리는 제후'라고 하였다. '석(錫)'이란 하사하여 주는 것이다. 곤괘는

16) 『禮記 · 祭統』: 康周公, 故以賜魯也, 子孫纂之, 至于今不廢 所以明周公之德, 而又以重其國也.

암말이 되고 여러 말이 되니, 여러 차례라는 상이고, 리괘(離卦)는 오(午)의 방위에 있으므로, 낮의 상이다. 진괘가 낮이 되면 명이괘(明夷卦)는 밤이 되니, 사람은 지역에 따라서 낮과 밤이 있다는 것이 이것이다. '접견함'이란 리괘의 붙음이니, 낮에 세 차례 접견한다는 것은 리괘가 팔괘 중에서 세 번째이기 때문이다. 어떤 이가 말하기를 "아래에 있는 세 음이 모두 순종하면서 붙어 나아가니, 세 번 접견하게 된다. 『춘추좌전』에서 '진(晉)나라 문공(文公)이 왕을 조회하고, 왕이 금으로 장식된 큰 수레와 붉은 색과 검은 색을 칠한 활과 화살을 하사하셨다. 진문공은 세 차례 왕을 알현 하였다'[17]고 하였으니, 이러한 뜻이다. 괘변은 관괘(觀卦䷓)로부터 왔으니, 관괘의 때에 육사는 오효와 비(比)의 관계로, 그 효사에서 '나라의 빛남을 보니 왕에게 손님이 되는 것이 이롭다'[18]고 하였다. 그런데 괘가 변하여 진괘가 되면 유순하게 나아가 오효에 있으면서 순종하여 붙는 호응을 얻기 때문에 상을 취함이 이와 같으니, 풍괘(豊卦䷶)의 괘사에서 '왕이어야 이르니, 근심하지 않게 하려면 해가 중천에 있듯이 하여야 한다'라고 말한 것이다. 또 하괘인 곤괘(坤卦)에 숨어 있는 건괘(乾卦☰)로 바뀌면 대유괘(大有卦䷍)가 되고 상괘인 리괘(離卦)에 숨어 있는 감괘(坎卦☵)로 바뀌면 비괘(比卦䷇)가 되므로, 비괘의 「대상전」에서 '제후들을 친애한다'고 하였고, 대유괘의 구삼에서 '공(公)이 이로써 천자에게 바친다'고 하였으니, 서로 그 상을 드러낸다"고 하였다.

김규오(金奎五) 「독역기의(讀易記疑)」

蕃庶.

번서(蕃庶).

或曰, 蕃蕃育也, 庶民庶也, 坤有民人之象, 謂天子錫馬侯伯以養民之功, 所謂民功爲庸也. 康是康民之意, 不必疊言養民. 其說固非正義, 而庶字之於馬, 似不甚襯, 或可以備一說否. 三接之三, 下卦三陰之象, 又先天離居第三, 同人旣未之三歲三秊, 明夷三日, 皆離也.

어떤 이는 '번(蕃)'이란 왕성하게 기름이며 '서(庶)'란 백성이 많음이고 곤괘(坤卦)에는 백성의 상이 있으므로, 천자가 백성을 기른 공으로 인하여 제후에게 말을 하사함을 말하니, 이른바 "백성의 일이 항상 됨[庸]이 된다"는 말이라고 하였다. '강(康)'은 백성을 편안하게 한다는 뜻이니, 반드시 백성을 기른다고 중복해서 말할 필요는 없다. 그 설명은 진실로 올바른 뜻이 아니며, '서(庶)'자는 말에 대비하여 보면 딱 들어맞지는 않은 듯하니, 혹 하나의 설로 갖추었다고 할 수 있겠는가? "세 차례 접견한다"에서의 '세 차례'란 하괘에 있는 세 음의 상이며,

---

17) 『춘추좌전 · 희공』.

18) 『周易 · 觀卦』: 六四, 觀國之光, 利用賓于王.

또 「선천팔괘도」에서 리괘(離卦☲)는 세 번째에 있기 때문이니, 동인괘(同人卦䷌)와 기제괘(旣濟卦䷾)와 미제괘(未濟卦䷿)에서의 '세 해'[19], '삼 년'[20]이라고 한 것과 명이괘(明夷卦)에서 '삼 일'[21]이라고 한 것이 모두 리괘로 인해서이다.

○ 傳, 同德以順附.
『정전』에서 말하였다: 덕을 함께 하여 순종할 수 있으니.
非謂坤亦有明德也. 二五皆有柔中之德也 二五傳可見.
곤괘(坤卦) 역시 '밝은 덕'을 가지고 있다고 말하는 것은 아니다. 이효와 오효는 모두 유순하면서도 알맞은 덕을 가지고 있으니, 이효와 오효의 『정전』에서 볼 수 있다

윤행임(尹行恁) 『신호수필(薪湖隨筆) · 역(易)』

晉之康侯, 釋以治安之侯, 程朱已有傳義, 無容更議. 而如帝乙文王高宗箕子, 皆有指的, 獨康侯無所指的, 恐無是理. 必是夏殷之際, 能治國安民之諸侯, 爲王所寵者也.
진괘(晉卦)에서 '강후(康侯)'는 편안하게 다스리는 제후로 풀이하였으니, 정자와 주자는 이미 『정전』과 『본의』를 두어 다른 논의를 수용하지 않았다. 그런데 예를 들어 제을(帝乙)[22]이나 문왕(文王)[23]이나 고종(高宗)[24]이나 기자(箕子)[25]의 경우에는 모두 직접 가리키는 것이 있는데, 유독 '강후'는 직접 가리키는 바가 없으니, 아마도 이러한 이치는 없을 듯하다. 필시 하나라와 은나라의 시대에 나라를 잘 다스리고 백성을 편안하게 할 수 있는 제후로 왕에게 총애를 받는 자일 것이다.

서유신(徐有臣) 『역의의언(易義擬言)』

離日出於坤上, 爲天王光臨萬國之象, 下體坤順六五, 麗於大明, 爲君臣相親之象, 此所以爲晉也. 諸侯虔恪順附天子, 則其國得以寧謐, 故曰康侯. 六五卽是康侯, 而獲被寵錫也. 馬互坎象, 坤爲輿, 故爲錫馬也. 坤爲衆, 又爲牝馬, 故致蕃庶也. 離爲日, 五

19) 『周易 · 同人卦』: 九三, 伏戎于莽, 升其高陵, 三歲不興.
20) 『周易 · 旣濟卦』: 九三, 高宗伐鬼方, 三年克之, 小人勿用. 『周易 · 未濟卦』: 九四, 貞吉, 悔亡, 震用伐鬼方, 三年, 有賞于大國.
21) 『周易 · 明夷卦』: 初九, 明夷于飛, 垂其翼, 君子于行, 三日不食, 有攸往, 主人有言.
22) 『周易 · 歸妹卦』: 六五, 帝乙歸妹, 其君之袂, 不如其娣之袂良, 月幾望, 吉.
23) 『周易 · 明夷卦』: 象曰, 明入地中, 明夷. 內文明而外柔順, 以蒙大難, 文王以之.
24) 『周易 · 旣濟卦』: 九三, 高宗伐鬼方, 三年克之, 小人勿用.
25) 『周易 · 明夷卦』: 利艱貞, 晦其明也. 內難而能正其志, 箕子以之.

爲中, 日中晝日也. 接者, 相見乎離也 六三上下相接 故曰三接也.
리괘(離卦☲)의 해가 곤괘(坤卦) 위로 솟아나니, 천자가 만국(萬國)에 밝게 임하는 상이 되고, 하체는 곤괘로 육오에 순종하면서 큰 밝음에 붙어 군신이 서로 친한 상이 되니, 이것이 진괘가 되는 까닭이다. 제후가 천자를 조심하며 공손하게 순종하면서 따른다면, 그 나라가 편안하고 조용하게 할 수 있기 때문에 '강후(康侯)'라고 하였다. 육오가 바로 '강후'로 총애와 하사를 받는다. '말'은 호괘인 감괘(坎卦☵)의 상이고, 곤괘(坤卦☷)는 수레가 되기 때문에 말을 하사한다는 것이 된다. 곤괘는 여럿이 되고 또 암말이 되기 때문에 여러 차례에 이른다. 리괘는 해가 되고 오효는 가운데 자리이므로 해가 가운데에 있으니, '낮[晝日]'이다. '접(接)'이란 리괘에서 서로 만나는 것으로, 육삼은 위 아래가 서로 만나기 때문에 "세 번 접견한다"고 하였다.

박문건(朴文健) 『주역연의(周易衍義)』

康侯, 安邦國之侯也. 馬能柔能剛之物也. 晝太陽虛明之象也
'강후(康侯)'는 나라를 편안하게 하는 제후이다. '말[馬]'이란 부드럽게 할 수도 있고 굳세게 할 수도 있는 동물이다. '주(晝)'는 태양이 비고 밝은 상이다.
〈問, 康侯以下. 曰, 六五能順剛, 故剛亦用柔, 而不相侵害, 是能安邦國之侯也. 處位而麗乎剛, 故剛亦畏懷, 而能護育焉. 柔之有位, 皆剛之所賜也. 是以取錫馬蕃庶之象, 所錫之馬盛多言多受大賜也. 柔進處五, 能麗剛而出, 故有晝日之象. 晝日之間, 三欠接見剛陽者, 言順被親禮也. 剛陽則有天子之象, 而三則又取上體之數也. 康侯用蕃庶之賜三接之寵, 以陰處尊而順剛故也.
물었다: '강후(康侯)' 이하는 무슨 뜻입니까?
답하였다: 육오는 부드러울 수도 있고 굳셀 수도 있기 때문에 굳세면서 또한 부드러움을 쓸 수 있어서 서로 침범하여 해를 끼치지 않으니, 이는 나라를 편안하게 하는 제후입니다. 지위에 있으면서 굳셈에 붙기 때문에 굳세면서 또한 두려워하고 마음에 품어 보호하고 기를 수 있습니다. 부드러운 음이 지위를 갖음은 모두 굳센 양이 하사하는 바입니다. 이 때문에 '여러 차례 말을 하사하는' 상을 취하였고, 하사받은 말이 성대하게 많으므로 큰 하사품을 많이 받았다고 말하였습니다. 부드러운 음이 나아가 오효에 있어서 굳센 양에 붙어 나갈 수 있기 때문에 낮[晝日]의 상이 있습니다. 낮 동안에 세 차례 굳센 양을 접견하는 것은 순종하여 친애함과 예우함을 받았음을 말합니다. 굳센 양은 천자의 상이 있으며 '세 번[三]'은 또 상체인 리괘의 팔괘에서의 자리 수를 취하였습니다. "편안하게 다스리는 제후이니, 여러 차례 말을 하사하고, 낮에 세 차례 접견을 한다"라는 총애받음은 음으로서 존귀한 자리에 있으면서 굳센 양에게 순종하기 때문입니다.〉

이지연(李止淵)『주역차의(周易箚疑)』

除上九一爻而觀, 則爲水地比之象. 晉者, 進也, 進爵進秩進見進德, 其義一也. 六五, 以下爲互坎, 坎有美脊馬之象.

상구 한 효를 빼고 본다면, 위가 물[坎卦☵]이고 아래가 땅[坤卦☷]인 비괘(比卦䷇)의 상이 된다. '진(晉)'이란 나아감이니, 진연(進宴) 때에 임금께 나아가 술잔을 올리거나[進爵] 품계를 올리거나[進秩] 임금에게 나아가 뵙거나[進見] 덕이 있는 사람에게 나아가 뵙는[進德] 일은 그 뜻이 한 가지로 같다. 육오는 아래로 보면 호괘는 감괘가 되고 감괘는 등마루가 아름다운 말의 상이 있다.

김기례(金箕澧)『역요선의강목(易要選義綱目)』

晉.

진(晉)은.

晉物壯則進, 日出地上.

진(晉)의 성질은 씩씩하여 나아감이니, 해가 땅 위로 솟아남이다.

康侯.

편안하게 다스리는 제후이니.

指坤二.

하괘인 곤괘(坤卦)의 이효를 가리킨다.

○ 有土則此有民, 言安民順承之侯,

땅이 있으면 여기에 백성이 있으므로 "백성을 편안하게 하고 순종하여 받드는 제후를 말한다.

用錫馬蕃庶, 晝日三接.

여러 차례 말을 하사하고, 낮에 세 차례 접견을 한다.

坤爲牝馬, 又爲衆, 故曰馬, 曰蕃庶.

곤괘(坤卦)는 암말이 되고 또 여럿이 되기 때문에 '말'이라고 하였고, '여러 차례'라고 하였다.

○ 離爲日[26], 亦在午方, 故曰晝日.

리괘(離卦☲)는 해가 되며, 또한 오(午)의 방위에 있기 때문에 낮[晝日]이라고 하였다.

---

26) 日: 경학자료집성DB와 영인본에는 모두 '曰'로 되어 있으나, 문맥을 살펴 '日'로 바로잡았다.

○ 自五至二, 歷三位, 故曰三接.
오효로부터 이효에 이르기까지 세 자리를 거치기 때문에 "세 차례 접견한다"고 하였다.

○ 上明下順, 二五相得, 有君臣寵錫接禮之象.
위에는 밝고 아래는 순종하여 이효와 오효가 서로를 얻어 임금과 신하가 총애하고 하사하며 접견하여 예우하는 상이 있다.

심대윤(沈大允) 『주역상의점법(周易象義占法)』

晉, 康侯, 用錫馬蕃庶, 晝日三接.
진(晉)은 편안하게 다스리는 제후이니, 여러 차례 말을 하사하고, 낮에 세 차례 접견을 한다.
〈坤自艮爲坎爲巽而過乾, 言進而接三, 故取艮坎巽之象.
곤괘(坤卦☷)는 간괘(艮卦☶)로부터 감괘(坎卦☵)가 되고 또 손괘(巽卦)가 되어 건괘(乾卦☰)를 지나므로 나아가 세 번 접견한다고 말하였기 때문에 간괘와 감괘와 손괘의 상을 취하였다.〉

明進乎上, 有明德接王之象. 艮爲康侯, 對需兌爲錫, 坎爲馬, 四居坎體, 坤之變, 自坎而巽, 巽爲蕃, 坤爲庶, 離爲晝日, 巽爲三, 巽離爲遇而麗, 曰接.
밝음이 위로 나아가니, 밝은 덕으로 왕을 접견하는 상이 있다. 간괘는 '편안하게 다스리는 제후[康侯]'가 되고, 음양이 바뀐 수괘(需卦䷄)의 호괘인 태괘(兌卦)는 하사하는 것이 되며, 감괘는 말이 되고, 사효는 감괘의 몸체에 있으며, 곤괘의 변화는 감괘로부터 손괘로 되는데 손괘는 많음이 되고 곤괘는 여럿이 되고, 리괘는 낮[晝日]이 되며 손괘는 삼이 되어 손괘와 리괘가 만나서 붙기 때문에 "접견한다"고 하였다.

姚氏曰, 覲禮延升一也, 覲畢致亨升致命二也. 亨畢王勞之升成拜三也.
요소팽이 말하였다: 제후가 천자를 뵙는 예[覲禮]에서는 제후를 인도하여 나아가게 하니, 이것이 첫 번째 접견이다. 만나 뵙는 정식 절차가 끝나면 향연을 베풀어, 나아가게 하여 명령을 전달하니, 이것이 두 번째 접견이다. 연회가 끝나면 천자가 노고를 치하하여 나아가게 해서 절을 하니, 이것이 세 번째 접견이다.

오치기(吳致箕) 「주역경전증해(周易經傳增解)」

晉者, 進也. 日出地上, 光明盛進, 爲晉之象. 康, 安也, 康侯, 謂安邦之君也. 康侯進見于天子, 而寵錫之馬甚盛, 至于一晝日, 而三召接, 言其禮遇之至也. 此以象而明晉之義也.
'진(晉)'이란 나아감이다. 해가 땅 위로 솟아나 밝은 빛이 성대하게 나아가서 진괘(晉卦)의 상이 되었다. '강(康)'은 편안함이니, '강후(康侯)'는 나라를 편안하게 하는 임금을 말한다. 강후가 천자에게 나아가 뵈니 총애하여 매우 성대하게 말을 하사하고, 한 낮에 이르러 세 번 불러 접견하니, 그를 예우함이 지극함을 말한다. 이것은 상을 가지고 진(晉)의 뜻을 밝혔다.

○ 坤柔順爲安康之象, 亦爲有土有民之象, 故言康侯也. 君賜曰錫, 而對體之乾, 互體之坎, 皆爲馬, 故曰錫馬蕃庶, 而蕃者, 盛也, 庶者, 衆也, 取於坤, 晝日取離之象. 而離數三, 故言三也. 接, 謂接見也. 二體, 皆柔, 柔多而剛不得正, 故不言亨, 離失其位, 故不言貞.
곤괘(坤卦)의 유순하고 순종함이 편안하게 하는 상이 되고, 또 땅이 있고 백성이 있는 상이 되었기 때문에 '강후(康侯)'라고 하였다. 임금이 하사하는 것을 '석(錫)'이라고 한다. 그런데 하괘의 음양이 바뀐 몸체인 건괘와 호괘의 몸체인 감괘는 모두 말이 되기 때문에 "여러 차례 말을 하사한다"고 하였으며, '번(蕃)'이란 성대함이고 '서(庶)'란 여럿이니 곤괘에서 취하였고, 낮[晝日]은 리괘(離卦)의 상에서 취하였다. 그리고 리괘의 자릿수가 3이기 때문에 '세 번[三]'이라고 하였다. '접(接)'은 접견함을 말한다. 두 몸체가 모두 유순하며 부드러운 음은 많고 굳센 양은 올바른 자리를 얻지 못하였기 때문에 형통하다고 하지 않았으며, 리괘가 마땅한 자리를 잃었기 때문에 곧다고 말하지 않았다.

이진상(李震相) 『역학관규(易學管窺)』

卦體.
괘의 몸체.

遯大壯, 皆體乾而四陽二陰, 故晉明夷, 皆體坤而四陰二陽, 亦反對之義. 此下六卦, 又皆互坎互離, 以著其妙用. 中男中女, 從事乎坤母, 晉明夷之所同也.
돈괘(遯卦䷠)와 대장괘(大壯卦䷡)는 모두 건괘를 몸체로 하면서 양이 넷이고 음이 둘이다. 그러므로 진괘(晉卦)와 명이괘(明夷卦䷣)는 모두 곤괘를 몸체로 하면서 음이 넷이고 양이 둘인 경우와는 또한 뜻이 반대가 된다. 이로부터 아래로 여섯 괘는 또 모두 호괘가 감괘(坎卦)이고 리괘(離卦)라서[27] 오묘한 쓰임을 드러낸다. 둘째 아들과 둘째 딸은 곤괘인 어머니

27) 진괘(晉卦䷢)·명이괘(明夷卦䷣)·가인괘(家人卦䷤)·규괘(睽卦䷥)·건괘(蹇卦䷦)·해괘(解卦䷧)의 호괘에는 모두 감괘(坎卦☵)와 리괘(離卦☲)가 있다.

를 따르고 섬기니, 이러한 점에서 진괘와 명이괘는 같다.

박문호(朴文鎬) 『경설(經說)-주역(周易)』

有是三者, 指象德變三德也. 象德變可通謂之德也, 抑謂得此卦遇此變, 而又有以順麗明之德耶.

이러한 '삼(三)'이 있는 것은 형상과 덕과 변화라는 세 덕을 가리킨다. 형상과 덕과 변화를 통틀어 덕이라고 할 수 있거나, 아니면 이러한 괘를 얻고 이러한 변화를 만나서 또 순종하고 밝음에 붙는 덕이 있게 되었다고 말할 수 있겠구나.

이정규(李正奎) 「독역기(讀易記)」

晉卦辭曰, 康候, 用錫馬蕃庶, 晝曰三接, 蓋其象日出地上, 其德順麗于大明, 其變觀之六四進而居五, 爲大明之主. 有此三者之美, 則宜躋一世於康寧之域. 故有如此號, 如此寵. 然不曰后與王, 而曰侯者, 以柔居尊故歟.

진괘의 괘사에서 "편안하게 다스리는 제후이니, 여러 차례 말을 하사하고, 낮에 세 차례 접견을 한다"고 하였으니, 그 상은 '밝음이 땅 위로 솟아남'이고 그 덕은 '순종하여 큰 밝음에 붙음'이며 그 변화는 관괘(觀卦䷓)의 육사가 나아가 오효에 있으면서 큰 밝음의 주인이 됨이다. 이러한 세 가지가 아름다움이 있으니, 마땅히 한 세대를 편안해지는 영역으로 오르게 한다. 그러므로 이와 같은 호칭이 있고 이와 같은 총애가 있다. 그러나 후(后)와 왕(王)을 말하지 않고 제후[侯]라고 한 것은 부드러운 음이 존귀한 자리에 있기 때문일 것이다.

이병헌(李炳憲) 『공경대의고-주역(孔經大義考-周易)』

以五爲尊, 故傳義必以君位爲言, 然恐未必然.

오효를 존귀하게 여기기 때문에 『정전』과 『본의』에서 굳이 임금의 자리로 말하였지만, 하지만 아마도 꼭 그런 것은 아닌 듯하다.

彖曰, 晉, 進也.

「단전」에서 말하였다: 진(晉)은 나아감이다.

中國大全

本義

釋卦名義.

괘의 이름을 풀이하였다.

小註

建安丘氏曰, 彖曰晉進也, 雜卦曰晉晝也, 蓋晉之義, 不特以進爲進, 而必以明爲進也.
건안구씨가 말하였다: 「단전」에서는 "진(晉)은 나아감이다"고 했고, 「잡괘전」에서는 "진(晉)은 낮이다"고 했으니, '진(晉)'의 뜻은 단지 나아감만을 나아감으로 여길 뿐만 아니라, 반드시 밝음으로써 나아감을 삼는다.

韓國大全

김상악(金相岳) 『산천역설(山天易說)』

釋卦名. 晉有明盛之義. 進爲行進之意. 離一陰之進上行而明, 坤三陰之進順麗乎明, 晉所以爲進也.
괘의 이름을 풀이하였다. 진괘(晉卦)에는 밝음이 성대한 뜻이 있다. '나아감[進]'은 행진한다는 뜻이 된다. 리괘(離卦)의 한 음이 나아가서 위로 올라가 밝고, 곤괘(坤卦)의 세 음이 나아가서 밝음에 순종하여 붙으니, 진(晉)이 나아감이 되는 까닭이다.

明出地上, 順而麗乎大明, 柔進而上行, 是以康侯用錫馬蕃庶晝日三接也.

밝음이 땅 위로 솟아나서 순종하여 큰 밝음에 붙고, 유순하게 나아가서 위로 올라가니, 이러한 까닭으로 "편안하게 다스리는 제후이니, 여러 차례 말을 하사하고 낮에 세 차례 접견한다".

中國大全

傳

晉, 進也, 明進而盛也. 明出於地, 益進而盛, 故爲晉, 所以不謂之進者, 進爲前進, 不能包明盛之義. 明出地上, 離在坤上也. 坤麗于離, 以順麗於大明, 順德之臣, 上附於大明之君也. 柔進而上行, 凡卦離在上者, 柔居君位, 多云柔進而上行, 噬嗑睽鼎, 是也. 六五以柔居君位, 明而順麗, 爲能待下寵遇親密之義. 是以爲康侯用錫馬蕃庶, 晝日三接也. 大明之君, 安天下者也. 諸侯能順附天子之明德, 是康民安國之侯也, 故謂之康侯, 是以享寵錫而見親禮, 晝日之間, 三接見於天子也. 不曰公卿而曰侯, 天子治於上者也, 諸侯治於下者也, 在下而順附於大明之君, 諸侯之象也.

"진(晉)은 나아감이다"란 밝음이 나아가서 융성함이다. 밝음이 땅 위로 솟아나 더욱 나아가서 융성해지기 때문에 진(晉)이 되는데, 진(進)이라고 하지 않은 이유는 진(進)은 앞으로 나아간다는 뜻만 되어, 밝음이 융성한 의미를 포함하지 못하기 때문이다. "밝음이 땅위로 솟아난다"는 말은 리괘가 곤괘 위에 있다는 뜻이다. 곤괘가 리괘에 붙었으니, 순종함으로 큰 밝음에 붙은 것으로 순종의 덕을 갖춘 신하가 위로 올라가 큰 밝음의 임금에게 순종함이다. "유순하게 나아가서 위로 올라간다"고 하였는데, 괘 중에서 리괘가 위에 있는 괘는 부드러운 음이 임금의 자리에 있는 것으로, 대부분 "유순하게 나아가서 위로 올라간다"고 말하니, 서합괘(噬嗑卦䷔) · 규괘(睽卦䷥) · 정괘(鼎卦䷱)가 여기에 해당한다. 육오는 부드러운 음이 임금의 자리에 있고 밝고 순종함으로 붙으니, 총애와 친밀로 아랫사람을 대우한다는 뜻이다. 이러한 까닭으로 강후는 여러 차례 말을 하사받고 낮 동안 세 차례 접견을 하게 된다. 큰 밝음의 임금은 천하를 편안히 다스리는 자이다. 제후가 천자의 밝은 덕에 순종하면서 따를 수 있으니, 이는 백성과 나라를 편안하게 만드는 제후이기 때문에 '강후(康侯)'라고 부른 것이며, 이러한 까닭으로 은혜로운 하사품과 친밀한 예우를 받게 되고 낮 동안 세 차례 천자를 접견하게 된다. 공(公)이나 경(卿)이라고 말하지 않고, 후(侯)라고 말한 이유는 천자는 위에서 다스리는 자이고 제후는 아래에서 다스리는 자이니, 아래에 있으면서 큰 밝음의 임금에게 순종하므로 제후의 상이 되기 때문이다.

本義

以卦象卦德卦變, 釋卦辭.

괘의 상과 괘의 덕 및 괘의 변화로 괘사를 풀이하였다.

小註

進齋徐氏曰, 明出地上, 離乘坤也. 順而麗乎大明, 坤附離也. 以順德之臣而附麗乎大明之君, 宜六五以柔進而上行也. 凡離居上體, 皆柔進而上行. 是以康侯用此順德, 以受錫馬蕃庶之恩, 晝日三接之禮也.
진재서씨가 말하였다: "밝음이 땅 위로 솟아난다"는 말은 리괘가 곤괘를 타고 있음을 뜻한다. "순종하여 큰 밝음에 붙는다"는 말은 곤괘가 리괘에 붙음을 뜻한다. 순종의 덕을 갖춘 신하가 큰 밝음의 임금에게 순종하여 붙으니, 육오는 유순히 나아가서 위로 올라가야만 한다. 무릇 리괘가 상체에 있을 때에는 모두 유순하게 나아가서 위로 올라간다. 이러한 까닭으로 강후는 순종의 덕을 사용하여 여러 차례 말을 하사받는 은혜를 입게 되고, 낮 동안 세 차례 접견하는 예우를 받게 된다.

○ 臨川吳氏曰, 坤順之臣, 進而附麗於離明之君, 此釋康侯錫馬之義. 柔, 臣德也. 五, 君位也. 四近君, 卦自觀變, 六四之柔近君, 進而上行至五, 九五之剛下降居四而成離日, 猶朝貢之臣爲天子所禮接, 此釋晝日三接之義.
임천오씨가 말하였다: 순종의 신하인 곤괘가 나아가서 밝음의 임금인 리괘에 붙었으니, 이것은 편안히 다스리는 제후가 말을 하사받는 뜻을 풀이한 말이다. 유순함은 신하가 갖춰야 하는 덕이다. 오효는 임금의 자리이다. 사효는 임금과 가깝고 괘는 관괘(觀卦䷓)로부터 변화되었으니, 육사의 부드러움이 임금과 가까워 나아가서 위로 올라가 오효에 이르고, 구오의 굳셈이 밑으로 내려가 사효에 머물러 리괘의 밝음을 이루니, 조공을 하는 신하가 천자로부터 예우를 받음과 같다. 이것은 낮 동안 세 차례 접견하는 뜻을 풀이한 말이다.

○ 胡氏曰, 易言柔進而上行者, 三卦, 晉睽鼎也. 噬嗑則曰柔得中而上行. 晉六五之柔, 自觀四進五也, 睽中孚之四進五也, 鼎巽四進五也. 噬嗑雖不言進, 而六五之柔由益四上行至五也. 此可以見柔進上行之例.
호씨가 말하였다: 『주역』에서 "유순하게 나아가서 위로 올라간다"고 말한 경우는 세 가지 괘이니, 진괘 · 규괘(睽卦䷥) · 정괘(鼎卦䷱)이다. 서합괘(噬嗑卦䷔)에서는 "유순함이 알맞음을 얻어서 위로 올라간다"고 했다. 진괘 육오의 유순함은 관괘(觀卦䷓) 사효로부터 오효로 나아가며, 규괘 · 중부괘(中孚卦䷼)의 사효로부터 오효로 나아가고, 정괘 · 손괘(巽卦䷸)의 사효로부터 오효로 나아간다. 서합괘에서 비록 나아감을 언급하지 않았지만, 육오의 유순함은 익괘(益卦䷩)의 사효로부터 위로 올라가 오효에 이른다. 여기에서 유순함이 나아가서 위로 올라가는 용례를 확인할 수 있다.

○ 雲峰胡氏曰, 康侯, 非順者不能, 錫馬三接, 非君之大明而柔者不能提起, 一二字卦辭盡可見矣.
운봉호씨가 말하였다: 편안하게 다스리는 제후는 순종하는 자가 아니라면 할 수 없고, 말을 하사받고 세 차례 접견하는 일은 임금으로서 크게 밝고 부드러운 자가 아니라면 일어날 수 없으니, 몇 마디의 괘사를 통해 모두 확인할 수 있다.

韓國大全

송시열(宋時烈) 『역설(易說)』

離爲火, 火有所附着而後行, 行於地上, 漸熾而進. 此坤之順而離明也.
리괘는 불이고, 불은 붙는 것이 있은 후에 행하니, 지상에서 행하여 점점 치솟아 나아간다. 이는 곤괘는 순종하고 리괘는 밝은 것이다.

이익(李瀷) 『역경질서(易經疾書)』[28]

離其象爲火爲日, 其德爲明爲麗. 大明者, 日也, 記所謂大明在東, 是也. 乾之大明終

28) 경학자료집성DB에서는 진괘(晉卦) '괘사'에 해당하는 것으로 분류했으나, 내용에 따라 이 자리로 옮겨왔다.

始, 亦同義也. 火性不能孤行, 必附麗於物, 麗乎大明, 卽火性之附麗於日也, 睽旅之麗乎明, 亦當以此意看. 吳愼曰, 晉咸彖傳文正同, 卦象在卦名卦辭之間, 故用是二以字接下也. 項安世曰, 三女之卦, 獨離在上爲得尊位, 故謂之上行. 巽在六四, 則例謂之上合上同, 兌在上六, 則例謂之上窮, 其說亦得.
리괘(離卦)는 그 상이 불이 되고 해가 되며, 그 덕은 밝음이 되고 붙음이 된다. '큰 밝음'이란 해이니, 『예기 · 예기(禮器)』에서 "큰 밝음[해]은 동쪽에서 생긴다"[29]라고 한 것이 이것이다. 건괘(乾卦)에서 "큰 밝음[해]이 지고 뜬다"[30]라고 말한 것도 또한 같은 뜻이다. 불의 성질은 홀로 행할 수가 없기 때문에 반드시 물건에 붙어야 하니, '큰 밝음에 붙음'은 불의 성질이 해에 붙는 것이며, 규괘(睽卦)와 려괘(旅卦)의 "밝음에 걸려 있다[麗乎明]"[31]는 말도 마땅히 이러한 뜻으로 보아야 한다. 오신(吳愼)은 "진괘와 함괘(咸卦)의 「단전」은 문장의 구조가 똑같으니,[32] 괘의 상이 괘의 이름과 괘사의 사이에 있기 때문에 '시이(是以)'라는 두 글자를 아래 문장에 붙였다"고 하였고 항안세(項安世)는[33] "세 개의 여성괘에서 리괘(離卦)만이 위에서 존귀한 자리를 얻었기 때문에 '위로 올라간다'고 하였다. 손괘(巽卦)가 육사에 있으면 관례적으로 '위와 합한다'[34]고 하고 '위와 함께 한다'[35]고 하며, 태괘(兌卦)가 상육에 있으면 관례적으로 '위에서 다하다'[36]라고 한다"라 하였으니, 그 설이 또한 옳다.

권만(權萬) 『역설(易說)』

晉, 但以成卦論, 恐無變卦可言.
진괘(晉卦)는 다만 성괘(成卦)로 논하니, 괘변으로 논할 수 없을 듯하다.

○ 柔進而上行, 坤之二本暗, 而上爲五之明, 故曰麗乎大明.
'유순하게 나아가서 위로 올라감'이란 곤괘의 이효는 본래 어둡지만 위로 올라가 오효의 밝음이 되기 때문에 "큰 밝음에 붙는다"고 하였다.

---

29) 『禮記 · 禮器』: 大明生於東, 月生於西, 此陰陽之分, 夫婦之位也.
30) 『周易 · 乾卦』: 大明終始, 六位時成, 時乘六龍, 以御天.
31) 『周易 · 睽卦』: 說而麗乎明, 柔進而上行, 得中而應乎剛. 『周易 · 旅卦』: 彖曰, 旅小亨, 柔得中乎外而順乎剛, 止而麗乎明.
32) 『周易 · 咸卦』: 彖曰, 咸, 感也.
33) 『周易玩辭』: 蓋三女之卦, 獨離柔在上爲得尊位, 大中而行之, 故謂之上行. 巽在六四, 例謂之上合上同, 兌在上六, 例謂之上窮, 皆不得爲上行也.
34) 『周易 · 小畜卦』: 六四, 象曰, 有孚惕出, 上合志也.
35) 『周易 · 渙卦』: 彖曰, 渙亨, 剛來而不窮, 柔得位乎外而上同.
36) 『周易 · 隨卦』: 上六, 象曰, 拘係之, 上窮也.

○ 晉有建侯象. 康侯猶寧侯. 坤牝馬, 牝馬爲子畜之物, 故曰蕃庶. 離爲晝爲日, 三接, 指下三陰.
진괘에는 제후를 세우는 상이 있다. '강후(康侯)'는 천자의 명령에 순종하는 제후[寧侯]와 같다. 곤괘(坤卦)는 암말이고, 암말은 새끼를 쳐서 기르는 동물이기 때문에 '번서(蕃庶)'라고 하였다. 리괘는 낮이 되고 해가 되며, "세 차례 접견을 한다"란 하괘의 세 음을 가리킨다.

김상악(金相岳) 『산천역설(山天易說)』

以卦象卦德卦變, 釋卦辭. 以坤承離, 順而麗明也. 柔謂五也. 六五, 自四而上, 故曰上行.
괘의 상과 괘의 덕과 괘의 변화를 가지고서 괘사를 풀이하였다. 곤괘(坤卦)로 리괘(離卦)를 받들면서 순종하여 밝음에 붙었다. '유순함[柔]'은 오효를 말한다. 육오는 사효로부터 올라가기 때문에 "위로 올라간다"고 하였다.

○ 乾則上下, 皆乾, 故曰大明終始, 晉則坤承離, 故曰順而麗乎大明. 卦言麗明者三, 晉睽旅, 是也. 然睽之說, 旅之止, 皆不如晉之順, 故獨言大. 大明者, 明不自大 在下而仰之者, 見其大也, 與大觀相似.
건괘(乾卦)는 상괘와 하괘가 모두 건괘이기 때문에 "끝과 시작을 크게 밝힌다"[37]라고 하였고, 진괘(晉卦)는 곤괘(坤卦)가 리괘(離卦)를 받들기 때문에 "순종하여 큰 밝음에 붙는다"고 하였다. 괘 중에서 "밝음에 붙다"고 한 것은 셋 인데, 진괘와 규괘(睽卦䷥)와 려괘(旅卦䷷)가 이것이다. 그러나 규괘의 기쁨[38]과 려괘의 멈춤[39]은 모두 진괘의 순종함만 못하기 때문에 다만 크다고 하였다. '큰 밝음'이란 스스로 밝음이 크다고 하는 것이 아니라, 아래에서 우러러 보는 이가 그것이 크다고 보는 것이니 '큰 볼 것'[40]과 서로 유사하다.

유정원(柳正源) 『역해참고(易解參攷)』[41]

正義, 訟言終朝, 晉言一晝, 俱不盡一日, 明黜陟之速, 所以示勸懲也.
『주역정의』에서 말하였다: 송괘(訟卦)에서는 '아침이 다가기 전'[42]이라고 하고 진괘(晉卦)

---

37) 『周易 · 乾卦』: 大明終始, 六位時成, 時乘六龍, 以御天.
38) 『周易 · 睽卦』: 說而麗乎明, 柔進而上行, 得中而應乎剛.
39) 『周易 · 旅卦』: 彖曰, 旅小亨, 柔得中乎外而順乎剛, 止而麗乎明, 是以小亨旅貞吉也, 旅之時義, 大矣哉.
40) 『周易 · 觀卦』: 彖曰, 大觀在上, 順而巽, 中正以觀天下, 觀, 盥而不薦, 有孚顒若, 下觀而化也.
41) 경학자료집성DB에서는 진괘(晉卦) '괘사'에 해당하는 것으로 분류했으나, 내용에 따라 이 자리로 옮겨왔다.
42) 『周易 · 訟卦』: 上九, 或錫之鞶帶, 終朝三褫之.

에서는 '낮'이라고 하여 모두 하루를 다하지 않았으니, 나쁜 사람을 물리치고 착한 사람을 등용하기를 빠르게 해야 함을 밝혀 권선징악을 보인 것이다.

○ 林氏〈栗〉曰, 晉有諸侯朝王之象焉, 坤爲土爲民, 有土有民諸侯之象也. 康侯, 謚也. 古蓋有錫馬蕃庶而蒙三接之寵者, 故彖辭取之, 以明人臣自進而上行之義, 猶帝乙歸妹, 箕子明夷之象也.
임률(林栗)이 말하였다: 진괘에는 제후가 왕에게 조회하는 상이 있고, 곤괘(坤卦)는 땅이 되고 백성이 되므로, 땅이 있고 백성이 있는 제후의 상이다. '강후(康侯)'란 시호다. 옛날에는 여러 차례 말을 하사받고 세 차례 접견을 받은 은혜를 입은 총애 받는 자가 있었기 때문에 괘사에서 이를 취하여 신하가 스스로 나아가서 위로 올라가는 뜻을 밝혔으니, 제을이 누이를 시집보내고,[43] 기자(箕子)가 명이(明夷)[44]인 상과 같다.

○ 潼川毛氏曰, 柔, 五六也. 進而上行, 明三陰與五同德也. 且進陽退陰者, 易之常, 今三陰進而上行, 不幾於進小人乎. 六二曰, 受玆介福于其王母, 明所進者坤之順也, 非小人也. 進之者, 坤之柔也. 唯其同德而後相與, 猶大畜之剛上而尙賢也.
동천모씨가 말하였다: '유순함'은 오효인 음이다. '나아가서 위로 올라감'이란 세 음과 오효가 덕이 같음을 밝힌 것이다. 또 양을 나아가게 하고 음을 물러나게 함이 『주역』의 떳떳함이다. 이제 세 음이 나아가 위로 올라가니, 소인을 나아가게 함에 가깝지 않겠는가? 그러나 육이에서 "큰 복을 왕모에게서 받는다"고 하여 나아가는 자가 곤괘의 유순함이지 소인이 아님을 밝혔다. 나아가게 하는 자는 곤괘의 부드러움이다. 오직 그 덕을 똑같이 한 후에 서로 함께 하니, 대축괘(大畜卦)의 「단전」에서 "굳센 양이 위에 있어 현명한 이를 높인다"[45]라고 한 것과 같다.

傳, 故謂之康侯.
『정전』에서 말하였다: 그러므로 이를 강후(康侯)라고 하였다[故謂之康侯].
案, 一本无此五字.
내가 살펴보았다: 어떤 판본에는 "그러므로 이를 강후(康侯)라고 하였다[故謂之康侯]"라는 말이 없다.

---

43) 『周易 · 歸妹卦』: 六五, 帝乙歸妹, 其君之袂, 不如其娣之袂良, 月幾望, 吉.
44) 『周易 · 明夷卦』: 六五, 箕子之明夷, 利貞.
45) 『周易 · 大畜卦』: 彖曰, 大畜, 剛健篤實輝光, 日新其德, 剛上而尙賢, 能止健, 大正也.

김규오(金奎五) 「독역기의(讀易記疑)」46)

釋彖.

단전을 풀이하였다.

大明, 指六五也. 恐人以其陰而小之, 故据其位剛地尊而稱大. 人有大中, 亦此也.

'큰 밝음[大明]'은 육오를 가리킨다. 사람들이 그것이 음이라고 하여 작다고 여길까봐, 그것이 굳센 양의 자리이고 존귀한 지위임에 근거하여 "크다[大]"라고 칭하였다. 사람에게 크고 알맞음이 있는 것도 또한 이 때문이다.

○ 明出地上.

밝음이 땅 위로 솟아나옴.

明, 天子也, 順而麗乎大明, 賢諸侯也. 柔進而上行, 侯受而王錫也.

'밝음'이란 천자이고, "순종하여 큰 밝음에 붙는다"란 어진 제후이다. "유순하게 나아가서 위로 올라간다"란 제후가 받고 왕이 하사함이다.

○ 以卦體言之, 五固王也, 以卦變言之, 觀四上爲康侯得君之象, 觀五下爲明王下賢之義, 又以全體言之, 下坤三陰皆進而上行, 所謂衆允之志上行, 是也. 以上行字相照, 則柔進云云. 似或在此而不必爲卦變否. 丘氏蓋有此意.

괘의 몸체로 말한다면 오효가 진실로 왕이지만, 괘의 변화로 말한다면 관괘의 사효가 올라가 편안하게 다스리는 제후가 되어 임금의 상을 얻고, 관괘 오효가 내려가 밝은 왕이 되어 어진 사람에게 자신을 낮추는 뜻이 된다. 전체로 말한다면 하괘인 곤괘의 세 음은 모두 나아가 위로 올라가니, 이른바 '무리가 믿어주는' 뜻은 위로 행한다는 것이 이것이다. '상행(上行)'이라는 글자로 서로 참조하면, "유순하게 나아간다[柔進]"고 말한 것도 혹 이러한 데에 이유가 있는 듯하니, 반드시 괘변을 해야 할 필요가 있을지 모르겠다. 건안구씨가 이러한 뜻을 가졌던 듯하다.

서유신(徐有臣) 『역의의언(易義擬言)』

晉, 進也, 釋卦名也. 兩象, 則明出地上, 爲天王象也, 兩體, 則順而麗乎大明, 爲康侯象也. 明夷變爲晉, 而離進於上卦, 故曰柔進而上行. 康侯, 卽此上行之六五也. 麗乎大明, 進而上行, 乃寵被親禮之象也.

"진(晉)은 나아감이다"란 괘의 이름을 풀이한 것이다. 두 상으로 보면 '밝음이 땅 위로 솟아

46) 경학자료집성DB에서는 진괘(晉卦) 괘사에 해당하는 것으로 분류했으나, 내용에 따라 이 자리로 옮겨왔다.

남'이니 천왕(天王)의 상이 되며, 두 몸체로 보면 '순종하여 큰 밝음에 붙음'이니 편안하게 다스리는 제후의 상이 된다. 명이괘(明夷卦䷣)가 변하여 진괘(晉卦)가 되었으니, 리괘(離卦☲)가 상괘로 나아갔기 때문에 "유순하게 나아가서 위로 올라간다"고 하였다. '편안하게 다스리는 제후[康侯]'는 여기서 위로 올라간 육오이다. '큰 밝음에 붙음'과 '나아가서 위로 올라감'은 총애를 받아 친애함과 예우함을 받는 상이다.

박문건(朴文健) 『주역연의(周易衍義)』

此以卦象卦德卦變釋卦名, 而兼釋卦辭.

이것은 괘의 상과 괘의 덕과 괘의 변화를 가지고서 괘의 이름을 풀이하였고, 아울러 괘사도 풀이하였다.

〈問, 卦象釋康侯, 卦德釋錫馬蕃庶, 卦變釋晝日三接之義歟. 曰, 然. 問, 卦象卦德卦變, 竝指六五而言歟. 曰. 然.

물었다: 괘의 상은 '편안하게 다스리는 제후[康侯]'를 풀이하였고, 괘의 덕은 '여러 차례 말을 하사함'을 풀이하였으며, 괘의 변화는 "낮에 세 차례 접견을 한다"는 뜻을 풀이한 것입니까?

답하였다: 그렇습니다.

물었다: 괘의 상과 괘의 덕과 괘의 변화는 모두 육오를 가리켜 말한 것입니까?

답하였다: 그렇습니다.〉

김기례(金箕澧) 『역요선의강목(易要選義綱目)』

柔進而上行.

유순하게 나아가서 위로 올라가다.

卦變, 自觀來, 六四往居五, 而得明位.

괘의 변화는 관괘(觀卦䷓)로부터 오고, 육사가 오효의 자리로 가 있어서 밝은 자리를 얻었다.

박종영(朴宗永) 「경지몽해(經旨蒙解)・주역(周易)」

程傳曰, 康民安國之侯, 謂康侯, 享寵錫而見親禮, 晝日之間, 三接見於天子也.

『정전』에서 말하였다: 백성과 나라를 편안하게 만드는 제후를 '강후(康侯)'라고 하니, 은혜로운 하사품과 친밀한 예우를 받게 되고 낮 동안에 세 차례 천자를 접견하게 된다.

오치기(吳致箕) 「주역경전증해(周易經傳增解)」

此以卦象卦體卦德卦反, 釋卦名義及卦辭也. 晉之義在於明進而盛, 故曰麗乎大明, 柔進而上行也. 以卦反言, 則明夷下體之離, 上而爲本卦上體, 以柔得尊位, 故爲大明之君寵遇諸侯之象也. 程傳備矣, 餘見彖解.
이것은 괘의 상과 괘의 몸체와 괘의 덕과 괘의 위와 아래가 거꾸로 된 괘를 가지고서 괘의 이름 및 괘사를 풀이하였다. 진괘(晉卦)의 뜻은 밝은 데에 나아가 성대해짐에 있기 때문에 "큰 밝음에 붙고, 유순하게 나아가서 위로 올라간다"고 하였다. 거꾸로 된 괘로써 말한다면, 명이괘(明夷卦䷣)의 하체인 리괘가 위로 올라가 본괘의 상체가 되어 부드러운 음으로 존귀한 자리를 얻었기 때문에 큰 밝음의 임금과 총애와 예우를 받는 제후의 상이 된다. 『정전』에 갖추어져 있으니, 나머지는 「단전」을 풀이하는 데에서 보인다.

이진상(李震相) 『역학관규(易學管窺)』

康侯坤象, 馬互坎象, 且坤有牝馬之貞, 衆庶之象, 故因以錫之. 晝日離象, 三亦離位.
'편안하게 다스리는 제후[康侯]'는 곤괘(坤卦)의 상이고 '말'은 호괘인 감괘의 상이며, 또 곤괘에는 암말의 곧음과 여럿이라는 상이 있기 때문에 이로 인하여 하사하였다. 낮[晝日]은 리괘의 상이고, '삼(三)'은 리괘가 팔괘에서 위치한 순서의 수이다.

○ 傳.
『정전』.
反卦明夷六二之柔, 進居九五, 變否爲晉.
위와 아래가 거꾸로 된 명이괘(明夷卦䷣) 육이의 부드러운 음이 나아가 구오에 있고, 비괘(否卦䷋)를 바꾸어 진괘(晉卦)가 되었다.

최세학(崔世鶴) 『삼양설(參兩說)』

晉, 否之一體變也. 五一爻爲主, 故彖以柔進上行言之, 泰五進居於上體之中也.
진괘(晉卦)는 비괘(否卦䷋)의 몸체 하나가 변한 것이다. 오효인 한 효가 주인이 되기 때문에 「단전」에서 "유순하게 나아가서 위로 올라간다"고 말하였으니, 태괘(泰卦䷊)의 오효가 상체의 가운데로 나아가 있는 것이다.

박문호(朴文鎬) 『경설(經說)-주역(周易)』

公卿, 佐天子治[47]國者也, 侯自治其國者也, 故不言公卿而必言侯. 易中言侯者甚多,而未嘗及於公卿, 蓋以是耳.
공경(公卿)은 천자를 보좌하고 나라를 다스리는 자이며, 제후는 자신의 나라를 스스로 다스리는 자이기 때문에 공 · 경[公卿]을 말하지 않고 반드시 제후를 말하였다. 『주역』 가운데 제후를 말한 것은 매우 많으나 일찍이 공 · 경을 언급하지는 않은 것은 이 때문일 것이다.

이병헌(李炳憲) 『역경금문고통론(易經今文考通論)』

鄭曰, 康尊也廣也.
정현이 말하였다: '강(康)'이란 존귀하고 넓은 것이다.

姚曰, 覲禮, 侯氏一日凡三接見天子, 故曰晝日三接.
요신이 말하였다: 『의례 · 근례』에서는 제후는 하루에 총 세 차례 천자를 접견한다고 했기 때문에 "낮에 세 차례 접견한다"고 하였다.

按, 離之處上, 五者雖陰而義無不善者, 實含太陽也. 晉六五言, 悔亡, 失得勿恤, 惟此五爻可以陰可以陽, 非若他爻之陰而不能陽, 陽而不能陰也. 其於失位得位, 何足恤哉. 此乃離之非常異義也.
내가 살펴보았다: 리괘(離卦)가 위에 있고 오효가 비록 음이지만 의리상 선하지 않음이 없으니, 실제로 태양을 담고 있다. 진괘의 육오에서 "후회가 없으니, 잃고 얻음을 근심하지 말라"고 하였으니, 오직 이 오효만이 음으로써 할 수도 있고 양으로써 할 수도 있어서 다른 효가 음이면서 양일 수 없고 양이면서 음일 수 없는 것과는 같지 않다. 지위를 잃고 얻음을 어찌 근심할만 하겠는가? 이것이 리괘의 매우 특이한 뜻이다.

---

47) 治: 경학자료집성DB에는 '活'로 되어 있으나, 영인본에 따라 '治'로 바로잡았다.

象曰, 明出地上, 晉, 君子以, 自昭明德.

「상전」에서 말하였다: 밝음이 땅 위로 솟아나옴이 진(晉)이니, 군자가 그것을 본받아 밝은 덕을 스스로 밝힌다.

中國大全

傳

昭, 明之也. 傳曰昭德塞違, 昭其度也. 君子觀明出地上而益明盛之象, 而以自昭其明德. 去蔽致知, 昭明德於己也. 明明德於天下, 昭明德於外也. 明明德在己, 故云自昭.

'소(昭)'는 밝힌다는 뜻이다. 『좌전』에서 "선덕(善德)을 밝히고 사악(邪惡)을 막는다"[48]고 한 말은 그 법도를 밝힌다는 뜻이다. 군자가 밝음이 땅 위로 솟아 나와서 더욱 융성해지는 상을 관찰하고 제 스스로 자신의 명덕을 밝힌다. 가리움을 제거하고 앎을 지극히 함은 자신에게서 명덕을 밝히는 일이다. 천하에 명덕을 밝힘은 밖에서 명덕을 밝히는 일이다. 명덕을 밝힘은 자신에게 달려 있기 때문에 "스스로 밝힌다"고 말했다.

本義

昭, 明之也.

'소(昭)'는 밝힌다는 뜻이다.

小註

進齋徐氏曰, 日初出地, 進而上行, 爲晉之象. 然日出地則明, 入地則晦, 日之明本无

---

48) 『春秋左傳 · 桓公』: 君人者, 將昭德塞違, 以臨照百官, 猶懼或失之, 故昭令德以示子孫, 是以淸廟茅屋, 大路越席, 大羹不致, 粢食不鑿, 昭其儉也.

增損也, 蔽與不蔽之隔耳. 亦猶人之德性得於天者其體本明, 特爲物欲所蔽不能无少昏昧, 而本然之明則未嘗息也. 君子觀明出地上之象, 悟性分之本明, 故以之自昭其明德也.
진재서씨가 말하였다: 해가 처음 땅 위로 솟아나 나아가 위로 올라감이 진(晉)의 상이 된다. 그러므로 해가 땅 위로 솟아나면 밝고 땅 속으로 들어가면 어둡지만, 해의 밝음에는 본래 더하거나 덜함이 없으니, 가려지거나 가려지지 않는 차이일 뿐이다. 또한 이것은 사람이 하늘로부터 얻은 덕성은 그 본체가 본래 밝지만 물욕에 의해 가려져서 작은 어둠이 없을 수 없으나, 타고난 밝음은 일찍이 그친 적이 없음과 같다. 군자는 밝음이 땅 위로 솟아나는 상을 관찰하여 본성이 본래부터 밝았음을 깨닫기 때문에, 이것을 통해 자신의 명덕을 스스로 밝힌다.

○ 建安丘氏曰, 晉之自昭明德者, 君子致知之學也. 乾之自强不息者, 君子力行之學也. 易大象惟乾晉二象以自言之, 信矣. 知行之學, 皆君子已分所當爲之事也.
건안구씨가 말하였다: 진괘에서 명덕을 스스로 밝힘은 군자가 앎을 지극히 하는 학문에 해당한다. 건괘가 스스로 힘써 그치지 않음은 군자가 힘써 실천하는 학문에 해당한다. 『주역』의 「대상전」에서 오직 건괘와 진괘 두 상에서만 '스스로[自]'라는 말을 했으니 신의에 해당한다. 앎[知]과 실천[行]의 공부는 모두 군자가 분수를 지키며 마땅히 해야 할 일이다.

○ 雲峰胡氏曰, 至健莫如天, 君子以之自强, 至明莫如日, 君子以之自昭.
운봉호씨가 말하였다: 지극히 강건함은 하늘만한 것이 없으니 군자가 그것을 본받아 제 스스로 힘쓰고, 지극히 밝음은 해만한 것이 없으니 군자가 그것을 본받아 제 스스로 밝힌다.

○ 雙湖胡氏曰, 合兩體成一卦大象. 夫子論體象, 君子只以卦之重者論如此. 卦只取離明之義, 置坤於不言, 蓋有不必盡論兩體者, 卽此亦可以推他卦矣.
쌍호호씨가 말하였다: 두 몸체를 합하여 한 괘의 대상을 이룬다. 공자는 본체와 상을 논하였는데, 군자 이하는 괘의 중요한 것을 가지고 이와 같이 논하였다. 괘는 단지 리괘가 밝음이라는 뜻만을 취하고 곤괘에 대해서는 내버려 두고 언급하지 않았다. 굳이 두 몸체를 모두 논의할 필요가 없으니, 이에 입각하여 또 다른 괘에 대해서도 추론할 수 있다.

韓國大全

조호익(曺好益) 『역상설(易象說)』

傳, 昭德塞違, 昭其度也. 按, 傳君人者, 將昭德塞違〈昭明善德, 閉塞惡邪.〉以照臨百官. 袞冕黻珽帶裳幅舄, 昭其度也. 〈昭明其尊卑各有制度也.〉 桓臧哀伯之諫.

『춘추좌씨전』에서 "선덕(善德)을 밝히고 사악(邪惡)을 막는다"[49]고 한 말은 그 법도를 밝힌다는 뜻이다.

내가 살펴보았다: 『춘추좌씨전』에서 "임금이란 장차 덕을 밝히고 어긋남을 막아〈선덕을 밝히고, 사악을 막는다.〉 백관(百官)을 통치한다. 곤룡포[袞]와 면류관[冕]과 수[黻]와 옥홀[珽]과 띠[帶]와 하의[裳]와 두건[幅]과 석(舄)은 모두 그 법도를 밝힌다. 〈그 존비에 각기 제도가 있음을 밝힌 것이다〉. 환공(桓公) 때에 장애백(臧哀伯)이 간한 말이다.

송시열(宋時烈) 『역설(易說)』

坤爲腹在下, 離爲火屬心, 有腹中光明之象. 故曰, 自昭明德.

곤괘는 배가 되어 아래에 있고, 리괘는 불이 되어 심장에 속하니, 배 속에 밝은 빛이 있는 상이다. 그러므로 "스스로 밝은 덕을 밝힌다"고 하였다.

김도(金濤) 「주역천설(周易淺說)」

愚按, 本義下所釋, 徐氏以下諸儒, 凡四條, 而皆得於大象之旨矣. 蓋格致誠正, 乃大學始終之事, 而必以致知爲先者, 欲其去蔽而復其本然之明也. 晉之爲卦, 離明初出於地上, 而漸進而上行, 則猶人之昏暗者, 初脫於舊染, 而復其明之象也. 是以君子法晉卦日出之象, 而自昭其明德, 則其爲格致之功, 可謂至矣. 然而格致誠正, 皆不可偏廢. 格致則知之事也, 誠正則行之事也. 未有知而不行者, 亦未有行而不知者, 比之於物, 則如車之兩輪, 如鳥之兩翼, 未有廢其一而可行可飛者也. 中庸所謂尊[50]德性而道問學者, 實莫非知行兼致之意也. 然則學者可不以庸學所傳之訓, 爲終身事業也哉.

내가 살펴보았다: 『본의』 아래에 서씨 이하로 여러 유학자가 풀이한 바가 모두 네 조목인데,

---

49) 『春秋左傳 · 桓公』: 君人者, 將昭德塞違, 以臨照百官, 猶懼或失之, 故昭令德以示子孫, 是以淸廟茅屋, 大路越席, 大羹不致, 粢食不鑿, 昭其儉也.

50) 尊: 경학자료집성DB와 영인본에는 모두 '存'으로 되어 있으나, 『중용』 원문에 따라 '尊'으로 바로잡았다.

모두 「대상전」의 뜻에 맞는다. 격물과 치지와 성의와 정심은 『대학』에서 시작과 끝이 되는 일이지만, 반드시 치지를 우선으로 삼는 것은 가리움을 제거하여 그 본연의 밝음을 회복하고자 해서이다. 진괘는 리괘(離卦)의 밝음이 처음 땅 위로 나와 점점 나아가서 위로 올라가니, 마치 사람 중에 어두운 자가 처음에 오래된 좋지 않는 풍속에서 벗어나 그 밝은 상을 회복하는 것과 같다. 이 때문에 군자는 진괘의 해가 나오는 상을 본받아 스스로 그 밝은 덕을 밝히니, 격물과 치지의 공이 지극하다고 말할 수 있다. 그러나 격물과 치지와 성의와 정심은 모두 한 쪽을 없애서는 안 된다. 격물과 치지는 앎의 일이고, 성의와 정심은 실천의 일이다. 알면서도 행하지 않는 자는 아직 있지 않았으며, 또한 행하면서 알지 못하는 자도 아직 있지 않았으니, 물건에 비유하자면 수레의 두 바퀴와 같고 새의 두 날개와 같으므로 그 하나를 없애고서 움직여 갈 수 있거나 날 수 있는 것은 없다. 『중용』에서 이른바 "덕성을 높이고 학문에 말미암는다"는 것이니, 실제로 앎과 실행을 함께 지극히 한다는 뜻이 아님이 없다. 그렇다면 배우는 사람이 『중용』과 『대학』에서 전하는 가르침을 가지고 일생의 사업으로 삼지 않을 수 있겠는가?

이현익(李顯益) 『주역설(周易說』

自昭明德, 似專以離言, 然晉之能明, 以出地上, 則蓋亦兼坤矣. 雲峯胡氏謂, 此卦, 只取離明之義, 置坤不言, 未然. 〈殊不知不出地上, 則不能成離之明矣.〉

"밝은 덕을 스스로 밝힌다"란 아마도 오로지 리괘(離卦)만을 가지고서 말한 듯하지만, 진괘(晉卦)가 밝을 수 있는 것은 땅 위로 솟아나기 때문이니, 곤괘(坤卦)도 겸한 것이다. 운봉호씨가 "이 괘는 단지 리괘가 밝음이라는 뜻만을 취하고 곤괘는 내버려 두어 언급하지 않았다"고 말하였으나 그렇지 않다. 〈땅 위로 나오지 않으면, 리괘의 밝음을 이룰 수 없음을 전혀 알지 못한 것이다.〉

이만부(李萬敷) 「역통(易統)·역대상편람(易大象便覽)·잡서변(雜書辨)」

臣謹按, 自昭明德者, 堯典所謂克明峻德, 大學所謂明明德, 是也. 朱子大學章句, 釋明明德之義, 甚備, 宜參考于彼也. 竊伏念日君象, 人君之初卽位, 如日之初出地, 臨御旣久, 德澤廣漸, 人皆瞻仰, 則如日之上升而益明. 噫, 大明中天, 雲衢廓開, 則物之巨細姸媸, 無不畢照. 聖人有作聰明 四達, 則事之是非, 人之邪正, 無敢或隱. 故贊堯之德, 旣曰欽而繼之以明, 贊舜之德, 旣曰文而亦継以明, 可不警哉.

신이 삼가 살펴 보았습니다: "밝은 덕을 스스로 밝힌다"란 『서경(書經)·요전(堯典)』에서 이른바 "능히 큰 덕을 밝힌다"[51]라고 한 말과 『대학(大學)』에서 이른바 "밝은 덕을 밝힌다"[52]고 한 말이 이것입니다. 주자는 『대학장구(大學章句)·서(序)』에서 "밝은 덕을 밝힌다"는 뜻을 풀이하여 매우 잘 갖추어 두었으므로 마땅히 거기서 참고하여야 합니다. 제가 삼가 생각하건대, '해[日]'는 임금의 상이니, 임금이 처음 즉위할 때는 마치 해가 처음 땅에서 나올 때와 같으며, 임금이 통치함이 이미 오래 되어 다른 사람에게 미치는 덕(德)과 혜택(惠澤)이 넓게 점점 스며들어 사람들이 모두 우러러 보니, 마치 해가 떠오를수록 더욱 밝은 것과 같습니다. 아! 크게 밝음이 하늘 가운데에 있어 허공에 넓게 열렸으니, 크고 작거나 아름답고 추하거나 모든 사물에 비춰지지 않음이 없습니다. 성인(聖人)이 총명을 일으켜 사방에 이르면, 일의 시비와 사람의 사특함과 바름에 대하여 감히 의혹되거나 숨길 수가 없습니다. 그러므로 요임금의 덕을 찬미하면서 이미 공경하라고 하며 밝음으로써 이었고, 순임금의 덕을 찬미하면서 이미 문채가 난다고 하며 또한 밝음으로써 이었으니, 경계하지 않을 수 있겠습니까?

이익(李瀷) 『역경질서(易經疾書)』

晉爲明出, 自卯至酉, 乃其候也.
진괘(晉卦)는 밝은 태양이 나오니, 묘시(卯時)의 자리를 지나 유시(酉時)의 자리에 이르는 것이 그 시간이다.

유정원(柳正源) 『역해참고(易解參攷)』[53]

自昭明德
밝은 덕을 스스로 밝힌다.

漢上朱氏曰, 明德者, 己所自有也. 進而不已, 其德自昭, 自己爲之, 人力无所施也.
한상주씨가 말하였다: '밝은 덕'이란 자신이 본래부터 가지고 있는 것이다. 나아가면서 그치지 않는다면 그 덕은 스스로 밝혀지게 되니, 자신이 스스로 그렇게 하는 것이지 다른 사람의 힘이 베풀어질 바는 없다.

○ 朱子曰, 明德者, 人之所得乎天, 而虛靈不昧, 以具衆理, 而應萬事者也. 但爲氣稟所拘, 人欲所蔽, 則有時而昏. 然其本體之明, 則有未嘗息者, 故學者, 當因其所發而遂

51) 『書經·堯典』: 克明俊德, 以親九族, 九族, 旣睦, 平章百姓, 百姓, 昭明, 協和萬邦, 黎民, 於變時雍.
52) 『大學』: 大學之道, 在明明德, 在新民, 在止於至善.
53) 경학자료집성DB에서는 진괘(晉卦) '괘사'에 해당하는 것으로 분류했으나, 내용에 따라 이 자리로 옮겨왔다.

明之, 以復其初也.

주자가 말하였다: '밝은 덕'이란 사람이 하늘로부터 얻은 바로, 텅 비어 신령스러워 어둡지 않아 모든 이치를 갖추어 만사(萬事)에 대응하는 것이다. 다만 기품에 의하여 구속되고, 인욕에 의하여 가리워지므로, 때에 따라 어둡게 된다. 그러나 그 본체의 밝음은 일찍이 그친 적이 없었으므로 공부하는 이들은 마땅히 그 일어난 바를 인해서 마침내 그것을 밝혀 그 처음을 회복해야 한다.[54]

○ 案, 晉者, 進也, 德之進也. 自昭明德, 進進不已之功也.

내가 살펴보았다: '진(晉)'이란 나아감이니, 덕의 나아감이다. "밝은 덕을 스스로 밝힌다"란 나아가고 나아가 그치지 않은 공이다.

傳, 昭德, [至] 度也.〈左桓二年, 臧哀伯語〉

『정전』에서 말하였다: 선덕(善德)을 밝히고 … 법도를 밝힌다. 〈『춘추좌씨전(春秋左傳)·환공(桓公)·2년』에 나온 장애백(臧哀伯)의 말이다.〉

小註丘氏說.

소주 구씨의 설.

案, 明明德, 兼格致誠正修之事, 恐不可專屬致知. 程傳言, 去蔽致知, 昭明德於己, 力行固在其中矣. 乾之自强不息, 亦不可專屬力行, 文言所謂知至知終, 學聚仁行, 皆兼知行, 言以二卦分屬 恐有破碎之失.

내가 살펴보았다: "밝은 덕을 밝힌다"란 격물·치지·성의·정심·수신의 일을 겸하니, 아마도 오로지 치지의 일에만 속한다고 하면 안 될 듯하다. 『정전』에서 "가리움을 제거하고 앎을 지극히 함은 자신에 대해서 명덕(明德)을 밝히는 일이다"고 하였으니, 힘써 행함[力行]이 진실로 그 가운데에 있다. 건괘(乾卦)에서의 "스스로 힘쓰고 쉬지 않는다"[55]도 또한 오로지 '힘써 행함'에만 속한다고 하면 안 되니, 「문언전」에서 "이를 데를 알고 마칠 데를 안다"[56]고 한 말과 "배워서 지식을 모으고 인(仁)으로 행한다"[57]라고 한 말은 모두 지행(知行)을 겸한 것이니, 두 괘를 나누어 속하게 한다면 아마도 자잘하게 쪼개는 잘못이 있을 듯하다.

---

54) 『대학장구』.

55) 『周易·乾卦』: 象曰, 天行, 健, 君子以, 自彊不息.

56) 『周易·乾卦』: 知至至之, 可與幾也, 知終終之, 可與存義也, 是故, 居上位而不驕, 在下位而不憂, 故, 乾乾, 因其時而惕, 雖危, 无咎矣.

57) 『周易·乾卦』: 君子學以聚之, 問以辨之, 寬以居之, 仁以行之, 易曰, 見龍在田利見大人, 君德也.

○ 雙湖說, 置坤不言.
쌍호호씨가 말하였다: 곤괘에 대해서 언급하지 않았다.
案, 自昭明德, 只是去蔽復善, 而復善屬離明, 去蔽屬出地, 恐不可謂置坤而不言. 夫大象皆兼兩體而後乃成. 若謂只取一象而足焉, 則易卦得離體者十有六, 皆謂之自昭明德, 可乎.
내가 살펴보았다: "밝은 덕을 스스로 밝힌다"는 단지 가리움을 제거하고 선을 회복하는 것이며, 선을 회복하는 것은 리괘의 밝음에 속하고, 가리움을 제거함은 땅으로부터 나옴에 속하므로, 아마도 곤괘를 내버려두고 말하지 않았다고 해서는 안 될 듯하다. 대체로 「대상전」은 모두 내괘와 외괘인 두 몸체를 겸한 후에 이루어진다. 만약 다만 하나의 상을 취하여도 충분하다고 말한다면, 『주역』의 괘에서 리괘의 몸체를 얻은 16개의 괘에서는 모두 "밝은 덕을 스스로 밝힌다"고 말을 해야 하니, 옳겠는가?

김상악(金相岳) 『산천역설(山天易說)』

昭, 明之也. 明者, 離之大明也. 德者, 坤之厚德也. 至健莫如天, 故君子以自强不息. 至明莫如日, 故君子以自昭明德.
'소(昭)'는 밝힌다는 뜻이다. '밝음[明]'이란 리괘(離卦)의 큰 밝음이다. '덕(德)'이란 곤괘의 두터운 덕이다. 지극히 굳센 것은 하늘만한 것이 없기 때문에 군자는 이로써 스스로 힘써 쉬지 않는다. 지극히 밝은 것은 해만한 것이 없기 때문에 군자는 이로써 스스로 밝은 덕을 밝힌다.

김규오(金奎五) 「독역기의(讀易記疑)」

大象, 雙湖說, 置坤於不[58]言.
「대상」 아래에서 쌍호호씨가 말하였다: 곤괘에 대해서는 내버려 두고 언급하지 않았다.

出地愈高, 而其明愈盛. 傳云, 去蔽, 蓋指坤體, 如進齋說也. 胡說, 恐欠細.
땅에서 나와 높아질수록 그 밝음은 더욱 성대하다. 『정전』에서 "가리움을 제거한다"고 한 것은 곤괘의 몸체를 가리키니, 진재서씨의 설명[59]과 같다. 호씨의 설명은 아마도 세밀함이 부족한 듯하다.

---

58) 不: 경학자료집성DB와 영인본에는 모두 '□'로 되어 있으나, 문맥을 살펴 '不'로 바로잡았다.
59) 『周易傳義大全 · 晉卦』: 進齋徐氏曰, 日初出地, 進而上行, 爲晉之象. 然日出地則明, 入地則晦, 日之明本无增損也, 蔽與不蔽之隔耳. 亦猶人之德性得於天者其體本明, 特爲物欲所蔽不能无少昏昧, 而本然之明則未嘗息也.

박제가(朴齊家) 『주역(周易)』

大象, 自昭明德.
「대상」에서 말하였다: 밝은 덕을 스스로 밝힌다.
建安丘氏曰, 自昭明德, 致知之學也, 自强不息, 力行之學也. 大象惟乾晉以自言也.
건안구씨가 말하였다: "밝은 덕을 스스로 밝힌다"란 앎을 지극히 하는 학문이고, "스스로 힘써 쉬지 않는다"란 힘써 실천하는 학문이다. 「대상전」에서 오직 건괘(乾卦)와 진괘(晉卦)에서만 '스스로'라는 말을 하였다.
案, 大象無非自者, 不必寫個自字而爲自也.
내가 살펴보았다: 「대상전」에는 스스로가 아닌 것이 없으니, '자(自)'자를 반드시 써야 스스로가 되는 것은 아니다.

雙湖胡氏曰, 此卦大象, 只取離明之義, 置坤於不言, 卽此亦可以推他卦矣.
쌍호호씨가 말하였다: 이 괘의 「대상전」은 단지 리괘가 밝음이라는 뜻만을 취하고 곤괘에 대해서는 내버려 두고 언급하지 않았으니, 이러한 점은 또한 다른 괘에 대해서도 추론할 수 있다.
案, 觀日出, 忘其地, 重在明, 觀日入, 始見地, 惜其阻也, 故晉不言地, 而明夷曰用晦.
내가 살펴보았다: 일출을 바라볼 때는 그 땅을 잊으니 중점이 밝음에 있고, 일몰을 바라볼 때 비로소 땅이 보이니 그 막힘을 애석해 한다. 그러므로 진괘(晉卦)에서는 땅을 말하지 않고, 명이괘(明夷卦)에서는 "어둠을 사용한다"[60]고 하였다.

윤행임(尹行恁) 『이문강의(摛文講義)-역(易)』

晉之字, 體上一半爲離, 畫而虛中, 下一半爲日字. 故爲文明之象, 而取象於明出地上.
진(晉)이라는 글자는 글자의 절반인 윗부분은 리괘(離卦☲)가 되어 낮이고 가운데가 비어 있으며, 글자의 절반인 아랫부분은 '일(日)'자가 된다. 그러므로 문명(文明)한 상이 되니, 밝음이 땅 위로 솟아나는 데에서 상을 취하였다.

서유신(徐有臣) 『역의의언(易義擬言)』

晉, 日進也. 自昭明德, 君子之晉也. 日本明, 出於地, 則又晉於明也. 德本明, 自昭之, 則又晉於明也. 昭之由己, 故曰自昭也. 明之出地, 亦自出也.

---

60) 『周易 · 明夷卦』: 象曰, 明入地中, 明夷, 君子以, 莅衆, 用晦而明.

진(晉)은 해가 나아감이다. "밝은 덕을 스스로 밝힌다"란 군자의 나아감이다. 해는 본래 밝은데도 땅으로부터 나오니, 또한 밝음에 나아가는 것이다. 덕은 본래 밝은데도 스스로 밝히니, 또한 밝음에 나아가는 것이다. 밝히는 것은 자기에게 달려 있기 때문에 "스스로 밝힌다"고 하였다. 밝음이 땅에서 나오는 것도 또한 스스로 나오는 것이다.

이지연(李止淵)『주역차의(周易箚疑)』

自昭明德, 卽日趨乎高明之意. 君子之道, 極高明, 道中庸.

"밝은 덕을 스스로 밝힌다"란 곧 해가 높고 밝은 데로 달려간다는 뜻이다. 군자의 도(道)는 높고 밝음을 지극히 하고 중용(中庸)을 따른다.[61]

윤종섭(尹種燮)『경(經)-역(易)』

晉, 象, 自昭明德.

진괘(晉卦)「상전」에서 말하였다: 밝은 덕을 스스로 밝힌다.

卦體, 离在上爲光明之日, 坤在下爲險阻之地. 日出地上, 不爲山岳之所掩蔽, 而漸升必麗乎天, 光明朗曜, 萬物皆相見, 君子取象. 如人所稟明德, 本自虛靈而不昧, 不爲氣質之拘, 物欲之蔽, 而 以復其初, 具理應事, 無往不明焉. 於晉之象, 可得大學之道.

진괘의 몸체는 리괘(離卦☲)가 위에 있어서 빛나고 밝은 해가 되고, 곤괘(坤卦☷)가 아래에 있어서 험준한 땅이 된다. 해가 땅 위로 솟아나와 산악에 의하여 덮어지고 가려지지 않아 점점 올라가 반드시 하늘에 붙게 되어 빛나고 밝게 비추니 만물이 모두 서로를 볼 수가 있으니, 군자가 이러한 상을 취하였다. 만일 사람이 품수 받은 밝은 덕은 본래 텅 비어 신령스러워 어둡지 않아 기질에 구속받거나 물욕(物慾)에 가려지지 않으므로 그 처음을 회복한다면, 모든 이치가 갖추어져 있어 만사(萬事)에 대응하여 가는 곳마다 밝지 않음이 없다. 진괘의 상에서 대학(大學)의 도를 얻을 수 있다.

이항로(李恒老)「주역전의동이석의(周易傳義同異釋義)」

傳, 去蔽致知, 昭明德於己也. 明明德於天下, 昭明德於外也.

『정전』에서 말하였다: 가리움을 제거하고 앎을 지극히 함은 자신에게서 명덕을 밝히는 일이

61)『中庸』: 故君子, 尊德性而道問學, 致廣大而盡精微, 極高明而道中庸, 溫故而知新, 敦厚以崇禮.

다. 천하에 명덕을 밝힘은 밖에서 명덕을 밝히는 일이다.

按, 明德, 與大學明德一也, 故傳引致知明明德於天下之語, 以釋之. 於己於外同一明德, 則可見明德之無內外也. 進齋徐氏說, 可攷.
내가 살펴보았다: '밝은 덕[明德]'이란 『대학』에 나오는 '명덕(明德)'과 같기 때문에 『정전』에서는 '앎을 지극히 함[致知]'과 "명덕을 천하에 밝힌다"는 말[62]을 인용하여 풀이하였다. '자기에게서'와 '밖에서' 명덕이 동일하다면, 명덕에는 안과 밖의 구분이 없음을 알 수가 있다. 진재서씨의 설명은 살펴볼 만하다.

김기례(金箕澧) 『역요선의강목(易要選義綱目)』

君子以, 自昭明德.
군자가 그것을 본받아 밝은 덕을 스스로 밝힌다.

明出地上而漸進, 明其明德而日新.
밝음이 땅 위로 솟아나와 점점 나아가니, 밝은 덕을 밝혀 날마다 새로워진다.

박종영(朴宗永) 「경지몽해(經旨蒙解)·주역(周易)」

傳曰, 君子觀明出地上, 而以自昭其明德.
『정전』에서 말하였다: 군자는 밝음이 땅 위로 솟아 나옴을 보고서 스스로 자신의 명덕을 밝힌다.

蓋人之德性, 得於天者, 其體本明, 特爲物欲所蔽, 不能無少昏昧, 而本然之明, 則未嘗息也. 君子觀明出地上之象, 悟性分之本明, 而以之自昭其明德也. 康候三接, 君臣同德, 期欲治安天下, 故至於寵錫而三接. 後世人君經筵三接, 蓋本於此, 亦欲自昭明德也.
사람의 덕성은 하늘로부터 얻은 것으로 그 본체는 본래 밝지만, 단지 물욕에 의하여 가려지게 되어 약간이라도 어두움이 없을 수 없으나, 본연의 밝음은 일찍이 그친 적이 없었다. 군자가 '밝음이 땅 위로 솟아 나오는' 상을 보고서 성정이 본래 밝음을 깨달아 이로써 스스로 자신의 밝은 덕을 밝힌다. '편안하게 다스리는 제후[康候]'가 '세 차례 접견함'은 군신이 덕을 함께하여 천하를 편안하게 다스리고자 기약하는 것이기 때문에 총애하여 하사품을 내리고

62) 『大學』: 古之欲明明德於天下者, 先治其國, 欲治其國者, 先齊其家, 欲齊其家者, 先脩其身, 欲脩其身者, 先正其心, 欲正其心者, 先誠其意, 欲誠其意者, 先致其知, 致知在格物.

세 차례 접견하는 데에 이르렀다. 후세의 임금이 경연(經筵)을 하고 세 차례 접견을 하는 것은 여기에 근본 하니, 또한 스스로 자신의 밝은 덕을 밝히고자 하는 것이다.

심대윤(沈大允) 『주역상의점법(周易象義占法)』

自明其明德也, 不患人之不知, 求爲可知也.

스스로 자신의 밝은 덕을 밝히는 것이니, 다른 사람이 자신을 알아주지 않음을 걱정하지 않고 알려질 만하게 되기를 구한다[63]는 뜻이다.

오치기(吳致箕) 「주역경전증해(周易經傳增解)」

昭, 明之也. 地在上, 明在下, 則爲昏蔽之象, 而日出於地上, 益進而盛明, 故君子觀其象, 以之自昭明德, 去其舊染之汚也.

'소(昭)'는 밝힌다는 뜻이다. 땅이 위에 있고 밝음이 아래에 있다면 어둡고 가려지는 상이 되지만, 해가 땅 위로 솟아나와 더욱 나아가 성대하게 밝아지기 때문에 군자가 이 상을 관찰하여 이로써 스스로 밝은 덕을 밝히고 오래된 좋지 않는 풍속에서 나온 잘못을 없애버린다.

이진상(李震相) 『역학관규(易學管窺)』

德本明, 而物欲蔽之, 如明入地中. 及其格物致知, 去其蔽而撥其明, 則如大明之出地上, 故取以爲象.

덕(德)은 본래 밝으나 물욕이 이를 가려버리니, 마치 밝음이 땅 속에 들어가는 것과 같다. '격물'과 '치지'에 이르러 그 가리움을 제거하고 그 밝음을 일으키면, 마치 큰 밝음이 땅 위로 솟아 나옴과 같기 때문에 취하여 이러한 상으로 삼았다.

박문호(朴文鎬) 『경설(經說)-주역(周易)』

昭明德, 以小註蔡氏說觀之, 與大學之明明德同, 明德之爲性, 明矣.

"밝은 덕을 밝힌다"에 대하여 소주에 나오는 채씨의 설명[64]으로 본다면, 『대학』의 "밝은 덕을 밝힌다[明明德]"와 같으니, '밝은 덕'이 성(性)이 됨은 분명하다.

---

63) 『論語 · 里仁』: 子曰, 不患無位, 患所以立, 不患莫己知, 求爲可知也.

64) 『주역전의대전 · 진괘』의 「상전」에 대한 소주에는 채씨의 설명이 없다.

初六, 晉如摧如, 貞吉, 罔孚, 裕, 无咎.

초육은 나아가거나 물러남에 곧으면 길하고, 믿어주지 않더라도 여유로우면 허물이 없다.

中國大全

傳

初, 居晉之下, 進之始也. 晉如, 升進也, 摧如, 抑退也, 於始進而言, 遂其進, 不遂其進, 唯得正則吉也. 罔孚者, 在下而始進, 豈遽能深見信於上. 苟上未見信, 則當安中自守, 雍容寬裕, 无急於求上之信也. 苟欲信之心切, 非汲汲以失其守, 則悻悻以傷於義矣, 皆有咎也, 故裕則无咎, 君子處進退之道也.

초효는 진괘의 아래에 있으니, 나아감이 시작된다. '진여(晉如)'는 올라간다는 뜻이며 '최여(摧如)'는 물러간다는 뜻이니, 처음으로 나아감에 대해서 말하며, "나아감을 이루거나 나아감을 이루지 못하더라도, 오직 올바름을 얻으면 길하다"고 한 것이다. "믿어주지 않는다"고 한 말은 밑에 있으면서 처음으로 나아가는데, 어찌 갑작스럽게 윗사람으로부터 신임을 받게 되겠느냐는 뜻이다. 진실로 윗사람이 아직 믿어주지 않는다면, 마땅히 중도를 편안히 여기며 제 스스로를 지키고, 온화하고 관대하게 행동하여 윗사람의 신임을 얻는데 급급함이 없어야 한다. 믿어주기를 바라는 마음이 간절하지만 그 지키는 것을 잃을까 급급하지 않다면 원망을 하여 의를 해치게 되니, 이 모두는 허물이 된다. 그렇기 때문에 여유로우면 허물이 없다고 한 것이니, 군자가 나아가거나 물러남에 대처하는 도이다.

本義

以陰居下, 應不中正, 有欲進見摧之象. 占者如是而能守正則吉, 設不爲人所信, 亦當處以寬裕則无咎也.

음으로서 아래에 있고 호응함이 중정하지 못하니, 나아가고자 하지만 꺾여 물러나게 되는 상이 있다. 점치는 자가 이와 같더라도 올바름을 지킬 수 있다면 길하고, 가령 남에게 신임을 받지 않더라도 또한 마땅히 관대하고 여유로움으로 대처를 한다면 허물이 없게 된다.

小註

或問, 初六, 晉如摧如象也, 貞吉, 占辭. 朱子曰, 罔孚, 裕无咎, 又是解上兩句, 恐貞吉, 說不明, 故又曉之.
어떤 이가 물었다: 초육은 나아가거나 물러나는 상이니, "곧으면 길하다"는 말은 점사입니까? 주자가 답하였다: "믿어주지 않더라도, 여유로우면 허물이 없다"는 말은 앞의 두 구문을 풀이한 말이니, 아마도 "곧으면 길하다"는 설명이 불명확하기 때문에 재차 풀이를 한 것입니다.

○ 厚齋馮氏曰, 摧, 說文擠也折也, 有所抑而不得進之象. 能寬裕自處, 不戚戚於上下之不我知, 則无咎.
후재풍씨가 말하였다: '최(摧)'자에 대해 『설문해자』에서는 배척하다는 뜻이며, 꺾인다는 뜻이라고 했으니, 억누름을 당하여 나아가지 못하는 상이 있다. 관대하고 여유로움으로 대처하여 상하가 나를 알아주지 않는데 초조해 하지 않을 수 있다면 허물이 없다.

○ 雙湖胡氏曰, 爻不正, 故戒以能正則吉. 坤體寬裕, 故誨以能裕則无咎也.
쌍호호씨가 말하였다: 효가 올바르지 않기 때문에, 올바를 수 있다면 길하다고 경계를 하였다. 곤괘의 몸체는 관대하고 여유롭기 때문에, 여유로울 수 있다면 허물이 없다고 깨우쳐주었다.

○ 雲峰胡氏曰, 欲進而退, 六象. 上五艮, 有欲進而止之之象. 凡始進必資薦引, 四應不中正, 乃若相摧抑者, 進之初人多有未信者. 然摧如在彼, 而吾不可以不正, 罔孚在人, 而吾不可以不裕. 初以陰居陽非正, 才柔志剛不足於裕, 貞與裕, 皆戒辭也.
운봉호씨가 말하였다: 나아가려고 하지만 물러남은 육(六)의 상이다. 오효에게 올라가려고 하지만 그치게 되므로, 나아가고자 하나 그치게 하는 상이 있다. 무릇 처음 나아갈 때에는 반드시 이끌고 끌어줌을 받아야 하는데, 사효가 호응하지만 중정하지 못하여 서로 억누르는 것처럼 되어, 나아가기 시작할 때에 아직 믿어주지 않는 사람들이 많다. 하지만 물러나게 함이 상대방에게 달려 있다고 해서 나는 바르지 않음으로 대처해서는 안 되며, 믿어주지 않음이 타인에게 달려 있다고 해서 나는 여유롭지 않게 대처해서는 안 된다. 초효가 음으로 양의 자리에 있어서 바르지 않고, 재질이 부드럽지만 뜻은 굳세어 여유롭게 할 수 없게 되니, 곧고 여유롭다는 말은 모두 경계하는 말이다.

‖韓國大全‖

조호익(曺好益)『역상설(易象說)』

初六, 晉如摧如, 貞吉, 罔孚, 裕.
초육은 나아가거나 물러남에 곧으면 길하고, 믿어주지 않더라도, 여유로우면.

摧如, 六以陰柔, 前阻艮山, 有摧如之象. 孚, 中虛象, 罔孚, 艮止象. 裕, 坤安厚象.
'물러남[摧如]'은 육(六)이 부드러운 음으로 앞에 간괘(艮卦☶)의 산에 막혀 있으니 '물러남'의 상이 있다. '믿음[孚]'는 가운데가 비어 있는 상이고, '믿어주지 않음[罔孚]'이란 간괘가 의미하는 멈춘다는 상이다. '여유로움[裕]'이란 곤괘(坤卦☷)가 의미하는 편안하고 두터운 상이다.

송시열(宋時烈)『역설(易說)』

晉如者, 若上進然也. 摧如者, 傳以摧抑退步之意, 釋之. 來氏云, 互艮起於坤土, 故爲崔嵬之象云. 來氏但見山象之爲崔嵬, 而未見艮止之義爲摧抑耶. 蓋二則與六五爲應, 而以陰遇陰, 三與上九爲應而過高上行, 獨初爻行而遇四爻之陽, 有摧抑不進之象. 然其道則正也, 故小象云, 獨行正也. 貞吉者, 貞正則吉也. 罔孚裕无咎, 俱是小象未受命之意. 命出於五, 而初爻處下, 不能受之於五, 故罔有孚合. 然以陰柔寬裕之心, 能守其正, 則可以无咎.
'나아감[晉如]'이란 위로 올라가 나아감과 같다. '물러남[摧如]'이란 『정전』에서는 물리침을 당하고 억눌려 퇴보한다는 뜻으로 풀이하였다. 래씨(來氏)는 "호괘인 간괘(艮卦)가 곤괘(坤卦)인 땅에서 일어나기 때문에 높고 험한 상이 된다"고 하였다. 래씨는 다만 산의 상이 높고 험하다는 것만을 보았을 뿐, 간괘의 그친다는 뜻이 억눌려 퇴보함이 된다는 것을 보지 못하였단 말인가? 이효는 육오와 호응이 되어 음으로서 음을 만나고, 삼효는 상구와 호응이 되어 지나치게 높이 올라가지만, 유독 초효는 나아가 사효의 양을 만나 억눌려 나아가지 못하는 상이 있다. 하지만 그 도가 바르기 때문에 「소상전」에서 "홀로 바름을 행한다"고 하였다. "곧으면 길하다"란 곧고 바르면 길하다는 뜻이다. "믿어주지 않더라도, 여유로우면 허물이 없다"란 모두 「상전」에 있는 "아직 명령을 받지 않았기 때문이라는" 뜻이다. 명령이 오효에게서 나오지만 초효는 맨 아래에 있어서 오효로부터 그 명령을 받을 수가 없기 때문에 믿고 부합함이 없다. 그러나 부드러운 음이어서 관대하고 여유로운 마음으로 그 바름을 지킬 수 있다면 허물이 없을 수 있다.

語類曰, 罔孚裕无咎, 是解上兩句, 蓋言貞吉, 說未盡, 故又明之.
『주자어류』에서 말하였다: "믿어주지 않더라도, 여유로우면 허물이 없다"란 위의 두 구절 "나아가거나 물러남[晉如摧如]"과 "곧으면 길하다[貞吉]"를 풀이한 것이니, "곧으면 길하다[貞吉]"를 말하는 것으로는 설명이 아직 미진하기 때문에 또 그 뜻을 밝혔다.[65]

이익(李瀷) 『역경질서(易經疾書)』[66]

凡易中多下如字, 如者以物況物之意. 只有此物, 則不可謂如也. 九四云, 晉如鼫鼠, 謂其晉也, 如鼫鼠也. 上文晉如, 亦豈異例. 說文晉五技鼠也, 王弼引之正義取之. 蓋獸之進至高嶺, 莫如鼠, 在家則至於屋極, 在山則至於樹杪. 易之所取在於進義, 而物在其中, 故又以鼫鼠爲喩. 初二兩爻, 旣以鼠爲比, 而晉與摧愁所如者同一物, 故不言鼠, 文勢然也. 晉如摧如者, 位最下, 未可進, 故旣晉而摧抑便止, 是晉亦如鼠, 摧亦如鼠也. 晉如愁如者, 位稍近, 故愁慮趑趄, 是晉亦如鼠, 愁亦如鼠也. 古人言語簡質, 言如則其所如之物, 自在其中, 易中最多此例. 又若論上云云, 色勃如也, 下云勃如戰色, 足蹜蹜如有循, 始知上云勃如者亦謂如戰色, 而此詳彼略也. 以如有循者例之, 上文躩如踧踖如, 亦是, 足躩如, 盤辟也, 踧踖如, 不寧也. 他皆類是然 則屯如賁如之類 皆以此意看
『주역』에는 '여(如)'자를 쓴 경우가 많으니, "같다[如]"란 사물로써 다른 사물을 견준다는 뜻이다. 단지 이 사물만 있다면 "같다"고 할 수가 없다. 구사에서 말한 "나아감이 쥐와 같다[晉如鼫鼠]"란 그 나아감에 쥐와 같다는 말이다. 위 문장에서 말한 '진여(晉如)'도 어찌 다른 사례이겠는가? 『설문해자』에서 "'진(晉)'은 다섯 가지 기예를 지닌 쥐이다"[67]고 하였고, 왕필은 이것을 인용하여 『주역정의』에서 그 뜻을 취하였다. 짐승 중에 나아가 높은 령(嶺)에 이르는 것에는 쥐만 한 것이 없으니, 집에서는 지붕의 가장 높은 곳에 이르고, 산에서는 나무의 끝에 이른다. 『주역』이 취하는 바는 나아간다는 뜻에 있으며 사물은 그 가운데에 있기 때문에 쥐로 비유하였다. 초효와 이효라는 두 효는 이미 쥐로써 비유하였으나, '나아감[晉]'이나 '물러남[摧]'이나 '근심함[愁]'이나 비유로 취할 수 있는 것이 같은 것이기 때문에 쥐라고 말하지 않았으니, 문장의 형세가 그러하다. '나아가거나 물러남'이란 자리가 가장 낮아서 아직 나아갈 수가 없기 때문에 이미 나아가더라도 억눌려 곧 멈추니, 이것이 나아감도

65) 『朱子語類』: 問, 初六晉如摧如, 象也, 貞吉, 占辭. 曰, 罔孚裕無咎, 又是解上兩句. 恐貞吉說不明, 故又曉之.
66) 경학자료집성DB에서는 진괘(晉卦) '괘사'에 해당하는 것으로 분류했으나, 내용에 따라 이 자리로 옮겨왔다.
67) 『說文解字』: 鼫, 五技鼠也. 能飛不能過屋, 能緣不能窮木, 能游不能渡谷, 能穴不能掩身, 能走不能先人. 从鼠石聲, 常隻切.

줘와 같으며 물러남도 줘와 같은 것이다. "나아감이 근심스럽다"란 자리가 약간 가깝기 때문에 근심하여 나아가지 못하고 망설이니, 이것이 나아감도 또한 줘와 같으며 근심함도 또한 줘와 같은 것이다. 옛 사람들은 언어가 간략하고 소박하여 '여(如)'라고 말하면 그와 같은 것들이 저절로 그 가운데에 있으니, 『주역』 가운데에는 이러한 사례가 가장 많다. 또 『논어』에서 말해 본다면, "낯빛을 변하시다[色勃如]"[68]라고 하였는데 아래 문장에서는 "변하시어 두려움에 떠는 기색을 띠시며 발걸음은 좁고 낮게 하시어 물건을 따르듯이 하셨다"[69]고 하였으므로, 위에서 말한 "변하셨다"란 또한 '두려움에 떠는 기색을 띰'을 말하는 것을 비로소 알 수가 있으니, 여기서는 상세하게 하고 저기서는 간략하게 하였다. "물건을 따르듯이 하셨다"고 한 것으로 예를 든다면 위 문장에서 "발걸음을 조심하셨다[躩如]"고 하였고 "편안하지 않게 걷다[踧踖如]"라고 한 것이 또한 이러한 경우이니, '족곽여(足躩如)'란 조심스럽게 걷는 것이고 '축척여(踧踖如)'란 편안하지 않은 것이다. 다른 것들도 모두 이와 유사하니 그러므로 '준여(屯如)'[70]와 '비여(賁如)'[71]와 같은 부류는 모두 이러한 뜻으로 보아야 한다.

摧如, 物從外沮也, 愁如, 心自內懼也. 周之諸侯入爲王之卿士, 此居外者, 遇時晉接之象. 其始聞命, 邁邁若摧折, 老子所謂得之若驚, 是也. 當晉之初, 不欲其遽變, 故曰獨行正也. 如伊尹之囂囂 然不受湯幣, 囂囂自得無欲之貌, 豈非所謂裕乎. 未受命與罔字相帖, 謂君命亦不能有孚也.

'물러남[摧如]'이란 외물이 밖으로부터 막는 것이며, '근심스러움[愁如]'이란 마음속에서 스스로 두려워하는 것이다. 주나라의 제후들은 천자의 조정에 들어오면 왕의 경사(卿士)가 되니, 이것이 밖에 있는 자가 때를 만나 나아가 만나는 상이다. 비로소 명(命)을 듣고 뒤도 돌아보지 않고 나아가더라도 마치 억제하여 멈추듯이 하니, 노자가 말한 "얻더라도 놀라듯이 한다"[72]는 것이 이것이다. 진(晉)의 처음을 맞아 갑작스러운 변화를 원하지 않기 때문에 "홀로 바름을 행한다"고 하였다. 마치 이윤이 효효(囂囂)히 탕(湯)의 폐백을 받지 않은[73] 경우와 같으니, '효효(囂囂)'란 스스로 깨달아 욕심이 없는 모양으로 어찌 "여유가 있다"는 말이 아니겠는가? "아직 명령을 받지 않았다[未受命]"란 '망(罔)'자와 서로 뜻이 잘 어울리니, 임금의 명령도 미더울 수 없다는 말이다.

---

68) 『論語 · 鄕黨』: 君召使擯, 色勃如也, 足躩如也.

69) 『論語 · 鄕黨』: 執圭, 鞠躬如也, 如不勝, 上如揖, 下如授, 勃如戰色, 足蹜蹜如有循.

70) 『周易 · 屯卦』: 六二, 屯如邅如, 乘馬班如, 匪寇, 婚媾, 女子貞, 不字, 十年, 乃字.

71) 『周易 · 賁卦』: 九三, 賁如濡如, 永貞吉.

72) 『道德經』: 寵辱若驚, 貴大患若身. 何謂寵辱若驚. 寵爲下, 得之若驚, 失之若驚, 是謂寵辱若驚. 何謂貴大患若身.

73) 『孟子 · 萬章』: 湯使人以幣聘之, 囂囂然曰, 我何以湯之聘幣爲哉. 我豈若處畎畝之中, 由是以樂堯舜之道哉.

심조(沈潮) 「역상차론(易象箚論)」

初六, 摧如.
초육, 물러남.
摧之從手從山, 前有艮也.
'최(摧)'자는 수(手) 부수에 산(山)자를 합친 글자이니, 앞에 그침이 있는 것이다.

유정원(柳正源) 『역해참고(易解參攷)』

潼川毛氏曰, 晉如者, 諸侯之朝覲也. 摧如, 爲四所間也. 摧在彼, 吾不可以不正, 吾不可以不裕.
동천모씨가 말하였다: '나아감[晉如]'은 제후가 조회하여 천자를 뵙는다는 뜻이다. '물러남[摧如]'은 사효에 의하여 이간된다는 뜻이다. 물러남은 그 까닭이 저기에 있다고 해서 내가 바르지 않게 해서는 안 되고 내가 여유롭지 않게 해서도 안 된다.

○ 雙湖胡氏曰, 初應四, 四艮止, 初進而遇止, 有阻摧象. 又互坎, 坎爲心, 又爲險, 而有信, 乃因有艮體止, 不下應. 故又有罔孚象.
쌍호호씨가 말하였다: 초효는 사효와 호응하고, 사효는 간괘(艮卦)로 그치니, 초효가 나아가 그치는 상황을 만나므로 막히고 물러나는 상이 있다. 또 호괘는 감괘(坎卦)이며 감괘는 마음이 되고 또 험난함이 되니, 믿음이 있더라도 간괘의 몸체인 그침이 있음으로 인하여 아래로 호응하지 못한다. 그러므로 또 '믿어주지 않는' 상이 있다.

○ 梁山來氏曰, 晉如者, 升進也, 崔者, 崔嵬之崔, 高也. 中爻艮山在坤土之上, 崔之象也. 四近君, 又陽爻, 故有崔如之象. 依鄭爲南山崔崔, 是也.
양산래씨가 말하였다: '나아감[晉如]'은 올라 나아감이며, '물러남[崔]'란 '최외(崔嵬)'에서의 '최(崔)'이니 높다는 뜻이다. 가운데 효는 간괘(艮卦)인 산이 곤괘(坤卦)인 땅의 위에 있으니 높은[崔] 상이다. 사효는 임금과 가깝고 또 양인 효이기 때문에 물러나는 상이 있다. 정현에 의거하면[74] '남산이 높고 높거늘[南山崔崔]'[75]이 된다는 것이 이것이다.

김상악(金相岳) 『산천역설(山天易說)』

初之陰居坤之下, 順麗以進, 而四互艮體而止之, 故有晉如摧如之象. 惟守正, 則吉. 五

74) 『周易正義 · 晉卦』: 鄭讀如南山崔崔之崔.
75) 『詩經 · 南山』: 南山崔崔, 雄狐綏綏. 魯道有蕩, 齊子由歸. 旣曰歸止, 曷又懷止.

非正應而互坎體, 雖志不相孚, 能寬裕而處之, 則无咎也.
초효인 음이 곤괘(坤卦☷)의 맨 아래에 있어서 큰 밝음에 붙어 나아가지만, 사효는 호괘인 간괘(艮卦☶)의 몸체로 그를 저지하기 때문에 '나아가거나 물러나는' 상이 있다. 오직 바름을 지킨다면 길하다. 오효는 정응이 아니고 호괘가 감괘(坎卦☵)의 몸체이니, 비록 뜻은 서로 믿을 수 없더라도 넉넉하고 여유롭게 처신할 수 있다면 허물이 없게 된다.

○ 摧如者, 抑而不進之意也. 居下三陰, 皆欲麗明, 而四之鼫鼠小人, 據其升晉之路. 故初見摧, 而二愁之. 蓋當晉之時, 陰之順麗者, 在五而不在四上, 故不以其比應也. 晉需爲對, 雖明晉之時, 有需待之義, 故初二, 皆不急於進, 而有守正之吉. 又需九三曰, 致寇至, 謂四也, 故四曰晉如鼫鼠. 鼠能竊人之物, 卽彼之寇也. 罔孚, 疑也, 坎之爲孚者, 陽之一也, 罔孚者, 陰之二也, 故其於象爲心病也. 裕者, 寬也. 坤之象, 守之以正, 處之以裕, 則不失其進退之道, 所以得无咎也. 初變爲噬嗑, 噬嗑曰, 屨校滅趾, 二變爲未濟, 未濟曰, 曳其輪, 皆不進之象, 故取象如此.
'최여(摧如)'란 억제하여 나아가지 못한다는 뜻이다. 아래에 있는 세 음은 모두 밝음에 붙고자 하지만 사효에 보이는 쥐[鼫鼠]라는 소인이 올라가 나아가는 길을 막아 지키고 있다. 그러므로 초효는 물리침을 당하고 이효는 근심한다. 진괘의 시절을 맞아서 음이 큰 밝음에 붙음은 오효에게 있지 사효나 상효에 있지 않으므로 비(比)의 관계나 호응을 가지고서 따지지 않는다. 진괘(晉卦)와 수괘(需卦䷄)는 음양이 바뀐 괘이므로 비록 밝음이 나아가는 시절이더라도 기다리는 뜻을 가지고 있기 때문에, 초효와 이효는 모두 나아가는 데에 급하지 않으니 바름을 지키는 길함이 있다. 또 수괘(需卦) 구삼에서 "도적이 오는 것을 이룬다"[76]고 한 것은 진괘의 사효를 말하기 때문에 사효에서 "나아감이 쥐와 같다"[77]고 하였다. 쥐는 사람의 물건을 훔칠 수 있으니, 저기 수괘(需卦) 구삼에서 말하는 '도적'이다. "믿어주지 않다[罔孚]"란 의심한다는 뜻이니, 감괘(坎卦☵)가 믿음이 되는 것은 양이 하나이기 때문이며, 믿어주지 않게 되는 것은 음이 두 개이기 때문이니, 그 상에서 마음의 병이 된다. '유(裕)'란 여유로움이다. 곤괘(坤卦☷)의 상은 바름으로써 지키고 여유로움으로써 처신한다면, 나아가고 물러나는 도를 잃지 않으니, 허물이 없을 수 있는 까닭이다. 초효가 변하면 서합괘(噬嗑卦䷔)가 되는데 서합괘에서는 "형틀을 채워 발꿈치를 상하게 한다"[78]고 하였고, 이효가 변하면 미제괘(未濟卦䷿)가 되는데 미제괘에서는 "수레바퀴를 뒤로 끌듯이 하여 느리게 한다"[79]고 하였으니, 모두 나아가지 못하는 상이기 때문에 상을 취함이 이와 같다.

---

76) 『周易 · 需卦』: 六三, 負且乘, 致寇至, 貞吝.
77) 『周易 · 晉卦』: 九四, 晉如鼫鼠, 貞厲.
78) 『周易 · 噬嗑卦』: 初九, 屨校, 滅趾, 无咎.

김규오(金奎五) 「독역기의(讀易記疑)」

初六有正應, 應必相援, 而此云摧如者, 初志在於麗五, 而四以其應, 不許其捨己而上麗, 故爲相摧之象. 罔孚者, 五爲明之主, 見初之地遠, 而又與四爲應, 故不信初之必麗乎己也.

초육에는 정응이 있고 정응이면 반드시 돕는데도, 여기서 '물러남'을 말한 것은 초효가 뜻은 오효에게 붙는 데에 있지만 사효가 그 호응함을 가지고서 자신을 버리고 올라가 붙는 것을 허락하지 않기 때문에 서로 물러나는 상이 된다. '믿어주지 않음'이란 오효가 밝음의 주인이 되지만, 초효의 자리가 멀고 또 사효와 호응을 함을 보기 때문에 초효가 반드시 자신에게 붙는다고 믿지 못하기 때문이다.

서유신(徐有臣) 『역의의언(易義擬言)』

晉如摧如, 可進而不進也. 非摧於人, 蓋自抑也. 九四在應而不欲進應, 是爲貞也, 貞故吉也. 罔孚, 不見孚於五也, 有四故也. 裕者, 緩其進也, 緩進, 非咎也.

'나아가거나 물러남'은 나아갈 만 한데도 나아가지 않는 것이다. 다른 사람에 의하여 물러남이 아니고, 스스로 억제하는 것이다. 구사가 호응하는 데에 있는데도 나아가 호응하고자 하지 않으니, 이것이 곧게 되는 것이며, 곧기 때문에 길하다. '믿어주지 않음'이란 오효에게서 믿음을 받지 못해서이니, 사효가 있기 때문이다. '여유로움[裕]'이란 느긋하게 나아감이니, 느긋하게 나아감은 허물이 아니다.

박문건(朴文健) 『주역연의(周易衍義)』

往而見害, 故有摧如之象. 裕, 遲緩也.

가서 해로움을 당하기 때문에 물러나는 상이 있다. '여유로움[裕]'이란 더디고 늦게 한다는 뜻이다.

〈問, 晉如摧如以下. 曰, 初六欲進其上而進, 見摧傷. 然若用貞退居, 則有吉. 罔用孚上, 但遲緩不進, 則无咎也. 言罔孚者, 有孚无所益也.

물었다: '나아가거나 물러남' 이하는 무슨 뜻입니까?

답하였다: 초육은 그 위로 나아가고자 하여 나아가지만 꺾이고 상함을 당하게 됩니다. 그러나 만약 곧음으로써 물러나 있다면 길함이 있습니다. 윗사람을 믿지 않고 다만 더디고 늦게 하여 나아가지 않는다면 허물이 없게 됩니다. "믿지 않는다"고 말한 것은 믿음이 있더라도

---

79) 『周易 · 未濟卦』: 九二, 曳其輪, 貞吉.

이익 되는 바가 없기 때문입니다.〉

이지연(李止淵)『주역차의(周易箚疑)』

位是陽, 故晉如, 質則陰, 故摧如. 吾之不遇魯侯, 天也, 人知之, 亦囂囂, 人不知, 亦囂囂.
자리가 양이기 때문에 나아가고, 성질은 음이기 때문에 물러난다. “내가 노나라 제후를 보지 못함은 천명이다”[80]라고 하였고 “다른 사람들이 알아주어도 욕심이 없이 여유롭게 하고, 다른 사람들이 알아주지 않더라도 또한 욕심이 없이 여유롭게 한다”[81]고 하였다.

이항로(李恒老)「주역전의동이석의(周易傳義同異釋義)」

傳, 晉如, 升進也, 摧如, 抑退也, 云云.
『정전』에서 말하였다: ‘진여(晉如)’는 올라간다는 뜻이며 ‘최여(摧如)’는 물러간다는 뜻이다. 운운.

本義, 有欲進見摧之象.
『본의』에서 말하였다: 나아가고자 하지만 꺾여 물러나게 되는 상이 있다.

按, 摧, 猶折也, 訓退, 恐未穩. 雲[82]峯胡氏說, 可攷.
내가 살펴보았다: ‘최(摧)’는 꺾는다는 절(折)자와 같으니, 물러남으로 뜻을 풀이한다면 아마도 편안하지는 않을 듯하다. 운봉호씨의 설명은 살펴볼만 하다.

김기례(金箕澧)『역요선의강목(易要選義綱目)』

陰性多疑, 故欲進復退.
음의 성질은 의심이 많기 때문에 나아가고자 하지만 도리어 물러난다.

○ 坤體寬, 故裕, 曰裕.
곤괘(坤卦)의 몸체는 너그럽기 때문에 넉넉하므로 ‘여유[裕]’라고 하였다.

---

80) 『孟子 · 梁惠王』: 曰, 行或使之, 止或尼之, 行止, 非人所能也. 吾之不遇魯侯天也, 臧氏之子, 焉能使予, 不遇哉.
81) 『孟子 · 盡心』: 人知之, 亦囂囂, 人不知, 亦囂囂.
82) 雲: 경학자료집성DB와 영인본에는 모두 ‘□’로 되어 있으나, 문맥을 살펴 ‘雲’으로 바로잡았다.

○ 蓋下陰初, 進不見孚於上, 故欲進自抑.
맨 아래에 음이 초효라서 나아가서 윗사람에게 믿음을 받지 못하기 때문에 나아가고 싶지만 스스로 억제한다.

○ 四應, 非中正之位, 故戒以正吉.
사효가 호응하지만 중정한 자리가 아니기 때문에 바름과 길함을 가지고 경계하였다.

○ 雖未見信於上, 寬裕自守, 則不至咎.
비록 윗사람에게 아직 믿음을 받지 못하지만, 여유롭게 스스로를 지킨다면 허물에 이르지는 않는다.

심대윤(沈大允) 『주역상의점법(周易象義占法)』

晉之爻位, 居剛, 進而去其蔽, 求明之遠照也, 居柔, 自明而照其光之所及也.
진괘(晉卦)의 효 자리는 굳센 양의 자리에 있으면 나아가 그 가리움을 제거하여 밝음이 멀리까지 비춤을 구하고, 부드러운 음의 자리에 있으면 스스로 밝아서 빛이 닿는 곳까지 비춘다.

晉之噬嗑䷔, 噬而合也. 當晉之初, 日在山之下, 人在衆之中, 必去其蔽而後, 明也. 初六應於四, 而雖居于二陰之間, 不得四之專信, 居剛而求去其蔽, 不以人之不見明之不照, 而不進也. 震爲摧, 晉如摧如, 言進而不見不照也, 君子之愼獨也, 故曰貞吉. 雖未孚, 而處之裕, 如人不知而不慍也. 變對爲井兌爲罔, 離爲孚, 艮巽爲裕, 井爲擧選, 言未爲擧選也.
진괘가 서합괘(噬嗑卦䷔)로 바뀌었으니, 깨물어 합한다는 뜻이다. 진괘의 처음을 맞아 해가 산 아래에 있고 사람이 여러 무리 중에 있으니, 반드시 그 가리움을 제거한 후에 밝아진다. 초육이 사효에 호응함에 비록 사효가 두 음 사이에 있어서 사효의 순전한 믿음을 얻지는 못하지만, 굳센 양의 자리에 있어서 그 가리움을 제거하고자 하므로 사람들이 보지 못하고 밝음이 비추지 못한다고 하여 나아가지 않는 것은 아니다. 진(震)은 물러남이 되니, '나아가거나 물러남'은 나아가지만 보지 못하고 비추지 못함을 말하므로 군자의 신독(愼獨)이기 때문에 "곧으면 길하다"고 하였다. 비록 믿어주지는 않지만, 처신하기를 여유롭게 하여 "다른 사람들이 알아주지 않더라도 화를 내지 않는다"[83]는 것과 같이 한다. 초효가 변한 괘의 음양이 바뀐 괘는 정괘(井卦䷯)가 되고 이 괘의 호괘인 태괘(兌卦☱)는 '망(罔)'이 되며, 리괘(離卦☲)는 믿음이 되고, 간괘(艮卦☶)와 손괘(巽卦☴)는 여유로움이 되며, 정괘(井

83) 『論語 · 學而』: 人不知而不慍, 不亦君子乎.

卦)는 관리를 선발함이 되니, 아직 관리로 선발되지 않음을 말한다.

오치기(吳致箕) 「주역경전증해(周易經傳增解)」

初六, 陰柔无位而在下, 上有九四不正之應, 當晉之時, 不得其援引之力, 而反有擠抑之害, 故戒言. 彼雖擠抑, 而我則獨行其正, 不以枉道從之, 則可以得吉, 彼雖不信, 而我則處以寬裕, 不求驟進, 則可以无輕動之咎也.

초육은 부드러운 음으로 지위가 없이 맨 아래에 있고, 위로는 제자리가 아니면서 호응하는 구사가 있으니, 진괘(晉卦)의 시절을 맞아 끌어당기는 힘을 얻지 못하여 도리어 물리치고 억누르는 해가 있게 되기 때문에 경계하여 말하였다. 그가 비록 물리치고 억눌러도 나는 곧 홀로 그 바름을 행하여 도를 굽힘으로써 그를 따르지 않는다면 길함을 얻을 수 있고, 그가 비록 믿어주지 않아도 나는 곧 관대하고 여유롭게 처신하여 재빨리 나아가고자 하지 않는다면 경거망동(輕擧妄動)하는 허물이 없을 수 있다.

○ 晉, 升進也. 摧, 擠抑也. 應體互艮爲手, 擠抑之象. 如者, 語辭也. 孚, 取於互坎. 裕者, 寬緩也, 坤柔之象也.

'진(晉)'은 올라가 나아감이다. '최(摧)'는 물리치고 억누름이다. 호응하는 효가 있는 몸체의 호괘인 간괘(艮卦☶)가 손이 되므로 물리치고 억누르는 상이다. '여(如)'자는 어조사이다. '믿음[孚]'은 호괘인 감괘(坎卦☵)에서 취하였다. '여유로움'이란 늦춘다는 뜻이니, 곤괘(坤卦☷)의 부드러운 상이다.

이진상(李震相) 『역학관규(易學管窺)』

正應在四, 艮以止之, 故曰摧如. 四在互坎之中, 有孚義. 艮止而不下應, 故罔孚. 貞裕, 坤象.

정응은 사효에 있지만, 간괘(艮卦☶)의 몸체로서 초효를 저지하기 때문에 '물러남'이라고 하였다. 사효는 호괘인 감괘(坎卦☵)의 가운데에 있으므로 믿는다는 뜻이 있다. 간괘가 저지하여 아래로 호응하지 않기 때문에 "믿어주지 않는다". '곧음'과 '여유로움'은 곤괘(坤卦☷)의 상이다.

이정규(李正奎) 「독역기(讀易記)」

初六爻辭, 有曰罔孚裕无咎, 至哉戒也. 人不見信於人, 則例多心躁心悶, 常懷慽慽, 而至於怨人[84]尤物, 不知自陷於凶咎之域, 豈不慨然哉. 若處之寬裕, 遯世而無悶, 不見是而无悶, 惟守我之正, 則何咎之有哉.
초육의 효사에는 "믿어주지 않더라도, 여유로우면 허물이 없다"는 말이 있으니 지극하구나 그 경계함이여! 다른 사람에게 믿음을 받지 못한다면, 으레 마음이 조급하고 답답하다. 늘 시름에 겨워 남을 원망하고 탓하는 데에 이르게 되면서 스스로 흉하고 허물이 있는 곳에 빠짐을 알지 못하니, 어찌 개탄스럽지 않겠는가? 만약 여유롭게 처신하여 세속을 피해 근심스러움이 없고 남들이 자신을 옳다고 여기지 않아도 근심스러움이 없어 오직 자신의 바름을 지킨다면 어찌 허물이 있겠는가?

84) 人: 경학자료집성DB에는 '入'으로 되어 있으나, 영인본에 따라 '人'으로 바로잡았다.

象曰, 晉如摧如, 獨行正也. 裕无咎, 未受命也.

「상전」에서 말하였다: "나아가거나 물러남"은 홀로 바름을 행하는 것이다. "여유로우면 허물이 없음"은 아직 명령을 받지 않았기 때문이다.

中國大全

傳

无進无抑, 唯獨行正道也. 寬裕則无咎者, 始欲進而未當位故也. 君子之於進退, 或遲或速, 唯義所當, 未嘗不裕也. 聖人恐後之人不達寬裕之義, 居位者廢職失守以爲裕, 故特云初六裕則无咎者, 始進未受命當職任故也. 若有官守, 不信於上而失其職, 一日不可居也. 然事非一槪, 久速唯時, 亦容有爲之兆者.

나아감이 없거나 물러남이 없더라도 홀로 정도를 행해야 한다. 관대하고 여유로우면 허물이 없다는 말은 처음 나아가고자 하지만 그 지위에 합당하지 않기 때문이다. 군자는 나아가거나 물러날 때, 어떤 경우에는 더디고 또 어떤 경우에는 신속하니, 오직 의에 마땅하게 행동함이며 일찍이 여유롭지 않았던 적이 없다. 성인은 후대 사람들이 관대하고 여유롭다는 뜻을 깨닫지 못하여 지위에 있는 자가 직책을 버리고 지킴을 버리는 것을 여유로움으로 오해할 것을 염려하였기 때문에, 특별히 초육에서 "여유로우면 허물이 없다"고 한 것이니, 처음 나아감에 아직 명령을 받아 직무를 담당하지 않았기 때문이다. 만약 관부의 직무가 있는데 윗사람이 신임을 하지 않아서 직무를 잃는다면, 하루라도 머물러서는 안 된다. 그러나 일은 한결같지 않으니 오래 지속하고 신속히 함은 오직 때에 맞게 해야 하며, 또한 무엇을 할 수 있는 조짐을 받아들여 해야 한다.

本義

初居下位, 未有官守之命.

초효가 아래 자리에 있어서, 아직 관부의 직무에 대한 명령이 없다.

小註

進齋徐氏曰, 居无位之初, 以寬裕自處, 不汲汲於求進, 乃其宜也, 故无咎. 若已受命, 則是當事有官職, 苟一於裕, 則有曠廢之失, 能无咎乎.
진재서씨가 말하였다: 지위가 없는 초효에 있으며 관대함과 여유로움으로 자처하고, 나아가기를 바람에 급급하지 않다면 합당하니, 그렇기 때문에 허물이 없다. 만약 이미 명령을 받았다면 일을 맡아 관직이 있게 되는데, 만약 여유로움으로 일관한다면 하던 일을 오래도록 내버려 두는 잘못이 있게 되니, 허물이 없을 수 있겠는가?

○ 雲峰胡氏曰, 孟子曰我无官守, 我无言責, 則吾進退, 豈不綽綽然有餘裕哉, 卽此意也.
운봉호씨가 말하였다: 맹자는 "나는 관부의 직무가 없고, 나는 말해야 하는 책무가 없으니, 내가 나아가고 물러남에 어찌 여유롭지 않겠는가?"라고 했는데, 바로 이 뜻에 해당한다.

韓國大全

유정원(柳正源) 『역해참고(易解參攷)』

正義, 獨猶專也, 言進與退, 專行其正也. 進之初, 未得履位, 未受錫命, 故宜寬裕進德, 乃得无咎也.
『주역정의』에서 말하였다: '독(獨)'이란 오로지라는 뜻이니, 나아가고 물러남에 오로지 그 바름을 행한다는 말이다. 나아감의 시작이라서 아직 알맞은 제자리를 얻지 못하고 책봉을 하는 명령을 아직 받지 못하였기 때문에 마땅히 넉넉하고 여유롭게 덕에 나아가니, 허물이 없을 수 있다.

○ 案, 在下无官守, 則雍容寬裕可久可速, 君子之道也. 當事有官職者, 亦當盡其官職, 而无汲汲進取之心者, 亦裕无咎之道也. 進齋謂一於裕, 則有曠廢之失, 恐未盡裕字之義.
내가 살펴보았다: 아래에 있어서 관리로서의 직책이 없다면 온화하고 의젓하며 넉넉하고 여유롭게 오래할 수도 있고 속히 할 수도 있는 것이 군자의 도이다. 일을 맡아 관직이 있는 자는 또한 마땅히 그 관직을 다해야 하고 급급하게 나아가 취하고자 하는 마음이 없는 것이 또한 '여유로우면 허물이 없는' 도이다. 진재서씨는 "여유로움으로 일관한다면, 하던 일을 오래도록 내버려 두는 잘못이 있게 된다"고 하였는데 '유(裕)'자의 뜻을 다하지 못한 듯하다.

傳, 後之人, 〈案, 一作後人之〉 爲之兆.

『정전』에서 말하였다: 후대 사람들이 〈내가 살펴보았다: 어떤 판본에서는 '후인지(後人之)'로 되어 있다.〉 무엇을 할 수 있는 조짐.

案, 孟子集註曰, 兆, 猶卜兆之兆, 蓋事之端也. 孔子所以不去者, 亦欲小試行道之端, 以示於人, 使知吾道之果可行也, 朱子釋孟子之意者, 正與此傳相合, 而葉氏近思錄註, 卻爲兆幾微之見, 君子知幾, 則可久可速, 不失其時矣, 此則恐非程子本意.

내가 살펴보았다: 『맹자집주』에서 "'조(兆)'는 점을 칠 때의 조짐과 같으니, 일의 단서이다. 공자가 떠나지 않은 까닭은 또한 도를 행하는 단서를 조금 시험하여 사람들에게 보여주어 우리 도가 과연 행해질 수 있음을 알도록 한 것이다"라고 하였으니, 주자가 맹자의 뜻을 풀이 한 것은 바로 여기서의 『정전』과 서로 부합하였지만, 섭씨는 『근사록』에서 주를 달면서 오히려 "조(兆)는 기미가 드러나는 것이니, 군자가 기미를 알면 오래 머물 수도 있고 속히 떠날 수도 있어서 그 알맞은 때를 잃지 않을 것이다"라고 하였으니, 이렇다고 한다면 아마도 정자의 본 뜻은 아닌 듯하다.

김상악(金相岳) 『산천역설(山天易說)』

初之位, 雖未正, 以陰居下, 爲正也. 裕无咎者, 不受命於人也.

초효의 자리가 비록 제자리는 아니지만 음으로서 아래에 있으므로 바름이 된다. '여유로우면 허물이 없음'은 다른 사람에게서 명령을 받지 않았기 때문이다.

서유신(徐有臣) 『역의의언(易義擬言)』

不應九四, 是獨行正也. 未敢遽受王命, 故緩進而无咎也.

구사와 호응하지 않으니, 이것이 "홀로 바름을 행한다"는 것이다. 아직 감히 갑작스럽게 왕명을 받지 않기 때문에 느긋하게 나아가서 허물이 없다.

박문건(朴文健) 『주역연의(周易衍義)』

命, 九四之命也.

명(命)은 구사의 명령이다.

〈問, 獨行正, 未受命. 曰, 初六欲遇其上, 而反見摧傷, 其咎不在於初也. 故謂之獨行正也. 罔孚而不往者, 志在保己. 然未順其上, 故謂之未受命也.

물었다: "홀로 바름을 행한다"와 "아직 명령을 받지 않았다"는 무슨 뜻입니까?

답하였다: 초육은 그 위를 만나고자 하지만 도리어 꺾이고 상함을 당하게 되니, 그 허물은

초효에게 있지 않습니다. 그러므로 "홀로 바름을 행한다"고 하였습니다. 믿어주지 않아서 가지 않는 것은 뜻이 자신을 보호하는 데에 있습니다. 그런데 아직 그 윗사람을 순종하지 않기 때문에 "아직 명령을 받지 않았다"고 말하였습니다.〉

김기례(金箕澧) 『역요선의강목(易要選義綱目)』

未受命.
아직 명령을 받지 않았기 때문이다.

可進可退, 裕自守, 而无咎者, 在下位, 无官職命.
나아갈 수 있고 물러날 수 있음에 여유롭게 스스로를 지키며, 허물이 없는 것은 맨 아래 자리에 있어서 관직과 명령이 없기 때문이다.

오치기(吳致箕) 「주역경전증해(周易經傳增解)」

欲進而雖見摧抑, 宜其獨行正道也. 寬裕而不求其進, 故未受官守之命也.
나아가고자 하여 비록 물리치고 억누름을 받더라도 마땅히 홀로 정도(正道)를 행하여야 한다. 관대하고 여유로워 그 나아감을 구하지 않기 때문에 관리로서 관직을 맡는 명령을 아직 받지 않았다.

심대윤(沈大允) 『주역상의점법(周易象義占法)』

言不見知於上也.
윗사람에게 알려지지 않았음을 말한다.

이병헌(李炳憲) 『역경금문고통론(易經今文考通論)』

本義曰, 以陰居下, 有欲進見摧之象. 處以寬柔則无咎也.
『본의』에서 말하였다: 음으로서 아래에 있고, 나아가고자 하지만 꺾여 물러나게 되는 상이 있다. 관대하고 여유로움으로 대처를 한다면 허물이 없게 된다.

按, 獨行正, 故罔孚, 未受命, 故裕而後, 無咎. 命, 謂錫命.
내가 살펴보았다: 홀로 바름을 행하기 때문에 믿어주지 않고, 아직 명령을 받지 않았기 때문에 여유로운 후에 허물이 없게 된다. '명령[命]'은 책봉을 내리는 명령[錫命]을 말한다.

六二，晉如愁如，貞，吉，受茲介福于其王母.

육이는 나아감이 근심스럽지만 곧으면 길하니, 큰 복을 왕모에게서 받는다.

中國大全

傳

六二在下, 上无應援, 以中正柔和之德, 非强於進者也, 故於進爲可憂愁, 謂其進之難也. 然守其貞正則當得吉, 故云晉如愁如貞吉. 王母, 祖母也, 謂陰之至尊者, 指六五也. 二以中正之道自守, 雖上无應援, 不能自進, 然其中正之德, 久而必彰, 上之人自當求之. 蓋六五大明之君, 與之同德, 必當求之, 加之寵祿, 受介福于王母也. 介, 大也.

육이는 아래에 있고, 위에서 호응하여 끌어줌이 없으며, 중정하며 부드럽고 온화한 덕을 사용하니, 나아감에 강성한 자가 아니다. 그렇기 때문에 나아감에 근심스러울 만하니, 나아감이 어렵다고 하였다. 그러나 곧고 바름을 지킬 수 있다면 길함을 얻을 수 있기 때문에, "나아감이 근심스럽지만 곧으면 길하다"고 말하였다. '왕모(王母)'는 조모이니, 음 중에서도 지극히 높은 자를 말하는 것으로 육오를 가리킨다. 육이는 중정의 도로 제 스스로를 지키니 비록 위에 호응하여 당겨줌이 없어서 스스로 나아갈 수 없지만, 중정한 덕이 오래 지속되어 반드시 드러나니, 윗사람 스스로가 구할 것이다. 육오는 크게 밝은 임금이고, 육이와 덕을 같게 하여 반드시 그를 구하여 은총을 내릴 것이니, 왕모로부터 큰 복을 받음이다. '개(介)'자는 크다는 뜻이다.

本義

六二中正, 上无應援, 故欲進而愁, 占者如是而能守正, 則吉而受福于王母也. 王母, 指六五, 蓋享先妣之吉占, 而凡以陰居尊者, 皆其類也.

육이가 중정하지만 위에서 호응하여 당겨줌이 없기 때문에, 나아가고자 하지만 근심하게 되니, 점치는 자가 이와 같더라도 올바름을 지킬 수 있다면, 길하여 왕모로부터 복을 받게 된다. '왕모(王母)'는 육오를 가리키니, 무릇 선비(先妣)에게 제사를 지내는 길한 점이고, 무릇 음으로서 존귀한 지위에 있는 것들은 모두 그 부류가 된다.

小註

或問, 王母指六五, 以爲享先妣之吉占, 何也. 朱子曰, 恐是如此, 蓋周禮有享先妣之禮.
어떤 이가 물었다: '왕모(王母)'는 육오를 가리키는데, 선비(先妣)에게 제사를 지내는 길한 점으로 여긴 것은 어째서입니까?
주자가 답하였다: 아마도 이와 같을 것이니, 『주례』에는 선비에게 제사를 지내는 예법이 기록되어 있습니다.

○ 雙湖胡氏曰, 晉如愁如, 二欲進而復愁, 以其无應於五也. 五下互坎, 爲加憂, 二欲進而前有坎險, 又爲艮山所阻, 故有憂愁之象, 以能守正, 故終得吉.
쌍호호씨가 말하였다: "나아감이 근심스럽다"는 말은 이효가 나아가고자 하지만 재차 근심스럽다는 뜻이니, 오효의 호응이 없기 때문이다. 오효 아래는 호괘로 감괘가 되어 근심을 더하게 되니, 이효가 나아가고자 하지만 앞에는 감괘의 험함이 있고, 또 산인 간괘에 의해 막히기 때문에 근심스러운 상이 있지만, 올바름을 지킬 수 있기 때문에 끝내 길함을 얻게 된다.

○ 進齋徐氏曰, 上雖无應, 而同德相戒, 故受玆介福于其王母也, 言受六五之福也.
진재서씨가 말하였다: 위에는 비록 호응함이 없지만 덕을 함께 하며 서로 경계를 해주기 때문에, 왕모로부터 큰 복을 받게 되니, 이 말은 육오의 복을 받는다는 뜻이다.

○ 雲峰胡氏曰, 愁, 二陰柔无應之象. 王母, 六五, 陰而居尊之象. 小過六二曰遇其妣, 彼言祖妣卽此言王母也. 二柔中正, 五雖不應而同德, 彖蕃馬三接, 卽爻所謂介福, 彖言錫, 爻言受, 互文也. 凡進退, 皆不可以自必, 初有應, 宜可進也, 而有欲進見摧之象. 二无應若可愁也, 而有受福王母之占, 聖人皆戒之曰貞吉. 蓋不以應之有无爲吉凶, 而惟以不失在我之正者爲吉也.
운봉호씨가 말하였다: 근심은 이효가 부드러운 음으로 호응이 없는 상이다. '왕모(王母)'는 육오를 가리키니, 음이면서 존귀한 자리에 있는 상이다. 소과괘(小過卦䷽)의 육이에서는 "그 비(妣)를 만난다"고 했는데, 소과괘에서 조비(祖妣)라고 한 대상은 이곳에서 왕모라고 말한 대상이다. 이효는 부드럽지만 중정하고, 오효가 비록 호응을 하지 않지만 덕을 함께 하니, 단사에서 "말을 하사받고 세 차례 접견한다"는 말은 곧 효사에서 말한 큰 복에 해당하

니, 단사에서 '하사[錫]'라고 말하고 효사에서 '받음[受]'이라고 한 말은 상호 호환이 되는 문장이다. 나아가고 물러남에 있어서는 모두 제 스스로 기필할 수가 없으니, 초효는 호응함이 있어서 마땅히 나아갈 수 있지만, 나아가고자 함에 꺾임을 당하는 상이 있다. 이효는 호응함이 없어서 근심스러울 수가 있지만 왕모로부터 복을 받는 점이 있는데, 성인은 둘 모두에 대해서 "곧으면 길하다"고 경계를 하였다. 호응의 유무로 길흉을 판단하지 않고, 단지 나의 올바름을 잃지 않는 것을 길함으로 삼았기 때문이다.

韓國大全

송시열(宋時烈) 『역설(易說)』

六二以柔遇柔, 欲進而愁, 本義及程傳已言之. 且互坎在中, 爲憂愁之象, 故云愁如貞吉同上. 介福, 大福也. 王者, 離也. 母者, 坤. 坤爲母, 而離得坤中爻, 此母義疊見. 故曰王母, 諸儒說所謂祖母也. 又五爻爲王公位, 故曰王母也. 小象中正, 皆以中爻故也.
육이는 부드러운 음으로 부드러움을 만나 나아가려고 하지만 근심스러운 것을 『본의』와 『정전』에서 이미 말하였다. 또 호괘인 감괘가 가운데 있어 걱정하고 근심하는 상이 되므로 "근심스럽지만 곧으면 길하다"고 하였으니, 위와 같다. '큰 복[介福]'은 많은 복이다. '왕(王)'은 리괘(☲)이다. '어미[母]'는 곤괘(☷)이다. 곤괘가 어미가 되고, 리괘가 곤괘의 가운데 효를 얻었으니, 여기에서 어미의 뜻이 중첩되어 보인다. 그러므로 '왕모(王母)'라고 하였으니, 여러 학자들이 '조모(祖母)'라고 한 것이다. 또한 오효가 왕(王)과 공(公)의 자리이므로 '왕모(王母)'라고 하였다. 「소상전」의 "중정하다[中正]"는 것은 모두 가운데 효이기 때문이다.

이익(李瀷) 『역경질서(易經疾書)』

愁如, 心自內懼也, 旣而幡然有受幣之意. 當世之事, 把作愁思而任重難了, 如孟子所謂動心, 動心者, 恐懼疑惑也. 王母或謂祖母, 然不宜舍祖而先母, 或謂孫婦祔祖母, 然在婦宜稱姑也. 本意以享先妣爲解, 文義甚叶. 先妣姜嫄也. 周以后稷爲祖, 姜嫄無所配, 特立一廟謂之閟宮. 其享也, 奏夷則, 歌小呂, 舞大濩, 次在天地四望山川之下先祖之上, 則非姜嫄而何. 小過之過祖遇妣, 亦如此相照. 晉臣道而有君象, 故象謂康侯, 侯者諸侯也. 侯之上有天子, 而六五陰柔, 故以王母取象. 周之業本於姜嫄, 古人重禱祀祈福, 必於其廟, 其禮雖不可考, 魯閟宮頌禱之辭, 津津受福. 意者, 周典如此, 而魯人倣之也. 周大封同姓, 畢原邗晉之類, 莫非姜嫄之後裔. 六二中正, 宜受其福, 觀愁如之心, 其賢可知. 豈不能佐王出治乎.

'근심스러움[愁如]'이란 마음이 안으로부터 두려워하는 것이니, 이미 갑작스럽게 폐백을 받으려는 뜻이 생긴 것이다. 세상의 일을 담당할 때에 근심을 하면서 중책을 감당하기는 어려우니, 맹자가 말한 '동심(動心)'과 같으며 '동심'이란 두려워하고 의혹되는 것이다. '왕모(王母)'를 어떤 이는 할머니라고 하지만 할아버지를 내버려두고 할머니를 먼저 한다는 것은 마땅하지 않고, 어떤 이는 손자며느리인 경우에 할머니의 사당에 합사(合祀)하는 것이라고 하지만 며느리로서는 마땅히 '고(姑)'라고 칭해야 한다. 『본의』의 뜻은 '돌아가신 어머니[先妣]에게 제사를 지냄'으로써 풀이하였는데 문자의 뜻이 딱 들어 맞는다. 돌아가신 어머니는 강원(姜嫄)이다. 주(周)나라는 후직(后稷)을 시조로 삼았으므로 강원은 배향하는 곳이 없어서 특별히 하나의 사당을 세워 비궁(閟官)이라고 하였다. 그 제사를 지낼 때에 이칙(夷則)을 연주하고 소려(小呂)를 노래하며 「대호(大濩)」를 춤추어 차례가 천지(天地)와 사망(四望)과 산천(山川)의 아래에 있고 선조의 위에 있으니, 강원이 아니면 누구이겠는가? 소과괘(小過卦)에서 "할아버지를 지나가 할머니를 만난다"[85]고 한 것이 또한 이와 같이 서로 비춰주는 것이다. 진괘는 신하의 도이면서 임금의 상을 가지고 있기 때문에 괘사에서 '다스리는 제후[康侯]'라고 하였으니, '후(侯)'란 제후이다. 제후의 위에는 천자가 있는데 육오는 부드러운 음이기 때문에 '왕모'로 상을 취하였다. 주나라의 창업은 강원에 뿌리를 두었으므로 옛 사람들은 중요하게 제사를 지내 소원을 빌거나 복을 구할 때에는 반드시 그의 사당에서 하였으니, 그 예(禮)를 비록 고찰해볼 수는 없으나 『시경(詩經)·비궁(閟官)』의 가사는 충분하게 복을 받는다는 내용임을 알 수가 있다. 생각해보건대 주나라 의식(儀式)도 이와 같아서 노나라 사람들이 이를 모방한 듯하다. 주나라는 동성(同姓)을 크게 제후로 봉하였으니, 필원과 한(邗) 땅의 진나라와 같은 부류도 강원의 후손이 아닌 경우가 없었다. 육이는 중정하여 마땅히 복을 받는데도 근심스러운 마음을 볼 수 있으므로 그 어짊을 알만 하니, 어찌 왕을 도와 정치를 할 수가 없겠는가?

又按, 魯頌閟宮, 朱子不從舊說而易本義卻以周禮爲解, 詩傳易義, 成於一時, 未知何故有此不同. 周家如欲享之, 必有其祠, 非閟宮而何. 朱子之意. 或者謂先妣之廟, 不當在魯. 然魯旣郊禘, 春秋書之, 閟宮之在魯, 何足恠.

또 살펴보았다: 『시경(詩經)·비궁(閟官)』에 대하여 주자는 옛 설을 따르지 않았으면서도 『주역본의』에서 도리어 『주례(周禮)』를 가지고서 풀이하였으니, 『시경집전』과 『주역본의』

85) 『周易·小過卦』: 六二, 過其祖, 遇其妣, 不及其君, 遇其臣, 无咎.

가 같은 시기에 지어졌는데도 무슨 까닭으로 이렇게 다른 바가 있는지 알지 못하겠다. 주나라 사람들은 만일 제사를 지내고자 한다면 반드시 그에 맞는 사당을 가지고 있었으니 '비궁'이 아니라면 무엇이겠는가? 주자의 생각은 아마도 돌아가신 어머니[先妣]의 사당이 마땅히 노나라에 있을 수 없다고 여긴 듯하다. 그러나 노나라는 이미 교제사와 체제사를 지냈다고 『춘추』에 기록되어 있으므로, '비궁'이 노나라에 있음이 어찌 괴이할만한 일이겠는가?

심조(沈潮) 「역상차론(易象箚論)」

君位在陰, 故王母. 程傳竟無歸著.
임금의 자리에 음이 있으므로 '왕모(王母)'라고 하였다. 『정전』은 끝내 귀착함이 없다.

김원행(金元行) 『미상경의(渼上經義)-주역(周易)』

震之六二, 億喪貝之億字, 未有明釋, 而按此卦六五爻辭曰億無喪, 而夫子釋之曰, 大無喪也. 以此例之, 則恐亦爲大喪貨貝之義, 未知如何. 舊讀此, 每亦疑其如此. 字書又曰億大也.
진괘(震卦䷲) 육이의 "재물을 잃을 것을 헤아린다[億喪貝]"에서 '억(億)'에 대해 아직 명확한 풀이가 있지 않은데 이 괘의 육오 효사를 살펴보니 "잃음이 없다[億無喪]"고 하였고, 공자는 그것을 해석하여 "크게 잃음이 없다[大無喪也]"고 하였다. 이러한 예로 보면 아마 크게 재물을 잃는다는 뜻이 되는데 어떤지 알 수 없다. 이전에 이것을 읽을 때마다 이와 같이 의심하였다. 자서(字書)에는 "'억(億)'은 크다"라고 하였다.

유정원(柳正源) 『역해참고(易解叄攷)』

王氏曰, 晉旡應, 其德不昭, 故曰晉如愁如.
왕필이 말하였다: 진(晉)은 호응이 없고, 그 덕도 밝지 않으므로 "나아감이 근심스럽다"고 하였다.

○ 朱子曰, 摧如愁如, 易中少有此字. 疑此爻必有此象, 但今不可曉.
주자가 말하였다: '물러남'과 '근심스러움'은 역 가운데 이러한 글자가 조금 있다. 아마 이 효에 이 상이 있는 것 같은데, 지금에는 잘 알 수 없다.

○ 潼川毛氏曰, 本欲晉如乃愁如, 九四間之也, 能守其正, 終必合矣.
동천모씨가 말하였다: 본래 나아가려 했지만 근심스러운 것은 구사가 끼어들기 때문이니,

그 바름을 지키면 끝내 반드시 합할 것이다.

○ 梁山來氏曰, 中爻坎爲加憂, 爲心病, 愁之象也. 二欲升進, 无應援. 五陰柔, 二愁五之不斷, 四邪僻, 二愁四之見害, 此其所以愁也.
양산래씨가 말하였다: 가운데 효인 감괘가 걱정을 더하고 마음의 병이 되니, 근심스러움의 상이다. 이효가 올라가려고 하지만 호응하여 이끌어줌이 없다. 오효가 음이고 부드러워서 이효는 그것이 결단하지 못하는 것을 근심하고, 사효가 사악하고 편벽되어 이효는 그것이 피해 입는 것을 근심하니, 이것이 근심하는 이유이다.

○ 案, 初晉而摧如, 二晉而愁如, 若是乎君子之難進也. 耕也, 餒在其中, 學也, 祿在其中. 居中守正, 則自求多福.
내가 살펴보았다: 초효는 나아가지만 물러나고, 이효는 나아가지만 근심하게 되니, 그래서 군자가 나아가기를 어렵게 여긴다. 농사지으면 굶주림이 그 가운데 있고, 배우면 녹봉이 그 가운데 있다. 가운데 있으면서 바름을 지키면 스스로 많은 복을 구하게 된다.

傳爲可.
『정전』에서 "~할 만하다[爲可]"고 하였다.
小註朱子說, 享先妣.
소주에서 주자가 "선비(先妣)에게 제사지낸다"고 하였다.
〈周禮大司樂, 奏夷則, 歌小呂, 以享先妣. 註夷則, 申之. 律申, 後天坤之方, 有妣道焉. 小呂在巳, 巳與申合, 歌之以合奏.
『주례 · 대사악』에서 "이칙(夷則)[86]을 연주하고 소려(小呂)[87]로 노래하여 선비(先妣)[88]에게 제사지낸다"[89]고 하였다. 주석에서 "이칙(夷則)은 신(申) 방향의 기운이다"고 하였다. 율(律)에서 신(申)은 후천(後天) 곤(坤)의 방위로, 어미의 도가 있다. '소려(小呂)'는 사(巳) 방향에 있으니, 사(巳)와 신(申)이 합하여 노래하여 합주한다.〉

김상악(金相岳) 『산천역설(山天易說)』

六二柔順中正, 與五同德而進, 而四互坎體, 故有愁如之象. 然守正則吉, 而終能上進,

86) 이칙(夷則): 십이율(十二律)의 아홉째 음. 육률의 하나로 방위는 신(申), 음력 7월에 해당한다.
87) 소려(小呂): 십이율(十二律)의 여섯째 음. 육려의 하나로 방위는 사(巳), 정후는 음력 4월에 해당한다.
88) 선비(先妣): 강원(姜嫄)으로 주나라 시조인 후직(后稷)의 어머니이니, 주나라의 선모(先母)이다.
89) 『周禮 · 大司樂』: 乃奏夷則, 歌小呂, 舞大濩, 以享先妣.

故受福于王母也.
육이는 유순하고 중정하여 오효와 덕을 함께 하여 나아가지만 사효의 호괘가 감괘의 몸체이기 때문에 근심스러운 상이 있다. 그러나 바름을 지키면 길하고 끝내 위로 나아갈 수 있기 때문에 복을 왕모에게서 받는다.

○ 欲進而坎險在前, 而坎又爲憂, 故曰晉如愁如. 晉萃其義相似, 故與萃六三同象. 萃則應在无位而從比, 故往无咎小吝. 貞者, 盡其在我, 而不苟妄進也. 初之貞, 戒其不足也. 二之貞, 勉其本有也. 剝爲柔變剛之卦, 故初二曰剝牀以足以辨, 皆蔑貞而凶. 晉則柔上行之時, 故初二曰, 晉如摧如, 愁如, 而皆貞吉受福, 卽卦辭之三接也. 凡言受福者, 皆五行相生也. 離火生坤土, 故曰受兹介福. 井三之受福, 坎水生巽木也. 旣濟之五曰, 實受其福, 水火相交也. 王母, 指五也. 以位則王, 以德則母, 又以坤之遇離而言也.
나아가려고 하지만 감괘의 험함이 앞에 있고, 감괘가 또 근심이 되므로 "나아감이 근심스럽다"고 하였다. 진괘와 취괘(䷬)는 그 뜻이 비슷하므로 취괘의 육삼과 같은 상이다.[90] 취괘는 호응이 자리가 없어 가까이 있는 것을 따르므로 "가면 허물이 없지만 조금 부끄럽다"고 하였다. '곧음'이란 나에게 있는 것을 극진하게 해 구차하고 거짓되게 나아가지 않는 것이다. 초효의 곧음은 그 부족함을 경계하였고, 이효의 곧음은 그 본래 가지고 있는 것을 힘쓰게 하였다. 박괘(剝卦䷖)는 부드러움이 굳셈을 변화시키는 괘이므로 초효와 이효에서 "평상을 다리에서 깎는 것이다"고 하였고, 이효에서 "평상을 가로댄 나무에서 깎는 것이다"고 하였는데 모두 "곧음을 업신여기는 것이다. 흉할 것이다"고 하였다. 진괘는 부드러움이 위로 올라가는 때이므로 초효에서 "나아가거나 물러난다"고 하였고, 이효에서 "나아감이 근심스럽다"고 하였는데 모두 '곧으면 길하여' 복을 받는 것으로 바로 괘사의 '세 번 접견함'인 것이다. '복을 받음'은 모두 오행이 상생하는 것이다. 리괘의 불이 곤괘의 흙을 낳으므로 "큰 복을 받는다"고 하였다. 정괘 삼효에서 '복을 받음'은 감괘의 물이 손괘의 나무를 살리는 것이다. 기제괘 오효에서 '실제로 복을 받음'은 물과 불이 서로 사귐이다. '왕모'는 오효를 가리키니 지위로는 왕이고 덕으로는 어머니이며, 또 곤괘가 리괘를 만나는 것으로 말했다.

서유신(徐有臣) 『역의의언(易義擬言)』

九四在前, 有艮坎之險阻, 是爲愁如也. 六二柔順中正, 不以愁如而變其守, 故貞而吉終受介福, 是吉也. 王母, 六五也, 不受於四, 而受於五也. 夫二五之應, 異乎凡爻之應, 故蹇稱王臣, 睽稱遇主, 考之諸卦, 其義可見也. 君臣之間, 有所險阻, 而恬然不以爲

90) 『周易 · 萃卦』: 六三, 萃如嗟如, 无攸利, 往无咎, 小吝.

憂, 非臣道也.
구사가 앞에 있어 간괘와 감괘의 험함이 있어서 근심스러움이 된다. 육이는 유순하고 중정하여 근심스럽지만 그 지킴을 바꾸지 않기 때문에 곧고 길하여 끝에 큰 복을 받으니, 이것이 길한 것이다. '왕모'는 육오여서 사효에게서 받지 않고 오효에게 받는다. 이효와 오효가 호응함은 다른 효의 호응과는 다르기 때문에 건괘(蹇卦䷦) 육이에서는 '왕의 신하'[91]라고 하였고, 규괘(睽卦䷥) 구이에서는 "임금을 만난다"[92]라고 하였으니, 여러 괘를 고찰하면 그 뜻을 알 수 있다. 임금과 신하 사이에 험한 일이 있는데도 편안하게 걱정으로 여기지 않는다면 신하의 도가 아니다.

박문건(朴文健) 『주역연의(周易衍義)』

升而見疑, 故有愁如之象. 介, 大也. 王母, 祖妣, 以陰處尊之稱也.
올라가지만 의심을 받기 때문에 근심스러운 상이 있다. '큼[介]'은 많음이다. '왕모'는 조비(祖妣)이니, 음으로써 존귀한 자리에 있는 것을 말한다.
〈問, 晉如愁如以下. 曰, 六二欲遇其上, 而反見疑阻, 故有憂愁. 然若用貞而退處, 則上必信己, 而致吉如此, 則受大福, 必於王母也.
물었다: "나아감이 근심스럽지만" 이하는 무슨 뜻입니까?
대답하였다: 육이가 그 위를 만나고자 하나 도리어 의심과 걱정을 받게 되므로 근심이 있게 됩니다. 그러나 만약 곧음을 써서 물러나면 위에서 반드시 자신을 믿게 되어 길함을 이와 같이 이룰 수 있을 것이니, 큰 복은 반드시 왕모에게서 받을 것입니다.〉

〈○ 問, 受玆介福. 曰, 受玆介福, 與井九三, 竝受其福之文同也. 福, 謂祭享之福也.
물었다: '큰 복을 받음'은 무슨 뜻입니까?
대답하였다: '큰 복을 받음'은 정괘(井卦) 구삼의 "함께 복을 받는다"는 문장과 같습니다. '복'은 제사를 누리는 복을 말합니다.〉

이지연(李止淵) 『주역차의(周易箚疑)』

晉身之道, 苟以中正, 則以之事君而受寵錫, 以之事神而受介福, 何患乎身之不晉乎.
몸을 나아가게 하는 도는 중정으로써 해야 하니, 그것으로써 임금을 섬기면 은총을 받고, 그것으로써 귀신을 섬기면 큰 복을 받을 것이니, 어찌 몸이 나아가지 않음을 걱정하겠는가?

---

91) 『周易 · 蹇卦』: 六二, 王臣蹇蹇, 匪躬之故.
92) 『周易 · 睽卦』: 九二, 遇主于巷, 无咎.

김기례(金箕澧) 『역요선의강목(易要選義綱目)』

王母, 指六五.
'왕모'는 육오를 가리킨다.

○ 介福, 象所謂錫馬三接.
'큰 복'은 단사에서 말한 말을 하사하고 세 차례 접견하는 것이다.

○ 二以中正柔順, 上無應援, 故欲進而愁如. 若守正, 則五以同德相感而受大福. 二互艮, 故止而不能遽進.
이효는 중정하고 유순하지만 위에서 호응이나 원조가 없기 때문에 나아가려고 하지만 근심스럽다. 만약 바름을 지키면 오효가 같은 덕으로 서로 감응하여 큰 복을 받는다. 이효는 호괘가 간괘이므로 멈추고 갑자기 나아가지 않는다.

○ 五互坎, 故二見前險, 而取加憂之象, 而曰愁.
오효는 호괘가 감괘이므로 이효가 앞에서 험함을 당함으로 근심을 더하는 상을 취하게 되어 "근심스럽다"고 하였다.

심대윤(沈大允) 『주역상의점법(周易象義占法)』

晉之未濟䷿. 六二稍升, 而其蔽未盡去, 居柔得中, 照其光之所及, 故曰晉如愁如. 坎爲愁, 言其明尙隱也. 君子始得卑位, 不汲汲於求知, 而但自盡其職之所可爲者, 則上自知之矣. 不患人之不己知, 而患所以立是也. 王母, 指六五也. 艮爲受, 离艮爲介福, 言爲四與五所知也, 其無專主之辭.
진괘가 미제괘(未濟卦䷿)로 바뀌었다. 육이가 조금 나아가 그 가림을 다 제거할 수 없지만 부드러움에 있고 가운데를 얻어 빛이 미치는 곳까지는 비추기 때문에 "나아감이 근심스럽다"고 하였다. 감괘가 근심이 되니, 그 밝음이 여전히 가려졌다는 말이다. 군자가 처음에는 낮은 지위를 얻었지만 알아줌을 구하는 데 급급하지 않고 단지 그 직책에서 할 수 있는 것을 스스로 다하면 윗사람이 스스로 알아 줄 것이다. 사람들이 나를 알아주지 않는 것을 걱정하지 말고 설 것을 걱정하라는 것이 이것이다. '왕모'는 육오를 가리킨다. 간괘가 받음이 되고, 리괘와 간괘가 큰 복이 되니, 사효와 오효가 알아주게 됨을 말하는 것이다. '기(其)'는 오로지 주장함이 없다는 말이다.

오치기(吳致箕) 「주역경전증해(周易經傳增解)」

六二柔順中正, 上有六五柔中之君, 同德相應, 而當晉之時, 九四大臣, 以邪僻用事, 故憂愁, 於見阻而不能進. 然中正之德, 久而必彰, 大明之君, 自當加以寵祿, 故言以其正而獲吉, 如子孫之受大福于其王母也.
육이는 유순하고 중정한데, 위에는 육오의 부드럽고 알맞은 임금이 있어 같은 덕으로 서로 호응하지만 나아가려는 때에 사악하고 편벽한 구사의 대신이 힘을 쓰고 있으므로 근심스럽게도 저지를 당하여 나아갈 수 없다. 그러나 중정한 덕이 오래 가면 반드시 드러나게 되어 크게 밝은 임금이 스스로 총애와 녹봉을 더하게 되므로 그가 바르게 하여서 길함을 얻은 것이 자손이 왕모에게서 큰 복을 받는 것과 같다고 말하였다.

○ 愁, 謂憂也, 取於變坎爲加憂也. 互艮爲手受之象. 介者, 大也. 王母, 五居君位, 故曰王, 六爲陰柔, 故曰母也. 初言貞吉, 戒之也, 二言貞吉, 譽之也.
'근심스러움[愁]'은 근심하는 것이니, 변한 감괘가 근심을 더함에서 취하였다. 호괘인 간괘는 손으로 받는 상이다. "크다[介]"는 많다는 것이다. '왕모'는 오효가 임금의 자리에 있으므로 왕이라고 하였다. 육(六)은 부드러운 음이므로 어머니라고 하였다. 초효에서 "곧으면 길하다"는 경계한 것이고, 이효에서 "곧으면 길하다"는 칭찬한 것이다.

이진상(李震相) 『역학관규(易學管窺)』

爻變成坎, 坎爲加憂, 故曰愁如. 上无應, 故愁也. 坤母在下, 而六五又有妣象, 故曰王母介福, 坤之終有慶者也.
이효가 변하면 감괘(☵)를 이루는데 감괘는 걱정을 더하는 것이므로 "근심스럽다"고 하였다. 위에서 호응이 없으므로 근심스럽다. 곤괘의 어머니가 아래에 있고, 육오에 어머니 상이 있으므로 왕모에게서 큰 복을 받는다고 하였으니, 곤괘에서 끝내 경사가 있다는 것이다.

박문호(朴文鎬) 『경설(經說)-주역(周易)』

受玆介福, 與錫馬蕃庶, 晝日三接, 互相發明. 所以取卦辭而作爻辭也, 豈亦二爲此卦之主耶.
"큰 복을 받는다"는 "여러 차례 말을 하사하고, 낮에 세 차례 접견을 한다"와 서로 보완해서 밝히는 것이다. 괘사를 가져다가 효사를 지었으니, 어찌 또 이효가 이 괘의 주인이겠는가?

凡以陰居尊者, 皆其類, 言女爲君主, 則是亦王母之類也. 此凡字, 所包者甚廣.
대체로 음으로써 높은 데 있는 자가 모두 그 부류이니, 여자가 임금이 되면 왕모의 부류라는 말이다. 여기서 '대체로[凡]'는 포함하는 것이 넓다.

이병헌(李炳憲) 『역경금문고통론(易經今文考通論)』

本義曰, 六二中正, 上無應援, 故欲進而愁. 王母, 指六五.
『본의』에서 말하였다: 육이가 중정하지만 위에서 호응하여 당겨줌이 없기 때문에, 나아가고자 하지만 근심하게 된다. '왕모'는 육오를 가리킨다.

按, 六五之爲王母, 甚恊事情. 母愛之有時勝於父恩者亦多, 不可不知.
내가 살펴보았다: 육오가 왕모가 되는 것은 사정에 매우 적합하다. 어머니의 사랑이 때때로 아버지의 은혜보다 나은 경우도 많으니, 몰라서는 안 된다.

象曰, 受茲介福, 以中正也.

「상전」에서 말하였다: "큰 복을 받음"은 중정하기 때문이다.

中國大全

傳

受茲介福, 以中正之道也. 人能守中正之道, 久而必亨, 況大明在上而同德, 必受大福也.

큰 복을 받음은 중정의 도로써 시행했기 때문이다. 사람이 중정의 도를 지키며 오래도록 하면 반드시 형통하게 되는데, 하물며 큰 밝음이 위에 있으면서 덕을 함께 한다면, 반드시 큰 복을 받게 된다.

小註

中溪張氏曰, 二之所以受福者, 以能居中而得正也.
중계장씨가 말하였다: 이효가 복을 받을 수 있는 이유는 가운데에 있으면서 바름을 얻을 수 있었기 때문이다.

韓國大全

김상악(金相岳) 『산천역설(山天易說)』

二之中正, 受福之由也.
이효의 중정함이 복을 받는 까닭이다.

서유신(徐有臣)『역의의언(易義擬言)』

爻稱其正, 而象兼稱其中. 中有以中, 應中之義. 二五之應, 所以異於凡爻也.
효에서는 그 바름을 말하였고, 상에서는 그 알맞음을 함께 말하였다. 가운데에 알맞음을 가지고 있는 것이 가운데에 호응하는 뜻이다. 이효와 오효가 호응하는 것이 여러 효와는 다르다.

오치기(吳致箕)「주역경전증해(周易經傳增解)」

能守中正之道, 久而必亨, 況大明在上而同德, 必受大福也.
중정의 도를 지키기를 오래도록 하면 반드시 형통할 것인데, 하물며 큰 밝음이 위에 있으면서 덕을 같이 하여 반드시 큰 복을 받음에야 말해 무엇 하겠는가!

六三, 衆允, 悔亡.

육삼은 무리가 믿어주니, 후회가 없다.

中國大全

傳

以六居三, 不得中正, 宜有悔咎, 而三在順體之上, 順之極者也. 三陰, 皆順上者也, 是三之順上, 與衆同志, 衆所允從, 其悔所以亡也. 有順上向明之志而衆允從之, 何所不利. 或曰, 不由中正而與衆同, 得爲善乎. 曰, 衆所允者, 必至當也. 況順上之大明, 豈有不善也. 是以悔亡, 蓋亡其不中正之失矣. 古人曰, 謀從衆則合天心.

육(六)이 삼효에 있어서 중정을 얻지 못하니 마땅히 후회와 허물이 있게 되지만, 삼효가 순종하는 몸체의 위에 있으니 순종함이 지극한 자이다. 세 음은 모두 위로 순종하는 자이니, 삼효가 위로 순종함은 무리와 뜻을 함께 하여 무리가 믿어서 따르는 것이니, 후회가 없게 되는 이유이다. 윗사람에게 순종하여 밝음을 향하는 뜻이 있고 무리가 믿고 따르니, 어찌 이롭지 않겠는가?
어떤 이가 물었다: 중정을 따르지 않고 무리와 함께 함이 선이 될 수 있습니까?
답하였다: 무리가 믿는 것은 반드시 지당하기 때문입니다. 하물며 위의 큰 밝음을 따르고 있는데 어찌 불선함이 있겠습니까? 이러한 까닭으로 후회가 없게 되니, 중정하지 못한 잘못이 없기 때문입니다. 옛 사람들은 "도모함이 무리를 따르면 천심에 합치된다"고 했습니다.

本義

三不中正, 宜有悔者, 以其與下二陰, 皆欲上進, 是以爲衆所信而悔亡也.

삼효가 중정하지 못하니 마땅히 후회가 있을 것이나 아래 두 음과 함께 모두 위로 나아가고자 하기 때문에, 무리로부터 신임을 얻어서 후회가 없게 된다.

小註

朱子曰, 衆允, 象也, 悔亡, 占也.
주자가 말하였다: 무리가 믿음은 상이고, 후회가 없음은 점이다.

○ 問, 晉六三, 如何見得爲衆所信處. 曰, 晉之時, 二陰皆欲上進, 三處地較近, 故二陰皆從之以進. 問, 如何得悔亡. 曰, 居非其位, 本當有悔, 以其得衆, 故悔可亡.
물었다: 진괘의 육삼은 어떻게 무리로부터 신임을 받는 자리가 됩니까?
답하였다: 나아갈 때에 두 음이 모두 위로 나아가고자 하는데 삼효가 처한 곳이 비교적 가까워서, 두 음이 모두 그를 따라서 나아가기 때문입니다.
물었다: 어떻게 후회가 없을 수 있습니까?
답하였다: 제자리가 아닌 곳에 있으니 본래는 후회가 있어야 하지만, 무리를 얻었기 때문에 후회가 없을 수 있습니다.

○ 中溪張氏曰, 六三位不中正, 有悔宜也. 然三能率初二以順上, 而衆皆允信而從之, 故其悔可亡.
중계장씨가 말하였다: 육삼의 자리는 중정하지 않아서 후회가 있는 것이 마땅하다. 그러나 삼효는 초효와 이효를 이끌어서 위에 순종할 수 있고, 무리가 모두 신임을 하여 따르기 때문에 후회가 없을 수 있다.

○ 雲峰胡氏曰, 衆, 坤象, 坤, 順之極, 故有允象. 三居下卦之上, 爲衆陰之長, 正康侯之謂也. 初罔孚, 衆未允也. 二愁如, 猶有悔也. 三居順之極, 而衆皆相信, 可以進而受三接之寵矣. 未信而進, 其悔在後, 衆允而進, 其悔乃亡.
운봉호씨가 말하였다: 무리는 곤괘의 상이고, 곤괘는 지극히 순종한다. 그렇기 때문에 믿음의 상이 있다. 삼효는 하괘의 위에 있어서 여러 음들의 우두머리가 되니, 바로 편안하게 다스리는 제후를 뜻한다. 초효의 "믿어주지 않다"는 말은 무리가 아직 믿지 못한다는 뜻이다. 이효의 "근심스럽다"는 말은 여전히 후회가 있다는 뜻이다. 삼효는 순종하는 몸체의 끝에 있고 무리가 모두 서로 믿어주니, 나아가서 세 차례 접견하는 은총을 받을 수 있다. 아직 믿어주지 않았는데도 나아가면 후회가 뒤따르지만, 무리가 믿어서 나아가니 후회가 없게 된다.

韓國大全

송시열(宋時烈) 『역설(易說)』

六三坤爲衆, 而允者, 允合於上九也. 三居坤順之上爻, 是與衆同志之象, 所以无悔. 李氏過曰, 初之罔孚, 衆未允也. 二之愁如, 猶有悔也. 三之孚於衆, 進得所願也.
육삼은 곤괘(☷)가 무리가 되며, '믿어줌'은 상구와 믿음으로 합하는 것이다. 삼효가 유순한 곤괘의 상효에 있는 것이 무리와 뜻을 함께 하는 상이기 때문에 후회가 없다.
이과가 말하였다: 초효가 '믿음이 없음'은 무리가 믿어주는 않는 것이다. 이효가 근심함은 여전히 후회하는 것이다. 삼효가 무리에게 믿음이 있음은 나아가 소원을 얻는 것이다.

이익(李瀷) 『역경질서(易經疾書)』

六三, 三陰竝進矣. 升之初六云允升, 初六一陰在初, 故只言允升. 此則三陰, 故添衆字, 而承上文初二之晉字, 則是衆允晉也. 雖不言晉, 其義自明. 升者, 巽一陰從坤三陰而升, 晉者, 坤三陰從離一陰而晉.
육삼은 세 음이 함께 나아가는 것이다. 승괘(升卦☷☴)의 초육에서 "믿어서 자라난다"[93]고 하였으니, 초육인 한 음이 초효의 자리에 있기 때문에 다만 "믿어서 자라난다"고 하였다. 여기서는 세 음이기 때문에 '무리[衆]'라는 글자를 더하여 위 문장의 초효와 이효에서의 '진(晉)'자를 이었으니, 이는 무리가 믿어서 나아간다는 것이다. 비록 "나아간다[晉]"고 말하지는 않았지만 그 뜻이 자명하다. 승괘는 내괘인 손괘(巽卦☴)의 한 음이 외괘인 곤괘(坤卦☷)의 세 음을 좇아 자라나고, 진괘는 내괘인 곤괘의 세 음이 외괘인 리괘(離卦☲)의 한 음을 좇아 나아간다.

鼫鼠, 卽詩所謂碩鼠, 貪而多疑, 終不成群. 九四一陽在衆陰之間, 故有此象. 貪故欲進, 多疑故趑趄, 所謂首鼠兩端也.
'쥐[鼫鼠]'는 즉 『시경』에서 말한 '석서(碩鼠)'[94]이니 탐욕스럽고 의심이 많아 끝내 무리를 짓지 못한다. 구사는 하나의 양이 여러 음들 사이에 있기 때문에 이러한 상이 있다. 탐욕스럽기 때문에 나아가고자 하고 의심이 많기 때문에 나아가지 못하고 망설이니, 이른바 "쥐가

93) 『周易 · 升卦』: 初六, 允升, 大吉.
94) 『시경 · 위풍』에 나오는 시명(詩名)이다.

구멍에서 머리만 내밀고 엿보기만 한다[首鼠兩端]"는 말이다.

유정원(柳正源) 『역해참고(易解參攷)』

六三, 衆允.
무리가 믿어주니.
雙湖胡氏曰, 三坤體, 有衆象. 坤土居五, 行中有信象. 上互坎, 亦有信象.
쌍호호씨가 말하였다. 삼효는 곤괘의 몸체로 무리의 상이 있다. 곤괘인 토(土)는 5의 자리에 거하여 가운데 행하니 믿음의 상이 있다. 위로 호괘인 감괘에도 믿음의 상이 있다.

本義, 三不 [至] 悔亡.
『본의』에서 말하였다: 삼효가 중정하지 못하니 … 후회가 없다.
案, 三之不中正, 衆何以信乎. 與下二陰, 皆欲上. 晉初則守正之君子也, 二則中正之君子也. 三與之同晉, 則衆所信而悔亡矣.
내가 살펴보았다: 삼효가 중정하지 못하니, 무리가 어찌 믿겠는가? 아래의 두 음과 함께 모두 올라가고자 한다. 진괘의 초효는 바름을 지키는 군자이며, 이효는 중정한 군자이니, 삼효가 두 음과 함께 나아가면 무리에게 믿음을 얻어 후회가 없을 것이다.

김상악(金相岳) 『산천역설(山天易說)』

三居順體之上, 近大明之君, 志欲上進, 而二陰從之, 故有衆允之象. 雖見蔽於四, 爲衆所信, 故能亡其悔也.
삼효는 유순한 몸체의 위에 있고 크게 밝은 임금 가까이에 있어 뜻이 위로 올라가고자 함에 두 음이 따르므로 무리가 믿어주는 상이 있다. 사효에게 막힘을 당하지만 무리에게 믿음을 얻으므로 후회가 없을 수 있다.

○ 允者, 信也. 坤爲衆信又屬土, 而坤有西南得朋之象, 故曰衆允. 升亦柔升之卦, 而初六與四爲應曰允升. 蓋三爲衆陰之長, 與五同功, 順麗而進, 而初之摧如, 二之愁如者, 終能相信而從之, 故二爻皆吉三亦悔亡.
'윤(允)'은 믿음[信]이다. 곤은 무리의 믿음이 되고 또 땅에 속하며, 곤은 서남쪽에서 친구를 얻는 상이므로 "무리가 믿어준다"고 하였다. 승괘도 부드러움이 올라가는 괘로 초육과 사효와 호응이므로 "믿어서 올라간다"고 하였다. 삼효는 여러 음의 으뜸이 되고 오효와 공을 같이하여 유순하게 붙어서 나아간다. 그런데 물러난 초효와 근심하는 이효가 마침내 서로 믿어주어 따르기 때문에 두 효가 모두 길하고 삼효도 후회가 없다.

서유신(徐有臣) 『역의의언(易義擬言)』

六三居多凶之地, 進當險阻, 尤宜有悔, 而但其志應於上九, 不比於九四, 故人皆信之, 可以亡其悔也. 坤爲衆, 互坎亦爲衆. 信屬土, 六三自有衆允象, 非謂下二陰也.
육삼은 흉함이 많은 곳에 있어 나아감에 험함을 당하여 더욱 후회함이 있지만, 오직 그 뜻이 상구와 호응하고자 해서 구사를 가까이 하지 않으므로 사람들이 믿어주니, 후회가 없을 것이다. 곤은 무리가 되며, 호괘인 감괘도 무리이다. 믿음은 땅에 속하여 육삼에는 본래 무리가 믿어주는 상이 있으니, 아래 두 음을 말하는 것은 아니다.

박문건(朴文健) 『주역연의(周易衍義)』

懼而反己, 故有衆允之象. 衆允, 言衆多其允信之道也. 或曰, 三陰同用允信之道於其上, 亦通.
두려워하면서 자신을 반성하기 때문에 무리가 믿어주는 상이 있다. "무리가 믿어준다"는 믿어주는 도가 많음을 말한다. 어떤 이가 "세 음이 그 위에 믿어주는 도를 함께 쓴다"고 하였는데, 또한 통한다.
〈問, 衆允悔亡. 曰, 六三與上九, 其勢相敵. 雖悔存, 然必衆多其允信之道, 而後其悔乃亡也. 或者, 因需上三人之文, 而以衆爲三陰也.
물었다: "무리가 믿어주니, 후회가 없다"는 무슨 뜻입니까?
대답하였다: 육삼과 상구는 그 형세가 서로 적대적입니다. 비록 후회가 있지만 반드시 믿어주는 도가 많은 이후에 그 후회가 없을 것입니다. 어떤 이는 수괘 상육의 '세 사람'[95]이라고 한 말을 근거로 무리를 세 음으로 여겼습니다.〉

이지연(李止淵) 『주역차의(周易箚疑)』

五陰, 在於一陽之下, 則爲貫魚之寵, 三陰在於一陽之下, 則爲衆允之象. 當晉之時, 三陰用心上晉, 如泰之上三陰, 翩翩不戒以孚也. 然而泰之三陰, 欲下而害賢, 晉之三陰, 欲上而事君.
다섯 음이 한 양의 아래에 있으면 물고기를 꿰어 총애를 받음이 되고,[96] 세 음이 한 양의 아래에 있으면 '무리가 믿어주는' 상이 된다. 진의 때에 세 음이 마음을 써서 위로 나아감이 태괘(泰卦䷊)에서 위의 세 음이 훨훨 날아 내려오니, 경계하지 않아도 믿어주는 것과 같

95) 『周易·需卦』: 上六, 入于穴, 有不速之客三人來, 敬之, 終吉.
96) 『周易·剝卦』: 六五, 貫魚, 以宮人寵, 無不利.

다.[97] 그러나 태괘의 세 음은 아래로 내려가 어진 이를 해치려 하지만, 진괘의 세 음은 위로 올라가서 임금을 섬기고자 한다.

김기례(金箕澧) 『역요선의강목(易要選義綱目)』

坤爲衆而順, 故曰衆允.
곤괘는 무리지어 있는데도 유순하므로 "무리가 믿어준다."

○ 居順體之極, 與衆陰, 順上大明而晉, 故爲衆信.
부드러운 음의 몸체 끝에 있으면서 여러 음과 유순하게 큰 밝음에 올라가 나아가므로 무리가 믿게 된다.

심대윤(沈大允) 『주역상의점법(周易象義占法)』

晉之旅䷷, 無住着也. 居剛進而求去其蔽, 日之旣出于山, 而無所着也. 與下二陰同志而從於四, 故曰衆允悔亡. 君子旣得邦伯之任, 可以自力而求爲可知也. 离信互兌說爲允, 對節有兌.
진괘가 려괘(旅卦䷷)로 바뀌었으니, 머물 곳이 없는 것이다. 굳셈에 있으면서 나아가 그 가림을 제거하기를 구했으니, 해가 이미 산에서 나와 머물 곳이 없는 것과 같다. 아래 두 음과 뜻을 같이 하여 사효를 따르므로 "무리가 믿어주니, 후회가 없다"고 한 것이다. 군자가 방백의 임무를 이미 얻었으면 자신의 힘으로 알려지기를 구할 수 있다. 리괘는 믿음이고, 호괘가 기쁨인 태괘는 믿음이 되며, 음양이 바뀐 괘인 절괘(䷻)에 태괘(☱)가 있다.

오치기(吳致箕) 「주역경전증해(周易經傳增解)」

六三柔失中正, 宜若有悔, 然當晉之時, 處順之終, 而近乎大明, 與在下之同類, 共有向明上進之志, 而衆皆相信, 旡不順從, 故言能亡其悔也. 傳義備矣.
육삼은 유순함으로 중정을 잃어 후회가 있어야 할 것 같지만 나아가는 때에 유순함의 끝에 있고 큰 밝음에 가까이 하여 아래에 있는 같은 부류들과 함께 밝음을 향하여 위로 나아가는 뜻이 있고, 무리가 모두 서로 믿고 순종하지 않음이 없으므로 후회가 없다고 하였다. 『정전』과 『본의』에 자세한 설명이 있다.

---

97) 『周易·泰卦』: 六四, 翩翩, 不富以其鄰, 不戒以孚.

○ 坤爲衆之象. 允者信也, 取於坤, 土屬信也.
곤괘가 무리의 상이 된다. '믿어줌[允]'은 믿음으로 곤괘에서 취하였으니, 땅이 믿음에 속하기 때문이다.

이진상(李震相) 『역학관규(易學管窺)』

坤爲衆, 而上有互坎, 故取允信之象. 以其近四, 而衆趨之也. 正應在上, 而近阻於四, 不能無悔. 順而止, 以俟自明, 故悔亡.
곤괘가 무리가 되고, 위에 호괘인 감괘가 있으므로 믿는 상을 취하였다. 사효에 가까이 있기 때문에 무리가 달려간다. 정응이 위에 있지만 가까이 사효에게 가로막혀 후회가 없을 수 없다. 유순하여 멈추고는 스스로 밝아지기를 기다리므로 후회가 없다.
〈定軒李丈曰, 象中志字, 當屬下句.
정헌 이장이 말하였다: 「상전」에 '뜻[志]'은 아랫 구절에 속해야 한다.〉

박문호(朴文鎬) 『경설(經說)-주역(周易)』

衆所允者, 必至當, 言衆所允從者, 以其至當故也.
『정전』에서 "무리가 믿는 것은 반드시 지당하기 때문이라"는 것은 무리가 믿고 따르는 자는 그가 지당하기 때문이라는 것이다.

이병헌(李炳憲) 『역경금문고통론(易經今文考通論)』

王曰, 處非其位, 悔也. 志在上行, 與衆同信, 故悔亡也.
왕필이 말하였다: 그 자리가 아닌 곳에 있기 때문에 후회가 있다. 뜻이 위로 올라가는데 있어서 무리와 믿음을 함께 하므로 후회가 없다.

象曰, 衆允之志, 上行也.

「상전」에서 말하였다: "무리가 믿어주는" 뜻은 위로 올라감이다.

中國大全

傳

上行, 上順麗於大明也. 上從大明之君, 衆志之所同也.

'상행(上行)'은 위로 큰 밝음에 순종하여 붙는다는 뜻이다. 위로 큰 밝음의 임금을 따름은 무리의 뜻이 같은 것이다.

小註

中溪張氏曰, 六三順極而明近, 順而麗乎大明, 此衆所同允, 故皆有上行之志也.
중계장씨가 말하였다: 육삼은 순종이 지극하며 밝음이 가까워서 순종하여 큰 밝음에 붙으니, 이것은 무리가 믿음을 함께 하는 것이기 때문에 모두 위로 올라가는 뜻이 있게 된다.

韓國大全

김상악(金相岳) 『산천역설(山天易說)』

衆所信之者, 其志欲上進也. 柔進而上行者謂五故, 諸爻之順麗者, 其志亦上行也.
무리가 믿어주는 것은 그 뜻이 위로 나아가고자 하기 때문이다. 부드러움이 나아가 위로 가려는 것은 오효 때문임을 말하였으니, 여러 효가 유순하게 붙는 것은 그들의 뜻이 또한 위로 올라가기 때문이다.

서유신(徐有臣) 『역의의언(易義擬言)』

衆允之爲句. 衆所以允之者, 以其志之應於上九也.
"무리가 믿어준다[衆允]"가 한 구가 된다. 무리가 믿어주는 이유는 그 뜻이 상구와 호응하기 때문이다.

오치기(吳致箕) 「주역경전증해(周易經傳增解)」

衆皆相信, 而同志者, 以其上進而從君也.
무리가 모두 서로 믿고 뜻을 같이 하는 것은 그가 위로 나아가 임금을 따르기 때문이다.

九四, 晉如鼫鼠, 貞, 厲.

정전 구사는 나아감이 쥐와 같으니, 고집스러우면 위태롭다.
본의 구사는 나아감이 쥐와 같으니, 곧더라도 위태롭다.

中國大全

傳

以九居四, 非其位也, 非其位而居之, 貪據其位者也. 貪處高位, 旣非所安, 而又與上同德, 順麗於上, 三陰皆在己下, 勢必上進. 故其心畏忌之, 貪而畏人者, 鼫鼠也, 故云晉如鼫鼠, 貪於非據而存畏忌之心, 貞固守此, 其危可知. 言貞厲者, 開有改之道也.

구(九)가 사효에 있으니 제자리가 아니며, 그 자리가 아닌데도 머물러 있으니 그 자리를 탐하여 차지한 자이다. 높은 자리를 탐하여 머물게 되면 이미 편안한 곳이 아니며, 또한 위와 덕을 같이해서 위에 순종하여 붙는데, 세 음이 모두 자신보다 밑에 있으니, 그 기세는 반드시 위로 나아가고자 한다. 그렇기 때문에 마음이 두려워서 꺼리게 되니, 탐하되 사람을 두려워하는 동물은 쥐이다. 그렇기 때문에 "나아감이 쥐와 같다"고 말하였으니, 차지할 곳이 아닌 자리를 탐하여 두렵고 꺼리는 마음이 있는데, 이것을 단단하게 지킨다면 그 위태함을 알 수 있다. "고집을 부리면 위태롭다"고 한 말은 고칠 수 있는 길을 열어준 것이다.

本義

不中不正, 以竊高位, 貪而畏人, 蓋危道也, 故爲鼫鼠之象, 占者如是, 雖正亦危.

중정하지 못하면서 높은 자리를 훔치고 탐하되 사람을 두려워 하니, 위태롭게 되는 길이다. 그렇기 때문에 쥐의 상이 되니, 점치는 자가 이와 같으면 비록 올바르더라도 또한 위태롭게 된다.

小註

厚齋馮氏曰, 鼫, 詩作碩, 疑此傳註從鼠. 郭景純云, 形大如鼠, 好在田中食粟豆, 蓋田鼠也.
후재풍씨가 말하였다: '석(鼫)'자를 『시경』에서는 '석(碩)'자로 기록했으니,[98] 아마도 이 글자가 전주(傳註)되어 '서(鼠)'자를 부수로 하게 된 것이다. 곽경순은 "형태가 커서 '서(鼠)'와 같은데, 농경지에 있는 조와 콩 등을 좋아하니 아마도 들쥐에 해당할 것이다"라고 했다.

○ 中溪張氏曰, 詩以碩鼠刺貪, 此之碩鼠象其貪於進也.
중계장씨가 말하였다: 『시경』에서는 석서(碩鼠)를 통해서 탐욕에 대해 풍자를 하였고, 이곳에서는 석서를 통해서 나아감에 탐욕을 부리는 것을 상징하였다.

○ 雲峰胡氏曰, 鼫鼠貪而畏人, 九四爻剛位柔之象, 解以陰居陽者象狐. 晉以陽居陰者象鼠. 九家易坎爲狐, 解以初至五互重坎, 上下三陰, 故稱三狐. 艮爲鼠, 晉互體艮, 艮上一陽, 故稱鼫鼠. 狐性疑, 解當去其疑, 鼠性貪, 晉當去其貪, 取象各有攸當. 况晉晝也, 鼠亦晝伏, 非能以晝進者, 九四不中不正以竊高位, 又畏大明之君而不敢進, 故有此象. 其占曰貞厲, 雖正亦危, 況不中正乎.
운봉호씨가 말하였다: 쥐는 탐욕을 부리지만 사람을 두려워하며, 구사는 효가 굳센 양이고 자리가 음인 상이니, 해괘(解卦䷧)에서 음이 양의 자리에 있는 것은 여우를 상징하고, 진괘에서 양이 음의 자리에 있는 것은 쥐를 상징한다. 『순구가역』에서는 감괘를 여우로 여겼는데, 해괘의 초효로부터 오효까지는 호괘로 중첩된 감괘가 되며, 상하가 세 음이기 때문에 '삼호(三狐)'라고 부른다. 간괘는 쥐가 되고, 진괘의 호체는 간괘가 되며, 간괘 위에 한 개의 양이 있기 때문에 '석서(鼫鼠)'라고 부른다. 여우는 의심을 잘하니 해괘는 의심스러운 것을 제거해야만 하고, 쥐는 탐욕스러우니 진괘는 탐욕스러운 것을 제거해야만 하므로, 상을 취함에 각각 합당함이 있다. 더욱이 진괘는 낮에 해당하고 쥐 또한 낮에는 숨어 있으니, 낮에 나아갈 수 있는 동물이 아니며, 구사는 가운데 있지도 못하고 바르지도 못하여 높은 지위를 훔쳤지만, 또한 크게 밝은 임금을 두려워하여 감히 나아가지 못하기 때문에 이러한 상이 있다. 점에서 "곧으면 위태롭다"고 하였는데, 비록 올바르더라도 또한 위태롭게 되는데, 하물며 중정하지 못함에 있어서는 어떠하겠는가!

---

98) 『詩經 · 碩鼠』: 碩鼠碩鼠, 無食我黍. 三歲貫女, 莫我肯顧. 逝將去女, 適彼樂土. 樂土樂土, 爰得我所.

韓國大全

권근(權近)『주역천견록(周易淺見錄)』

吳氏曰, 鼠晝伏夜動. 四近天子之光, 以剛居柔, 値大明當空之晝, 畏而不敢進. 愚按, 此說其言鼫鼠之象, 善矣. 然畏而不敢進, 則有何厲乎.? 程·朱貪而畏人之說, 無以易也. 但恐鼫字從鼠從石, 鼠之穴于石中者也. 石中之鼠, 小而有文者也. 九四居离之下, 有文之小, 故取象焉. 山鼠好上巖石, 見人而畏, 有據高位, 貪而畏人之象. 若夫府庫之鼠, 潛伏隱暗, 未見有據高位之象也. 故吳氏以畏而不敢進言之. 然居离而有文, 處高而畏人, 似當爲山鼠也.
오징이 말하였다: 쥐는 낮에는 숨어 있다가 밤에 움직인다. 사효는 천자의 빛 가까이 있고 굳셈으로서 부드러운 자리에 있어 해가 하늘에 떠있는 낮에는 두려워 감히 나가지 못한다. 내가 살펴보았다: 이 설명에서 '쥐'의 상을 말한 것은 좋다. 그러나 "두려워 감히 나가지 못한다"면 무슨 위태로움이 있겠는가? 정자·주자가 "탐내면서 사람을 두려워한다"고 한 설명을 바꿀 수 없다. 다만 '석(鼫)'자는 '서(鼠)'를 뜻으로 '석(石)'을 소리로 하니, 돌 사이 구멍에 사는 쥐인 듯하다. 돌 사이에 있는 쥐는 작고 빛나는 것이다. 구사가 리괘의 아래에 있어 빛나는 작은 것이므로 여기에서 상을 취하였다. 산쥐는 암석에 오르기를 좋아하고 사람을 보면 두려워하니, 높은 지위에 있어 탐욕스럽지만 사람을 두려워하는 상이 있다. 창고에 사는 쥐라면 엎드려 어두운 곳에 숨어 있어 높은 지위에 있는 상이 드러나지 않는다. 그러므로 오징은 "두려워 감히 나가지 못한다"고 하였다. 그러나 리괘에 있으면서 빛나고, 높은 지위에 있으면서 사람을 두려워하는 것은 산쥐여야 할 것 같다.

김장생(金長生)『주역(周易)』

晉, 九四, 鼫鼠.
진괘 구사의 석서(鼫鼠).

鼫, 螻蛄, 一曰, 形大如鼠, 一名雀鼠, 詩作碩鼠.
'석(鼫)'은 땅강아지의 한 종류이다. 어떤 책에서는 종류로 형태가 커서 쥐와 같다고 하는데 '작서(雀鼠)'라고도 하며, 『시경』에서는 '석서(碩鼠)'라고 한다.

송시열(宋時烈) 『역설(易說)』

六四鼫字, 似與碩字同意. 鼠者艮爲鼠. 鼠之爲物, 陰多陽少, 貪而食苗, 詩人比之, 聚斂之臣. 蓋四爻, 以近君之臣摠上下四陰, 侵暴多貪之象, 若貞固其志, 則危厲之道. 小象位不當者, 若當君位, 則以一陽摠衆陰, 當然之理, 此則非臣之所當位也.
육사에 '쥐[鼫]'는 '석(碩)'과 같은 뜻인 것 같다. '쥐'는 간괘가 쥐가 된 것이다. 쥐는 음이 많고 양은 적어 탐욕스럽게 곡식을 먹는 동물로 시인들이 세금을 많이 거두는 신하에 비유한다. 사효는 임금에 가까이 있으면서 위아래의 네 음을 총괄하는 신하로서 포악하게 침범하고 탐욕이 많은 상이니, 그 뜻을 고집스럽게 하면 위태로운 도이다. 「소상전」에 '지위가 합당하지 않기 때문'은 만약 임금의 지위에 있으면 한 양이 여러 음을 총괄하는 것이 당연한 이치이지만 이 경우는 신하가 감당할 수 있는 자리가 아니다.

심조(沈潮) 「역상차론(易象箚論)」

此爲互坎之中爻, 而坎在子, 子爲鼠, 故稱鼠. 又爲互艮之上爻, 而艮爲山石, 故從石, 妙哉.
이것은 호괘인 감괘의 가운데 효가 되고, 감괘는 자(子)의 방위에 있으며 자(子)는 쥐가 되므로 쥐라고 하였다. 또 호괘 간괘의 위 효가 되고, 간괘는 산의 돌이 되므로 부수가 석(石)이니, 묘하도다.

유정원(柳正源) 『역해참고(易解參攷)』

蔡邕, 勸學篇, 鼫鼠五能, 不成一技. 注, 能飛不能過屋, 能緣不能窮木, 能游不能渡谷, 能穴不能掩身, 能走不能先人.
채옹이 『권학편』에서 말하였다: 쥐는 다섯 가지 능력을 가지고 있지만 하나의 기술도 제대로 이루지 못한다.
주석에서 말하였다: 날 수는 있지만 집을 넘어갈 수 없고, 나무를 오를 수는 있지만 나무 끝까지 갈 수 없고, 헤엄칠 수는 있지만 골짜기를 건널 수 없고, 구멍을 팔 수는 있지만 제 몸을 숨길 수 없으며, 달릴 수는 있지만 사람보다 빠를 수 없다.

○ 節齋蔡氏曰, 九四, 下連二三, 有艮象, 故稱鼠, 才剛, 故稱鼫. 位柔爻剛, 貪據高位, 喜接衆柔, 前畏大明之君, 而不敢進, 碩鼠之象也. 守此之貞, 危孰甚焉, 故曰貞厲.
절재채씨가 말하였다: 구사는 아래로 이효와 삼효와 연결되어 간괘의 상이 있으므로 쥐[鼠]라고 하였고, 재질이 강하므로 석(鼫)이라고 하였다. 자리는 부드러운데 효는 강하므로 높

은 자리를 탐하여 차지하고 여러 부드러운 음을 잘 대우하며, 앞으로 크게 밝은 임금을 두려워하여 감히 나아가지 않으니, 쥐의 상이다. 이러한 곧음을 지키면 위태로움이 어찌 심하겠는가? 그러므로 "고집스러우면 위태롭다"고 하였다.

○ 厚齋馮氏曰, 鼠, 晝伏者也. 晉之離晝也, 在離之下, 伏於晝者也. 有竊據衆陰之勢, 故象鼫鼠.
후재풍씨가 말하였다: 쥐는 낮에는 숨어있는 동물이다. 진괘의 리괘(☲)가 낮인데 리괘의 아래에 있으니 낮에 숨어있는 것이다. 여러 음의 세력을 몰래 차지하고 있으므로 쥐를 상으로 삼았다.

○ 梁山來氏曰, 鼠, 竊人之物, 然晝則伏藏, 夜則走動. 蓋不敢見日, 而畏人者也. 離爲日, 晉者晝也, 鼠豈能見之哉. 九四不中不正, 當晉之時, 竊近君之位, 居三陰之上, 上而畏六五大明之知, 下而畏三陰群小之忌, 故有鼫鼠日下唯恐見人之象.
양산래씨가 말하였다: 쥐는 사람의 물건을 훔치는 동물이지만 낮에는 숨어있고 밤에는 활동하니, 감히 해를 못보고 사람을 두려워하는 것이다. 리괘가 해가 되고 진(晉)은 낮이니, 쥐가 그것을 어찌 보겠는가? 구사는 중정하지 못하니, 나아가는 때에 가까이 있는 임금의 자리를 훔치고, 세 음의 위에 있어 위로는 육오의 크게 밝은 지혜를 두려워하고, 아래로는 여러 소인인 세 음의 시기를 두려워하므로 쥐가 햇살아래 오직 사람보기를 두려워하는 상이 있다.

○ 案, 傳義曰, 貪而畏人, 畏者, 畏誰也. 大明在上, 畏其知我之情狀也, 群陰竝進, 畏其奪我之高據也.
내가 살펴보았다: 『정전』과 『본의』의 "탐하되 사람을 두려워한다"에서 '두려움'은 무엇을 두려워하는 것인가? 큰 밝음이 위에 있어 나의 실상을 아는 것이 두렵고, 여러 음이 함께 몰려와 나의 높은 자리를 빼앗을까 두렵다.

本義, 亦危.
『본의』에서 말하였다: 또한 위태롭게 된다.
小註, 雲峯說, 自初 [至] 重坎.
소주에서 운봉호씨가 말하였다: 해괘의 초효로부터 … 중복된 감괘.
案, 解下卦坎, 三至五又互坎.
내가 살펴보았다: 해괘의 아래괘가 감괘(☵)이고, 삼효에서 오효까지 또 호괘로 감괘이다.

김상악(金相岳)『산천역설(山天易說)』

九四以不正而據高位, 互爲艮坎, 故爲晉如鼫鼠之象. 貪而畏人, 不敢于進, 雖正猶厲, 況不正乎.
구사는 바르지 않으면서 높은 자리를 차지하고 있고, 호괘가 간괘와 감괘이므로 진괘가 쥐의 상이 된 것과 같다. 탐하되 사람을 두려워하여 감히 나아가지 못하니, 비록 바르게 해도 오히려 위태로울 텐데 하물며 바르지 않은 경우이겠는가!

○ 鼫鼠, 卽詩之碩鼠也. 艮之象, 又坎居子, 子之神爲鼠也. 解以陰爲狐, 故貞吝在三, 而二之比獲之而貞吉. 晉以陽爲鼠, 故貞厲在四, 而初之應摧如而貞吉. 城狐社鼠, 皆君側之小人也, 可見其取象之意也. 當晉之時, 陽之爲乘承者, 无順麗之義, 有危厲之戒, 上則能自治, 故雖吉无咎, 終於貞吝.
'쥐[鼫鼠]'는『시경』에서 말한 '석서(碩鼠)'이다. 간괘의 상이고 또 감괘가 자(子)의 방위에 있으니, 자(子)의 신이 쥐이다. 해괘(解卦)는 음을 여우로 여기므로 '곧게 하더라도 부끄러움[貞吝]'이 삼효에 있고, 이효가 비(比)의 관계로 그것을 잡으니 '곧게 하여 길한 것[貞吉]'이다. 진괘는 양을 쥐로 여기므로 '곧더라도 위태로움[貞厲]'이 사효에 있고 초효가 호응하여 나아가거나 물러남에 '곧으면 길하다[貞吉].' 성에 있는 여우와 사직에 있는 쥐[99]는 모두 임금 곁의 소인들이니, 상을 취한 뜻을 알 수 있다. 나아가는 때에 양이 올라탄 것이 유순하여 붙는 뜻은 없고 위태롭다는 경계는 있으니, 위에 있으면 스스로 다스리므로 길하여 허물이 없겠지만 끝내 곧더라도 부끄러울 것이다.

김규오(金奎五)「독역기의(讀易記疑)」

九四雖有剛德, 而位失中正, 已是不安, 乃在方進之時, 下貪而上忌. 夫以三陰順德上進, 而四獨以陽居高, 當其衝要, 故欲擅而有之, 所謂貪也, 不止於貪據其位而已. 下挈三陰, 欲進而上逼, 而五自是大明之君, 照見其情, 故又不欲擅弄, 所謂畏人也. 非必畏忌於三陰之進也. 五爲人位, 其體爲晝, 鼠之畏人, 晝伏常也.
구사가 굳센 덕이 있지만 자리가 중정함을 잃어 이미 불안하게 되었으니, 나아가는 때에 아래로는 탐하고 위로는 시기한다. 세 음이 유순한 덕으로 위로 올라오는데 사효만이 양으로 높은 곳에 있으면서 중요한 자리를 차지하고 있기 때문에 마음대로 하여 소유하려고 하니, 이른바 탐하는 것인데, 그 자리를 탐하여 차지하는 것으로만 끝나지 않는다. 아래로 세

---

99)『晏子春秋 · 內篇问上』: 夫社, 束木而涂之, 鼠因而托焉, 薰之则恐烧其木, 灌之则恐败其涂. 此鼠所以不可得杀者, 以社故也.

음을 거느리고 나아가 위를 핍박하려고 하지만 오효가 본래 크게 밝은 임금이어서 그 실정을 밝게 비추기 때문에 또 제멋대로 할 수 없으니, 이른바 다른 사람을 두려워하는 것이다. 그러나 세 음이 나아오는 것을 반드시 두려워하거나 꺼리지는 않는다. 오효는 사람의 자리이고, 그 몸체는 낮이 되며, 쥐는 사람을 두려워하여 낮에 숨어있는 것이 일반적이다.

박제가(朴齊家) 『주역(周易)』

九四鼫鼠, 多技而窮, 故曰貞厲.
구사는 쥐로 재주는 많지만 궁핍하기 때문에 "고집하면 위태롭다"고 하였다.

서유신(徐有臣) 『역의의언(易義擬言)』

鼫鼠, 螻蛄也. 在於山林石間, 故爲鼫. 九四互艮爲山爲石爲鼠也. 鼫鼠, 能晝行, 晉爲晝也. 九四居位不正, 猥晉於崇高, 如鼫鼠之五技而窮也. 鼫鼠性多畏忌, 故初六雖正應, 亦爲懼厲也.
'석서(鼫鼠)'는 땅강아지이다. 숲속이나 돌 틈에 있으므로 땅강아지[鼫]가 된다. 구사의 호괘인 간괘가 산, 돌, 쥐[鼠]가 된다. '쥐[鼫鼠]'는 낮에 다닐 수 있으니 진괘는 낮이 된다. 구사가 바르지 못한 자리에 있으면서 높은 데에 함부로 나아가니, 쥐가 다섯 가지 재주가 있지만 궁핍한 것과 같다. 쥐는 두려워하고 꺼리는 성질이 많으므로 초육이 정응이지만 두렵고 무섭다.

강엄(康儼) 『주역(周易)』

本義雖正亦危.
『본의』에서 "비록 올바르더라도 또한 위태롭게 된다"고 하였다.

按, 易之中貞厲, 本義皆以雖正亦危釋之, 蓋如貞凶之例也. 然試觀爻義, 未有旡貞者. 如履之九五, 夬履貞厲, 以陽居陽雖正也, 而夬決旡難, 故厲. 小畜之上九, 婦貞厲, 以陰畜陽, 而至於相和雖正也, 而陰加於陽, 故厲. 大壯之九三, 君子用罔貞厲, 以陽居陽雖正也, 而蔑視天下之事, 故厲. 凡言貞厲者, 皆如此. 至於晉之九四, 以陽居陰, 位不正也, 竊高位而畏人, 德不正也. 雖位正應在下, 而旡相應之象, 亦不正也. 有何一分正義, 而本義亦曰雖正亦危也. 或曰此貞厲, 不必於本爻求之, 只謂竊據高位, 貪而畏人, 則雖使位得其正亦危, 況又位不中正乎. 本義之意, 似如此, 蓋就本爻之不正, 而反辭以戒之也.

내가 살펴보았다: 『주역』에서 '정려(貞厲)'를 『본의』에서는 모두 "비록 올바르더라도 또한 위태롭게 된다"로 해석하였으니, "곧더라도 흉하다[貞凶]"는 예와 같다. 그러나 시험삼아 효의 뜻을 살펴보면 곧지 않음이 없다. 이를테면 리괘(䷉) 구오의 "과감하게 결단하여 실천하니, 곧게 하더라도 위태롭다"100)는 굳센 양이 굳센 양의 자리에 있어 비록 바르지만 과감하게 결단하여 어렵게 여기지 않기 때문에 위태롭게 된다는 것이고, 소축괘(䷈) 상구의 "아내가 곧더라도 위태롭다"101)는 음이 양을 길러 서로 화합함에 이르러 비록 바르지만 음이 양에게 가한 것이므로 위태롭게 된다는 것이다. 대장괘(大壯卦䷡) 구삼의 "군자는 멸시함을 사용하니, 곧더라도 위태롭다"102)는 양이 양의 자리에 있어 비록 바르지만 천하의 일을 멸시하기 때문에 위태롭게 된다는 것이다. '정려(貞厲)'고 말한 것은 모두 이와 같다. 진괘 구사에 이르러서는 양이 음의 자리에 있어 자리가 바르지 않고, 높은 자리를 훔쳐 다른 사람을 두려워 하니, 덕이 바르지 않기 때문이다. 비록 자리가 바르고 호응이 아래에 있더라도 서로 호응하는 상이 없으면 역시 바르지 못한 것이다. 어찌 조금이라도 바른 뜻이 있겠는가마는 『본의』에서 역시 "비록 올바르더라도 또한 위태롭게 된다"고 하였고, 어떤 이가 "여기에서의 '곧더라도 위태롭다'는 본래의 효에서 구할 필요가 없다"고 하였으니, 높은 자리를 훔쳐 차지하고는 탐하되 다른 사람을 두려워하면 자리가 바름을 얻더라도 위태롭다는 말일 뿐이다. 하물며 자리가 중정하지 않았을 경우는 어떻겠는가? 『본의』의 뜻이 이와 같은 듯하니, 본래 효가 바르지 않은 것을 가지고 효사를 성찰하여 경계한 것이다.

박문건(朴文健) 『주역연의(周易衍義)』

疑而進退, 故有鼫鼠之象. 鼫鼠, 田鼠也.

의심하면서 나아가고 물러가기 때문에 쥐의 상이 있다. '석서(鼫鼠)'는 들쥐이다.

〈問, 晉如鼫鼠貞厲. 曰, 九四欲往初而多疑, 故其進也如鼫鼠. 若用貞而進, 則有危厲之道也.

물었다: "나아감이 쥐와 같으니, 고집스러우면 위태롭다"는 무슨 뜻입니까?

대답하였다: 구사가 초효에 가고자 하지만 의심이 많기 때문에 그 나아감이 쥐와 같습니다. 고집스러움을 써서 나아가면 위태로운 도가 있게 됩니다.〉

---

100) 『周易 · 履卦』: 九五, 夬履, 貞厲. 象曰, 夬履貞厲, 位正當也.

101) 『周易 · 小畜卦』: 上九, 旣雨旣處, 尙德, 載, 婦貞, 厲. 月幾望, 君子征凶. 象曰, 旣雨旣處, 德積載也, 君子征凶, 有所疑也.

102) 『周易 · 大壯卦』: 九三, 小人用壯, 君子用罔, 貞厲, 羝羊觸藩, 羸其角. 象曰, 小人用壯, 君子罔也.

이지연(李止淵) 『주역차의(周易箚疑)』

相鼠有皮, 人而无耻, 不幾何而不犯負乘之譏也.
『시경 · 용풍』에 “쥐를 보아도 가죽이 있는데, 사람으로서 염치가 없단 말인가?”라고 하였으니, 얼마 지나지 않아서 등짐을 져야하는데 수레를 탔다는 꾸지람을 범하지 않을 것이다.

윤종섭(尹種燮) 『경(經)-역(易)』

錫馬蕃庶, 互坎取象於馬. 坤爲衆有蕃庶之象. 鼫鼠, 互艮四爻, 位艱而難進, 如石鼠畏而不出也. 五以陰居尊, 有王母之象, 而應乎二, 故二曰受介福於王母.
여러 차례 말을 하사하였으니, 호괘인 감괘는 말에서 상을 취한 것이다. 곤괘가 무리가 되니, 많다는 상이 있다. ‘쥐[鼫鼠]’는 호괘인 간괘의 사효가 어려운 자리에 있어 어렵게 나아가니, 돌 틈의 쥐가 두려워 밖에 나오지 못하는 것과 같다. 오효가 음으로 높은 자리에 있어 왕모의 상이 있고, 이효와 호응하므로 이효에서 “큰 복을 왕모에게서 받는다”고 하였다.

이항로(李恒老) 「주역전의동이석의(周易傳義同異釋義)」

傳, 貞固守此, 其危可知.
『정전』에서 말하였다: 이것을 단단하게 지킨다면 위태롭게 됨을 알 수 있다.

本義, 占者如是, 雖正亦危.
『본의』에서 말하였다: 점치는 자가 이와 같으면 비록 올바르더라도 또한 위태롭게 된다.

按, 晉如鼫鼠, 已在危象, 何待固守而後始危, 說已見上. 蓋鼫鼠, 蚡鼠也, 藏在地中, 喜陽而畏日. 喜陽故穿穴窺上, 畏日故見曝必死. 九四之據地近日, 有此象故取之.
내가 살펴보았다: “나아감이 쥐와 같다”는 이미 위험한 상에 이미 있으니, 어찌 굳게 지킴을 기다린 이후에 비로소 위험해지겠는가? 설명이 이미 위에 보인다. ‘쥐[鼫鼠]’는 두더지이니, 땅 속에 숨어있으면서 양(陽)을 좋아하나 해를 두려워한다. 양(陽)을 좋아하므로 굴을 파서 위를 살피고, 해를 두려워하므로 햇볕을 쪼이면 반드시 죽는다. 구사가 땅에 있으면서 해에 가까이 있어 이러한 상이 있으므로 그것을 취했다.

김기례(金箕澧) 『역요선의강목(易要選義綱目)』

互艮, 故取鼠. 陽據陰位, 不正而竊高位, 獨以剛貪進而畏大明, 鼠不晝出之. 君如碩鼠, 據貪畏人, 若固則危矣.
互卦가 간괘이므로 쥐를 취했다. 양이 음의 자리를 차지하여 바르지 않은데도 높은 자리를 훔치고는 오직 굳세게 탐욕스럽게 나아가면서도 큰 밝음을 두려워하는 것은 쥐가 낮에 나오지 않는 것이다. 임금이 쥐처럼 차지하여 탐욕스러우면서 사람들을 두려워하니, 고집스러우면 위태로울 것이다.

심대윤(沈大允) 『주역상의점법(周易象義占法)』

晉之剝䷖, 剝變也. 以剛明之才, 居衆陰之上, 爲所親附. 日之旣高而遠照, 能變天下之暗而爲明. 君子居大臣位, 能揚天下之仄陋, 而爲顯, 剝變之義也. 以其居柔, 而比於五, 不敢自進, 而求其明之遠照, 猶鼫鼠之晝伏夜行, 能行於昏而不能進於明. 揚仄陋者, 行於昏也, 係於君者, 不進於明也. 艮爲鼠.
진괘가 박괘(剝卦䷖)로 바뀌었으니, 깎아서 변화시키는 것이다. 굳세고 밝은 재주로 여러 음의 위에 있어 가까이 붙게 된다. 해가 이미 높아 멀리 비추어 천하의 어둠을 바꾸어 밝게 한다. 군자가 대신의 자리에 있어 천하에 미천한 지위에 있는 자들을 등용하여 드러나게 하는 것이 깎아서 변화시킨다는 뜻이다. 부드러운 자리에 있지만 오효와 가깝고 감히 스스로 나아가지 않지만 밝음이 멀리 비춤을 구하는 것이 쥐가 낮에 엎드려 있다가 밤에 다니는 것과 같으니, 어두운 때에 움직이고 밝은 때에 나아가지 않는 것이다. 재덕이 있음에도 지위가 없는 자를 드러내는 것은 어두운 때에 행동하는 것이며, 임금에 매여 있는 자는 밝은 때에 나아가지 않는다. 간괘가 쥐가 된다.

오치기(吳致箕) 「주역경전증해(周易經傳增解)」

九四剛不中正, 上承六五之尊, 下應初六之柔, 而在晉之時, 貪據近君之位, 上畏大明之威, 下忌群柔之進, 有鼫鼠之象. 故戒言當固守正道, 而惕厲其志也.
구사는 굳세지만 중정하지 못하면서 위로 육오의 높음을 잇고, 아래로 초육의 부드러움에 호응하는데, 나아가는 때에는 임금에게 가까운 자리를 탐욕으로 차지하여 위로 큰 밝음의 위엄을 두려워하며 아래로 여러 부드러운 음이 나아오는 것을 시기하니, 쥐의 상이 있다. 그러므로 바른 도를 굳게 지켜 그 뜻을 삼가야 한다고 경계하였다.

○ 鼫鼠者, 大鼠也, 卽詩云碩鼠, 而取於互艮爲鼠也. 居不得正, 故戒以守正也.
'쥐[鼫鼠]'는 큰 쥐로 『시경』에서 말한 '석서(碩鼠)'이니, 호괘인 간괘가 쥐가 되는 데에서 취하였다. 자리가 바름을 얻지 못했기 때문에 바름을 지키라고 경계하였다.

이진상(李震相) 『역학관규(易學管窺)』

蔡氏曰, 艮象故稱鼠, 才剛故稱鼫.
채씨가 말하였다: 간괘의 상이므로 쥐[鼠]라고 하였고, 재주가 굳세므로 크다[鼫]고 하였다.
〈馮氏曰, 鼠晝伏者也. 在離之下, 伏於晝者也. 有竊據衆陰之勢, 故象鼫鼠.
풍씨가 말하였다: 쥐는 낮에 숨어 지낸다. 리괘의 아래에 있으니 낮에 숨어 지내는 것이다. 여러 음의 세력을 몰래 차지하고 있기 때문에 쥐에서 상을 취하였다.〉

이병헌(李炳憲) 『역경금문고통론(易經今文考通論)』

孟曰, 鼫五技鼠也. 能飛不能過屋, 能緣不能窮木, 能游不能渡谷, 能穴不能掩身, 能走不能先人.
맹씨가 말하였다: 쥐는 다섯 가지 기술을 가지고 있다. 날 수는 있지만 집을 지나갈 수 없고, 나무를 오를 수는 있지만 나무 끝까지 갈 수 없고, 유랑할 수는 있지만 골짜기를 건널 수 없고, 구멍을 팔 수는 있지만 자신의 몸을 숨길 수 없으며, 달릴 수는 있지만 사람보다 빠를 수 없다.

荀九家曰, 鼫鼠踰貪也.
『순구가역』에서 말하였다: 쥐는 타넘어 탐낸다.

程傳曰, 不正而處高位, 貪而懼失, 固處其地, 危也.
『정전』에서 말하였다: 올바르지 않은데도 높은 자리에 있으며, 탐욕을 부리되 잃을 것을 두려워하고, 그 곳에 있음을 굳게 지키면 위태롭게 된다.

象曰, 鼫鼠貞厲, 位不當也.

「상전」에서 말하였다: "쥐와 같으니 고집하면 위태로움"은 지위가 합당하지 않기 때문이다.

中國大全

傳

賢者以正德, 宜在高位, 不正而處高位, 則爲非據, 貪而懼失, 則畏人, 固處其地, 危可知也.

현자는 정덕을 사용하니 마땅히 높은 자리에 있어야 하는데, 올바르지 않는데도 높은 자리에 있다면 차지할 곳이 아니며, 탐욕을 부리되 잃을 것을 두려워한다면 사람을 두려워하게 되니, 그곳에 있음을 굳게 지키면 위태롭게 됨을 알 수 있다.

小註

童溪王氏曰, 當柔進之時, 九四獨以剛進, 故進之義, 於貞爲厲, 於位爲不當也.
동계왕씨가 말하였다: 유순히 나아가야 할 때인데도 구사는 유독 강하게 나아가기 때문에, 나아감의 뜻은 고집함에 위태롭게 되며 지위에 합당하지 않게 된다.

韓國大全

김상악(金相岳) 『산천역설(山天易說)』

位不當, 多在陰爻, 而亦同辭者, 戒之也. 曰未當者, 才當而位未當也, 解萃九四之類是也.
'자리가 합당하지 않음'은 대부분 음효에 있지만 또한 말이 같은 것은 경계한 것이다. '마땅하지 않음'은 재주는 마땅하지만 자리가 마땅하지 않은 것이니, 해괘와 취괘의 구사 같은 것이 여기에 해당한다.

서유신(徐有臣) 『역의의언(易義擬言)』

以九居四, 非所據也.
구(九)가 사효에 있으니, 있을 곳이 아니다.

박문건(朴文健) 『주역연의(周易衍義)』

問, 位不當. 曰, 位不當, 言不得其宜也.
물었다: "지위가 합당하지 않기 때문이다"는 무슨 뜻입니까?
대답하였다: '지위가 합당하지 않음'은 그 마땅함을 얻지 못했다는 말입니다.

김기례(金箕澧) 『역요선의강목(易要選義綱目)』

位不當.
지위가 합당하지 않기 때문이다.

謂不中正.
중정하지 않음을 말한다.

오치기(吳致箕) 「주역경전증해(周易經傳增解)」

戒以正固而惕厲者, 以其失中正而居高位也.
바르고 굳게하여 두렵고 위태롭게 여기라고 경계한 것은 중정을 잃었는데도 높은 자리에 있기 때문이다.

六五, 悔亡, 失得勿恤, 往吉, 无不利.

정전 육오는 후회가 없으니, 잃고 얻음을 근심하지 말며, 가는 것이 길하여 이롭지 않음이 없다.
본의 육오는 후회가 없으니, 잃고 얻음을 근심하지 않으면, 가는 것이 길하여 이롭지 않음이 없다.

中國大全

傳

六以柔居尊位, 本當有悔, 以大明而下皆順附, 故其悔得亡也. 下旣同德順附, 當推誠委任, 盡衆人之才, 通天下之志, 勿復自任其明, 恤其失得, 如此而往, 則吉而无不利也. 六五, 大明之主, 不患其不能明照, 患其用明之過, 至於察察, 失委任之道, 故戒以失得勿恤也. 夫私意偏任, 不察則有蔽, 盖天下之公, 豈當復用私察也.

육(六)은 부드러움으로 존귀한 자리에 있어서 본래는 후회가 있어야 하는데, 큰 밝음을 가지고 있고 아래가 모두 순종하여 따르기 때문에 후회가 없을 수 있다. 아래가 이미 덕을 함께 하며 순종하여 따르니, 마땅히 정성을 미루어서 위임을 하고 무리들의 재주를 다하고 천하의 뜻을 소통시켜야 하며, 재차 밝음을 자임하여 잃고 얻음을 근심하지 말아야 하니, 이처럼 하여 간다면 길하여 이롭지 않음이 없게 된다. 육오는 큰 밝음의 임금이며, 밝게 비춰주지 못함을 근심하지 않고, 밝음을 사용함이 지나쳐서 너무 자세히 살핌에 이르러 위임하는 도를 잃게 될까를 염려한다. 그렇기 때문에 잃고 얻음을 근심하지 말라고 경계를 하였다. 무릇 삿된 뜻으로 한쪽으로만 맡기고 자세히 살피지 않으면 가려짐이 있고, 천하의 공정함을 따른다면 어찌 재차 사사로운 살핌을 사용하겠는가?

本義

以陰居陽, 宜有悔矣, 以大明在上而下皆順從, 故占者得之, 則其悔亡. 又一切去其計功謀利之心, 則往吉而无不利也. 然亦必有其德, 乃應其占耳.

음이 양의 자리에 있으니 마땅히 후회가 있게 되지만, 큰 밝음으로써 위에 있고 아래가 모두 순종하기 때문에, 점치는 자가 이것을 얻으면 후회가 없게 된다. 또 모든 공에 대해서 공을 계산하고 이로움을 도모하려는 마음을 없앤다면, 감에 길하여 이롭지 않음이 없게 된다. 그러나 이 또한 반드시 그 덕이 있어야만 그 점에 호응할 따름이다.

小註

朱子曰, 失得勿恤, 此說, 失也不須問他, 得也不須問他. 自是好, 猶言勝負兵家之常云爾. 此卦六爻无如此爻吉.
주자가 말하였다: "잃고 얻음을 근심하지 말라"는 잃더라도 묻지 않고 얻더라도 묻지 않음을 뜻한다. 다른 것을 따질 필요가 없음은 그 자체로도 좋은 것이니, 승패는 병가의 상사라고 말함과 같을 따름이다. 진괘의 여섯 효 중에서 육오처럼 길한 효가 없다.

○ 問, 六五悔亡失得勿恤之說. 曰, 便是伊川說得大深, 據此爻, 只是占者占得此爻, 則不必恤其失得, 而自亦无所不利耳. 如何說道人君旣得同德之人而委任之, 不復恤其失得. 如此則蕩然无復是非, 而天下之事亂矣. 假使其所任之人或有作亂者, 亦將不恤之乎. 雖以堯舜之聖, 皐夔益稷之賢, 猶云屢省乃成, 如何說旣得同心同德之人而任之, 則在上者一切不管, 而任其所爲, 豈有此理. 且彼所爲旣失矣, 爲上者如何不恤得. 聖人无此等說話. 聖人所說卦爻只是略略說過, 以爲人當著此爻, 則大勢已好, 雖有所失得, 亦不必慮而自无所不利也. 聖人說得甚淺, 伊川解得太深, 聖人所說短, 伊川解得長. 失得勿恤, 只是自家自作教, 是莫管他得失. 如云人發解做官, 這箇卻必不得, 只得盡其所當爲者而已. 如仁人正其誼不謀其利, 明其道不計其功相似.
물었다: 육오에서 "후회가 없으니, 잃고 얻음을 근심하지 않는다"라고 한 말은 무슨 뜻입니까?
답하였다: 이천의 설명이 매우 심오합니다만, 이 효사에 근거해보면, 이것은 단지 점치는 자가 점을 쳐서 이 효를 얻었다면, 잃고 얻음을 근심하지 않아도 저절로 이롭지 않음이 없을 따름이라는 뜻입니다. 어떻게 임금이 이미 덕이 같은 사람을 얻어 그에게 위임하였다고 해서, 다시 그 잃고 얻음을 걱정하지 않는다고 한단 말입니까? 이와 같다면 방종하여 재차 시비를 가림이 없어서 천하의 모든 일들이 문란하게 될 것입니다. 만약 임무를 맡긴 자가 난리를 일으키는 경우가 있을 때에도 근심하지 않을 수 있겠습니까? 비록 요순과 같은 성인이나 고요(皐陶)·기(夔)·익(益)·직(稷)과 같은 현인일지라도 오히려 "자주 살펴보아야만 이룰 수 있다"[103]고 했으니, 어떻게 마음과 덕을 함께 하는 사람을 얻은 다음에 그에게 맡기면 위에 있는 자가 일체 관여를 하지 않고 그가 하는 대로 맡겨 둔다고 말할 수 있겠습

니까? 어찌 이러한 이치가 있겠습니까? 또한 그 사람이 했던 것이 이미 실패를 했다면 위에 있는 사람이 어찌 근심하지 않을 수 있겠습니까? 따라서 성인은 이러한 말을 하지 않았습니다. 성인이 말한 괘사와 효사는 간략하게 설명했을 뿐입니다. 사람들이 이러한 효사를 얻었다면 대체적인 형세가 이미 좋다고 여겼으니, 비록 잃고 얻음이 있더라도 반드시 근심하지 않고 스스로 이롭지 않은 바가 없다고 여겼습니다. 성인이 한 말은 상식적인데 이천이 풀이한 말은 매우 심오하며, 성인이 한 말은 짧은데 이천이 풀이한 말은 장황합니다. "잃고 얻음에 근심하지 않는다"는 말은 자기 스스로 이처럼 다스린다는 뜻이며 남의 얻고 잃음에 대해서는 관여함이 없다는 뜻입니다. 예를 들어 어떤 사람이 시험에 합격하여 관리가 된다고 말한다면 반드시 이루어지는 일은 아니지만, 마땅히 시행해야 할 일들을 다할 따름입니다. 예를 들어 인자한 사람은 도리를 올바르게 하며 이로움을 도모하지 않고, 도를 밝히며 공적을 계산하지 않는다는 말과 유사합니다.

○ 建安丘氏曰, 五以柔居尊位, 爲離明之主, 彖所謂柔進而上行者也. 在下三陰, 皆欲附己, 而九四阻之, 本當有悔. 以同德相孚, 其勢必合, 故得亡也. 失得, 主三陰言, 爲四所間, 失也, 終與己合, 得也. 勿恤, 不必憂也, 言五但當往而上進, 三柔志在上行, 終必從己, 而或得或失, 皆當置而勿問, 則自然吉无不利矣. 五爻柔, 疑於進, 故勉之.
건안구씨가 말하였다: 오효는 부드러움으로 존귀한 자리에 있으니 리괘의 밝은 주인이 되며, 「단전」에서 말한 "유순하게 나아가서 위로 올라간다"는 말에 해당한다. 아래에 있는 세 개의 음은 모두 자신을 따르고자 하지만 구사가 저지를 하니 본래부터 근심이 있다. 그런데 덕을 함께 하며 서로 믿어주니, 그 세력은 반드시 합치되기 때문에 근심이 없을 수 있다. 잃고 얻음은 세 개의 음을 주로 하여 말하며, 사효에게 간여를 받으면 잃게 되며, 끝내 자신과 합치되면 얻게 된다. "근심하지 않는다"는 말은 걱정할 필요가 없다는 뜻이다. 오효는 단지 가서 위로 나아가고 세 부드러운 음의 뜻은 위로 올라가는데 있으니 끝내 자신을 따르는데, 혹 얻기도 하고 잃기도 하는 것을 모두 그대로 두고 문제로 삼지 않는다면 자연스럽게 길하여 이롭지 않음이 없게 된다는 의미이다. 오효는 부드러워, 나아감에 대해 의심을 하기 때문에 힘쓰도록 하였다.

○ 中溪張氏曰, 待衆允而悔亡者, 六三是已. 不待衆允而悔亡者, 六五是已. 六五爲自昭明德之主, 天下臣民莫不順而麗之, 何悔不亡. 苟能失得不累於心, 勿勞憂恤, 持此以往吉无不利也.
중계장씨가 말하였다: 무리가 믿어줄 때까지 기다려서 후회가 없는 것은 육삼일 뿐이다.

103) 『書經 · 益稷』: 臯言曰, 念哉. 率作興事, 愼乃憲, 欽哉. 屢省乃成, 欽哉.

무리가 믿어줄 때까지 기다리지 않아도 후회가 없는 것은 육오일 뿐이다. 육오는 제 스스로 명덕을 밝히는 주체가 되고 천하의 신하와 백성들이 순종하여 따르지 않는 자가 없는데, 어떤 후회인들 없어지지 않겠는가? 진실로 잃고 얻음에 연연하지 않고 수고롭게 근심하지 않을 수 있다면, 이러한 마음가짐을 가지고 감에 길하여 이롭지 않음이 없다.

○ 雲峰胡氏曰, 大明在上, 下皆順從, 非特悔亡, 其往也, 宜吉无不利矣. 復戒之以失得勿恤何也. 象惟升言勿恤, 豊言勿憂, 爻則泰九三家人九四萃初六皆言勿恤, 事有不必憂者, 勿恤, 寬之辭也, 有不當憂者, 勿恤戒之之辭也. 晉六五曰失得勿恤, 戒辭明矣. 蓋當晉之時, 易有患得患失之心, 六五處大明之中而才柔, 又易有失得之累, 本義以爲一切去其計功謀利之心者, 大明在上, 用其明於當爲, 而不當用其明於計功謀利之私也. 不然則明反爲累矣.

운봉호씨가 말하였다: 큰 밝음이 위에 있고 아래가 모두 순종하니, 단지 후회함이 없을 뿐만 아니라 나아감에 마땅히 길하여 이롭지 않음이 없다. 그런데 재차 "잃고 얻음에 근심하지 않는다"는 말로 경계를 한 이유는 어째서인가? 단사의 경우에 단지 승괘(升卦䷭)에서 "근심하지 않는다"고 했고, 풍괘(豊卦䷶)에서는 "걱정하지 말아라"[104]라고 했으며, 효사의 경우에 태괘(泰卦䷊)의 구삼 · 가인괘(家人卦䷤)의 구사 · 췌괘(萃卦䷬)의 초육에서 모두 "근심하지 않는다"라고 했는데, 그 사안이 근심할 필요가 없는 경우라면 "근심하지 않는다"라고 한 말은 너그럽게 해준 말이며, 근심하지 말아야 할 경우라면 "근심하지 않는다"라고 한 말은 경계하는 말이 된다. 진괘의 육오에서 "잃고 얻음에 근심하지 않는다"라고 한 것은 경계하는 말이 분명하다. 나아가야 할 때가 되면 얻음을 근심하고 잃음을 근심하는 마음이 생기기 쉽고, 육오는 크게 밝은 가운데 있지만 재질이 부드럽고, 잃고 얻음에 얽매이기 쉬운데, 『본의』에서 공적을 계산하고 이로움을 도모하는 마음을 모조리 없앤다고 여긴 것은 큰 밝음이 위에 있어서 마땅히 행해야 할 일에 대해서는 그 밝음을 써야 하지만, 공적을 계산하고 이로움을 도모하는 삿된 마음에 대해서는 그 밝음을 사용해서는 안 되기 때문이다. 그렇게 하지 않는다면 밝음은 도리어 누가 된다.

104) 『周易 · 豊卦』: 象曰, 豊, 大也. 明以動, 故豊. 王假之, 尙大也, 勿憂, 宜日中, 宜照天下也. 日中則昃, 月盈則食, 天地盈虛, 與時消息, 而況於人乎? 況於鬼神乎?

韓國大全

조호익(曺好益)『역상설(易象說)』

六五, 往吉.
육오는 가는 것이 길하다.

六五自四而升, 爲卦之主, 故曰往吉.
육오는 사효에서부터 올라가서 괘의 주인이 되므로 "가는 것이 길하다"고 했다.

송시열(宋時烈)『역설(易說)』

六五以光明處君位, 何悔之有. 離爲虛中, 故易之言得失, 於離坎多見. 此以柔居中正, 應之有無, 不足恤也. 小象往有慶, 无不利之意也.
육오는 밝음으로 임금의 자리에 있으니, 어찌 후회가 있겠는가? 리괘(☲)는 가운데가 비어 있으므로『주역』에서 얻음과 잃음을 말한 것은 리괘와 감괘에서 많이 볼 수 있다. 이것은 부드러움으로 중정에 있으니, 호응이 있고 없음을 걱정할 것이 없다.「소상전」에서 "가는 데에 경사가 있음"은 "이롭지 않음이 없다"는 뜻이다.

석지형(石之珩)『오위귀감(五位龜鑑)』

臣謹按, 晉之六五, 程傳以謂上旣有大明之德, 下皆同德順附, 但當推誠委任, 盡衆人之才, 勿復自任其明, 恤其失得. 朱熹對或問, 以爲雖以堯舜之聖, 任皐夔益稷之賢, 猶曰屢省乃成, 如何說任同德之人, 則在上者一切不管, 而任其所爲. 二賢所論必有得失, 明主宜自知之. 伏願殿下, 擇於斯二者焉.
신이 삼가 살펴보았습니다: 진괘 육오는『정전』에서 "윗사람이 이미 크게 밝은 덕이 있고 아래가 모두 덕을 함께 하며 순종하여 따르니, 마땅히 정성을 미루어서 위임을 하고 무리들의 재주를 다하고, 재차 밝음을 자임하여 잃고 얻음을 근심하지 말아야 한다"고 하였습니다. 주자는 어떤 이의 질문에 대답하여 "비록 요순과 같은 성인으로서 고요(皐陶)·기(夔)·익(益)·직(稷)과 같은 현인을 임명할지라도 오히려 '자주 살펴보아야만 이룰 수 있다'고 했으니, 어떻게 덕을 함께 하는 사람에게 맡기면 위에 있는 자가 일체 관여를 하지 않고 그가 하는 대로 맡겨 둔다고 말할 수 있겠습니까?"라고 하였습니다. 두 현인인 정자와 주자가 논의한 것에 반드시 얻음과 잃음이 있으니, 밝은 임금께서는 스스로 그것을 아셔야 할 것입니다. 엎드려 바라건대 전하께서는 이 두 가지를 잘 가려보십시오.

이현석(李玄錫) 「역의규반(易義窺斑)」

程傳曰, 下旣同德順附, 當推誠委任, 勿復自任其明, 恤其失得. 又曰, 六五大明之主, 不患其不能明照, 患其用明之過, 至於察察, 失委任之道, 故戒以失得勿恤也.
『정전』에서 말하였다: 아래가 이미 덕을 함께 하며 순종하여 따르니, 마땅히 정성을 미루어서 위임을 하고, 재차 밝음을 자임하여 잃고 얻음을 근심하지 말아야 한다.
또 말하였다: 육오는 큰 밝음의 임금이며, 밝게 비춰주지 못함을 근심하지 않고, 밝음을 사용함이 지나쳐서 너무 자세히 살핌에 이르러 위임하는 도를 잃게 될까를 염려한다. 그렇기 때문에 잃고 얻음을 근심하지 말라고 경계를 하였다.

朱子非之曰, 雖以堯舜之聖, 皐夔之賢, 猶云屢省乃成, 雖得同心同德之人而任之, 在上者一切不管, 而任其所爲, 豈有此理. 且彼所爲旣失矣, 則爲上者如何不恤, 聖人無此等說話云云. 而本義之釋失得勿恤, 則謂以一切去其計功謀利之心.
주자가 그것을 비판하여 말하였다: 비록 요순과 같은 성인이나 고요(皐陶) · 기(夔) · 익(益) · 직(稷)과 같은 현인일지라도 오히려 자주 "살펴보아야만 이룰 수 있다"고 했으니, 마음과 덕을 함께 하는 사람을 얻어서 그에게 위임을 했을지라도 위에 있는 자가 일체 관여를 하지 않고 그가 하는 대로 맡겨두겠습니까? 어찌 이러한 이치가 있겠습니까? 또한 그 사람이 했던 것이 이미 실패했던 것이라면 위에 있는 사람이 어찌 근심하지 않을 수 있겠습니까? 따라서 성인은 이러한 말을 하지 않았습니다.
『본의』에서는 "잃고 얻음을 근심하지 않음"을 해석하여 "공에 대하여 공을 계산하고 이로움을 도모하려는 마음을 모두 없앤다"고 하였다.

竊嘗妄謂, 六五柔居尊位, 下有六二正應, 而爲九四所間阻, 本當有悔所賴者. 六五以離體之主, 克昭明德, 故九四有鼫鼠之畏, 不敢放肆, 而二之同德相孚, 其勢必合, 此所以得悔亡也. 始也爲四所間, 是失也, 終焉與己相合, 是得也. 言五不必憂二之得失, 但往而上進, 則自然吉無不利矣. 其曰往者, 蓋以火性炎上, 故上揚則明, 下沈則暗. 若係着於二, 則惧有下沈之患. 雖不係着而二也, 志在上進, 九四不敢終阻, 故勿恤而往則吉也. 五是陰柔慮欠於振奮, 故勉其往也.
내가 살펴보았다: 육오는 부드러우면서 높은 자리에 있고, 아래로 육이의 바른 호응이 있지만 구사가 가로막고 있으니, 의지하는 것에 후회가 있다. 육오는 리괘의 주인으로 밝은 덕을

밝히므로 구사가 쥐와 같은 두려움이 있어서 함부로 하지 못하며, 이효가 같은 덕으로 서로 믿어 그 세력을 반드시 합하니, 그래서 후회가 없다. 시작에 사효에게 이간질을 당함이 잃음이고, 끝에 자기와 서로 합함이 얻음이다. 오효가 이효를 얻고 잃음을 반드시 걱정하지는 않고 가서 위로 나아가면 자연히 길하여 이롭지 않음이 없을 것이라는 말이다. '가는 것'이라고 한 것은 불의 성질이 불타 위로 올라가는 것이다. 그러므로 위로 올라가면 밝고, 아래로 내려오면 어두운 것이다. 만약 이효에게 걸리면 아래로 내려오는 우환을 걱정했다. 비록 걸리지 않더라도 이효는 뜻이 위로 올라감에 있으며, 구사가 끝내 저지하지 못하기 때문에 근심하지 않고 가면 길한 것이다. 오효는 부드러운 음으로 떨쳐 일어나는데 부족하므로 그 가는 것을 힘쓰게 한 것이다.

이익(李瀷) 『역경질서(易經疾書)』

象云, 柔進而上行, 是以康侯用錫馬蕃庶, 此指六五也. 失得者, 謂錫馬也. 寵錫至此蕃庶, 何恤於失馬得馬. 謂無所關繫也.

「단전」에서 "유순하게 나아가서 위로 올라간다"고 하였고, 이 때문에 "편안하게 다스리는 제후이니, 여러 차례 말을 하사한다"라 하였으니, 이것은 육오를 가리킨다. '잃고 얻음'[105]이란 말을 하사받음을 말한다. 총애와 하사함이 이렇듯 여러 차례가 되면, 어찌 말을 잃고 얻음에 대하여 근심하겠는가? 관계할 바가 없음을 말한다.

심조(沈潮) 「역상차론(易象箚論)」

六五, 失得.
육오, 잃고 얻음.

陽實陰虛, 而此以陰居陽, 故旣言失, 又言得.
양은 가득 차 있고 음은 비었는데, 여기에서는 음이 양의 자리에 있으므로 '잃음'을 먼저 말하고 또 '얻음'을 말하였다.

유정원(柳正源) 『역해참고(易解參攷)』

節齋蔡氏曰, 位不當, 故有悔, 居中故亡.
절재채씨가 말하였다: 자리가 마땅하지 않기 때문에 후회가 있고, 가운데 있기 때문에 없다.

---

105) 『周易 · 晉卦』: 六五, 悔亡, 失得勿恤, 往吉, 无不利.

○ 案, 失得勿恤, 王者之正道也, 如範我馳驅, 不問獲禽之多寡, 是也.
내가 살펴보았다: '잃고 얻음을 근심하지 말며'는 임금의 바른 도이니, 규정대로 수레를 몰고[106] 짐승을 잡는 수의 많고 적음을 묻지 않는 것이 이것이다.

김상악(金相岳)『산천역설(山天易說)』

柔進上行, 宜若有悔, 然大明在上, 而下皆順從, 故其悔亡也. 又失其正而得其中矣, 雖互坎體, 能勿恤而往, 則吉无不利也.
부드러운 음이 나아가 위로 가면 후회가 있겠지만 큰 밝음이 위에 있고, 아래가 모두 순종하기 때문에 후회가 없을 것이다. 또한 바름을 잃었지만 그 가운데는 얻었으니, 호괘인 감괘의 몸체일지라도 근심하지 않고 가면 길하여 이롭지 않음이 없을 것이다.

○ 悔者, 陰之過也. 六五自四而上, 與坤爲應, 雖過矣, 乘承皆陽以節其過, 故曰悔亡. 失得, 以卦變言也. 又在下三陰, 爲四所間, 是失也, 然終能順麗而進, 爲得也. 又坤有得喪之分, 而五變爲否, 大人休否, 則必有得无失, 而上九曰先否後喜, 故勿恤而往也. 勿恤, 坎之加憂, 互艮而止也. 五之王, 能自昭明德, 不以失得爲恤, 與豊彖曰, 王假之勿憂宜日中, 互見其象. 蓋離火无常體, 故凡於離體之卦, 因其卦變而言其失得, 見旅九四自悔亡而進, 故吉无不利也.
'후회'는 음의 지나침이다. 육오는 사효로부터 위에 있으면서 곤괘(☷)와 호응하여 비록 지나치지만 타고 있고 받드는 것이 모두 양이어서 그 지나침을 절제하므로 "후회가 없다"고 하였다. '잃고 얻음'은 괘의 변화로 말하였다. 또한 아래에 있는 세 음이 사효에 의해 틈이 나는 것이 잃음이지만, 끝내 유순하게 붙어 나아갈 수 있음이 얻음이 된다. 또 곤괘에 얻고 잃음의 나눔이 있다. 그런데 오효가 변하면 비괘(否卦䷋)가 되는데 대인이 비색한 것을 그치게 하면[107] 반드시 얻음이 있고 잃음은 없어 상구에서 "먼저 비색해지고 뒤에는 기뻐한다"[108]고 하였으므로 근심하지 않고 가는 것이다. '근심하지 않음'은 감괘(☵)는 근심을 더함이고, 호괘인 간괘(☶)는 그침이기 때문이다. 오효의 임금은 자신이 밝은 덕을 밝혀 잃고 얻음을 근심하지 않으니, 풍괘(豊卦䷶)「단전」에서 "왕이어야 이르니, 근심하지 않게 하려

---

106)『孟子·滕文公』: 昔者趙簡子使王良與嬖奚乘, 終日而不獲一禽. 嬖奚反命曰, 天下之賤工也. 或以告王良. 良曰, 請復之. 彊而後可, 一朝而獲十禽. 嬖奚反命曰, 天下之良工也. 簡子曰, 我使掌與女乘. 謂王良. 良不可, 曰, 吾爲之範我馳驅, 終日不獲一, 爲之詭遇, 一朝而獲十.

107)『周易·否卦』: 九五, 休否. 大人, 吉, 其亡其亡, 繫于苞桑.

108)『周易·否卦』: 上九, 傾否, 先否, 後喜.

면 해가 중천에 있듯이 하여야 한다"고 한 것과 그 상을 서로 드러내었다. 불인 리괘(☲)는 일정한 몸체가 없으므로 리괘의 몸체를 가진 괘에서는 그 괘의 변화로 인하여 잃고 얻음을 말하였고, 려괘(旅卦䷷) 구사에서 스스로 후회 없이 나아가는 것을 볼 수 있으므로 길하여 이롭지 않음이 없다.

서유신(徐有臣) 『역의의언(易義擬言)』

以柔居剛, 是當有悔, 而四五相得, 故悔亡也. 下卦三柔, 皆爲四之所止畜, 在五爲失也, 終必晉來而順麗爲得也. 六五明體, 故不以失得爲憂也. 相求而往, 故吉也, 比應亦无不利也.

부드러운 음으로 굳센 양의 자리에 있어 마땅히 후회가 있어야 하지만 사효와 오효가 서로 얻기 때문에 후회가 없다. 아래괘의 세 부드러운 음이 모두 사효에게 저지를 당하여 오효에 잃음이 있겠지만, 끝내 반드시 나아가 유순하게 붙어 얻게 된다. 육오는 밝은 몸체이므로 잃고 얻음을 걱정하지 않는다. 서로 구하여 가므로 길하다. 가까이 있고 호응함에 이롭지 않음이 없다.

박문건(朴文健) 『주역연의(周易衍義)』

居尊用中, 故有悔亡之象, 失得吉凶之所由生也.
높은데 있으면서 알맞음을 쓰기 때문에 후회가 없는 상이 있으니, 잃고 얻음, 길과 흉이 그것으로부터 생긴다.
〈問, 悔亡以下. 曰, 二五其勢相敵, 未免悔存, 然居尊用中, 故所以悔亡也. 若妄生疑慮, 則必憂失得也. 但勿計吉凶, 往而從之, 則吉而无所不利也.
물었다: "후회가 없다" 이하는 무슨 뜻입니까?
답하였다: 이효와 오효가 그 세력이 서로 대적하여 후회가 있음을 면할 수 없지만 높은데 있으면서 알맞음을 쓰기 때문에 후회가 없습니다. 만약 헛되이 의심이나 걱정을 만들면 반드시 잃고 얻음을 걱정하게 될 것입니다. 길흉을 계산하지 않고 가서 따르면 길하여 이롭지 않음이 없을 것입니다.〉

이지연(李止淵) 『주역차의(周易箚疑)』

六五所謂自昭明德者也. 君子進德之心, 无所爲而爲之者, 其失得何足憂也. 不患人之不己知, 患不知人可也. 我之德旣進, 則群黎百姓, 徧爲爾德矣.
육오는 이른바 밝은 덕을 스스로 밝히는 자이다. 군자가 덕에 나아가는 마음은 하지 않으려고 해도 그렇게 하는 자이니, 그 잃고 얻음을 어찌 걱정하겠는가? 다른 사람이 자신을 알아주지 않음을 걱정하지 말고 다른 사람을 알아주지 못함을 걱정하는 것이 옳다. 나의 덕이 나아가면 백성들이 두루 이러한 덕으로 될 것이다.

이항로(李恒老) 「주역전의동이석의(周易傳義同異釋義)」

傳, 六五大明之主, 不患其不能明照, 患其用明之過, 至於察察, 失委任之道, 故戒以得失勿恤也.
『정전』에서 말하였다: 육오는 큰 밝음의 임금이며, 밝게 비춰주지 못함을 근심하지 않고, 밝음을 사용함이 지나쳐서 너무 자세히 살핌에 이르러 위임하는 도를 잃게 될까를 염려한다. 그렇기 때문에 잃고 얻음을 근심하지 말라고 경계를 하였다.

本義, 以大明在上, 而下皆順從, 故占者得之, 則其悔亡. 又一切去其計功謀利之心, 則往吉而旡不利也.
『본의』에서 말하였다: 큰 밝음으로써 위에 있고 아래가 모두 순종하기 때문에, 점치는 자가 이것을 얻으면 후회가 없게 된다. 또 모든 공에 대해서 공을 계산하고 이로움을 도모하려는 마음을 없앤다면, 감에 길하여 이롭지 않음이 없게 된다.

按, 傳就人君任賢上說, 本義就占者應事上說, 故不同. 蓋人於得失, 切切計較者, 由其不明有所疑也. 旣大明矣, 則夫何失得之可恤乎. 是以往吉而无不利也.
내가 살펴보았다: 『정전』에서는 임금이 어진 이에게 맡기는 것으로 말하였고, 『본의』에서는 점치는 자가 일에 대응하는 것으로 말하였으므로 같지 않다. 사람이 얻고 잃음에 대하여 꼼꼼하게 계산하여 비교하는 것은 밝지 못함으로 인하여 의심하는 것이 있기 때문이다. 이미 크게 밝으면 어찌 잃고 얻음을 걱정하겠는가? 그래서 가는 것이 길하여 이롭지 않음이 없다.

김기례(金箕澧) 『역요선의강목(易要選義綱目)』

陰居尊位, 似當悔, 然大明之君, 自昭明德, 群下順附, 何悔之有, 何失之有. 旣不關於功利得失, 何往不利.
음이 높은 자리에 있어서 후회가 있는 것 같지만 큰 밝음의 임금이 스스로 밝은 덕을 밝힘에 아래 사람들이 순종하여 따르는데 어찌 후회가 있고, 어찌 잃음이 있겠는가? 이미 공명과 이익, 얻음과 잃음에 대하여 관심이 없는데 어디를 가든지 이롭지 않겠는가?

심대윤(沈大允) 『주역상의점법(周易象義占法)』

晉之否䷋, 不交通也. 六五以柔居剛, 求其明之遠照. 日之近乎天, 而無所不照, 故曰悔亡. 陰厓幽谷之隱蔽者, 終不可照, 故曰失得勿恤. 兌爲失, 下卦之對乾五居兌體. 艮爲得, 坎爲恤, 离巽爲往, 以其柔中, 故曰往吉無不利. 六五能任九四之賢臣, 不以明察求名, 故能明照天下, 而光被四表. 君子不求小名, 故能大顯也.
진괘가 비괘(否卦䷋)로 바뀌었으니, 서로 통하지 못하는 것이다. 육오가 부드러운 음으로 굳센 양의 자리에 있으면서 그 밝음이 멀리 비춤을 구한다. 해가 하늘에 가까워 비추지 않는 것이 없으므로 "후회가 없다"고 하였다. 어두운 언덕이나 골짜기에 은폐된 것도 끝내 비추어지지 않음이 없으므로 "잃고 얻음을 근심하지 말라"고 하였다. 태괘는 잃음이고, 아래괘의 음양이 바뀌어 건괘가 되면 오효에 태괘의 몸체가 있다. 간괘가 얻음이고, 감괘가 근심이고, 리괘와 손괘가 감이 되는데 부드러우면서 가운데이므로 "잃고 얻음을 근심하지 말라"는 것이다. 육오가 구사의 어진 신하를 임명하여 밝게 살펴 명성을 구하지 않으므로 천하를 밝게 비추니 사방이 밝아진다. 군자는 작은 명성을 구하지 않으므로 크게 드러날 수 있다.

오치기(吳致箕)「주역경전증해(周易經傳增解)」

六五以文明之德, 柔中而居尊, 爲晉之主, 而以柔居剛, 下旡正應, 宜若有悔. 然中以行正, 故先言所悔者亡也. 處尊而臨以大明爲群下之所順附, 虛中而廓然大公, 不以失得累其心, 故言以此而往, 必得其吉, 而旡攸不利也.
육오는 문채나는 밝은 덕으로 부드럽게 가운데 있으면서 높은 자리를 차지해 진괘의 주인이 되며, 부드러운 음으로 굳센 양의 자리에 있으면서 아래로 정응이 없으니 당연히 후회가 있다. 그러나 알맞음으로 바름을 행하기 때문에 후회하는 것이 없다고 먼저 말하였다. 높은 자리를 차지하고 큰 밝음으로 임하여 여러 아래가 순종하여 따르며, 가운데가 비어 확 트여 크고 공정하여 잃고 얻음으로써 그 마음을 더럽히지 않기 때문에 이것으로 가서 반드시 길함을 얻어 이롭지 않음이 없을 것이라고 하였다.

○ 有應有比曰得, 旡應旡比曰失, 而六五旡應而有比, 故言失得也. 恤, 憂也, 取於互坎爲加憂, 而五得中, 故曰勿恤也.
호응이 있고 가까이 있는 것을 얻음이라고 하고, 호응도 없고 가까이 없는 것을 잃음이라고 하는데, 육오가 호응은 없고 가까움이 있으므로 잃고 얻음을 말하였다. '근심'은 걱정이니, 호괘인 감괘가 걱정을 더함이 되는 것에서 취하였고, 오효가 가운데를 얻었으므로 "근심하지 않는다"고 하였다.

이진상(李震相)『역학관규(易學管窺)』

以卦則離體, 得於東而失於西, 得於坤而失於乾, 皆失得之象也. 往吉者, 日無留行, 初出者, 當進於中盛也.
괘로서는 리괘의 몸체이니 동쪽에서는 얻지만 서쪽에서는 잃으며, 곤괘에서는 얻지만 건괘에서는 잃는 것이 모두 잃고 얻음의 상이다. '가는 것이 길함'은 해가 가는 것을 막음이 없어 처음 떠오른 것이 중천으로 나아가는 것이다.

박문호(朴文鎬)『경설(經說)-주역(周易)』

失得, 程傳竟無歸著, 當以本義, 計功謀利, 補其未備也.
'잃고 얻음'은『정전』에서는 끝내 귀착처가 없으니,『본의』의 "공을 계산하고 이로움을 도모한다"는 것으로 그 미비함을 보충하여야 한다.

이병헌(李炳憲) 『역경금문고통론(易經今文考通論)』

馬曰, 離爲矢.
마융이 말하였다: 리괘가 화살이 된다.

虞曰, 勿无恤憂也.
우번이 말하였다: 근심하지 않음이 없다.

荀曰, 离者射出, 故矢得. 陰居尊位, 故有悔. 以中盛明光四照, 故悔亡, 吉無不利也.
순상이 말하였다: 리괘는 활을 쏘는 것이므로 화살을 얻는다. 음이 높은 자리에 있으므로 후회가 있다. 중심이 성대하고 밝게 빛나 사방을 비추므로 후회가 없으니, 길하여 이롭지 않음이 없다.

程傳曰, 是往而有福慶也.
『정전』에서 말하였다: 이것은 감에 복과 경사가 있는 것이다.

按, 失得勿恤, 可證順而麗乎大明之義, 王氏本不可易.
내가 살펴보았다: "잃고 얻음을 근심하지 않음"은 "순종하여 큰 밝음에 붙는다"는 뜻을 증명할 수 있으니, 왕필본은 바꿀 수 없는 것이다.

象曰, 失得勿恤, 往有慶也.

「상전」에서 말하였다: "잃고 얻음을 근심하지 않음"은 가는 데에 경사가 있는 것이다.

中國大全

傳

以大明之德得下之附, 推誠委任, 則可以成天下之大功, 是往而有福慶也.

큰 밝음의 덕으로 아래의 따름을 얻어 정성을 미루어서 위임을 하면, 천하의 큰 공적을 이룰 수 있으니 이것은 감에 복과 경사가 있는 것이다.

韓國大全

김상악(金相岳) 『산천역설(山天易說)』

往, 謂柔進而上行也. 有慶, 君臣相遇之慶, 卽康侯之三接也.

'감'은 부드러움이 나아가 위로 가는 것이다. '경사가 있음'은 임금과 신하가 서로 만나는 경사이니, 편안하게 다스리는 제후가 세 차례 접견하는 것이다.

서유신(徐有臣) 『역의의언(易義擬言)』

往求六二, 而有相與之慶也. 爻曰往吉, 象曰往有慶, 義在往字, 睽五倣此.

가서 구이를 구하여서 서로 함께 하는 경사가 있다. 효에서 "가는 것이 길하다"고 하였고,

「상전」에서 "가는 데에 경사가 있는 것이다"고 하여 뜻이 '감[往]'에 있으니, 규괘 오효도 이와 같다.

박문건(朴文健) 『주역연의(周易衍義)』

往有慶, 言相信也.
"가는 데에 경사가 있음"은 서로 믿음을 말한다.

오치기(吳致箕) 「주역경전증해(周易經傳增解)」

以大明之德, 廓然无私, 爲群下之所順附, 可以成天下之大功, 故往而有福慶也.
큰 밝음의 덕으로 넓게 사사로움이 없고 아래 무리가 유순하게 따르게 되어 천하의 큰 공을 이룰 수 있으므로 가는 데에 복과 경사가 있는 것이다.

上九, 晉其角, 維用伐邑, 厲, 吉, 无咎, 貞吝.

정전 상구는 뿔에 나아감이니, 읍을 정벌하는 데에만 사용하면, 사납지만 길하고 허물이 없으며, 곧음에 대해서는 부끄럽다.

본의 상구는 뿔에 나아감이니, 읍을 정벌하는 데에만 사용하면, 사납지만 길하고 허물이 없으며, 곧더라도 부끄럽다.

中國大全

傳

角, 剛而居上之物. 上九以剛居卦之極, 故取角爲象, 以陽居上, 剛之極也. 在晉之上, 進之極也. 剛極則有强猛之過, 進極則有躁急之失. 以剛而極於進, 失中之甚也, 无所用而可, 維獨用於伐邑, 則雖厲而吉且无咎也. 伐四方者, 治外也. 伐其居邑者, 治內也. 言伐邑, 謂內自治也. 人之自治剛極則守道愈固, 進極則遷善愈速, 如上九者以之自治, 則雖傷於厲而吉且无咎也. 嚴厲, 非安和之道, 而於自治則有功也. 復云貞吝, 以盡其義, 極於剛進, 雖自治有功, 然非中和之德, 故於貞正之道, 爲可吝也. 不失中正, 爲貞.

뿔은 굳세고 위에 달려 있는 부위이다. 상구는 굳센 양으로 괘의 끝에 있기 때문에 뿔을 상으로 삼았으며, 양이면서 위에 있으니 굳셈이 지극하다. 진괘의 맨 위에 있으니 나아감이 지극하다. 굳셈이 지극하면 사납고 난폭한 잘못이 있고, 나아감이 지극하면 조급해지는 잘못이 있다. 굳셈으로 나아감에 다하였으니, 알맞음을 잃음이 심하여 사용할 수 있는 곳이 없고, 오직 읍을 정벌하는데 사용한다면 비록 사납지만 길하고 또 허물이 없다. 사방을 정벌하는 일은 외부를 다스림이다. 머물 읍을 정벌하는 일은 내부를 다스림이다. 읍을 정벌한다고 한 말은 내적으로 스스로를 다스림을 뜻한다. 사람이 제 스스로를 다스림에 굳셈이 지극하면 도를 지킴이 더욱 견고해지고, 나아감이 지극하면 선으로 옮겨감에 더욱 빨라지니, 상구와 같은 자가 이로써 제 스스로를 다스린다면, 비록 사나움에 해를 입지만 길하고 또 허물이 없게 된다. 엄격함과 사나움은 안정되고 조화로운 도는 아니지만 스스로를 다스리는 일에는 공이 있다. 재차 "곧음에 대해서는 부끄럽다"고 한 말은 그 뜻을 다하였으니, 굳셈과 나아감에 지극하면 비록 제 스스로를 다스리는데 공이 있지만, 중화의 덕이 아니기 때문에 곧고 바른 도에 대해서는 부끄럽게 된다. 중정을 잃지 않음은 곧음이 된다.

小註

朱子曰, 貞吝之義, 諸義只云貞固守此則吝, 不應於此獨云於正道爲吝也.
주자가 말하였다: '정린(貞吝)'의 뜻은 여러 뜻에서 단지 이를 곧고 견고하게 지키면 부끄러울 것이라고 하였으니, 여기에서 유독 올바른 도에 대해서 부끄러움이 된다고 하는 것에 호응하지 않는다.[109]

○ 進齋徐氏曰, 此爻剛而在上, 有角之象. 進而至於角, 窮而无所往, 獨可用其剛而伐邑以治其內. 必常懷惕厲自危之心, 則吉而无咎矣.
진재서씨가 말하였다: 이 효는 굳세며 위에 있으니 뿔의 상이 있다. 나아가 뿔에 이르러서 궁하게 되어 갈 곳이 없으니, 오직 굳셈을 사용하여 읍을 정벌하여 내부를 다스릴 수 있다. 항상 스스로 위태롭게 됨에 근심하는 마음을 품는다면 길하여 허물이 없게 될 것이다.

○ 李氏開曰, 晉而至於角, 前无餘地矣. 伐其邑, 自治也. 春秋之墮三都, 其策雖窮, 不猶愈於不墮乎. 雖危而吉, 此公至自圍郕, 所以善之也.
이개가 말하였다: 나아가서 뿔에 도달하면 앞에 나아갈 곳이 없다. 읍을 정벌함은 스스로를 다스림이다. 『춘추』에서 세 도시를 무너뜨리려고 했는데,[110] 그 계책을 비록 다하더라도 무너뜨리지 않는 것보다는 낫다. 비록 위태롭더라도 길하게 됨은 노공(魯公)이 성(郕)을 포위했던 곳으로부터 돌아와서 선하게 여긴 일에 해당한다.[111]

本義

角, 剛而居上, 上九剛進之極, 有其象矣. 占者得之而以伐其私邑, 則雖危而吉且无咎. 然以極剛治小邑, 雖得其正, 亦可吝矣.

뿔은 굳세고 위에 있으며 상구는 굳세고 나아감이 지극하니, 이러한 상을 가진다. 점치는 자가 이것을 얻어서 사읍(私邑)을 정벌한다면 비록 위태롭지만 길하고 또 허물이 없다. 그러나 지극히 굳셈으로 작은 읍을 다스린다면 비록 바름을 얻더라도 또한 부끄러울 수 있다.

---

109) 『주자어류』.

110) 『春秋左傳 · 定公』: 仲由爲季氏宰, 將墮三都, 於是叔孫氏墮郈. 季氏將墮費, 公山不狃叔孫輒帥費人以襲魯. 公與三子入于季氏之宮, 登武子之臺, 費人攻之, 弗克. 入及公側, 仲尼命申句須樂頎下 伐之, 費人北. 國人追之, 敗諸姑蔑, 二子奔齊, 遂墮費.

111) 『春秋左傳 · 莊公』: 夏, 師及齊師圍郕. 郕降于齊師. 仲慶父請伐齊師, 公曰, 不可. 我實不德, 齊師何罪, 罪我之由. 夏書曰, 皐陶邁種德, 德乃降. 姑務修德, 以待時乎. 秋, 師還. 君子是以善魯莊公.

小註

或問, 上九剛進之極, 以伐私邑, 安能吉而无咎. 朱子曰, 以其剛, 故可伐邑. 若不剛, 則不能伐邑矣. 但易中言伐邑, 皆是用之於小, 若伐國, 則其用大矣, 如高宗伐鬼方三年之類. 維用伐邑, 則不可用之於大可知. 雖用以伐邑, 然亦必能自危厲, 乃可以吉而无咎. 過剛而能危厲, 則不至於過矣.
어떤 이가 물었다: 상구는 굳세고 나아감이 지극한데 이를 통해 사읍(私邑)을 정벌하면, 어찌 길하여 허물이 없을 수 있습니까?
주자가 답하였다: 굳세기 때문에 읍을 정벌할 수 있습니다. 만약 굳세지 않다면 읍을 정벌할 수 없습니다. 다만 『주역』에서 읍을 정벌한다고 한 말은 모두 작은 것에 대해서 그 힘을 쓰는 경우이니, 만약 나라를 정벌하는 경우라면 큰 것을 쓰게 되므로, 마치 고종(高宗)이 귀방(鬼方)을 3년 동안 정벌했다는 부류와 같습니다. 오직 읍을 정벌하는데 사용한다면 큰 것을 쓸 수 없음을 알 수 있습니다. 비록 사용해서 읍을 정벌하더라도 또한 제 스스로 위태롭게 여길 수 있다면, 길하여 허물이 없을 수 있습니다. 강함이 지나치더라도 위태롭게 여길 수 있다면 허물이 되지 않습니다.

○ 問, 本義作伐其私邑, 程傳以爲自治, 如何. 曰, 便是程傳多不肯說實事, 皆以爲取喩. 伐邑, 如墮費墮郈之類, 是也. 大抵今人說易, 多是見易中有此一語, 便以爲通體事當如此, 不知當其時節地頭, 其人所占得者, 其象如何. 若果如今人所說, 則易之說有窮矣.
물었다: 『본의』에서는 "사읍을 정벌한다"고 했고, 『정전』에서는 "스스로를 다스린다"는 뜻으로 여겼는데, 어째서입니까?
답하였다: 『정전』에서는 대부분 실제 사실로 설명하는 것을 내켜하지 않으니, 모두 비유의 뜻으로 여겼습니다. "읍을 정벌한다"는 말은 비(費)와 후(郈)의 성벽을 무너뜨린 경우에 해당합니다. 대체로 지금 사람들이 역을 설명할 때, 대부분 역에 이러한 한 종류의 말이 있음을 보고, 전체적인 일들이 이와 같다고 여기지만, 그 당시 그 사람들이 점쳐서 얻은 것은 그 상이 어떠한지 알지 못합니다. 만약 지금 사람들이 한 말대로라면 역의 설명은 궁하게 될 것입니다.

○ 雲峰胡氏曰, 上九剛進之極, 而以伐私邑, 雖危而吉且无咎, 許之也. 然以剛進之極, 僅能伐其小邑, 雖正亦可吝, 鄙之也. 本義曰私邑, 又曰小邑, 謙六五, 伐不言邑, 其伐也公, 晉上九伐其內地之邑, 則爲私矣. 旣濟九三伐鬼方, 其伐也大, 晉上九僅能伐其私邑, 則爲小矣.

운봉호씨가 말하였다: 상구는 굳셈과 나아감이 지극하고 이를 통해 사읍을 정벌하니, 비록 위태롭더라도 길하고 또 허물이 없다고 한 말은 허용을 한 것이다. 그러나 굳셈과 나아감이 지극한데도 겨우 작은 읍을 정벌할 수 있으니, 비록 올바르더라도 또한 부끄러울 수 있다는 말은 비루하게 여긴 것이다. 『본의』에서는 '사읍(私邑)'이라고 했고 또 '소읍(小邑)'이라고 했는데, 겸괘(謙卦䷎)육오에서 정벌을 함에 '읍(邑)'이라고 말하지 않음은 그 정벌이 공정하기 때문이고, 진괘의 상구는 안쪽 땅에 있는 읍을 정벌하여 사(私)가 되기 때문이다. 기제괘(旣濟卦䷾)의 구삼이 귀방을 정벌함은 그 정벌이 큰 것이지만, 진괘의 상구는 겨우 사읍을 정벌할 수 있으니 작은 것이 되기 때문이다.

○ 雙湖胡氏曰, 晉其角與姤其角同義, 皆剛上之象. 上九與九四皆不正, 一云貞厲, 一云貞吝者, 蓋云雖正猶厲猶吝, 況不貞乎. 其警戒之意抑又深切矣.
쌍호호씨가 말하였다: 진괘의 뿔은 구괘(姤卦䷫)의 뿔과 의미가 같으니, 모두 굳셈이 위에 있는 상이다. 상구와 구사는 모두 바르지 않은데 구사에서는 "곧더라도 위태롭다"고 했고 상구에서는 "바르더라도 부끄럽다"고 했으니, 비록 바르더라도 오히려 근심스럽고 오히려 부끄럽다고 말하는 경우와 같은데 하물며 곧지 않음에 있어서는 어떻겠는가? 그 경계의 뜻이 오히려 매우 간절하다.

韓國大全

조호익(曺好益)『역상설(易象說)』

上九, 維用伐邑.
읍을 정벌하는 데에만 사용하면.

伐邑, 取離坤象, 以離之戈兵, 臨坤地之上, 有伐邑象.
'읍을 정벌함[伐邑]'은 리괘와 곤괘의 상을 취한 것이다. 리괘의 창과 무기[戈兵]로써 땅인 곤괘의 위에 임하였으니, 읍을 정벌하는 상이 있는 것이다.

○ 象傳尤可吝也, 尤疑宂古猶字.
「소상전」의 『정전』에 "더욱 부끄러울 만하다[尤可吝也]"에서의 '우(尤)'는 유(猶) 자의 고자

(古字)인 유(冘) 자가 아닌가 의심된다.

송시열(宋時烈)『역설(易說)』

居上而剛, 故曰角, 與姤之角同意. 坤爲邑, 離爲甲兵, 互坎有盜象, 故曰維用伐邑. 既居上位, 故雖有危厲之道, 然吉而無咎. 征伐之道, 不得已而用之, 若此貞固其道以爲常, 則可吝. 處離之上爻, 光明之德已爲盡矣, 故曰小象道未光[112]也.

위에 있으면서 굳세므로 뿔이라고 하였는데 구괘의 뿔과 같은 뜻이다. 곤괘는 읍이 되고 리괘는 갑옷과 무기가 되며, 호괘인 감괘에 도둑의 상이 있으므로 '읍을 정벌하는 데에만 사용함'이라고 하였다. 이미 윗자리에 있으므로 위태로운 도가 있지만 길하고 허물이 없다. 정벌의 도는 부득이 하여 사용하는 것이니, 만약 그 도를 곧고 견고하게 하여 일정함으로 삼으면 부끄러울 수 있다. 리괘의 위의 효에 있으면서 밝은 덕이 이미 다하였기 때문에 「소상전」에서 "도가 아직 빛나지 않기 때문이다"라고 하였다.

이익(李瀷)『역경질서(易經疾書)』

以身體爲象, 則卯爲趾, 酉爲角也. 伐邑, 治邑也. 邑如朝宿[113]湯沐[114]之邑. 不言治而言伐, 陽剛不中正也. 左傳隱公八年, 鄭伯以祊易許田, 註云, 周制六年五服一朝, 成王特賜魯許田, 以爲王畿, 朝宿之邑, 宣王特賜鄭祊, 以爲湯沐之邑, 是也. 不中正, 故有危厲之象, 然非灾也, 故吉无咎. 日之出入, 理之常, 故貞, 然其於大明, 則衰矣, 故吝, 各有其義.

신체를 가지고서 상을 삼는다면, 묘(卯)는 발이고 유(酉)는 뿔이다. "읍을 정벌하다[伐邑]"란 읍을 다스림이다. 읍(邑)은 조숙(朝宿)과 탕목(湯沐)과 같은 읍이다. 다스린다고 말하지 않고 정벌한다고 말한 것은 굳센 양이 중정하지 않기 때문이다. 『춘추좌전 · 은공(隱公)』 8년에 정백(鄭伯)은 팽전(祊田)을 허전(許田)과 바꾸고자 하였는데,[115] 이에 대해 주(註)에서는 "주나라 제도에 육년 동안 오복(五服)이 번갈아 각각 한 번 조회한다고 하였고,[116] 성왕

---

112) 光: 경학자료집성DB와 영인본에는 모두 '免'으로 되어 있으나, 『주역』 원문에 따라 '光'으로 바로잡았다.

113) 조숙읍(朝宿邑): 탕목읍(湯沐邑)을 뜻한다.

114) 탕목읍(湯沐邑): 제후가 천자를 알현 할 때에 숙박하고 목욕제계할 수 있는 제반의 기구와 비용을 오로지 공급하도록 봉한 읍을 말한다.

115) 『春秋左傳 · 隱公』: 鄭伯請釋泰山之祀而祀周公, 以泰山之祊易許田. 三月, 鄭伯使宛來歸祊, 不祀泰山也.

116) 『書經 · 周官』: 又此言六年, 五服一朝, 而周禮, 六服諸侯, 有一歲一見者, 二歲一見者, 三歲一見者, 亦與此不合, 是固可疑. 然周禮, 非聖人, 不能作也, 意周公, 方條治事之官而未及師保之職, 所謂未及者, 鄭重而未及言之也.

이 특별히 노나라에 허전을 하사하여 천자의 도성 근처의 노나라 제후가 묵을 수 있는 읍으로 삼았고, 선왕(宣王)이 특별히 정나라에게 팽전을 하사하여 탕목의 읍으로 삼은 것이 이것이다"라고 하였다. 중정하지 않기 때문에 위태로운 상이 있지만, 재앙은 아니기 때문에 "길하고 허물이 없다"고 하였다. 해가 뜨고 지는 것은 이치의 항상 됨이기 때문에 곧지만, 큰 밝음에 대해서는 쇠하게 되기 때문에 부끄러우니, 각각 그 뜻이 있다.

심조(沈潮) 「역상차론(易象箚論)」

上九, 伐邑, 吝.
상구, 읍을 정벌하니, 부끄럽다.

離爲戈兵, 而與坤相應, 故稱伐邑. 稱吝, 吝亦本位.
리괘는 창과 무기가 되고 곤괘와 서로 호응하므로 읍을 정벌한다고 하였다. "부끄럽다"고 하였는데, '부끄러움' 역시 자리에 근거한 것이다.

유정원(柳正源) 『역해참고(易解參攷)』

白雲郭氏曰, 晉六爻无凶, 獨四以貪而厲, 上以伐而吝, 蓋才有餘而德不足者.
백운곽씨가 말하였다: 진괘의 여섯 효는 흉함이 없는데 오직 사효는 탐하여 위태롭고 상효는 정벌하여 부끄러우니, 재주는 넘치지만 덕이 부족한 자이다.

○ 進齋徐氏曰, 離爲戈兵, 故有伐象. 邑謂內地之私邑, 坤體在下之象.
진재서씨가 말하였다: 리괘는 창과 무기가 되므로 정벌하는 상이 있다. 읍은 나라 안의 사읍(私邑)으로 아래에 있는 곤괘의 상이다.

○ 梁山來氏曰, 維者維繫也. 繫戀其三之陰, 私也. 夫繫戀其私以伐邑, 其道本不光明. 然理若可伐而伐之, 事雖危厲, 亦吉而无咎.
양산래씨가 말하였다: '유(維)'는 밧줄로 매는 것이다. 그 세 개의 음에 얽매여 그리워함은 사사로움이다. 그 사사로움에 얽매여 그리워하여 읍을 정벌하니, 그 도가 본래 빛나지 않는 것이다. 그러나 이치로 정벌할만 하여 정벌하면 일이 위태롭더라도 길하고 허물이 없을 것이다.

김상악(金相岳) 『산천역설(山天易說)』

角剛而在上者, 當柔進之時, 以剛居上, 雖與五相比, 无得於順麗之義. 惟伐邑以自治,雖傷於厲而吉且无咎, 以剛明之才, 但治其私邑, 雖貞亦不免於吝也.
뿔은 굳세면서 위에 있는 것으로 부드럽게 나아가는 때에 굳셈으로 위에 있으니, 오효와 서로 가까이 있지만 유순하게 붙는 뜻을 얻지 못했다. 단지 읍을 정벌하여 스스로 다스리니, 사나움에 해를 입지만 길하고 또 허물이 없으며, 굳세고 밝은 자질로 그 사읍을 다스리니, 곧더라도 또한 부끄러움을 면할 수 없다.

○ 角之象, 大壯姤以乾, 晉以離. 大壯則陰窮於上, 故不能遂, 晉則陽已上, 故晉其角. 正義, 角者西南隅也. 處晉之角, 過明之中, 猶日過中, 在角而猶晉也. 邑坤象, 伐邑之小, 不如伐國之大. 以剛居上, 比大明之君, 不能布昭神武于天下, 用伐其私邑, 所以貞吝. 故離上九曰, 王用出征有嘉, 明夷九三曰, 南狩得其大首, 未濟九四曰, 伐鬼方有賞于大國, 皆居明體而行征伐於外者也. 泰六則以陰居上, 自邑告命, 故貞吝之戒同.
뿔의 상은 대장괘(大壯卦䷡)와 구괘(姤卦䷫)의 건괘(☰)에서, 진괘(晉卦䷢)는 리괘(☲)에서 취하였다. 대장괘는 음이 위에서 다하기 때문에 나아가지도 못하고, 진괘는 양이 가장 위에 있으므로 '뿔에 나아감'이다. 『주역정의』에서 "뿔은 서남쪽 귀퉁이다. 진괘의 뿔에 처함은 알맞게 밝은데서 지나쳐 해가 중천을 지난 것과 같으니, 뿔에 있으면서 나아간 것과 같다"고 하였다. 읍은 곤괘(☷)의 상이니, 작은 읍을 정벌하는 것은 큰 나라를 정벌하는 것만 못하다. 굳셈으로 위에 있고 큰 밝음의 임금과 가까이 하지만 천하에 신성한 무력을 펴서 밝히지 못하고 사읍(私邑)을 정벌하니 곧더라도 부끄럽다. 그러므로 리괘(離卦䷝) 상구에서 "왕이 출정하면 아름다움이 있을 것이다"[117]라고 하였고, 명이괘(明夷卦䷣) 구삼에서 "남쪽으로 사냥하여 큰 머리를 얻는다"[118]고 하였고, 미제괘(未濟卦䷿) 구사에서 "귀방(鬼方)을 정벌해서 삼년이어야 큰 나라에서 상이 있다"[119]고 하였으니, 모두 밝은 몸체에 있으면서 바깥에 있는 나라에 정벌을 행한 것이다. 태괘(泰卦䷊)의 상육은 음으로 위에 있으면서 읍으로부터 명을 고하므로 곧더라도 부끄러울 것이라는[120] 경계가 같다.

김규오(金奎五) 「독역기의(讀易記疑)」

上九貞吝, 傳於正道爲吝, 義雖正亦吝, 竊疑吉者吉凶也. 无咎者不失義也. 傳義說皆似有礙於吉无咎之文. 或恐貞是貞固之貞. 此爻雖可伐邑, 而自來危厲, 若貞固守此, 則又可吝云也. 小註朱子說, 已有此意, 而何故本義說復如彼耶.

117) 『周易 · 離卦』: 上九, 王用出征, 有嘉, 折首, 獲匪其醜, 无咎.
118) 『周易 · 明夷卦』: 九三, 明夷于南狩, 得其大首, 不可疾貞.
119) 『周易 · 未濟卦』: 九四, 貞吉, 悔亡, 震用伐鬼方, 三年, 有賞于大國.
120) 『周易 · 泰卦』: 上六, 城復于隍, 勿用師, 自邑告命, 貞吝.

상구의 '정린(貞吝)'에 대하여 『정전』에서는 바른 도에 대해서는 부끄럽다고 하였고, 『본의』에서는 바르더라도 또한 부끄럽다고 하였다. 아마 '길함'은 길하고 흉한 것인 것 같다. '허물이 없음'은 올바름을 잃지 않은 것이다. 『정전』과 『본의』의 말이 모두 '길하고 허물이 없음'의 문장에 막힘이 있는 듯하다. 혹 '곧음'은 '곧고 견고함'의 '곧음'이 아닌가한다. 이 효가 비록 읍을 정벌할 수 있지만 스스로 사나운 것을 초래하니, 만약 곧고 견고하게 이것을 지키면 또한 부끄러울만하다고 할 수 있다. 소주에서 주자가 말한 것에 이미 이 뜻이 있는데, 어째서 『본의』에서 다시 저와 같이 말하였는가?

서유신(徐有臣) 『역의의언(易義擬言)』

晉其角高也, 伐邑小事也. 角能觝觸, 故有伐邑象也. 晉於極高, 而秖可用於小事, 無足稱也. 厲吉无咎貞吝, 語繁疊難曉, 不可强解.
'뿔에 나아감'은 높고, '읍을 정벌함'은 작은 일이다. 뿔이 들이받으므로 읍을 정벌하는 상이 있다. 지극히 높은 데에 나아가지만 작은 일에 쓰일 뿐이므로 별로 말할 것이 없다. "사납지만 길하고 허물이 없으며, 곧음에 대해서는 부끄럽다"는 말이 번거롭고 중첩되어 알기 어려우니, 억지로 해석해서는 안 된다.

강엄(康儼) 『주역(周易)』

按, 泰之上六曰, 自邑告命, 而占曰貞吝. 晉之上九, 維用伐邑, 而占曰貞吝. 蓋泰極而否, 不能大有所爲, 而但可自守, 故告命, 雖止而未免於羞吝. 晉之上九, 剛進之極, 而不能大有所爲, 僅能伐其小邑, 故所治雖正, 而亦未免於嚴吝.
내가 살펴보았다: 태괘(泰卦)의 상구에서는 "군대를 쓰지 말고 읍으로부터 명을 고한다"고 하고, 점에서 "곧더라도 부끄러울 것이다"고 하였다. 진괘의 상구에서는 "읍을 정벌하는 데에만 사용함"이라고 하고, 점에서 "곧음에 대해서는 부끄럽다"고 하였다. 태괘(泰卦䷊)가 극에 이르면 비괘(否卦䷋)가 되는데 크게 할 수 있는 것이 없고 스스로 지켜야 할 뿐이므로 명을 고하니, 그칠지라도 부끄러움을 면할 수 없다. 진괘의 상육은 굳셈과 나아감이 지극한데도 크게 할 수 있는 것이 없고 겨우 작은 읍을 정벌하므로 다스리는 것이 바르더라도 엄하고 부끄러움을 면할 수 없다.

박문건(朴文健) 『주역연의(周易衍義)』

處高用觸, 故有晉角之象. 邑六三所處之地也.
높은 곳에서 뿔로 들이받으므로 뿔에 나아가는 상이 있다. 읍은 육삼이 거처하는 곳이다.
〈問, 晉其角以下. 曰, 上九以剛處高, 是晉其角也, 故維用伐邑. 雖有厲貞, 然吉而无咎, 若用貞肆暴, 則是自致窮吝也. 蓋上九未能懲小邑, 而但用剛行事, 故雖許必勝, 然或恐恃剛而爲寇, 故有貞吝之戒也.
물었다: "嚮에 나아감" 이하는 무슨 뜻입니까?
답하였다: 상구가 굳셈으로 높은 곳에 처함이 '嚮에 나아감'이므로 "읍을 정벌하는 데에만 사용한다"고 하였습니다. 리괘에 사나움과 곧음이 있지만 길하고 허물이 없으니, 만약 곧음을 쓰지만 멋대로 사납게 하면 궁핍하고 부끄러움을 스스로 이룰 것입니다. 상구가 작은 읍도 징벌하지 못하면서 오직 굳셈을 써서 일을 하므로, 비록 반드시 이김을 허락하지만 간혹 굳셈을 믿고 도적이 되므로 곧더라도 부끄럽다는 경계가 있습니다.〉

이지연(李止淵) 『주역차의(周易箚疑)』

六五, 雖明體而質則陰也. 陰則暗也. 陰暗在上, 關鍵太弛, 下有鼫鼠, 而不知禁. 上九以明極之才, 用剛猛之治, 所謂寬則濟之以猛者也. 雖不可謂不正, 而亦不可謂吉而无悔之道也.
육오가 밝은 몸체이지만 바탕은 음이다. 음은 어둠이다. 어두운 음이 위에서 매우 느슨하게 빗장을 채워서 아래에 쥐가 있는데도 금지시킬 줄 모른다. 상구는 지극히 밝은 자질로 굳세고 용맹하게 다스리니, 이른바 너그러우면 용맹함으로 균형을 이루는 것이다. 비록 바르지 않다고 할 수 없지만 길하고 후회가 없는 도라고 할 수도 없다.

윤종섭(尹種燮) 『경(經)-역(易)』

上之伐邑, 离爲戈兵象, 坤爲邑.
상효의 '읍을 정벌함'은 리괘가 창과 무기의 상이 되고, 곤괘가 읍이 됨이다.

이항로(李恒老) 「주역전의동이석의(周易傳義同異釋義)」

傳, 伐其居邑者, 治內也.
『정전』에서 말하였다: 머물 읍을 정벌하는 일은 내부를 다스림이다.
○ 故於貞正之道, 爲可吝也.
그러므로 곧고 바른 도에 대해서는 부끄럽게 된다.

本義, 占者得之而以伐其私邑, 則雖危而吉且无咎. 然以極剛治小邑, 雖得其正, 亦可吝矣.

『본의』에서 말하였다: 점치는 자가 이것을 얻어서 사읍(私邑)을 정벌한다면 비록 위태롭지만 길하고 또 허물이 없다. 그러나 지극히 굳셈으로 작은 읍을 다스린다면 비록 바름을 얻더라도 또한 부끄러울 수 있다.

按, 或問於朱子曰, 本義作伐其私邑, 程傳以爲自治, 如何. 曰, 便是程傳多不肯說實事, 皆以爲取譬, 伐邑, 如墮費墮郈之類是也云云.〈朱子說止此〉. 蓋易象皆以實事言之, 而占得者各以所當之事, 照其所言而推遷用之. 如易中所言, 已設譬喩, 而定爲一事, 則一卦只當得一物, 一爻只當得一事而已, 易說便是有窮矣.

내가 살펴보았다: 어떤 이가 주자에게 "『본의』에서는 '그 사읍(私邑)을 정벌한다'고 하였고, 『정전』에서는 '스스로 다스린다'고 하였는데, 어떻습니까?"라고 물으니, "『정전』에서는 대부분 실제의 일을 기꺼이 말하지 않고 모두 비유를 취한 것이니, 읍을 정벌함은 비(費)와 후(郈) 읍을 무너뜨리는 일들이 여기에 해당합니다"라고 하였다. 〈주자의 말은 여기까지이다.〉 역의 상은 모두 실제의 일로써 말하는 것인데 점을 얻은 자는 각각 해당하는 일을 가지고 그 말을 비추고 미루어 옮겨 사용한다. 역에서 한 말은 비유를 한 것인데 한 가지 일로 정하면 한 괘에는 한 가지 사물만 얻게 되고, 한 효에는 한 일만 얻게 될 뿐이므로 역의 말에 한계가 있는 것이다.

김기례(金箕澧) 『역요선의강목(易要選義綱目)』

上九, 晉其角.
상구, 뿔에 나아감이니.
居首而剛, 有極晉之像. 故曰角.
제일 위에 있으면서 굳세므로 지극히 나아가는 상이 있다. 그러므로 '뿔'이라고 하였다.

維用伐邑, 厲, 吉.
읍을 정벌하는 데에만 사용하면 사납지만 길하다.
言自治也.
스스로 다스림을 말한다.

○ 剛而无位, 則不過治其私邑, 如魯隳費之類, 則雖危而吉.
굳세면서 지위가 없으면 그 사읍을 다스림에 불과할 뿐이니, 노나라 비(費)읍을 무너뜨리는 부류 같으면 위태롭지만 길하다.

无咎, 貞吝

허물이 없으며, 곧더라도 부끄럽다.
大明在近, 私治內邑, 旣失中和, 則雖无咎貞亦可吝. 剛居陰位, 故曰吝.
큰 밝음이 가까이 있지만 나라 안의 읍을 사사로이 다스린다면 이미 알맞은 조화를 잃었으니 허물은 없겠지만 곧음에 대해서는 부끄러울 수 있다. 굳센 양이 음의 자리에 있기 때문에 부끄럽다고 하였다.

贊曰, 大明在上, 順而附之. 自昭明德, 何所不宜. 得失不憂, 利在於斯. 瞻彼碩鼠, 无儀有皮.
찬미하여 말하였다: 큰 밝음이 위에 있고 유순하게 그를 따르네. 스스로 밝은 덕을 밝히니, 어느 곳인들 마땅하지 않겠는가! 얻고 잃음을 걱정하지 않으니, 이로움이 여기에 있네. 저 쥐를 보니 예의는 없고 가죽만 있네.

심대윤(沈大允)『주역상의점법(周易象義占法)』

晉之豫䷏, 逸也. 上九剛明而居柔. 日之旣麗乎天, 不復進而求其遠, 但照其光之所及, 有逸豫之義. 晉其角, 言其明之力極也, 离爲角. 維用伐邑, 言所照有限也, 治其私屬而已. 艮爲邑, 指九四也. 九四以坎雲在下, 隔蔽上九, 旣不可進而照之, 則當伐而去之也. 雖危而吉無咎, 雖正而吝也.
진괘가 예괘(豫卦䷏)로 바뀌었으니, 편안한 것이다. 상구가 굳세고 밝은데 부드러운 자리에 있다. 해가 이미 하늘에 걸려 다시 나아가 멀리까지 구하지 못하고 단지 빛이 미치는 곳을 비추며 편안히 있다는 뜻이다. '뿔에 나아감'은 밝음의 힘이 지극함을 말하니, 리괘가 뿔이 된다. '읍을 정벌하는 데에만 사용함'은 비추는 것이 한계가 있음을 말하니, 사사로운 무리를 다스릴 뿐이다. 간괘가 읍이 되니, 구사를 가리킨다. 구사는 아래에 있는 감괘의 구름으로 상구를 가려 이미 나아가 비출 수 없으니, 정벌하여 제거해야 한다. 위태로우나 길하여 허물이 없고, 바르지만 부끄럽다.

오치기(吳致箕)「주역경전증해(周易經傳增解)」

上九處晉之極, 而无可進之地, 故爲晉其角之象. 剛不當位, 而其剛未大, 居明之終, 而其明不廣, 進而所治者, 維用其私邑, 故反復爲戒, 言能惕厲其志, 則可以得吉而亦无失中正之咎. 然不能及遠, 而所治甚狹, 故又言正爲吝也.
상구는 나아감의 끝에 처하여 나아갈 수 있는 자리가 없으므로 뿔에 나아가는 상이 된다. 굳셈이 자리가 마땅하지 않아 그 굳셈이 아직 크지 못하고, 밝음의 끝에 있어 그 밝음이 넓지 않아서 나아가 다스리는 것이 사읍(私邑)을 다스리는 데에만 사용하므로 반복해서 경계하였으니, 그 뜻을 삼가하고 힘쓰면 길하고 또한 중정함을 잃는 잘못이 없을 것이라는 말이다. 그러나 먼 데까지 미치지 못하고 다스림이 매우 협소하므로 바르더라도 부끄럽게 된다고 하였다.

○ 剛在上而極, 故言角也. 伐者, 攻也治也. 離爲戈兵, 變震爲動, 戈兵之動, 治以威武之象也. 邑取於應坤也. 卦凡二陽而皆失其正, 故四言貞厲, 上言貞吝也.
굳셈이 위의 끝에 있으므로 뿔을 말하였다. '정벌'은 공격하고 다스리는 것이다. 리괘(☲)가 창과 무기가 되고, 상효가 바뀐 진괘(☳)가 움직임이 되니, 창과 무기로 움직여서 위엄과 무력으로 다스리는 상이다. '읍'은 호응하는 곤괘에서 취하였다. 괘에 양이 두 개인데 모두 그 바름을 잃었으므로 사효에서는 "곧더라도 위태롭다"고 하였고, 상효에서는 "곧더라도 부끄럽다"고 하였다.

이진상(李震相) 『역학관규(易學管窺)』

角在上之剛物也, 在離體則爲牛角, 在兌體則爲羊角. 離爲戈兵, 故曰用伐, 而坤在內爲邑, 上九之於六三, 討其附四之罪也.
뿔은 위에 있는 굳센 부위이니, 리괘의 몸체에서는 소의 뿔이 되고, 태괘의 몸체에서는 양의 뿔이 된다. 리괘가 창과 무기가 되므로 '정벌을 사용함'이라고 하였고, 곤괘는 안에 있는 읍이 되니, 상구가 육삼에 대하여 사효를 따르는 죄를 토벌하는 것이다.

채종식(蔡鍾植) 『주역전의동귀해(周易傳義同歸解)』

晉上九貞吝, 傳解作於貞正之道可吝也, 本義解作雖貞亦可吝矣. 蓋程傳諸例, 只可云貞固守此則吝, 此獨云於正道爲吝者, 蓋以伐邑爲自治之故也. 人之自治, 剛極則守道愈固, 進極則遷善愈速, 此許之之辭也. 旣許其自治之道, 而不可曰貞固守此則吝也, 是以必曰於貞正之道爲可吝也. 本義則謂上九有剛極進極之象, 占者伐其私邑, 則雖危而吉且旡咎. 然以極剛治小邑, 雖得其正亦可吝也, 況其不得其正者乎. 兩說不同, 然伐其私邑, 於貞正之道可吝, 故占者得之, 雖正亦可吝也, 兩義亦相須也.
진괘 상구의 '정린(貞吝)'을 『정전』에서는 "곧고 바른 도에 대해서는 부끄럽게 된다"고 하였고, 『본의』에서는 "곧더라도 또한 부끄러울 수 있다"라고 하였다. 『정전』의 여러 예에서는 단지 "곧고 굳게 이를 지키면 부끄럽다"고만 하였는데 여기에서는 바른 도에 대해서는 부끄럽다고 한 것은 읍을 정벌함을 스스로 다스림으로 여겼기 때문이다. 사람이 제 스스로를 다스림에 굳셈이 지극하면 도를 지킴이 더욱 견고해지고, 나아감이 지극하면 선으로 옮겨감에 더욱 빨라지니, 이것은 그것을 허락하였다는 말이다. 제 스스로 다스리는 도를 이미 허락하고 곧고 굳게 이를 지키면 부끄럽다고 말할 수 없으므로 반드시 "곧고 바른 도에 대해서는 부끄럽게 된다"고 하였다. 『본의』에서는 상구는 굳셈이 지극하고 나아감이 지극한 상이 있으니, 점치는 자가 사읍(私邑)을 정벌한다면 비록 위태롭지만 길하고 또 허물이 없다. 그러나 지극히 굳셈으로 작은 읍을 다스린다면 비록 바름을 얻더라도 또한 부끄러울 수 있는데, 하물며 그 바름을 얻지 못한 자는 더욱 그렇다. 두 설명이 같지 않지만 사읍(私邑)을 정벌한다면 곧고 바른 도에 대해서는 부끄럽게 되므로 점치는 자가 이것을 얻으면 비록 바름을 얻더라도 또한 부끄러울 수 있으니, 두 뜻이 또한 서로 밀접하다.

박문호(朴文鎬) 『경설(經說)-주역(周易)』

維用之維, 當讀作惟, 維惟通用.
"오직 사용함[維用]"에서 '유(維)'는 오직 '유(惟)'로 읽어야 하니, '유(維)'와 '유(惟)'가 통용하기 때문이다.

程子貞吝之釋, 小註朱子論其非, 當以本義爲正.
정자의 "곧음에 대해서는 부끄럽다[貞吝]"는 해석에 대해 소주에서 주자가 그 잘못을 논의하였으니, 『본의』를 바른 것으로 보아야 한다.

이병헌(李炳憲) 『역경금문고통론(易經今文考通論)』

程傳曰, 角, 剛而居上之物.
『정전』에서 말하였다: 뿔은 굳세고 위에 달려 있는 부위이다.

虞曰, 坤爲邑.
우번이 말하였다: 곤괘가 읍이 된다.

按, 下伐邑, 則雖危而吉, 以之自正則吝, 由其過中, 而道不能光也. 此卦亦指文紂之事.
내가 살펴보았다: 아래로 읍을 정벌하면 비록 위태롭지만 길하고, 그것으로써 자신을 바르게 하면 부끄러우니, 알맞음을 지나쳐서 도가 밝을 수 없기 때문이다. 이 괘도 문왕과 주왕(紂王)의 일을 가리킨다.

象曰, 維用伐邑, 道未光也.

「상전」에서 말하였다: "읍을 정벌하는 데에만 사용함"은 도가 아직 빛나지 않기 때문이다.

中國大全

傳

維用伐邑, 旣得吉而无咎, 復云貞吝者, 其道未光大也, 以正理言之, 尤可吝也. 夫道旣光大則无不中正, 安有過也. 今以過剛自治, 雖有功矣, 然其道未光大, 故亦可吝, 聖人言盡善之道.

읍을 정벌하는 데에만 사용한다면 이미 길하여 허물이 없게 되는데, 재차 "곧음에 대해서는 부끄럽다"고 말한 이유는 그 도가 아직 광대하지 못하기 때문이니, 올바른 이치로 말을 한다면 더욱 부끄러울 만하다. 무릇 도가 이미 광대해졌다면 중정하지 않음이 없는데 어떻게 허물이 있겠는가? 이제 지나친 굳셈으로 스스로를 다스린다면, 비록 공적이 있더라도 그 도가 광대하지 않기 때문에 또한 부끄러울 만하니, 성인이 선을 다하는 도를 말한 것이다.

小註

龜山楊氏曰, 非日中之時, 剛上窮而不足以照天下, 道未光也, 故維用伐邑而已. 若夫道足以照天下, 則无思不服矣, 尙何伐邑之有.
구산양씨가 말하였다: 한낮의 시기가 아닌데 굳셈이 꼭대기에 있어서 천하를 비춰주기에 부족하니, 도가 아직 광대하지 않기 때문에 읍을 정벌하는 데에만 쓸 따름이다. 만약 그 도가 천하를 비춰줄 수 있다면 복종하지 않음을 걱정할 필요가 없는데, 오히려 읍을 정벌하는 일이 있겠는가?

○ 進齋徐氏曰, 上九之維用伐邑, 所用者小, 而於晉進之道, 未爲光大也.
진재서씨가 말하였다: 상구에서 "읍을 정벌하는 데에만 사용한다"는 말은 쓰이는 바가 작고, 나아가는 도에 대해서 광대하지 못하다.

○ 建安丘氏曰, 上陽體本光, 以四據其應, 陽不得用, 故道未光. 如屯陰爲初九所據, 萃陰爲九四所據, 故九五皆以未光言之. 又曰, 晉, 進也. 柔進而上行也, 故卦專主柔進爲義. 六爻四柔二剛, 六五一柔自四而升, 已進者也, 故往吉无不利. 下坤三柔皆欲進者, 而九四以剛間之, 故有晉如鼫鼠之象. 三與五近, 下接二柔, 志在上行, 四莫能間, 故曰衆允悔亡. 二在下卦之中, 去五漸遠, 則憂其不得進, 故晉如愁如. 初最遠於五, 當進之始, 上與四應, 反爲所抑, 故晉如摧如也. 上以剛居一卦之窮, 无可進之地, 故有晉其角之象.

건안구씨가 말하였다: 상효는 양의 몸체이니 본래 빛나는데 사효가 호응함에 따르고, 양을 사용할 수 없기 때문에 도가 아직 광대하지 못하다. 준괘(屯卦䷂)의 음은 초구에 의지하고, 취괘(萃卦䷬)의 음은 구사에 의지하기 때문에, 구오에서 모두 "아직 빛나지 않는다"는 것으로 말하였다.

또 말하였다: '진(晉)'은 나아간다는 뜻이다. 유순하게 나아가서 위로 행하기 때문에 괘에서는 전적으로 유순하게 나아감을 주로 하는 뜻으로 삼았다. 여섯 효는 가운데 넷이 부드러운 음이고 둘이 굳센 양이어서, 육오의 부드러운 한 음은 사효로부터 올라갔으니, 이미 나아간 자이기 때문에 감에 길하여 이롭지 않음이 없다. 아래 곤괘의 세 부드러운 음은 모두 나아가고자 하는데 구사가 굳셈으로 간여를 하기 때문에 나아감에 쥐와 같은 상이 있다. 삼효와 오효는 가깝고 아래로 두 개의 부드러운 음과 접해 있으며, 그 뜻은 위로 올라가고자 하는데 사효는 간여를 할 수 없기 때문에 "무리가 믿어주니 후회가 없다"고 하였다. 이효는 하괘의 가운데 있고 오효로부터 좀 더 멀리 떨어져 있으니, 나아날 수 없음을 걱정하기 때문에 나아감이 근심스럽게 된다. 초효는 오효와 가장 멀리 떨어져 있으니 나아감의 시작에 해당하는데, 상효와 사효가 호응하며 도리어 억누르기 때문에 나아가거나 물러난다. 상효는 강함으로 한괘의 끝에 있고, 더 나아갈 수 있는 곳이 없기 때문에 뿔에 나아가는 상이 있다.

○ 趙氏曰, 下三爻皆柔順而坤體, 故初二吉三悔亡, 四上以陽不當位, 故厲且吝, 唯五以柔明居尊位, 故往吉无不利也.

조씨가 말하였다: 아래 세 효는 모두 유순하며 곤괘의 몸체가 되기 때문에, 초효 · 이효는 길하며 삼효는 후회가 없고, 사효와 상효는 양으로 그 자리에 합당하지 않기 때문에 사납고 또 부끄러우며, 오직 오효만이 부드럽고 밝음으로 존귀한 자리에 있기 때문에 감에 길하여 이롭지 않음이 없다.

韓國大全

유정원(柳正源) 『역해참고(易解參攷)』

傳, 貞道. 〈案, 貞一作其.〉
『정전』에서의 '곧음[貞]', '도(道)'에 대하여. 〈내가 살펴보았다: '곧음[貞]'은 어떤 곳에서는 '기(其)'로 되어 있다.〉

김규오(金奎五) 「독역기의(讀易記疑)」

象道未光.
「상전」에서 말하였다: 도가 아직 빛나지 않기 때문이다.
似指不可他事, 而但可伐邑之意, 傳卻以貞吝當之. 掇取一節, 包其全爻, 雖其象例, 而此則或恐未然.
다른 일을 해서는 안 되고 다만 읍을 정벌할 수 있다는 뜻을 가리킨 것인데, 『정전』에서는 도리어 "곧음에 대해서는 부끄럽다"고 보았다. 한 절을 선택하여 전체 효를 포함하였는데 비록 그 상의 예이지만 이것은 아마 그렇지 않은 것 같다.

○ 傳, 尤可吝.
『정전』에서 "더욱 부끄러울만 하다"에 대하여.
尤疑宂之訛. 〈解九二傳亦然.〉 下文亦字可見.
'우(尤)'는 유(宂)의 잘못인 것 같고, 〈해괘의 구이의 『정전』에서도 그렇다.〉 아래 문장에서 '역(亦)'자를 볼 수 있다.

○ 丘氏說四據其應, 應字未詳, 豈以四之摧初而言耶. 概謂四居上下之交, 攔住三陰之進, 故上不得其用云也.
구씨는 사효가 그 호응에 의지한다고 하였지만 '호응[應]'이라는 말은 잘 알 수 없으니, 어찌 사효가 초효를 누르는 것으로 말하였겠는가? 사효는 위아래의 효가 교차하는 데 있어 세 음이 나아감을 막는다고 하였으므로 상효가 그 쓰임을 얻을 수 없다고 하는 것이다.

○ 易貴陽賤陰, 獨晉則陽皆厲而陰皆吉, 不但以陰居二五也. 疑晉之爲道, 宜裕而不宜猛而然耳.
『주역』에서는 양을 귀하게 여기고 음을 천하게 여기는데, 진괘에서만 양은 모두 사납고 음은 모두 길하다고 하였으니, 음이 이효와 오효에 있기 때문만은 아니다. 진괘의 도는 넉넉해야 하고 사나워서는 안 되기 때문에 그런 것일 뿐이다.

▌한국주역대전 편찬실

연구책임자 최영진_성균관대 교수, 율곡학회 회장

연구실장 임옥균_성균관대

연구팀장 김학목_고려대

이선경_성신여대

허종은_성균관대

전임연구원 강필선_서일대

김병애_서울시립대

윤종빈_충남대

이경한_성균관대

이상훈_형양사범대

정병섭_전북대

조희영_숭실대

진성수_전북대

최정준_동방문화대

함윤식_성균관대

연구원 김송자_성균관대

단윤진_성균관대

마용철_성균관대

오상현_숭실대

정진욱_성균관대

이윤정_성균관대

김혜일_경희대

이은호_성균관대

한국주역대전 7 리괘·함괘·항괘·돈괘·대장괘·진괘

초판 인쇄 2017년 8월 10일
초판 발행 2017년 8월 30일

엮 은 이 | 한국주역대전 편찬실
펴 낸 이 | 하운근
펴 낸 곳 | 學古房

주　　소 | 경기도 고양시 덕양구 통일로 140 삼송테크노밸리 A동 B224
전　　화 | (02)353-9908 편집부(02)356-9903
팩　　스 | (02)6959-8234
홈페이지 | http://hakgobang.co.kr
전자우편 | hakgobang@naver.com, hakgobang@chol.com
등록번호 | 제311-1994-000001호

ISBN 978-89-6071-687-2 94140
978-89-6071-680-3 (세트)

값 : 1,250,000원 (전14책)

이 도서의 국립중앙도서관 출판예정도서목록(CIP)은 서지정보유통지원시스템 홈페이지(http://seoji.nl.go.kr)와 국가자료공동목록시스템(http://www.nl.go.kr/kolisnet)에서 이용하실 수 있습니다. (CIP제어번호 : CIP2017021786)

■ 파본은 교환해 드립니다.